DEMOCRACIA, JUSTIÇA E CIDADANIA

Desafios e Perspectivas

Homenagem ao Ministro Luís Roberto Barroso

DANIEL CASTRO GOMES DA COSTA
REYNALDO SOARES DA FONSECA
SÉRGIO SILVEIRA BANHOS
TARCISIO VIEIRA DE CARVALHO NETO

Coordenadores

Prefácio

Rosa Weber

DEMOCRACIA, JUSTIÇA E CIDADANIA

Desafios e Perspectivas

Homenagem ao Ministro Luís Roberto Barroso

TOMO 2

PENSANDO AS INSTITUIÇÕES, A JUSTIÇA E O DIREITO

Belo Horizonte

2020

© 2020 Editora Fórum Ltda.

É proibida a reprodução total ou parcial desta obra, por qualquer meio eletrônico, inclusive por processos xerográficos, sem autorização expressa do Editor.

Conselho Editorial

Adilson Abreu Dallari
Alécia Paolucci Nogueira Bicalho
Alexandre Coutinho Pagliarini
André Ramos Tavares
Carlos Ayres Britto
Carlos Mário da Silva Velloso
Cármen Lúcia Antunes Rocha
Cesar Augusto Guimarães Pereira
Clovis Beznos
Cristiana Fortini
Dinorá Adelaide Musetti Grotti
Diogo de Figueiredo Moreira Neto (*in memoriam*)
Egon Bockmann Moreira
Emerson Gabardo
Fabrício Motta
Fernando Rossi
Flávio Henrique Unes Pereira

Floriano de Azevedo Marques Neto
Gustavo Justino de Oliveira
Inês Virgínia Prado Soares
Jorge Ulisses Jacoby Fernandes
Juarez Freitas
Luciano Ferraz
Lúcio Delfino
Marcia Carla Pereira Ribeiro
Márcio Cammarosano
Marcos Ehrhardt Jr.
Maria Sylvia Zanella Di Pietro
Ney José de Freitas
Oswaldo Othon de Pontes Saraiva Filho
Paulo Modesto
Romeu Felipe Bacellar Filho
Sérgio Guerra
Walber de Moura Agra

CONHECIMENTO JURÍDICO

Luís Cláudio Rodrigues Ferreira
Presidente e Editor

Coordenação editorial: Leonardo Eustáquio Siqueira Araújo
Aline Sobreira de Oliveira

Av. Afonso Pena, 2770 – 15º andar – Savassi – CEP 30130-012
Belo Horizonte – Minas Gerais – Tel.: (31) 2121.4900 / 2121.4949
www.editoraforum.com.br – editoraforum@editoraforum.com.br

Técnica. Empenho. Zelo. Esses foram alguns dos cuidados aplicados na edição desta obra. No entanto, podem ocorrer erros de impressão, digitação ou mesmo restar alguma dúvida conceitual. Caso se constate algo assim, solicitamos a gentileza de nos comunicar através do *e-mail* editorial@editoraforum.com.br para que possamos esclarecer, no que couber. A sua contribuição é muito importante para mantermos a excelência editorial. A Editora Fórum agradece a sua contribuição.

Dados Internacionais de Catalogação na Publicação (CIP) de acordo com a AACR2

D383	Democracia, justiça e cidadania: desafios e perspectivas – homenagem ao Ministro Luís Roberto Barroso/ Daniel Castro Gomes da Costa... [et al.] (Coord.).– Belo Horizonte : Fórum, 2020.
	458p.; 17cm x 24cm
	Tomo 2: Pensando as instituições, a justiça e o Direito
	ISBN: 978-85-450-0749-4
	1. Direito Administrativo. 2. Direito Financeiro. 3. Direito Constitucional. 4. Direitos humanos. I. Costa, Daniel Castro Gomes da. II. Fonseca, Reynaldo Soares da. III. Banhos, Sérgio Silveira. IV. Carvalho Neto, Tarcisio Vieira de. V. Título.
	CDD 341.2
	CDU 342

Elaborado por Daniela Lopes Duarte - CRB-6/3500

Informação bibliográfica deste livro, conforme a NBR 6023:2018 da Associação Brasileira de Normas Técnicas (ABNT):

COSTA, Daniel Castro Gomes da; FONSECA, Reynaldo Soares da; BANHOS, Sérgio Silveira; CARVALHO NETO, Tarcisio Vieira de (Coord.). *Democracia, justiça e cidadania*: desafios e perspectivas. Homenagem ao Ministro Luís Roberto Barroso. Belo Horizonte: Fórum, 2020. 458p. t. 2: Pensando as instituições, a justiça e o Direito. ISBN 978-85-450-0749-4.

SUMÁRIO

PREFÁCIO
Rosa Weber..13

AUTOCONTENÇÃO NO SUPREMO TRIBUNAL FEDERAL
JOSÉ ANTONIO DIAS TOFFOLI, ILDEGARD HEVELYN DE OLIVEIRA ALENCAR 15
1   Introdução 15
2   A "judicialização da vida" no Supremo Tribunal Federal e suas implicações 16
3   Algumas doutrinas sobre a autocontenção judicial 19
4   Autocontenção no Supremo Tribunal Federal.. 22
5   Conclusão 25
     Referências 25

CORTES CONSTITUCIONAIS E DEMOCRACIA: O SUPREMO TRIBUNAL FEDERAL SOB A CONSTITUIÇÃO DE 1988
LUIZ FUX..27
     Introdução 27
I   As Cortes Constitucionais e o constitucionalismo global 28
II   A experiência brasileira: o Supremo Tribunal Federal e a guarda da Constituição de 1988.. 32
III   Os limites do poder judicial: diálogos entre o Supremo Tribunal Federal e a sociedade 35
     Conclusão 38
     Referências 39

UMA RELEITURA DO "PRINCÍPIO" DA SUPREMACIA DO INTERESSE PÚBLICO
TARCISIO VIEIRA DE CARVALHO NETO.. 41
1   Localização e problematização do tema 41
2   A função dos princípios na contemporaneidade jurídica... 41
3   Direito Administrativo visceralmente constitucionalizado.. 43
4   Os riscos da aplicação desmesurada de princípios.. 47
5   Impactos dos princípios no sistema (constitucionalizado e não codificado) de Direito Administrativo 49
6   Conteúdo (jurídico) do "princípio" da supremacia do interesse público 52
7   Conclusões.. 55
     Referências 56

MUDANÇAS CONSTITUCIONAIS ENTRE O DIREITO E A POLÍTICA: APORTES DO CASO DOS ESTADOS UNIDOS DA AMÉRICA E DO BRASIL
HUMBERTO EUSTÁQUIO SOARES MARTINS 59
1   Introdução 59
2   As origens da revisão constitucional das leis nos Estados Unidos da América 61
3   O modelo brasileiro de Constituições em continuada reforma por emendas.................. 66
4   Conclusão 69
     Referências 71

BREVES CONSIDERAÇÕES QUANTO AO DESENVOLVIMENTO HISTÓRICO CONSTITUCIONAL DO MINISTÉRIO PÚBLICO NOS 130 ANOS DE REPÚBLICA E OS LIMITES DE SUA ATUAÇÃO JUNTO AO SUPERIOR TRIBUNAL DE JUSTIÇA
MAURO LUIZ CAMPBELL MARQUES 73
     Introdução 73
1   Breves considerações quanto ao tratamento conferido às instituições, notadamente ao Ministério Público, nas constituições repúblicas brasileiras 74
2   Exame da jurisprudência do Superior Tribunal de Justiça e seus impactos na atuação do Ministério Público 78
2.1   Da legitimidade do Ministério Público Estadual para atuar diretamente nos Tribunais Superiores.. 78
2.2   Da legitimidade do Ministério Público para ajuizar ações individuais para o fornecimento de medicamentos... 82
2.3   Da legitimidade do Ministério Público para ajuizar ações de alimentos 82
2.4   Da legitimidade do Ministério Púbico para ajuizar ação civil pública para questionar incentivos fiscais 83
2.5   Das conquistas sociais asseguradas via ação civil pública proposta pelo Ministério Público... 83
2.5.1 Idoso faz jus a desconto de 50% (cinquenta por cento) no valor do ingresso de eventos destinados ao seu lazer.. 83
2.5.2 Obrigatoriedade de as instituições financeiras utilizarem o Sistema Braille nas contratações bancárias estabelecidas com a pessoa com deficiência visual 84
2.5.3 Dos precedentes do Supremo Tribunal Federal que conferem legitimidade ao Ministério Público para propor ação civil pública em defesa de direitos sociais relacionados 85
3   Considerações finais 86
     Referências 86

MONOPÓLIOS PÚBLICOS NA ORDEM ECONÔMICA BRASILEIRA
ALEXANDRE SANTOS DE ARAGÃO 89
I   Conceito e disciplina constitucional 89
II   Monopólios em espécie 92
II.1 Atividades minerárias 93
II.2 Atividades nucleares 94
II.3 Atividades petrolíferas 95
II.3.1 As concessões de E&P 98

II.3.2   O regime jurídico do pré-sal 100
II.3.2.1 Contratos de partilha 101
II.3.2.2 Cessão onerosa 103
II.3.2.3 Conclusão 104

ADVOCACIA PÚBLICA, PRIMEIRO JUIZ DA CAUSA DO PODER PÚBLICO E SUA CONTRIBUIÇÃO NA REALIZAÇÃO DA JUSTIÇA E DO ESTADO DEMOCRÁTICO DE DIREITO
CARLOS MÁRIO DA SILVA VELLOSO 107

I	A Constituição de 1988 e a advocacia pública 107
II	A advocacia pública e os princípios constitucionais da legalidade, da moralidade pública e da impessoalidade 108
III	A consultoria jurídica 109
IV	A advocacia pública, sua independência e a litigiosidade 111
V	Interesse público e interesse do poder público e a instituição de métodos alternativos 112
VI	Conclusão 114

NOTAS SOBRE A TOLERÂNCIA: FUNDAMENTOS, DISTINÇÕES E LIMITES
CLÈMERSON MERLIN CLÈVE, BRUNO MENESES LORENZETTO 115

Introdução 115
1   Fundamentos 117
2   Distinções 122
3   Limites 125
Considerações finais 130
Referências 130

DIREITO E DESENVOLVIMENTO DE ACORDO COM DAVID TRUBEK E AS LIÇÕES DE JOHN RAWLS PARA A SUSTENTABILIDADE
GABRIEL WEDY 133

Introdução 133
1   A Primeira Era: o Estado Desenvolvimentista 134
2   A Segunda Era: desenvolvimento e o Estado (Neo)liberal 135
3   A Terceira Era: direito e desenvolvimento(sustentável) nos nossos dias 137
4   Desenvolvimento e o liberalismo político na concepção de John Rawls 142
5   Desenvolvimento e justiça distributiva 145
6   Contribuição das ideias de John Rawls para os desafios da Terceira Era do Desenvolvimento (sustentável) 147
Conclusão 151
Referências 152

ANÁLISE DE IMPACTO REGULATÓRIO E FALHAS DE REGULAÇÃO
GUSTAVO BINENBOJM 155
I   O que é? 155
II   Para que serve? 156
III   AIR *ex ante* e AIR *ex post* 156
IV   A quem cabe realizar AIR? 156
V   Regulamento: início da vigência, metodologia, obrigatoriedade e dispensa 157
VI   Críticas à AIR e possíveis respostas em sua defesa 158
VII   Conclusões 160

O DEVIDO PROCESSO LEGAL NO DIREITO BRASILEIRO: A ATUALIDADE DA DEFESA DAS GARANTIAS CONSTITUCIONAIS
MARCUS VINICIUS FURTADO COÊLHO 163
I   Introdução 163
II   A garantia ao devido processo legal na história constitucional brasileira 165
III   Devido processo legal e Estado de Direito 167
IV   Considerações finais 171
      Referências 172

"MÁXIMO EXISTENCIAL POSSÍVEL" NO SOPESAMENTO ENTRE O DIREITO FUNDAMENTAL À EDUCAÇÃO SUPERIOR E O INTERESSE PÚBLICO AO EQUILÍBRIO FISCAL
RICHARD PAE KIM, DANIEL DELA COLETA EISAQUI 175
      Introdução 175
1   O direito fundamental à educação à luz da teoria do máximo existencial 176
2   O equilíbrio fiscal como interesse público e sua colisão com direitos fundamentais: a teoria da reserva do possível 183
3   O contingenciamento de verbas às universidades à luz do dever de mitigar o próprio dano 187
      Considerações finais 191
      Referências 193

JURISDIÇÃO PENAL E EFETIVIDADE
ROGERIO SCHIETTI MACHADO CRUZ 197
I   Introdução 197
II   Distância entre o mundo normativo e o mundo real – consequências 198
III   Os frustrados fins do Direito Penal 200
IV   A realidade desafia o sistema de justiça criminal 203
V   Fragilidade normativa do Direito Penal 205
VI   Algumas causas do déficit de efetividade da justiça criminal 208
VII   O sistema penitenciário – triste epílogo da justiça criminal 210
VIII   Encaminhamento reflexivo 214
      Referências 216

O DIÁLOGO INSTITUCIONAL ENTRE OS PODERES LEGISLATIVO E JUDICIÁRIO: O CONTEXTO DA JUDICIALIZAÇÃO DA POLÍTICA E A MUDANÇA DO PARADIGMA DA "ÚLTIMA PALAVRA DECISÓRIA"
PATRÍCIA CERQUEIRA KERTZMAN SZPORER, MAURÍCIO KERTZMAN SZPORER, VALMIR CHAVES DE OLIVEIRA NETO 219

1	Introdução	219
2	Os "chavões" teóricos e a terceira via: diálogo entre os poderes	221
3	O diálogo institucional e o paradigma da "última palavra decisória"	224
4	Espécies de diálogo institucional: "pacífico" x "estocada e bloqueio"	227
5	Considerações finais	230
	Referências	231

O SUPREMO TRIBUNAL FEDERAL EM MOVIMENTO: A INTRODUÇÃO DA VOTAÇÃO DE TESES E O ENCONTRO COM A TEORIA DOS PRECEDENTES
PATRÍCIA PERRONE CAMPOS MELLO 233

	Palavras iniciais: O Ministro e o Professor	233
	Introdução	234
1	Os diferentes modelos colegiados de decisão	237
2	O modelo colegiado de decisão do Supremo Tribunal Federal	240
3	A introdução da votação das teses	241
4	O encontro com a teoria dos precedentes	244
	Conclusão	248
	Referências	248

MINISTÉRIO PÚBLICO E SUAS *ONDAS EVOLUTIVAS*
ANTÔNIO AUGUSTO BRANDÃO DE ARAS, CARLOS VINÍCIUS ALVES RIBEIRO 251

I	Notas introdutórias	251
II	A primeira onda evolutiva: em busca da identidade institucional	251
III	A segunda onda: o construcionismo institucional	254
IV	A terceira onda: o Ministério Público da Constituição de 1988	256
V	Uma nova onda de mudanças se avizinha	259
	Referências	262

EVOLUÇÃO DO CONTROLE DE CONVENCIONALIDADE NA PROTEÇÃO DOS DIREITOS HUMANOS
RENATA GIL, RENEE DO Ó SOUZA, MARCELLE RODRIGUES DA COSTA E FARIA ... 267

1	Introdução	267
2	Hodierno sistema de proteção dos direitos do homem	268
3	Direito Internacional Público e Direito Interno Estatal	269
4	Poder Judiciário como responsável pelo controle de convencionalidade das normas de direitos humanos	271
5	Exemplo de controle de convencionalidade no Brasil – a incompatibilidade da nova Lei de Abuso de Autoridade com o dever de tutela penal inserido na Convenção Interamericana de Direitos Humanos	274

6	Conclusão	277
	Referências	277

A FUNÇÃO SOCIAL DO PODER JUDICIÁRIO E O PAPEL DAS ESCOLAS JUDICIÁRIAS NA CONTEMPORANEIDADE
ANGELA ISSA HAONAT 279

Introdução 279
O (re)surgimento do Direito Constitucional 280
Carreiras jurídicas e currículos dos cursos de Direito 281
Das escolas judiciárias antes e depois da EC nº 45/2004 284
Objeto de análise: Escola da Magistratura Tocantinense (ESMAT) 286
Considerações finais 288
Referências 288

A TUTELA JURISDICIONAL CONFERIDA AOS DEMANDISTAS SINGULARES – NOVA MINORIA DO ESTADO BRASILEIRO. A VERTENTE DE ACELERAÇÃO DA ESTABILIDADE JURISPRUDENCIAL DO ARTIGO 926 DO CPC, DIANTE DO EXCESSO DE DEMANDAS EM MASSA E/OU AÇÕES PREDATÓRIAS
ALEXANDRE AGUIAR BASTOS 291

	Introdução	291
1	Acesso ao Judiciário (*heterocomposição*)	292
2	O sistema de precedentes e a otimização da heterocomposição	296
3	A alteração do perfil das demandas – excesso e ações predatórias – fenômenos sociais econômicos	298
4	A estabilidade jurisprudencial do artigo 926 do CPC com os olhos voltados à realidade social	301
	Conclusão	307
	Referências	309

MULTIPLICANDO LITÍGIOS: A ELEIÇÃO DA MÉTRICA SENTENÇAS-POR-MINUTO COMO UM MEIO SEM FIM. QUE LIÇÕES PODEMOS EXTRAIR DA INSOLVÊNCIA DA UNIMED PAULISTANA?
**ALEXANDRE JORGE CARNEIRO DA CUNHA FILHO,
ALEXANDRA FUCHS DE ARAÚJO** 311

1	Introdução – o problema das lides repetitivas	311
2	O Judiciário sob a pressão dos números	312
3	O caso da liquidação extrajudicial da Unimed Paulistana	317
3.1	Em que ponto avançamos?	319
3.2	O que ficou por fazer?	321
4	Perspectivas: ação estrutural?	323
5	Conclusão	324
	Referências	326

OS LIMITES DA CONSTITUCIONALIZAÇÃO DO DIREITO ADMINISTRATIVO
CAROLINE MARIA VIEIRA LACERDA 329
1 A constitucionalização do Direito 329
1.1 A valorização dos princípios constitucionais à luz da constitucionalização do Direito 333
2 A constitucionalização do Direito Administrativo e a necessidade de revisitação de seus paradigmas clássicos 335
3 Limites da constitucionalização do Direito Administrativo 342
4 Conclusões 345
   Referências 347

A INVESTIGAÇÃO CRIMINAL PELO MINISTÉRIO PÚBLICO NA VISÃO DO SUPREMO TRIBUNAL FEDERAL
ALEXANDRE MAGNO BENITES DE LACERDA 349
1 O Ministério Público: Constituição Federal de 1988 349
2 Investigação criminal no Brasil 350
2.1 Conceito, finalidade e destinatários da investigação criminal 350
2.2 Investigação policial: inquérito policial 351
2.3 Investigação extrapolicial: instrumentos investigatórios diversos do inquérito policial 352
3 O Ministério Público e a investigação criminal direta – legislação e doutrina 353
3.1 Argumentos contrários à investigação criminal pelo Ministério Público 354
3.2 Argumentos favoráveis à investigação criminal pelo Ministério Público 356
4 O Ministério Público e a investigação criminal direta – visão do Supremo Tribunal Federal 363
4.1 Evolução da jurisprudência no Supremo Tribunal Federal sobre o tema 363
4.2 Posição atual do Supremo Tribunal Federal sobre o tema (RE nº 593.727-MG, repercussão geral, Pleno) 365
5 Conclusão 372
   Referências 373

JURISDIÇÃO CONSTITUCIONAL ADMINISTRATIVA: EXPERIÊNCIA BRASILEIRA À LUZ DO MODELO FRANCÊS
BENEDITO GONÇALVES, ANA LUCIA PRETTO PEREIRA 377
1 Introdução 377
2 Jurisdição administrativa no modelo francês 377
3 Jurisdição administrativa na experiência brasileira 379
3.1 O caso do Conselho Nacional do Ministério Público 381
3.2 O caso do Conselho Nacional de Justiça 383
4 Conclusão 386
   Referências 386

A LIBERDADE DE EXPRESSÃO: UM DIREITO DE OFENDER?
BRUNO LEONARDO CÂMARA CARRÁ, KAMILE CASTRO 389
1 Introdução 389
2 Liberdade de pensamento e expressão: da cidade antiga aos dias atuais...................... 390
3 Liberdade e responsabilidade 393
4 Um direito para incomodar...ou mesmo ofender?.. 398
5 Conclusão 402
   Referências 403

O CRESCIMENTO DOS *HABEAS CORPUS* NO SUPERIOR TRIBUNAL DE JUSTIÇA
SEBASTIÃO ALVES DOS REIS JÚNIOR 405

OS TRIBUNAIS DE CONTAS NO CUMPRIMENTO DE SUA FUNÇÃO SOCIAL E O REPENSAR SOBRE SUAS COMPETÊNCIAS E SUA FORMA DE ATUAÇÃO
RONALDO CHADID 413
   Introdução 413
1 A formação do Estado pelas diversas formas de atuação do Poder......................414
2 A separação de poderes (funções) e os diversos órgãos que compõem o núcleo da organização do Estado 416
3 Consolidação institucional dos Tribunais de Contas nas Constituições 420
4 Funções dos Tribunais de Contas... 424
5 Repensando os Tribunais de Contas... 425
5.1 Eficiência pedagógica 426
5.2 Cautelares 426
5.3 A atuação concomitante 427
5.4 Gestão de riscos... 427
5.5 Termos de ajustamento de gestão... 428
   Conclusão 429
   Referências 430

ASSIMETRIAS REGULATÓRIAS FEREM O PRINCÍPIO DA ISONOMIA? PARÂMETROS E PERSPECTIVAS CONSTITUCIONAIS
JORGE OCTÁVIO LAVOCAT GALVÃO, GABRIEL CAMPOS SOARES DA FONSECA.. 433
   Introdução 433
1 O princípio da isonomia na Constituição de 1988 434
1.1 O princípio da isonomia na doutrina nacional 436
1.2 O princípio da isonomia na jurisprudência nacional.................................... 440
2 Assimetrias regulatórias... 442
3 Assimetrias regulatórias e o princípio da isonomia....................................... 445
   Considerações finais 447
   Referências 448

SOBRE OS COORDENADORES 451

SOBRE OS AUTORES 453

PREFÁCIO

A presente obra – *Democracia, justiça e cidadania: desafios e perspectivas* –, organizada com maestria em homenagem ao Ministro Luís Roberto Barroso, é um convite à reflexão, sob lentes atuais, a respeito de assuntos sensíveis e caros à nossa sociedade, como a democracia brasileira nos cento e vinte anos da República, o Direito Eleitoral e a reforma política.

Para além da qualidade dos textos, de juristas renomados, seu diferencial, a justificar este prefácio, é o homenageado, cujo brilhantismo desperta permanentemente a admiração dos que com ele dividem experiências ou vivenciam trabalho, responsabilidades ou mesmo lazer, em real aprendizado!

Luís Roberto é mestre por excelência, com a clareza de seu pensamento, a objetividade do discurso e a rara habilidade de tornar de fácil compreensão as questões mais complexas! Os temas abordados neste livro denotam-lhe o perfil criativo e fecundo, em seu inabalável projeto de pensar o nosso país e propor caminhos para o seu aperfeiçoamento, com efetivo avanço civilizatório! Aliás, é nosso homenageado que se define como professor que *está* Ministro do Supremo Tribunal Federal! E, acrescento, Ministro do Tribunal Superior Eleitoral, a exercer a Vice-Presidência da Casa.

Esse professor insigne, nascido em Vassouras/RJ, querido na sua tão amada Universidade do Estado do Rio de Janeiro – UERJ, com admirável produção acadêmica, apreciador de vinhos, da boa música e de poesia, amigo de seus amigos, cativante em sua gentileza e que constitui com Tereza, Luna e Bernardo uma família adorável, honrou por vários anos os quadros da advocacia e da Procuradoria Geral do Estado do Rio de Janeiro e se consolidou – não poderia ser diferente – como grande juiz!

Nomeado, em 2013, ao cargo de Ministro do Supremo Tribunal Federal, chegou ao Tribunal Superior Eleitoral em 2014 como Ministro substituto e, em 2018, como Ministro titular. Desde então destacado é o seu atuar no Tribunal da Democracia, com participação ativa em julgamentos que contribuíram para o fortalecimento do regime democrático entre nós. Lembro-me, dentre outros, dos relativos a registros de candidatura para as eleições de Presidente e Vice-Presidente da República, nepotismo em listas tríplices para juízes da classe dos juristas dos Tribunais Regionais Eleitorais, desvio de finalidade nas verbas destinadas às candidaturas femininas, litisconsórcio passivo em Ações de Investigação Judicial Eleitoral, ausência de nulidade na instauração de inquéritos policiais sem supervisão do TRE em caso de foro por prerrogativa de função e jurisdição penal da Justiça Eleitoral quanto aos crimes comuns conexos em cumprimento à decisão do STF no Inquérito 4435.

Às vésperas de assumir a Presidência do Tribunal Superior Eleitoral, dúvida não há de que, com sua experiência pessoal e profissional, Luís Roberto Barroso conduzirá as eleições municipais de 2020 com firmeza, segurança e brilho! Estaremos todos – o Brasil estará – em excelentes mãos!

É de Zygmunt Bauman a afirmação de que os laços afetivos são uma bênção, em especial pela cumplicidade e pelos aspectos prazerosos que suscitam! Eu me sinto particularmente abençoada por compartilhar com Luís Roberto Barroso a bancada do Supremo Tribunal Federal e por contar com sua companhia iluminada na administração do Tribunal Superior Eleitoral, privilégio de poucos!

Ao querido homenageado, meu agradecimento afetuoso, minha admiração!

E, a você, leitor, votos de que saboreie esta obra *comme il faut*! Ela veio para enriquecer a literatura jurídica brasileira!

Rosa Weber
Ministra do Supremo Tribunal Federal.
Ministra-Presidente do Tribunal Superior Eleitoral.

AUTOCONTENÇÃO NO SUPREMO TRIBUNAL FEDERAL

JOSÉ ANTONIO DIAS TOFFOLI

ILDEGARD HEVELYN DE OLIVEIRA ALENCAR

1 Introdução

Em 2019, o Supremo Tribunal Federal proferiu 114.154 decisões, entre monocráticas e colegiadas. Foram mais de 17 mil decisões colegiadas proferidas pelas Turmas e pelo Plenário – média de mais de 1.400 processos julgados colegiadamente por mês. Desde a Resolução nº 642, de junho de 2019,[1] do STF, que ampliou as categorias de processos que podem ser julgados no Plenário Virtual, a produtividade dos órgãos colegiados do Tribunal deu um salto. Em apenas cinco meses de vigência da resolução, foram julgados virtualmente 209 processos quanto ao mérito.

Nenhuma suprema corte no mundo julga tantos processos. Esses números refletem o grande volume de processos que chegam ao Tribunal, revelando uma grande judicialização dos conflitos sociais, políticos, econômicos e culturais – a "judicialização da vida", para utilizar a expressão do Ministro Roberto Barroso, homenageado nesta obra.

Desde a Constituição de 1988, a Suprema Corte do país tem sido intensamente acionada para examinar toda sorte de questões: de natureza jurídica, política, social, econômica, cultural e moral.

No entanto, muitas dessas demandas poderiam ser solucionadas por outras vias institucionais, deixando ao Supremo Tribunal Federal a análise das questões de maior relevância e repercussão. A Corte, nesse mesmo sentido, deve ter condições de calibrar a extensão de seu trabalho mediante o exercício da autocontenção, elemento inerente à jurisdição constitucional, visto que decorre do próprio ideal democrático. Ocorre que os critérios de admissibilidade atualmente disponíveis ao Tribunal não atendem a contento esses objetivos.

---

[1] Essa resolução tornou possível, a critério do relator do processo, a análise, em ambiente eletrônico, de medidas cautelares em ações de controle concentrado, referendos de medidas cautelares e de tutelas provisórias, bem como de processos cuja matéria discutida tenha jurisprudência dominante na Corte.

Tendo isso em vista, o presente texto está estruturado em três partes. Na primeira delas há uma reflexão a respeito das implicações da alta judicialização no Supremo Tribunal Federal. Na segunda, analisam-se algumas teorias a respeito dos limites do *judicial review* e da autocontenção. Na terceira e última parte, há reflexões sobre os mecanismos disponíveis ao STF para o exercício da autocontenção, propondo-se que a Corte adote como requisito geral de admissibilidade de processos o critério da relevância, a partir de balizas que venham a ser definidas em lei.

2 A "judicialização da vida" no Supremo Tribunal Federal e suas implicações

A intensa judicialização que se observa nos dias de hoje é reflexo, em certa medida, da alta conflitualidade presente na complexa e massificada sociedade do século XXI, como afirma Kazuo Watanabe.[2] Soma-se a isso uma Constituição que toca praticamente em todos os ramos da vida social, tutelando amplamente os direitos individuais, coletivos, sociais, econômicos e culturais do cidadão, ao passo que franqueia amplos meios de acesso ao Poder Judiciário para a defesa de seus direitos.

A Constituição de 1988 delineia uma extensa e complexa estrutura judiciária, composta por 90 tribunais, na qual tramitam 78,6 milhões de processos judiciais. Cada um dos 18.141 juízes do país decide, em média, 1.877 processos por ano, o que corresponde a 8 casos solucionados por dia útil, segundo dados do *Justiça em Números 2019*, produzido pelo Conselho Nacional de Justiça. Todos os processos que tramitem nas instâncias ordinárias e que versem sobre matéria constitucional têm aptidão para chegar ao STF via recurso, competência já atribuída ao Supremo Tribunal Federal pelas constituições republicanas anteriores.

A par dessa competência recursal, a Constituição ampliou significativamente os meios de acesso ao Supremo Tribunal Federal. A antiga representação de inconstitucionalidade, que fora criada pela Emenda Constitucional nº 16/1965 e que tinha como único legitimado o Procurador-Geral da República (à época vinculado ao Poder Executivo Federal), foi sucedida pela ação direta de inconstitucionalidade, para cuja propositura está legitimado um amplo rol de autoridades, órgãos e entidades, o qual está previsto no art. 103 da Constituição.

Reformas constitucionais e legislativas posteriores ainda ampliaram o sistema instituído em 1988. A Emenda Constitucional nº 3/1993, por exemplo, inseriu na Constituição a ação declaratória de constitucionalidade de lei ou ato normativo federal e a Lei nº 9.882/1999 regulamentou a arguição de descumprimento de preceito fundamental – prevista no texto constitucional original –, possibilitando sua utilização para o questionamento de qualquer "ato do Poder Público" (art. 1º) perante o STF. Todas essas ações têm como rol de legitimados aquele previsto no art. 103 da Constituição.

Segundo o relatório *Supremo em Números*, produzido pela Fundação Getúlio Vargas, de 1988 a 2009 o acesso ao Supremo Tribunal Federal foi viabilizado por 52 (cinquenta e dois) tipos de processos diferentes. Conforme destacaram os autores do

---

[2] WATANABE, Kazuo. Acesso à justiça e sociedade moderna. *In*: GRINOVER, Ada Pellegrini, DINAMARCO, Cândido Rangel; WATANABE, Kazuo (Coord.). *Participação e Processo*. São Paulo: Revista dos Tribunais.

estudo, "[d]as grandes cortes judiciais do mundo ocidental, o Supremo é provavelmente a que oferece a maior multiplicidade de acesso".[3] Os processos recebidos pelo Supremo Tribunal são majoritariamente de origem recursal (92%).

Como resultado dessa confluência de fatores, todo tipo de conflito tem aptidão de chegar ao STF – muitas vezes, antes mesmo de o conflito efetivamente se instaurar –, o que redundou na sensível elevação do número de demandas propostas perante o Tribunal após 1988. Em 1988 – ano da promulgação da nossa Constituição – a Suprema Corte brasileira recebeu em torno de 20 mil processos. Em 2019, foram recebidos 92.147.

Apesar dos resultados positivos gerados pelas mudanças promovidas pela Emenda Constitucional nº 45/2004, especialmente com a introdução do instituto da repercussão geral, o número total de processos recebidos pelo STF continua alto. Nenhuma outra Corte Constitucional ou Suprema Corte no mundo recebe quantidade tão elevada de processos. A judicialização na mais alta Corte do país parece ter se tornado a *prima ratio*, e não a *ultima*.

Nesse cenário, a Corte tem sido chamada a decidir inúmeras questões de natureza política, econômica, social e moral, firmando-se, assim, como grande moderadora dos conflitos nacionais. No diagnóstico de Marcos Paulo Verissimo, a Constituição de 1988 "colocou o STF em uma posição de absoluto destaque na política nacional, transformando-o em um órgão que passou, pouco a pouco, a agir declaradamente como uma das mais importantes instâncias políticas da nação".[4] Essa atuação ficou ainda mais acentuada nos últimos anos.

A expansão do poder do Supremo Tribunal Federal não é um fenômeno sem paralelo no mundo. Há uma vasta literatura sobre a expansão dos poderes incumbentes aos tribunais constitucionais e às supremas cortes e, por consequência, sobre o avanço da jurisdição dessas altas cortes em detrimento dos Poderes Legislativo e Executivo.[5] Alguns estudiosos sustentam que essa expansão judicial decorre do aumento dos interesses de mercado em plano global.[6] Com isso, querem dizer que, em alguns países, os investidores passaram a considerar os tribunais os melhores interlocutores em sua busca por garantir segurança jurídica, previsibilidade e estabilidade, em oposição às instituições legislativas. Para outros estudiosos, a expansão judicial decorre da crise atual do sistema representativo e de sua dificuldade de cumprir promessas constitucionais, muitas vezes em razão de entraves políticos próprios de sistemas que adotam sistemas pluripartidários. Outros afirmam que o avanço da jurisdição constitucional dessas Cortes se deu sobretudo como consequência do próprio sistema de controle de constitucionalidade, pensado para garantir posições políticas, atuando como uma espécie de seguro.[7]

---

[3] FALCÃO, Joaquim; CERDEIRA, Pablo de Camargo; ARGUELHES, Diego Werneck. *I Relatório Supremo em Números*: O Múltiplo Supremo. FGV Rio, 2011, p. 18.
[4] VERISSIMO, Marcos Paulo. A constituição de 1988, vinte anos depois: suprema corte e ativismo judicial "à brasileira". *Revista Direito GV*, v. 4, n. 2, p. 407-440, 2008.
[5] TATE, Neal; VALLINDER, Torbjörn (Org.). *The Global Expansion of Judicial Power*. New York: New York University Press, 1995.
[6] HIRSCHL, Ran. *Towards Juristocracy*: The Origins and Consequences of the New Constitutionalism. Cambridge: Harvard University Press, 2009.
[7] GINSBURG, Tom. *Judicial Review in New Democracies*: Constitutional Courts in Asian Cases. New York: Cambridge University Press, 2003.

Essa expansão, evidentemente, é ainda mais significativa em países – como o nosso – que adotam constituições com compromissos sociais ambiciosos, um amplo rol de direitos fundamentais e uma contínua "constitucionalização do direito", resultante em uma hiperconstitucionalização.[8]

Seja qual for a justificativa para a alta judicialização no Supremo Tribunal Federal, é necessário refletir acerca de suas implicações. Dela decorre uma imensa carga de trabalho para seus onze Ministros, tanto do ponto de vista quantitativo quanto do ponto de vista qualitativo (os processos são numerosos e seus temas, bastante complexos). No entanto, muitas das demandas que chegam ao Tribunal poderiam ser solucionadas em outras instâncias ou esferas de Poder, judiciais ou não judiciais. São casos que aportam na Corte antes mesmo que o debate judicial ou político tenha amadurecido, ou mesmo iniciado, em outras vias.

O Supremo Tribunal Federal vem sendo acionado, cada vez mais, para analisar atos ligados às competências, à organização e ao funcionamento dos demais Poderes. A utilização do STF como instância recursiva da arena política acaba alimentando um deslocamento da autoridade do sistema representativo para o sistema judiciário.

Segundo dados levantados pela Secretaria de Gestão Estratégica do STF, os partidos políticos foram responsáveis pelo ajuizamento de 20% de todas as ações de controle concentrado propostas perante o Tribunal nos últimos 25 anos (1995-2019). Um percentual extremamente significativo quando se considera que tais ações podem ser propostas por nove categorias diferentes de legitimados (art. 103 da CF/88). Há uma tendência, portanto, de extensão ao STF do debate acerca de temas ou proposições que não conseguem avançar no contexto da política majoritária.

Some-se a isso o fato de que, por meio do controle abstrato de constitucionalidade, o Supremo Tribunal Federal pode ser instado a derrubar leis e atos normativos estaduais e municipais antes mesmo de eles produzirem efeitos nos entes federativos, esvaziando a chance de um profícuo experimentalismo democrático e federativo, no qual as unidades federativas tenham maior liberdade para experimentar soluções com potencial para serem replicadas por outras.[9]

Não obstante esses tensionamentos, a Corte tem exercido com desvelo seu nobre papel de guardiã da Constituição Federal. Tem pacificado conflitos, estabilizado as relações institucionais e estabelecido diretrizes de ação para as instituições e para a sociedade, promovendo segurança jurídica e tutelando direitos e garantias fundamentais, notadamente os direitos das minorias.

Não entanto, precisamos refletir sobre os limites institucionais à atuação do Tribunal, com vistas ao aprimoramento da prestação jurisdicional e, de forma mais abrangente, da jurisdição constitucional no país, tendo em mente a relação do Tribunal com os demais Poderes da República e o equilíbrio institucional democrático. As doutrinas americanas a respeito da autocontenção judicial fornecem valiosos insumos para essa reflexão. Por isso, abordaremos algumas delas a seguir.

---

[8] VIEIRA, Oscar Vilhena. *A Batalha dos Poderes*. São Paulo: Companhia das Letras, 2018.
[9] DORF, Michael C.; SABEL, Charles F. A Constitution of Democratic Experimentalism. *Columbia Law Review*, vol. 98, n. 2, p. 297-47, 19983.

3 Algumas doutrinas sobre a autocontenção judicial

Conforme aponta Flávia Santiago Lima,[10] as primeiras teorias de referência acerca do papel político da Suprema Corte e dos limites de sua atuação têm como ponto de partida a atuação da Corte Warren – expressão que designa o período no qual a Suprema Corte americana foi conduzida pelo *Chief Justice* Earl Warren (1953-1969). A fase foi marcada pela produção de uma jurisprudência profícua em defesa das liberdades civis, das garantias do processo criminal e do princípio da igualdade, sobretudo a partir da validação de políticas antidiscriminação.

Flávia Santiago destaca, como representativas desse primeiro período de discussões teóricas, as teses de Herbert A. Wechsler, Alexander Bickel e John Hart Ely, que tiveram como pano de fundo fático e fonte de inspiração a acentuação do ativismo exercido pela Corte Warren durante a década de 60.

O texto de referência de Herbert A. Wechsler acerca do tema é o *Toward Neutral Principles in Constitutional Law*, publicado em 1959. O autor parte da premissa de que o desenvolvimento do sistema jurídico aumenta as chances de intervenção judicial. Para amenizar essa dificuldade, sugere que sejam estabelecidos critérios de atuação para as Cortes, de modo que não avancem sobre as atribuições do parlamento e não atuem como terceiro órgão legislativo, visto que, em uma democracia, o parlamento deve ser proeminente.

O autor diferencia a atividade legislativa da atividade judicial a partir da forma como os princípios são utilizados em cada uma dessas searas. No Legislativo, eles são utilizados como uma ferramenta adicional, em meio a argumentos não jurídicos de natureza pragmática, que consideram a relação entre meios e fins. As decisões judiciais, diferentemente, consideram todos os aspectos exclusivamente jurídicos do caso, transcendendo a questão do resultado imediato do julgado. Tal como sintetiza Flávia Santiago, "[a] virtude ou demérito de uma decisão deriva das razões em que se fundamenta e de sua adequação para manter a ordem de valores ali representada".[11] Nisso se assentaria a neutralidade do Tribunal e a sua autorrestrição.

Em 1962, Alexander Bickel publicou o livro *The Least Dangerous Branch: the Supreme Court at the Bar of Politics*, um clássico da literatura acerca da autocontenção. Alexander reconhece a grande importância da Suprema Corte Americana na proteção dos princípios fundamentais da sociedade. No entanto, ele considera o *judicial review* uma instituição essencialmente desviante da democracia americana, por atuar como uma força contramajoritária dentro do sistema político. Por isso, o êxito da revisão judicial dependeria da aceitação popular das decisões proferidas pela Corte.[12]

Assim como Wechsler, Bickel se dedica a estabelecer os fatores distintivos entre a atuação das Cortes e a dos órgãos de natureza política. Afirma que não cabe à Suprema Corte satisfazer necessidades imediatas da sociedade, papel que é exercido pelos representantes eleitos. Seu papel seria reafirmar e manter os valores gerais duradouros

---

[10] LIMA, Flávia Santiago. *Jurisdição Constitucional e Política*: ativismo e autocontenção no STF. Curitiba: Juruá Editora, 2014.
[11] LIMA, Flávia Santiago. *Jurisdição Constitucional e Política*: ativismo e autocontenção no STF. Curitiba: Juruá Editora, 2014. p. 69.
[12] LIMA, Flávia Santiago. *Jurisdição Constitucional e Política*: ativismo e autocontenção no STF. Curitiba: Juruá Editora, 2014. p. 69.

da sociedade. Seria sob esse aspecto que sua atuação se diferenciaria do agir político. Os políticos decidem com base em juízos de conveniência e oportunidade, ao passo que os tribunais decidem fundamentados em princípios. A Corte teria um papel educador acerca dos valores da sociedade.

No entanto, na sua tarefa de defender, definir e refinar princípios, a Corte também deve obter consentimento público. Surge, então, uma tensão. Para conciliar a proteção dos princípios fundamentais com a aceitação popular das decisões, o Tribunal deveria dispor das chamadas *virtudes passivas*, "técnicas doutrinárias que [...] permitem postergar a apreciação de questões problemáticas até que a sociedade tenha tido tempo para lidar com elas".[13]

Tal como evidencia Flávia Santiago, as virtudes passivas nada mais são do que "argumentos jurídicos – geralmente de cunho processual – que facultam à corte eximir-se da apreciação de um caso que lhe fora submetido",[14] tais como a ausência de legitimidade do autor, a incompetência do órgão julgador, a doutrina das questões políticas etc. São argumentos de que dispõe a Corte para deixar às instituições de cunho eleitoral a condução da política. O uso das virtudes passivas pela Suprema Corte revela uma consciência acerca de suas próprias limitações dentro da dinâmica democrática.

Alexander Bickel demonstra como uma das vantagens da utilização das virtudes passivas o fato de que se evita que o Tribunal tome posição sobre determinados temas contrariando a opinião pública ou os poderes majoritários, mantendo-se, assim, fiel a seu papel de guardião dos princípios constitucionais. No entanto, deve-se reconhecer que a natureza contramajoritária é, na verdade, uma virtude da jurisdição constitucional, proporcionando às minorias que afirmem seus direitos diante das maiorias. Ademais, em uma democracia constitucional, o princípio majoritário deve ser relativizado sempre que isso for necessário à afirmação dos valores fundamentais da Constituição, sendo essa uma tensão inerente à jurisdição constitucional.

John Hart Ely, por seu turno, defende o potencial democrático do controle judicial na obra *Democracy and Distrust: a theory of judicial review*, publicada em 1980. Considera esse mecanismo um meio de assegurar a justiça nos processos democráticos.[15] Segundo esse autor, a Constituição é um guia da atividade política e o Direito Constitucional existe para as situações em que o governo representativo não inspire confiança.[16] Nesse quadro, é papel do Poder Judiciário assegurar a igualdade de participação nos processos deliberativos, garantindo que a maioria não tire vantagens ou se sobreponha à minoria. Trata-se, portanto, de uma teoria procedimentalista da interpretação constitucional.

Conforme anota Flávia Santiago, para Ely o sistema representativo funciona mal quando os partícipes obstruem canais de mudança para manter seu *status quo* ou, mesmo permitindo voz e voto a todos, mantêm minorias em situação de desvantagem,

---

[13] LIMA, Flávia Santiago. *Jurisdição Constitucional e Política*: ativismo e autocontenção no STF. Curitiba: Juruá Editora, 2014. p. 69.

[14] LIMA, Flávia Santiago. *Jurisdição Constitucional e Política*: ativismo e autocontenção no STF. Curitiba: Juruá Editora, 2014. p. 74.

[15] LIMA, Flávia Santiago. *Jurisdição Constitucional e Política*: ativismo e autocontenção no STF. Curitiba: Juruá Editora, 2014. p. 83.

[16] LIMA, Flávia Santiago. *Jurisdição Constitucional e Política*: ativismo e autocontenção no STF. Curitiba: Juruá Editora, 2014. p. 83.

negando-lhes proteção. Essas situações justificariam a interferência judicial. Os juízes devem ser os árbitros das regras do jogo político, mas devem interferir somente quando um time estiver ganhando com uma vantagem injusta.[17] A atuação do Poder Judiciário se justificaria também nos casos em que os canais de mudança política fossem obstruídos por determinado grupo para garantir sua continuidade no poder, com a exclusão dos demais.

Dentre as teorias atuais acerca dos limites do *judicial review*, destaco a tese de Mark Tushnet, por ressaltar a importância do diálogo entre poderes para o avanço da democracia. No texto *Weak courts, strong rights: judicial review and social welfare rights in comparative constitutional law*,[18] Mark Tushnet diferencia o controle de constitucionalidade forte do controle fraco. No sistema forte, as interpretações judiciais da constituição seriam finais e não revisáveis pelas maiorias legislativas ordinárias. No sistema fraco, haveria mecanismos rapidamente acionáveis pelo Legislativo para a alteração do entendimento judicial. O que separa os dois modelos é o aspecto temporal da resposta que os parlamentares podem dar às Cortes.

Mark Tushnet realiza um estudo comparativo das experiências da Nova Zelândia, da Inglaterra e do Canadá, detalhando as variações na forma fraca de controle de constitucionalidade. Ele demonstra que o controle fraco é o que mais propicia o diálogo entre os poderes, a partir de uma sistemática de não intervenção e de não centralização. Os tribunais se abrem ao jogo institucional, deixando espaços em suas decisões que podem ser preenchidos por nova atividade legislativa. A intensidade de trocas entre os Poderes geraria, segundo o autor, melhores decisões e melhores leis.

A diferença fundamental entre as primeiras correntes teóricas e a tese de Tushnet é que esta aborda a autocontenção judicial como mecanismo indutor da delibação democrática. No caso do Poder Judiciário, o foco deixa de ser postergar a solução para outro momento – ou encaminhá-la a outra seara – e passa a ser provocar o Legislativo para que se ocupe do problema, promovendo as regulações pertinentes.

Há um exemplo recente disso no Supremo Tribunal Federal. Ao examinar a constitucionalidade do art. 283 do Código de Processo Penal, que condiciona o início do cumprimento da pena ao trânsito em julgado da sentença penal condenatória, o Tribunal deixou espaço para que o Congresso Nacional possa definir um novo termo para o início da execução da pena, desde que compatível com a Constituição de 1988 (ADC nº 43, 44 e 54, julgadas em 7 de novembro de 2019).

Todas essas teorias citadas têm a virtude de chamar a atenção para o fato de que as supremas cortes estão inseridas em um ambiente político-democrático qualificado por uma distribuição de competências entre três Poderes, no qual o princípio majoritário exerce muita influência, sendo recomendável se pensar em mecanismos que estimulem que o Tribunal mantenha a devida deferência em relação aos demais Poderes sempre que isso se mostrar necessário.

---

[17] LIMA, Flávia Santiago. *Jurisdição Constitucional e Política*: ativismo e autocontenção no STF. Curitiba: Juruá Editora, p. 87.

[18] TUSHNET, Mark. *Weak courts, strong rights*: judicial review and social welfare rights in comparative constitutional law. Princeton University Press, 2009.

4 Autocontenção no Supremo Tribunal Federal

A autocontenção é um elemento inerente à jurisdição constitucional, tanto que esteve presente no célebre julgamento do caso Marbury vs. Madison (1805), o qual simboliza a instituição do *judicial review*. Embora o juiz Marshall tenha afirmado, em seu voto, a supremacia da Constituição, deixou de analisar o mérito do caso, sob o fundamento de que o Tribunal não poderia interferir em questões afetas a outros poderes. O princípio majoritário e a separação dos poderes são elementos que gravitam em torno da jurisdição constitucional, impondo o exercício, em determinados casos, da autorrestrição.

Existem diversas formas pelas quais uma Corte pode se eximir de julgar o mérito de determinado caso. Flávia Danielle Santiago e José Mário Wanderley[19] realizaram um inventário dos mecanismos de exercício da autocontenção pelo Supremo Tribunal Federal, dividindo-os em três grupos: autorrestrição material expressa, autorrestrição formal expressa e autorrestrição tácita. Conforme destacam os autores, esses mecanismos expressam formas de exercício das virtudes passivas de que fala Alexander Bickel, evitando o Poder Judiciário o confronto com os poderes majoritários.

A autorrestrição material expressa ocorre quando o tribunal se exime de julgar determinado caso por explícito respeito às decisões majoritárias e às funções típicas dos demais Poderes da República. Ela acontece, por exemplo, quando o tribunal entende que no caso há um ato *interna corporis* do Legislativo ou um ato que está sob "reserva da Administração", ou quando ele utiliza a doutrina das questões políticas. É essa última doutrina que embasa a jurisprudência do STF acerca do não cabimento de ação de controle concentrado contra veto do chefe do Poder Executivo.

Com base nesse entendimento, a Corte negou seguimento, por exemplo, à ADPF nº 1,[20] ajuizada contra veto de chefe de Poder Executivo municipal. Afirmou-se, no caso, que "[n]o processo legislativo, o ato de vetar, por motivo de inconstitucionalidade ou de contrariedade ao interesse público, e a deliberação legislativa de manter ou recusar o veto, qualquer seja o motivo desse juízo, compõem procedimentos que se hão de reservar à esfera de independência dos Poderes Políticos em apreço".

A autorrestrição formal expressa, por seu turno, se realiza na hipótese de a Corte utilizar argumentos formais para obstar o seguimento de dado processo, deixando, assim, de julgar seu mérito. Exemplos disso são a ilegitimidade ativa, a pertinência temática e o princípio da subsidiariedade (requisito específico da arguição de descumprimento de preceito fundamental).

Por fim, há a autorrestrição tácita, que ocorre quando a Corte opta por silenciar sobre o caso, deixando de decidir imediatamente. Nessa hipótese, o tempo atua a favor da maturação do debate democrático em torno da questão, que pode vir a ser resolvida pelo parlamento (gerando a perda do objeto da ação) ou pelo próprio Tribunal, após um período de reflexão sobre o assunto.

---

[19] GOMES NETO, J. M. W.; LIMA, F. D. S. Autocontenção à brasileira? Uma taxonomia dos argumentos jurídicos (e estratégias políticas?) explicativo(a)s do comportamento do STF nas relações com os poderes majoritários. *Revista de Investigações Constitucionais*, v. 5, n. 1, p. 221-247, jan./abr. 2018.

[20] ADPF 1 QO, Relator o Ministro Néri da Silveira, Tribunal Pleno, DJ de 7.11.2003.

No entanto, esses mecanismos parecem não estar sendo suficientes para a devida calibração do nível de atuação da Corte, que permanece incumbida de decidir um grande volume de casos. Como consequência disso, muito se fala em "ativismo judicial do STF". No entanto, devemos lembrar que o Poder Judiciário não age de ofício. Ele é sempre demandado. Os órgãos do Poder Judiciário brasileiro não possuem a prerrogativa do *non liquet*, ou seja, de se eximir de julgar determinada causa em função da incerteza do direito. O STF não dispõe da faculdade – que detém, por exemplo, a Suprema Corte americana – de, discricionariamente e de forma geral, definir os casos que vai julgar.

A exigência de repercussão geral como requisito de exame do recurso extraordinário, inserida pela Emenda Constitucional nº 45/2004, supre apenas parcialmente essa lacuna. Resta ainda uma série de ações de controle abstrato e de ações originárias que a Suprema Corte não pode se abster de julgar com fundamento na ausência de relevância e repercussão.

O fato é que o Supremo Tribunal é demandado por diversos atores políticos e sociais – por múltiplas vias – e não dispõe de um mecanismo pelo qual possa, qualquer que seja a natureza do processo e de acordo com critérios estabelecidos em lei, abster-se de julgá-lo em razão da ausência de relevância ou de impacto social significativo. Não pode, portanto, restringir sua atuação a um nicho de demandas qualificadas.

Apesar de o protagonismo do Supremo Tribunal Federal seguir uma tendência mundial, conforme demonstrado aqui, o caso brasileiro detém peculiaridades. É o caso de se destacar, por exemplo, que nossa Corte detém competência para controlar a constitucionalidade de emendas à Constituição, o que o permite controlar tanto a política ordinária quanto a política constitucional. Pouquíssimas Cortes no mundo detêm essa competência. Essa peculiaridade facilita o acirramento da tensão entre os Poderes.

Tendo em vista esses riscos, presentes, ainda que em menor nível, em outras democracias constitucionais, muitos países estabeleceram óbices constitucionais e legais ao exercício da jurisdição constitucional por suas supremas cortes. Por exemplo, reconhece-se à Suprema Corte dos Estados Unidos o poder de escolher os casos que julga. A partir de uma interpretação do art. III da Constituição, que diz que as cortes federais conhecerão apenas "casos e controvérsias", passou-se a entender que a Suprema Corte deve julgar somente as controvérsias relevantes.

Portanto, embora qualquer litigante – que perder em uma corte federal de apelações ou na mais alta corte de um estado-membro – possa peticionar um *writ of certionari* à Suprema Corte norte-americana, o exame do recurso não está garantido. Ele precisa ser aceito por, no mínimo, quatro dos nove juízes da Suprema Corte, uma regra não prevista na Constituição,[21] mas desenvolvida pela própria Corte e que tem sido observada desde que foram dados a ela, por meio do *Judiciary Act* de 1891, do *Judiciary Act* de 1925 e, por fim, do *Supreme Court Case Selections Act* de 1988, poderes discricionários mais amplos para aceitar recursos.[22] Atualmente, mais de dez mil casos são levados por ano à Suprema Corte, dos quais apenas *100*, em média, são admitidos.

---

[21] ROBBINS, Ira P. Justice by the Numbers: The Supreme Court and the Rule of Four – Or Is It Five. *Suffolk University Law Review*, vol. 36, n. 1, p. 1-30, 2002.

[22] FREIRE, Alonso. Suprema Corte dos Estados Unidos. *In*: BRANDÃO, Rodrigo (Org.). *Cortes Constitucionais e Supremas Cortes*. Salvador: Juspodivm, 2017, p. 305-328.

Mecanismo semelhante é adotado na Argentina. O recurso extraordinário é a principal via de acesso à Suprema Corte da Nação. Em razão do contínuo crescimento no número de recursos interpostos perante o Tribunal, no início da década de 1990 instituiu-se, por meio de alteração no Código Processual Civil e Comercial, mecanismo que se convencionou chamar de *writ of certiorari* negativo. O art. 280 desse código passou a possibilitar que o Tribunal, discricionariamente, recuse o recurso extraordinário "por falta de agravo suficiente o cuando las questiones planteadas resultaren insustenciales o carentes de transcendencia".

Conforme anota Thiago Magalhães Pires,[23] essa Corte passou, no entanto, a adotar uma interpretação da aludida norma capaz de colocar em risco o escopo da reforma legislativa, por instituir um *writ of certiorari* positivo. Ou seja, passou a entender que, sendo possível deixar de se conhecer de um recurso admissível sem transcendência, também seria possível conhecer de recursos que, embora inadmissíveis, possuam transcendência, o que permite o conhecimento de uma demanda que poderia não ser examinada com base em defeitos formais.

Além das Supremas Cortes dos Estados Unidos e da Argentina, também as Cortes da Alemanha, da Austrália, da Bélgica, da Colômbia, da Costa Rica e de Israel, dentre outras,[24] possuem a prerrogativa de escolher os casos que julgam. Trata-se de medida eficaz tanto para a realização da autocontenção pelas Cortes quanto para a administração de sua capacidade de trabalho, permitindo, assim, uma melhor prestação jurisdicional.

Esse tipo de reflexão tem impulsionado propostas legislativas no Brasil que visam inserir como critério de admissibilidade das ações de controle concentrado a relevância da controvérsia. Tramita no Senado, por exemplo, a Proposta de Emenda à Constituição nº 109/2019, apresentada pela Senadora Simone Tebet, cujo objetivo é estabelecer a demonstração da existência de controvérsia constitucional relevante como condição de admissibilidade da ação direta de inconstitucionalidade e da ação declaratória de constitucionalidade perante o Supremo Tribunal Federal (STF).

Outro projeto de lei em trâmite no Senado Federal (PL nº 3.943/2019), também apresentado pela Senadora Simone Tebet, objetiva estabelecer a demonstração de controvérsia constitucional relevante e atual como condição de admissibilidade da arguição de descumprimento de preceito fundamental perante o Supremo Tribunal Federal (STF), alterando a Lei nº 9.882, de 3 de dezembro de 1999. Ambas as propostas – PEC e PL – exigem o quórum de maioria absoluta dos membros do Tribunal para a recusa da ação de controle concentrado com fundamento na ausência de controvérsia constitucional relevante e atual.

A PEC recebeu parecer favorável de seu relator, Senador Anastasia, na Comissão de Constituição e Justiça. Em seu parecer, o relator ressalta, com acerto, que a ADPF vem sendo utilizada como "remédio universal" perante o STF, desvirtuando-se de seu objetivo original de tutelar os preceitos fundamentais da Constituição. Anota também o Senador que, atualmente, a Lei da ADPF exige, em uma de suas hipóteses de cabimento, a demonstração de controvérsia *judicial* relevante. O que se propõe na PEC é que seja

---

[23] PIRES, Thiago Magalhães. Corte Suprema de Justiça da Nação (Argentina). *In*: BRANDÃO, Rodrigo (Org.). *Cortes Constitucionais e Supremas Cortes*. Salvador: Juspodivm, 2017, p. 33-46.

[24] BRANDÃO, Rodrigo (Org.). *Cortes Constitucionais e Supremas Cortes*. Salvador: Juspodivm, 2017.

possível se negar seguimento a uma ADPF tão somente pela ausência de relevância, mecanismo que se assemelha às experiências de Direito Comparado aqui mencionadas.

5 Conclusão

O Supremo Tribunal Federal (STF) tem como função precípua a guarda da Constituição Federal, especialmente por meio da tutela dos direitos fundamentais, da resolução dos conflitos democráticos e federativos e da garantia da segurança jurídica. O Tribunal se desincumbe desse mister por vias recursais ou originárias. Como resultado da multiplicidade de vias de acesso ao Tribunal e da analiticidade da Constituição da República, que toca em praticamente todos os aspectos da vida social, a Suprema Corte acaba por receber e julgar, anualmente, um volume incomparável de processos. Não há no mundo Suprema Corte tão prolífica quanto a brasileira.

Há, evidentemente, uma alta judicialização de questões políticas, sociais, culturais, econômicas e morais no Tribunal, o que causa, não raro, algum nível de tensão com os demais Poderes da República. É necessário ter em conta que o STF está inserido em um ambiente político democrático, no qual, embora haja repartição de competências entre os três Poderes, sobressai o princípio majoritário. Nesse quadro, é extremamente recomendável a adoção de mecanismos que promovam o exercício legítimo da autocontenção pelo Tribunal, sempre que ele se revelar necessário.

Não obstante a Corte disponha, historicamente, de diversas técnicas de julgamento com base nas quais é capaz de exercer a autocontenção (autorrestrição material expressa, autorrestrição formal expressa e autorrestrição tácita), tais ferramentas têm sido insuficientes para a devida calibração pelo Tribunal da extensão de suas competências. Falta ao Supremo Tribunal Federal um mecanismo como o previsto em outros países (Estado Unidos, Argentina, Alemanha etc.) pelo qual possa, de forma geral, abster-se de julgar um processo em razão da ausência de relevância do caso.

Esse tipo de mecanismo não somente incentivaria uma maior deferência com relação aos demais Poderes, mas também otimizaria o trabalho dos Ministros, privilegiando a vocação constitucional do Supremo Tribunal Federal, ou seja, seu papel de Corte Constitucional e de julgador das questões mais relevantes para o país.

Fato é que precisamos aprimorar os mecanismos de admissibilidade e de filtragem de processos pelo Supremo Tribunal Federal. Ésse desafio certamente ocupará lugar de destaque nos debates constitucionais nos anos vindouros.

Referências

BRANDÃO, Rodrigo (Org.). *Cortes Constitucionais e Supremas Cortes*. Salvador: Juspodivm, 2017.

DORF, Michael C.; SABEL, Charles F. A Constitution of Democratic Experimentalism. *Columbia Law Review*, vol. 98, n. 2, p. 297-473, 1998.

FALCÃO, Joaquim; CERDEIRA, Pablo de Camargo; ARGUELHES, Diego Werneck. *I Relatório Supremo em Números*: O Múltiplo Supremo. FGV Rio, 2011, p. 18.

FREIRE, Alonso. Suprema Corte dos Estados Unidos. *In*: BRANDÃO, Rodrigo (Org.). *Cortes Constitucionais e Supremas Cortes*. Salvador: Juspodivm, 2017, p. 305-328.

GINSBURG, Tom. *Judicial Review in New Democracies*: Constitutional Courts in Asian Cases. New York: Cambridge University Press, 2003.

GOMES NETO, J. M. W.; LIMA, F. D. S. Autocontenção à brasileira? Uma taxonomia dos argumentos jurídicos (e estratégias políticas?) explicativo(a)s do comportamento do STF nas relações com os poderes majoritários. *Revista de Investigações Constitucionais*, v. 5, n. 1, p. 221-247, jan./abr. 2018.

HIRSCHL, Ran. *Towards Juristocracy*: The Origins and Consequences of the New Constitucionalism. Cambridge: Harvard University Press, 2009.

LIMA, Flávia Santiago. *Jurisdição Constitucional e Política*: ativismo e autocontenção no STF. Curitiba: Juruá Editora, 2014.

PIRES, Thiago Magalhães. Corte Suprema de Justiça da Nação (Argentina). *In*: BRANDÃO, Rodrigo (Org.). *Cortes Constitucionais e Supremas Cortes*. Salvador: Juspodivm, 2017, p. 33-46.

ROBBINS, Ira P. Justice by the Numbers: The Supreme Court and the Rule of Four – Or Is It Five. *Suffolk University Law Review*, vol. 36, n. 1, p. 1-30, 2002.

TATE, Neal; VALLINDER, Torbjörn (Org.). *The Global Expansion of Judicial Power*. New York: New York University Press, 1995.

TUSHNET, Mark. *Weak courts, strong rights*: judicial review and social welfare rights in comparative constitutional law. Princeton University Press, 2009.

WATANABE, Kazuo. Acesso à justiça e sociedade moderna. *In*: GRINOVER, Ada Pellegrini; DINAMARCO, Cândido Rangel; WATANABE, Kazuo (Coord.). *Participação e Processo*. São Paulo: Revista dos Tribunais.

VERISSIMO, Marcos Paulo. A constituição de 1988, vinte anos depois: suprema corte e ativismo judicial "à brasileira". *Revista Direito GV*, v. 4, n. 2, p. 407-440, 2008.

VIEIRA, Oscar Vilhena. *A Batalha dos Poderes*. São Paulo: Companhia das Letras, 2018.

Informação bibliográfica deste texto, conforme a NBR 6023:2018 da Associação Brasileira de Normas Técnicas (ABNT):

TOFFOLI, José Antonio Dias; ALENCAR, Ildegard Hevelyn de Oliveira. Autocontenção no Supremo Tribunal Federal. *In*: COSTA, Daniel Castro Gomes da; FONSECA, Reynaldo Soares da; BANHOS, Sérgio Silveira; CARVALHO NETO, Tarcisio Vieira de (Coord.). *Democracia, justiça e cidadania*: desafios e perspectivas. Homenagem ao Ministro Luís Roberto Barroso. Belo Horizonte: Fórum, 2020. p. 15-26. t. 2: Pensando as instituições, a justiça e o Direito. ISBN 978-85-450-0749-4.

CORTES CONSTITUCIONAIS E DEMOCRACIA: O SUPREMO TRIBUNAL FEDERAL SOB A CONSTITUIÇÃO DE 1988

LUIZ FUX

Introdução

O fim da Segunda Guerra Mundial desencadeou uma sequência de eventos que contribuiu para a construção de um novo paradigma de constitucionalismo. A derrocada dos regimes totalitários nazista e fascista, o recrudescimento do discurso dos direitos humanos, a conformação geopolítica da Guerra Fria e a descolonização da África e do Sudeste Asiático possibilitaram uma migração de ideias e de estruturas constitucionais sem precedentes durante a segunda metade do século XX, abrindo caminho para a ascensão de um modelo com diretrizes de âmbito global, com ênfase para a expansão de Cortes Constitucionais ao redor do mundo.[1]

Atualmente, Cortes Constitucionais das mais diversas jurisdições têm se dedicado a julgar questões de alta relevância da vida social por meio da *judicial review*.[2] Em sentido convergente, a doutrina tem reforçado a existência de um constitucionalismo de ordem global e a presença de um constante diálogo entre Cortes Supremas acerca de conflitos constitucionais comuns.[3]

O Brasil também se alinha a essa tendência. O Supremo Tribunal Federal ocupa uma posição de destaque no contexto político do país, ao passo que também tem procurado dialogar com outras Cortes Constitucionais. No entanto, a despeito de compartilhar experiências com outros países, o curso histórico que levou a nossa Suprema Corte a essa posição assumiu alguns contornos particulares que merecem ser problematizados.

---

[1] ACKERMAN, Bruce. The Rise of World Constitutionalism. *Virginia Law Review*, v. 83, n. 4, p. 771-797, 1997.
[2] HIRSCHL, Ran. The new constitutionalism and the judicialization of pure politics worldwide. *Fordham Law Review*, New York, v. 75, n. 2, 2006.
[3] Ver JACKSON, Vicki. Constitutional Comparisons: Convergence, Resistence and Engagement. *Harvard Law Review*, Cambridge, v. 119, p. 109-128, 2005 e CHOUDHRY, Sujit. *The Migration of Constitutional Ideas*. Cambridge: Cambridge University Press, 2006.

Nossa nação possui uma narrativa complexa, pautada por instabilidade política em suas décadas iniciais. Ao longo de seu processo de formação nacional, observou-se alternância entre períodos democráticos e períodos autoritários, entremeados por momentos de crise constitucional. A Constituição em vigor, denominada de "Constituição Cidadã", vem com a pretensão de instaurar em definitivo um regime democrático no País, após décadas de militarismo. Para tanto, simbolizou uma Carta Política plural, cujo momento fundacional foi precedido de intensa ebulição política, com permeabilidade à participação deliberativa de vários setores. Inegável que, passados 30 anos, inúmeros acontecimentos testaram a estabilidade de nossas instituições e de nossa jovem Constituição, as quais, no entanto, mantêm-se hígidas.

Indubitavelmente, durante essas três décadas, o Supremo Tribunal Federal se destacou como guardião do Projeto de Nação estabelecido pela Constituição Cidadã. Mais do que isso, o Tribunal tem exercido esse papel de modo a assegurar e a salvaguardar as garantias fundamentais expressas na Carta Maior em conjunto com a sociedade civil.

Nessa linha, o presente artigo busca observar a ascensão do poder judicial no contexto brasileiro, com olhos atentos a este ator central: o Supremo Tribunal Federal. Defende-se aqui, portanto, que a Constituição de 1988 foi um elemento crucial para que o órgão de cúpula do Judiciário assumisse uma posição de destaque, na medida em que veiculou um conjunto de incentivos normativo-estruturais que permitiram a concretização e o estabelecimento de um Tribunal democrático e independente.[4]

Com o intuito de desenvolver essa reflexão, o argumento proposto encontra-se dividido em três partes. A primeira parte aborda o fenômeno de ascensão de Cortes Constitucionais em nível global, expondo, também, as críticas filosóficas a seu respeito. Por sua vez, a segunda parte do texto explora as particularidades desse fenômeno na experiência nacional. Observa-se a Constituição Federal como elemento central para a ascensão do Supremo Tribunal Federal enquanto protagonista do regime democrático brasileiro. Por fim, a terceira parte do trabalho responde algumas críticas à atuação do STF, contrapondo-as com evidências empíricas a respeito da orientação do Tribunal (i) para tornar-se cada vez mais acessível à população e (ii) para dialogar com a sociedade civil na construção da interpretação constitucional.

I As Cortes Constitucionais e o constitucionalismo global

Desde a promulgação das primeiras Constituições, o constitucionalismo é vislumbrado como "técnica garantística de limitação do poder político absoluto".[5] Com o fim da 2ª Guerra Mundial, o ideal de constitucionalismo ganhou novos significados e passou a ser olhado como fundamento crucial para um regime verdadeiramente

---

[4] FUX, Luiz. A Jurisdição Constitucional na experiência do Supremo Tribunal Federal: uma caminhada democrática, independente e corajosa. *In*: FUX, Luiz; ARAUJO, Valter Schuenquener de (Coord.). *Jurisdição Constitucional II*: Cidadania e Direitos Fundamentais. Belo Horizonte: Fórum, 2017.

[5] FUX, Luiz; SANTOS, Pedro Felipe de Oliveira. Constituições e Cultura Política: para além do constitucionalismo contramajoritário. *In*: LEITE, George Salomão; NOVELINO, Marcelo; ROCHA, Lilian R. L. (Org.). *Liberdade e Fraternidade*: a contribuição de Ayres Britto para o Direito. 1. ed. Salvador: Juspodivm, 2017, p. 47.

democrático. Dessa forma, constitucionalismo e democracia começaram a ser vistos sob uma inerente tensão[6] de ordem constitutiva, co-originária e produtiva.

Segundo o professor da Universidade de Harvard, Frank Michelman, essa tensão representa um paradoxo essencial para qualquer democracia constitucional.[7] De um lado, a democracia seria o autogoverno do povo, vez que a própria população decidiria os rumos e os conteúdos normativos fundamentais de sua comunidade política. Por outro lado, o constitucionalismo seria uma verdadeira limitação e contenção dessa tomada de decisão popular, por meio de uma norma fundamental, que definiria os procedimentos da política majoritária, a produção normativa e as estruturas do poder político, por exemplo. Assim, sem o constitucionalismo, estaríamos sujeitos à possibilidade de uma ditadura da maioria, ao passo que, sem a democracia, o conteúdo veiculado pelo constitucionalismo careceria de legitimidade.[8]

Sob este novo paradigma, diversos países começaram a adotar Constituições escritas. De certo modo, os anos de 1970 e 1980 trouxeram o ímpeto histórico de rechaço ao totalitarismo e de resgate de ideias humanistas e garantistas, de modo a prever um rol de direitos comum. Essa enumeração se deu em alguns níveis, quais sejam, (i) direitos políticos e liberdades, (ii) direitos socioeconômicos ou (iii) direitos coletivos e difusos. David Law e Mila Versteeg, ao empreender um estudo empírico sobre a evolução e a convergência dos vários constitucionalismos, defendem que a interação e a incorporação de direitos, princípios e formas de organização do poder se dariam de quatro formas: a aprendizagem, a competição, a conformidade e as redes constitucionais.[9]

Não por coincidência, a concretização desses direitos vai suscitar problemas similares, em relação aos quais as Cortes Constitucionais, dotadas do poder de exercer a *judicial review*, são instadas a se manifestar. Por essa razão, a atividade argumentativa das Cortes incluiu em seu repertório os precedentes de outras cortes, no intuito de adotar soluções similares ou afastar as soluções aplicadas em outros países.[10] Com vistas ao panorama global, é mais fácil compreender a posição de relevo ocupada pelo Poder Judiciário,[11] em especial no âmbito das Cortes Constitucionais, que passaram a exercer um papel central na interpretação do sentido das previsões constitucionais.

Verifica-se que, em experiências e em recortes temporais distintas, as Cortes Supremas passaram a dirimir conflitos de fundo político e moral com alto impacto social por meio do exercício do controle de constitucionalidade das leis, consequentemente, tornando-se *players* cruciais no *decision-making process* de suas nações. Isso se deu, não raras vezes, a partir de uma linguagem ancorada em argumentos que prezam pela defesa da normatividade dos direitos fundamentais enumerados em suas respectivas Constituições, bem como pelo intuito de proteger minorias políticas de possíveis situações de tirania advindas do jogo político majoritário.

---

[6] CHUEIRI, Vera Karam de; GODOY, Miguel G. Constitucionalismo e Democracia – soberania e poder constituinte. *Revista Direito GV*, São Paulo, v. 6, n. 1, p. 159-174, jan. 2010, p. 166.
[7] MICHELMAN, Frank I. *Brennan and Democracy*. Nova Jersey: Princeton University Press, 1999.
[8] CARVALHO NETTO, Menelick de. Racionalização do Ordenamento Jurídico e Democracia. *Revista Brasileira de Estudos Políticos*, Belo Horizonte, n. 88, p. 81-108, 2003, p. 82.
[9] LAW, David; MILA, Versteeg. The Ideology and Evolution of Global Constitutionalism. *California Law Review*, v. 99, n. 5, 2011, p. 1166-1171.
[10] GROPPI, Tânia. El uso de precedentes extranjeros por parte de los Tribunales Constitucionales. *In*: CAVALLO, Gonzalo Aguilar. *Diálogo entre jurisdiciones*. Santiago Chile: Librotecnia, 2014, p. 83-108.
[11] TATE, C. N.; VALLINDER, T. *The Global Expansion of Judicial Power*. New York: New York University Press, 1995.

No entanto, a ascensão e o fortalecimento das Cortes Constitucionais ao redor do mundo, bem como sua crescente atuação expansiva, suscitaram em diversos estudiosos[12] certo ceticismo, com a elaboração de críticas quanto ao papel da jurisdição constitucional em uma democracia. Dentre essas, dois grupos de críticas parecem se destacar: (i) as críticas quanto à legitimidade democrática dessas instituições e (ii) as reflexões críticas quanto aos riscos de se formar um paradigma sufocante de supremacia judicial.

A primeira linha crítica, de modo geral, observa o papel contramajoritário do Judiciário com certa desconfiança, dando primazia ao processo político representativo e à lógica democrática. Assim, tal perspectiva trouxe relevantes reflexões no seguinte sentido: afinal, juízes que não foram eleitos pela população estariam aptos a decidir problemáticas morais de amplo desacordo social e disputas políticas que impactam diretamente a vida dos cidadãos?[13] Consequentemente, esses juízes deveriam possuir a autoridade para infirmar leis aprovadas por instituições representativas quando convencidos de que essas estariam violando direitos individuais?[14]

Para os fins do presente artigo, no entanto, focarei no segundo grupo de críticas. Nesse, autores vinculados a correntes teóricas mais afeitas ao processo político representativo e à participação popular na construção dos significados constitucionais, por exemplo, expressam duras discordâncias quanto ao modelo teórico pelo qual o Judiciário seria o último e principal intérprete da Constituição e o responsável por assegurar as salvaguardas fundamentais dos cidadãos.

Em uma transição entre os argumentos deontológicos sobre legitimidade e a preocupação com a interação real entre Legislativo e Judiciário, John Hart Ely traz interessantes contribuições sobre quando o Tribunal Constitucional pode intervir, primando por uma postura de maior contenção e deferência às deliberações parlamentares.

É preciso, então, ressalvar que ele formula esses postulados face a uma Constituição sintética, em que o grau de detalhamento só se estende à separação de poderes e em que a definição de objetivos constitucionais é deixada em aberto. Somando-se a isso, Ely se situava em um debate ainda permeado pela disputa filosófica sobre qual seria a melhor maneira de interpretar a Constituição, no qual também figuravam teorias originalistas[15] e substancialistas.[16]

Na teoria procedimentalista, a Carta Política teria dois objetivos: (i) manter a máquina democrática em funcionamento, com os canais de participação e de comunicação abertos e (ii) garantir que a maioria e as minorias fossem tratadas com igual respeito e consideração. Enquanto o primeiro propósito se relaciona ao princípio do controle popular, o segundo remete ao princípio do igualitarismo, sendo que ambos fariam parte do processo político em sentido amplo.

---

[12] Sobre o assunto, ver: TUSHNET, Mark. Against Judicial Review. *Harvard Law School Public Law & Legal Theory Working Paper Series*, paper n. 09-20, 2009.

[13] ALLAN, James. An Unashamed Majoritarian Critical Notice. *Dalhousie Law Journal*, v. 27, n. 2, 2004.

[14] WALDRON, Jeremy. The Core of the Case Against Judicial Review. *The Yale Law Journal*, v. 115, n. 6, p. 1346-1406, 2006, p. 1348.

[15] Como expoente do originalismo norte-americano, cita-se o Ministro Antonin Scalia. SCALIA, Antonin. *A Matter of Interpretation*: Federal Courts and the Law. Princeton University Paperbacks, 1997.

[16] Também na literatura norte-americana, destaca-se DWORKIN, Ronald. *A Matter of Principle*. Harvard University Press, 1985.

Como exposto, ao partir de uma acepção de procedimento que engloba as liberdades individuais necessárias à participação, o autor defende, por exemplo, que as decisões da Era Warren, considerada pela literatura como uma das composições mais progressistas, poderiam ser justificadas por uma preocupação com a justiça procedimental. Por essa razão, opõe-se ao que enquadra sob a alcunha de *abordagens axiológicas*, dedicando boa parte de sua crítica a Alexander Bickel.

Ademais disso, a preocupação em descrever de forma mais detalhada o processo democrático visava a assegurar a abertura da tomada de decisões e, principalmente, a estabelecer que os *decision-makers* teriam o dever de levar em consideração tanto os interesses majoritários quanto os interesses das minorias que fossem diretamente afetadas, em uma relação de representação virtual.

No tocante ao último argumento, o senso de representação virtual seria uma justificativa para a legitimidade do Parlamento em propor e implementar escolhas majoritárias; em última instância, presume-se que a formulação de políticas se dá por meio de procedimentos substancialmente neutros, os quais incluem a consideração prévia e a tentativa de mitigação dos impactos para aqueles cujos interesses não foram os mais contemplados.

Afinal, para Hart Ely, qual seria o espaço reservado ao órgão de cúpula do Judiciário? Em sede de controle de constitucionalidade, estaria incumbido de identificar duas situações: (i) quando os incluídos (maiorias decisórias) inviabilizam os canais de mudança, impedindo a permeabilidade a demandas dos grupos excluídos, e (ii) quando são antepostas barreiras informais a uma determinada minoria, em especial o preconceito.

Em contrapartida, a principal ressalva, que não se pode olvidar, é o fato de essa ser uma visão pensada para a natureza redacional da Constituição dos Estados Unidos. No Brasil, perante a plêiade de compromissos que a Constituição de 1988 assume com os cidadãos e considerando a dificuldade do avanço de certas pautas nos debates parlamentares, o desafio do Supremo Tribunal Federal consiste em identificar qual é o *timing* correto para se posicionar, impedindo que se retirem prematuramente pautas ainda em discussão na esfera pública.

Ainda defendendo que a Corte não deveria monopolizar a interpretação constitucional e para relativizar a possibilidade de construção judicial do Direito, tem-se o constitucionalismo popular. A crítica, aqui, é feita sob a perspectiva de que os outros atores políticos são igualmente legítimos para promover mudanças informais na forma como direitos são lidos e aplicados. Autores norte-americanos como Larry Kramer e Mark Tushnet encabeçaram tal teoria no âmbito da Universidade de Harvard.

A despeito das particularidades de cada adensamento teórico, o constitucionalismo popular rejeita modelos de intenso protagonismo judicial e suscita um papel mais proeminente por parte da sociedade na construção do Direito Constitucional. Para Kramer, por exemplo, em um sistema de constitucionalismo popular, o papel do povo não se limita a atos ocasionais de decisão constitucional. Em verdade, a população seria detentora de grande poder por meio de um controle constante e ativo sobre a interpretação constitucional e sobre o *enforcement* do próprio direito constitucional.[17]

---

[17] KRAMER, Larry D. Popular Constitutionalism, circa 2004. *California Law Review*, Berkeley, v. 92, n. 4, 2004, p. 959.

Assim, Kramer identifica ainda a supremacia judicial como o verdadeiro inimigo dessa vertente teórica, entendendo-a como "a noção de que juízes possuem a última palavra no que diz respeito à interpretação constitucional e que, consequentemente, suas decisões definiriam o significado da Constituição para todos".[18]

Mark Tushnet, por sua vez, descortina um sentido amplo e participativo de interpretação constitucional, colocando a Constituição *para fora das Cortes*. Para o autor, o próprio Direito Constitucional seria um tipo especial de Direito, um Direito de cunho político.[19] Tushnet, ainda, não rejeita a ideia de constitucionalismo, tampouco se opõe ao dogma da supremacia constitucional. Em verdade, o professor estadunidense se insurge contra a associação entre supremacia constitucional e supremacia judicial, na qual há uma visão demasiadamente centrada nas Cortes Constitucionais. Isso traria o efeito nocivo pelo qual respostas aos problemas constitucionais advindas de outros espaços sociais somente ganhariam reconhecimento e validade caso fossem respaldas pela interpretação da Corte.[20]

Em sentido convergente, a professora Reva Siegel e o professor Robert Post, ambos da Yale Law School, observam as Cortes como atores relevantes e especiais na construção do significado da Constituição. No entanto, buscam expor, em um modelo teórico cunhado de "constitucionalismo democrático", que eventuais discordâncias interpretativas da população para com alguma decisão da Corte fazem parte do processo democrático regular de desenvolvimento do Direito Constitucional. Nesse sentido, reforçam os efeitos construtivos que um *backlash* social às decisões judiciais pode trazer. Daí resulta que seria um erro associar simbioticamente o que Constituição prevê ao que a Corte Constitucional dela interpreta, pois que não haveria uma correspondência direta e necessária. Dessa forma, discordar de uma decisão judicial ou de uma interpretação constitucional não significaria discordar da Constituição.[21]

Portanto, em linhas gerais, a partir deste fenômeno de ascensão, expansão e ganho de poder por parte de Cortes Constitucionais, inúmeros teóricos construíram modelos críticos quanto aos riscos advindos de um paradigma de supremacia judicial sufocante. Isso porque partem das premissas de uma concentração de poder nociva e intensa na figura dos Tribunais e de um desincentivo à participação popular ativa.

II A experiência brasileira: o Supremo Tribunal Federal e a guarda da Constituição de 1988

A despeito dessa inegável tendência constitucional de âmbito global – a incorporação e os significados de direitos fundamentais, o enfrentamento de problemas constitucionais comuns e até mesmo as funções desempenhadas pelas instituições em

---

[18] KRAMER, Larry D. *The People Themselves*: popular constitutionalism and judicial review. Cambridge: Oxford University Press, 2005, p. 125.
[19] TUSHNET, MARK. Popular Constitutionalism as a Political Law. *Chicago-Kent Law Review*, v.81, p. 991-1006, 2006, p. 991.
[20] TUSHNET, Mark. *Taking the Constitution away from the Courts*. Princeton: Princeton University Press, 1999, p. 186.
[21] POST, Robert C; SIEGEL, Reva B. Roe Rage: Democratic Constitutionalism and Backlash. *Harvard Civil Rights-Civil Liberties Law Review*, v. 42, 2007.

arranjos formalmente idênticos –, o exercício da jurisdição constitucional continua a ser condicionado pela cultura política em que se insere. Apenas a título de exemplo, caso se observe a noção inerente ao direito à liberdade de expressão, ver-se-á que ela é muito distinta a depender do país, apesar de ser um direito igualmente previsto por inúmeros ordenamentos constitucionais ao redor do mundo.[22]

Dessa forma, cabe analisar a recente experiência constitucional brasileira para melhor compreender suas especificidades e particularidades. A atual Constituição foi um marco para o resgate democrático do país, inserindo elementos de cidadania no processo político brasileiro. Com a derrocada do "anteprojeto dos notáveis" e a consolidação de uma ampla Assembleia Nacional Constituinte, abriram-se os canais democráticos e participativos para a escrita do novo texto constitucional por meio de um amplo e inclusivo processo deliberativo.[23] Em outras palavras, o procedimento que precedeu e permeou o momento fundacional é um evento histórico que *per se* legitima boa parte dos pré-compromissos assumidos.

A Constituição de 1988 trouxe mudanças estruturais para o sistema político brasileiro, para a ordem econômica nacional e para diversos outros âmbitos, inclusive no tocante à estrutura e ao papel do Poder Judiciário como um todo. Um dos atores mais impactados pelo novo ordenamento constitucional foi o próprio Supremo Tribunal Federal. Se atualmente a Corte se encontra em uma posição de elevado protagonismo social e político, isso se deve à construção de suas legitimidades institucional e decisória. Nesse sentido, poderíamos elencar quatro correlações entre a redação da Carta Maior, os impactos de sua promulgação e o papel que o Judiciário ocupa.

Primeiro, com o advento da Constituição de 1988, a democracia brasileira e a separação de poderes se fortificaram, de modo que o Poder Judiciário adquiriu mais independência e autonomia.[24] O STF, diferentemente do ocorrido nas Constituições anteriores, ficou intocado quanto a sua estrutura básica e a sua composição – mantendo-se "o número, a forma de indicação e as garantias dos Ministros".[25] Não só os Ministros individualmente tiveram suas garantias protegidas, como também o órgão passou a disfrutar de maior autonomia, por exemplo, no âmbito financeiro e orçamentário. Ao lado do Poder Judiciário, o Ministério Público ganhou força institucional e se tornou mais atuante.

Em segundo lugar, a Constituição acabou por incluir em seu bojo detalhes sobre diversas temáticas, valendo-se de metas e princípios abertos para veicular um *projeto de nação*. Segundo o Ministro e professor Luís Roberto Barroso,[26] esse fenômeno é chamado de "constitucionalização abrangente" – inúmeras matérias que "antes eram deixadas

---

[22] Ver, por exemplo: NIEUWENHUIS, Aernout. Freedom of Speech: USA vs. Germany and Europe. *Netherlands Quaterly of Human Rights*, v. 18, n. 2, p. 195-214, 2000.

[23] ROCHA, Antônio Sérgio. Genealogia da Constituinte: do autoritarismo à democracia. *Lua Nova*, São Paulo, v. 88, p. 29-87, 2013, p. 73-74.

[24] SADEK, Maria Tereza Aina. Judiciário: mudanças e reformas. *Revista de Estudos Avançados*, São Paulo, v. 18, n. 51, 2004, p. 82.

[25] ARGUELHES, Diego Werneck; RIBEIRO, Leandro Molhano. Criatura e/ou Criador: transformações do Supremo Tribunal Federal sob a Constituição de 1988. *Revista Direito GV*, v. 12, n. 2, p. 405-440, maio 2016, p. 409.

[26] BARROSO, Luís Roberto. Judicialização, Ativismo Judicial e Legitimidade Democrática. *[Syn]Thesis*, Rio de Janeiro, vol. 5, n. 1, 2012, p. 4.

para o processo político majoritário e para a legislação ordinária" foram introjetadas no texto constitucional. Em consequência disso, pretensões antes relegadas ao âmbito de deliberação política passaram a ser passíveis de judicialização, isto é, tornaram-se potenciais pretensões jurídicas.

Nesse ponto, cumpre observar que a redação extensa do texto constitucional não é uma exclusividade do Brasil; trata-se de uma tendência em boa parte dos países da América Latina, em meio à *onda de democratização* que sucedeu o fim das ditaduras militares. Ao caracterizar o constitucionalismo do *Global South*,[27] o professor David Landau faz uma correlação entre o detalhamento e o caráter transformativo que se atribui às Constituições. Em sua análise, defende que essa "constitucionalização pesada" é um sinal da descrença da população quanto à política ordinária para a resolução de problemas. Diante das falhas do sistema representativo, surgiria uma necessidade de *ex ante* transformá-lo, fixando balizas mais rígidas para a atividade parlamentar. À medida que a Constituição deixa de ser uma moldura de contenção da governança *(power map)* e dispõe sobre aspectos de cidadania, boa parte das relações sociais termina por remeter aos valores pelos quais a jurisdição constitucional deve zelar.[28]

Em terceiro lugar, o sistema brasileiro de controle de constitucionalidade foi amplamente redesenhado, de modo que as competências da Corte foram ampliadas[29] e sua arquitetura institucional de guardião da Constituição expandida. Em meio ao nosso sistema híbrido,[30] que combina características tanto do sistema estadunidense quanto do austríaco-germânico, a Constituição conferiu ao STF funções típicas de, pelo menos, três instituições distintas, à luz das mais diversas estruturas constitucionais ao redor do mundo:[31] *(i)* a função de *Tribunal Constitucional*, por exemplo, devendo processar e julgar originariamente a ação direta de inconstitucionalidade de lei ou ato normativo federal ou estadual e a ação declaratória de constitucionalidade de lei ou ato normativo federal, com fulcro no art. 102, I, da Carta Política; *(ii)* a função de *Foro Especializado*, no processamento de Ações Penais Originárias, cujos réus são as mais altas autoridades do sistema político brasileiro, competência esta atribuída pelas alíneas 'b', 'c' e 'd' do artigo 102, I; e *(iii)* a função de *tribunal último de apelação*, ao julgar os recursos extraordinários relativos às causas decididas em única ou última instância, com base nos critérios estabelecidos pelas alíneas do artigo 102, I.

Por fim, em quarto lugar, talvez a mudança mais importante diga respeito ao fim do monopólio do Procurador-Geral da República para propor as ações em controle concentrado perante o Supremo Tribunal Federal. O art. 103 da Constituição de 1988

---

[27] Pelo termo *Global South* designam-se as nações em desenvolvimento, tanto nas Américas quanto nos continentes asiático e africano. No entanto, o autor que citamos está investigando, essencialmente, o constitucionalismo latino-americano.

[28] LANDAU, David. Political Institutions and Judicial Role in Comparative Constitutional Law. *Harvard International Law Journal*, v. 51, n. 2, p. 319-377, 2010.

[29] O Tribunal deixou de exercer somente sua competência de tribunal uniformizador do direito federal infraconstitucional, que passou a ser exercida pelo Superior Tribunal de Justiça (STJ).

[30] Sobre o tema, ver: ARANTES, Rogério Bastos. O Sistema Híbrido de Controle de Constitucionalidade das Leis no Brasil. *Revista CEJ*, Brasília, v. 1, n. 1, jan./abr. 1997.

[31] VIEIRA, Oscar Vilhena. Supremocracia. São Paulo: *Revista Direito GV*, v. 4, n. 2, p. 441-464, jul./dez. 2008, p. 447.

expandiu os canais de acesso à jurisdição constitucional e ampliou o rol dos entes legitimados para propor tais ações. Desta forma, esse dispositivo constitucional "abriu inúmeras portas de entrada para demandas sociais e de minorias políticas na antes restrita agenda do STF".[32]

Nesse particular, utilizando-se de princípios constitucionais abrangentes, movimentos sociais e outros grupos focais de interesse passaram a ser legitimados para, cada vez mais, propor perante o órgão máximo do Judiciário suas demandas, não atendidas nem sequer ouvidas pelas instituições majoritárias no processo político ordinário. Ao mesmo tempo, esses *players*, não raras vezes, passaram a adotar um comportamento estratégico: ao serem derrotados no processo político majoritário, judicializam as questões para rediscuti-las e buscar, por meio do Judiciário, eventualmente revertê-las. Dessa maneira, a Corte passou a ter "dezenas de portas de acesso diferentes" pelas quais "indivíduos [e] instituições podem [se] utilizar para levar uma determinada questão ao conhecimento dos ministros".[33]

III Os limites do poder judicial: diálogos entre o Supremo Tribunal Federal e a sociedade

A relação entre o Supremo e a Constituição tem sido simbiótica. Ao passo em que a Constituição tenha estruturalmente permitido o protagonismo assumido pelo Tribunal, o Supremo tem sido fiel guardião de sua normatividade, no intuito de reafirmar os compromissos de seu texto e de assegurar o seu cumprimento em momentos de crise e de tensão institucionais.

Nessa relação de influência mútua, a Constituição moldou a estrutura do Tribunal, suas competências e sua missão institucional. Em contrapartida, nesses 30 anos de experiência constitucional, o Tribunal capitaneou a consolidação da Constituição: (i) defendeu e assegurou as salvaguardas fundamentais dos cidadãos nela previstas, (ii) definiu os sentidos de suas cláusulas abertas, (iii) dirimiu questões de alto desacordo político e moral; e (iv) concedeu força normativa às promessas constitucionais. Dessa forma, hoje, pode-se dizer que o Supremo ocupa uma posição central no processo político nacional.

No âmbito brasileiro, alguns autores têm tecido críticas à postura maximalista do Pretório Excelso, em argumentos alinhados àqueles apresentados pela primeira parte deste trabalho. Partindo dos marcos teóricos do constitucionalismo popular, os acadêmicos brasileiros reticentes ao fenômeno de expansão do Supremo Tribunal Federal defendem que a Constituição não pode *vir a ser* um documento estritamente técnico, distante do povo, com seu significado manejado somente por juristas. Para esses, a interpretação constitucional legítima, portanto, pode e deve advir de estruturas sociais e políticas para além do Supremo Tribunal Federal.[34]

---

[32] ARGUELHES, Diego Werneck; RIBEIRO, Leandro Molhano. Criatura e/ou Criador: transformações do Supremo Tribunal Federal sob a Constituição de 1988. *Revista Direito GV*, v. 12, n. 2, p. 405-440, maio 2016, p. 413.
[33] *Ibid.*
[34] GODOY, Miguel G. *Devolver a Constituição ao Povo*: crítica à supremacia judicial e diálogos institucionais. Belo Horizonte: Fórum, 2017.

Em trabalho prévio, analisei as possíveis incompletudes e deficiências que essa perspectiva do constitucionalismo popular pode apresentar, tendo em vista exemplos extraídos da experiência do Tribunal.[35] No entanto, no presente artigo, farei o caminho inverso: explorarei como as atividades decisórias do Supremo têm combatido essas críticas, para escapar de um modo de agir que promova a supremacia judicial.

Como já exposto, a Constituição de 1988 foi elaborada em meio a um ambiente vibrante de ampla participação popular. Nesse sentido, à luz do próprio intuito cidadão e participativo que deu origem a esta Constituição, são válidas as ressalvas quanto ao monopólio da interpretação e da construção de sentidos pelo STF, com a consequente exclusão dos verdadeiros titulares desta Carta Política – o povo. Entretanto, do ponto de vista do quadro fático, o Supremo tem combatido esse risco, paulatinamente investindo em remédios preventivos.

Segundo a lição de Joaquim Falcão e de Fabiana Luci de Oliveira, um dos *loci* nos quais a relação entre o STF e a sociedade mais se intensificou foi justamente "na disputa e produção do sentido exigível da Constituição".[36] Outrossim, a interpretação constitucional tem se apresentado como um espaço público de deliberação e uma verdadeira arena de decisão. Nesse sentido, as relações comunicativas entre o STF e a sociedade têm conduzido a um reconhecimento de sua legitimidade pelos demais partícipes da comunidade política. O resultado desses esforços é o estabelecimento de uma jurisdição constitucional democrática, participativa e inclusiva. Se é comum reconhecer o STF como detentor do "monopólio da interpretação exigível",[37] é necessário perceber também que o Tribunal tem primado pela abertura à população, aproximando-se do ideal de Peter Häberle de uma "sociedade aberta dos intérpretes da constituição".[38]

Dessa maneira, o Supremo tem, sim, definido os significados exigíveis da Constituição, mas não tem avocado para si a função de único ator legítimo desse processo. No ímpeto de não compactuar com o *modus operandi* excludente de supremacia judicial, a Corte busca sua permeabilidade à sociedade como um todo na construção da interpretação constitucional.[39] Isso tem sido feito a partir de, pelo menos, dois mecanismos: a realização de audiências públicas e a admissão de *amici curiae*.

Ora, é interessante notar que a pluralização da jurisdição foi realizada por meio de mudanças procedimentais, de forma que se priorizou a abertura de canais de participação no âmbito do próprio processo de tomada de decisão, que até então era muito autocentrado e técnico. Tais avanços apontam para uma instituição que está comprometida não com a imposição externa e definitiva de valores e visões, mas que se abre para dar "vez e voz" às múltiplas camadas populacionais.

---

[35] FUX, Luiz. O papel do Supremo Tribunal Federal e a salvaguarda das manifestações sociais: para além da dicotomia substancialismo e procedimentalismo. *In*: FUX, Luiz; ARAUJO, Valter Schuenquener de (Coord.). *Jurisdição Constitucional II*: Cidadania e Direitos Fundamentais. Belo Horizonte: Fórum, 2017.

[36] FALCÃO, Joaquim; OLIVEIRA, Fabiana Luci de. O STF e a Agenda Pública Nacional: de outro desconhecido a Supremo protagonista? *Lua Nova*, São Paulo, n. 88, p. 429-469, 2013, p. 430.

[37] *Ibidem*, p. 431.

[38] HÄBERLE, Peter. Hermenêutica Constitucional – A Sociedade Aberta dos Intérpretes da Constituição: Contribuição para Interpretação Pluralista e "Procedimental" da Constituição. *Revista Direito Público*, Brasília, v. 11, n. 60, 2014.

[39] Cumpre notar, no entanto, que ainda existem barreiras relativas ao acesso desses mecanismos de participação do Tribunal. Todavia, é inegável o mérito de tais iniciativas do STF de modo a se afastar de um paradigma de supremacia judicial sufocante.

De uma perspectiva formal, a Lei nº 9.868/99 foi responsável por inserir ambas as figuras na jurisdição constitucional brasileira.[40] Assim, pode-se afirmar que "a Jurisdição Constitucional no Brasil adota, hoje, um modelo procedimental que oferece alternativas e condições as quais tornam possível, de modo cada vez mais intenso, a interferência de uma pluralidade de sujeitos, argumentos e visões no processo constitucional".[41] Nesse diapasão, podemos tomar dois exemplos: a ADI nº 4.650[42] (financiamento de campanhas políticas) e a ADC nº 42[43] (Código Florestal), ambas de minha relatoria.

No primeiro caso, a ADI foi ajuizada, em 2011, pela Ordem dos Advogados do Brasil (OAB) questionando dispositivos da Lei dos Partidos Políticos (Lei nº 9.906/95) e das Eleições (Lei nº 9.504/97), no tocante à autorização de doações de recursos de pessoas jurídicas privadas para campanhas eleitorais de partidos e de candidatos. Na ocasião, ressaltei a importância da colaboração da sociedade para com a Suprema Corte, em questões de forte impacto nacional. O financiamento de campanhas se apresenta como um tema central para nossa democracia, de modo que o modelo regulatório estabelecido pela decisão buscou evitar cooptações causadoras de fortes prejuízos ao sistema político-representativo como um todo.

Desta forma, foram admitidos diversos *amici curiae* e realizou-se uma longa audiência pública, nos dias 24 e 23 de junho de 2013, para que fosse possível não só compreender informações técnicas relevantes para o processo, porém, igualmente, escutar aqueles que seriam, direta e indiretamente, influenciados pela decisão. Foram aceitos como *amici curiae* e como expositores diversos partidos políticos, institutos de pesquisa e instituições do âmbito acadêmico, como a Clínica de Direitos Fundamentais da Faculdade de Direito da UERJ.

No segundo caso, estavam em discussão dispositivos do Código Florestal, no julgamento conjunto da Ação Declaratória de Constitucionalidade nº 42 (ADC nº 42) e das Ações Diretas de Inconstitucionalidade (ADIs) nºs 4.901, 4.902, 4.903 e 4.937. Convocou-se uma audiência pública para o dia 18 de abril de 2018, da qual participaram inúmeros movimentos sociais, como o Núcleo Amigos da Terra Brasil; importantes acadêmicos e pesquisadores sobre a questão, como o Mater Natura – Instituto de Estudos Ambientais; representantes de órgãos governamentais relacionados à questão ambiental; e empresa de setores da economia impactados pela Lei. Nessa ocasião, os *amici* foram mais assertivos quanto à falta de capacidade institucional do Poder Judiciário para deliberar sobre os limites de exploração econômica dos recursos naturais. As informações prestadas por especialistas e as objeções dos setores impactados pelo marco legal (Lei nº 12.651/2012) foram essenciais para que se proferisse uma decisão empiricamente informada, nos termos do acórdão já proferido pelo STF. Percebe-se, assim, a importância prática da participação dos segmentos sociais e de especialistas da área para o alcance de um desfecho técnico, participativo e democrático.

---

[40] GODOY, Miguel G. *Devolver a Constituição ao Povo*: crítica à supremacia judicial e diálogos institucionais. Belo Horizonte: Fórum, 2017, p. 187.
[41] MENDES, Gilmar Ferreira; VALE, André Rufino do. O pensamento de Peter Häberle na jurisprudência do Supremo Tribunal Federal. *Observatório da Jurisdição Constitucional*, Brasília, ano 2, 2008/2009, p. 4.
[42] BRASIL, Supremo Tribunal Federal. *ADI 4650*. Rel. Min. Luiz Fux, PLENO, j. 17.09.2015, DJe 24.02.2016.
[43] BRASIL, Supremo Tribunal Federal. *ADC 42*. Rel. Min. Luiz Fux, PLENO, j. 28.02.2018, DJe 08.03.2018.

Em síntese, quando confrontado com demandas sociais, políticas e econômicas de alto impacto, o Tribunal tem se utilizado desses mecanismos para galgar maior legitimidade decisória e para ter acesso a opiniões abalizadas. São fatores que adicionam a *expertise* interdisciplinar e a necessária consideração dos impactos à leitura de disposições normativas, tornando a prestação jurisdicional mais completa e adequada.

Conclusão

A promulgação da Carta de 1988, que comemora 30 anos de conquistas e desafios, foi simbólica para o resgate do regime democrático no Brasil. Após o período ditatorial, a Constituição Cidadã reinstaurou um ambiente de liberdade, de igualdade e de participação cívica no país. De forma concomitante, o Poder Judiciário brasileiro e, em especial, o Supremo Tribunal Federal se destacou como um importante ator institucional na defesa do projeto de construção nacional.

Nesse sentido, o STF reiteradamente atua de modo a assegurar e a defender os direitos e as garantias fundamentais, arbitra conflitos políticos sensíveis e soluciona controvérsias econômicas de alta complexidade. Para tanto, observa fielmente a sua posição institucional no equilíbrio entre os Poderes e a sua missão mais ampla de reforçar a normatividade dos compromissos que vinculam a nossa comunidade política.

Conforme observei na primeira parte, o protagonismo exercido pelo STF no processo decisório não é uma particularidade brasileira. Nesse intuito, demonstrei que diversas Cortes Supremas se destacaram no âmbito de seus contextos institucionais. Em uma perspectiva global, tais Cortes, por meio do exercício da *judicial review*, resolvem litígios envolvendo questões altamente relevantes para a vida política de suas nações.

Nessa senda, a nossa Constituição Federal veiculou incentivos que permitiram o protagonismo institucional do Supremo Tribunal Federal. Com efeito, a Carta fundamental expandiu as competências do Tribunal, fortaleceu sua independência e autonomia frente aos outros Poderes e expandiu as condições de acesso à Justiça. Esse fenômeno não transcorreu indene de críticas, especialmente quanto à legitimidade democrática do Supremo Tribunal Federal para arbitrar demandas de alta relevância política, social e econômica.

Todavia, a problematização em torno da legitimidade judicial muitas vezes desconsidera que a deferência excessiva dos tribunais aos demais poderes, especialmente ao Poder Legislativo, obstaculiza pautas que não têm sido absorvidas pelo processo político ordinário. Ciente dos limites de sua atuação, quando percebe necessária a excepcional intervenção judicial no conflito, o Supremo Tribunal Federal tem priorizado aberturas procedimentais, mediante dois mecanismos principais: a realização de audiências públicas e a admissão de *amici curiae*.

Perante demandas complexas, o Supremo precisa adotar novos modos de agir para exercer o papel de guardião da Constituição, porém em mente de suas limitações institucionais. Para tanto, sem hesitações, na medida em que se torna necessário, o Tribunal dispensa o discurso jurídico hermético para escutar os atores políticos e os especialistas científicos sobre as controvérsias que, além de tangenciar as garantias constitucionais, demandam amplo conhecimento do contexto e dos impactos das soluções juridicamente possíveis.

O que se afigura o maior desafio do Supremo Tribunal Federal é prestar sua jurisdição sem perder de vista a função de proteção das minorias nem olvidar a importância de preservar e eventualmente expandir as conquistas democráticas de todos os cidadãos. Como tem se comportado ao longo dos últimos 30 anos, o Supremo Tribunal Federal é o árbitro último dos conflitos e o fiel da balança de nossa democracia, sempre disposto a dialogar com os demais atores, com vistas ao fortalecimento do processo político e à construção de uma comunidade verdadeiramente plural. A despeito dos inúmeros desafios que tivemos, a estabilidade institucional alcançada pela democracia brasileira desde 1988 testemunha a favor de nosso futuro: o Supremo Tribunal Federal permanecerá firme em seu mister de guardião maior da Constituição da República Federativa do Brasil.

Referências

ACKERMAN, Bruce. The Rise of World Constitutionalism. *Virginia Law Review*, v. 83, n. 4, p. 771-797, 1997.

ALLAN, James. An Unashamed Majoritarian Critical Notice. *Dalhousie Law Journal*, v. 27, n. 2, 2004.

ARANTES, Rogério Bastos. O Sistema Híbrido de Controle de Constitucionalidade das Leis no Brasil. *Revista CEJ*, Brasília, v. 1, n. 1, jan./abr. 1997.

ARGUELHES, Diego Werneck; RIBEIRO, Leandro Molhano. Criatura e/ou Criador: transformações do Supremo Tribunal Federal sob a Constituição de 1988. *Revista Direito GV*, v. 12, n. 2, p. 405-440, maio 2016.

BARROSO, Luís Roberto. Judicialização, Ativismo Judicial e Legitimidade Democrática. *[Syn]Thesis*, Rio de Janeiro, vol. 5, n. 1, 2012.

BICKEL, Alexander M. *The Least Dangerous Branch*: the Supreme Court at the Bar of Politics. New Haven: Yale University Press, 2. ed., 1986.

BRASIL, Supremo Tribunal Federal. *ADC 42*. Rel. Min. Luiz Fux, PLENO, j. 28.02.2018, DJe 08.03.2018.

BRASIL. *ADI 4650*. Rel. Min. Luiz Fux, PLENO, j. 17.09.2015, DJe 24.02.2016.

CARVALHO NETTO, Menelick de. Racionalização do Ordenamento Jurídico e Democracia. *Revista Brasileira de Estudos Políticos*, Belo Horizonte, n. 88, p. 81-108, 2003.

CHUEIRI, Vera Karam de; GODOY, Miguel G. Constitucionalismo e Democracia – soberania e poder constituinte. *Revista Direito GV*, São Paulo, v. 6, n. 1, p. 159-174, jan. 2010.

CHOUDHRY, Sujit. *The Migration of Constitutional Ideas*. Cambridge: Cambridge University Press, 2006.

FALCÃO, Joaquim; OLIVEIRA, Fabiana Luci de. O STF e a Agenda Pública Nacional: de outro desconhecido a Supremo protagonista? *Lua Nova,* São Paulo, n. 88, p. 429-469, 2013.

FUX, Luiz. O papel do Supremo Tribunal Federal e a salvaguarda das manifestações sociais: para além da dicotomia substancialismo e procedimentalismo. *In*: FUX, Luiz; ARAUJO, Valter Schuenquener de (Coord.). *Jurisdição Constitucional II*: Cidadania e Direitos Fundamentais. Belo Horizonte: Fórum, 2017.

FUX, Luiz. A Jurisdição Constitucional na experiência do Supremo Tribunal Federal: uma caminhada democrática, independente e corajosa. *In*: FUX, Luiz; ARAUJO, Valter Schuenquener de. (Coord.). *Jurisdição Constitucional II*: Cidadania e Direitos Fundamentais. Belo Horizonte: Fórum, 2017.

FUX, Luiz. SANTOS, Pedro Felipe de Oliveira. Constituições e Cultura Política: para além do constitucionalismo contramajoritário. *In*: LEITE, George Salomão; NOVELINO, Marcelo; ROCHA, Lilian R. L. (Org.). *Liberdade e Fraternidade*: a contribuição de Ayres Britto para o Direito. 1. ed. Salvador: Juspodivm, 2017.

FRIEDMAN, Barry. The Birth of an Academic Obsession: the History of the Countermajoritarian Difficulty, Part Five. *The Yale Law Journal*, v. 112, p. 153-259, 2002.

GODOY, Miguel G. *Devolver a Constituição ao Povo*: crítica à supremacia judicial e diálogos institucionais. Belo Horizonte: Fórum, 2017.

GROPPI, Tânia. El uso de precedentes extranjeros por parte de los Tribunales Constitucionales. *In*: CAVALLO, Gonzalo Aguilar. *Diálogo entre jurisdiciones*. Santiago Chile: Librotecnia, 2014.

HÄBERLE, Peter. Hermenêutica Constitucional – A Sociedade Aberta dos Intérpretes da Constituição: Contribuição para Interpretação Pluralista e "Procedimental" da Constituição. *Revista Direito Público*, Brasília, v. 11, n. 60, 2014.

HIRSCHL, Ran. The new constitutionalism and the judicialization of pure politics worldwide. *Fordham Law Review*, New York, v. 75, n. 2, 2006.

JACKSON, Vicki. Constitutional Comparisons: Convergence, Resistence and Engagement. *Harvard Law Review*, Cambridge, v. 119, p. 109-128, 2005.

KRAMER, Larry D. Popular Constitutionalism, circa 2004. *California Law Review*, Berkeley, v. 92, n. 4, 2004.

KRAMER, Larry D. *The People Themselves*: popular constitutionalism and judicial review. Cambridge: Oxford University Press, 2005.

LAW, David; MILA, Versteeg. The Ideology and Evolution of Global Constitutionalism. *California Law Review*, v. 99, n. 5, 2011.

MENDES, Gilmar Ferreira; VALE, André Rufino do. O pensamento de Peter Häberle na jurisprudência do Supremo Tribunal Federal. *Observatório da Jurisdição Constitucional*, Brasília, ano 2, 2008/2009.

MICHELMAN, Frank I. *Brennan and Democracy*. Nova Jersey: Princeton University Press, 1999.

NIEUWENHUIS, Aernout. Freedom of Speech: USA vs. Germany and Europe. *Netherlands Quaterly of Human Rights*, v. 18, n. 2, p. 195-214, 2000.

POST, Robert C.; SIEGEL, Reva B. Roe Rage: Democratic Constitutionalism and Backlash. *Harvard Civil Rights-Civil Liberties Law Review*, v. 42, 2007.

ROCHA, Antônio Sérgio. Genealogia da Constituinte: do autoritarismo à democracia. *Lua Nova*, São Paulo, v. 88, p. 29-87, 2013.

SADEK, Maria Tereza Aina. Judiciário: mudanças e reformas. *Revista de Estudos Avançados*, São Paulo, v. 18, n. 51, 2004.

TATE, C. N; VALLINDER, T. *The Global Expansion of Judicial Power*. New York: New York University Press, 1995.

TUSHNET, MARK. Popular Constitutionalism as a Political Law. *Chicago-Kent Law Review*, v. 81, p. 991-1006, 2006.

TUSHNET, MARK. *Taking the Constitution away from the Courts*. Princeton: Princeton University Press, 1999.

TUSHNET, MARK. Against Judicial Review. *Harvard Law School Public Law & Legal Theory Working Paper Series*, paper n. 09-20, 2009.

VIEIRA, Oscar Vilhena. Supremocracia. São Paulo: *Revista Direito GV*, v. 4, n. 2, p. 441-464, jul./dez. 2008.

Informação bibliográfica deste texto, conforme a NBR 6023:2018 da Associação Brasileira de Normas Técnicas (ABNT):

FUX, Luiz. Cortes Constitucionais e democracia: o Supremo Tribunal Federal sob a Constituição de 1988. *In*: COSTA, Daniel Castro Gomes da; FONSECA, Reynaldo Soares da; BANHOS, Sérgio Silveira; CARVALHO NETO, Tarcisio Vieira de (Coord.). *Democracia, justiça e cidadania*: desafios e perspectivas. Homenagem ao Ministro Luís Roberto Barroso. Belo Horizonte: Fórum, 2020. p. 27-40. t. 2: Pensando as instituições, a justiça e o Direito. ISBN 978-85-450-0749-4.

UMA RELEITURA DO "PRINCÍPIO" DA SUPREMACIA DO INTERESSE PÚBLICO[1]

TARCISIO VIEIRA DE CARVALHO NETO

1 Localização e problematização do tema

A ideia de supremacia do interesse público sobre o interesse privado, no equacionamento concreto de questões jurídicas simples ou mesmo de alta indagação, ainda tem sido invocada, como um mantra, na contemporaneidade fenomênica.

Interessante notar que tal frequente invocação – tanto no âmbito judicial quanto no administrativo – se faz divorciada de um compromisso maior com a cientificidade jurídica e, não raro, tem servido para "legitimar" posições unilaterais arbitrárias do poder público em face do cidadão.

A presente investigação científica tem por escopo primário aquilatar a natureza jurídica do instituto (ideia) em evidência. Nomeadamente, saber se a supremacia do interesse público ostenta o selo de um princípio do Direito Administrativo, com a significação e as consequências sistêmicas correlatas. Passo seguinte, o objetivo complementar está em circunscrever o seu conteúdo jurídico, levando em conta os novos signos do Direito Administrativo do século XXI, plenamente democratizado e conectado com as exigências sociais da distribuição, sem peias, de justiça em sentido material.

2 A função dos princípios na contemporaneidade jurídica

A partir das ideias de Luís Roberto Barroso, o Direito Constitucional dos dias que correm só pode ser bem aquilatado mercê dos valores e da ética.[2] Deve ser lido, pois,

---

[1] Artigo para composição de obra coletiva e em (justa) homenagem ao em. Ministro Luís Roberto Barroso, cuja contribuição para as letras jurídicas do Brasil ressoa perene inquestionável.
[2] BARROSO, Luís Roberto. *O novo direito constitucional brasileiro:* contribuições para a construção teórica e prática da jurisdição constitucional no Brasil. Belo Horizonte: Fórum, 2012b.

pelas lentes da filosofia moral. Tal concepção é própria do chamado pós-positivismo, sendo consectário lógico da virada filosófica do Direito Constitucional e (por que não?) da virada kantiana do Direito em geral.

Segundo o autor, na pós-modernidade, nos deparamos com o colapso dos projetos emancipatórios abrangentes, com a fragmentação de ideias e com uma onda de pragmatismo. A globalização tornou-se palavra de ordem, e o Estado soberano tradicional enfrenta adversidades externas – com a mitigação da ideia de soberania em face do Direito Comunitário e do Direito Internacional – e internas – com o questionamento de sua capacidade gerencial, assim como de agente econômico e social eficiente.

No quadro de erosão da dogmática tradicional do Direito Constitucional, cujos traços marcantes eram o formalismo e o positivismo, ganhou relevo a teoria crítica do direito,[3] de base marxista, responsável, em grande medida, pela desmistificação do conhecimento convencional, que encobria, sob o discurso da imparcialidade do direito, forte carga ideológica em favor do *status quo*.

A teoria crítica, conquanto consistente, não logrou a substituição completa da dogmática jurídica legatária do século XIX. Foi preciso "superar a visão cética e desconstrutiva da teoria crítica para redefinir o lugar do direito como um espaço de luta relevante – ainda que limitado – para o avanço social".[4]

A partir das insuficiências do jusnaturalismo[5] e do positivismo jurídico,[6] ganhou contorno o pós-positivismo e, com ele, a crença na normatividade dos princípios. E a ideia de justiça passou a fazer parte da essência do discurso jurídico.[7]

---

[3] Para Barroso (2012b, p. 110): "[...] sob a designação genérica de teoria crítica do direito, abriga-se um conjunto de movimentos e de ideias que questionam o saber jurídico tradicional na maior parte de suas premissas: cientificidade, objetividade, neutralidade, estabilidade, completude. Funda-se na constatação de que o Direito não lida com fenômenos que se ordenem independentemente da atuação do sujeito, seja o legislador, o juiz ou o jurista. Este engajamento entre sujeito e objeto compromete a pretensão científica do direito e, como consequência, seu ideal de objetividade, de um conhecimento que não seja contaminado por opiniões, preferências, interesses e preconceitos".

[4] BARROSO, Luís Roberto. *O novo direito constitucional brasileiro*: contribuições para a construção teórica e prática da jurisdição constitucional no Brasil. Belo Horizonte: Fórum, 2012b, p. 110.

[5] Ensina Barroso (2012b, p. 114) que o termo jusnaturalismo identifica uma das principais correntes filosóficas que tem acompanhado o Direito ao longo dos séculos, fundada na existência de um *direito natural*. Para o autor: "sua ideia básica consiste no reconhecimento de que há, na sociedade, um conjunto de valores e de pretensões legítimas que não decorrem de uma norma jurídica emanada do Estado, isto é, independem do direito positivo. Esse direito natural tem validade em si, legitimado por uma ética superior, e estabelece limites a própria norma estatal. Tal crença contrapõe-se a outra corrente filosófica de influência marcante, o positivismo jurídico [...]".

[6] Para Barroso (2012b, p. 118-119): "o positivismo jurídico foi a importação do positivismo filosófico para o mundo do Direito, na pretensão de criar-se uma *ciência* jurídica com características análogas a ciência exatas e naturais. A busca de objetividade científica, com ênfase na realidade observável e não na especulação filosófica, apartou o Direito da moral e dos valores transcendentes. Direito é norma, ato emanado do Estado com caráter imperativo e força coativa. A ciência do Direito, como todas as demais, deve fundar-se em juízos *de fato*, que visam ao conhecimento da realidade, em não em juízos *de valor*, que representam uma tomada de posição diante da realidade. Não é no âmbito do Direito que se deve travar a discussão acerca de questões como legitimidade e justiça".

[7] Como assinala Barroso (2012b, p. 119-120): "o positivismo pretendeu ser uma *teoria* do direito, na qual o estudioso assumisse uma atitude cognoscitiva (de conhecimento), fundada em juízos de fato. Mas resultou sendo uma *ideologia*, movida por juízos de valor, por ter se tornado não apenas um modo de *entender* o direito, como também de querer o Direito. O fetiche da lei e o legalismo acrítico, subprodutos do positivismo jurídico, serviam de disfarce para autoritarismos de matizes variados. A ideia de que o debate acerca da justiça se encerrava quando da positivação da norma tinha um caráter legitimador da ordem estabelecida. Qualquer ordem".

Por pós-positivismo deve ser compreendido um novo contexto constitucional em marcha de edificação. Como assinala Barroso, "é a designação provisória e genérica de um ideário difuso, no qual se incluem a definição da relação entre valores, princípios e regras, aspectos da chamada nova hermenêutica e a teoria dos direitos fundamentais".[8]

No pós-positivismo, valores (advindos de textos religiosos, filosóficos ou jusnaturalistas) condensam-se em princípios. E os princípios, agasalhados pelo texto constitucional, explícita ou implicitamente, revestem-se de *normatividade*.[9]

Para os fins da presente investigação, impõe-se remarcar a importância dos princípios, de vez que a respectiva ideia central consiste em verificar a natureza jurídica e, ato contínuo, tratar, especificamente, do "princípio" da supremacia do interesse público.

3 Direito Administrativo visceralmente constitucionalizado

Por constitucionalização do Direito, entenda-se, como faz Virgílio Afonso da Silva, a "irradiação dos efeitos das normas (ou valores) constitucionais aos outros ramos do direito".[10]

Tal irradiação, como explica o autor, é um processo e, como tal, pode se revestir de variadas formas e ser executado por diferentes atores. Dentre os trabalhos sobre o tema, destacam-se como pioneiras as análises doutrinárias de Gunnar Folke Schuppert e Christian Bumke, de um lado, e a de Louis Favoreau, de outro.

Para Schuppert e Bumke, citados por Silva, há cinco formas principais de constitucionalização do ordenamento jurídico: (1) reforma legislativa; (2) desenvolvimento jurídico por meio da criação de novos direitos individuais e de minorias; (3) mudança de paradigma nos demais ramos do Direito; (4) irradiação do Direito Constitucional – efeito nas relações privadas e nos deveres de proteção; (5) irradiação do Direito Constitucional – constitucionalização do Direito por meio da legislação ordinária.[11]

Esclarece Silva que algumas das fórmulas reveladas não podem ser simplesmente importadas para o sistema jurídico brasileiro, tanto porque a Constituição brasileira, no que toca ao catálogo de direitos fundamentais, é mais abrangente do que a alemã, quanto

---

[8] Barroso (2012b, p. 120-121), defende: "o Direito, a partir da segunda metade do século XX, já não cabia mais no positivismo jurídico. A aproximação quase absoluta entre Direito e norma e sua rígida separação da ética não correspondiam ao estágio do processo civilizatório e as ambições dos que patrocinavam a causa da humanidade. Por outro lado, o discurso científico impregnava o Direito. Seus operadores não desejavam o retorno puro e simples a jusnaturalismo, aos fundamentos vagos, abstratos ou metafísicos de uma razão subjetiva. Nesse contexto, o pós-positivismo não surge com o ímpeto da desconstrução, mas como uma superação do conhecimento convencional. Ele inicia sua trajetória guardando deferência relativa ao ordenamento jurídico, mas nele introduzindo as ideias de justiça e legitimidade. O constitucionalismo moderno promove, assim, uma volta aos valores, uma reaproximação entre ética e Direito".

[9] No pós-positivismo, como assinala Barroso (2012b, p. 122-123): "os princípios constitucionais, portanto, explícitos ou não, passam a ser a síntese dos valores abrigados no ordenamento jurídico. Eles espelham a ideologia da sociedade, seus postulados básicos, seus fins. Os princípios dão unidade e harmonia ao sistema, integrando suas diferentes partes e atenuando tensões normativas. De parte isso, servem de guia para o intérprete, cuja atuação deve pautar-se pela identificação do princípio maior que rege o tema apreciado, descendo do mais genérico ao mais específico, até chegar á formulação da regra concreta que vai reger a espécie [...]".

[10] SILVA, Virgílio Afonso da. *A constitucionalização do direito*: os direitos fundamentais nas relações entre particulares. São Paulo: Malheiros, 2005, p. 18.

[11] SILVA, Virgílio Afonso da. *A constitucionalização do direito*: os direitos fundamentais nas relações entre particulares. São Paulo: Malheiros, 2005.

porque, no Brasil, não há um antagonismo tão marcado entre jurisdição constitucional e jurisdição ordinária.[12]

Assim, guardadas as diferenças entre os ordenamentos jurídicos cotejados, importa ressaltar, no âmbito da análise Schuppert/Bumke, que a *reforma legislativa*, ao menos em tese, é a mais efetiva e a menos problemática forma de constitucionalização do Direito. Por meio de reformas mais ou menos abrangentes é possível "adaptar a legislação ordinária às prescrições constitucionais e, nos casos de constituições de caráter dirigente, realizá-la por meio de legislação".[13]

No entanto, o processo de constitucionalização operado pela via da *reforma legislativa* pode ser demorado. Silva lembra-nos da "lentidão com que os princípios da Constituição brasileira de 1988 e as tarefas que ela impõe são concretizados pela legislação ordinária".[14] E isso não é necessariamente um problema de falta de "vontade política", mas, sim, em todo o mundo, "uma característica inerente à lentidão do legislador para se adaptar a novos paradigmas".[15]

Barroso explica que a constitucionalização do direito está associada "a um efeito expansivo das normas constitucionais, cujo conteúdo material e axiológico se irradia, com força normativa, por todo o sistema jurídico".[16] Dessa forma, "os valores, os fins públicos e os comportamentos contemplados nos princípios e regras da Constituição passam a condicionar a validade e o sentido de todas as normas de direito infraconstitucional".

A constitucionalização, conforme o autor, irradia efeitos amplos. Repercute sobre a atuação dos três poderes, inclusive nas suas relações com os particulares. No seu correto entender, a constitucionalização:

a) Relativamente ao Legislativo:
  a.1) Limita sua discricionariedade ou liberdade de conformação na elaboração das leis em geral;
  a.2) Impõe-lhe determinados deveres de atuação para a realização de direitos e programas constitucionais;
b) Relativamente ao Poder Judiciário:
  b.1) Serve de parâmetro para o controle de constitucionalidade por ele desempenhado (incidental ou por ação direta);
  b.2) Condiciona a interpretação de todas as normas do sistema;
c) No tocante à administração pública:
  c.1) Limita a discricionariedade;

---

[12] SILVA, Virgílio Afonso da. *A constitucionalização do direito*: os direitos fundamentais nas relações entre particulares. São Paulo: Malheiros, 2005.

[13] SILVA, Virgílio Afonso da. *A constitucionalização do direito*: os direitos fundamentais nas relações entre particulares. São Paulo: Malheiros, 2005, p. 39.

[14] SILVA, Virgílio Afonso da. *A constitucionalização do direito*: os direitos fundamentais nas relações entre particulares. São Paulo: Malheiros, 2005, p. 40.

[15] Segundo Silva (2005, p. 40-41): "É possível perceber, portanto, que uma mudança de paradigma imposta pela Constituição e uma decorrente necessidade de adaptação da legislação ordinária por imposição constitucional, ainda que configurem, em tese, a forma mais segura e menos controvertida de constitucionalização do direito, não implicam mudanças rápidas quando o paradigma não muda para a sociedade e, também, para os operadores do direito".

[16] BARROSO, Luís Roberto. A Constitucionalização do direito e suas repercussões no âmbito administrativo. *In*: ARAGÃO, Alexandre Santos de; MARQUES NETO, Floriano Azevedo (Coord.). *Direito administrativo e seus novos paradigmas*. Belo Horizonte: Fórum, 2012a, p. 32-33.

c.2) Impõe deveres de atuação;
c.3) Fornece fundamento de validade para a prática de atos de aplicação direta e imediata da Constituição, independentemente da interposição do legislador ordinário.

Quanto aos particulares, Barroso assinala que o fenômeno da constitucionalização "estabelece limitações à autonomia da vontade, em domínios como a liberdade de contratar ou o uso da propriedade privada, subordinando-a a valores constitucionais e a direitos fundamentais", e que o atual estágio de constitucionalização do direito teve como antecedentes: o movimento de aproximação entre constitucionalismo e democracia, a força normativa da Constituição e a difusão da jurisdição constitucional.[17] Explica:

> Nos Estados de democratização mais tardia, como Portugal, Espanha e, sobretudo, o Brasil, a constitucionalização do direito é um processo mais recente, embora muito intenso. Verificou-se, entre nós, o mesmo movimento translativo ocorrido inicialmente na Alemanha e em seguida na Itália: a passagem da Constituição para o centro do sistema jurídico. A partir de 1988, e mais notadamente nos últimos cinco ou dez anos, a Constituição passou a desfrutar já não apenas da supremacia formal que sempre teve, mas também de uma supremacia material, axiológica, potencializada pela abertura do sistema jurídico e pela normatividade de seus princípios. Com grande ímpeto, exibindo força normativa sem precedente, a Constituição ingressou na paisagem jurídica do país e no discurso dos operadores jurídicos.

Logo, a Constituição passou a ser a régua interpretativa de todos os ramos jurídicos, fenômeno indicado por parte da doutrina como "filtragem constitucional", consistente, ainda segundo Barroso, "em que toda a ordem jurídica deve ser lida de modo a realizar os valores nela consagrados".[18] E mais:

> À luz de tais premissas, toda interpretação jurídica é também interpretação constitucional. Qualquer operação de realização do direito envolve a aplicação direta ou indireta da Lei Maior. Aplica-se a Constituição:
> a) *Diretamente*, quando uma pretensão se fundar em uma norma do próprio texto constitucional. Por exemplo: o pedido de reconhecimento de uma imunidade tributária (CF, art. 150, VI) ou o pedido de nulidade de uma prova obtida por meio ilícito (CF, art. 5º, LVI);
> b) *Indiretamente*, quando uma pretensão se fundar em uma norma infraconstitucional, por duas razões:
> (i) Antes de aplicar a norma, o intérprete deverá verificar se ela é compatível com a Constituição, porque, se não for, não deverá fazê-la incidir. Esta operação está sempre presente no raciocínio do operador do direito, ainda que não seja por ele explicitada;
> (ii) Ao aplicar a norma, o intérprete deverá orientar seu sentido e alcance à realização dos fins constitucionais.

---

[17] Esclarece Barroso (2012a, p. 33) que o percurso histórico do fenômeno da constitucionalização não se desenvolveu de maneira simultânea ou uniforme em todos os sistemas jurídicos. Para um exame minucioso da evolução do fenômeno no Reino Unido, nos Estados Unidos, na Alemanha, na Itália, na França e também no Brasil, recomendável a leitura integral de seu artigo doutrinário "A constitucionalização do direito e suas repercussões no âmbito administrativo".

[18] BARROSO, Luís Roberto. A Constitucionalização do direito e suas repercussões no âmbito administrativo. In: ARAGÃO, Alexandre Santos de; MARQUES NETO, Floriano Azevedo (Coord.). *Direito administrativo e seus novos paradigmas*. Belo Horizonte: Fórum, 2012a, p. 43.

Barroso assinala que o mais decisivo para a constitucionalização do Direito Administrativo, em especial, foi a incidência nos seus domínios dos princípios constitucionais, não apenas os específicos, mas, sobretudo, os de caráter geral, que se irradiam por todo o sistema jurídico.[19] A seu ver, a partir da centralidade da dignidade humana e da preservação dos direitos fundamentais, alterou-se a qualidade das relações entre administração e administrado, com superação ou reformulação de paradigmas tradicionais, dentre os quais:

a) A redefinição da ideia de supremacia do interesse público sobre o interesse privado;

b) A vinculação do administrador à Constituição e não apenas à lei ordinária;

c) A possibilidade de controle judicial do mérito administrativo.

Contudo, a constitucionalização excessiva traz riscos sistêmicos. E Barroso aponta duas consequências negativas do fenômeno, uma de natureza política, a saber, o *esvaziamento do poder das maiorias*, pelo engessamento da legislação ordinária, e outra de natureza metodológica, justamente o *decisionismo judicial*, potencializado pela textura aberta e vaga das normas constitucionais.[20] E, em meio aos esforços para coibir as duas disfunções referidas, e porque a Constituição "não pode pretender ocupar todo o espaço jurídico em um Estado democrático de direito", o autor aponta dois parâmetros preferenciais a serem seguidos pelos exegetas:

a) Preferência pela lei: onde tiver havido manifestação inequívoca e válida do legislador, deve ela prevalecer, abstendo-se o juiz ou o tribunal de produzir solução diversa que lhe pareça mais conveniente;

b) Preferência pela regra: onde o constituinte ou o legislador tiver atuado, mediante a edição de uma regra válida, descritiva da conduta a ser seguida, deve ela prevalecer sobre os princípios de igual hierarquia, que, por acaso, possam postular incidência na matéria.[21]

Alexandre Santos de Aragão ensina que, para reduzir a esfera de subjetividade do juiz e do administrador e evitar a blindagem de determinados conceitos, ainda que com certos parâmetros estabelecidos pela doutrina, "não se pode aplicar a ponderação imoderadamente como técnica decisória quando houver REGRA expressa e razoável sobre a matéria, ainda mais quando a própria regra integrar a Constituição".[22] Assim:

> A deferência aos enunciados normativos é pertinente e se justifica não por mero formalismo, mas porque a ponderação já foi realizada quando da edição da norma, pelo constituinte

---

[19] BARROSO, Luís Roberto. A Constitucionalização do direito e suas repercussões no âmbito administrativo. *In*: ARAGÃO, Alexandre Santos de; MARQUES NETO, Floriano Azevedo (Coord.). *Direito administrativo e seus novos paradigmas*. Belo Horizonte: Fórum, 2012a, p. 59.

[20] BARROSO, Luís Roberto. A Constitucionalização do direito e suas repercussões no âmbito administrativo. *In*: ARAGÃO, Alexandre Santos de; MARQUES NETO, Floriano Azevedo (Coord.). *Direito administrativo e seus novos paradigmas*. Belo Horizonte: Fórum, 2012a, p. 60.

[21] BARROSO, Luís Roberto. A Constitucionalização do direito e suas repercussões no âmbito administrativo. *In*: ARAGÃO, Alexandre Santos de; MARQUES NETO, Floriano Azevedo (Coord.). *Direito administrativo e seus novos paradigmas*. Belo Horizonte: Fórum, 2012a, p. 61.

[22] ARAGÃO, Alexandre Santos de. Subjetividade judicial na ponderação de valores – alguns exageros na adoção indiscriminada da teoria dos princípios. *In*: ALMEIDA, Fernando Dias Menezes de; MARQUES NETO, Floriano de Azevedo; MIGUEL, Luiz Felipe Hadlich; SCHIRATO, Vitor Rhein (Coord.). *Direito público em evolução*: estudos em homenagem à Professora Odete Medauar. Belo Horizonte: Fórum, 2013, p. 71-72.

(quando se tratar de norma constitucional) ou pelo legislador (quando se tratar de norma infraconstitucional), e até mesmo pela Administração Pública. Logo, utilizar ponderação para decidir nos casos em que já há regra tutelando determinado direito seria *reponderar valores já ponderados*.

Para Aragão, longe de proclamarem um desapego aos valores ou um abandono da ponderação como técnica decisória, em um Estado democrático de direito, "é preciso que sejam levadas a sério pelos órgãos julgadores e aplicadores do direito as ponderações previamente realizadas pelo legislador ou pelo constituinte, expressas por meio do texto normativo".[23] Ou, então, como observa Barroso, na mesma linha de pensamento, propugnando a preferência pela lei, para concretizar os princípios da separação de poderes, da segurança jurídica e da isonomia, o reconhecimento de que se pode atuar criativamente em determinadas situações não confere autorização de que haja sobreposição ao legislador, "a menos que este tenha incorrido em inconstitucionalidade. Vale dizer: havendo lei válida a respeito, é ela que deve prevalecer".[24]

4 Os riscos da aplicação desmesurada de princípios

Julgar com princípios não é tarefa fácil. Todavia, o julgamento por princípios é traço marcante da contemporaneidade jurídica.

Inúmeras situações concretas são equacionadas pelo Poder Judiciário e também pela administração pública a partir da invocação pura e simples de princípios jurídicos, notadamente os constitucionais.

Repete-se, como um mantra, que os princípios têm força normativa e dispõem de eficácia concreta.

Mas o que é um princípio? Até onde se pode chegar com ele? Na atualidade, nos deparamos com condenáveis exageros. No contexto do pós-positivismo, uma das maneiras mais comuns de conceituar um princípio se faz a partir da sua questionável diferenciação com as regras.

Para Barroso, como corolário da adoção do pós-positivismo (em que a Constituição passa a ser encarada como um sistema aberto permeável a valores jurídicos suprapositivos, exercendo papéis centrais as ideias de justiça e a realização de direitos fundamentais), "a distinção qualitativa entre regras e princípios é um dos pilares da moderna dogmática constitucional, indispensável para a superação do positivismo legalista, onde as normas se cingiam a regras jurídicas".[25]

---

[23] ARAGÃO, Alexandre Santos de. Subjetividade judicial na ponderação de valores – alguns exageros na adoção indiscriminada da teoria dos princípios. *In*: ALMEIDA, Fernando Dias Menezes de; MARQUES NETO, Floriano de Azevedo; MIGUEL, Luiz Felipe Hadlich; SCHIRATO, Vitor Rhein (Coord.). *Direito público em evolução*: estudos em homenagem à Professora Odete Medauar. Belo Horizonte: Fórum, 2013, p. 72.

[24] BARROSO, Luís Roberto. A Constitucionalização do direito e suas repercussões no âmbito administrativo. *In*: ARAGÃO, Alexandre Santos de; MARQUES NETO, Floriano Azevedo (Coord.). *Direito administrativo e seus novos paradigmas*. Belo Horizonte: Fórum, 2012a, p. 61.

[25] BARROSO, Luís Roberto. *O novo direito constitucional brasileiro*: contribuições para a construção teórica e prática da jurisdição constitucional no Brasil. Belo Horizonte: Fórum, 2012b, p. 123.

No trato do tema, segundo o mesmo autor, a mudança de paradigma nessa matéria deve especial tributo à sistematização de Ronald Dworkin, já que a respectiva elaboração acerca dos diferentes papéis desempenhados por regras e princípios "ganhou curso universal e passou a constituir o conhecimento convencional na matéria".[26]

Nas palavras de Barroso, "regras são proposições normativas aplicáveis sob a forma de tudo ou nada (*all or nothing*)", ao passo que "os princípios contêm, normalmente, uma carga valorativa, um fundamento ético, uma decisão política relevante, e indicam uma direção a seguir".[27] Daí por que, no caso das regras, "o comando é objetivo e não dá margem a elaborações mais sofisticadas acerca de sua incidência", de onde se extrai: (i) uma regra só deixará de incidir sobre a hipótese de fato que contempla se for inválida, se houver outra mais específica ou se não estiver em vigor; (ii) dá-se sua aplicação, predominantemente, mediante subsunção. Já no caso dos princípios:

> [...] em uma ordem pluralista, existem outros princípios que abrigam decisões, valores ou fundamentos diversos, por vezes contrapostos. A colisão de princípios, portanto, não só é possível, como faz parte da lógica do sistema, que é dialético. Por isso a sua incidência não pode ser posta em termos de tudo ou nada, de validade ou invalidade. Deve-se reconhecer aos princípios uma dimensão de peso ou importância. À vista dos elementos do caso concreto, o intérprete deverá fazer escolhas fundamentadas, quando se defronte com antagonismos inevitáveis [...]. A aplicação dos princípios se dá, predominantemente, mediante *ponderação*.

Tem-se como correta a constatação de Barroso de que o chamado pós-positivismo afigura-se como obra inacabada. Como qualquer reação a um estado insuportável de coisas, pode descambar para exageros.

Para Galvão, em interessante obra sobre os riscos (e exageros!) do chamado neoconstitucionalismo para o Estado de Direito:

> Se a constitucionalidade das normas for constantemente questionada pelos intérpretes – utilizando-se princípios e ponderação como técnica – elas perderão sua capacidade de guiar as condutas dos indivíduos, além de dar ensejo a uma atuação mais subjetiva por parte dos agentes públicos. Explica-se: ao se constatar que os princípios constitucionais se irradiam por todo o ordenamento jurídico, torna-se possível argumentar, em qualquer caso, por mais ordinário que seja, a favor do resultado que se considera o mais correto, uma vez que o texto fundamental alberga uma infinidade de valores contraditórios em sua essência.[28]

Impende, pois, recolocar o julgamento por princípios no seu devido lugar. E, se se pretende julgar (bem) com o "princípio" da supremacia do interesse público, é preciso ter bastante cuidado. Uma aplicação altamente subjetiva do princípio, para fins decisórios, pode descambar justamente para o mal que se pretende evitar: *a adoção de decisões arbitrárias e autoritárias*.

---

[26] BARROSO, Luís Roberto. *O novo direito constitucional brasileiro*: contribuições para a construção teórica e prática da jurisdição constitucional no Brasil. Belo Horizonte: Fórum, 2012b, p. 123.

[27] BARROSO, Luís Roberto. *O novo direito constitucional brasileiro*: contribuições para a construção teórica e prática da jurisdição constitucional no Brasil. Belo Horizonte: Fórum, 2012b, p. 124.

[28] GALVÃO, Jorge. *O neoconstitucionalismo e o fim do estado de direito*. São Paulo: Saraiva, 2014, p. 46.

5 Impactos dos princípios no sistema (constitucionalizado e não codificado) de Direito Administrativo

Carlos Ayres Britto, ao comentar o art. 37, *caput*, da Constituição da República, assinala que:

> [...] peculiarizando-se por atuar mediante órgãos e entidades, cumulativamente, e pelo desempenho da atividade administrativa enquanto meio e enquanto fim, indiferentemente, o Poder Executivo termina sendo a parte elementar do Estado que mais se faz presente no dia a dia da população. Noutros termos, é graças à ontologia e funcionalidade do Poder Executivo que o Estado-administração, mais que o Estado-legislação e o Estado-jurisdição, passa a compor o cotidiano de cada indivíduo e da população por inteiro.[29]

A despeito de sua já anunciada conceituação controvertida na doutrina especializada, não se discute a importância dos princípios para o Direito Administrativo.

Para Odete Medauar, no âmbito de um Direito Administrativo não codificado e de elaboração recente, os princípios revestem-se de grande importância porque auxiliam na compreensão e na consolidação de seus institutos.[30] Além disso, muitas normas são editadas em vista de circunstâncias de momento, resultando em multiplicidade de textos, sem reunião sistemática. Daí a importância dos princípios, "sobretudo para possibilitar a solução de casos não previstos, para permitir melhor compreensão dos textos esparsos e para conferir certa segurança aos cidadãos quanto à extensão dos seus direitos e deveres".

A releitura do Direito Administrativo, desde a força normativa dos princípios constitucionais, que é própria do neoconstitucionalismo, impõe desafios.[31] E o primeiro deles diz com a reestruturação da ideia de legalidade, elementar na edificação da matéria.

Sobre os contornos contemporâneos da noção de legalidade, cobertura para toda e qualquer ação estatal, leciona Medauar:

> Embora permaneçam o sentido de poder objetivado pela submissão da Administração à legalidade e o sentido de garantia, certeza e limitação do poder, registrou-se evolução da ideia genérica de legalidade. Alguns fatores dessa evolução podem ser apontados, de modo sucinto. A própria sacralização da legalidade produziu um desvirtuamento denominado legalismo ou legalidade formal, pelo qual as leis passaram a ser vistas como justas por serem leis, independentemente do conteúdo. Outro desvirtuamento: formalismo excessivo dos decretos, circulares e portaria, com exigências de minúcias irrelevantes.

---

[29] BRITTO, Carlos Ayres. Art. 37 da Constituição Federal. *In*: CANOTILHO, J. J. Gomes *et al*. *Comentários à Constituição do Brasil*. São Paulo: Saraiva/Almedina, 2013, p. 818 e seguintes.

[30] MEDAUAR, Odete. *Direito administrativo moderno*. 18. ed. São Paulo: Malheiros, 2014, p. 128-129.

[31] Jaime Rodríguez-Araña Muñoz (La vuelta al derecho administrativo – a vueltas con lo privado y lo público. *Revista de Derecho de la Universidad de Montevideo*, n. 7, p. 89-102, 2005) ensina que a caracterização do Direito Administrativo a partir da perspectiva do Direito Constitucional impõe a revisitação de antigos dogmas e critérios que, por haverem prestado grandes serviços, devem ser substituídos de forma serena e moderada pelos princípios que presidem o novo Estado Social e Democrático de Direito. Na opinião do autor, a garantia do interesse geral é a principal tarefa do Estado e, em função dele, o Direito Administrativo deve levar em conta tal realidade e adequar-se, institucionalmente, aos novos tempos, pois, do contrário, perderá a ocasião de cumprir a função que justifica a sua existência, qual seja, a de melhor ordenação e gestão da atividade pública com apego à justiça. Para ele, não se trata de banir elementos essenciais do Direito Administrativo, mas de repensá-los à luz do ordenamento constitucional. Para Rodríguez-Araña, o que está sendo modificado, insiste-se, é o papel do interesse público, que, a partir dos postulados do pensamento aberto, plural e dinâmico, impõe a adequação das instituições tradicionais à realidade constitucional.

Por outro lado, com as transformações do Estado, o Executivo passou a predominar sobre o Legislativo; a lei votada pelo Legislativo deixou de expressar a vontade geral para ser vontade de maiorias parlamentares, em geral controladas pelo Poder Executivo. Este passou a ter ampla função normativa, como autor de projetos de lei, como legislador por delegação, como legislador direto (por exemplo, ao editar medidas provisórias), como emissor de decretos, portarias e circulares que afetam direitos. Além do mais, expandiram-se e aprimoraram-se os mecanismos de controle de constitucionalidade das leis. Ante tal contexto, buscou-se assentar o princípio da legalidade em bases valorativas, sujeitando as atividades da Administração não somente à lei votada pelo Legislativo, mas também aos preceitos fundamentais que norteiam todo o ordenamento. A Constituição de 1988 determina que todos os entes e órgãos da Administração obedeçam ao princípio da legalidade (*caput* do art. 37); a compreensão desse princípio deve abranger a observância da lei formal, votada pelo Legislativo, e também aos preceitos decorrentes de um Estado Democrático de Direito, que é o modo de ser do Estado brasileiro, conforme reza o art. 1º, *caput*, da Constituição; e, ainda, deve incluir a observância dos demais fundamentos e princípios de base constitucional.[32]

A República Federativa do Brasil, nos termos do art. 1º da Constituição de 1988, constitui-se em Estado Democrático de Direito e tem como fundamento expresso, dentre outros de altíssima significação, a dignidade da pessoa humana (inciso III). Por conseguinte, a administração pública e o Direito Administrativo, para além de uma legalidade meramente semântica, têm a obrigação constitucional de, captando a ideologia subjacente à Carta Política Maior, dar concretude à ideia de que o ser humano ocupa papel de destaque maior na pauta de preocupações do Estado.

Assim, enquanto destinatário maior das ações administrativas, o administrado não pode ser prejudicado por interpretações que ensejem a redução do alcance da esfera jurídica protetora da dignidade humana de que é titular. E devem ser prontamente refutadas interpretações que coloquem a dignidade humana do administrado em plano secundário.

Por imperativo constitucional, trata-se de considerar o administrado em sua condição humana, como começo e fim das preocupações e das ações do Estado-administrador, que, relembre-se, nada mais é que o produto das aspirações da Constituição dirigido à preservação dos direitos e das garantias fundamentais do ser humano.

A obrigatória aderência do Direito Administrativo à nova principiologia constitucional impõe a travessia de um Direito Administrativo conservador (tanto quanto autoritário) para o Direito Administrativo democrático, consensual e participativo. E daí, sem escalas, ao Direito Administrativo da Justiça Material, tendo na dignidade administrativa o alvo a ser mirado e o horizonte a ser descortinado.[33]

Na visão de Medauar, a necessária participação administrativa descortina-se como técnica retificadora do distanciamento da organização administrativa em relação ao cidadão e à realidade.[34]

---

[32] MEDAUAR, Odete. *Direito administrativo moderno*. 18. ed. São Paulo: Malheiros, 2014, p. 141-142.
[33] De acordo com Gustavo Justino de Oliveira (*Direito administrativo democrático*. Belo Horizonte: Fórum, 2010, p. 164), "insta observar que a junção da noção de democracia à de Estado de direito, muito mais do que estabelecer um qualificativo do modo de ser do Estado, é responsável pela atribuição aos cidadãos do *direito de participação nas decisões estatais*".
[34] MEDAUAR, Odete. Administração pública ainda sem democracia. *Problemas Brasileiros*, São Paulo, v. 23, n. 256, p. 37-41, 44-53, mar./abr.1986.

Também tem razão Gustavo Binenbojm quando assevera que a teoria do Direito Administrativo brasileiro sempre pareceu inconsistente do ponto de vista lógico-conceitual; autoritária, do ponto de vista político-jurídico; e ineficiente, de um ponto de vista pragmático.[35] Dentre as inquietações referidas pelo autor, destaca-se a relacionada à pergunta "como enquadrar um princípio de supremacia de interesse público sobre os interesses particulares em um ambiente 'reconstitucionalizado', no qual se proclama a centralidade não do Estado ou da sociedade, mas do sistema de direitos fundamentais?"

Nessa perspectiva teórica, o sistema de direitos fundamentais e o princípio democrático cumprem papel fundamental na estruturação e no funcionamento do Estado democrático de direito e na própria administração pública.

Não é apenas desejar uma "boa administração", na expressão de Guido Falzone,[36] no sentido de um princípio regente da atividade administrativa no contexto contemporâneo, de administração pública leal, proba, justa, de boa-fé, que não surpreende o administrado com ações e inações despidas de razão e bom senso, mas, sim, ir além, dignificar o ser humano administrado nos seus posicionamentos mais cotidianos numa espécie de vocação sistêmica preventiva, própria de uma deontologia que previne o arbítrio e, por conseguinte, coroa a legalidade substancial.

Tratar o administrado como objeto inanimado de direito, como massa de manobra, é comportamento a ser erradicado em se tratando de Estado Democrático de Direito. Ao contrário, o administrado deve ser visto com o devido respeito constitucional, como sujeito e destinatário de direitos, como protagonista de uma relação jurídica que se constrói na específica perspectiva de sua emancipação.

Deve ser superada a ideia de Direito Administrativo "do" Estado, "em favor" do Estado, à disposição da administração pública, em desfavor e "de costas" para o administrado.

Nessa quadra evolutiva, o Direito Administrativo passa a ser visto como valioso aparato instrumental, como remodelado meio para a obtenção de resultados mais significativos no âmago de um "Estado constitucional solidário", integralmente comprometido com a igualdade e a justiça como valores supremos de uma sociedade fraterna.[37]

---

[35] BINENBOJM, Gustavo. *Uma teoria do direito administrativo:* direitos fundamentais, democracia e constitucionalização. 3. ed. Rio de Janeiro: Renovar, 2014, p. 2.

[36] FALZONE, Guido. *Il dovere di buona amnistrazione*. Parte I. Milão: Giuffrè, 1953. Para o autor italiano (tradução livre), "Quando se fala em 'boa administração' somos induzidos a pensar, à primeira vista, que esta não se confunde com a noção de má administração e nem com a ideia de uma ótima administração, mas corresponde a uma categoria intermediária, constituída sobre um critério médio. Todavia, para que se possa entender tal expressão, deve-se, sobretudo, construir hipoteticamente um quadro daquilo que é de fato a administração e colher aspectos diversos do modo pelo qual se desenvolve a atividade administrativa: a ótima, a boa e a má administração, a fim de poder definir a noção de 'boa administração' como aquela que deve conduzir e padronizar a ação administrativa".

[37] Para Michelle Carducci (*Por um direito constitucional altruísta*. Tradução de Sandra Regina Martini Vial, Patrick Lucca da Ros e Cristina Lazzaroto Fortes. Porto Alegre: Livraria do Advogado Editora, 2003, p. 57-59): "[...] o declínio progressivo do Estado-Nação como figura central da economia-mundo significou a desterritorialização da economia (do desenvolvimento e da divisão do trabalho), ou seja, o desaparecimento do espaço geográfico – e, ainda antes, cultural e político – do Estado como mecanismo fundamental ou 'motor' da 'máquina' do desenvolvimento. Como consequência, o mecanismo 'vitimário' que exclui povos e indivíduos do planeta do acesso aos 'bens fundamentais' é um problema relacionado com os direitos fundamentais de liberdade e que, no horizonte da 'globalização' do homem e do mundo, não pode ser delegado à soberania de cada Estado Nacional, mas à inteira comunidade internacional. [...] Daí a urgência de pensar a democracia como novo princípio político destinado a garantir a 'dignidade' humana no pluralismo e no 'moral disagreement'. E daí a urgência de um

O "princípio" da supremacia do interesse público, portanto, impõe um agir decisório cada vez mais comprometido com o justo, um justo que leve em consideração, substancialmente e sem tergiversação, a dignidade humana do administrado.

6 Conteúdo (jurídico) do "princípio" da supremacia do interesse público

Postula-se pela edificação de um conteúdo (jurídico) para o "princípio" da supremacia do interesse público que sirva de parâmetro para uma atuação administrativa decisória juridicamente hígida e responsável.

Mas o que é interesse público? Ensina Aragão que as concepções anglo-saxônicas e europeias sobre interesse público são distintas:

> Enquanto nos EUA e no Reino Unido o interesse público é considerado como intrinsecamente ligado aos interesses individuais, sendo próximo do que resultaria de uma soma dos interesses individuais (satisfação dos indivíduos = satisfação do interesse público), nos Estados de raiz germânico-latina é tendencialmente considerado superior à soma dos interesses individuais, sendo superior e mais perene que eles, razão pela qual é protegido e perseguido pelo Estado, constituindo o fundamento de um regime jurídico próprio, distinto do que rege as relações entre os particulares.[38]

Para Carlos Vinícius Alves Ribeiro, o interesse público ("conceito determinável") dotado de supremacia é só aquele internalizado pela administração, incluído entre os fins administrativos, cabendo à lei (instrumento normativo genérico e abstrato) adicionar objetivos à administração.[39] Com apoio em Alessi,[40] ensina que "não é a própria administração que diz onde existe e onde não existe interesse público como móvel do agir administrativo, mas somente a lei (instrumento jurídico genérico e anterior à prática do ato)".[41]

Em nome da supremacia do interesse público, numa visão retrógrada, reacionária e autoritária, absurdos têm sido cometidos.[42] E sendo certo que o interesse público não pode ser vislumbrado em abstrato,[43] mostra-se necessário remodelar o seu espectro de incidência.

Direito Constitucional 'altruísta' como novo *nomos* da Terra, capaz de contestar o princípio da soberania e os interesses da razão de Estado como fundamento exclusivo da legitimidade e da liberdade".

[38] ARAGÃO, Alexandre Santos de. *Curso de direito administrativo*. Rio de Janeiro: Forense, 2012, p. 151-152.
[39] RIBEIRO, Carlos Vinícius Alves; DI PIETRO, Maria Sylvia Zanella. *Supremacia do interesse público e outros temas relevantes do direito administrativo*. São Paulo: Atlas, 2010, p. 103 a 119.
[40] ALESSI, Renato. *La responsabilità della pubblica amministrazione*. 3. ed. Milano: Giuffrè, 1955.
[41] Para Ribeiro (2010, p. 104): "[...] não basta que a administração diga que fará ou deixará de fazer algo, eventualmente atingindo interesses legítimos de indivíduos, por essa ação ou inação de interesse público. É preciso rechear o conceito, destrinchá-lo, dizer qual é efetivamente o interesse público naquele caso concreto e qual regra jurídica lhe atribui superioridade legítima".
[42] Adverte Ribeiro (2010, p. 105), com apoio em Alice Gonzales Borges, que é necessário distinguir a supremacia do interesse público de "suas manipulações e desvirtuamentos em prol do autoritarismo", sendo certo que "o problema não é do princípio: é, antes, de sua aplicação prática".
[43] Ribeiro (2010, p. 119), com apoio na Teoria dos Tipos, de Carl Gustav Jung, sustenta ser o interesse público não um conceito, mas sim um "tipo", "uma noção quadro que, por mais que inicialmente, em abstrato, diretamente,

De início, deve ser afastada, à luz da doutrina de Floriano Peixoto de Azevedo Marques Neto, a noção, ainda comum no âmbito da administração pública, de interesse público como universal, absoluto, singular, "como aquele que se contrapõe à perspectiva atomizada dos particulares".[44] Tal concepção não mais se sustenta, devendo ser substituída pela de "um elo de mediação de interesses privados dotados de legitimidade".

No correto entender do autor, o interesse público não pode mais subsistir (nem na prática política, nem na formulação doutrinária) de forma absoluta e autoritária, justamente para evitar que ele se transforme numa cortina de fumaça para a prática de excessos e desvios de poder.

Para Marques Neto, deve-se conduzir o conceito de interesse público – e com ele, enfatizamos nós, o de impessoalidade – à ideia de que, atualmente, "interesses legítimos, mediatos ou imediatos, de um particular, não podem significar automaticamente um interesse contrário aos desígnios públicos".[45] Em muitos casos, o atendimento dos interesses dos particulares será, em si, a consagração do interesse público. Em suas palavras:

> Temos claro que atender a Administração Pública – com eficiência e diligência – a um interesse legítimo de particular, tendo por móvel as imposições ou princípios de ordem administrativa, não implica conduta que possa ser inquinada de reprovável pelo moderno Direito Administrativo. Afinal, [...], o atendimento do interesse privado (mormente quando este se reveste de caráter metaindividual), hodiernamente, é, no mais das vezes, forma única de consagração do interesse público.

Coerentemente, o mesmo autor sustenta que, em vista da falência da noção tradicional de interesse público, passa a ser necessário um novo estudo das formas de composição dos diversos interesses que convivem na sociedade "a partir de critérios de relevância sempre dependentes de uma avaliação conjuntural".[46]

Assim, o princípio da "supremacia do interesse público" deve adquirir a feição de "prevalência dos interesses públicos" e, depois, deve ser desdobrado em três subprincípios, balizadores da função administrativa: (a) interdição do atendimento de interesses particularísticos (*v.g.*, aqueles desprovidos de amplitude coletiva, transindividual); (b) obrigatoriedade de ponderação de todos os interesses públicos enredados no caso específico; e (c) imprescindibilidade de explicitação das razões de atendimento de um interesse público em detrimento dos demais. Além disso, o clássico "princípio da indisponibilidade do interesse público" tem que ser reformulado "de modo a expressar a irrenunciabilidade à tutela dos interesses públicos difusos – o que importa dizer: no exercício da função administrativa o agente público não pode se esquivar de proteger e fazer prevalecer os interesses hipossuficientes".

---

não seja possível dizer, precisar, esquadrinhar o que seja, é possível, sem grandes dificuldades, chegar-se a um consenso do que não é, e com o complemento dado pela situação posta, ao que, naquele caso, é o interesse público".

[44] MARQUES NETO, Floriano Peixoto de Azevedo. *Regulação estatal e interesses públicos*. São Paulo: Malheiros, 2002, p. 148, 149 e 151.

[45] MARQUES NETO, Floriano Peixoto de Azevedo. *Regulação estatal e interesses públicos*. São Paulo: Malheiros, 2002, p. 152.

[46] MARQUES NETO, Floriano Peixoto de Azevedo. *Regulação estatal e interesses públicos*. São Paulo: Malheiros, 2002, p. 165.

Héctor Jorge Escola chega ao ponto de assinalar que o interesse público é, em si, o fundamento do Direito Administrativo.[47] Nas suas palavras, "es el concepto que da sustento a todo el derecho administrativo, que puede ser definido, sintéticamente, como el derecho del interés público". O autor relaciona interesse público com praticamente todas as matérias objeto de estudo científico do Direito Administrativo: (i) organização administrativa; (ii) função pública; (iii) serviços públicos; (iv) ato administrativo; (v) contrato administrativo; (vi) atividade de fomento; (vii) domínio público e limitações à propriedade privada; e (viii) responsabilidade do Estado. Ou seja, praticamente tudo o que se estuda no Direito Administrativo tem como fundamento o interesse público.[48]

Partindo de uma ideia de interesse público como a soma quantitativa de interesses privados legítimos, Escola assinala que não é exato supor que o interesse público deva sempre prevalecer sobre o interesse individual, como se fossem duas coisas substancialmente diferentes, sendo uma (o interesse público) superior à outra.[49] Também não é certo dizer que entre o interesse público e o interesse individual possa haver colisão ou contradição a ser revolvida sempre em favor do primeiro. No seu entendimento, interesse público não se confunde com interesse da administração, do partido, de governantes, do hierarca etc.

Para Escola,[50]

> [...] solo cuando se identifica el interés público con el interés del propio Estado, de la administración, del partido, del soberano, del jerarca, etc., podría pretenderse que ese supuesto interés público – que ya hemos explicado que no es tal – llega no sólo a desplazar, sino a sacrificar u extinguir cualquier interés privado que se le opusiera, incluso sin ningún tipo de reparación, pues ambos tendrían una entidad sustancial diferente, siendo que la del primero superior y derogante de la del segundo.

Interessante notar que o mesmo autor assinala que todo pretenso interesse público, para ser verdadeiro, deve estar conectado com as grandes finalidades elencadas no texto constitucional, especialmente no preâmbulo, fechando as portas para que se constituam, em verdade, "meros intereses sectoriales o de grupo, de partido o de ideologías que no se conjugan con las de nuestra organización político-social".[51]

Ao tratar da constitucionalização do direito e suas repercussões no Direito Administrativo, Barroso anotou que, a partir da centralidade da dignidade humana

---

[47] ESCOLA, Héctor Jorge. *El interés público como fundamento del Derecho Administrativo*. Buenos Aires: Depalma, 1989, p. IX.

[48] Assinala Escola (1989, p. 261) que "el verdadero fundamento del derecho administrativo es el interés público, que es éste que da sentido y comprensión a todas sus instituciones, y el que justifica y explica la singularidad de sus principios y de sus soluciones".

[49] Ensina Escola (1989, p. 243) que: "el interés público sólo es prevaleciente, con respecto al interés privado, tiene prioridad o predominancia, por ser un interés mayoritario, que se confunde y asimila con el querer valorativo asignado a la comunidad". E que: esta prevalencia se funda, también, en el hecho de que el interés público, concebido de esa forma, y como lo acotara Gordillo, habrá de redundar en mayores derechos y beneficios para todos y cada uno de los individuos de la comunidad, que por eso, justamente, aceptan voluntariamente aquella prevalencia, que les es ventajosa".

[50] ESCOLA, Héctor Jorge. *El interés público como fundamento del Derecho Administrativo*. Buenos Aires: Depalma, 1989, p. 244.

[51] ESCOLA, Héctor Jorge. *El interés público como fundamento del Derecho Administrativo*. Buenos Aires: Depalma, 1989, p. 261.

e da preservação dos direitos fundamentais, alterou-se a qualidade das relações entre administração e administrado, com a superação ou reformulação de paradigmas tradicionais, dentre os quais a ideia de supremacia do interesse público sobre o interesse privado, que precisa ser redefinida.[52]

Ao tratar do princípio do atendimento do interesse público ou princípio da finalidade, Medauar é eloquente ao afirmar que "esse princípio vem apresentado tradicionalmente como o fundamento de vários institutos e normas do direito administrativo e, também, de prerrogativas e decisões" e "por vezes, de modo errôneo, se invoca o atendimento do interesse público com o sentido de atendimento de interesse fazendário ou para justificar decisões arbitrárias".[53]

Forçoso notar que, pelo ângulo de uma administração pública eivada de vícios remanescentes de um passado arbitrário, descumprem-se direitos individuais sob o manto da fundamentação jurídica, ou melhor, revestida de aparente e superficial juridicidade, em que se proclama a supremacia do interesse público, que, na verdade, nada mais é do que a prevalência de uma posição unilateral do Estado nem sempre conectada com o justo. Em resumo, proclama-se uma falsa supremacia do interesse público sobre o interesse privado.

Medauar refere-se a um "ultrapassado princípio da supremacia do interesse público sobre o interesse particular".[54] Diz que, "se o princípio algum dia existiu", merece pronta revisitação à luz das seguintes colocações:

a) A Constituição de 1988 prioriza os direitos fundamentais, direitos esses dos particulares;

b) Mostra-se pertinente à Constituição e à doutrina administrativa contemporânea a ideia de que à administração cabe realizar a ponderação de interesses presentes numa determinada situação, para que não ocorra sacrifício *a priori* de nenhum interesse; o objetivo dessa função está na busca de compatibilidade ou na conciliação dos interesses, com minimização de sacrifícios;

c) O princípio da proporcionalidade também matiza o sentido absoluto do preceito, pois implica, entre outras decorrências, a busca da providência menos gravosa, na obtenção de um resultado;

d) Tal "princípio" não vem sendo mais indicado na maioria maciça das obras contemporâneas.

7 Conclusões

A ideia de supremacia do interesse público sobre o interesse privado, muito invocada nos dias que correm para conferir "legitimidade" a posições unilaterais do poder público, de viés arbitrário, em face dos combalidos cidadãos, está com os dias contados.

---

[52] BARROSO, Luís Roberto. A Constitucionalização do direito e suas repercussões no âmbito administrativo. *In*: ARAGÃO, Alexandre Santos de; MARQUES NETO, Floriano Azevedo (Coord.). *Direito administrativo e seus novos paradigmas*. Belo Horizonte: Fórum, 2012a, p. 49.

[53] MEDAUAR, Odete. *Direito administrativo moderno*. 18. ed. São Paulo: Malheiros, 2014, p. 148.

[54] MEDAUAR, Odete. *Direito administrativo moderno*. 18. ed. São Paulo: Malheiros, 2014, p. 149.

No Direito Administrativo contemporâneo, altamente democratizado e comprometido com a justiça em sentido material, não há mais lugar para a concepção de um interesse público concebido *a priori* em favor do Estado. O interesse público, enquanto princípio setorial do Direito Público, há de florescer do exame de cada caso concreto, mercê da comparação e da ponderação, com método e cientificidade, de todos os interesses legítimos em disputa, sejam eles do Estado, sejam eles dos particulares, públicos ou privados.

Doravante, não será favor ou generosidade, mas obrigação concreta, derivada da ordem constitucional própria da República Federativa do Brasil, social e democrática de direito, reconhecer o interesse público, muitas vezes, na posição do administrado.

E assim é porque um Estado democrático de direito que se recuse a reconhecer, na via administrativa, direitos caros do cidadão acaba por recusar a sua própria razão existencial como produto de uma Constituição voltada a tal desiderato.

Deveras, não há diferença ontológica entre fazer justiça (material) na via administrativa ou na via judicial.

Referências

ALESSI, Renato. *La responsabilità della pubblica amministrazione*. 3. ed. Milano: Giuffrè, 1955.

ARAGÃO, Alexandre Santos de. *Curso de direito administrativo*. Rio de Janeiro: Forense, 2012.

ARAGÃO, Alexandre Santos de. Subjetividade judicial na ponderação de valores – alguns exageros na adoção indiscriminada da teoria dos princípios. *In*: Almeida, Fernando Dias Menezes de; MARQUES NETO, Floriano de Azevedo; MIGUEL, Luiz Felipe Hadlich; SCHIRATO, Vitor Rhein (Coord.). *Direito público em evolução*: estudos em homenagem à Professora Odete Medauar. Belo Horizonte: Fórum, 2013.

BARROSO, Luís Roberto. A Constitucionalização do direito e suas repercussões no âmbito administrativo. *In*: ARAGÃO, Alexandre Santos de; MARQUES NETO, Floriano Azevedo (Coord.). *Direito administrativo e seus novos paradigmas*. Belo Horizonte: Fórum, 2012a.

BARROSO, Luís Roberto. *O novo direito constitucional brasileiro*: contribuições para a construção teórica e prática da jurisdição constitucional no Brasil. Belo Horizonte: Fórum, 2012b.

BINENBOJM, Gustavo. *Uma teoria do direito administrativo*: direitos fundamentais, democracia e constitucionalização. 3. ed. Rio de Janeiro: Renovar, 2014.

BRITTO, Carlos Ayres. Art. 37 da Constituição Federal. *In*: CANOTILHO, J. J. Gomes *et al*. *Comentários à Constituição do Brasil*. São Paulo: Saraiva/Almedina, 2013.

CARDUCCI, Michelle. *Por um direito constitucional altruísta*. Tradução de Sandra Regina Martini Vial, Patrick Lucca da Ros e Cristina Lazzaroto Fortes. Porto Alegre: Livraria do Advogado Editora, 2003.

ESCOLA, Héctor Jorge. *El interés público como fundamento del derecho administrativo*. Buenos Aires: Depalma, 1989.

FALZONE, Guido. *Il dovere di buona amministrazione*. Parte I. Milão: Giuffrè, 1953.

GALVÃO, Jorge. *O neoconstitucionalismo e o fim do estado de direito*. São Paulo: Saraiva, 2014.

MARQUES NETO, Floriano Peixoto de Azevedo. *Regulação estatal e interesses públicos*. São Paulo: Malheiros, 2002.

MEDAUAR, Odete. Administração pública ainda sem democracia. *Problemas Brasileiros*, São Paulo, v. 23, n. 256, p. 37-41, 44-53, mar./abr.1986.

MEDAUAR, Odete. *Direito administrativo moderno*. 18. ed. São Paulo: Malheiros, 2014.

OLIVEIRA, Gustavo Justino de. *Direito administrativo democrático*. Belo Horizonte: Fórum, 2010.

RIBEIRO, Carlos Vinícius Alves; DI PIETRO, Maria Sylvia Zanella. *Supremacia do interesse público e outros temas relevantes do direito administrativo*. São Paulo: Atlas, 2010.

RODRÍGUEZ-ARANA MUÑOZ, Jaime. La vuelta al derecho administrativo – a vueltas con lo privado y lo público. *Revista de Derecho de la Universidad de Montevideo*, n. 7, p. 89-102, 2005.

SILVA, Virgílio Afonso da. *A constitucionalização do direito*: os direitos fundamentais nas relações entre particulares. São Paulo: Malheiros, 2005.

Informação bibliográfica deste texto, conforme a NBR 6023:2018 da Associação Brasileira de Normas Técnicas (ABNT):

CARVALHO NETO, Tarcisio Vieira de. Uma releitura do "princípio" da supremacia do interesse público. *In*: COSTA, Daniel Castro Gomes da; FONSECA, Reynaldo Soares da; BANHOS, Sérgio Silveira; CARVALHO NETO, Tarcisio Vieira de (Coord.). *Democracia, justiça e cidadania*: desafios e perspectivas. Homenagem ao Ministro Luís Roberto Barroso. Belo Horizonte: Fórum, 2020. p. 41-57. t. 2: Pensando as instituições, a justiça e o Direito. ISBN 978-85-450-0749-4.

MUDANÇAS CONSTITUCIONAIS ENTRE O DIREITO E A POLÍTICA: APORTES DO CASO DOS ESTADOS UNIDOS DA AMÉRICA E DO BRASIL

HUMBERTO EUSTÁQUIO SOARES MARTINS

1 Introdução

A passagem do Brasil Imperial para o modelo republicano também marcou a introdução de uma novidade no modelo judicial brasileiro: o controle de constitucionalidade das leis pelo Supremo Tribunal Federal. A institucionalidade brasileira foi inspirada no modelo dos Estados Unidos da América, contendo, contudo, peculiaridades muito diferentes do modelo daquele país do Norte de nosso continente americano. Assim, observar como o Direito dos Estados Unidos da América acabou por influenciar a nossa experiência é um passo muito interessante para se investigar o atual modelo de revisão da constitucionalidade das leis no Brasil.

O presente texto foi preparado para compor uma coletânea em homenagem ao Ministro Luís Roberto Barroso, do Supremo Tribunal Federal. Em razão do perfil do homenageado, um grande professor de Direito Constitucional, cabe tentar convergir alguns elementos da história da jurisdição constitucional no mundo com o Brasil para – com essa convergência – iluminar a sua contribuição acadêmica no debate. O debate sobre as relações entre Direito e Política pode ser feito a partir da obra de vários autores clássicos. Entre eles, todavia, Max Weber é uma referência fundamental para a discussão. Esse grande professor da Universidade de Heidelberg, na Alemanha, foi um dos fundadores da sociologia moderna, a qual encontrou – na sua contribuição fundamental – um novo capítulo da compreensão da vida social. Esse capítulo é a sociologia da ação, com a qual Max Weber propõe um novo aporte metodológico para compreender a organização e a mudança social.[1] Os outros dois autores clássicos da sociologia – Karl Marx e Émile Durkheim – buscavam entender a vida social a partir de

---

[1] WEBER, Max. *Economia e sociedade*: fundamentos da sociologia compreensiva. Brasília: Editora da UnB, 2015. (2 volumes).

dinâmicas coletivas. No caso do primeiro autor, a explicação residia no conceito de classes sociais e suas interações e conflitos. No caso do segundo, ela se baseava na moralidade social, a qual organizaria os padrões coletivos de ação. Essas duas contribuições são rotuladas por Anthony Giddens como coletivistas, do ponto de vista metodológico, já que – em suas formulações – as explicações sobre o comportamento social derivam de estruturas, as quais são, por conseguinte, coletivas.[2] A apreciação de Max Weber não ignora a faceta coletiva e as estruturas. Porém, do ponto de vista metodológico, ele considera que o comportamento social precisa ser entendido a partir das ações dos indivíduos. Essas ações individuais possuem motivações, ou seja, sentidos atribuídos pelas pessoas para o que fazem. Essa carga de sentidos atribuídos pode ser determinada por estruturas institucionalizadas, claro. Porém, o indivíduo sempre possui algum grau de liberdade de ação; do contrário, não haveria falar em mudança social. A sociologia da ação de Max Weber oferece um recurso metodológico interessante, uma vez que ela determina a necessidade de observação direta e indireta das ações dos indivíduos para a concretização da empreitada sociológica. A escolha de Max Weber para fundamentar o presente texto também não é aleatória. Esse autor se utilizou – e muito – da história social para a realização das suas pesquisas sobre a sociedade. Ele estudou com afinco a Religião e o Direito de países do Oriente para formular seu diagnóstico sobre a modernização das sociedades. O ponto central dessa modernização – para Max Weber – se encontra no processo de racionalização. Tal processo envolve o refinamento histórico dos instrumentos de ação social, os quais são despidos – em um grau aceleradamente maior com o passar do tempo – de suas cargas subjetivas não racionais. O conceito de razão em Max Weber pode ser entendido pela sua instrumentalidade e previsibilidade. Para ele, seria possível encontrar meios de ação que fossem mais eficientes para a obtenção de finalidades claras e objetivas. A boa analogia para compreender a ideia de Max Weber sobre o tema é a utilização de uma ferramenta. Uma ferramenta, tal como uma chave de fenda, pode ter vários usos. Ela pode ser usada para abrir um buraco numa parede ou para bater um prego. Entretanto, a chave de fenda possui uma finalidade mais adequada, que é desaparafusar ou aparafusar. Se buscarmos furar a parede, o ideal é usar uma broca. Para o prego, melhor é o martelo. Essa analogia se presta bem para explicar as noções de instrumentalidade, de finalidade e de racionalidade.

Compreender as mudanças jurídicas a partir da racionalização, no sentido weberiano, não envolve considerar que exista em modo melhor ou pior de organizar a vida social. A irracionalidade, no sentido weberiano, não pode ser lida como loucura ou desatino. Ao contrário, essa teorização nos permite compreender que existe um processo no qual as formas jurídicas se tornam mais adequadas para atingir determinadas finalidades. A própria separação funcional entre o Direito e a Política é a maior expressão desse processo na concepção de Max Weber. É central, para ele, o papel desempenhado pelos juristas – enquanto um grupo social – de especialistas na criação, interpretação e aplicação das leis. A conformação de um controle de constitucionalidade por juristas – e não pelo sistema político – é um ponto culminante desse processo no qual é afirmado o papel do Direito no controle da Política, em prol da maximização da consecução de finalidades amplas.

---

[2] GIDDENS, Anthony. *Capitalismo e moderna teoria social*. Lisboa: Editorial Presença, 2016.

Esse capítulo de livro fará o seguinte percurso. Na primeira parte, será analisada a origem do modelo americano, com uma exposição sobre o texto da Constituição daquele país e do caso mais relevante, que é – obviamente – Marbury v. Madison. Na segunda parte, será analisado o modelo brasileiro de alterações no marco jurídico para destacar como o Brasil – historicamente – optou por uma forma de revisão constitucional ampla, de forma bem diversa do caso dos Estados Unidos. O tema desse capítulo versa sobre esses dois modos de modificar os textos constitucionais. A conclusão indicará que – no atual momento – o Brasil está construindo um modelo que agrega elementos da tradição dos Estados Unidos da América – constituição interpretada – com o seu próprio modelo de alteração textual por emendas e, assim, por demandas políticas.

2 As origens da revisão constitucional das leis nos Estados Unidos da América

A Constituição dos Estados Unidos da América, de 1787, é um documento bastante estável do ponto de vista formal. A última emenda dela data de 1992. Contudo, essa emenda havia sido apresentada em 1789 e demorou, pois, mais de dois séculos para ser ratificada por todos os Estados. Isso ocorre porque o sistema de aprovação das emendas constitucionais exige uma aprovação muito qualificada, o que acaba por tornar o processo lento. Logo, a maneira pela qual a Constituição dos Estados Unidos da América acaba por mudar se refere à interpretação que é feita a partir de casos concretos e pela formação de doutrinas judiciárias (*judicial doctrines*). Elas são os entendimentos consolidados que acabam por dar sentido jurídico prático para a vida social e econômica. A competência da Suprema Corte dos Estados Unidos da América já estava fixada no texto original da Constituição, como pode ser lido do extrato a seguir:

> Artigo III
> Seção 1
> O Poder Judiciário dos Estados Unidos será investido em uma Suprema Corte e nos tribunais inferiores que forem oportunamente estabelecidos por determinações do Congresso. Os juízes, tanto da Suprema Corte como dos tribunais inferiores, conservarão seus cargos enquanto bem servirem e perceberão por seus serviços uma remuneração que não poderá ser diminuída durante a permanência no cargo.
> Seção 2
> (...) 2. Em todas as questões relativas a embaixadores, outros ministros e cônsules, e naquelas em que se achar envolvido um Estado, a Suprema Corte exercerá jurisdição originária. Nos demais casos supracitados, a Suprema Corte terá jurisdição em grau de recurso, pronunciando-se tanto sobre os fatos como sobre o direito, observando as exceções e normas que o Congresso estabelecer (...).[3]

O texto original da Constituição dos Estados Unidos da América não trata, de forma clara, do controle de constitucionalidade das leis. A alínea 1 da seção 2 do

---

[3] ESTADOS UNIDOS DA AMÉRICA. *A Constituição dos Estados Unidos da América*. Tradutor: J. Henry Phillips. Disponível: http://www.braziliantranslated.com/euacon01.html. Acesso: 8 nov. 2019.

artigo III indica que o Poder Judiciário, como um todo, aprecia as questões de direito e de equidade (*equity*). O mesmo dispositivo indica o rol daqueles que podem ser partes nos processos judiciais, como pode ser visto na transcrição a seguir:

> Artigo III
> Seção 2
> A competência do Poder Judiciário se estenderá a todos os casos de aplicação da Lei e da Equidade ocorridos sob a presente Constituição, as leis dos Estados Unidos, e os tratados concluídos ou que se concluírem sob sua autoridade; a todos os casos que afetem os embaixadores, outros ministros e cônsules; a todas as questões do almirantado e de jurisdição marítima; às controvérsias em que os Estados Unidos sejam parte; as controvérsias entre dois ou mais Estados, entre um Estado e cidadãos de outro Estado, entre cidadãos de diferentes Estados, entre cidadãos do mesmo Estado reivindicando terras em virtude de concessões feitas por outros Estados, enfim, entre um Estado, ou os seus cidadãos, e potências, cidadãos, ou súditos estrangeiros.[4]

Uma parte da literatura jurídica considera que o controle de constitucionalidade das leis (*judicial review*) acabou por ser instituído por meio de uma decisão da própria Suprema Corte, a qual se imbuiu da competência de apreciar a conformidade da legislação federal e dos atos do Congresso em relação ao texto daquela Constituição.[5] Esse caso ficou conhecido como Marbury v. Madison e teve o seu voto vencedor lavrado pelo *Chief Justice* (Ministro Presidente) John Marshall. O caso tratava de uma situação prosaica. Era um mandado de segurança (*writ of mandamus*) que havia sido ajuizado por William Marbury e outros contra a omissão do novo Secretário de Estado, James Madison, em lhes dar posse em cargos de juízes de paz; os impetrantes haviam sido nomeados no governo anterior, do Partido Federalista. Para essa parte da literatura jurídica dos Estados Unidos da América, o *judicial review* seria um efeito derivado pela Suprema Corte quando ela decidiu que a Lei de Organização Judiciária (*Judiciary Act*) de 1789 seria inconstitucional, pois dela se extraía que o tribunal de vértice julgaria – em primeira instância – os casos ajuizados contra os atos de Secretários (equivalentes aos nossos Ministros de Estado) em contradição ao texto expresso da alínea 2 da seção 3 do artigo III da Constituição. Como já citado, o texto da Constituição dos Estados Unidos da América é claro ao definir que a competência originária da Suprema Corte seria invocada – em primeira instância – apenas em disputas que envolvessem os representantes de países estrangeiros – embaixadores, ministros e cônsules – e os Estados da federação. A questão seria saber se tal rol seria exaustivo ou se uma lei federal poderia ampliá-lo. Para John Marshall isso não seria possível, tal como inscrito no acórdão do caso Marbury v. Madison:

> Essa é a Suprema Corte e em razão de sua supremacia, ela deve ter a supervisão dos tribunais inferiores e agentes públicos, sejam judiciais, ou ministeriais. Nesse sentido, não há distinção entre um agente público judicial ou ministerial. É somente de tal princípio

---

[4] ESTADOS UNIDOS DA AMÉRICA. *A Constituição dos Estados Unidos da América*. Tradutor: J. Henry Phillips. Disponível: http://www.braziliantranslated.com/euacon01.html. Acesso: 8 nov. 2019.

[5] LESSIG, Lawrence. *Fidelity & constraint:* how the Supreme Court has read the American constitution. Oxford: Oxford University Press, 2019; ACKERMAN, Bruce. *The failure of the founding fathers*: Jefferson, Marshall, and the rise of presidential state. Harvard University Press, 2005.

que o Tribunal do Rei da Inglaterra (*Court of King´s Bench*) derivava o seu poder de emanar *writs of mandamus* e atos de interdição. (...). A Constituição reveste todo o poder judiciário dos Estados Unidos em uma Suprema Corte; e os tribunais inferiores devem, de tempos em tempos, ser ordenados e estabelecidos pelo Congresso. Esse poder é expressamente estendido para todos os casos que sejam ajuizados sob o direito dos Estados Unidos.; e, consequentemente, de alguma forma deve ser exercido no presente caso, pois o direito subjetivo em questão é pleiteado a partir do direito dos Estados Unidos. (...). A competência, não obstante, outorgada à Suprema Corte pela lei federal (*act*) que estabelece os tribunais judiciais dos Estados Unidos da América, para emanar *writs of mandamus* contra agentes públicos, não parece ter sido garantida pela Constituição; e parece necessário inquirir se uma jurisdição conferida assim, pode, ou não, ser exercida. A questão sobre se uma lei federal (*act*) incongruente para com a Constituição, pode se tornar direito comum (*law of the land*) interessa profundamente aos Estados Unidos; mas, felizmente não há uma complexidade que seja proporcional a tal interesse. Parece apenas necessário reconhecer alguns princípios, antigos e bem estabelecidos, para se decidir.[6]

No mesmo acórdão, em momento posterior, fica claro o raciocínio de que não é possível postular a existência de uma Constituição escrita como base da organização de um Estado se a sua legislação infraconstitucional puder subverter o teor do documento jurídico primordial. Logo, a única decisão possível é a carta primeira. Lawrence Lessig, em obra bastante recente, indica que o controle de constitucionalidade das leis não seria uma novidade. Todavia, ele frisa que Marbury v. Madison foi o precedente que firmou tal possibilidade de forma indelével. Ele explica que o papel dos precedentes é uma tradição mantida nos Estados Unidos da América e que remonta ao antigo Direito inglês. O próprio acórdão da Suprema Corte no caso concreto – como a transcrição citada demonstra – explicita um raciocínio analógico com o Direito inglês ao tratar da competência e da jurisdição. Para Lawrence Lessig, para entender o resultado de Marbury v. Madison, há que se compreender que o objetivo de John Marshall era o de firmar um precedente e não de resolver a querela em questão. Ele divide a análise do julgado em dois trechos, com base na questão da fidedignidade interpretativa. Esse autor considera que existem duas fidelidades no contexto da interpretação. A primeira se refere à fidelidade ao significado (*fidelity to meaning*) e a segunda se refere à fidelidade à função (*fidelity to role*). Essa primeira fidelidade na interpretação pode ser decomposta em várias perguntas, tais como:

> Como uma juíza[7] preserva o significado do texto constitucional no âmbito de um contexto interpretativo? Acaso a magistrada acredite que o pano de fundo interpretativo tenha mudado, qual a estratégia que ela deve adotar? Ela deve ignorar as mudanças ou incorporá-las? E, acaso ela as incorpore, isso quer dizer que ela estaria mudando o significado da Constituição? Ou, haveria alguma maneira de incorporar tais mudanças sem alterar o significado da Constituição?[8]

---

[6] ESTADOS UNIDOS DA AMÉRICA: Biblioteca do Congresso. *U.S. Reports: Marbury v. Madison, 5 U.S. (1 Cranch) 137 (1803)*. Disponível: https://www.loc.gov/item/usrep005137. Acesso: 16 nov. 2019.

[7] O autor escreve com o uso do feminino para designar o geral, como é opção de alguns escritores.

[8] LESSIG, Lawrence. *Fidelity & constraint*: how the Supreme Court has read the American constitution. Oxford: Oxford University Press, 2019, p. 16.

A questão central está relacionada com a difícil tarefa de manter a consistência do texto da Constituição em relação à interpretação. Essa tarefa é um grave dilema no caso da prática constitucional dos Estados Unidos da América, uma vez que o texto original sofreu poucas modificações ao longo dos tempos. No quesito de fidelidade ao significado, Lawrence Lessig considera que houve um erro jurídico na decisão de John Marshall. Ele explica:

> Marshall está afirmando esse poder [de revisão judicial] sobre o Congresso na forma mais sóbria possível. Na sua leitura da Lei Judiciária [de 1789], o Congresso teria outorgado à Suprema Corte o poder que, na visão dele, ela não poderia aceitar. Ele está, então, declarando [que a Suprema Corte] tem um poder – o poder de nulificar uma lei aprovada pelo Congresso – ao negar que tribunal tenha outro poder – a competência jurisdicional para emitir *mandamus*. "Obrigado pelo presente", Marshall de fato diz ao Congresso, "contudo, eu não posso de forma alguma aceitá-lo". Contudo, aqui está problema da falsa limitação de Marshall: toda a argumentação se mantém sob a crença de que o Congresso, na Seção 13 da Lei Judiciária [de 1789] realmente tentou outorgar à Suprema Corte a competência originária para emitir *mandamus* contra [James] Madison. Teria ele?[9]

De acordo com Lawrence Lessig, a lei federal em questão não teria outorgado o poder de expedir *mandamus* contra os secretários – equivalentes aos Ministros de Estado, no Brasil. Para checar, vale conferir o texto da Seção 13 da Lei Judiciária de 1789:

> Seção 13. *E que seja ademais emanado,* que a Suprema Corte terá jurisdição exclusiva sobre todas as controvérsias de matéria cível, nas quais um estado seja parte, exceto entre um estado e seus cidadãos; e, exceto também naquelas entre um estado e cidadãos de outros estados ou estrangeiros, sendo que, nesse último caso, ela terá jurisdição original, mas não exclusiva.(b.) Ela terá, exclusivamente, toda jurisdição de ações e procedimentos contra embaixadores, ou outros ministros públicos, ou seus subordinados domésticos, ou seus servidores domésticos, como um tribunal de direito deva ter ou exercitar, de modo consistente com o direito das nações; e, ela terá jurisdição original, mas não exclusiva, de todas as ações ajuizadas por embaixadores, ou outros ministros públicos, ou nas quais um cônsul ou vice-cônsul figure como parte.(a.) E os julgamentos de questões sobre fatos, na Suprema Corte e em ações ajuizadas contra cidadãos dos Estados Unidos, serão feitos por júris. A Suprema Corte deverá também ter competência jurisdicional recursal contra os julgados emanados por tribunais de circuito e tribunais de vários estados, aqui especialmente previsto; (b) e terá poder de expedir *writs* de interdição (c) contra tribunais distritais, quando estes ajam como tribunais e jurisdições de almirantado ou marítimos, e *writs of mandamus,* (d) nos casos assegurados pelos princípios e usos do direito, a quaisquer tribunais ou pessoas que exerçam funções sob a autoridade dos Estados Unidos.[10]

É possível notar que a redação do dispositivo não é muito clara. A leitura de John Marshall se centrou na última parte, ou seja, na competência outorgada para a expedição de *writs of mandamus* contra "pessoas que exerçam funções sob a autoridade dos Estados Unidos". Lawrence Lessig diverge. Ele indica que a Lei Judiciária de 1789 não outorgava

---

[9] LESSIG, Lawrence. *Fidelity & constraint*: how the Supreme Court has read the American constitution. Oxford: Oxford University Press, 2019, p. 31.

[10] ESTADOS UNIDOS: Biblioteca do Congresso. *Judiciary Act of 1789*. Disponível: https://www.loc.gov/rr/program/bib/ourdocs/judiciary.html. Acesso: 15 nov. 2019.

a competência de que a Suprema Corte pudesse, de forma originária, apreciar pedidos de *writs of mandamus* contra quaisquer pessoas que exercessem funções sob a autoridade dos Estados Unidos. Em seus termos:

> A Lei Judiciária [de 1789] claramente assevera à Suprema Corte o poder de *mandamus*. Mas a Lei também deixa claro que ela está outorgando tal poder apenas nos casos nos quais a Suprema Corte, de qualquer forma, já teria competência jurisdicional. De forma diversa, a Lei Judiciária não estatui que "você terá jurisdição e pode expedir *mandamus*"; ao contrário, ela essencialmente estatui que, "nos casos em que tenhas jurisdição, terás também o poder de *mandamus*".[11]

A leitura de Lawrence Lessig é interessante. Ela acrescentaria mais elementos à tese de que o caso Marbury v. Madison seria uma obra do acaso da política, bem no início da organização dos Estados Unidos da América.[12] Sua crítica é contundente. Para ele, não haveria inconstitucionalidade na lei federal, uma vez que ela não teria outorgado competência para o processamento do pedido de William Marbury. No seu ponto de vista, o caso ganhou repercussão e firmou um precedente central, em razão da outra fidelidade, relacionada à função (*fidelity to role*). Para Lawrence Lessig, a fidelidade à função está adstrita à tentativa de um conjunto de respostas diverso por parte do Poder Judiciário. Cito:

> Como a juíza fará isso [a interpretação, a decisão], dadas as restrições da sua função? O modo pelo qual ela se comporta será entendido como contrário ao seu perfil, ou seja, que ela é e o que ela já fez? Colocado de forma mais áspera, o fato em questão força a magistrada a se perguntar: "quão louca, eu quero ser vista pelos demais"? (...). A percepção razoável de que a decisão dos juízes é baseada não apenas no direito, mas, ao contrário, na política (ou, na loucura) pode ter relevância para a concepção da juíza acerca não da sua fidelidade ao significado, mas ao seu papel como magistrada, ou seja, à função judicial que desempenha. (...). Fidelidade à função, portanto, é a segunda questão de fidedignidade interpretativa, geralmente tão importante quanto a primeira.[13]

Para Lawrence Lessig, o julgado de John Marshall em Marbury v. Madison foi um exemplo evidente de adesão preponderante à segunda fidelidade de interpretação. Há que lembrar que o *Chief Justice* era um federalista e havia composto o governo anterior, o qual havia perdido a disputa eleitoral. Logo, seria muito fácil que uma decisão da Suprema Corte em benefício de correligionários do Partido Federalista fosse entendida como um meio de retaliação política. Do ponto de vista pragmático, também, uma decisão dura teria grande chance de provocar uma crise. E tal crise poderia fragilizar a Suprema Corte e o Poder Judiciário, entendidos como o mais fraco dos três poderes.

---

[11] LESSIG, Lawrence. *Fidelity & constraint*: how the Supreme Court has read the American constitution. Oxford: Oxford University Press, 2019, p. 31.

[12] MACIEL, Adhemar Ferreira. O acaso, John Marshall e o controle de constitucionalidade. *Revista de Informação Legislativa*, Brasília, ano 43, n. 172, p. 37-44, out./dez. 2006.

[13] LESSIG, Lawrence. *Fidelity & constraint*: how the Supreme Court has read the American constitution. Oxford: Oxford University Press, 2019, p. 16-17.

O precedente foi fiel ao fortalecimento da instituição, no momento em que afirmou uma competência relevante para a Suprema Corte (o *judicial review* das leis), negando outra (a revisão judicial dos atos administrativos dos secretários – ministros – da administração).

Antes de passar para a próxima seção, cabe alertar que existe um debate muito relevante na literatura jurídica contemporânea para reavaliar a importância do caso Marbury v. Madison. Alguns autores enfatizam que ele não teria criado a *judicial doctrine* da revisão constitucional das leis, porquanto isso já teria acontecido em outros momentos da história, em diversas outras cortes. Um excelente resumo desse debate está no artigo de Michele Carvalho Santos e Leandro Corrêa de Oliveira.[14] Adentrar nesse debate não é o interesse do presente texto. A exposição sobre o precedente apenas aclara que o modo de construir a Constituição, nos Estados Unidos da América, requer o uso da interpretação de uma forma mais enfática do que ocorria na tradição brasileira.

3 O modelo brasileiro de Constituições em continuada reforma por emendas

Após a elucidativa análise do caso dos Estados Unidos da América, é possível refletir sobre a situação brasileira. O caso brasileiro, para um contraste, é bem distinto, em razão da história constitucional do nosso país, que foi bem mais atribulada. Antes de seguir, vale fazer uma anotação. Os Estados Unidos tiveram, também, os seus percalços. No nascedouro daquele país, houve um primeiro documento constitucional: os "Artigos da Confederação". Eles foram aprovados no Segundo Congresso Continental, em 15 de novembro de 1777 e vigeram de 1781 até 1789. Eles foram substituídos pela Constituição, escrita e aprovada em 1787 na Convenção da Filadélfia. Após a ratificação, começou a vigorar em 1789. Apesar de se ter o entendimento de que a Constituição dos Estados Unidos da América seria muito estável, é sempre bom lembrar que o país passou por uma grave guerra civil (1861-1865). Nesse contexto, os Estados do Sul aprovaram a sua Constituição da Confederação e se declararam independentes em relação aos Estados Unidos da América. Percalços constitucionais também, por óbvio, ocorrem nos dois hemisférios.

No caso brasileiro, porém, é possível indicar que a nossa história de rupturas é um pouco maior. Seria razoável contar sete ou oito textos constitucionais em nosso país. Essa diferença de contagem existe em razão de uma polêmica acerca da natureza substantiva da Emenda Constitucional nº 1, de 1969. Ela seria, ou não, uma nova constituição? Para fins jurídicos, parece razoável seguir José Afonso da Silva na interpretação de que ela seria um novo texto constitucional em relação ao texto de 1967.[15] Para fins de contagem, como será visto a seguir, parece razoável agregar a Constituição de 1967 e a de 1969. A primeira Constituição brasileira foi outorgada em 1824 e organizava o governo sob uma lógica política monárquica. Ela perdura até o advento da República, em 15 de novembro

---

[14] SANTOS, Michele Carvalho; OLIVEIRA, Leandro Corrêa de. O mito de Marbury v. Madison: a questão da fundação da supremacia judicial. *Revista de Investigações Constitucionais*, Curitiba, v. 5, n. 3, p. 325-347, set./dez. 2018. Disponível: http://www.scielo.br/pdf/rinc/v5n3/2359-5639-rinc-05-03-0325.pdf. Acesso: 15 nov. 2019.

[15] SILVA, José Afonso da. *Curso de direito constitucional positivo*. 25. ed. São Paulo: Malheiros, 2005.

de 1889. A nova carta política republicana somente virá a lume em 1891. A grande distinção entre as duas constituições, que interessa aqui, se refere ao estabelecimento de um controle judicial de constitucionalidade, nos moldes daquele afirmado nos Estados Unidos da América, no caso Marbury v. Madison. Antes de entrar nesse terreno, cabe definir o patamar de comparação e o argumento central. Deve ter ficado claro que a seção anterior se dedicou a explicar o dilema da transformação constitucional nos Estados Unidos da América. O motor das mudanças precisa ficar no âmbito judicial, uma vez que o processo de emenda do texto de 1789 é muito lento e complicado. No Brasil, apesar de haver vedações substantivas, o processo legislativo para aprovação de uma emenda não oferece obstáculos tão complexos. Em 2019, já foi ultrapassada a barreira das mais de cem emendas constitucionais promulgadas. Em uma aritmética simples, sob a égide da Carta Política de 1988, há um ritmo de cerca de 3 ou 4 emendas constitucionais por ano. O mecanismo de emendas constitucionais é, evidentemente, um exemplo de garantia de que o texto constitucional será constantemente atualizado, ao passo que a base jurídica do país manter-se-á a mesma. Essa dinâmica de alteração dos textos constitucionais brasileiros não é nova. Todas as constituições anteriores sofreram emendas ou alterações efetivas no seu texto original. É possível identificar e classificar, inclusive, três períodos, os quais se referem à mutabilidade formal dos textos constitucionais. As constituições de 1824, de 1891 e de 1934 seriam marcadas por uma baixa mutabilidade formal, ao passo que aquelas de 1937, de 1946 e de 1967-69 teriam uma média mutabilidade. A Constituição Federal de 1988, ao contrário, seria marcada por uma alta mutabilidade formal do seu texto. O quadro sintetiza essa classificação exploratória.

Quadro 1 – Emendas ou alterações nos textos constitucionais

Início da vigência (ano)	Constituição brasileira						
	1824	1891	1934	1937	1946	1967-69	1988[16]
Alterações ou emendas ao texto	4	2	1	16[17]	23[18]	33[19]	99
Tempo aproximado de vigência (anos)	67	43	3	9	21	21	30
Média de alterações por ano de vigência	0,05	0,04	0,33	1,77	1,09	1,57	3,30
Classificação da mutabilidade formal	Baixa			Média			Alta

Fonte: formulação do autor.

---

[16] A contagem vai até 2018, com a ressalva de que, nesse último ano, não houve a promulgação de emendas constitucionais. E, 2019, até 13 de novembro, foram aprovadas 4 emendas constitucionais (de números 100 até 104).

[17] 16 leis constitucionais que modificaram formalmente o texto constitucional.

[18] 22 emendas constitucionais e o Ato Institucional nº 2/1965.

[19] 27 emendas constitucionais, 5 atos institucionais que alteraram o texto original (6, 7, 9, 14, 16) e, ainda, 1 ato complementar (40) que modificou formalmente o texto. Há diversas outras normas jurídicas que complementam interpretações. A maior modificação decorreu da Emenda Constitucional nº 1/1969, que alterou profundamente o texto da Carta Política de 1967 e pode ser considerada até como uma nova constituição.

Cabe frisar que tal classificação pode ser criticada em termos quantitativos e qualitativos. Ela se baseia na contagem de atos jurídicos de alteração formal. Para se buscar uma precisão maior, o ideal seria realizar duas outras contagens de controle, referentes à mutabilidade. A primeira contagem de controle seria baseada nas palavras em termos quantitativos. A segunda se referiria a uma análise qualitativa das mudanças. Afinal, uma emenda constitucional pode tratar de uma matéria transversal e mudar mais institutos jurídicos do que outra, por exemplo. Contudo, não será possível realizar um estudo completo sobre esse tema, em razão da falta de espaço.

Cabe indicar que existe uma farta literatura em Ciência Política sobre o tema das emendas constitucionais. Donald S. Lutz possui um interessante texto no qual analisou as emendas das 50 constituições dos Estados que compõem os Estados Unidos da América e as comparou com outros processos de 32 países. Ele conclui por identificar duas varáveis que explicaram as taxas de alteração: tamanho da constituição (medido por palavras); e a dificuldade material de produzir emendas.[20] No mesmo sentido, Astrid Lorenz constrói quatro conceitos para refinar as variáveis de mensuração em relação ao quesito da rigidez dos textos constitucionais.[21] Um dos maiores especialistas do tema é Tom Ginsburg. Ele possui um texto, em coautoria com James Melton, no qual problematiza a questão da mensuração e debate questões culturais.[22] Gabriel L. Negretto possui um texto interessante no qual testa várias correlações em prol da localização de variáveis causais para as mudanças. Após a aplicação dos testes estatísticos, ele conclui que não foi possível estabelecer um padrão – com base no universo estudado e no recorte temporal – e sugere a busca por explicações de cunho qualitativo.[23] Do ponto de vista da literatura jurídica, é impossível não mencionar o recente livro de Richard Albert, no qual ele constrói uma teoria constitucional específica sobre as mudanças constitucionais por meio de emendas.[24]

O argumento central do presente texto é diverso da teoria contemporânea do Direito Constitucional sobre as emendas e, também, diverso da tentativa da ciência política para encontrar padrões que explicariam as alterações constitucionais. O ponto de vista esposado é que as mudanças ocorrem por um processo social e político que agrega os poderes estatais e a força dos interesses sociais. Como bem explicado por Martonio M. B. Lima, é muito difícil a tarefa de buscar uma linearidade explicativa ou variável causal, mesmo com um recorte preciso – nacional, o Brasil, e temporal, após 1988:

> Ocorre que a trajetória pós-constituinte democrática não expõe nenhuma linearidade durante seu desenvolvimento. O passar do tempo introduz novos atores, impõe novos

---

[20] LUTZ, Donald S. Theory of constitutional amendment. *American Political Science Review*, v. 88, n. 2, p. 355-370, jun. 1994.

[21] LORENZ, Astrid. How to measure constitutional rigidity: four concepts and two alternatives. *Journal of Theoretical Politics*, v. 7, n. 3, p. 339-361, 2005.

[22] GINSBURG, Tom; MELTON, James. Does the constitutional amendment rule matter at all? Amendment cultures and the challenges of measuring amendment difficulty. *International Journal of Constitutional Law*, v. 13, n. 3, p. 686-713, 2015.

[23] NEGRETTO, Gabriel L. Replacing and amending constitutions: the logic of constitutional change in Latin America. *Law & Society Review*, v. 46, n. 4, p. 749-779, 2012.

[24] ALBERT, Richard. *Constitutional amendments*: making, breaking, and changing constitutions. Oxford: Oxford University Press, 2019; ALBERT, Richard; BERNAL, Carlos; ZAIDEN BEMVINDO, Juliano (Ed.). *Constitutional Change and Transformation in Latin America*. Hart Publishing: Oxford, 2019.

conceitos a exigirem reposicionamento a respeito do que foi originalmente concebido, o que se transforma também em novas formulações discursivas a serem ponderadas, para, posteriormente, disporem da chance de se concretizarem. Aqui, talvez, reside o grande desafio: concretizar as propostas inovadoras, sem abandonar a perspectiva do realismo, a fim de que não se remeta tudo a uma missão do sentimental e moralista idealismo. Será a partir dessa premissa que tentarei brevemente discutir como o idealismo constitucional é importante para a efetivação de direitos fundamentais, inclusão social, democratização da sociedade etc., muito mais em virtude do fato de que sua utilização constante representa o antídoto contra sua própria criação.[25]

É termo corrente indicar que o Poder Judiciário brasileiro teria se tornado um protagonista político após o advento da Constituição Federal de 1988. Todavia, a análise do grande número de modificações feitas no texto constitucional de 1988 demonstra que o Poder Legislativo e o Poder Executivo são bastante atuantes nesse processo de evolução constitucional. Logo, parece haver um viés na literatura – com um desbordar na própria imprensa e opinião pública – acerca da assertiva de que o Supremo Tribunal Federal seria o motor principal das transformações. Bem ao contrário, a participação dos demais poderes é que evidencia que a resposta somente pode ser alcançada pela compreensão do novo tipo de relação que existe – após 1988 – entre os poderes e entre estes e a sociedade. Como estava claro desde o caso Marbury v. Madison, a relação entre o Poder Judiciário e os demais poderes é marcada por tensões e limites. Tal característica não é uma novidade no mundo da jurisdição constitucional. Ela sempre esteve presente e, ao que parece, nunca deixará de estar, como será indicado na conclusão.

4 Conclusão

Este capítulo visitou o caso Marbury v. Madison e a interpretação dele, feita por Lawrence Lessign, para demonstrar que o modelo de interpretação da constituição dos Estados Unidos da América é que permite a sua atualização. Depois, o capítulo expôs dados quantitativos para demonstrar que a sucessiva reconstrução de textos, seja pela alteração total do texto, seja por meio de emendas (modificativa, aditivas ou supressivas), permite indicar que existe outro processo de alteração constitucional no Brasil. A conclusão deste texto visa indicar que o Brasil, mesmo mantido o padrão de modificação do texto constitucional pelo Poder Constituinte derivado, tem absorvido alguns elementos da tradição dos Estados Unidos da América. Essa tradição assim é descrita por John Ferrejohn:

> Nos Estados Unidos temos uma longa história de tribunais determinando limites constitucionais para os legisladores. Com certeza esses limites variaram ao longo do tempo e seus conteúdos permanecem extremamente em disputa – tanto de forma descritiva quanto normativa – entre os estudiosos, juízes e políticos. Aliás, os juízes deste país há muito são engajados no processo de formulação de políticas. Mas, a terceira vertente da mudança

---

[25] LIMA, Martonio Mont'Alverne Barreto. Política versus direito: real desafio da jurisdição constitucional? *In*: LEITE, George Salomão; SARLET, Ingo Wolfgang (Org.). *Jurisdição constitucional, democracia e direitos fundamentais*. Salvador: Juspodivm, 2012, p. 417-428. p. 420.

regulação judicial da conduta na vida política tem claramente aumentado ao longo das últimas décadas. Os tribunais têm desempenhado um papel cada vez mais ativo, até mesmo agressivo, em assuntos como a regulamentação da eleição, financiamento de campanha, organização dos partidos e grupos de interesse e manutenção do sistema eleitoral. Mais recentemente, e mais polemicamente, os tribunais começaram a regulamentar os processos parlamentares internos, fazendo cumprir o que poderia ser chamado de "requisitos deliberativos" da atuação legislativa. Isso resulta não somente em mais legislação sendo feita nos tribunais, como também na submissão da legislação que é feita em outras instituições ao processo com base na regulação judicial.[26]

Esse autor descreve um incremento da atuação interpretativa dos tribunais dos Estados Unidos – e não da Suprema Corte – para regular a dinâmica da política naquele país. Ele identifica que essa tradição de maior interveniência já existia, uma vez que os tribunais criavam balizas e padrões para diversas ações do Estado. Cabe sempre lembrar que a Constituição dos Estados Unidos da América é um texto radicalmente protetivo dos cidadãos contra o Estado, pouco podendo ela ser mobilizada, contudo, para proteger os cidadãos entre si. O caso brasileiro é um pouco distinto, uma vez que a Constituição de 1988 possui um caráter diferente, servindo como meio de proteção também dos cidadãos entre si. Dessa forma, a regulação jurídica da vida social não escapa do escrutínio do Poder Judiciário brasileiro, o qual possui uma faceta de sua judicialização das relações sociais,[27] Malgrado, as leituras sobre a judicialização da política, muito centradas na atuação do Poder Judiciário, pouco têm se debruçado sobre a questão da reconstrução das constituições por meio das emendas e da atividade parlamentar. Um bom exemplo de exceção é o trabalho de Cláudio Gonçalves Couto, no qual o autor realiza uma avaliação bem detalhada do problema.[28] A conclusão final do presente texto procura demonstrar que não é producente dissociar a pauta de análises da atuação judiciária, esquecendo-se de olhar para a reformulação constitucional por meio de emendas, tal como realizada pelo Congresso Nacional, no exercício do poder constituinte derivado. A interpretação judicial da Constituição é, por um lado, sem sombra de dúvidas, uma característica que já foi incorporada no comportamento judicial brasileiro. Porém, para que seja compreendido o tema das mudanças constitucionais, tal agenda de estudos precisa incorporar o debate sobre os processos de produção de emendas constitucionais.

---

[26] FEREJOHN, John. Judicializando a política e politizando o direito. *In*: ASENSI, Felipe Dutra; GIOTTI DE PAULA, Daniel (Coord.). *Tratado de direito constitucional*: a constituição no século XXI. v. 2. Rio de Janeiro: Elsevier, 2014, 709-735. p. 711.

[27] WERNECK VIANNA, Luiz; REZENDE DE CARVALHO, Maria Alice; BURGOS, Marcelo Baumann; MELO, Manuel Palácios Cunha. *A judicialização da política e das relações sociais no Brasil*. Rio de Janeiro: Revan, 1999.

[28] COUTO, Cláudio Gonçalves. A longa constituinte: reforma do Estado e fluidez institucional no Brasil. *Dados*, Rio de Janeiro, v. 41, n. 1, 1998.

Referências

ACKERMAN, Bruce. *The failure of the founding fathers*: Jefferson, Marshall, and the rise of presidential state. Harvard University Press, 2005.

ALBERT, Richard. *Constitutional amendments*: making, breaking, and changing constitutions. Oxford: Oxford University Press, 2019.

ALBERT, Richard; BERNAL, Carlos; ZAIDEN BEMVINDO, Juliano (Ed.). *Constitutional Change and Transformation in Latin America*. Hart Publishing: Oxford, 2019.

COUTO, Cláudio Gonçalves. A longa constituinte: reforma do Estado e fluidez institucional no Brasil. *Dados*, Rio de Janeiro, v. 41, n. 1, 1998.

ESTADOS UNIDOS DA AMÉRICA. A Constituição dos Estados Unidos da América. Tradutor: J. Henry Phillips. Disponível: http://www.braziliantranslated.com/euacon01.html. Acesso: 8 nov. 2019.

ESTADOS UNIDOS DA AMÉRICA. Biblioteca do Congresso. U.S. Reports: Marbury v. Madison, 5 U.S. (1 Cranch) 137 (1803). Disponível: https://www.loc.gov/item/usrep005137. Acesso: 16 nov. 2019.

ESTADOS UNIDOS. Biblioteca do Congresso. Judiciary Act of 1789. Disponível: https://www.loc.gov/rr/program/bib/ourdocs/judiciary.html. Acesso: 15 nov. 2019.

FEREJOHN, John. Judicializando a política e politizando o direito. *In*: ASENSI, Felipe Dutra; GIOTTI DE PAULA, Daniel (Coord.). *Tratado de direito constitucional*: a constituição no século XXI, v. 2. Rio de Janeiro: Elsevier, 2014, 709-735. p. 711.

GIDDENS, Anthony. *Capitalismo e moderna teoria social*. Lisboa: Editorial Presença, 2016.

GINSBURG, Tom; MELTON, James. Does the constitutional amendment rule matter at all? Amendment cultures and the challenges of measuring amendment difficulty. *International Journal of Constitutional Law*, v. 13, n. 3, p. 686-713, 2015.

LESSIG, Lawrence. *Fidelity & constraint*: how the Supreme Court has read the American constitution. Oxford: Oxford University Press, 2019.

LIMA, Martonio Mont'Alverne Barreto. Política versus direito: real desafio da jurisdição constitucional? *In*: LEITE, George Salomão; SARLET, Ingo Wolfgang (Org.). *Jurisdição constitucional, democracia e direitos fundamentais*. Salvador: Juspodivm, 2012, p. 417-428. p. 420.

LORENZ, Astrid. How to measure constitutional rigidity: four concepts and two alternatives. *Journal of Theoretical Politics*, v. 7, n. 3, p. 339-361, 2005.

LUTZ, Donald S. Theory of constitutional amendment. *American Political Science Review*, v. 88, n. 2, p. 355-370, jun. 1994.

MACIEL, Adhemar Ferreira. O acaso, John Marshall e o controle de constitucionalidade. *Revista de Informação Legislativa*, Brasília, ano 43, n. 172, p. 37-44, out./dez. 2006.

NEGRETTO, Gabriel L. Replacing and amending constitutions: the logic of constitutional change in Latin America. *Law & Society Review*, v. 46, n. 4, p. 749-779, 2012.

SANTOS, Michele Carvalho; OLIVEIRA, Leandro Corrêa de. O mito de Marbury v. Madison: a questão da fundação da supremacia judicial. *Revista de Investigações Constitucionais*, Curitiba, v. 5, n. 3, p. 325-347, set./dez. 2018. Disponível: http://www.scielo.br/pdf/rinc/v5n3/2359-5639-rinc-05-03-0325.pdf. Acesso: 15 nov. 2019.

SILVA, José Afonso da. *Curso de direito constitucional positivo*. 25. ed. São Paulo: Malheiros, 2005.

WEBER, Max. *Economia e sociedade*: fundamentos da sociologia compreensiva. Brasília: Editora da UnB, 2015. (2 volumes).

WERNECK VIANNA, Luiz; REZENDE DE CARVALHO, Maria Alice; BURGOS, Marcelo Baumann; MELO, Manuel Palácios Cunha. *A judicialização da política e das relações sociais no Brasil*. Rio de Janeiro: Revan, 1999.

Informação bibliográfica deste texto, conforme a NBR 6023:2018 da Associação Brasileira de Normas Técnicas (ABNT):

MARTINS, Humberto Eustáquio Soares. Mudanças constitucionais entre o direito e a política: aportes do caso dos Estados Unidos da América e do Brasil. *In*: COSTA, Daniel Castro Gomes da; FONSECA, Reynaldo Soares da; BANHOS, Sérgio Silveira; CARVALHO NETO, Tarcisio Vieira de (Coord.). *Democracia, justiça e cidadania:* desafios e perspectivas. Homenagem ao Ministro Luís Roberto Barroso. Belo Horizonte: Fórum, 2020. p. 59-72. t. 2: Pensando as instituições, a justiça e o Direito. ISBN 978-85-450-0749-4.

BREVES CONSIDERAÇÕES QUANTO AO DESENVOLVIMENTO HISTÓRICO CONSTITUCIONAL DO MINISTÉRIO PÚBLICO NOS 130 ANOS DE REPÚBLICA E OS LIMITES DE SUA ATUAÇÃO JUNTO AO SUPERIOR TRIBUNAL DE JUSTIÇA

MAURO LUIZ CAMPBELL MARQUES

> *Não é necessária muita probidade para que um governo monárquico ou um governo despótico se mantenham ou se sustentem. A força das leis no primeiro, o braço sempre erguido do príncipe no segundo regra e contém tudo. Mas num Estado popular se precisa de um motor a mais, que é a VIRTUDE.*
>
> Charles-Louis de Secondat, vulgo Montesquieu

Introdução

O presente trabalho busca examinar o desenvolvimento histórico constitucional do Ministério Público Brasileiro nos 130 anos de República, perpassando, no que toca ao tema, os pontos principais das constituições brasileiras do período, a saber: a inter-relação entre os poderes constituídos, a positivação gradativa dos direitos e garantias fundamentais e, consequentemente, o aumento das funções institucionais atribuídas ao *parquet*.

Ao longo do capítulo, examinar-se-á o momento político administrativo vivido em cada uma das constituições republicanas e seus impactos no texto constitucional. Dada a importância do tema porquanto umbilicalmente ligada às funções do Ministério Público, breves apontamentos a respeito de como os Poderes Executivo, Legislativo e Judiciário se relacionaram ao longo desses anos, perpassando pela adoção da Teoria da Separação dos Poderes com a Constituição de 1981 até a adoção do sistema de *check and balances* em 1988 serão registrados.

Por fim, examinar-se-á a jurisprudência atual do Superior Tribunal de Justiça quanto aos limites de atuação do Ministério Público junto a essa Corte de Superposição, bem como alguns precedentes que evidenciam conquistas sociais asseguradas via ação civil pública manejada pelo *parquet* dentro da função que lhe foi atribuída pela Constituição de 88.

1 Breves considerações quanto ao tratamento conferido às instituições, notadamente ao Ministério Público, nas constituições repúblicas brasileiras

Desde a proclamação da República Brasileira, que instaurou a forma republicana presidencialista de governo e encerrou a monarquia constitucional parlamentarista do Império, até hoje, decorreram-se 130 anos. Nesse período, seis foram as constituições que regulamentaram a gestão político-administrativa do Estado Brasileiro, sendo quatro promulgadas por assembleias constituintes,[1] uma outorgada pelo Presidente Getúlio Vargas e uma aprovada pelo Congresso por obra do regime militar.

Na primeira delas, Constituição de 1891, vigente na primeira fase da República, percebe-se o abandono do modelo do parlamentarismo franco-britânico (destaque à presença do Poder Moderador) e aproximação do sistema presidencialista norte-americano. Tem-se a adoção da forma federativa de Estado – com a repartição espacial de competências – e a república como forma de governo. A independência dos Poderes Executivo, Legislativo e Judiciário[2] na conformação das funções político-constitucionais básicas é, pela primeira vez, adotada. Quanto a esses pontos, valorosos são os ensinamentos do professor Soares de Pinho:

> (...) além da conservação do princípio da divisão de poderes, surge, também, o da distribuição de competências entre a União e os Estados-membros, de onde decorrem novas limitações e novos freios e contrapesos.
> (...)
> A vigência da primeira Constituição republicana enseja o funcionamento do mecanismo do equilíbrio dos poderes, com a atuação recíproca de cada um sobre os demais, na contenção de excessos, mecanismo que vai atuar, igualmente, no campo peculiar do legislativo, na interação exercida pelas duas casas do Congresso Nacional e, ainda, nos três níveis em que se desdobra a federação – União, Estados-membros, municípios.[3]

No campo das garantias individuais, institui-se o *habeas corpus* como instrumento apto a socorrer/prevenir o cidadão contra a prática de ilegalidade ou abuso de poder quanto ao seu direito de ir e vir.

---

[1] As Constituições promulgadas são as de 1891, 1934, 1946 e 1988.
[2] Adoção inicial, no sistema constitucional brasileiro, da Teoria da Separação dos Poderes – concebida pelo filósofo iluminista Charles-Louis de Secondat, vulgo Montesquieu. Segundo o autor, tal separação de funções se justificaria pelo fato de que "tudo estaria perdido se o mesmo homem ou o mesmo corpo dos principais ou dos nobres, ou do povo, exercesse esses três poderes: o de fazer as leis, o de executar as resoluções públicas, e o de julgar os crimes ou as divergências dos indivíduos" (*O Espírito das Leis*. São Paulo: Martins Fontes, 2000).
[3] *Op. cit.*, p. 30, nota 27.

Pela primeira vez, o Ministério Público é referenciado. Na Seção III (Do Poder Judiciário) o art. 58, §2º, determina que o Presidente da República designe, dentre os membros do Supremo Tribunal Federal, o Procurador-Geral da República,[4] deixando a cargo da lei ordinária a definição de suas atribuições. Nota-se que a primeira Constituição da República, apesar de dotar o MP de legitimidade ativa para revisão criminal,[5] quedou-se inerte quanto à sua operacionalização como órgão autônomo.

A Constituição de 1934, na linha da que lhe antecedeu, elege como órgãos de soberania nacional o Executivo, o Judiciário e o Legislativo. Nesse contexto, destoa da normalidade o papel reservado ao Senado Federal enquanto ente dotado da função de "coordenação dos poderes federais". Tratado fora do capítulo reservado ao Poder Legislativo (Capítulo II), referido ente passou a atuar como mero colaborador, ficando sua competência constitucionalmente estabelecida limitada à manutenção da continuidade administrativa e à guarda da Constituição.[6]

No período, observa-se uma maior concessão de poder ao governo federal e percebe-se relativa progressão da implementação das garantias individuais aos cidadãos com a positivação do mandado de segurança e da ação popular.

Pela primeira vez na história constitucional pátria, o MP recebe tratamento de instituição. Ao lado do Tribunal de Contas e dos Conselhos Técnicos é eleito como órgão de cooperação nas atividades governamentais. Em seu art. 95, a Constituição de 34 afirma que o Ministério Público será organizado na União, no Distrito Federal e nos Territórios por lei federal, e, nos Estados, pelas leis locais; mantém a chefia a cargo do Procurador-Geral da República, cuja nomeação será do Presidente da República, com aprovação do Senado Federal, dentre cidadãos com os requisitos estabelecidos para os Ministros da Corte Suprema.

Nos três anos que se seguem, a Carta Constitucional de 1937 inaugura o Estado Novo. Silente quanto ao princípio da separação dos poderes, assiste-se à supressão dos partidos políticos e a concentração de poder nas mãos do chefe supremo do Executivo.[7] Entre as principais medidas adotadas, destacam-se: instituição da pena de morte; supressão da liberdade partidária e da liberdade de imprensa; anulação da independência dos Poderes Legislativo e Judiciário, com a "substituição" do Senado Federal por um Conselho Federal, composto de representantes dos Estados e por dez membros nomeados

---

[4] O Ministério Público passa a ser considerado instituição por meio do Decreto nº 1.030, de 14.11.1890, que, além de conferir garantias aos membros da carreira, fixa-lhe atribuições e designa ao Procurador-Geral da República a chefia da instituição.

[5] Art. 81 – Os processos findos, em matéria crime, poderão ser revistos a qualquer tempo, em benefício dos condenados, pelo Supremo Tribunal Federal, para reformar ou confirmar a sentença.
§1º – A lei marcará os casos e a forma da revisão, que poderá ser requerida pelo sentenciado, por qualquer do povo, ou *ex officio* pelo Procurador-Geral da República.

[6] Art. 22 – O Poder Legislativo é exercido pela Câmara dos Deputados com a colaboração do Senado Federal.
Art. 88 – Ao Senado Federal, nos termos dos arts. 90, 91 e 92, incumbe promover a coordenação dos Poderes federais entre si, manter a continuidade administrativa, velar pela Constituição, colaborar na feitura de leis e praticar os demais atos da sua competência.

[7] Consoante elencado no art. 73, o Presidente da República é a autoridade suprema do Estado e coordena a atividade dos órgãos representativos de grau superior, dirige a política interna e externa, promove ou orienta a política legislativa de interesse nacional, e superintende a administração do país. Já o art. 75, "b", conferia ao Presidente da República a prerrogativa de dissolver a Câmara dos Deputados em caso da não aprovação por aquele órgão de medidas tomadas durante estado de guerra ou emergência.

pelo Presidente da República, restrição das prerrogativas do Congresso Nacional; permissão para suspensão da imunidade parlamentar.

A propósito, registram-se procedentes críticas de Paulo Bonavides e Paes de Andrade quanto à atuação dos poderes no período de vigência da Constituição de 37.

> A competência dos três Poderes na Constituição de 1937 era meramente formal. Os artigos 38 e 49 que tratavam do Poder Legislativo esboroavam-se com o conjunto do texto e, mesmo, com a coexistência de um Conselho Federal criado pelos artigos 50 e 56, usurpando faculdades legislativas com dez dos seus membros escolhidos pelo Presidente da República e os restantes pelas Assembleias Legislativas dos Estados.
> Era o Senado sem voto popular, constituído já à época, dos senadores biônicos que recebiam a designação de "conselheiros". Quanto ao Judiciário, o arbítrio do Poder Executivo ultrapassava até mesmo o texto da Carta constitucional. Esta, todavia deixava a brecha para esses abusos, quando em seu artigo 91, ressaltava as restrições à vitaliciedade, à inamovibilidade, à irredutibilidade dos vencimentos dos magistrados.
> A competência dos três Poderes ficou limitada ao centralismo do Executivo e condicionada aos interesses do chefe supremo da administração – o Presidente da República.[8]

Seguindo as diretrizes constitucionais de concentração de poder nas mãos do Executivo, a evolução da instituição Ministério Público sofre severo golpe, tendo parcas citações em todo o texto que se limitam a designar a chefia do órgão e sua forma de eleição,[9] com determinação de que esse seja ouvido no caso de pagamento de dívidas da Fazenda Nacional.[10]

Lado outro, legislações ordinárias começam a conferir maiores poderes aos membros do Ministério Público, a saber: o Código de Processo Penal de 1941, que consolida a posição do órgão como titular da ação penal e lhe confere poderes para requisição de abertura de investigações, o Código de Processo Civil de 1939, que estabelece a obrigatoriedade de sua intervenção na qualidade de *custos legis* nas causas de interesses indisponíveis. Segundo José Eduardo Sabo Paes:

> a partir desse período, o promotor de Justiça passou a vincular-se à defesa dos valores centrais de uma ordem social e econômica burguesa de forte predominância rural e agrária. Desse modo, começa o fenômeno do chamado "parecerismo", que marcará toda a tradição de práxis jurídica do Ministério Público (PAES, José Eduardo Sabo).

Com a Constituição de 1946, a linha democrática de 1934 é refeita. Os direitos individuais com suas respectivas garantias são restabelecidos; a democracia ganha

---

[8] *História Constitucional do Brasil*, p. 345.

[9] Art. 99 – O Ministério Público Federal terá por Chefe o Procurador-Geral da República, que funcionará junto ao Supremo Tribunal Federal, e será de livre nomeação e demissão do Presidente da República, devendo recair a escolha em pessoa que reúna os requisitos exigidos para Ministro do Supremo Tribunal Federal.

[10] Art. 95 (...) Parágrafo único – As verbas orçamentárias e os créditos votados para os pagamentos devidos, em virtude de sentença judiciária, pela Fazenda federal, serão consignados ao Poder Judiciário, recolhendo-se as importâncias ao cofre dos depósitos públicos. Cabe ao Presidente do Supremo Tribunal Federal expedir as ordens de pagamento, dentro das forças do depósito, e, a requerimento do credor preterido em seu direito de precedência, autorizar o sequestro da quantia necessária para satisfazê-lo, depois de ouvido o Procurador-Geral da República.

especial relevo com a adoção do sufrágio universal e direto;[11] o papel de cada um dos poderes Legislativo, Executivo e Judiciário é restaurado e volta a reger as funções político-constitucionais básicas.[12] No campo dos direitos individuais o direito de greve e livre associação sindical é assegurado e nascem as diretrizes mestras para condicionar o uso da propriedade privada ao bem-estar social, possibilitando a desapropriação por interesse social.

No texto de 1946, o *parquet* volta a receber perfil constitucional. Nos termos do art. 126, o Procurador-Geral da República segue nomeado pelo Presidente da República e recebe a função de representar a União em juízo. Percebe-se nítida função de procurador do Estado, advogado do Estado sem a necessária independência para atuar na defesa da sociedade.

Na Constituição de 1967, cujo contexto predominante era o autoritarismo, a democracia sofre sério abalo e a separação entre os poderes deixa de funcionar tal como preveem suas bases mestras.[13] As eleições para presidente da República ocorrem no âmbito do Colégio Eleitoral formado pelos integrantes do Congresso e delegados indicados pelas Assembleias Legislativas. O Judiciário assiste à suspensão de garantias conferidas à magistratura e Ministério Público, quanto ao principal, manteve o mesmo regime jurídico estabelecido na Constituição de 1946.

Por fim, Constituição de 1988 – doravante podendo ser designada de Constituição Cidadã – inaugura um novo Estado Democrático de Direito, no qual os representantes do povo encontram na lei a limitação necessária ao exercício do poder que lhes foi conferido.

A então nova ordem constitucional não inova ao enunciar sua sujeição ao princípio da separação dos poderes, reafirmando a necessidade da independência e harmonia entre eles. Contudo, avança, ao retirar do enunciado do art. 2º as vedações expressas da delegação de competência e da acumulação de funções em diferentes poderes. Em outras palavras, adota-se o sistema de *checks and balances* – sistema de freios e contrapesos – cuja origem uns creditam a Montesquieu, outros ao sistema Britânico[14] e, por fim, outros ao sistema americano.[15]

No que toca à limitação do poder e ao desenvolvimento do presente trabalho, ganha relevo o reforço do papel conferido ao Ministério Público na tutela dos interesses coletivos e difusos, na tarefa de defesa da ordem jurídica, no regime democrático e nos interesses sociais e individuais indisponíveis (art. 127, CF).

---

[11] Art. 134 – O sufrágio é universal e, direto; o voto é secreto; e fica assegurada a representação proporcional dos Partidos Políticos nacionais, na forma que a lei estabelecer.

[12] Art. 36 – São Poderes da União o Legislativo, o Executivo e o Judiciário, independentes e harmônicos entre si. §1º – O cidadão investido na função de um deles não poderá exercer a de outro, salvo as exceções previstas nesta Constituição. §2º – É vedado a qualquer dos Poderes delegar atribuições.

[13] Conforme lição de Alexandre de Moraes, a separação de poderes, tornando-se princípio fundamental da organização política liberal, é transformada em dogma pelo art. 16 da Declaração dos Direitos do Homem e do Cidadão, de 1789: "Toda sociedade na qual a garantia dos direitos não está assegurada, nem a separação de poderes estabelecida não tem constituição" (*Direito Constitucional*. 7. ed. São Paulo: Atlas, 2000).

[14] John H. Garvey e T. Alexander Aleintkoff ensinam que o *balance* surgiu na Inglaterra, a partir da ação da Câmara dos Lordes, equilibrando os projetos de leis oriundos da Câmara dos Comuns, cuja ideia era evitar uma profusão de leis aprovadas sob o clamor pressões populares. *Modern constitutional theory*: a reader, St. Paul: West Publishing, 1991, p. 238, *apud* Paulo Fernando Silveira, freios e contrapesos (checks and balances), p. 99.

[15] O Poder Judiciário ganhou especial importância a partir do famoso caso *Marbury x Madison* que, em 1803, consagrou a doutrina do *Judicial Review* e passou a conferir poderes ao Judiciário para controlar o abuso de poder dos outros ramos, notadamente do Legislativo ao promulgar leis que afrontem o texto constitucional.

A Constituição de 88, por ampliar as funções do *parquet*, o insere no capítulo autônomo – Das funções essenciais da Justiça – passando a instituição a ser designada de permanente e essencial à função jurisdicional do Estado. Para que possa atuar com autonomia funcional e administrativa, a instituição passa a ser dotada de rígidos princípios institucionais: unidade, indivisibilidade e independência. No campo das garantias de seus membros, resta assentada a vitaliciedade – após dois anos de exercício –, a inamovibilidade e a irredutibilidade de subsídio e, no campo das vedações, dentre outras, a impossibilidade de exercer: a advocacia, ainda que em disponibilidade, qualquer outra função pública, salvo uma de magistério, atividade político-partidária.

As funções do *parquet*, dada a institucionalização do órgão enquanto ente independente e autônomo diante do Poder Executivo, são consideravelmente ampliadas de forma a abranger a promoção privativa da ação penal pública, o zelo pelo efetivo respeito dos Poderes Públicos, a promoção do inquérito civil e a ação civil pública para a proteção do patrimônio público e social, do meio ambiente e de outros interesses difusos e coletivos, a promoção da ação de inconstitucionalidade ou representação para fins de intervenção da União e dos Estados e, por fim, a defesa judicial dos direitos e interesses das populações indígenas.

Observa-se, pois, que a ordem constitucional inaugurada em 1988 – dado a estabelecimento do sistema de *check and balances* e o elevado grau de independência da instituição em relação aos demais poderes, somados à diversificação dos modos de sua atuação – tem conferido maior efetividade à função de *ombudsman*[16] exercida pelo Ministério Público.

2 Exame da jurisprudência do Superior Tribunal de Justiça e seus impactos na atuação do Ministério Público

2.1 Da legitimidade do Ministério Público Estadual para atuar diretamente nos Tribunais Superiores

No âmbito dos Tribunais Superiores, são inúmeros os processos em que figura como parte o Ministério Público Estadual. Não obstante, durante certo tempo, prevaleceu a tese no sentido de que somente ao Ministério Público Federal, por meio dos Subprocuradores-Gerais da República com atuação no Supremo Tribunal Federal e no Superior Tribunal de Justiça, caberia o papel de representar a instituição juntos aos Tribunais de Superposição.

O entendimento evidenciou que, em alguns casos, a defesa dos interesses do Ministério Público Estadual restou prejudicada. Sob os auspícios da tese da injustificável

---

[16] Sobre o tema, valorosa a opinião de Wallace Paiva Martins Junior: "Ponto luminoso dessa atuação é a extensão favorecida: salvaguarda dos direitos administrados e execução das atividades administrativas com respeito aos princípios e regras do ordenamento jurídico, exercendo não somente um controle de legalidade como, também, de eficiência da atuação administrativa que se soma, salutarmente, às demais formas de controle da Administração Pública. O desempenho desta tarefa de defensor do povo constitui poder–dever do Ministério Público atribuído constitucionalmente, competindo–lhe mesmo atuar de ofício" (*Controle da administração pública pelo Ministério Público (Ministério Público defensor do povo*. 1. ed. São Paulo: Juarez de Oliveira, 2002).

relação de subordinação entre os ramos do Ministério Público Brasileiro, a tese sofre suas primeiras notas com caráter de reversibilidade, bem seja, QO no RE 593.727/MG, Relator Ministro Min. Cezar Peluso, no qual foram consignadas as seguintes premissas:

> a) em matéria de regras gerais e diretrizes, o PGR poderia desempenhar no Supremo Tribunal Federal dois papéis simultâneos, o de fiscal da lei e o de parte;
> b) nas hipóteses que o Ministério Público da União (MPU) figurar como parte no processo, por qualquer dos seus ramos, somente o Procurador Geral da República (PGR) poderia oficiar perante o Supremo Tribunal Federal, o qual encarnaria os interesses confiados pela lei e pela constituição ao referido órgão;
> c) nos demais casos, o Ministério Público Federal exerceria, evidentemente, a função de fiscal da lei e, nessa última condição, a sua manifestação não poderia preexcluir a das partes, sob pena de ofensa ao contraditório;
> d) A Lei Complementar federal 75/93 somente teria incidência no âmbito do Ministério Público da União (MPU), sob pena de cassar-se a autonomia dos Ministérios Públicos estaduais que estariam na dependência, para promover e defender interesse em juízo, da aprovação do Ministério Público Federal;
> e) a Constituição Federal distinguiu "a Lei Orgânica do MPU (LC 75/93) – típica lei federal –, da Lei Orgânica Nacional (Lei 8.625/93), que se aplicaria em matéria de regras gerais e diretrizes, a todos os Ministérios Públicos estaduais";
> f) a Resolução 469/2011 do Supremo Tribunal Federal determina a intimação pessoal do Ministério Público estadual nos processos em que figurar como parte;
> g) não existiria subordinação jurídico-institucional que submetesse o Ministério Público dos estados à chefia do Ministério Público da União (MPU), instituição que a Constituição teria definido como chefe o Procurador Geral da República (PGR);
> h) não são raras as hipóteses em que seriam possíveis situações processuais que estabelecessem posições antagônicas entre o Ministério Público da União e o Ministério Público estadual e, em diversos momentos, o parquet federal, por meio do Procurador Geral da República (PGR), teria se manifestado de maneira contrária ao recurso interposto pelo parquet estadual;
> i) a privação do titular do Parquet Estadual para figurar na causa e expor as razões de sua tese consubstanciaria exclusão de um dos sujeitos da relação processual;
> j) a tese firmada pelo Supremo Tribunal Federal "denotaria constructo que a própria práxis demonstrara necessário, uma vez que existiriam órgãos autônomos os quais traduziriam pretensões realmente independentes, de modo que poderia ocorrer eventual cúmulo de argumentos".

Com o julgamento da questão sob a sistemática da repercussão geral (Tema 946), o STF fixa a tese de que os Ministérios Públicos dos Estados e do Distrito Federal têm legitimidade para propor e atuar em recursos e meios de impugnação de decisões judiciais em trâmite no STF e no STJ, oriundos de processos de sua atribuição, sem prejuízo da atuação do Ministério Público Federal.[17]

---

[17] Recurso extraordinário. 2. Repercussão Geral. Reconhecimento. Reafirmação da jurisprudência dominante. 3. Constitucional. Ministério Público dos Estados e do Distrito Federal e Territórios. Legitimidade para postular perante o STF e o STJ. 4. Preliminares. Argumentos do Ministério Público Estadual não considerados pelo STJ, e embargos de declaração não conhecidos. A falta de prequestionamento e a intempestividade do recurso extraordinário decorreriam da recusa do Tribunal em conhecer das razões do MPE. A legitimidade do MPE depende da interpretação das regras constitucionais sobre o Ministério Público art. 127, §1º, e art. 128,

No âmbito do STJ, o primeiro julgado favorável à referida tese, referenciado a QO no RE 593.727/MG, foi proferido pela Primeira Seção nos autos dos EDcl no AgRg no AREsp 194.892/RJ, julgado em 12.06.2013.[18] À Terceira Seção coube o papel de estender esse entendimento aos feitos em matéria penal.[19]

---

art. 129, CF. Questão que prescinde da apreciação de matéria de fato. Preliminares rejeitadas. 5. Repercussão geral. A avaliação da legitimidade dos Ministérios Públicos dos Estados para pleitear perante o STF e o STJ é relevante dos pontos de vista político, jurídico e social. Repercussão geral reconhecida. 6. Legitimidade de MPE para postular no STF e no STJ. Os Ministérios Públicos dos Estados e do Distrito Federal e Territórios podem postular diretamente no STF e no STJ, em recursos e meios de impugnação oriundos de processos nos quais o ramo Estadual tem atribuição para atuar. Precedentes. 7. Jurisprudência consolidada do STF no sentido da legitimidade do MPE. Reafirmação de jurisprudência. Precedentes: Rcl 7.358, Rel. Min. Ellen Gracie, Tribunal Pleno, j. 24.2.2011; MS 28.827, Rel. Min. Cármen Lúcia, 1ª Turma, j. 28.8.2012; RE–QO 593.727, Rel. Min. Cezar Peluso, Redator para acórdão Min. Gilmar Mendes, Tribunal Pleno j. 21.6.2012; ARE–ED–segundos 859.251, de minha relatoria, Tribunal Pleno, j. 22.10.2015. 8. Fixação de tese: Os Ministérios Públicos dos Estados e do Distrito Federal têm legitimidade para propor e atuar em recursos e meios de impugnação de decisões judiciais em trâmite no STF e no STJ, oriundos de processos de sua atribuição, sem prejuízo da atuação do Ministério Público Federal. 9. Caso concreto. Legitimidade do Ministério Público do Estado do Rio Grande do Sul para oferecer razões e embargos de declaração em habeas corpus afastada pelo STJ. Cassação da decisão. 10. Recurso extraordinário a que se dá provimento. Determinação de retorno dos autos ao STJ, para que prossiga no julgamento do habeas corpus, considerando as razões do MPRS. (RE 985392 RG, Relator(a): Min. GILMAR MENDES, julgado em 25.05.2017, PROCESSO ELETRÔNICO REPERCUSSÃO GERAL – MÉRITO DJe–256 DIVULG 09.11.2017 PUBLIC 10.11.2017).

[18] PROCESSUAL CIVIL. EMBARGOS DE DECLARAÇÃO NO AGRAVO REGIMENTAL EM AGRAVO EM RECURSO ESPECIAL. LEGITIMIDADE DO MINISTÉRIO PÚBLICO ESTADUAL. ATUAÇÃO COMO PARTE NO ÂMBITO DO STJ. POSSIBILIDADE. NOVO ENTENDIMENTO FIRMADO PELO PLENÁRIO DO SUPREMO TRIBUNAL FEDERAL (QO NO RE 593.727/MG, REL. MIN. CEZAR PELUSO, 21.6.2012). VÍCIOS DO ART. 535 DO CPC. NÃO OCORRÊNCIA. EFEITOS INFRINGENTES. INVIABILIDADE. PREQUESTIONAMENTO DE DISPOSITIVOS CONSTITUCIONAIS. INADEQUAÇÃO. PRECEDENTES DO STJ. REJEIÇÃO DOS EMBARGOS DECLARATÓRIOS. 1. (...)
2. O Plenário do Supremo Tribunal Federal, na QO no RE 593.727/MG, Rel. Min. Cezar Peluso, 21.6.2012, em inequívoca evolução jurisprudencial, proclamou a legitimidade do Ministério Público Estadual para atuar diretamente no âmbito da Corte Constitucional nos processos em que figurar como parte e estabeleceu, entre outras, as seguintes premissas (Informativo 671/STF): a) em matéria de regras gerais e diretrizes, o PGR poderia desempenhar no Supremo Tribunal Federal dois papéis simultâneos, o de fiscal da lei e o de parte; b) nas hipóteses que o Ministério Público da União (MPU) figurar como parte no processo, por qualquer dos seus ramos, somente o Procurador Geral da República (PGR) poderia oficiar perante o Supremo Tribunal Federal, o qual encarnaria os interesses confiados pela lei e pela constituição ao referido órgão; c) nos demais casos, o Ministério Público Federal exerceria, evidentemente, a função de fiscal da lei e, nessa última condição, a sua manifestação não poderia preexcluir a das partes, sob pena de ofensa ao contraditório; d) A Lei Complementar federal 75/93 somente teria incidência no âmbito do Ministério Público da União (MPU), sob pena de cassar–se a autonomia dos Ministérios Públicos estaduais que estariam na dependência, para promover e defender interesse em juízo, da aprovação do Ministério Público Federal; e) a Constituição Federal distinguiu "a Lei Orgânica do MPU (LC 75/93) – típica lei federal –, da Lei Orgânica Nacional (Lei 8.625/93), que se aplicaria em matéria de regras gerais e diretrizes, a todos os Ministérios Públicos estaduais"; f) a Resolução 469/2011 do Supremo Tribunal Federal determina a intimação pessoal do Ministério Público estadual nos processos em que figurar como parte; g) não existiria subordinação jurídico-institucional que submetesse o Ministério Público dos estados à chefia do Ministério Público da União (MPU), instituição que a Constituição teria definido como chefe o Procurador Geral da República (PGR); h) não são raras as hipóteses em que seriam possíveis situações processuais que estabelecessem posições antagônicas entre o Ministério Público da União e o Ministério Público estadual e, em diversos momentos, o parquet federal, por meio do Procurador Geral da República (PGR), teria se manifestado de maneira contrária ao recurso interposto pelo parquet estadual; i) a privação do titular do Parquet Estadual para figurar na causa e expor as razões de sua tese consubstanciaria exclusão de um dos sujeitos da relação processual; j) a tese firmada pelo Supremo Tribunal Federal "denotaria constructo que a própria práxis demonstrara necessário, uma vez que existiriam órgãos autônomos os quais traduziriam pretensões realmente independentes, de modo que poderia ocorrer eventual cúmulo de argumentos".
3. Importante consignar que, o próprio Ministério Público Federal, por meio da 2ª Câmara de Coordenação e Revisão, no processo nº 08100.004785/99-69, em voto do ex-Procurador Geral da República Claudio Fonteles, expressamente reconheceu a legitimidade do Ministério Público do Distrito Federal e dos Estados Membros "não só à titulação da provocação recursal das instâncias excepcionais – especial e extraordinária –, como à titulação dos recursos que signifiquem desdobramentos possíveis à definição da provocação originária", ressalvando aos Subprocuradores–Gerais da República a garantia de sempre atuar como custos legis no âmbito do Superior Tribunal de Justiça.

4. Portanto, diante das premissas estabelecidas, é possível estabelecer que: a) o Ministério Público dos Estados, somente nos casos em que figurar como parte nos processos que tramitam no âmbito do Superior Tribunal de Justiça, poderá exercer todos os meios inerentes à defesa da sua pretensão (v.g. Interpor recursos, realizar sustentação oral e apresentar memoriais de julgamento); b) a função de fiscal da lei no âmbito deste Tribunal Superior, será exercida exclusivamente pelo Ministério Público Federal, por meio dos Subprocuradores–Gerais da República designados pelo Procurador–Geral da República.

5. O Poder Judiciário tem como uma de suas principais funções, a pacificação de conflitos. O reconhecimento da tese de legitimidade do Ministério Público estadual para atuar no âmbito do Superior Tribunal de Justiça não objetiva gerar confronto entre o Ministério Público Federal e Estadual, mas reconhecer a importância e imprescindibilidade de ambas as instituições no sistema judicial brasileiro e estabelecer os limites de atuação do Ministério Público brasileiro no âmbito das Cortes Superiores. Ademais, a plena atuação do Ministério Público estadual na defesa de seus interesses, trará mais vantagens à coletividade e aos direitos defendidos pela referida instituição.

6. A simples leitura da fundamentação do acórdão embargado permite afirmar que, em nenhum momento, foi declarada a inconstitucionalidade de lei ou ato normativo e, consequentemente, eventual usurpação de competência atribuída à Corte Especial, tampouco desrespeito aos precedentes do referido órgão sobre o tema, em razão da inexistência de julgamento da questão após a recente modificação de entendimento firmado pelo Plenário do Supremo Tribunal Federal (QO no RE 593.727/MG, Rel. Min. Cesar Peluso). (...).

12. Embargos de declaração rejeitados. (EDcl no AgRg no AgRg no AREsp 194.892/RJ, Rel. Ministro MAURO CAMPBELL MARQUES, PRIMEIRA SEÇÃO, julgado em 12.06.2013, DJe 01.07.2013).

[19] AGRAVO REGIMENTAL NOS EMBARGOS DE DIVERGÊNCIA. MINISTÉRIO PÚBLICO ESTADUAL. LEGITIMIDADE PARA RECORRER DENTRO DAS CORTES SUPERIORES (STF E STJ). DIREITO AO EXAURIMENTO DA VIA EXTRAORDINÁRIA (LATO SENSU) NAS AÇÕES PENAIS PROPOSTAS NA ORIGEM. PRESERVAÇÃO DOS PRINCÍPIOS DA IGUALDADE E DO CONTRADITÓRIO (CF, ART. 5º, CAPUT E INCISO LV). SUBSTITUIÇÃO PROCESSUAL PELO MINISTÉRIO PÚBLICO FEDERAL. INVIABILIDADE. DISTINÇÃO ENTRE A ATUAÇÃO DE PARTE E DE CUSTOS IURIS. PRESTÍGIO AO PRINCÍPIO ACUSATÓRIO. EVOLUÇÃO JURISPRUDENCIAL DO SUPREMO TRIBUNAL FEDERAL (PLENÁRIO, RCL-AGR n. 7.358/DF). TEMA DE RELEVO JURÍDICO–CONSTITUCIONAL. AGRAVO PROVIDO.

1. Os Ministérios Públicos estaduais e do Distrito Federal possuem o direito de, por meio dos recursos próprios, desincumbir-se plenamente de suas atribuições constitucionais nos Tribunais Superiores, mantendo-se, ademais, preservados os princípios da igualdade e do contraditório (art. 5º, *caput* e inciso LV da CF), que alcançam ambas as partes da relação processual.

2. Sob diversa angulação, a que prestigia o princípio acusatório, não se admite que uma ação penal passe a caminhar, em grau de recurso extraordinário (lato sensu), movida por instituição que não é a parte autora da demanda, sendo direito do réu, por sua vez, continuar a ser acusado pelo seu acusador natural, ou seja, o órgão oriundo da mesma instituição que o processou na origem.

3. Quando se trata de recursos extraordinários (*lato sensu*), o Ministério Público Federal (pela Procuradoria-Geral ou pela Subprocuradoria-Geral da República) e o Ministério Público do Distrito Federal e Territórios ou o Ministério Público estadual (pela Procuradoria-Geral de Justiça) hão de ser vistos e tratados como órgãos distintos – como de fato o são – pertencentes a diferentes ramos do Ministério Público brasileiro, de sorte que não se aplicam, entre um e outro, os princípios da unidade e da indivisibilidade.

4. À objeção de que caberia ao Ministério Público Federal atuar é de lembrar que o Parquet federal atua, nessas hipóteses, na qualidade de custos iuris, visto que não foi essa instituição, e sim o Ministério Público da respectiva unidade da Federação, quem exercitou, *ab initio*, a ação penal condenatória e muito menos quem perseguiu, por meio do direito a impugnação, reforma ou anulação do acórdão contrário à lei ou à Constituição Federal.

4. O exaurimento da via especial e extraordinária, com os meios impugnativos próprios dessa fase recursal, não pode ser retirado dos membros do Parquet local, porquanto estão em jogo as legítimas atribuições constitucionais e legais outorgadas ao Ministério Público (CF, arts. 127 e 128), o que suplanta o argumento de que o disposto nos regimentos internos dos Tribunais Superiores (RISTF, art. 48, *caput* e parágrafo único, e RISTJ, art. 61) impede a atuação dos Ministérios Públicos estaduais e do Distrito Federal nesta Colenda Corte e no STF.

5. A propósito, a Suprema Corte já disciplinou o direito dos Ministérios Públicos e das Defensorias Públicas Estaduais e do Distrito Federal serem intimados das decisões proferidas em processos físicos ou eletrônicos, por meio do art. 5º da Resolução STF nº 469/2011.

6. Dessa forma, não há sentido em se negar o reconhecimento do direito de atuação dos Ministérios Públicos estaduais e do Distrito Federal perante esta Corte, se a interpretação conferida pelo STF, a partir de tema que assume, consoante as palavras do Ministro Celso de Mello, "indiscutível relevo jurídico-constitucional" (RCL-AGR n. 7.358) aponta na direção oposta, após evolução jurisprudencial acerca do tema.

7. Reconhecida a legitimidade recursal aos Ministérios Públicos estaduais e do Distrito Federal, no âmbito do Superior Tribunal de Justiça, dá-se provimento ao Agravo Regimental interposto pelo Ministério Público do Rio Grande do Sul (AgRg nos EREsp 1256973/RS, Rel. Ministra LAURITA VAZ, Rel. p/ Acórdão Ministro ROGERIO SCHIETTI CRUZ, TERCEIRA SEÇÃO, julgado em 27.08.2014, DJe 06.11.2014).

2.2 Da legitimidade do Ministério Púbico para ajuizar ações individuais para o fornecimento de medicamentos

No julgamento do Recurso Especial Repetitivo nº 1682836/SP, de relatoria do Ministro Og Fernandes, a Primeira Seção do STJ foi instada a manifestar-se quanto à legitimidade ativa do Ministério Público para ajuizar ações individuais que visem o fornecimento de medicamentos ou tratamento de saúde contra entes federativos.

Colhe-se das razões decidir que a discussão posta em julgamento estava em definir-se há indisponibilidade, ou não, do direito à saúde. Restou assentado que a disciplina do referido direito está umbilicalmente ligada ao próprio direito à vida e, por conseguinte, ao direito existencial, de forma que a característica de sua indisponibilidade decorreria dessa premissa. Sendo, pois, o direito indisponível em sua essência, independentemente da existência de legitimidade ativa específica com previsão em lei, essa se manifesta de plano em razão de funções institucionais do *parquet*.

A tese assentada recebeu a seguinte redação: O Ministério Público é parte legítima para pleitear tratamento médico ou entrega de medicamentos nas demandas de saúde propostas contra os entes federativos, mesmo quando se tratar de feitos contendo beneficiários individualizados, porque se refere a direitos individuais indisponíveis, na forma do art. 1º da Lei nº 8.625/1993 (Lei Orgânica Nacional do Ministério Público).[20]

2.3 Da legitimidade do Ministério Púbico para ajuizar ações de alimentos

No julgamento de recurso especial repetitivo[21] (Resp 1327471/MT), ao Ministério Público é conferida legitimidade ativa para ajuizar ação de alimentos em favor de criança ou adolescente.

Resta assentado que a referida capacidade de agir independe do exercício do poder familiar dos pais, ou de o menor se encontrar nas situações de recurso previstas no art. 98 do Estatuto da Criança e do Adolescente, ou de quaisquer outros questionamentos acerca da existência ou eficiência da Defensoria Pública na localidade.

As teses jurídicas firmadas receberam a seguinte redação:

> 1.1. O Ministério Público tem legitimidade ativa para ajuizar ação de alimentos em proveito de criança ou adolescente.
>
> 1.2. A legitimidade do Ministério Público independe do exercício do poder familiar dos pais, ou de o menor se encontrar nas situações de risco descritas no art. 98 do Estatuto da Criança e do Adolescente, ou de quaisquer outros questionamentos acerca da existência ou eficiência da Defensoria Pública na comarca.

---

[20] REsp 1682836/SP, Rel. Ministro OG FERNANDES, PRIMEIRA SEÇÃO, julgado em 25.04.2018, DJe 30.04.2018.

[21] REsp 1327471/MT, Rel. Ministro LUIS FELIPE SALOMÃO, SEGUNDA SEÇÃO, julgado em 14.05.2014, DJe 04.09.2014.

2.4 Da legitimidade do Ministério Púbico para ajuizar ação civil pública para questionar incentivos fiscais

Por fim, merece destaque importante julgado que examina a legitimidade ativa do Ministério Público para ajuizar ação civil pública a fim de impugnar eventuais incentivos fiscais que possam gerar prejuízo ao patrimônio público.

Trata-se do Recurso Especial nº 785.565/DF, relatado pela Ministra Assusete Magalhães,[22] no qual o MP ajuizou ACP com o fito de anular Termo de Acordo de Regime Especial – TARE firmado entre o poder concedente e o contribuinte. Até então, o tema mostrava-se controvertido no âmbito das Turmas que compõem a Primeira Seção do STJ, prevalecendo a tese de que, estando a questão envolta à matéria tributária, seara que conta com agentes próprios para promover a defesa do Estado, não seria crível reconhecer legitimidade ao Ministério Público para propor anulação do benefício fiscal.

Todavia, a partir desse julgado, o STJ fixa precedente para acompanhar a orientação firmada pelo Supremo Tribunal Federal nos autos do Recurso Extraordinário nº 576.155/DF[23] – julgado sob o regime de repercussão geral. No referido apelo extremo, o STF – por entender que o TARE não diz respeito apenas a interesses individuais, alcançando também os metaindividuais, pois o ajuste pode, em tese, ser lesivo ao patrimônio público – fixa tese no sentido de conferir legitimidade ao MP para propor Ação Civil Pública, com o objetivo de anular o Termo de Acordo de Regime Especial.

2.5 Das conquistas sociais asseguradas via ação civil pública proposta pelo Ministério Público

2.5.1 Idoso faz jus a desconto de 50% (cinquenta por cento) no valor do ingresso de eventos destinados ao seu lazer

Nos autos de ação civil pública ajuizada pelo Ministério Público, na qual se examinava o uso de transporte destinado ao lazer – visita a pontos turísticos da cidade –, restou assentado que o idoso faz jus à benesse legal relativa ao desconto de 50% (cinquenta por cento) no valor do ingresso.

Consoante entendimento do Superior Tribunal, tal exegese é extraída da interpretação literal do art. 23 da Lei nº 10.741/03, que instituiu o Estatuto do Idoso, que prevê descontos de pelo menos 50% nos ingressos para eventos artísticos, culturais, esportivos e de lazer, bem como o acesso preferencial aos respectivos locais.[24]

---

[22] REsp 785.565/DF, Rel. Ministra ASSUSETE MAGALHÃES, SEGUNDA TURMA, julgado em 26.09.2017, DJe 04.10.2017.

[23] RE 576.155, Rel. Ministro RICARDO LEWANDOWSKI, TRIBUNAL PLENO, julgado em 12.08.2010, REPERCUSSÃO GERAL – MÉRITO DJe de 25.11.2010.

[24] REsp 1512087/PR, Rel. Ministro HERMAN BENJAMIN, SEGUNDA TURMA, julgado em 02.02.2016, DJe 24.10.2016.

2.5.2 Obrigatoriedade de as instituições financeiras utilizarem o Sistema Braille nas contratações bancárias estabelecidas com a pessoa com deficiência visual

No julgamento dos REsp 1.315.822/RJ e REsp 1.349.188/RJ, as Turmas que compõem a Segunda Seção do STJ exaram entendimento quanto à obrigatoriedade de confeccionar em braille os contratos bancários de adesão e todos os demais documentos fundamentais para a relação de consumo estabelecida com indivíduo portador de deficiência visual.

Consigna, para tanto, que referido direito encontra assento "no ordenamento jurídico nacional, afigura-se absolutamente razoável, impondo à instituição financeira encargo próprio de sua atividade, adequado e proporcional à finalidade perseguida, consistente em atender ao direito de informação do consumidor, indispensável à validade da contratação, e, em maior extensão, ao Princípio da Dignidade da Pessoa Humana".

Dada a relevância da temática, uma vez que o precedente valeu-se de intepretação constitucional para chegar às referidas conclusões, cita-se sua ementa:

> AGRAVO INTERNO NO RECURSO ESPECIAL. NEGATIVA DE PRESTAÇÃO JURISDICIONAL. NÃO OCORRÊNCIA. AÇÃO CIVIL PÚBLICA. AÇÃO DESTINADA A IMPOR À INSTITUIÇÃO FINANCEIRA DEMANDADA A OBRIGAÇÃO DE ADOTAR O MÉTODO BRAILLE NOS CONTRATOS BANCÁRIOS DE ADESÃO CELEBRADOS COM PESSOA PORTADORA DE DEFICIÊNCIA VISUAL. DEVER LEGAL CONSISTENTE NA UTILIZAÇÃO DO MÉTODO BRAILLE NAS RELAÇÕES CONTRATUAIS BANCÁRIAS ESTABELECIDAS COM CONSUMIDORES PORTADORES DE DEFICIÊNCIA VISUAL. EXISTÊNCIA. NORMATIVIDADE COM ASSENTO CONSTITUCIONAL E LEGAL. OBSERVÂNCIA. NECESSIDADE. PRECEDENTES DAS TURMAS DE DIREITO PRIVADO DO STJ. ENUNCIADO N. 83 DA SÚMULA DO STJ. INCIDÊNCIA. IMPOSIÇÃO DE MULTA DIÁRIA PARA O DESCUMPRIMENTO DAS DETERMINAÇÕES JUDICIAIS. REVISÃO DO VALOR FIXADO DEVIDAMENTE EFETIVADA NA DECISÃO AGRAVADA. AGRAVO INTERNO IMPROVIDO.
>
> 1. Infere-se que todas as questões relevantes para o deslinde da causa, devolvidas no âmbito recursal, foram devidamente apreciadas, tendo o Tribunal de Justiça do Estado do Rio de Janeiro proferido os seus acórdãos com suficiente e idônea fundamentação, razão pela qual se afigura insubsistente a alegação de negativa de prestação jurisdicional.
>
> 2. O entendimento exarado na origem converge com o posicionamento firmado no âmbito das Turmas de Direito Privado do STJ, segundo o qual "ainda que não houvesse, como de fato há, um sistema legal protetivo específico das pessoas portadoras de deficiência (Leis ns. 4.169/62, 10.048/2000, 10.098/2000 e Decreto n. 6.949/2009), a obrigatoriedade da utilização do método braille nas contratações bancárias estabelecidas com pessoas com deficiência visual encontra lastro, para além da legislação consumerista in totum aplicável à espécie, no próprio princípio da Dignidade da Pessoa Humana".
>
> 2.1 Concluiu-se, por ocasião de tais julgamentos (REsp 1.315.822/RJ, desta Relatoria, Terceira Turma, julgado em 24/03/2015, Dje 16/04/2015, e REsp 1.349.188/RJ, Rel. Ministro Luis Felipe Salomão, Quarta Turma, julgado em 10/05/2016, DJe 22/06/2016), inclusive, que a obrigatoriedade de confeccionar em braille os contratos bancários de adesão e todos os demais documentos fundamentais para a relação de consumo estabelecida com indivíduo portador de deficiência visual, além de encontrar esteio no ordenamento jurídico nacional, afigura-se absolutamente razoável, impondo à instituição financeira encargo próprio de sua atividade, adequado e proporcional à finalidade perseguida, consistente em atender ao direito de informação do consumidor, indispensável à validade da contratação, e, em maior extensão, ao Princípio da Dignidade da Pessoa Humana.

3. Cingindo-se a discussão ao valor arbitrado a título de multa diária, a significativa redução operada pela decisão agravada, para a hipótese de descumprimento das obrigações judiciais, afigura-se suficiente consentânea aos parâmetros da razoabilidade e da proporcionalidade, bem como à finalidade do instituto colimada.
4. Agravo interno improvido.
(AgInt no REsp 1377941/RJ, Rel. Ministro MARCO AURÉLIO BELLIZZE, TERCEIRA TURMA, julgado em 15.05.2018, DJe 25.05.2018)

2.5.3 Dos precedentes do Supremo Tribunal Federal que conferem legitimidade ao Ministério Público para propor ação civil pública em defesa de direitos sociais relacionados

O Fundo de Garantia por Tempo de Serviço, atualmente regido pela Lei nº 8.036/90, foi criado pela Lei nº 5.107/66 com o objetivo de proteger o trabalhador demitido sem justa causa. Na prática, o fundo reveste-se das características de uma conta bancária aberta em nome do trabalhador, cujo propósito é formar um fundo de reserva financeira a ser utilizado em razão de eventual desemprego sem justa causa.

Segundo entendimento do STF, o Ministério Público possui legitimidade constitucional para ajuizar ação civil pública cujo objeto seja pretensão relacionada ao Fundo de Garantia do Tempo de Serviço (FGTS) quanto aos seus aspectos organizacionais, porque, apesar de tutelar direitos individuais homogêneos, apresenta relevante interesse social.

Quanto à vedação do art. 1º, parágrafo único, da Lei nº 7.347/85, foi feita uma interpretação conforme a Constituição para concluir que não constitui obstáculo para que o Ministério Público proponha ação civil pública discutindo FGTS em um contexto mais amplo, envolvendo interesses sociais qualificados, ainda que sua natureza seja de direitos individuais homogêneos.[25]

Outros exemplos envolvendo direitos individuais homogêneos nos quais o STF reconheceu a legitimidade do MP pelo fato de o direito tutelado envolver relevante interesse social:

> 1. valor de mensalidades escolares (STF. Plenário. RE 163.231/SP, Rel. Min. Maurício Côrrea, julgado em 26.2.1997);
> 2. contratos vinculados ao Sistema Financeiro da Habitação (STF. 2ª Turma. AI 637.853 AgR/SP, Rel. Min. Joaquim Barbosa, DJe de 17.9.2012);
> 3. contratos de leasing (STF. 2ª Turma. AI 606.235 AgR/DF, Rel. Min. Joaquim Barbosa, DJe de 22.6.2012);
> 4. interesses previdenciários de trabalhadores rurais (STF. 1ª Turma. RE 475.010 AgR/RS, Rel. Min. Dias Toffoli, DJe de 29.9.2011);
> 5. aquisição de imóveis em loteamentos irregulares (STF. 1ª Turma. RE 328.910 AgR/SP, Rel. Min. Dias Toffoli, DJe de 30.9.2011);
> 6. diferenças de correção monetária em contas vinculadas ao FGTS (STF. 2ª Turma. RE 514.023 AgR/RJ, Rel. Min. Ellen Gracie, DJe de 5.2.2010).

---

[25] STF. Plenário. RE 631111, Rel. Min. Teori Zavascki, julgado em 07.08.2014.

3 Considerações finais

Após a recapitulação do desenvolvimento histórico constitucional do Ministério Público brasileiro nos 130 anos de República, bem como exame da inter-relação entre os poderes constituídos, a positivação gradativa dos direitos e garantias fundamentais e, consequentemente, o aumento das funções institucionais atribuídas ao *parquet*, pode-se concluir que, não obstante ter o órgão sido constitucionalmente referenciado pela primeira vez na Constituição de 1981 e ter alcançado relevo constitucional apto a efetivar-se na função de *ombudsman* somente com a Constituição de 1988, inúmeras têm sido as conquistas sociais promovidas, desde então, pela instituição.

Conclui-se, pois, que dado o estabelecimento do sistema de *check and balances* e o elevado grau de independência do Ministério Público em relação aos demais poderes, somados à diversificação dos modos de atuação de seus membros, *ex vi* dos precedentes citados ao longo da exposição, ao fim e ao cabo, representou significativo avanço à tutela dos interesses difusos e coletivos.

Referências

BRASIL. *Constituição dos Estados Unidos do Brasil*. Publicada em 24 de fevereiro de 1891. Disponível em: http://www.planalto.gov.br. Acesso em: 15 dez. 2019.

BRASIL. *Constituição da República dos Estados Unidos do Brasil*. Publicada em 16 de julho de 1934. Disponível em: http://www.planalto.gov.br. Acesso em: 15 dez. 2019.

BRASIL. *Constituição dos Estados Unidos do Brasil*. Publicada em 10 de novembro de 1937. Disponível em: http://www.planalto.gov.br. Acesso em: 15 dez. 2019.

BRASIL. *Constituição dos Estados Unidos do Brasil*. Publicada em 14 de setembro de 1946. Disponível em: http://www.planalto.gov.br. Acesso em: 15 dez. 2019.

BRASIL. *Constituição da República Federativa do Brasil de 1967*. Publicada em 15 de março de 1967. Disponível em: http://www.planalto.gov.br. Acesso em: 15 dez. 2019.

BRASIL. *Constituição da República Federativa do Brasil*. Publicada em 05 de outubro de 1988. Disponível em: http://www.planalto.gov.br. Acesso em: 15 dez. 2019.

MARTINS JUNIOR, Wallace Paiva. *Controle da administração pública pelo Ministério Público* (Ministério Público defensor do povo). 1. ed. São Paulo: Juarez de Oliveira, 2002.

MAZZILI, Hugo Nigro. Independência do Ministério Público. *In*: FERRAZ, Antônio Augusto Mello Camargo (Coord.). *Ministério Público* – Instituto de Estudos Direito e Cidadania. São Paulo: Atlas S.A.,1997.

MORAES, Alexandre de. *Direito Constitucional*. 7. ed. São Paulo: Atlas, 2000.

MONTESQUIEU, Charles de Secondat Baron de. *O Espírito das Leis*. São Paulo: Marins Fontes, 2000.

PAES, José Eduardo Sabo. *O Ministério Público na construção do Estado Democrático de Direito*. São Paulo: Editora Jurídica, 2003.

PAES DE ANDRADE, Paulo Bonavides. *História Constitucional do Brasil*. Rio de Janeiro: Paz e Terra, 1991.

SOARES DE PINHO, A. P. *Freios e Contrapesos do Governo na Constituição Brasileira*. Niterói: [s.c.p.], 1961.

SILVA, José Afonso da. *Curso de Direito Constitucional Positivo*. São Paulo: Malheiros, 1997.

SUPERIOR TRIBUNAL DE JUSTIÇA. *EDcl no AgRg no AgRg no AREsp 194.892/RJ, Rel. Ministro MAURO CAMPBELL MARQUES, PRIMEIRA SEÇÃO*, julgado em 12.06.2013, DJe 01.07.2013.

SUPERIOR TRIBUNAL DE JUSTIÇA. *REsp 1327471/MT, Rel. Ministro LUIS FELIPE SALOMÃO, SEGUNDA SEÇÃO*, julgado em 14.05.2014, DJe 04.09.2014.

SUPERIOR TRIBUNAL DE JUSTIÇA. *AgRg nos EREsp 1256973/RS, Rel. Ministra LAURITA VAZ*, Rel. p/ Acórdão Ministro ROGERIO SCHIETTI CRUZ, TERCEIRA SEÇÃO, julgado em 27.08.2014, DJe 06.11.2014.

SUPERIOR TRIBUNAL DE JUSTIÇA. *REsp 1512087/PR, Rel. Ministro HERMAN BENJAMIN*, SEGUNDA TURMA, julgado em 02.02.2016, DJe 24.10.2016.

SUPERIOR TRIBUNAL DE JUSTIÇA. *REsp 785.565/DF, Rel. Ministra ASSUSETE MAGALHÃES, SEGUNDA TURMA*, julgado em 26.09.2017, DJe 04.10.2017.

SUPERIOR TRIBUNAL DE JUSTIÇA. *REsp 1682836/SP, Rel. Ministro OG FERNANDES,* PRIMEIRA SEÇÃO, julgado em 25.04.2018, DJe 30.04.2018.

SUPREMO TRIBUNAL FEDERAL. *RE 576155*, Rel. Ministro RICARDO LEWANDOWSKI, TRIBUNAL PLENO, julgado em 12.08.2010, REPERCUSSÃO GERAL – MÉRITO DJe de 25.11.2010.

SUPREMO TRIBUNAL FEDERAL. *QO NO RE 593.727/MG, REL. MIN. CEZAR PELUSO, 21.6.2012.*

SUPREMO TRIBUNAL FEDERAL. *RE 985392 RG, Relator(a): Min. GILMAR MENDES*, julgado em 25.05.2017, PROCESSO ELETRÔNICO REPERCUSSÃO GERAL – MÉRITO DJe-256 DIVULG 09.11.2017 PUBLIC 10.11.2017.

Informação bibliográfica deste texto, conforme a NBR 6023:2018 da Associação Brasileira de Normas Técnicas (ABNT):

MARQUES, Mauro Luiz Campbell. Breves considerações quanto ao desenvolvimento histórico constitucional do Ministério Público nos 130 anos de República e os limites de sua atuação junto ao Superior Tribunal de Justiça. *In:* COSTA, Daniel Castro Gomes da; FONSECA, Reynaldo Soares da; BANHOS, Sérgio Silveira; CARVALHO NETO, Tarcisio Vieira de (Coord.). *Democracia, justiça e cidadania:* desafios e perspectivas. Homenagem ao Ministro Luís Roberto Barroso. Belo Horizonte: Fórum, 2020. p. 73-87. t. 2: Pensando as instituições, a justiça e o Direito. ISBN 978-85-450-0749-4.

MONOPÓLIOS PÚBLICOS NA ORDEM ECONÔMICA BRASILEIRA

ALEXANDRE SANTOS DE ARAGÃO

I Conceito e disciplina constitucional

No Direito Positivo brasileiro, monopólios públicos são atividades econômicas *stricto sensu* taxativamente previstas na Constituição Federal, titularizadas por razões estratégicas ou fiscais pela União Federal, que as exerce diretamente ou, em alguns casos, indiretamente através da contratação de empresas privadas ou estatais.

De acordo com a doutrina e jurisprudência majoritárias, a Constituição de 1988 distingue os serviços públicos das atividades econômicas *stricto sensu* exploradas pelo Estado – monopolizadas ou não –, mas todos constituindo atividades econômicas *lato sensu*.

A atividade econômica *lato sensu* destina-se à circulação de bens e/ou serviços do produtor ao consumidor final. O serviço público é a atividade econômica *lato sensu* que o Estado toma como sua em razão da pertinência que possui com necessidades coletivas. Porém, há outras atividades econômicas exploradas pelo Estado que possuem, naturalmente, interesse público, mas que não são relacionadas diretamente com o bem-estar das pessoas, mas sim com as razões fiscais, estratégicas ou econômicas da nação coletivamente considerada (p. ex.: as do petróleo, as loterias; em alguns países, o tabaco, os cassinos etc.).

Eros Roberto Grau explica que, "no caso (art. 21, XXIII, CF), assim como no do art. 177 – monopólio do petróleo e do gás natural –, razões creditadas aos imperativos da segurança nacional é que justificam a previsão constitucional de atuação do Estado, como agente econômico, no campo da atividade econômica em sentido estrito. Não há, pois, aí, serviço público".[1]

---

[1] GRAU, Eros Roberto. Constituição e serviço público. *Direito Constitucional*: estudos em homenagem a Paulo Bonavides. São Paulo: Malheiros, 2003. p. 255, 257 e 262.

Os monopólios têm em comum com os serviços públicos o importante dado de estarem sob *publicatio*, ou seja, de ambos[2] serem atividades titularizadas com exclusividade pelo Estado, excluídas da esfera privada da economia. A distinção entre eles se dá apenas em virtude da razão de cada *publicatio*: nos serviços públicos, a razão da *publicatio* é o atendimento às necessidades das pessoas; já, nos monopólios públicos, a razão da *publicatio* são interesses estratégicos e fiscais do Estado e da nação coletivamente considerada.

Como expõe Odete Medauar, em lição inteiramente aplicável a todas as atividades *sob publicatio*, "alguns preceitos contidos no art. 170 destinados a nortear a atividade econômica não se aplicam aos serviços públicos. É o caso da livre-iniciativa, por exemplo; não se pode dizer que a prestação dos serviços públicos é informada pela livre-iniciativa. A decisão de transferir a execução ao setor privado é sempre do poder público".[3]

As atividades econômicas *stricto sensu*, das quais os monopólios públicos constituem espécie, satisfazem o objetivo público pelo seu simples empreendimento econômico pelo Estado, atuando na atividade direta ou indiretamente mediante contrato com empresa. Já no serviço público, apesar de também ser um empreendimento econômico (daí serem atividades econômicas *lato sensu*), esse seu aspecto econômico é meramente instrumental ao atendimento das necessidades humanas.

A exploração pelo Estado de outras atividades econômicas *stricto sensu*, além daquelas que são objeto de monopólio, é permitida ao Estado apenas em regime de concorrência com a iniciativa privada e desde que seja necessária aos imperativos da segurança nacional ou ao atendimento de relevante interesse coletivo, conforme venha a ser previsto em lei específica (art. 173, CF). Vige para essas atividades o princípio da liberdade de iniciativa e a paridade de regime jurídico com os agentes privados (para evitar a concorrência desleal por parte do Estado).[4]

Lucas Rocha Furtado observa, ao comentar os arts. 173 e 177 da Constituição, que, "em relação às atividades indicadas pelo mencionado art. 177, a serem exploradas pelo Estado em regime de monopólio, o regime jurídico a ser adotado depende do que dispuser a lei, sendo lícita a adoção do direito privado ou do direito público. A liberdade para a adoção do regime jurídico não é admitida para as outras hipóteses de intervenção

---

[2] Abstraímo-nos aqui da espécie dos serviços públicos sociais (educação, saúde...) atividades que podem ser exercidas por direito próprio (não como meros delegatários) pela iniciativa privada.

[3] MEDAUAR, Odete. Serviços Públicos e Serviços de Interesse Econômico Geral. *In: Uma Avaliação das Tendências Contemporâneas do Direito Administrativo*: obra em homenagem a Eduardo García de Enterría. Rio de Janeiro: Renovar, 2003. p. 125.

[4] "O Estado será partícipe direto da atividade econômica quando, nos termos de lei autorizativa, venha a exercê-la por meio de empresa pública ou sociedade de economia mista, sujeitas em sua funcionalidade, ao regime próprio das empresas privadas (art. 173, §1º) e, portanto, colocadas no plano da concorrência. Destaca, porém, a Constituição atividades específicas, sobre as quais opera o monopólio da União, com a interdição de acesso à iniciativa privada (art. 177). (...) No plano conceitual, impõe-se distinguir o monopólio de fato do monopólio de direito, perante os quais diversamente se comporta a ordem jurídica. No monopólio de fato, a concentração capitalista se exacerba materialmente em detrimento da liberdade econômica, e a norma jurídica secundária opera como sanção à conduta ilícita, em defesa do princípio da concorrência. Quando, no entanto, o interesse público recomenda que se reserve ao Estado a exclusividade de determinada atividade econômica, em proteção de relevante interesse geral, a norma jurídica se dirige primariamente à garantia do privilégio estatal. (...) No monopólio de direito, é a lei que torna privativa do Estado a atividade econômica, emitindo ato de vedação da concorrência, declarada ilícita" (TÁCITO, Caio. Importação de Gás Acordo Binacional – Gasoduto – Monopólio da União – Participação da iniciativa privada. *Revista Forense*, v. 324, p. 105 e 106, 1989).

do Estado na economia em razão da competição entre o Poder Público e os particulares. Não havendo competição na exploração das atividades empresariais sujeitas ao regime do monopólio, não se aplica a regra prevista no mencionado art. 173, §1º".[5]

No Recurso Extraordinário nº 172.816, o Supremo decidiu pela inaplicabilidade do art. 173, §1º, CF, a atividades econômicas titularizadas com exclusividade pelo Estado: "A norma do art. 173, §1º, da Constituição aplica-se às entidades públicas que exercem atividade econômica em regime de concorrência, não tendo aplicação às sociedades de economia mista ou empresas públicas que, embora exercendo atividade econômica, gozam de exclusividade. O dispositivo constitucional não alcança, com maior razão, sociedade de economia mista federal que explora serviço público, reservado à União".[6]

Uma importante diferença formal dos monopólios públicos em relação a outras atividades econômicas exploradas pelo Estado é, segundo a doutrina majoritária, o fato de eles não poderem ser criados por lei, existindo apenas os monopólios públicos já previstos na CF.[7] Os monopólios não têm dispositivo genérico, nem delegação do Constituinte para que o legislador possa criar outros além dos já previstos na própria Constituição. Os monopólios já são exaustivamente estabelecidos na Constituição, e todos nela foram instituídos apenas para a União Federal, inexistindo monopólios públicos estaduais ou municipais.

Ao revés, a prestação de atividades econômicas *stricto sensu* pelo Estado em concorrência com a iniciativa privada pode ser prevista tanto na Constituição como em leis, por expressa autorização do art. 173, CF; o mesmo se diga dos serviços públicos, que, além dos previstos na CF, podem também ser criados por lei, em virtude inclusive da previsão genérica do art. 175, CF.[8]

A Constituição estabelece taxativamente a propriedade e o monopólio da União sobre, respectivamente, uma série de bens e atividades a eles correlatas, sendo eles os

---

[5] FURTADO, Lucas Rocha. *Curso de Direito Administrativo*. Belo Horizonte: Fórum, 2007. p. 700 e 701.

[6] O Ministro Sepúlveda Pertence se pronunciou no mesmo sentido no Recurso Extraordinário n. 220.906-9/DF, assim como o Ministro Carlos Velloso na ADIn n. 1552-4. A referência a serviço público se equipara no particular ao monopólio público, já que, para efeito de exclusão da incidência do art. 173, §1º, CF, o que importa é a *publicatio*, existente em ambos.

[7] Minoritariamente, afirma-se que a conclusão sobre a taxatividade constitucional dos monopólios públicos "não é baseada em argumentos imparciais (...). A sugestão de 'silêncio eloquente' para a vedação de criação de monopólios por lei ordinária não encontra fundamento numa teoria democraticamente neutra, que leve a sério os diversos projetos dos membros da comunidade política. A 'intenção constitucional' não é unívoca". SOUZA NETO, Cláudio Pereira; MENDONÇA, José Vicente Santos de. Fundamentalização e fundamentalismo na interpretação e princípio constitucional da livre iniciativa. In: SOUZA NETO, Cláudio Pereira; SARMENTO, Daniel (Coord.). *A Constitucionalização do Direito:* Fundamentos teóricos e aplicações específicas. Rio de Janeiro: Lumen Juris, 2007. p. 725 e 726.

[8] Incluímo-nos no rol dos que consideram que o legislador infraconstitucional pode criar serviços públicos: v. ARAGÃO, Alexandre dos Santos. *Curso de Direito Administrativo*, cit., p. 389. Igualmente, JUSTEN FILHO, Marçal. *Curso de Direito Administrativo*, cit., p. 737-738, ressalvando que, para o último autor, o legislador infraconstitucional somente pode instituir determinado serviço público se houver a satisfação de direitos fundamentais, critério incluído no seu conceito de serviço público. Em posição minoritária, Fernando Herren Aguillar, ao interpretar o art. 175, CF, entende que os serviços públicos seriam "(...) atividades econômicas exercidas em regime de privilégio pelo Estado em *função de reserva constitucional*" (grifou-se), cf. AGUILLAR, Fernando Herren. *Direito Econômico:* Do Direito Nacional ao Direito Supranacional. 1. ed. São Paulo: Atlas, 2006. p. 297-304. Diogo de Figueiredo Moreira Neto também entende que todos os serviços públicos estão expressos na Constituição, mas ressalva as hipóteses fundadas na segurança nacional ou no atendimento de relevante interesse coletivo, em que o legislador poderia instituir determinado serviço público. MOREIRA NETO, Diogo de Figueiredo. *Curso de Direito Administrativo*. 16. ed. Rio de Janeiro: Forense, 2014. p. 471.

bens minerais (art. 20, V e IX), inclusive os minerais nucleares, e os hidrocarbonetos, inclusive o petróleo e o gás natural (arts. 21, XXIII, XXIII, 176 e 177).[9] Note-se: o monopólio na CF/88 é da atividade exercitável sobre aqueles bens da União, não o bem em si. Sobre esse recai direito de propriedade, em princípio conceitualmente já sempre exclusivo; sobre a atividade econômica é que incide o monopólio (cf. tópico II.2.1).

A escolha pelo Estado da forma de exercício das atividades sob sua *publicatio* é consequência dessa titularidade estatal. Cabe à União, dentro dos limites colocados pela CF sobre cada uma das atividades monopolizadas, decidir se a explorará diretamente, se a delegará e, nesse caso, se a delegação comportará a concorrência entre várias empresas ou não. Exceção se faz apenas em relação à atividade nuclear à qual a CF de antemão não admite a delegação à iniciativa privada.

II Monopólios em espécie

A distinção entre serviço público e monopólio público vista no tópico anterior com base no objetivo público de cada um (humano/social para o primeiro e estratégico/fiscal para o segundo), apesar de aparentemente simples, ao analisar concretamente determinadas atividades, pode se tornar nebulosa. Por exemplo, a transmissão de energia elétrica (considerada um serviço público) entre as regiões do País, se, por um lado, é fundamental para que as pessoas tenham acesso à energia elétrica em suas casas, por outro também é necessária à segurança energética nacional.

Apesar disso, há certo consenso na doutrina na identificação das atividades econômicas monopolizadas pelo Estado, isto é, que são titularizadas apenas pelo Estado sem constituírem serviços públicos. São elas:

1. A pesquisa e a lavra de recursos minerais e o aproveitamento dos potenciais hidráulicos (art. 176, CF);

2. A pesquisa, a lavra, o enriquecimento, o reprocessamento, a industrialização e o comércio de minérios e minerais nucleares e seus derivados, com exceção dos radio-isótopos, nos termos dos arts. 21, XXIII, e 177, V, CF; e

3. A pesquisa e a lavra das jazidas de petróleo e gás natural e outros hidrocarbonetos fluidos, o refino de petróleo, a importação e exportação de hidrocarbonetos e dos seus derivados básicos, o transporte marítimo do petróleo nacional e seus derivados, bem como o transporte por duto de petróleo, seus derivados e gás natural, sejam eles de origem nacional ou não (art. 177, I a IV).

Passamos a analisar, então, em tópicos separados, cada um desses monopólios, dando especial ênfase ao do petróleo e gás, objeto desta obra. Contudo, os lindes teóricos mais amplos vistos e a análise comparativa com os outros monopólios, apenas ancilarmente tratados, são também, evidentemente, relevantes para a sua boa compreensão.

---

[9] ARAGÃO, Alexandre Santos de. As concessões e autorizações petrolíferas e o poder normativo da ANP. *Revista de Direito Administrativo – RDA*, v. 228, 2002.

II.1 Atividades minerárias

As atividades de exploração e produção de minérios em geral seguem o princípio da dualidade da propriedade, pelo qual as propriedades do solo e do subsolo são distintas, como se extrai dos arts. 20, inciso IX, e 176, CF.

Também há no Direito Administrativo Minerário o chamado Princípio Primeiro no Tempo. Possui previsão expressa no art. 11, alínea "a", do Código de Minas, com aplicação aos regimes de autorização, licenciamento e concessão.

Como assevera a doutrina, "o acesso à exploração mineral, por intermédio da obtenção de direitos minerários, pode ser promovido de diferentes formas pelo Estado. Admitem-se mecanismos negociados, donde provêm os contratos de concessão, contratos de trabalho ou simplesmente contratos de desenvolvimento mineral; assim como mecanismos não negociados, que decorrem de requerimentos feitos por interessados à Administração Pública. Ainda se remarca que o traço distintivo desses mecanismos é a ideia de estimular o risco da pesquisa e da lavra mineral em um ambiente de disponibilidade reduzida de informações geológicas. Ao se adotar o regime do 'primeiro no tempo', ou seja, aquele que primeiro requer os direitos de exploração mineral sobre uma determinada área, o Estado visa a incentivar novas pesquisas e novas descobertas minerais, sobretudo quando o ordenamento jurídico prevê pouca ou nenhuma condição a ser previamente atendida pelo interessado".[10]

O Código de Mineração determina quais os regimes jurídicos cabíveis no que concerne aos minerais brasileiros: autorização de pesquisa; concessão de lavra; licenciamento; permissão de lavra garimpeira; registro de extração; regime de monopólio; regimes especiais. Cada um conta com um determinado procedimento administrativo para a concessão do respectivo título minerário – título jurídico que autoriza a execução da pesquisa e/ou exploração.[11]

Note-se que esses procedimentos podem ser alterados pela legislação a ser editada pela Agência Nacional de Mineração – ANM, sucessora do Departamento Nacional de Produção Mineral – DNPM, com base na competência a ela atribuída pelo art. 13, I, da Lei nº 13.575/2017,[12] regulamentada pelo Decreto nº 9.406/2018.

---

[10] CANÇADO TRINDADE, Adriano Drummond. Princípios de Direito Minerário brasileiro. *In*: SOUZA, Marcelo Gomes de (Coord.). *Direito Minerário em evolução*. Belo Horizonte: Mandamentos, 2009.

[11] Confira-se a redação do dispositivo (art. 2º do Código de Minas): I – regime de concessão, quando depender de portaria de concessão do Ministro de Estado de Minas e Energia; II – regime de autorização, quando depender de expedição de alvará de autorização do Diretor-Geral do Departamento Nacional de Produção Mineral – DNPM; III – regime de licenciamento, quando depender de licença expedida em obediência a regulamentos administrativos locais e de registro da licença no Departamento Nacional de Produção Mineral – DNPM; IV – regime de permissão de lavra garimpeira, quando depender de portaria de permissão do Diretor-Geral do Departamento Nacional de Produção Mineral – DNPM; V – regime de monopolização, quando, em virtude de lei especial, depender de execução direta ou indireta do Governo Federal.

[12] *Art. 13. A ANM, por meio de resolução, disporá sobre os processos administrativos em seu âmbito de atuação, notadamente sobre: I - requisitos e procedimentos de outorga de títulos minerários, de fiscalização da atividade de mineração e sobre outros requerimentos relacionados a direitos minerários.* O dispositivo é mais um exemplo da adoção da deslegalização – que vai além do que seria uma mera ampla atribuição de poder normativo a uma entidade administrativa. A deslegalização consiste na "adoção, pelo próprio legislador, de uma política legislativa pela qual transfere a uma outra sede normativa a regulação de determinada matéria. (...) Se este tem poder para revogar uma lei anterior, porque não o teria simplesmente para rebaixar o seu grau hierárquico? Por que teria, direta e imediatamente revogá-la, deixando um vazio normativo até que fosse expedido o regulamento, ao invés de, ao degradar a sua hierarquia, deixar a revogação para um momento posterior, ao critério da Administração Pública,

Em primeiro plano, é necessária, em regra, a autorização de pesquisa que constitui ato administrativo que abre a primeira de todas as fases prévias à lavra e é obtido em um processo aberto com um requerimento perante o ente regulador do setor. É no bojo de tal processo que serão apresentadas todas as informações obtidas na pesquisa mineral e ocorrerá o eventual contraditório entre o Poder Público e o minerador em relação aos recursos minerais almejados por este último e respectivos dados técnicos.[13]

A pesquisa mineral possui previsão no art. 14 do Código de Minas, que a conceitua como a execução dos trabalhos necessários à definição da jazida, sua avaliação e a determinação da exequibilidade de seu aproveitamento econômico.

Ao fim do período de pesquisa, o interessado deverá apresentar o relatório final, com os dados técnicos exigidos, o qual será submetido ao regulador, que o examinará e, estando técnica e juridicamente adequado, nascerá para o requerente o prazo de um ano para requerer o título para exploração da lavra, caso, naturalmente, tenha encontrado minério durante a pesquisa. Este prazo poderá ser estendido por mais um ano; e se não for efetuado o requerimento, ocorrerá a caducidade do direito, sendo declarada livre a lavra, que poderá ser pleiteada por outro interessado.[14]

II.2 Atividades nucleares

Quanto às atividades nucleares, a Lei nº 4.118/1962 já previa monopólio em seu art. 1º. Analisando o art. 31 desta Lei, Luciana Nogueira[15] observa que o exercício do monopólio das atividades relacionadas aos minerais nucleares não é subordinado aos regimes de autorização de pesquisa e concessão de lavra. Com efeito, se em relação aos minérios em geral e ao petróleo/gás natural a CF prevê a possibilidade de a União contratar o exercício da atividade com particulares, silencia-se ou até mesmo veda a *contrario sensu* (*arg ex* arts. 176 e 177, V, CF) essa possibilidade acerca dos minérios nucleares.

Essa exclusividade estatal no exercício da atividade nuclear vem sendo criticada por alguns agentes econômicos, já tendo sido inclusive objeto de alguns projetos de emenda constitucional para permitir o exercício privado da atividade, inclusive de pesquisa e produção de urânio.[16]

Note-se que, em relação aos radioisótopos referidos pelo art. 22, XXIII, CF, essa impossibilidade de delegação à iniciativa privada já foi revogada pela redação dada pela

---

que tem maiores condições de acompanhar e avaliar a cambiante e complexa realidade econômica e social?" (ARAGÃO, Alexandre Santos de. O Poder Normativo das Agências Independentes e o Estado Democrático de Direito. *Revista de Informação Legislativa*, Brasília, ano 37, n. 148, p. 289, out./dez. 2000).

[13] LIMA, Guilherme Corrêa da Fonseca. Direitos e garantias fundamentais no processo de outorga de direitos minerários. *Direito Minerário em evolução*. Marcelo Gomes de Souza (Coord.). Belo Horizonte: Mandamentos, 2009.

[14] Os termos "pesquisa" e "exploração" estão para o Direito Minerário assim como os termos "exploração" e "produção" estão para o "Direito do Petróleo", respectivamente. Tirante a diferença de nomenclatura, a lógica econômica da presença de fases sucessivas é análoga.

[15] NOGUEIRA, Luciana Rangel. *Direito minerário brasileiro e as restrições à propriedade superficiária*. Dissertação apresentada ao Instituto de Geociências da Universidade Estadual de Campinas – UNICAMP, defendida em 24 de agosto de 2004. Campinas: [s.n.]: 2004.

[16] Ex.: a PEC nº 171/07, atualmente arquivada.

Emenda Constitucional nº 49/06 ao inciso V do art. 177, CF, que passou a expressamente admitir a sua delegação mediante permissão.

É também de se destacar que nem todas as atividades nucleares inseridas no art. 22, XXIII, CF, de competência da União, estão incluídas no art. 177 como monopólios da União, havendo importante papel do legislador infraconstitucional na definição de sua natureza jurídica.

Atualmente as atividades nucleares no Brasil são exercidas basicamente por uma sociedade de economia mista federal, a Indústrias Nucleares do Brasil – INB, que atua na cadeia produtiva do urânio, da mineração à fabricação do combustível que gera energia elétrica nas usinas nucleares, sendo, em um curioso arranjo institucional, regulada e ao mesmo tempo controlada societariamente pela autarquia Comissão Nacional de Energia Nuclear – CNEN, que licencia, fiscaliza e controla a atividade nuclear no Brasil.

No setor, em uma área de intersecção como a da energia elétrica, também há a Eletronuclear – Eletrobras Termonuclear S/A, subsidiária da Centrais Elétricas Brasileiras S.A. – Eletrobras, vinculada ao Ministério de Minas e Energia, sendo uma sociedade anônima de capital fechado. É uma sociedade de economia mista (dita de segundo grau, já que controlada por outra sociedade de economia mista), produtora de energia elétrica a partir da energia nuclear, sendo a gestora das Usinas Nucleares de Angra dos Reis.

II.3 Atividades petrolíferas[17]

Especificamente sobre os hidrocarbonetos, a Constituição Federal é pródiga, dispondo sobre: (a) a titularidade federal sobre os principais bens envolvidos nesta indústria, basicamente as jazidas de petróleo e gás natural (arts. 20, IX, e 176, CF); (b) a competência da União para legislar sobre energia e recursos minerais (art. 22, IV e XII); (c) a competência dos Estados para prestar os serviços públicos de distribuição de gás canalizado (art. 25, §2º); (d) o monopólio federal sobre algumas das principais atividades do setor (art. 177, I a IV); (e) as condições da atuação pública e privada no setor (arts. 20, §1º, 176 e 177); e (f) a previsão de um órgão regulador (art. 177, §2º, III).

Pertencem à União os depósitos de petróleo, gás natural e outros hidrocarbonetos fluidos. São bens de propriedade da União por expressa disposição constitucional contida no art. 20, incisos V e IX, e, por força desta propriedade originária, não são passíveis de alienação. Trata-se da mesma disciplina de outros bens constitucionalmente declarados como públicos, como o mar territorial, os terrenos de marinha, os potenciais de energia hidráulica (art. 20 da CF).

O que pode ser transferido à iniciativa privada em razão do art. 177 não é a jazida, mas sim a atividade de aproveitá-la economicamente.

Há no tema quatro elementos a serem considerados: 1) a propriedade das jazidas; 2) a titularidade da atividade incidente sobre essas jazidas;[18] 3) o exercício da atividade

---

[17] Estamos nos referindo às "atividades petrolíferas" em sentido amplo, abrangendo quaisquer hidrocarbonetos, inclusive o gás natural.

[18] Sobre a distinção entre esses dois primeiros elementos, ver os itens 6 a 8 do voto-vista do Ministro Eros Grau na relevante ADIN nº 3273/DF, proposta pelo Governador do Estado do Paraná contra dispositivos da Lei do Petróleo.

incidente sobre as jazidas; e 4) o produto do exercício dessa atividade. Apenas os elementos 3 e 4 podem ser cogitados de, na forma estabelecida pelo §1º do art. 177 da CF, com a redação que lhe foi dada pela da EC nº 09/95, serem transferidos pela União contratualmente, desde que haja lei nesse sentido.

Antes da EC nº 09/95, a Constituição restringia o exercício do monopólio do art. 177 a apenas duas formas: pela Administração Direta ou por empresa estatal, integrante da Administração Indireta.

Com a reforma constitucional (EC nº 9/95) se passou a admitir também uma outra forma clássica de descentralização administrativa (que, para os serviços públicos, já era prevista no art. 175), qual seja, a de natureza contratual, inclusive para privados, admissibilidade essa que ainda dependia de lei para ter eficácia (o que foi feito pela Lei do Petróleo).[19]

Regulamentando o art. 177 da CF, com a redação que lhe foi dada pela da EC nº 09/95, foi editada inicialmente a Lei nº 9.478/97, conhecida como a *Lei do Petróleo*, que, entre os vários modelos contratuais que em tese poderiam ser cogitados, estabeleceu precipuamente o da concessão para o exercício delegado do monopólio (art. 5º) e criou a Agência Nacional do Petróleo, Gás Natural e Biocombustíveis – ANP. A Petrobras, pelo seu art. 61, continuou existindo, mas participando em igualdade de condições com as empresas privadas das licitações pelos contratos de concessão de exploração e produção de petróleo e gás.

Para cada espécie ou fase da atividade petrolífera, a Lei do Petróleo dá uma disciplina distinta*: (a) exploração* (ou pesquisa), na qual a empresa procura por petróleo em blocos ou áreas pré-delimitadas, e *produção* ou lavra, pela qual o petróleo é extraído da jazida; *(b) importação e exportação,* sendo que aquela, tal como a produção, concorre para o suprimento interno do produto*; (c) refino,* processo químico pelo qual o petróleo passa para poder ser utilizado através dos seus derivados; *(d) transporte*: para que o petróleo bruto ou seus derivados cheguem aos seus destinos, devem ser transportados. "O transporte pode se dar de várias formas. Há os meios fixos, os condutos (o oleoduto e o gasoduto). Há os meios móveis, sendo os navios os principais"; e *(e) distribuição*: para que os derivados do petróleo cheguem aos consumidores, deve haver "a distribuição de derivados do petróleo, uma espécie de revenda destes derivados no atacado"; e *(f) revenda*: "os consumidores finais são atingidos pela atividade de revenda de derivados de petróleo",[20] feita na maioria das vezes pelos postos de revenda ou, como popularmente conhecidos, "postos de gasolina".

As atividades não monopolizadas (transporte que não seja marítimo ou por dutos, a distribuição e a revenda) não são sujeitas à prévia concessão, até porque esta pressupõe a transferência ao particular de uma prerrogativa do Estado (art. 9º, Lei do Petróleo). São sujeitas à autorização administrativa, consistindo em atividades privadas regulamentadas (arts. 170 e 174, CF).

---

[19] "Quer dizer: a flexibilização do monopólio das atividades constantes dos incisos I a IV do art. 177 não opera diretamente da norma constitucional, mas de lei" (SILVA, José Afonso da. *Comentário contextual à Constituição*. São Paulo: Malheiros, 2005. p. 730).

[20] SUNDFELD, Carlos Ari. Regime jurídico do setor petrolífero, constante da obra coletiva, coordenada pelo próprio autor. *Direito Administrativo Econômico*. São Paulo: Malheiros, 2000. p. 388.

Dentro do espectro das atividades petrolíferas que foram monopolizadas, apenas as atividades de exploração e produção (letra "a") foram submetidas pela Lei do Petróleo à concessão, tendo sido exigida para as demais (letras "b" a "g") a prévia autorização. Vê-se que a Lei do Petróleo não considerou tanto o monopólio incidente sobre as atividades do setor, mas sim a possibilidade de a atividade especificamente considerada ser explorada por um número ilimitado de possíveis interessados, destinando a autorização para as atividades nas quais não há limites de entrada e a concessão para as atividades em que os há. Por exemplo, a produção e o refino de petróleo são monopólios da União, mas não há limites para a abertura de refinarias no Brasil além das expectativas econômicas de cada interessado;[21] já a produção de petróleo tem que ser delimitada por área, cada uma delas cabendo a um único interessado/concessionário (arts. 53, 56 e 60, Lei do Petróleo).

A concessão foi destinada apenas para a exploração e produção por pressuporem a delimitação espacial, não sendo factível a abertura a que todas as empresas interessadas explorassem ao mesmo tempo determinada jazida (art. 23, Lei do Petróleo). Além dessas limitações fáticas, concorre para a imposição da prévia concessão para a exploração e produção de petróleo o fato de "envolverem o uso de bem público; portanto, a fruição é um privilégio".[22]

Não estamos a dizer que não haja concorrência nessas atividades petrolíferas monopolizadas, mas apenas ela fica restrita à escolha do concessionário (concorrência pelo mercado), que, uma vez escolhido, não terá a concorrência de outros concessionários sobre o mesmo bloco (concorrência no mercado).

A Lei do Petróleo naturalmente, como mera lei ordinária, não fechou a possibilidade de, por outras leis, serem criadas outras modalidades contratuais para o exercício dessas atividades, o que, como veremos adiante, efetivamente foi feito em relação ao pré-sal.

Aliás, como vimos, a bem da verdade a própria Lei do Petróleo não tem um modelo único para todas as atividades petrolíferas monopolizadas pela União, prevendo também diversas formas de autorizações administrativas para uma série delas.

O STF, pela pena do Ministro Eros Grau, já deixou claro que o art. 177 admite que a lei crie inúmeras espécies contratuais para permitir o exercício indireto do monopólio, sendo o contrato de concessão apenas uma das espécies legislativamente cogitáveis, o que se concretizou com a posterior edição das Leis de Cessão Onerosa e de Partilha.

O Ministro é tão enfático para deixar claro que não limita os contratos previstos no art. 177 ao de concessão, que lança mão até da expressão "note-se bem" para destacar essa sua assertiva. Vejamos:

> Nos termos do §1º do artigo 177 da Constituição do Brasil, essas contratações – contratações, note-se bem, não concessões – seriam materialmente impossíveis sem que os contratados da União se apropriassem, direta ou indiretamente, do produto da exploração das jazidas

---

[21] O §1º do art. 177 da Constituição Federal alude à contratação para todas essas atividades. Não sendo, pela teoria clássica, a autorização contrato, mas ato administrativo, poderia o Legislador ter assentido no desenvolvimento de algumas dessas atividades mediante mera autorização? Entendemos que não, mas, para obtermos uma interpretação conforme a Constituição e pelos altos investimentos envolvidos, incompatíveis com a precariedade de uma autorização administrativa comum, entendemos que estamos diante de uma autorização materialmente contratual, instituto objeto de tópico específico no capítulo anterior.

[22] SUNDFELD, Carlos Ari. Regime jurídico do setor petrolífero, constante da obra coletiva coordenada pelo próprio autor. *Direito Administrativo Econômico*. São Paulo: Malheiros, 2000. p. 395.

de petróleo, de gás natural e de outros hidrocarbonetos fluídos. Apropriação direta ou indireta – enfatizo – no quadro das inúmeras modalidades de contraprestação atribuíveis ao contratado, a opção por uma das quais efetivamente consubstancia, como anteriormente afirmado, uma escolha política (...).[23]

II.3.1 As concessões de E&P

As jazidas são, já vimos, propriedades distintas da do solo por força do art. 176, *caput*, do Texto Maior.[24] O solo, por força do Código Civil, em regra compreende espaço aéreo e subsolo correspondentes, o que é excepcionado pela Constituição, que dispõe que, havendo subsolo com jazida, esta é objeto de direito de propriedade (da União) distinto do solo, que pode ser (e continua sendo) de outro *dominus*.

Tratando de tema complementar, mas diverso (não de propriedade de bens, mas de titularidade de atividade econômica), a norma do art. 177, I, institui o monopólio da exploração e produção da jazida de petróleo para a União.

A propriedade, salvo quando em condomínio, já é por definição sempre exclusiva; já as atividades econômicas, ressalvados casos excepcionais expressamente previstos na Constituição – os monopólios públicos e os serviços públicos sob *publicatio* –, são abertas a quaisquer interessados que atendam às condições gerais estabelecidas pelas normas de polícia administrativa.

A jazida é objeto de direito de *propriedade* da União Federal. O que se defere ao concessionário é o direito de propriedade do *produto da lavra*, que é a atividade de lavrar, que não se identifica com a jazida em si, que é "reservatório ou depósito já identificado e possível de ser posto em produção" (art. 6º, XI, da Lei nº 9.478/97).

O art. 176, CF, analogicamente aplicável aos hidrocarbonetos, separa a jazida do solo, imputando-a ao patrimônio da União, fazendo com que constitua bem público *de per se*. No art. 177, I, a Constituição afirma que a União, em regime de monopólio, ou seja, como a única agente legitimada a exercitar a atividade, pode explorar aquele bem que é seu, podendo, em havendo lei nesse sentido, delegar apenas o seu exercício a particulares mediante contrato (arts. 176, §1º, e 177, §1º). Em outras palavras, o bem (a jazida) é sempre da União; a atividade de sua exploração econômica também é, podendo, no entanto, ser contratado com particulares o seu exercício. "Os bens públicos não são só suscetíveis de uso (ou aproveitamento), mas também de gestão ou exploração econômica por alguém que toma o lugar da pessoa coletiva de direito público. Embora relacionadas com um bem público, o que caracteriza as concessões de exploração do

---

[23] STF, ADI nº 3.273, trecho do voto do Min. Eros Grau.

[24] O art. 176 é a norma geral do Direito Minerário, enquanto o art. 177 é a regra especial desse ramo do Direito em relação a um dos seus produtos – o petróleo. Assim, as duas devem ser aplicadas conjuntamente, observada a especialidade desta, razão pela qual prevalecerá sobre dispositivos do art. 176 sempre que possuir regra específica preceituando em sentido diverso. No caso da segunda parte do §3º do art. 176, como não há qualquer regra específica no art. 177 sobre, por exemplo, a cessão das concessões, aplica-se aquela integralmente. Note-se ainda que as discussões bioquímicas existentes a respeito da classificação ou não do petróleo entre os minerais tornam-se irrelevantes do ponto de vista jurídico, considerando o tratamento unitário sempre dado pelo Legislador e pelo Constituinte brasileiros. Sobre o tema, ver RUY BARBOSA, Alfredo. A natureza jurídica da concessão minerária. *Direito Minerário aplicado*. Belo Horizonte: Mandamentos, 2003. p. 92 a 95.

domínio público é a atribuição do direito de exercer uma atividade que a lei reservou para a Administração: o que está em causa não é a utilização do bem, mas a atividade de o explorar ou gerir".[25]

Quando se diz coloquialmente que foi concedido o bloco X ou Y a tal empresa, não se deve entender que se transfere a coisa (parte do mar territorial brasileiro ou a jazida, bens públicos por determinação constitucional), mas sim o exercício da atividade a ser ali exercida.

O objeto, então, dos contratos petrolíferos é o exercício da atividade econômica, não a jazida ou o bloco ou a titularidade da atividade econômica.

O que há são áreas identificadas para a facilidade operacional e mercadológica das licitações, para delimitar o objeto contratual, já que não seria razoável que apenas um contrato delegasse o exercício da atividade em todo o território nacional. Aliás, na fase da produção as áreas efetivamente retidas pelo particular são apenas parcelas do bloco originariamente licitado, apenas o suficiente para que extraia o petróleo ou o gás ali encontrado.

O contrato para exploração e produção de petróleo e gás natural divide-se em duas fases: a Fase de Exploração (pesquisa) e a Fase de Produção (lavra).[26]

Caracteriza-se a Fase de Exploração por seu caráter intrinsecamente instrumental, pois seu objetivo é permitir que o concessionário logre, na maior medida e extensão possíveis, concretizar o verdadeiro objetivo do Contrato e das suas partes, que é a produção. Na Fase de Exploração a empresa apenas pesquisa (por sondas, perfurações, sísmicas etc.), investigando se na área há hidrocarbonetos suscetíveis de serem explorados comercialmente.

Tais pesquisas são feitas através da execução de um Programa Exploratório Mínimo – PEM, que prevê certo número e qualidade de atividades exploratórias (ex.: um certo de número de poços de determinada profundidade) como obrigação assumida pela empresa quando da licitação e que pode consistir em um dos critérios de julgamento da licitação, juntamente com o valor da outorga (do dito "bônus de assinatura") e, eventualmente, com o índice de conteúdo local também assumido pela empresa.

A concessão petrolífera tem, portanto, como característica sempre presente, a existência de um razoável risco ao concessionário, já que pode gerar uma descoberta excelente ou nenhuma descoberta. O licitante vencedor da licitação paga (o bônus de assinatura é o principal critério de julgamento na licitação) apenas para *tentar* encontrar hidrocarbonetos.

Ainda na Fase de Exploração, a descoberta de hidrocarbonetos viáveis comercialmente na área da concessão, se ocorrer, é atestada por meio de notificação formal do concessionário à ANP. Tal notificação recebe o nome de Declaração de Comercialidade e inaugura a Fase de Produção.

---

[25] GONÇALVES, Pedro. *A concessão de serviços públicos*. Coimbra: Almedina, 1999. p. 93.

[26] Por isso que, no Direito do Petróleo, não é tecnicamente correto se referir à exploração como desenvolvimento empresarial da atividade. No setor, "exploração" é apenas a busca que, através de sondas e sísmicas (atendendo-se a um programa exploratório mínimo fixado pelo edital de licitação), o contratado faz para tentar encontrar jazidas, que, uma vez encontradas, ainda devem ser avaliadas para verificação da sua viabilidade comercial. Apenas com a declaração da sua comercialidade, se passa para a fase de produção, iniciada pelo desenvolvimento das infraestruturas necessárias à lavra. Todos esses momentos constam de planos a serem aprovados pela ANP.

Em seguida à Declaração de Comercialidade, temos o desenvolvimento, subdivisão inicial da Fase de Produção, consistente na implantação de toda a infraestrutura necessária para que a produção propriamente dita possa vir a se iniciar.

O Desenvolvimento – e a própria Fase de Produção – se inicia com a aprovação, pela ANP, do Plano de Desenvolvimento proposto pelo concessionário, desenvolvimento este que permeará toda a Fase de Produção enquanto forem necessários investimentos em poços, equipamentos e instalações destinados à produção.

Da perspectiva do concessionário, será apenas com a produção que ele poderá recuperar os investimentos realizados na Fase de Exploração e lucrar com a atividade.

Do ponto de vista do Poder Público, seu objetivo é tanto arrecadatório como estratégico: com a produção, o Governo credencia-se para o recebimento dos *royalties* e participações especiais, de um lado, e, de outro, possibilita o aumento da oferta de petróleo, contribuindo, por conseguinte, para garantir o abastecimento nacional ou a obtenção de divisas e o aumento das exportações.

Assim é que o contrato de concessão petrolífera é essencialmente aleatório e de risco, já que pode gerar uma descoberta excelente ou nenhuma descoberta. O licitante vencedor da licitação paga (o chamado bônus de assinatura) apenas para tentar encontrar hidrocarbonetos na fase de exploração e, então, passar para a fase de produção.

No modelo de concessão petrolífera o concessionário paga pelo direito de explorar e, se encontrar jazida viável economicamente, de produzir hidrocarbonetos, ficando com toda a sua propriedade e pagando ao Poder Público em dinheiro as participações governamentais (*royalties* etc.). É, por isso, considerado um modelo adequado a áreas de alto risco exploratório, ou seja, de chances rarefeitas de serem encontrados petróleo e gás, com todo o risco transferido para o parceiro privado que, consequentemente, precificará tais riscos. Assim, as vantagens do modelo para as empresas (p. ex.: propriedade de todo o petróleo pelo concessionário e pagamento apenas das participações governamentais e tributos) constituem um incentivo pelos altos riscos que assume ao investir vultosas quantias na exploração com razoáveis chances de não encontrar petróleo algum.

II.3.2 O regime jurídico do pré-sal

Com a descoberta, segundo à época anunciado pelo Governo, de reservas gigantes e de baixíssimos riscos exploratórios abaixo da camada geológica de sal,[27]

---

[27] "O Conselho Nacional de Política Energética (CNPE) foi informado dos resultados dos testes de produção obtidos pela Petrobras em áreas exploratórias sob sua responsabilidade, que apontam para a existência de uma nova e significativa província petrolífera no Brasil, com grandes volumes recuperáveis estimados de óleo e gás. Esses volumes, se confirmados, mudarão o patamar das reservas do País, colocando-as entre as maiores do mundo. A Petrobras, isolada ou em parcerias, perfurou 15 poços e testou oito deles numa área denominada Pré-Sal, entre 5 mil e 7 mil metros de profundidade. A análise e interpretação dos dados obtidos nestes poços, integrada a um trabalho de mapeamento com base em dados geofísicos e geológicos, permitiu à Petrobras situar esta área entre os estados de Santa Catarina e Espírito Santo, nas bacias do Espírito Santo, de Campos e de Santos. A área delimitada possui cerca de 800 quilômetros de extensão e até 200 quilômetros de largura, em lâmina d´água entre 1,5 mil e 3 mil metros de profundidade. Os testes indicam a existência de grandes volumes de óleo leve de alto valor comercial (30 graus API), com grande quantidade de gás natural associado" (Considerandos à Resolução CNPE n. 06/07).

na área que passou a ser conhecida como "pré-sal",[28] foram à época suspensas todas as licitações versando sobre essa nova fronteira petrolífera e iniciados estudos para a formulação de um novo marco regulatório-contratual para elas, que fosse adequado a esses supostos baixos riscos exploratórios e à possibilidade de o País se tornar um dos maiores produtores mundiais.[29]

Isso tudo levou a União a desejar exercer mais intensamente o seu monopólio, arrecadando mais valores, ficando ela também com a propriedade do petróleo e exercendo maior controle geopolítico sobre ele.

No Direito Comparado, além do modelo de concessão já analisado, existem, basicamente, as seguintes modalidades contratuais de exploração e produção de petróleo, fora inúmeras versões híbridas delas:[30]

1. *Joint Venture*: o Estado se torna parceiro da empresa privada no investimento, dividindo com ela, como se de uma sociedade se tratasse, os ônus e os lucros da atividade;

2. Prestação de serviços: diferentemente da mera prestação de serviços terceirizados da Lei nº 8.666/93, em que a contratada é apenas *longa manus* do Estado, a prestação de serviços como modalidade de contrato petrolífero transfere a própria gestão da atividade ao particular, que será, em caso de descoberta viável, remunerado por um valor fixo, em pecúnia ou em petróleo; e

3. Contrato de Partilha: nele, após o abatimento dos custos incorridos pela empresa privada (*cost oil*), a produção é partilhada entre as partes, na proporção prevista no contrato, ficando o particular com uma percentagem do petróleo (*profit oil*). O Estado possui ampla participação na gestão do contrato e a empresa privada normalmente fica com o risco técnico e financeiro da sua execução. Ou seja, no caso de não se obter sucesso na exploração, a empresa arca com os investimentos sozinha. Caso haja sucesso e a produção se inicie, a empresa é ressarcida por descontos no óleo que caberia ao Estado após a descoberta. Assim, através do contrato de partilha de produção, pode o Estado partilhar os lucros em petróleo do empreendimento sem realizar *ex ante* quaisquer investimentos.

O último modelo, como passaremos a detalhar em seguida, foi o em regra[31] adotado pela União em relação ao pré-sal e a outras áreas que vierem a ser consideradas estratégicas pelo Poder Executivo face ao seu baixo risco exploratório e elevado potencial de produção de hidrocarbonetos (Lei nº 12.351/10, arts. 1º e 2º, V).

II.3.2.1 Contratos de partilha

O modelo exploratório adotado pelo Congresso Nacional (Leis nºs 12.351, 12.304 e 12.276/10) para as áreas do pré-sal que não tenham sido anteriormente objeto de

---

[28] Descobertas abaixo da faixa de sal subterrânea existente em trechos da crosta terrestre.
[29] Resolução nº 6, de 08 de novembro de 2007, do Conselho Nacional de Política Energética – CNPE.
[30] RIBEIRO, Marilda Rosado de Sá. Os contratos de exploração petrolífera: uma introdução. *In*: CASELLA, Paulo Borba (Coord.). *Contratos internacionais e Direito Econômico no Mercosul*. São Paulo: LTr. p. 704.
[31] Exceção se faz ao contrato de cessão onerosa, objeto do segundo subtópico infra.

contratos de concessão e que não estejam sob a cessão onerosa (cf. Tópico II.3.2.2) é o de um contrato de partilha, com elementos de *joint venture*, a ser celebrado (1) pela União, representada pela nova estatal Empresa Brasileira de Administração de Petróleo e Gás Natural – Pré-Sal Petróleo S.A. (PPSA), com (2) a empresa privada que vencer a licitação oferecendo à União a maior participação na produção, após ressarcido o seu *cost oil*; e, eventualmente, com (3) a Petrobras.

Pela Lei nº 12.351/10 – Lei da Partilha – em sua redação original a Petrobras era necessariamente, em todo contrato de partilha, contratada sem licitação com um percentual mínimo de trinta por cento e sempre exercendo a função de operadora, ou seja, de empresa-líder do consórcio integrado também pela empresa privada vencedora da licitação. Por esse regime, no qual chegou a ser assinado o primeiro contrato de partilha, a Petrobras não tinha – nem seus consorciados – a opção de não integrar o consórcio contratado, de nele possuir pelo menos 30% de participação ou de não ser a operadora. Era vedada a existência de contrato de partilha sem que a Petrobras nele tivesse esse protagonismo.

Com o advento da Lei nº 13.365/16, que alterou nesse aspecto a Lei nº 12.351/10, esse percentual mínimo e a condição de operadora – pontos sempre ligados reciprocamente – passaram a ser apenas uma faculdade da Petrobras. Com isso a Petrobras pode escolher exercer ou não essa prerrogativa,[32] participar da licitação como qualquer empresa ou dela simplesmente não participar. Passou a ser possível, portanto, a existência de contratos de partilha sem qualquer participação da Petrobras.[33]

Também é previsto um Comitê Gestor das atividades de cada contrato, integrado pela Petrobras (se for o caso cf. supra), pela vencedora da licitação e pela PPSA, estatal com funções híbridas pela própria Lei, que não a considera como contratada (art. 2º, VII, Lei nº 12.351/10); mas integra o consórcio que exercerá a atividade na área, denotando um aspecto de *joint venture* desse "contrato de partilha" (art. 20, Lei nº 12.351/10).

A PPSA exercerá no consórcio, através do Comitê Gestor, fortes poderes, inclusive o de voto de qualidade e de veto das decisões tomadas pelas partes contratadas (arts. 23 e 25, Lei nº 12.351/10), como contratação de bens e serviços,[34] podendo, em tese, ser até mesmo questionado se uma pessoa jurídica de direito privado poderia exercer tamanhos poderes.

Seria um modelo em parte inspirado no norueguês, no qual há uma estatal operadora e licenciatária (com capital privado minoritário – a STATOIL, análoga na situação à Petrobras quando integrar o consórcio), atuando no mercado juntamente com outras empresas privadas; e uma outra estatal, não operadora (de capital inteiramente

---

[32] Caso a exerça, integrando o consórcio sem ser parceira na licitação da licitante vencedora, ficará de toda sorte, também em sua parcela no consórcio de no mínimo 30%, responsável por repassar à União o percentual de partilha ofertado pela licitante vencedora na licitação (art. 20, §1º, Lei do Contrato de Partilha).

[33] Entendemos que tanto o exercício como o não exercício dessa faculdade devem ser transparentes e fundamentados pela Petrobras, demonstrando tanto ter as condições para assumir as responsabilidades inerentes às prerrogativas como também fundamentar adequadamente as razões de estar abrindo mão da possibilidade de ter acesso diretamente a reservas de petróleo e gás. A pergunta fundamental à qual deverá responder com razões econômicas e técnicas suficientes é a seguinte: se há empresas privadas interessadas, por que ela, sem nem ter que participar da licitação, não está?

[34] Uma das principais competências da PPSA é fiscalizar, de dentro do próprio consórcio, as suas atividades e custos; e outra é vender o petróleo/lucro que couber à união.

público – no caso norueguês a PETORO), mas apenas gestora das reservas de petróleo e gás do Estado, que desenvolve um papel semelhante ao atribuído entre nós à PPSA.[35]

II.3.2.2 Cessão onerosa

Adicionalmente, em relação ao pré-sal, a Lei nº 12.276/10 previu a cessão onerosa à Petrobras de direitos de exploração e produção de petróleo e gás natural até cinco bilhões de barris de petróleo, tendo sido esta estatal contratada diretamente, dispensada que foi a licitação pelo legislador.

A operação se deu da seguinte forma: a União aumentou a sua participação no capital da Petrobras nele integralizando títulos da dívida pública, que passaram a ser da Petrobras; em seguida a União resgatou ("pagou") da Petrobras tais títulos, trocando-os pela cessão dos seus direitos, de matriz constitucional (art. 177, I, CF), de produzir até cinco bilhões de barris de petróleo.

A atribuição contratual à Petrobras sem licitação, apesar de poder ser criticável econômica ou politicamente, jurídico-constitucionalmente não causa a mesma espécie, já que estamos diante de uma atividade econômica que não é da iniciativa privada, mas sim do próprio Estado (art. 177, I, CF). É de fato apenas com a variação de opções legislativas que vimos a real amplitude de possibilidades regulatórias e de modelos contratuais diante de uma atividade titularizada pelo Estado, e que jamais existiriam em uma atividade privada, por mais regulamentada que fosse.[36]

A partir do momento em que a União, através do seu Legislador, decidiu excluir a lógica concorrencial do exercício de parte das atividades petrolíferas por ela monopolizadas, não há mais concorrência a ser protegida. Assim, a dispensa de licitação criada pela Lei nº 12.276/2010, derrogatória do art. 61 da Lei do Petróleo, não implicou violação ao art. 173 da Constituição, que é uma norma protetora da concorrência, naturalmente, onde ela existir.[37]

Para vermos a grande diferença entre as atividades econômicas monopolizadas pela União e as atividades econômicas do art. 173, basta se constatar do *caput* deste que as atividades nele referidas são atividades que, não apenas não eram monopolizadas pelo Estado, como, até ser editada a lei, ao Estado era até mesmo vedado exercê-las.

As atividades previstas no art. 173, até a edição da lei nele referida, são exclusivas da iniciativa privada. E, após a edição dessa lei, passam a poder ser exercidas também pelo Estado, concomitantemente e em equânime concorrência com os agentes privados.

Já quando se trata de contratação pela União do exercício de atividades por ela monopolizadas, não se aplica o art. 173 da Constituição Federal, nem necessariamente os princípios da subsidiariedade e da concorrência dele decorrentes, salvo no que do marco regulatório infraconstitucional da própria União – nesse caso *dominus* da atividade – assim puder se inferir.

---

[35] Informações constantes no *site* do *Norwegian Petroleum Directorate* – disponível em: http://www.npd.no/English/Produkter+og+tjenester/Publikasjoner/.
[36] Sobre o tema remetemos ao que sobre ele também abordamos no tópico I acima.
[37] Basta lembrarmos as inúmeras sociedades de economia mista e empresas públicas que em todo o Brasil receberam com exclusividade atribuições para explorar determinadas atividades econômicas *lato sensu* (ex.: EBCT, SABESP, COMLURB, EBC etc.).

O próprio dispositivo excepciona da sua incidência os "casos previstos nesta Constituição", ou seja, os casos cujo exercício da atividade econômica pelo Estado já esteja previsto na Constituição, quais sejam, os serviços públicos, os monopólios públicos e os serviços públicos sociais.

Egon Bockmann Moreira explica que "não se dá a incidência do princípio da subsidiariedade no setor dos serviços públicos e, por identidade de razões, aos monopólios públicos, cuja definição constitucional – 'Incumbe ao Poder Público (...) a prestação de serviços públicos' (art. 175) – torna inversa a relação. O serviço público é reservado de forma primária ao Estado, podendo ser concedido o seu exercício aos particulares. Não há serviço público exercido de forma subsidiária pelo Poder Público (mas sim pelas pessoas privadas). Nem tampouco se poderia cogitar de o Estado 'intervir' num setor que lhe é próprio. Quanto aos serviços públicos, o Estado tem o dever de sempre atuar (de forma direta ou indireta), pois sua racionalidade exige a prestação pública contínua e adequada".[38]

Igualmente, José Afonso da Silva, para quem "o modo de gestão desses serviços públicos (...) entra no âmbito da discricionariedade organizativa – ou seja: cabe à Administração escolher se o faz diretamente ou por delegação a uma empresa estatal (pública ou de economia mista), ou a uma empresa privada por concessão ou permissão. (...) A exploração dos serviços públicos por empresas estatais não se subordina às limitações do art. 173, que nada tem com eles. Efetivamente, não tem cabimento falar em excepcionalidade, ou subsidiariedade (...). Não comporta mencionar, a respeito deles, a preferência da iniciativa privada".[39]

O regime jurídico aplicável às atividades em que a União tenha havido por bem afastar da esfera da iniciativa privada, mediante outorga contratual ou estatutária a um ente da Administração (cessão onerosa, por exemplo), não está sujeito aos comandos paritários do art. 173, da Constituição Federal.

No caso dos monopólios públicos e serviços públicos com *publicatio* (ambas as atividades econômicas retiradas pela Constituição Federal da iniciativa privada), a situação é, de fato, inversa às reguladas pelo art. 173: o Estado é desde a promulgação da CF o seu "dominus", inteiramente competente para explorar a atividade, que é vedada à iniciativa privada, que só poderá vir a exercê-la eventualmente mediante um título contratual que o Estado deseje celebrar, jamais por direito próprio *de per se*.

II.3.2.3 Conclusão

Com isto há hoje no Brasil três modelos contratuais de exploração e produção de petróleo e gás natural: (a) contrato de concessão, para as áreas fora do pré-sal e não estratégicas e para as áreas do pré-sal que no passado já tenham sido objeto deste tipo de

---

[38] MOREIRA, Egon Bockmann. O Direito Administrativo da Economia, a Ponderação de Interesses e o Paradigma da Intervenção Sensata. *In*: CUÉLLAR, Leila; MOREIRA, Egon Bockmann (Org.). *Estudos de Direito Econômico*. Belo Horizonte: Fórum, 2004. p. 93.

[39] SILVA, José Afonso da. *Comentário Contextual à Constituição*. São Paulo: Malheiros, 2005. p. 725.

contrato; (b) contrato de partilha para as áreas do pré-sal ou consideradas estratégicas, em ambos os casos se ainda não tiverem sido concedidas no passado (art. 3º, Lei nº 12.351/10); e (c) cessão onerosa à Petrobras, nos termos expostos.

Informação bibliográfica deste texto, conforme a NBR 6023:2018 da Associação Brasileira de Normas Técnicas (ABNT):

ARAGÃO, Alexandre Santos de. Monopólios públicos na ordem econômica brasileira. *In:* COSTA, Daniel Castro Gomes da; FONSECA, Reynaldo Soares da; BANHOS, Sérgio Silveira; CARVALHO NETO, Tarcisio Vieira de (Coord.). *Democracia, justiça e cidadania:* desafios e perspectivas. Homenagem ao Ministro Luís Roberto Barroso. Belo Horizonte: Fórum, 2020. p. 89-105. t. 2: Pensando as instituições, a justiça e o Direito. ISBN 978-85-450-0749-4.

ADVOCACIA PÚBLICA, PRIMEIRO JUIZ DA CAUSA DO PODER PÚBLICO E SUA CONTRIBUIÇÃO NA REALIZAÇÃO DA JUSTIÇA E DO ESTADO DEMOCRÁTICO DE DIREITO[1]

CARLOS MÁRIO DA SILVA VELLOSO

I A Constituição de 1988 e a advocacia pública

Diogo de Figueiredo Moreira Neto, professor de Direito Administrativo e procurador do Estado do Rio de Janeiro, foi dos mais importantes expositores da doutrina da advocacia pública. Começava por sugerir uma nova nomenclatura para o advogado público. Sustentava que a expressão, advogado de Estado, seria mais adequada "para designar o advogado que desempenha suas funções a serviço institucional de entidades de direito público".[2]

Segundo Diogo de Figueiredo, "a especialização de funções advocatícias, que se vem processando desde há muito tempo no direito público brasileiro, alcança sua culminação positiva na Constituição de 1988, com a introdução do Capítulo dedicado às funções essenciais à justiça, não apenas alçando a advocacia "lato sensu" ao patamar constitucional, como definindo seus ramos – o privado e os públicos – em função dos interesses cuja cura lhes são cometidos".[3]

Assim é que distingue a Constituição: "(1) a advocacia privada, como sua manifestação genérica, à qual cabe a defesa de todos os tipos de interesses, salvo os

---

[1] Este artigo, com base em palestras proferidas no XV Congresso Brasileiro de Procuradores Municipais, em Belo Horizonte, em 19.11.2018, e no IV Congresso Nacional dos Advogados Públicos Federais, em Salvador, BA, em 7.11.2019, foi escrito em homenagem ao Ministro Luís Roberto Barroso, que foi procurador do Estado do Rio de Janeiro, um cidadão exemplar, homem cordial, personalidade marcante e caráter irretocável. Notável juiz do Supremo Tribunal Federal, é dos maiores juristas brasileiros. Professor titular de Direito Constitucional na UERJ, suas lições ressoam nas Universidades Harvard, Yale e na Sorbonne, onde tem proferido elogiosas palestras. Luís Roberto e sua mulher, Tereza, são dessas pessoas que valem à pena ser amigo e cujo convívio é enriquecedor. Ele está, no Supremo Tribunal, a escrever a história do Direito brasileiro.

[2] MOREIRA NETO, Diogo de Figueiredo. "A Responsabilidade do Advogado de Estado", palestra proferida em 31.10.2007, na Procuradoria-Geral do Estado do Rio de Janeiro.

[3] MOREIRA NETO, Diogo de Figueiredo, ob. e loc. cits.

reservados privativamente às suas manifestações específicas, e (2) a advocacia pública," que, em sentido largo, pode ser "subdividida em três manifestações específicas:" (2.1) a advocacia da sociedade, o Ministério Público, "cujas funções se voltam à defesa da ordem jurídica, do regime democrático e dos interesses sociais e individuais indisponíveis," (2.2) a advocacia pública, em sentido estrito, ou a advocacia de Estado, "cujas funções se especializam na defesa dos interesses públicos primários e secundários cometidos aos diversos entes estatais, políticos ou administrativos," e (2.3) a advocacia dos hipossuficientes, ou a Defensoria Pública, "cujas funções se dirigem à defesa dos interesses dos necessitados".[4]

A advocacia privada e a advocacia pública, esta nas suas três modalidades, são essenciais e indispensáveis à função jurisdicional e à administração da justiça (CF, artigos 127, 133 e 134).

Em artigo de doutrina que escrevi,[5] anotei que a Constituição de 1988, que acaba de completar 31 anos, conferiu aos advogados públicos a representação judicial e a consultoria jurídica das unidades federadas a que se vinculam. Porque desempenham funções essenciais e indispensáveis à Justiça, isto é, funções e atividades que têm por escopo a realização dos valores e princípios constitucionais, com vistas à concretização do Estado Democrático de Direito, os advogados públicos não se limitam a acautelar os exclusivos interesses patrimoniais da União, dos Estados e dos Municípios.

Em resumo, defendem os advogados públicos o interesse público, assim entendido, leciona Celso Antônio Bandeira de Mello, como o "interesse público resultante do conjunto dos interesses que os indivíduos pessoalmente têm quando considerados em sua qualidade de membros da sociedade e pelo simples fato de o serem, distinguindo-se interesses públicos primários e secundários".[6]

Portanto, os advogados públicos, ou advogados de Estado, no desempenho de suas atribuições relativas à representação judicial ou à consultoria jurídica, não se submetem à vontade dos governantes. Submetem-se, sim, à Constituição e à lei.

II A advocacia pública e os princípios constitucionais da legalidade, da moralidade pública e da impessoalidade

Certo que a Administração é um mero veículo da vontade estatal consagrada em lei e que um bem público "não se entende vinculado à vontade ou personalidade do administrador, porém à finalidade impessoal a que essa vontade deve servir",[7] os advogados públicos hão de pautar sua atuação na observância, sobretudo, dos princípios da legalidade, da moralidade administrativa e da impessoalidade, sopesando e ponderando interesses contrapostos, apontando, sempre, eventuais ilicitudes perpetradas

---

[4] MOREIRA NETO, Diogo de Figueiredo, ob. e loc. cits.
[5] VELLOSO, Carlos Mário da Silva. Procurador Municipal – Teto de Remuneração – Inteligência do art. 37, XI, da Constituição Federal. *In*: NASCIMENTO, Carlos Valder do; DI PIETRO, Maria Sylvia Zanella; MENDES, Gilmar Ferreira (Coord.). *Tratado de Direito Municipal*. Belo Horizonte: Fórum, 2018; *Revista de Direito Administrativo*, FGV, Rio de Janeiro, p. 245, 2010.
[6] BANDEIRA DE MELLO, Celso Antônio. *Curso de Direito Administrativo*. 27. ed. São Paulo: Malheiros, p. 62, 65/66.
[7] CIRNE LIMA, Rui. *Princípios de Direito Administrativo*. 7. ed. São Paulo: Malheiros, 2007, p. 37.

pelos administradores, interditando o possível cometimento de outras, seja em sua atuação judicial, seja em sua atuação consultiva.

A Constituição Federal de 1988 preocupou-se em conferir aos integrantes da Advocacia Pública a prerrogativa de evitar a prática de eventuais atos administrativos ofensivos à legalidade, mediante antecedente exame dos atos administrativos, resguardando o interesse público. Daí que o exame da legalidade, melhor dizer, da juridicidade desses atos, juridicidade abrangente dos princípios da legalidade, moralidade pública e impessoalidade, num controle jurídico preventivo da Administração, há de ser feito por servidores efetivos, estáveis, preparados, integrantes de corpo técnico especializado, admitidos por concurso público de provas e títulos e organizados em carreira. Só assim poderiam os advogados públicos opinar no sentido de que eventuais atos do presidente da República, do ministro de Estado, do governador, do secretário de Estado ou do prefeito não estariam amoldados à lei, sem que se sintam receosos diante de possíveis represálias da autoridade contrariada. Assessores jurídicos sem tais garantias não teriam condições de opinar livremente.

III A consultoria jurídica

Calham bem, no ponto, as lúcidas observações de Diogo de Figueiredo Moreira Neto, ao anotar que "a consultoria jurídica é atividade essencial à justiça, porquanto nela o advogado tem a decisão técnico-jurídica a seu cargo e sob sua plena responsabilidade, direta e pessoal. O consultor jurídico do Poder Público emite uma vontade estatal, como órgão do Estado que é, vinculando-o de tal forma que, se a Administração não seguir o ditame, deverá motivar porque não o faz, sob pena de nulidade do ato (princípio da motivação – art. 5º, LIV e LV e 93, X)". E acrescenta:

> Seus pronunciamentos têm, por isso, uma eficácia própria, que é a eficácia do parecer jurídico, indistintamente os emitidos por solicitação externa ou ex officio, no exercício de funções de fiscalização da juridicidade dos atos do Estado, embora possam alguns pender de um visto ou qualquer outro ato de assentimento para cobrarem exequibilidade. Os órgãos da Administração Pública, que têm na ordem jurídica não só o fundamento como os limites de sua atuação, não podem ignorar os pareceres regularmente emitidos pelas consultorias jurídicas dos órgãos da procuratura constitucional que sobre elas atuem, embora possam deixar de segui-los, motivadamente, mas sempre a seu inteiro risco, jurídico e político.[8]

Diferenciando consultas facultativas e obrigatórias, passíveis de serem endereçadas aos advogados públicos por autoridades administrativas, decidiu o Supremo Tribunal Federal,[9] endossando, de certa forma, a doutrina de Diogo de Figueiredo Moreira Neto:

---

[8] MOREIRA NETO, Diogo de Figueiredo, ob. e loc. cits. p. 89.
[9] MS 24.631-DF, Min. Joaquim Barbosa. José Vicente Santos de Mendonça disserta a respeito da responsabilidade pessoal do parecerista público a partir de quatro *standards* construídos pelo Supremo Tribunal Federal, nos MMSS 24.073-DF, Min. Carlos Velloso, 24.584-DF, Min. Marco Aurélio e 24.631-DF, Min. Joaquim Barbosa. MENDONÇA, José Vicente Santos de. A Responsabilidade Pessoal do Parecerista Público em Quatro Standards. *Boletim de Direito Administrativo*, n. 6, p. 705, jun. 2010. Os acórdãos indicados estão em: www.stf.jus.br/jurisprudencia.

CONTROLE EXTERNO. AUDITORIA PELO TCU. RESPONSABILIDADE DE PROCURADOR DE AUTARQUIA POR EMISSÃO DE PARECER TÉCNICO-JURÍDICO DE NATUREZA OPINATIVA. SEGURANÇA DEFERIDA.

I. Repercussões da natureza jurídico-administrativa do parecer jurídico: (i) quando a consulta é facultativa, a autoridade não se vincula ao parecer proferido, sendo que seu poder de decisão não se altera pela manifestação do órgão consultivo; (ii) quando a consulta é obrigatória, a autoridade administrativa se vincula a emitir o ato tal como submetido à consultoria, com parecer favorável ou contrário, e se pretender praticar ato de forma diversa da apresentada à consultoria, deverá submetê-lo a novo parecer; (iii) quando a lei estabelece a obrigação de decidir à luz de parecer vinculante, essa manifestação de teor jurídico deixa de ser meramente opinativa e o administrador não poderá decidir senão nos termos da conclusão do parecer ou, então, não decidir.

II. No caso de que cuidam os autos, o parecer emitido pelo impetrante não tinha caráter vinculante. Sua aprovação pelo superior hierárquico não desvirtua sua natureza opinativa, nem o torna parte de ato administrativo posterior do qual possa eventualmente decorrer dano ao erário, mas apenas incorpora sua fundamentação ao ato.

III. Controle externo: é lícito concluir que é abusiva a responsabilização do parecerista à luz de uma alargada relação de causalidade entre seu parecer e o ato administrativo do qual tenha resultado dano ao erário. Salvo demonstração de culpa ou erro grosseiro, submetida às instâncias administrativo-disciplinares ou jurisdicionais próprias, não cabe a responsabilização do advogado público pelo conteúdo de seu parecer de natureza meramente opinativa. Mandado de segurança deferido.

Nessa linha, encarecendo a primordial função de contribuir para o aperfeiçoamento do Estado Democrático de Direito, José Afonso da Silva realça que a Advocacia Pública "não tem a função estrita de defesa dos interesses da Fazenda Pública em juízo. Nem é defensora dos interesses do governante do dia, nem dos interesses corporativos da Instituição. Seu compromisso institucional e funcional é com a defesa do princípio da legalidade e, especialmente, do princípio da constitucionalidade, que significa que, no Estado Democrático de Direito, é a Constituição que dirige a marcha da sociedade e vincula, positiva e negativamente, os atos do poder público. Por isso, para além de sua função de representação judicial e extrajudicial da entidade pública em que se insere (...), deve contribuir também para (a) o aperfeiçoamento das instituições democráticas e, especificamente, para o aperfeiçoamento do Poder Judiciário; (b) a intocabilidade dos direitos fundamentais, especialmente dos direitos sociais; (c) a defesa da estabilidade dos funcionários contra o nepotismo que tem estado por trás da campanha contra essa garantia da função pública, pois ela é imprescindível não só como garantia de funções relevantes, mas também contra as nomeações políticas".[10]

Destarte, os advogados públicos federais, estaduais e municipais exercem a essencial função de defender interesses da coletividade, ligados ao interesse público e ao interesse da Administração, na consecução de seus objetivos, independentemente de quem seja o chefe do governo. Em contrapartida, os advogados públicos devem agir com prudência, cautela e discrição, pautando os seus atos com base nos princípios da legalidade, impessoalidade e moralidade administrativa.

---

[10] SILVA, José Afonso da. 5. ed. *Comentário Contextual à Constituição*. São Paulo: Malheiros, p. 606/607.

IV A advocacia pública, sua independência e a litigiosidade

Numa outra perspectiva, poderia a advocacia pública, ou advocacia de Estado, contribuir para a eliminação ou pelo menos para a diminuição da litigiosidade, assim contribuindo por uma maior realização do Direito e a concretização da justiça.

Com efeito.

Anota o procurador Cláudio Madureira, em livro que tive a honra de prefaciar,[11] que "a crise da realização do Direito no Brasil tem raízes mais profundas, relacionadas ao problema da litigiosidade," sustentando "que as partes envolvidas em um litígio podem ser convencidas de que não há sentido em instaurar ou sustentar uma ação judicial quando depreenderem, de antemão, que o desfecho dessa demanda hipotética não lhes será favorável".

Uma forma interessante para solução do problema da litigiosidade, tendo em vista a mudança de paradigmas sobre a missão institucional atribuída à advocacia pública pela Constituição de 1988, estaria na atuação dos advogados públicos.

Essa nova missão institucional diz respeito à emancipação da advocacia pública como advocacia de Estado em oposição à advocacia de governo. É dizer, o papel das procuradorias públicas deixa de ser a representação judicial do governo, mas a defesa do Estado. Com isso, os advogados públicos se tornam independentes do Poder Executivo, o que lhes garante uma atuação isenta, sem que estejam obrigados a apresentar recursos inócuos até que esgotadas todas as instâncias.

Assim, a lição de Carlos Madureira, no sentido de que os advogados públicos não mais são obrigados a "posicionar-se contrariamente às suas convicções jurídicas, sustentando o insustentável, ou contestando o incontestável, como forma de legitimar opções políticas e administrativas pré-concebidas pelos governantes e demais gestores públicos". É claro que essa posição, como deve ocorrer nas instituições que se estruturam em carreira, subordina-se, acrescentamos, às diretrizes fixadas pela direção maior da carreira, o advogado-geral, ou o procurador-geral.

A Constituição de 1988 trouxe para a advocacia pública a sua redenção, organizando-a em carreira, na qual o ingresso passa a depender de concurso público de provas e títulos, gozando os procuradores de estabilidade após três anos de efetivo exercício (CF, art. 132 e seu parágrafo único). Por exemplo, não mais é possível a nomeação, para a advocacia pública, senão de integrantes da carreira estabelecida em carreira de Estado e não carreira de advogados do governo, ainda que certos chefes de Estado insistam em pensar o contrário, pelo simples motivo de que lhes compete escolher os dirigentes máximos da advocacia pública.

A advocacia pública, que ressai da Constituição de 1988, não admite assessores jurídicos sem independência. É dizer, a advocacia pública não admite assessores jurídicos públicos que não sejam advogados públicos de carreira, não podendo ou não devendo estes, ademais, perceber gratificações de função. Advogados públicos de carreira devem receber e recebem vencimentos razoáveis, que dispensam *penduricalhos*, que costumam quebrar a independência do advogado, em detrimento do interesse público. Importante salientar, para orgulho da cidadania, que essa tese foi suscitada e é sustentada por considerável número de advogados públicos federais, estaduais e municipais.

---

[11] MADUREIRA, Cláudio. *Advocacia Pública*. Belo Horizonte: Fórum, 2015.

Mas, no ponto, infelizmente, cabe anotar que ainda há administrações que nomeiam assessores jurídicos em comissão, nos Ministérios e em Secretarias estaduais e municipais, com ofensa à Constituição,[12] o que enseja os famosos *malfeitos*.[13] E vale anotar, ademais, algo que, invariavelmente, é assunto posto em demandas com o poder público – a questão do que seja interesse público. Ainda se ouve, em repartições públicas e em pretórios nada afeitos ao Direito Público, a afirmação de que o interesse público, confundindo-se com o interesse do poder público, sobrepõe-se ao interesse individual, o que, vimos de ver, não é correto.

V Interesse público e interesse do poder público e a instituição de métodos alternativos

Miguel Seabra Fagundes, o patriarca do Direito Público brasileiro, costumava dizer que o interesse do poder público constitui, muitas vezes, no mais perverso dos interesses.

Certo, vincula-se a atuação do advogado público ao verdadeiro interesse público, qualificado este, conforme já mencionado, "como interesse do Estado e da sociedade na observância da ordem estabelecida".[14] O advogado público e professor Antônio Sant'Ana Pedra aduz que "o interesse público não se confunde com o interesse particular do administrador ou do legislador nem com a moral privada de cada juiz," pelo que deve o advogado público atuar "previamente à tomada de decisão sempre para assegurar que esta atinja a realização do interesse público, com o respeito à vontade da maioria, ao espaço das minorias e aos direitos fundamentais".[15]

A independência dos advogados públicos, que a Constituição garante, tem, ademais, vínculo direto com a instituição de métodos alternativos de solução de conflitos. Anota Arnoldo Wald "que o Judiciário garantiu o sucesso da arbitragem e mediação, e tornou o país um dos mais importantes nos dois setores. Já se disse que o século XXI seria o das Parcerias e da Mediação, justificando-se a atribuição ao Estado de uma nova função, a de mediador", competindo-lhe "mediar os conflitos para dar-lhes uma solução rápida e eficaz, que nem sempre o Judiciário resolve no tempo da economia, que é diferente do necessário para obter decisões definitivas pela via judicial".[16]

Assim, certo que o poder público contribui, significativamente, para a litigiosidade, para o número excessivo de ações e recursos que tumultuam juízos e tribunais, a independência dos advogados públicos tem significativa importância na solução da mazela da lentidão processual.[17]

---

[12] ADI 4.261-RO, Rel. Min. Ayres Britto, DJe 20.08.2010; ADI 4.843/MC, Rel. Min. Celso de Mello, DJe 19.02.2015; ambos em www.stf.jus.br/jurisprudência.

[13] No governo da presidente Dilma Roussef, início do segundo mandato, vários ministros de Estado foram demitidos ao fundamento da prática de *malfeitos*, expressão usada pela presidente. *Malfeitos* gerados, provavelmente, por falta de bom assessoramento jurídico.

[14] BANDEIRA DE MELLO, Celso Antônio. *Curso de Direito Administrativo*. 27. ed. São Paulo: Malheiros, p. 72.

[15] PEDRA, Adriano Sant'Ana. A importância da Advocacia Pública de Estado para a Democracia Constitucional. In: *Advocacia Púbica de Estado* – Estudo Comparativo nas Democracias Euro-Americanas. Coordenação de Adriano Sant'Ana Pedra, Júlio Pinheiro Faro e Pedro Gallo Vieira, Juruá Editora, 2014, p. 89.

[16] WALD, Arnoldo, "O Estado mediador", "Valor Econômico", 05.03.2018, p. A12.

[17] Segundo o relatório "Justiça em Números", elaborado pelo Conselho Nacional de Justiça, há, no Brasil, aproximadamente, cem milhões de processos judiciais em andamento. É dizer, para cada dois brasileiros existe

É que o advogado público pode promover a mediação e a conciliação, reduzindo o número de processos. Essa mudança de paradigma, referente ao papel institucional atribuído às procuradorias públicas, teve, aliás, como protagonista a Advocacia-Geral da União.

A consolidação dos métodos alternativos para solução de conflitos ganha força com o novo Código de Processo Civil e com a Lei de Mediação, Lei nº 11.340, de 2015. Bem antes, porém, ainda no ano de 2007, forte na missão institucional que lhe atribuiu a Constituição Federal, a Advocacia-Geral da União instituíra a Câmara de Conciliação e Arbitragem da Administração Federal (CCAF), criada pelo Ato Regimental AGU nº 5/2007. "A CCAF foi criada com a intenção de prevenir e reduzir o número de litígios judiciais que envolviam a União, suas autarquias, fundações, sociedades de economia mista e empresas públicas federais, mas, posteriormente, o seu objeto foi ampliado e hoje, com sucesso, resolve controvérsias entre entes da Administração Pública Federal e entre estes e a Administração Pública dos Estados, Distrito Federal e Municípios".[18]

Sobre esse protagonismo da Advocacia-Geral da União, informa Grégore Moura, dos mais destacados advogados públicos,[19] que "a CCAF, além de tentar evitar a judicialização de novas demandas, também encerra processos já judicializados, reduzindo sobremaneira o tempo na solução desses conflitos. Também ganha cada vez mais força a ideia de que a Câmara de Conciliação possibilita a articulação de políticas públicas, já que os órgãos públicos por meio das reuniões de conciliação são estimulados a dialogarem e cooperarem um com o outro. Ao contrário do que se pensa, a AGU também tem o papel institucional na defesa dos direitos humanos fundamentais, e a resolução dos conflitos de maneira fraterna, como se dá através da CCAF, promove a dignidade de todos os órgãos envolvidos, além de economizar um enorme montante de recursos públicos, os quais poderão ser investidos em políticas públicas, a fim de garantir a inserção cidadã".

Registra, ademais, o ilustre advogado "que a nova Lei de Mediação (Lei nº 13.140/2015) reforça e traz um marco legal para o que já vinha sendo feito no âmbito da CCAF, mormente, ao garantir a natureza de título executivo extrajudicial ao acordo realizado pelas partes, na forma do seu art. 32, §3º, além de criar um Capítulo dedicado à autocomposição de conflitos em que for parte pessoa jurídica de direito público". Outra norma da nova lei que demonstra o protagonismo da AGU e sua importância fundamental no Estado Democrático de Direito é o artigo 37, que legaliza a competência da CCAF ao aduzir que é "facultado aos Estados, ao Distrito Federal e aos Municípios, suas autarquias e fundações públicas, bem como às empresas públicas e sociedades de economia mista federais, submeter seus litígios com órgãos ou entidades da administração pública federal à Advocacia-Geral da União, para fins de composição extrajudicial do conflito".

Como se não bastasse, para reduzir litígios, principalmente nos casos repetitivos e que possam gerar demanda em massa, o art. 35 da Lei de Mediação permite a transação por adesão, a qual dependerá de autorização do Advogado-Geral da União com base em

---

um processo judicial. Vive-se a era da judicialização dos conflitos, com danos ao princípio constitucional da razoável duração do processo.
[18] Disponível em: file:///C:/Users/Downloads/cartilha_ccaf%20(1).pdf.
[19] MOURA, Grégore Moreira de. *Conciliação e Advocacia Pública*: o protagonismo da AGU na resolução de conflitos.

jurisprudência do Supremo Tribunal Federal, dos tribunais superiores e parecer AGU, aprovado pelo Presidente da República.

E conclui Grégore Moura: "e mais, determinou a solução de composição extrajudicial do conflito quando a controvérsia jurídica se dá entre órgãos ou entidades de direito público que integram a administração pública federal e, caso não haja acordo, tal conflito será dirimido pelo Advogado-Geral da União, na forma do artigo 36 da Lei 11.340/2015".

VI Conclusão

Em suma: a advocacia pública em geral, a Advocacia-Geral da União e as advocacias públicas estaduais, e um bom número das municipais, têm passado, nos últimos anos, "por uma verdadeira mudança de paradigma e mentalidade, (...) e ganha força com (...) o novo CPC e a Lei de Mediação, concretizando uma visão de protagonismo da advocacia de Estado, que passa a exercer sua verdadeira missão constitucional".[20]

Em razão da nova missão institucional atribuída aos advogados públicos – todos admitidos por concurso público de provas e títulos, muitos deles professores de direito em universidades e escolas das próprias entidades – a advocacia pública cada vez mais é guardiã da coisa pública e do interesse público, reafirmando a sua independência funcional, além de assumir papel pioneiro na resolução de conflitos e interesses, contribuindo, sobremaneira, para a eliminação da cultura de litigiosidade, que constitui uma das causas da lentidão processual, a afetar a plena concretização do direito, em detrimento da sociedade.

Realmente, muito é possível fazer os advogados públicos, os advogados de Estado, principalmente se tiverem em linha de conta a sua independência funcional e, sobretudo, a independência que decorre de sua autoridade moral, pela maior realização do Direito, em prol da sociedade, em prol do Brasil.

Desta forma, os advogados públicos, advogados de Estado, serão, cada vez mais, o primeiro juiz da causa do poder público, assim contribuindo para a realização da Justiça e do Estado Democrático de Direito.

Informação bibliográfica deste texto, conforme a NBR 6023:2018 da Associação Brasileira de Normas Técnicas (ABNT):

VELLOSO, Carlos Mário da Silva. Advocacia pública, primeiro juiz da causa do poder público e sua contribuição na realização da Justiça e do Estado Democrático de Direito. *In*: COSTA, Daniel Castro Gomes da; FONSECA, Reynaldo Soares da; BANHOS, Sérgio Silveira; CARVALHO NETO, Tarcisio Vieira de (Coord.). *Democracia, justiça e cidadania*: desafios e perspectivas. Homenagem ao Ministro Luís Roberto Barroso. Belo Horizonte: Fórum, 2020. p. 107-114. t. 2: Pensando as instituições, a justiça e o Direito. ISBN 978-85-450-0749-4.

---

[20] MOURA, Grégore Moreira de. *Conciliação e Advocacia Pública* – o protagonismo da AGU na resolução de conflitos.

NOTAS SOBRE A TOLERÂNCIA: FUNDAMENTOS, DISTINÇÕES E LIMITES

CLÈMERSON MERLIN CLÈVE

BRUNO MENESES LORENZETTO

> *"The time is out of joint.*
> *O cursèd spite,*
> *That ever I was born to set it right!"*
> (Shakespeare)

Introdução

Os momentos derradeiros da segunda década do século XXI nos levaram à constatação de que nossa sociedade, que parecia em seus trilhos, foi colocada fora da ordem. Alguém que adote uma leitura de mundo mais cética insistirá que havia sido um equívoco termos depositado nossas expectativas na racionalidade, na democracia, na pluralidade, na tolerância e na justiça como valores estruturantes de nossa sociedade e que não há muitos motivos para espanto, eis que fenômenos como o populismo, a irracionalidade, as manifestações de pensamento único, a intolerância e a injustiça não deixaram de estampar o noticiário todos os dias, presentes em nossas vidas, ainda que, eventualmente, não tivéssemos o devido conhecimento a respeito deles.

Alguém mais otimista poderá se municiar de dados e apontar que vivemos melhor do que nossos antepassados em diversos âmbitos e que os problemas são novos e demandam novos instrumentos e técnicas para a sua solução, mas que o caminho adequado já está pautado e que devemos continuar a segui-lo.

Entre as duas versões situadas em extremos, entendemos que o motivo da surpresa não está apenas nos desafios das novas mídias e na incalculável capacidade de processamento de informações (verdadeiras e falsas) que elas nos demandam, sob a potencial iminência do delírio, entendido este como a incapacidade de processamento de dados, mas, no fato de uma porta, que já imaginávamos fechada, ter sido reaberta.

A porta que reintroduziu na gramática política nacional a possibilidade do desrespeito às instituições e da ruptura da ordem constitucional como práticas de condução das atividades na arena política.

A reabertura desta porta nos causa preocupação, eis que os acordos não escritos que imaginávamos consolidados na prática do jogo político nacional foram atacados e passamos a observar, e, perigosamente, a nos acostumar com, a formulação de novos meios de articulação das atividades que trazem consigo a marca da destruição, na confluência de uma latente pulsão de morte, a qual passou a ser definidora da agenda política nacional.

É difícil não reconhecer que passamos a ser guiados por atos e falas que são causadores de mal-estar (*Unbehagen*), eis que são guiados por uma pulsão de morte das massas, mediadas por representantes que não mais escondem ou se intimidam em explicitar propostas políticas que são articuladas com a finalidade do morticínio, que passam a organizar a vida para a morte, para o desfazimento daquilo que, até então, entendia-se como a marcha da cultura e da civilização que se articulava com os valores presentes no processo de redemocratização e reconstrução da comunidade política brasileira desde 1988.

De acordo com Amin Maalouf, o mundo passa por um desajuste em diferentes ordens: climática, intelectual, financeira, geopolítica e étnica. Isso se deve ao fato de que são esboçados movimentos de regressão que ameaçam desfazer aquilo que sucessivas gerações se esforçaram para construir.[1] Afirma que estamos em uma embarcação à deriva, desnorteada, sem rumo nem visibilidade, e que precisamos de uma "sacudida" para evitarmos o naufrágio.

Com a queda do Muro de Berlim e o fim de um mundo bipolar, passamos para um mundo em que as divisões não são predominantemente ideológicas, mas identitárias e com pouco espaço para deliberações. Cada um proclama suas filiações diante dos outros, mobiliza os próximos, diaboliza os inimigos. Ao que tudo indica, o mundo escolheu uma saída "por baixo", ou seja, na direção do menosprezo de valores como o universalismo, a racionalidade e a laicidade e isso acabou por influenciar negativamente um importante elemento de nossa estrutura social, que é o livre debate de ideias.

Em razão deste estado de coisas, entende-se que há um dever de rememoração. Este sempre se faz de extrema valia em tempos em que as coisas parecem estar "fora dos eixos". E são os tempos disjuntivos que demandam a renovação de nosso compromisso com a liberdade.[2] Para tanto, devemos, por um lado, reconhecer que o perdão (*amnestía*) não se confunde com o esquecimento (*amnésia*), mas, por outro, que não há um passado mítico que pode ser escolhido de forma seletiva para mover a política fascista de elogio irrefletido da glória da nação.[3]

Propomos a lembrança, nesta oportunidade, de um conceito extremamente caro ao liberalismo e importante elemento que, ainda que não esteja positivado em termos expressos em nossa Constituição de 1988, é fundamento presente como reserva de justiça,

---

[1] MAALOUF, Amin. *O mundo em desajuste*: quando nossas civilizações se esgotam. Trad. Jorge Bastos. Rio de Janeiro: DIFEL, 2011.

[2] SNYDER, Thimothy. *Sobre a tirania*: vinte lições do século XX para o presente. São Paulo: Companhia das Letras, 2017.

[3] STANLEY, Jason. *Como funciona o fascismo*: a política do "nós" e "eles". Porto Alegre: L&PM, 2018. p. 33.

entrincheirado como cláusula superconstitucional,[4] qual seja: a tolerância. Expressa no objetivo fundamental da República nos termos da proibição de preconceito e outras formas de discriminação. A conjugação se faz evidente com a busca pela promoção do bem de todos, em uma sociedade tolerante e sem discriminação, aspectos basilares de nossos "consensos mínimos",[5] imunizados de alterações derivadas de paixões momentâneas.

1 Fundamentos

Uma das formas de se referenciar ao liberalismo é a que se refere à sua projeção política. Não sem razão, Judith Shklar alertava que o liberalismo parecia ter perdido sua identidade por completo e que este havia passado a ser tão amorfo, a ponto de poder servir para qualquer propósito. Fazia-se necessário insistir que o liberalismo era uma doutrina política cujo propósito único era o de garantir condições políticas necessárias para que as pessoas pudessem exercer suas liberdades pessoais.[6]

O liberalismo, desde a referida perspectiva, não seria uma doutrina política propositiva, eis que o seu mandamento único seria o de não interferir na vida alheia, além disso não disporia de nenhuma orientação específica sobre o modo de vida das pessoas, sobre como estas devem ser ou se comportar, quais vidas devem levar ou escolhas deveriam realizar. Shklar afirmava que o liberalismo tinha sido raro tanto na teoria como na prática nos últimos 200 anos. Em seu texto de 1989 já alertava que aqueles que pensavam que o fascismo estava morto, de uma forma ou de outra, deveriam pensar novamente.[7]

Para Shklar, o liberalismo era um "retardatário" que chegava tarde, pois suas origens estavam na Europa pós Reforma em grande tensão com a cristandade, eis que as crueldades das guerras religiosas acabaram por conduzir uma mudança importante na perspectiva de vários cristãos, os quais passaram a perceber a tolerância como uma expressão da caridade cristã.[8]

Logo, se por um lado, está no cerne do liberalismo o entendimento de que as pessoas devem tomar decisões éticas a respeito de suas vidas e assumir a responsabilidade sobre tais decisões, por outro lado, os princípios da tolerância não podem ser tratados como equivalentes ao liberalismo político, eis que este demanda não apenas autonomia pessoal, mas sua teorização está incompleta sem a menção a um governo limitado e responsável.[9]

---

[4] VIEIRA, Oscar Vilhena. A Constituição como reserva de justiça. *Lua Nova*, n. 42, p. 53-97, 1997.
[5] "A Constituição de um Estado democrático tem duas funções principais. Em primeiro lugar, compete a ela veicular consensos mínimos, essenciais para a dignidade das pessoas e para o funcionamento do regime democrático, e que não devem poder ser afetados por maiorias políticas ocasionais. (...) Em segundo lugar, cabe à Constituição garantir o espaço próprio do pluralismo político, assegurando o funcionamento adequado dos mecanismos democráticos." (BARROSO, Luís Roberto. *Curso de Direito Constitucional contemporâneo*: os conceitos fundamentais e a construção do novo modelo. 6. ed. São Paulo: Saraiva, 2017. p. 116).
[6] SHKLAR, Judith. The Liberalism of Fear. *In*: ROSENBLUM, Nancy L. *Liberalism and the Moral Life*. Cambridge: Harvard University Press, 1989. p. 21.
[7] SHKLAR, Judith. The Liberalism of Fear. p. 22.
[8] SHKLAR, Judith. The Liberalism of Fear. p. 23.
[9] SHKLAR, Judith. The Liberalism of Fear. p. 23.

As raízes mais profundas do liberalismo estão, todavia, fundadas na condenação apresentada pelos primeiros defensores da tolerância, como John Locke e Pierre Bayle, diante dos horrores das guerras religiosas que os levaram à formulação de que a crueldade era uma ofensa a Deus e à humanidade.

Shklar entende que Thomas Hobbes não pode ser tratado como o pai do liberalismo. Isso pelo motivo singular de que nenhuma teoria que forneça um poder incondicionado às autoridades de impor uma crença e, até mesmo, um vocabulário, pode ser tratada, nem mesmo de maneira remota, como liberal.[10] A tolerância, ao contrário, se apresenta como limitadora dos agentes públicos e como o fator que irá auxiliar na linha divisória entre o público e o privado, separação que não é estanque, mas que é fundamental para o liberalismo.

O liberalismo de Shklar nos adverte de que devemos sempre repudiar os abusos de poder, seja em qual regime for, e nos preocupar com os excessos de agentes públicos em todos os níveis de governo, eis que aqueles que podem sofrer mais com tais medidas são justamente os mais vulneráveis, os fracos e os pobres.[11] De tal sorte, cabe a observação de que os agentes do governo irão se comportar de tal maneira, de forma mais ou menos manifesta, a menos que sejam impedidos. Desse modo, um governo limitado é uma condição necessária, porém insuficiente para o liberalismo político.

A herança de Locke deixada para o liberalismo está na ideia de que os governos com seus grandes poderes para matar, mutilar, fazer a guerra e doutrinar não devem ser confiados incondicionalmente e que qualquer confiança que pode ser desenvolvida sobre seus agentes deve ser conduzida com ceticismo.[12] Veja-se que, segundo a referida perspectiva, até mesmo o erro das pessoas que possuem outras opiniões deve ser tolerado, caso este não se volte para perpetrar a dominação sobre os outros.

Logo, uma das preocupações centrais de Locke está na separação entre as funções do governo civil e da religião. Esta não deveria ser assunto do Estado, eis que este não era um instrumento adequado para realizar a salvação das almas. Assuntos de fé e estatais seriam, de acordo com sua interpretação, perfeitamente distintos e infinitamente diferentes, de modo que a diferença existente entre a religião das pessoas não permitiria que uma retirasse da outra seus bens ou sua liberdade.[13]

Mas isso não seria tudo, não bastaria que as pessoas de uma religião se abstivessem da violência e de todas as formas de perseguição contra as outras. Aqueles que almejavam ser "sucessores dos apóstolos" deveriam ensinar os deveres da paz e da boa vontade para com todas as pessoas, assim como para os que estão em "erro" e para aqueles que diferem na fé e na adoração.[14] Por isso, na perspectiva de Locke, pagãos, muçulmanos e judeus não deveriam ter seus direitos retirados em razão de sua religião, o Evangelho

---

[10] SHKLAR, Judith. The Liberalism of Fear. p. 24. Por exemplo, para Hobbes: "Essa passagem mostra claramente que *Reino de Deus* é um Estado, instituído (pelo consentimento dos que serão seus Súditos) para seu Governo Civil e para o controle de seu comportamento, não apenas para com Deus, seu Soberano, mas, também, entre eles, com referência à Justiça e para com as outras Nações tanto na paz como na guerra" (HOBBES, Thomas. *Leviatã, ou, A matéria, forma e poder de um estado eclesiástico e civil*. São Paulo: Ícone, 2000. p. 289).

[11] SHKLAR, Judith. The Liberalism of Fear. p. 28.

[12] SHKLAR, Judith. The Liberalism of Fear. p. 30.

[13] LOCKE, John. *A Letter concerning Toleration and Other Writings*. Indianapolis: Liberty Fund, 2010. p. 45.

[14] LOCKE, John. *A Letter concerning Toleration and Other Writings*. p. 45.

não determinava isso e a sociedade civil deveria abraçar, de maneira indistinta, todos aqueles que são pacíficos, honestos e trabalhadores.[15]

Sua tolerância não se estendia, contudo, para os ateus, eis que aqueles que negam Deus não seriam capazes de firmar compromissos e promessas, atividades consideradas fundamentais para toda a sociedade humana.[16] A tolerância também não deveria abranger os católicos romanos, eis que estes adotavam doutrinas destrutivas da sociedade em que viviam e estavam sujeitos apenas ao Papa. Por isso, não deveriam ser tolerados a menos que fosse assegurado que tais opiniões perigosas fossem separadas de sua adoração religiosa, algo que seria muito difícil de ser realizado.[17]

Note-se que, para Locke, a tolerância de judeus, muçulmanos e pagãos é categórica, ainda que ele espere que eles venham a ser convertidos. Há, neste ponto, uma preocupação especial sobre o procedimento para a realização de tal conversão, eis que, em oposição aos meios violentos observados em sua época, entendia que a caridade e a amabilidade com as opiniões diversas seriam os fatores centrais da unidade cristã e contribuiriam mais para a conversão do que as confusões e discussões sobre a união dos cristãos.[18]

A religião deveria ser adotada no coração das pessoas, logo, a caridade seria central para a fé, a qual seria derivada do amor e não da força. A partir disso, Locke "apela" para a consciência daqueles que perseguem, atormentam, destroem e matam outros em razão da religião, questionando se o fazem em nome da amizade e da amabilidade para com eles, pois seria contrária aos princípios da caridade e do amor a prática de crueldades e a retirada da vida alheia por causa da religião.[19]

A perseguição seria extremamente ineficiente, a coerção não poderia, em princípio, alcançar o objetivo de reunir as pessoas em torno de uma crença. As práticas violentas de conversão seriam mais opostas à glória de Deus do que qualquer dissenso, tanto que aqueles que são cruéis para com os que divergem de opinião não estariam promovendo os valores da Igreja.[20]

A conversa e a paz seriam os meios adequados para se relacionar com os diferentes, ao passo que instrumentos de força como a "espada" eram rejeitados como incompatíveis com o Evangelho. A tolerância como valor estaria, portanto, no mesmo sentido da verdadeira "razão da humanidade", de tal maneira que parecia a Locke monstruoso que as pessoas não percebessem sua vantagem e necessidade. Logo, não seria possível pôr um fim nas controvérsias entre os que realmente possuem interesse na salvação das almas de um lado e, de outro, na segurança da comunidade.[21] A função da sociedade seria a de preservar a melhoria dos bens civis de seus membros, por isso, mesmo que alguém quisesse, a ninguém poderia ser conferido o poder de impor sua crença aos outros, a fé seria atividade de foro particular e deveria ser imunizada da violência manifestada na esfera pública.

---

[15] LOCKE, John. *A Letter concerning Toleration and Other Writings*. p. 63.
[16] LOCKE, John. *A Letter concerning Toleration and Other Writings*. p. 60.
[17] LOCKE, John. *A Letter concerning Toleration and Other Writings*. p. 96.
[18] LOCKE, John. *A Letter concerning Toleration and Other Writings*. p. 74.
[19] LOCKE, John. *A Letter concerning Toleration and Other Writings*. p. 36.
[20] LOCKE, John. *A Letter concerning Toleration and Other Writings*. p. 37.
[21] LOCKE, John. *A Letter concerning Toleration and Other Writings*. p. 38.

Toda pessoa teria o direito de buscar convencer outras a respeito de suas razões, realizando persuasões através de raciocínios. Porém, caberia ao juiz compelir "pela espada" e à lei civil não seria adequada a função de prescrever artigos de fé. Eis que, se não lhes fossem vinculadas penalidades, a força das leis desapareceria e, mesmo que fossem criadas penalizações a respeito de tais condutas, elas seriam manifestamente inadequadas, pois iriam redundar no equívoco de forçar pessoas a adotar uma religião na qual não creem. A tolerância em questão significa predominantemente tolerância religiosa, embora aquilo que era dito sobre esta pudesse ser expandido para formas políticas e outras maneiras de tolerância.

Como explica Luís Roberto Barroso: "O século XVI foi marcado pelos efeitos da Reforma e pela recepção das ideias de Lutero e Calvino, tornando-se cenário de um longo e violento período de conflitos entre católicos e protestantes. A ascensão de Henrique IV ao trono francês, em 1594, após sua conversão ao catolicismo, deu início a uma fase de tolerância religiosa".[22] Em 1598, Henrique IV promulgou o Édito de Nantes, que conferiu aos protestantes direitos políticos iguais.

Outra questão que surge é que se alguém que possui crenças sinceras é percebido como estando em "erro" deveria ser forçado a mudar de posição. Para Bayle, no caso de "erro de consciência", a coerção, mesmo compreendida no interesse do indivíduo, não era justificada.[23] A relevância de tal questão no contexto em que o autor vivia, permeado por perseguições aos Huguenotes (protestantes franceses perseguidos por Luís XIV, como no caso do Édito de Fontainebleu de 1685, que ordenou a destruição de igrejas huguenotes e o fechamento de escolas protestantes), era fundamental.

Para o liberalismo, é uma questão moral que não se deve usar de meios coercitivos e ameaças para impedir a divulgação de ideias com as quais discordamos. No tempo de Bayle, muitos cristãos acreditavam que Deus havia comandado o uso de meios violentos para impedir a expansão do "erro religioso" e, mesmo fora do âmbito religioso, parecia natural impedir a divulgação de ideias perigosas pelo uso da força, se este fosse o meio mais efetivo. Porém, para o pensamento liberal, mesmo que este venha a eventualmente ser o meio mais efetivo ele está moralmente errado.

No final do século XVII, Bayle apresentou uma ampla defesa da tolerância religiosa, a qual pode ser entendida como uma defesa de diferentes crenças e práticas políticas. Ele escreve em oposição à perspectiva de Santo Agostinho, para quem o uso da força como meio de efetivação da conversão seria uma prática admissível.

Agostinho tinha por fundamento sua interpretação de uma passagem da Bíblia, mais especificamente de Lucas 14, 23, em que fora permitido o uso da força para que as pessoas participassem de um banquete do Reino de Deus, eis que, previamente, vários convidados haviam apresentado desculpas para não comparecer ao evento.

O objetivo agostiniano era a conversão dos donatistas, os quais poderiam ter contra si o uso da violência como uma forma "disciplinadora", isso porque a finalidade da conversão não era a sua destruição (física), mas a reeducação, para que eles pudessem

---

[22] BARROSO, Luís Roberto. *Curso de Direito Constitucional contemporâneo.* p. 50.
[23] BAYLE, Pierre. *A Philosophical Commentary on These Words of the Gospel, Luke 14.23, 'Compel Them to Come In, That My House May Be Full'.* Indianapolis: Liberty Fund, 2005. p. 412.

ser salvos de seu próprio "erro",[24] em verdade, ter aquilo que era mais importante salvo, suas almas.

Agostinho defendia ser obrigação dos cristãos compelir pessoas de outras religiões e heréticos para a fé, ao mesmo tempo, compreendia ser o uso da violência um método possível para "abrir" pessoas recalcitrantes à verdade do catolicismo. Enfatize-se que o uso da tal violência contra heréticos com o propósito de "abrir seus olhos" para a verdade era uma conduta não apenas admissível, mas, em alguns casos, obrigatória.

Bayle criticou o argumento de Agostinho contra a tolerância por duas razões: primeiro, afirmava em um nível interpretativo, que a interpretação literal dos evangelhos de Agostinho era contrária ao espírito da Bíblia; segundo, que a coação em questões religiosas não era nem útil em termos práticos, nem aceitável na esfera moral.

Para isso, Bayle sugere o seguinte experimento: vamos supor, por um momento, que a Igreja de Roma seja a verdadeira Igreja. A partir disso, devemos verificar os resultados da conversão compulsória para ela, como no caso dos Éditos do Rei da França. Quais teriam sido suas consequências? Bayle responde que a retirada de direitos dos protestantes teve como efeito apenas o incremento do fervor religioso, mais do que nunca.[25] Continua em seu raciocínio ao afirmar que se, eventualmente, um príncipe protestante fizesse o mesmo com os sujeitos católicos romanos, eles se tornariam mais devotos do Papa, assim como os "turcos" ficariam mais obstinados no "maometismo" e os judeus no judaísmo.[26]

A perseguição, desde a referida perspectiva, possuiria o condão de inflamar as paixões e não promover conversões adequadas, logo, se as pessoas temem ser torturadas, elas não vão, repentinamente, ganhar consciência de uma determinada ideia. Neste ponto a consciência possui papel central. Isso porque as decisões precisam ser tomadas de acordo com a consciência das pessoas, elas possuem uma obrigação consigo mesmas e para com Deus de segui-las, mesmo nos casos em que estas estejam erradas.[27] Veja-se que o referido "erro" confere prevalência à projeção da conexão estabelecida pela consciência, tanto que esta não depende da veracidade fática.

Assim, se for permitido por lei que aqueles que possuem uma opinião que acreditam ser a correta possam coagir aqueles que estão errados pelo uso da força, isso criaria uma série de problemas, eis que esse direito seria arrogado por todos, até mesmo por aqueles que possuem opiniões erradas – estes estariam sob a influência da veracidade de suas crenças, o que lhes autorizaria, da mesma maneira, a usar o poder coativo para afirmá-las.

Bayle, ademais, assevera que as pessoas não deveriam interferir em certas condutas alheias, pois tais interferências seriam moralmente equivocadas, não apenas pelo fato de estas trazerem consequências indesejadas para aqueles que sofrem a interferência. Os tolerantes, portanto, teriam uma razão moral apriorística para não interferir na vida alheia.

---

[24] FREITAS, Lucas Jorge de. *Estudo da Construção do Ethos Retórico Donatista e suas Implicações no Cristianismo Africano do Século IV e V*. Dissertação. Universidade de São Paulo: São Paulo, 2013. p. 57-58.
[25] BAYLE, Pierre. A Philosophical Commentary… p. 176.
[26] BAYLE, Pierre. A Philosophical Commentary… p. 176-177.
[27] BAYLE, Pierre. A Philosophical Commentary… p. 299.

Um argumento bastante utilizado para a defesa de uma religião oficial era o de que isso traria estabilidade para o governo. Para além das razões de Locke, e da importância já consolidada da separação entre Estado e religião, os defensores da intolerância poderiam suscitar diversas mazelas derivadas da discordância a respeito da pluralidade religiosa. Bayle, por sua vez, afirmava que não haveria perigo na tolerância religiosa pelos governos, o perigo, ao contrário, estaria no fato de que diferentes religiões buscam se empenhar em destruir umas às outras por meio de métodos de perseguição.[28]

Em tal cenário, teríamos um jogo em que todos sairiam perdendo, no qual uma religião passaria a ter a habilidade de coagir as outras usando o poder estatal. Para tanto, aqueles que defendiam a intolerância, deveriam paralelamente levar em consideração os prejuízos previsíveis que acompanhavam sua perspectiva.

No momento histórico em que Bayle se encontrava, a intolerância incluía atos brutais de violência, como punições com fogo, pena de banimento, prisões em masmorras e esquartejamentos. A coerção em questões religiosas levaria a prática da intolerância a ser inerentemente problemática. Portanto, a razão moral que Bayle defendida era a seguinte: uma vez que é previsível que a ordem para não tolerar irá resultar em crimes, a ordem para não tolerar outras religiões seria imoral.[29]

2 Distinções

Para Ira Katznelson, a tolerância é um conceito profundamente importante, pois ele diz respeito às características mais complicadas e persistentes das relações humanas.[30] Percebe-se sua importância em meio a grupos que compreendem que a pluralidade lhes é constitutiva e que deverão constituir habilidades para poder viver em comunidade. Como alternativa para a opressão, o sofrimento e a violência, a tolerância se apresenta em situações nas quais o respeito, a cooperação e a paz social são valores difíceis de serem obtidos.[31]

Para que isso possa ocorrer, há um pressuposto liberal que figura na linha de base das relações sociais, que é a ideia de que as pessoas devem ter a liberdade de tomar decisões éticas sobre o sentido que lhes aprouver para buscar suas compreensões de uma vida boa, desde que isso não esteja baseado na violação de direitos.

De tal sorte, esta ideia se projeta em uma sociedade potencialmente permeada por diferentes formas de conflito, dissensos e controvérsias e aquilo que se deseja é o convívio de práticas sociais e crenças díspares que não são amplamente aceitas por todos e que merecem ser acomodadas, ou seja, devem ser estabelecidas circunstâncias que as tornem possíveis e razões que permitam que elas sejam desejáveis.[32]

As formas e estratégias para a produção e reprodução da tolerância são plurais. Para tanto, é importante traçar distinções conceituais. A tolerância não se confunde com

---

[28] BAYLE, Pierre. A Philosophical Commentary... p. 245.
[29] BAYLE, Pierre. A Philosophical Commentary... p. 457.
[30] KATZNELSON, Ira. A Form of Liberty and Indulgence: Tolerance as a Layered Institution. *In*: STEPAN, Alfred; TAYLOR, Charles. *Boundaries of Toleration*. New York: Columbia University Press, 2014. p. 38.
[31] KATZNELSON, Ira. A Form of Liberty and Indulgence. p. 38.
[32] KATZNELSON, Ira. A Form of Liberty and Indulgence. p. 39.

a indiferença, eis que ela demanda uma decisão intencional de permitir que grupos, práticas e crenças consideradas repugnantes continuem a existir.[33] A tolerância se faz necessária quando certas manifestações ensejam mais do que simples desconforto ou antipatia, logo, ser tolerante demanda que não se reaja a condutas que nos constrangem, ultrajam ou que nos causam repulsa.

Tais formas de omissão intencional, silêncio deliberado ou autorrestrição pressupõem que uma comunidade deve ser dividida entre pessoas com visões de mundo díspares. Para tanto, no âmbito político, a arena deliberativa deve ser organizada com espaços para o ingresso da alteridade. Disso decorre que a tolerância trabalha com o substrato material de que ao menos um grupo percebe como inadequadas as ideias e ações de um outro grupo de pessoas, trata-se por isso de uma paciência para com o(s) diferente(s).

Katznelson aduz que a tolerância não conflita necessariamente com a capacidade de não tolerar, ou seja, de rejeitar a intolerância. Isso ocorre pelo fato de que se, por um lado, a tolerância refreia as atividades daqueles que podem reprimir outros, por outro lado, não demanda que as crenças que motivam a aversão a tais comportamentos sejam abandonadas.[34]

Reconhece-se, ademais, que existem contingências históricas nas situações que demandam tolerância. Esta pode ser interpretada como um ato de abnegação, por exemplo, de um grupo A que decide não fazer mal a um grupo B, mesmo tendo o poder para fazê-lo. Igualmente, a tolerância pode ser uma categoria interrogativa, na qual as pessoas irão questionar aquilo que deve ser feito em casos distintos. É importante salientar que as questões a respeito da tolerância, em tempos anteriores à Reforma, eram eminentemente religiosas e, após a Reforma, elas foram transferidas para a arena política. Por isso, quando essa transposição ocorreu, a tolerância foi aumentada, tornando-se mais profunda, assumindo o *status* de uma virtude moral. Sob esta roupagem, acabou por ser traduzida na esfera jurídica, como pode ser observado em diferentes documentos normativos, como a nossa própria Constituição de 1988.

Ainda, é importante diferenciar tolerância (religiosa ou secular) da simples paciência ou indulgência. Enquanto a tolerância comporta um ato de vontade de tolerar, uma decisão de permitir a presença física de outros, de diferentes culturas; a paciência diz respeito a uma circunstância limitada na qual outros são tratados de forma tolerante momentaneamente, lhes é permitido, por exemplo, o acesso a certos bens materiais ou a uma ajuda humanitária. Tais diferenças são importantes, pois dizem respeito à possibilidade de acesso a direitos e ao pertencimento (em seu sentido de cidadania) à comunidade, não abrangidos pelas restrições da paciência, ainda que esta possa ser um ponto de partida para a ampliação de formas de reconhecimento e garantia de direitos mais elaborados.

Por tal razão, a falta de apreciação pelo amplo espectro de modos de vida dentro de uma comunidade pode produzir uma potencial armadilha. Isso porque a diversidade de modos de vida pode levar à valoração de decisões que confiram maior proeminência

---

[33] KATZNELSON, Ira. A Form of Liberty and Indulgence. p. 40.
[34] KATZNELSON, Ira. A Form of Liberty and Indulgence. p. 41.

para a coletividade do que para o indivíduo. Para tanto, o multiculturalismo deve ser considerado, bem como os déficits do conceito ocidental de tolerância.

Nas culturas ocidentais a tolerância passou a se confundir com a liberdade de consciência, tanto que em nossa Constituição de 1988, no artigo 5º, VI, a liberdade de crença aparece acompanhada pela liberdade de consciência. Na sequência, emerge a impossibilidade de privação de direitos em razão de crença religiosa no artigo 5º, VIII, dispositivo que permite às pessoas esposar, divulgar, mudar ou renunciar a certa religião. Nesse sentido afirmou Barroso: "Creio, por fim, na tolerância. O mundo é marcado pelo pluralismo e pela diversidade: racial, sexual, religiosa, política. A verdade não tem dono nem existe uma fórmula única para a vida boa".[35]

Will Kymlicka explana que, para além do modelo baseado na liberdade de consciência, há uma segunda perspectiva de tolerância, a qual se funda na ideia de direitos dos grupos, ao invés da liberdade individual.[36] A ideia de direitos de grupos se tornou uma questão latente em várias democracias, pelo fato de que grupos étnicos ou religiosos passaram a demandar o poder de restringir a liberdade de seus próprios integrantes como meio de preservação de suas práticas tradicionais.[37]

O problema, nesses casos, reside na ambivalência de que, por um lado, os grupos buscam proteção de eventuais opressões externas para a manutenção de suas práticas, porém, por outro lado, querem se ver livres para reprimir o dissenso interno do grupo, sem ter que responder por isso,[38] nos termos regulares de proteção de direitos fundamentais individualizados.

Quais alternativas são apresentadas para tal problema? Desde a mirada liberal, entende-se que os direitos fundamentais poderiam responder a tais questões. Um dos caminhos pode ser construído por meio do direito à educação, o qual habilita as crianças a conhecer diferentes opiniões, culturas, histórias, religiões e sociedades, bem como a desenvolver capacidade de reflexão crítica sobre a realidade. Outro caminho pode ser trilhado via o direito à liberdade de expressão e de informação, os quais habilitam a circulação de conhecimentos plurais em uma sociedade democrática e trabalhariam de forma complementar com o direito fundamental à educação, auxiliando as pessoas a tomar decisões sobre todos os âmbitos de suas vidas, inclusive sobre qual modo de vida elas almejariam concretizar.

Não causa espécie perceber que esses dois direitos fundamentais costumam ser rarefeitos em países autoritários e que ambos também podem servir como barragens para evitar esporádicos arroubos antidemocráticos, que, infelizmente, costumam reaparecer, de tempos em tempos, em diversos lugares do mundo.

Nos termos do modelo liberal, conferir acesso à informação possibilita que as pessoas revisem e reflitam sobre seus modos de vida, ao passo que, garantir educação permite que as pessoas aprendam a julgar, a decidir e a buscar os meios para garantir seus direitos.

---

[35] BARROSO, Luís Roberto. Bem, justiça e tolerância. *Folha de São Paulo*, 26.06.2013.
[36] KYMLICKA, Will. Two Models of Pluralism and Tolerance. *Analyse & Kritik*, n. 13, 1992. p. 34.
[37] KYMLICKA, Will. Two Models of Pluralism and Tolerance. p. 39.
[38] KYMLICKA, Will. Two Models of Pluralism and Tolerance. p. 39.

Esses aspectos de uma sociedade liberal fazem sentido, segundo Kymlicka, se assumirmos que temos um interesse não apenas em buscar nossa concepção de bem existente, porém, de igual modo, se pudermos avaliar e revisar tais concepções.[39] Com isso, nem sempre os objetivos de vida traçados pelas pessoas merecem ser continuados, a avaliação e revisão de planos de vida demandam a possibilidade da realização de julgamentos informados sobre aquilo que realmente vale a pena.

Com isso, percebe-se que a tolerância não busca assumir *status* de valor absoluto. Ela se dispõe em potencial competição com outros valores que as pessoas possuem e almejam concretizar. Ela pode ser uma virtude almejada por muitos e colocada no rol de valores compartilhados por uma sociedade democrática, contudo, também pode ser retraída e tensionada diante de seus limites, em face de manifestações intolerantes e profundamente aversivas ou diante da urdidura de medos e inseguranças.

De outra sorte, assevera Katznelson que quando a tolerância é recíproca ela pode promover uma verdadeira heterogeneidade cultural, social e política, bem como criar possibilidades para formas de respeito e reconhecimento mais amplas e acolhedoras, eis que, como o purgatório, a tolerância é um local com caminhos que levam a mais de uma direção.[40]

3 Limites

Jürgen Habermas expõe que o termo *Toleranz* chegou tardiamente no alemão, emprestado do latim e do francês nos séculos XVI e XVII, igualmente, deste período é originário o sentido de tolerância como tolerância de outras religiões, assim como a construção de sua faceta jurídica.[41] Nesses séculos os governos promulgaram editos que determinavam que as pessoas fossem tolerantes com minorias religiosas. Assim como no português não há distinção entre a tolerância religiosa e a tolerância no sentido de paciência, o termo *Toleranz* é utilizado no alemão para a disposição de tratar outros com generosidade, mas também para a virtude política de lidar com pessoas que são diferentes.[42]

Outro elemento que pode ser considerado está na questão da possibilidade de aproximação conceitual entre a base universalista do direito à liberdade religiosa e os fundamentos normativos de um Estado Democrático de Direito, ou seja, pautado pela democracia e pelos direitos fundamentais.[43] O referido modelo de Estado teria, para tanto, no Poder Judiciário a figura daquele que é capaz de distinguir os abusos da ordem teocrática que podem vulnerar liberdades democráticas.

Nesse prisma, a tolerância busca a preservação de uma comunidade política plural, ao propor que esta não se fragmente em razão das distintas visões de mundo. Para

---

[39] KYMLICKA, Will. Two Models of Pluralism and Tolerance. p. 43.
[40] KATZNELSON, Ira. A Form of Liberty and Indulgence. p. 45.
[41] HABERMAS, Jürgen. Intolerance and discrimination. *International Journal of Constitutional Law*, Oxford, v. 1, n. 1. 2003. p. 2.
[42] HABERMAS, Jürgen. Intolerance and discrimination. p. 3.
[43] HABERMAS, Jürgen. *Entre naturalismo e religião*: estudos filosóficos. Rio de Janeiro: Tempo Brasileiro, 2007. p. 282.

tanto, ao ser reconhecida a importância da religião como fonte dos valores e elemento da cultura de um povo, a separação entre Estado e religião proposta por Locke não deve ser rompida.

Para Habermas, a tolerância se exerce nos limites do princípio democrático da laicidade, em que o Estado deve ser guiado pela imparcialidade, pela prudência e pela conservação da ordem constitucional.[44] As práticas intolerantes, por sua vez, seriam inconciliáveis com o Estado de Direito. Manifestações fundamentalistas e interpretações do mundo que demandam exclusividade para um modo de vida privilegiado igualmente conflitam com o Estado de Direito, eis que carecem de consciência da falibilidade de suas pretensões.[45]

De tal maneira, o processo democrático que visa à efetivação de direitos subjetivos pode ser aberto para abranger a coexistência de direitos iguais para grupos étnicos e formas de vida específicas, eis que: "A identidade do indivíduo está entretecida com identidades coletivas, e só pode se estabilizar em uma rede cultural, que, do mesmo modo que a própria língua materna, não pode ser adquirida como uma propriedade privada".[46] Portanto, a proteção almejada por formas de vida e tradições que constituem a identidade das pessoas deveria ter por finalidade o reconhecimento de seus membros e não ter o sentido de uma "proteção administrativa das espécies".[47]

Por isso, a democracia se apresenta como a possibilidade de articulação do convívio de sociedades heterogêneas. Reconhece-se que a definição do conceito de tolerância muitas vezes acaba por ser fruto da definição posta pelas autoridades públicas, de forma tal que a tolerância deve ser estabelecida em uma sociedade democrática, que garanta a todos igual consideração e respeito.

Em sua conceitualização normativa do Estado, Habermas entende que a formação democrática das opiniões e vontades é resultante de deliberações, sejam estas dadas na arena política geral ou no âmbito parlamentar, mas, para que isso ocorra de maneira adequada, seriam subjacentes condições de comunicação para guiar o processo político de uma política deliberativa, a qual precisa ter em consideração a "multiplicidade de formas de comunicação"[48] para a construção da vontade comum.[49]

A pluralidade pode ser produzida, então, dentro do Estado democrático e caminha lado a lado com a tolerância religiosa, eis que ambas favorecem a multiplicidade de formas de vida e de comunicação. Demonstrativo disso é o papel central que a tolerância passou a ocupar na cultura política e que poder ser observada na gênese do liberalismo.

Nesse âmbito, a tolerância assume a função de "negociação" do conflito entre reivindicações de "verdades" opostas, ou seja, ela se faz necessária a partir da rejeição das

---

[44] HABERMAS, Jürgen. *Entre naturalismo e religião*.
[45] HABERMAS, Jürgen. *A inclusão do outro*: estudos de teoria política. São Paulo: Editora Unesp, 2018. p. 373.
[46] HABERMAS, Jürgen. *A inclusão do outro*. p. 368.
[47] HABERMAS, Jürgen. *A inclusão do outro*. p. 370.
[48] HABERMAS, Jürgen. *A inclusão do outro*. p. 408.
[49] "Esse *procedimento democrático* estabelece uma relação interna entre *negociações, discursos de autocompreensão e discursos de justiça* e fundamenta a suposição de que sob tais condições são alcançados resultados racionais e equitativos. Com isso, a razão prática se desloca dos direitos humanos universais ou da eticidade concreta de uma determinada comunidade para situar-se naquelas regras discursivas e formas de argumentação que retiram seu teor normativo da base de validade da ação orientada ao entendimento, e, em última instância, da estrutura da comunicação linguística." (HABERMAS, Jürgen. *A inclusão do outro*. p. 410).

convicções alheias, do conflito cognitivo entre crenças e atitudes,[50] por isso, a tolerância não pode ser confundida com a indiferença. No mesmo sentido que a resposta para a intolerância não é simplesmente mais tolerância, mas a luta por direitos iguais, a partir de uma manifestação racista não se espera simplesmente que ela seja tolerada, mas que o racista supere seus preconceitos.

Nos termos de Habermas, o primeiro elemento que deve ser considerado é o da inclusão de todos os cidadãos na comunidade política. Sem a inclusão de todos, não é possível esperar que tenhamos tolerância uns para com os outros, logo, a proibição da discriminação fornece razões morais e constitucionais para a tolerância.[51] Ademais, é necessário traçar uma linha para demarcar aquilo que não pode ser tolerado, contudo, isso não pode se dar de forma autoritária, sob pena de produção de um paradoxo. A deliberação política é a via que permite a construção de normas legítimas, aceitáveis por todos os envolvidos na arena deliberativa e ela também se aplica para a definição da tolerância.

De forma proporcional, deve-se imaginar que o aumento da complexidade de uma determinada comunidade política acabe por redundar na expansão das diferentes formas de vida das pessoas. Por isso, as bases da sociedade, construídas anteriormente como influxos da vontade divina, sustentam-se sob diferentes pilares, mesmo que ainda possamos encontrar a influência de tais perspectivas, passam a ser apresentados não mais como derivados da ordem natural das coisas, mas como construções humanas, reflexos das interações entre pessoas e estruturas políticas, artifícios resultantes de acordos gerais que organizam a sociedade e que são enfeixados, por exemplo, em normas constitucionais.

Pode-se observar o afastamento das teorias que apregoam uma (questionável) ideia de totalidade que se estrutura por (pequenas ou grandes) partes, como o Leviatã de Hobbes.[52] No entendimento de Habermas, o mundo da vida se organiza como uma rede de ações comunicativas em distintos ramos, as quais são propagadas em determinados espaços e tempos específicos, pois elas são nutridas por aspectos das tradições culturais mas também das identidades das pessoas que fazem parte da sociedade: "Os indivíduos socializados não conseguiriam afirmar-se na qualidade de sujeitos se não encontrassem apoio nas condições de reconhecimento recíproco, articuladas nas tradições culturais e estabilizadas em ordens legítimas e vice-versa".[53]

Aqui, como afirma Barroso: "verdade não tem dono",[54] ou seja, as "doutrinas compreensivas",[55] que afirmam possuir a autoridade de estruturar uma forma de vida em sua integralidade, tal como apregoado por determinadas religiões, passaram a ser observadas, a partir da laicização estatal, como apenas uma possibilidade de leitura de mundo dentre outras várias possíveis, elas deveriam, de acordo com esta perspectiva,

---

[50] HABERMAS, Jürgen. Intolerance and discrimination. p. 3.
[51] HABERMAS, Jürgen. Intolerance and discrimination. p. 3-4.
[52] HOBBES, Thomas. *Leviatã, ou, A matéria, forma e poder de um estado eclesiástico e civil.*
[53] HABERMAS, Jürgen. *Direito e Democracia*: entre facticidade e validade. Rio de Janeiro: Tempo Brasileiro, 1997. p. 111.
[54] BARROSO, Luís Roberto. Bem, justiça e tolerância.
[55] Ver: RAWLS, John. *O Liberalismo Político*. São Paulo: Ática, 2000.

abandonar a pretensão de moldar os modos de vida de maneira compreensiva de toda a sociedade.[56]

A tensão se coloca no fato de que determinadas religiões acabam por ser intrinsicamente intolerantes em relação a outras manifestações religiosas e formas de percepção do mundo. Para evitar esses tipos de contradição interna, não deveria ser permitida a realização de conversões forçadas ou o uso de violência, conforme já criticado por Bayle. Aliás, a construção de um Estado Democrático de Direito acaba por ter como finalidade que os conflitos sejam mediados argumentativamente e conduzidos por instituições democráticas, não pelo uso da força ou da violência.

Não se ignora que, no âmbito das relações humanas concretas, aquilo que acaba por prevalecer é, muitas vezes, de fato, a intolerância, a agressão e o ódio. A presente discussão não se volta para tais domínios, ainda que estes possam figurar no plano de fundo das discussões em seu relevo histórico, mais remoto ou próximo. Nossa preocupação reside na definição dos limites de atuação do Estado e das pessoas no âmbito normativo, ou seja, quais deveriam ser os meios adequados de estabilização de expectativas e mediação de conflitos em uma sociedade definida não pelo medo e a destruição, mas pela ordem constitucional, nela compreendida os direitos fundamentais e a democracia como vetores principais das relações intersubjetivas.[57]

Habermas reconhece que preferências antagônicas nem sempre serão desarmadas no plano discursivo, basta observar que em certos tópicos os interesses controvertidos estão conectados com a própria forma como a coletividade se compreende, por isso, questões ético-políticas: "(...) colocam-se na perspectiva de membros que procuram obter clareza sobre a forma de vida que estão compartilhando e sobre os ideais que orientam seus projetos comuns de vida".[58]

A tensão entre a identidade individual e a coletiva se constitui da seguinte maneira: por um lado as pessoas podem se identificar com uma coletividade e fazer parte do "nós"; por outro, suas vidas não são resumidas apenas por sua identidade comunitária, tanto que podem mudar de religião, de país, de cultura, de gênero, de emprego, de família, etc. Nos termos de Habermas: "O modo como nós nos apropriamos das tradições e formas de vida nas quais nascemos e como as continuamos seletivamente decide sobre quem nós somos e queremos ser enquanto cidadãos".[59] A cultura não é algo estanque e as identidades articuladas e projetadas por ela também não o são.

Entre a fluidez e a estabilização dos valores éticos, outra questão que emerge diz respeito aos limites da tolerância. Ela deflui da controvérsia sobre a demarcação dos

---

[56] A respeito do conceito de tolerância no Direito explica Néviton Guedes que: "O discurso do direito não desconhece a verdade natural ou a lógica formal, mas é e será sempre mais do que isso. Abre-se com tolerância à possibilidade de desacordos e contenta-se com a verossimilhança. No âmbito do direito, especialmente nos chamados 'casos difíceis', o conhecimento não se impõe por meio de juízos lógicos irrefragáveis, mas apenas convence pela lógica da argumentação. É certo que se sustenta na verdade dos fatos e não desconsidera a lógica formal, mas tem a obrigação de nem sempre parar por aí." (GUEDES, Néviton. Luís Roberto Barroso e a tolerância no direito. *Revista Consultor Jurídico*, 27.05.2013. Disponível em: https://www.conjur.com.br/2013-mai-27/constituicao-poder-luis-roberto-barroso-tolerancia-direito. Acesso em: 27 nov. 2019).

[57] LORENZETTO, Bruno Meneses. *Os caminhos do constitucionalismo para a democracia*. Belo Horizonte: Arraes Editores, 2017.

[58] HABERMAS, Jürgen. *Direito e Democracia*. p. 201.

[59] HABERMAS, Jürgen. *Direito e Democracia*. p. 201.

critérios que servem para determinar a tolerância, para Rainer Forst, os limites devem ser estabelecidos no início da intolerância, eis que ela mesma pressupõe reciprocidade, só pode ser demanda em face de pessoas tolerantes.[60]

Questiona-se, para tanto, onde reside o início da tolerância? Aqui jaz um potencial perigo, o esvaziamento de sentido do conceito poderia conduzir à conclusão de que qualquer tentativa que busque sua concretização poderia acabar por ser, ela própria, uma intolerância.[61] Se, por um lado, tal alerta é importante para nos recordar sobre a maneira problemática que as linhas que definem a tolerância foram traçadas, por outro lado, ela recai em perigosa generalização, eis que qualquer um que queira demarcar os limites da intolerância seria necessariamente arbitrário, constituindo um "paradoxo destrutivo", ao que Forst responde, afirmando que uma crítica da intolerância não deve ser igualada com mais uma outra forma de intolerância.[62]

Com a finalidade de traçar o conceito de intolerância, Forst apresenta as seguintes características: o contexto da tolerância deve ser estabelecido; as práticas e crenças toleradas devem ser objeto de reprovação em um grau relevante; a refutação precisa ser balanceada minimamente com algum tipo de aceitação, que estabelece razões positivas rudimentares para sua defesa; precisa-se definir os limites da tolerância; a tolerância não pode ser fruto de coação; ainda, a tolerância (*toleration*) como prática é distinta da tolerância (*tolerance*) como virtude ou atitude.[63]

De acordo com Forst, enquanto a tolerância se articula como uma demanda por justiça, seu anverso constitui uma forma específica de injustiça.[64] Há, ademais, uma marca de humildade que se alinha com a prática da tolerância, qual seja, a percepção de que determinada concepção ética defendida por uma pessoa é boa para ela em sua individualidade e, também, para que outros eventualmente venham a compartilhar. Contudo, não são suficientes para impedir que outras pessoas desenvolvam concepções éticas distintas, logo, são insuficientes para permitir uma rejeição moral dos outros.

Considere-se, por derradeiro, que a tolerância pode ser em vários casos lacunosa e insuficiente. Pois, se ela pode ser o ponto de partida axiológico para uma sociedade que se almeja aberta e plural, tolerar alteridades sem reconhecer o *status* de igualdade cidadã e de usufruto de direitos pode ser decepcionante. Isso se evidencia com as vítimas de ações intolerantes, como manifestações reacionárias que visam à exclusão de grupos minoritários da sociedade em razão de este pertencerem a uma determinada etnia. Aqui, uma linha pode ser traçada, segundo Forst ela representa uma ação de justiça para com os que foram vítimas da intolerância, já que aqueles que cruzam a linha e violam o direito elementar ao respeito e à justificação não podem, sem contradição, demandar tolerância.[65]

---

[60] FORST, Rainer. Os limites da tolerância. *Novos Estudos – CEBRAP*, n. 84, p. 16, 2009.
[61] "That is why although I spend a great deal of time demonstrating how liberal theorists are always performing the exclusionary acts for which they stigmatize others, I do not fault them for so performing, but for thinking and claiming to be doing something else." (FISH, Stanley. Mission Impossible: Settling the Just Bounds between Church and State. *Columbia Law Review*, v. 97, n. 8, p. 2256-2257, 1997).
[62] FORST, Rainer. Os limites da tolerância. p. 18.
[63] FORST, Rainer. Os limites da tolerância. p. 19-20.
[64] FORST, Rainer. Os limites da tolerância. p. 22.
[65] FORST, Rainer. Os limites da tolerância. p. 27.

Considerações finais

Os tempos disjuntivos demandam respostas, recolocar as relações sociais nos trilhos, denunciar que o estado das coisas na Dinamarca ou no Brasil está "fora da ordem" e, também, apontar alguma alternativa para tanto. A que apresentamos foi a da rememoração e reafirmação da tolerância. A confusão política e as manifestações que buscam deslocar a centralidade das instituições e da mediação institucional das relações entre o povo e os governantes devem ser repudiadas.

Talvez, em particular, os tempos também nos pareçam um pouco confusos, para tanto, a tolerância aparenta ser a luz possível no meio da tempestade. A sua contribuição está, em sentido singelo, em não permitir que os diferentes sejam exterminados em razão de sua alteridade, e, em forma ampliada, pela contribuição que a pluralidade fornece para o enriquecimento epistemológico da democracia. Por fim, diante dos vários caminhos que o purgatório pode nos levar, persistimos nos termos já citados de Barroso: "não existe uma fórmula única para a vida boa",[66] temos apenas decisões parciais sobre como viver e precisamos ter sempre a possibilidade e responsabilidade de refletir e revisar nossos modos de vida, bem como de termos canais institucionais abertos para errar, aprender com os erros e seguir a vida.

Referências

BARROSO, Luís Roberto. Bem, justiça e tolerância. *Folha de São Paulo*, 26.06.2013.

BARROSO, Luís Roberto. *Curso de Direito Constitucional contemporâneo*: os conceitos fundamentais e a construção do novo modelo. 6. ed. São Paulo: Saraiva, 2017.

BAYLE, Pierre. A Philosophical Commentary on These Words of the Gospel, Luke 14.23, 'Compel Them to Come In, That My House May Be Full'. Indianapolis: Liberty Fund, 2005.

FISH, Stanley. Mission Impossible: Settling the Just Bounds between Church and State. *Columbia Law Review*, v. 97, n. 8, 1997.

FREITAS, Lucas Jorge de. *Estudo da Construção do Ethos Retórico Donatista e suas Implicações no Cristianismo Africano do Século IV e V*. Dissertação. Universidade de São Paulo: São Paulo, 2013.

FORST, Rainer. Os limites da tolerância. *Novos Estudos – CEBRAP*, n. 84, 2009.

GUEDES, Néviton. Luís Roberto Barroso e a tolerância no direito. *Revista Consultor Jurídico*, 27.05.2013. Disponível em: https://www.conjur.com.br/2013-mai-27/constituicao-poder-luis-roberto-barroso-tolerancia-direito. Acesso em: 27 nov. 2019.

HABERMAS, Jürgen. *A inclusão do outro*: estudos de teoria política. São Paulo: Editora Unesp, 2018.

HABERMAS, Jürgen. *Direito e Democracia*: entre facticidade e validade. Rio de Janeiro: Tempo brasileiro, 1997.

HABERMAS, Jürgen. *Entre naturalismo e religião*: estudos filosóficos. Rio de Janeiro: Tempo brasileiro, 2007.

HABERMAS, Jürgen. Intolerance and discrimination. *International Journal of Constitutional Law*, Oxford, v. 1, n. 1, 2003.

---

[66] BARROSO, Luís Roberto. Bem, justiça e tolerância.

HOBBES, Thomas. *Leviatã, ou, A matéria, forma e poder de um estado eclesiástico e civil*. São Paulo: Ícone, 2000.

KATZNELSON, Ira. A Form of Liberty and Indulgence: Tolerance as a Layered Institution. In: STEPAN, Alfred; TAYLOR, Charles. *Boundaries of Toleration*. New York: Columbia University Press, 2014.

KYMLICKA, Will. Two Models of Pluralism and Tolerance. *Analyse & Kritik*, n. 13, 1992.

LOCKE, John. *A Letter concerning Toleration and Other Writings*. Indianapolis: Liberty Fund, 2010.

LORENZETTO, Bruno Meneses. *Os caminhos do constitucionalismo para a democracia*. Belo Horizonte: Arraes Editores, 2017.

MAALOUF, Amin. *O mundo em desajuste*: quando nossas civilizações se esgotam. Trad. Jorge Bastos. Rio de Janeiro: DIFEL, 2011.

RAWLS, John. *O Liberalismo Político*. São Paulo: Ática, 2000.

SHKLAR, Judith. The Liberalism of Fear. *In*: ROSENBLUM, Nancy L. *Liberalism and the Moral Life*. Cambridge: Harvard University Press, 1989.

SNYDER, Thimothy. *Sobre a tirania*: vinte lições do século XX para o presente. São Paulo: Companhia das Letras, 2017.

STANLEY, Jason. *Como funciona o fascismo*: a política do "nós" e "eles". Porto Alegre: L&PM, 2018.

VIEIRA, Oscar Vilhena. A Constituição como reserva de justiça. *Lua Nova*, n. 42, p. 53-97, 1997.

Informação bibliográfica deste texto, conforme a NBR 6023:2018 da Associação Brasileira de Normas Técnicas (ABNT):

CLÈVE, Clèmerson Merlin; LORENZETTO, Bruno Meneses. Notas sobre a tolerância: fundamentos, distinções e limites. *In*: COSTA, Daniel Castro Gomes da; FONSECA, Reynaldo Soares da; BANHOS, Sérgio Silveira; CARVALHO NETO, Tarcisio Vieira de (Coord.). *Democracia, justiça e cidadania*: desafios e perspectivas. Homenagem ao Ministro Luís Roberto Barroso. Belo Horizonte: Fórum, 2020. p. 115-131. t. 2: Pensando as instituições, a justiça e o Direito. ISBN 978-85-450-0749-4.

DIREITO E DESENVOLVIMENTO DE ACORDO COM DAVID TRUBEK E AS LIÇÕES DE JOHN RAWLS PARA A SUSTENTABILIDADE

GABRIEL WEDY

Introdução

Honrado em participar desta obra em justa homenagem ao Excelentíssimo Senhor Ministro Luís Roberto Barroso. Jurista, que ao longo das décadas, manteve-se sempre, enquanto professor, advogado e, posteriormente, ministro do Supremo Tribunal Federal, fiel ao Estado Democrático de Direito e à defesa e guarda do texto da Constituição Federal de 1988. Um exemplo a ser seguido por toda a comunidade jurídica e pela sociedade brasileira. Agradeço, outrossim, ao Excelentíssimo Senhor Ministro do Superior Tribunal de Justiça, Reynaldo Soares da Fonseca, e ao Professor Doutor Daniel Castro, pela distinção do convite a mim dirigido, ao mesmo tempo em que, de modo entusiástico, os parabenizo pela oportuna organização do presente livro.

Pois bem, relevante é a análise do *direito e desenvolvimento* sob uma perspectiva histórica, em consonância com a ordem cronológica exposta na doutrina de Trubek,[1] pioneiro no estudo sobre *direito e desenvolvimento* nos Direitos brasileiro e latino-americano.

A evolução do *direito e desenvolvimento* precisa ser avaliada desde a sua Primeira Era (anos 1950 até meados dos 1980), marcada pela intervenção do Estado na economia como mola propulsora do progresso econômico e da distribuição de riquezas. Época caracterizada, também, pela execução das lições de Keynes no aspecto econômico,

---

[1] David Trubek, Professor da Universidade de Wisconsin (EUA), é um dos pioneiros no estudo do direito e desenvolvimento. Iniciou os seus estudos ainda nos anos 1960 e dedicou a sua pesquisa sobre direito e desenvolvimento à busca de modelos jurídicos alternativos para o desenvolvimento de nações de desenvolvimento tardio. Considera que hoje vivemos um Terceiro Momento na Escola do Direito e Desenvolvimento e que a *Rule of Law* pode ser uma alternativa para o desenvolvimento dos países em desenvolvimento. Seus estudos atingiram importante repercussão no cenário internacional em matéria de direito e desenvolvimento, em especial no ambiente da América Latina.

seguidas na América Latina pelos *cepalinos*, notadamente Furtado[2] e Prebish,[3] na defesa de um capitalismo de Estado.

Merece atenção a verificação da Segunda Era delimitada por Trubek: da política neoliberal, do Estado mínimo, sustentada, em especial, no aspecto econômico, pelo ideário dos *Chicago Boys*, implementado em parte por Thatcher, na Inglaterra, e por Reagan, nos Estados Unidos. Tempos marcados pela desregulamentação da economia, pelo incentivo à livre competição e pela contenção dos gastos públicos nas áreas sociais e de infraestrutura. Era iniciada nos anos 1980 e atingiu o seu ápice após o colapso do socialismo na União Soviética e a *Queda do Muro de Berlim*, que dividia as Alemanhas ocidental e oriental. Referida Era estendeu-se até o início dos anos 2000.

Relevante abordar a Terceira Era do direito e desenvolvimento. Quadrante histórico marcado por fomes coletivas, pandemias, crise nos sistemas de atendimento à saúde e de previdência, falhas de mercado, ataques terroristas, crises energéticas e catástrofes ambientais causadas pelas mudanças do clima e pela poluição. Eventos que o Estado necessita enfrentar com o desenvolvimento de políticas de renda mínima e com o financiamento da educação, da saúde e da assistência social. Por outro lado, imperiosa é a defesa das liberdades políticas e da democracia, essenciais para o desenvolvimento sustentável em seus quatro pilares essenciais: governança, desenvolvimento econômico, tutela ambiental e inclusão social.

As ideias de Rawls trazem contribuições para os dias atuais, em especial as contidas nas obras *Justiça como Equidade* e *Liberalismo Político*. Faz-se necessária uma reflexão mais aprofundada no que concerne aos conceitos de *princípio da diferença* e de *justiça distributiva* propostos por Rawls para a elaboração de uma definição sobre o direito fundamental ao desenvolvimento sustentável nessa Terceira Era identificada e delimitada por Trubek.

1 A Primeira Era: o Estado Desenvolvimentista

A Primeira Era do *direito e desenvolvimento* teve o seu nascimento entre os anos 1950 e 1960. Políticas de desenvolvimento estavam focadas no papel do Estado dirigindo a economia e transformando as sociedades tradicionalmente agrárias em industriais. Projetos de desenvolvimento foram utilizados como instrumentos de gerenciamento econômico e mecanismos de mudança social. O Direito exerceu um papel marcante no dirigismo estatal da economia. Esse pensamento ajudou a orientar um pequeno número de projetos de reformas legislativas em algumas partes do mundo[4] em especial nos países em desenvolvimento.

O desenvolvimento do Estado e a sua legislação estavam embasados em premissas como: a) substituição das importações nos mercados internos; b) alocação dos escassos recursos da poupança para áreas-chave de desenvolvimento; c) reconhecimento da

---

[2] FURTADO, Celso. *Formação econômica do Brasil*. São Paulo: Companhia das Letras, 2007.
[3] PREBISCH, Raul. *Keynes*: uma introdução. Brasília: Brasiliense, 1998.
[4] TRUBEK, David; SANTOS, Alvaro. Introduction: the Third Moment in Law and Development Theory and the Emergence of a New Critical Practice. *In*: TRUBEK, David; SANTOS, Alvaro (Ed.). *The New Law and Economic Development*: a Critical Appraisal. Cambridge: Cambridge University Press, 2006. p. 1.

fragilidade do setor privado para providenciar o crescimento autossustentável; d) criação de planos estatais de crescimento; e) realocação do superávit e combate às resistências comportamentais à ideia de desenvolvimento, além do investimento e da administração estatais de setores considerados chave ou estratégicos da economia; e f) regulação estatal do capital estrangeiro.[5]

A produção, a execução e a aplicação de legislação do estilo pelo Estado Desenvolvimentista removeu barreiras tradicionais, assim como criou uma estrutura formal para o controle macroeconômico. A legislação traduziu objetivos políticos em ações para dirigir o comportamento econômico de acordo com os planos estatais. Normas foram necessárias para criar um modelo que permitisse a operação de uma eficiente burocracia pública governamental e a governança das corporações do setor público, bem como para garantir os complexos controles de câmbio e de regulação das importações.[6]

Esse modelo de desenvolvimento, contudo, sucumbiu ante fatores econômicos globais, tais quais o aumento na taxa de juros pelo tesouro americano, aumento das dívidas externas das economias em desenvolvimento, desajustes da economia política interna, pouca ou nenhuma consideração com direitos fundamentais em face das crises nas democracias, por corrupção, ineficiência e falta de transparência. Importante salientar, no mesmo sentido, que regimes ditatoriais se instalaram na América Latina, no Caribe e em alguns dos Tigres Asiáticos, sendo óbices ao desenvolvimento sustentável, em especial, nas suas dimensões ambiental, de inclusão social e de governança.

2 A Segunda Era: desenvolvimento e o Estado (Neo)liberal

Nos anos 1980, o Direito movimentou-se para o centro das políticas de desenvolvimento e das reformas do Estado, de caráter neoliberal, expandindo exponencialmente o sentido das desregulamentações. O renovado interesse no direito ao desenvolvimento foi fortemente influenciado pelo surgimento das ideias neoliberais e pelo ressuscitar do liberalismo ortodoxo. Formuladores de políticas neoliberais enfatizavam o papel essencial dos mercados no crescimento da economia. Elaboradores das políticas de desenvolvimento buscavam orientar os modelos legislativos para conceder maior liberdade econômica para empresas e fortalecer os contratos. Buscou-se integrar as nações em desenvolvimento à economia global. O direito "desregulamentador" passou a ser o norte na produção legislativa dos parlamentos.[7]

---

[5] TRUBEK, David; SANTOS, Alvaro. Introduction: the Third Moment in Law and Development Theory and the Emergence of a New Critical Practice. *In:* TRUBEK, David; SANTOS, Alvaro (Ed.). *The New Law and Economic Development*: A Critical Appraisal. Cambridge: Cambridge University Press, 2006. p. 5.

[6] TRUBEK, David; SANTOS, Alvaro. Introduction: the Third Moment in Law and Development Theory and the Emergence of a New Critical Practice. *In:* TRUBEK, David; SANTOS, Alvaro (Ed.). *The New Law and Economic Development*: a Critical Appraisal. Cambridge: Cambridge University Press, 2006. p. 5.

[7] Com maestria e precisão definiu o Ministro Luís Roberto Barroso a virada do Estado de Bem-Estar Social para o Estado Neoliberal. De acordo com ele "... o *welfare state*, chegou ao final do século amplamente questionado na sua eficiência, tanto para gerar e distribuir riquezas como para prestar serviços públicos. A partir do início da década de 80, em diversos países ocidentais, o discurso passou a ser o da volta ao modelo liberal, o Estado mínimo, o neoliberalismo. Dentre os seus dogmas, que com maior ou menor intensidade correram mundo, estão a desestatização e desregulamentação da economia, a redução das proteções sociais ao trabalho, a abertura de mercado e a inserção internacional dos países, sobretudo através do comércio. O neoliberalismo pretende ser a

Esforços não se voltaram para um direito geral e amplo ao desenvolvimento, mas a uma visão particular do Direito e o seu papel na economia. Novas leis foram elaboradas como um instrumento necessário para desmantelar o sistema de regulação estatal. O essencial para as instituições era conceder bases legais sólidas às relações de mercado. Foram ignorados conceitos de desenvolvimento humano e de sustentabilidade. A tutela ambiental não foi ponto de preocupação central nem acessória nessa época.

O modelo legal do Estado providência, calcado no Direito Administrativo, foi substituído em parte pelas instituições de Direito Privado. Não escapou o Poder Judiciário dessa lógica. Juízes passaram a ser considerados importantes agentes na proteção dos negócios contra intromissões governamentais, bem como fundamentais no processo de tomada de decisões que deveriam estar de acordo com a nova ordem econômica mundial. A regulação sobre a economia era frequentemente apresentada como uma intervenção desnecessária no mercado. A concepção de *direito e desenvolvimento* neoliberal passou a focar a lei do mercado, mostrando pequena preocupação por leis que garantissem direitos políticos e civis ou que protegessem os mais pobres e desfavorecidos.[8]

Foi essa a Era do *Estado de Direito e Mercado Neoliberal*. Baseada em uma visão de acordo com a qual o crescimento era possível com o ajuste de preços, a promoção da disciplina fiscal, a remoção de distorções criadas pela intervenção do Estado e o encorajamento dos investimentos estrangeiros. O papel do Direito era instrumental no sentido da promoção de transações privadas e da criação de riquezas individuais. Respeito absoluto aos contratos, à propriedade e à total autonomia da vontade foram marcas flagrantes desse período.

Reformas na legislação foram elaboradas para fortalecer os direitos de propriedade e garantir que os contratos fossem cumpridos atendendo à máxima do *pacta sunt servanda*. Deu-se ênfase ao papel do Judiciário como garantidor dessas premissas, e não como um obstáculo a elas. Não caberia ao Estado fazer restrições, mas facilitar a expansão dos mercados. Um Judiciário independente (para essa visão, livre de *vieses* intervencionistas), usando métodos formalistas, proporcionaria fidelidade à lei e previsibilidade das suas próprias decisões, o que facilitaria investimentos. O modelo (neoliberal) foi pensado para ser universal: as mesmas instituições legais seriam necessárias e deveriam operar em qualquer lugar.[9] Pretendeu-se, assim, espraiar globalmente o modelo de *direito e desenvolvimento* neoliberal valendo-se de instituições democráticas.

Verificou-se que seria novamente necessário recorrer ao Estado para corrigir falhas de mercado, tais como custo de transações ou informações assimétricas. Formuladores das políticas neoliberais de desenvolvimento não perceberam que a adoção de um modelo único de Estado mínimo jamais triunfaria se não fossem analisados previamente os arcabouços legislativos, as instituições, as peculiaridades políticas, culturais e ambientais

---

ideologia da pós-modernidade, um contra-ataque do privatismo em busca do espaço perdido pela expansão do papel do Estado". BARROSO, Luís Roberto. *Curso de direito constitucional*. 4. ed. São Paulo: Saraiva, 2013. p. 89.

[8] TRUBEK, David; SANTOS, Alvaro. Introduction: the Third Moment in Law and Development Theory and the Emergence of a New Critical Practice. *In*: TRUBEK, David; SANTOS, Alvaro (Ed.). *The New Law and Economic Development*: a Critical Appraisal. Cambridge: Cambridge University Press, 2006. p. 2.

[9] TRUBEK, David; SANTOS, Alvaro. Introduction: the Third Moment in Law and Development Theory and the Emergence of a New Critical Practice. *In*: TRUBEK, David; SANTOS, Alvaro (Ed.). *The New Law and Economic Development*: a Critical Appraisal. Cambridge: Cambridge University Press, 2006. p. 5-6.

e as necessidades sociais locais dos povos. As políticas públicas da Era Neoliberal, aplicadas de modo desconectado das realidades locais, produziram resultados opostos aos pretendidos e preconizados.

O mercado, embora responsável pela produção e distribuição de recursos na sociedade, tem limites para proporcionar a expansão do desenvolvimento sustentável, em especial nos seus aspectos de inclusão social e de tutela ambiental. Tornou-se evidente a necessidade da regulação dos mercados pelo Estado e por agências reguladoras independentes e com elevada *expertise*.[10]

Não há dúvida de que se deve buscar o desenvolvimento sustentável com base em uma economia saudável e pujante, mas não se pode negar nesse mesmo conceito a necessidade de respeito ao ser humano, ao meio ambiente equilibrado e a observância de padrões de governança. A Segunda Era não foi satisfatória para a proteção dos direitos humanos, do meio ambiente e para a garantia das liberdades políticas de caráter substancial. Resta afastada a perspectiva pura neoliberal de direito ao desenvolvimento como uma alternativa válida; no entanto, algumas de suas premissas não podem ser desprezadas em determinados períodos históricos e em determinadas conjunturas.

3 A Terceira Era: direito e desenvolvimento(sustentável) nos nossos dias

A Terceira Era do *direito e desenvolvimento*, referida por Trubek, trata-se de uma era pós-neoliberal. Formuladores das modernas políticas de desenvolvimento continuam a preocupar-se com a produção legiferante. Todavia, o arcabouço jurídico do Estado deve estar voltado para a evidente realidade na qual o crescimento econômico de um país não é o único responsável pelo seu desenvolvimento, como no passado chegou-se a cogitar. Ademais, o desenvolvimento precisa dar-se de modo sustentável nesta Era de mudanças climáticas causadas por fatores antrópicos.

A Terceira Era do desenvolvimento não ignora falhas do neoliberalismo. Premissas como a defesa dos mercados como o único caminho para alocar recursos em direção ao crescimento econômico e a geração de poupança demonstraram-se equivocadas. Avassaladoras crises, de consequências funestas, como a que atingiu a economia mundial no segundo semestre de 2008, são a prova da vulnerabilidade desse modelo.

Existe a necessidade de uma intervenção estatal capaz de criar a infraestrutura institucional necessária para regular as falhas decorrentes das imperfeições do mercado. Instituições devem proporcionar às pessoas bens que atendam às necessidades individuais e sociais emergentes que o mercado não pode prover. Na definição de desenvolvimento sustentável, devem estar presentes o direito, a democracia e a liberdade. Direitos humanos precisam ser tutelados, não basta a tutela do mercado, da propriedade privada e a proteção dos contratos privados, como na Era neoliberal. Não que esses valores devam ser desconsiderados, mas não podem se sobrepor à dignidade[11] da

---

[10] Sobre a importância da ação independente das agências reguladoras, não apenas em face da independência entre os Poderes, mas em virtude de sua expertise técnica, ver: SILVA, Fernando Quadros da. *Controle judicial das agências reguladoras*: aspectos doutrinários e jurisprudenciais. Porto Alegre: Verbo Jurídico, 2014.

[11] Importante observar que o princípio da dignidade da pessoa humana caminha junto com o princípio constitucional da fraternidade. Em boa hora, refere o Ministro Reynaldo Soares da Fonseca, com aguda sensibilidade

pessoa humana e relegar ao esquecimento uma perspectiva factível de desenvolvimento sustentável na sua dimensão ambiental.

Aspecto distintivo da nova teoria do desenvolvimento, em sua corrente principal, é a incorporação do social e da sustentabilidade. Outrora arredio a essa bandeira, o Banco Mundial tem liderado a prestação de assistência institucional a diversos países e proclamado a necessidade de se levar a sério o social, o estrutural e as dimensões humanas do desenvolvimento. Isso significa maior preocupação com direitos humanos, igualdade de gênero, diminuição da pobreza (com ações diretas) e acesso à justiça.[12]

Políticas públicas devem estar atentas às condições locais do mercado, ao meio ambiente e às formas das instituições internas de cada país individualmente. Mercado interno, recursos naturais, peculiaridades e padrões culturais de cada país devem ser estudados previamente à implementação de uma política pública.

Trubek e Santos, por outro lado, esperam, com razão, decisões dos juízes que avaliem as consequências dessas políticas e ponderem considerações esgrimidas à luz do contexto local,[13] numa clara inclinação no sentido da adoção pelo Poder Judiciário do pragmatismo e do consequencialismo nas decisões que envolvem o *direito e desenvolvimento*.

Transplantes de uma formalista *rule of law* de países desenvolvidos para países em desenvolvimento ou em processo de democratização, como reconhece o Banco Mundial, podem ser contraprodutivos para o desenvolvimento econômico, institucional e político, especialmente quando mecanismos informais deveriam ser mais efetivos e eficientes.[14]

No aspecto institucional, as agências de desenvolvimento começam a focar a regulação dos mercados[15] e a diminuição das desigualdades de gênero. Um dos aspectos institucionais mais relevantes dessa era é a garantia do acesso à justiça aos mais pobres, com a criação de defensorias públicas que, também, patrocinem a defesa dos direitos difusos e individuais homogêneos, entre os quais está a defesa do meio ambiente.[16]

---

jurídica e social, que "... as experiências históricas de realização da igualdade à custa da liberdade (totalitarismo) ou do sacrifício da igualdade (de oportunidades, inclusive) em nome da liberdade (sentido especialmente econômico: mercado) revelam o desastre de uma tentativa de transformação social não alicerçada na fraternidade. Na verdade, a fraternidade não exclui o direito e vice-versa, mesmo porque a fraternidade enquanto valor vem sendo proclamada por diversas Constituições modernas". FONSECA, Reynaldo Soares da. *O princípio constitucional da fraternidade*: seu resgate no sistema de justiça. Belo Horizonte: D'Plácido, 2019. p. 167.

[12] TRUBEK, David; SANTOS, Alvaro. Introduction: the Third Moment in Law and Development Theory and the Emergence of a New Critical Practice. *In*: TRUBEK, David; SANTOS, Alvaro (Ed.). The New Law and Economic Development: a Critical Appraisal. Cambridge: Cambridge University Press, 2006. p. 12.

[13] TRUBEK, David; SANTOS, Alvaro. Introduction: the Third Moment in Law and Development Theory and the Emergence of a New Critical Practice. *In*: TRUBEK, David; SANTOS, Alvaro (Ed.). The New Law and Economic Development: a Critical Appraisal. Cambridge: Cambridge University Press, 2006. p. 12.

[14] WORLD BANK. *Legal Institutions of a Global Economy Homepage*. Washington, 2015. Disponível em: http://www1.worldbank.org/publicsector/legal/index.htm. Acesso em: 30 jul. 2019.

[15] Posner afirma que o sistema bancário norte-americano tornou-se um ambiente seguro logo após sofrer regulações, depois da Grande Depressão de 1930. O sistema bancário tornou-se inseguro posteriormente em virtude do resultado do movimento de desregulação financeira que começou em 1980 e culminou em 1999 com a revogação da legislação da grande reforma bancária de 1930 (The Glass – Steagal Act), que foi sucedida por uma breve e desastrosa era de afrouxamento regulatório, complacência, negligência e inaptidão regulatória. A combinação entre baixas taxas de juros e a inadequada regulação bancária provou-se letal no caso da crise de 2008. POSNER, Richard. *The Crisis of Capitalist Democracy*. Cambridge: Harvard University Press, 2010. p. 13.

[16] No Brasil, a Defensoria Pública da União – DPU e o Ministério Público têm cumprido esse papel, que necessita ser ampliado com a melhoria de suas estruturas.

Na Terceira Era, ou Terceiro Momento,[17] ocorre a ligação entre o mercado e o social e a implementação do formalismo e do consequencialismo. Retorna-se a práticas do Estado Desenvolvimentista, mas se mantém o formalismo do Estado Neoliberal. Intervenções do Estado são necessárias para evitar falhas de mercado e para a tutela social dos mais carentes e do meio ambiente. Não se pode ignorar, todavia, que o Estado neoliberal, dentro de um formalismo clássico, é marcado pela garantia dos direitos individuais contra os abusos do Estado, entre os quais aqueles que causam a asfixia do modelo econômico. Aspectos positivos das duas primeiras eras e o corte dos seus aspectos negativos são visíveis quando se analisa a doutrina atual do *direito e desenvolvimento*.

Forma-se no seio da Terceira Era uma necessária e nova crítica aos conceitos de *direito e desenvolvimento* de outros tempos. A crítica começa como uma reação contrária à Era Neoliberal e fica focada em elementos como a exagerada desregulamentação da economia, em transplantes simples das políticas (dos países ricos para os países pobres) e em projetos de lei de desenvolvimento. Contesta-se a visão da subordinação dos direitos de igualdade aos direitos de liberdade e do crescimento econômico a qualquer custo para a suposta e rápida integração das nações em desenvolvimento numa economia global. Pensamento crítico elaborado pelos doutrinadores liderados por Trubek busca construir e incorporar as críticas feitas no passado ao *direito e desenvolvimento* e ir além disso, a fim de que sejam confrontadas as práticas e a retórica da Terceira Era.

Doutrinadores da Terceira Era demonstram uma visão clara do juiz, na sua função de julgar e apreciar políticas públicas e matérias afetas ao desenvolvimento. Para a Escola de Trubek, é puro mito a ideia de que os juízes não são legisladores, mas apenas aplicam técnicas dedutivas em suas decisões. Isso porque o Direito não é um sistema fechado, coerente e conceitualmente consistente, com respostas potenciais para todas as questões legais ou situações fáticas.[18] O Direito, em vez disso, é um sistema aberto e possui lacunas, conflitos e ambiguidades que precisam ser resolvidas pelos juízes ou por outros agentes públicos que tomam decisões quando interpretam e aplicam a lei.[19] Doutrinadores da Terceira Era lembram a discricionariedade que possuem os juízes no seu papel de formuladores do Direito, estabelecendo políticas distributivas[20] que precisam atender a padrões de sustentabilidade.

É de ser desconstruída a visão do fundamentalismo de mercado. Não obstante a retórica do Banco Mundial no sentido de dar maior atenção ao social, os projetos por ele apoiados (inclusive projetos de lei para os BRICS[21]) estão focados na elaboração de leis

---

[17] Termo utilizado pelo Professor David Trubek em: TRUBEK, David; SANTOS, Alvaro. Introduction: the Third Moment in Law and Development Theory and the Emergence of a New Critical Practice. *In:* TRUBEK, David; SANTOS, Alvaro (Ed.). *The New Law and Economic Development*: a Critical Appraisal. Cambridge: Cambridge University Press, 2006.

[18] Posner, que não é adepto da Escola de Trubek, faz análise de nove das principais teorias do comportamento judicial. As teorias seriam atitudinal, estratégica, sociológica, psicológica, econômica, organizacional, pragmática, fenomenológica e legalista. Posner refere que todas as teorias têm defeitos e méritos, mas contribuem para a teoria desenvolvida por ele em sua obra *How Judges Think*. POSNER, Richard A. *How Judges Think*. Cambridge: Harvard University Press, 2010. p. 19.

[19] Sobre hermenêutica jurídica, consultar: FREITAS, Juarez. *Interpretação sistemática do direito*. 5. ed. São Paulo: Malheiros, 2010.

[20] TRUBEK, David; SANTOS, Alvaro. Introduction: the Third Moment in Law and Development Theory and the Emergence of a New Critical Practice. *In:* TRUBEK, David; SANTOS, Alvaro (Ed.). *The New Law and Economic Development*: a Critical Appraisal. Cambridge: Cambridge University Press, 2006. p. 15.

[21] Conforme Trubek e Shapiro: "A configuração da corrida desenvolvimentista também passou a ser desafiada com a consolidação de novos países como atores emergentes. É o caso do Brasil, da Rússia, da Índia e da China.

para criar e facilitar as ações dos mercados. A noção de falha de mercado preconizada pelo Banco Mundial é estreita e tem pouca tolerância a uma participação ativa do Estado na economia via regulação.

Mudanças legislativas não devem anular o mercado, porquanto isso significaria não atender aos anseios dos tempos atuais, que são relativos ao respeito e ao incentivo à livre-iniciativa e à livre empresa.

Críticas aos mecanismos propostos em doutrina para a Terceira Era do desenvolvimento, no entanto, podem girar em torno do risco da adoção de um formalismo puro com baixa efetividade, regras impróprias e baixa legitimidade democrática, além da implantação de um formalismo transplantado dos países desenvolvidos, que ignora as peculiaridades sociais, econômicas e culturais dos países em desenvolvimento, sendo na prática rejeitado pelos cidadãos e pelas forças econômicas locais. Outra crítica que precisa ser enfrentada pelos doutrinadores da Terceira Era é sobre resquícios da eficiência exagerada, que não se traduziu em desenvolvimento nos aspectos humano e ambiental quando implementada no período neoliberal.

Preocupação presente na Terceira Era do desenvolvimento é restabelecer a justiça distributiva na agenda do desenvolvimento, esquecida na Segunda Era. A superação do mito da neutralidade distributiva, sob a ótica do Direito Privado, demonstra ser um dos desafios para a elaboração de uma doutrina e uma prática do direito ao desenvolvimento sustentável.

Atual desafio é encontrar uma alternativa de desenvolvimento dentro de uma ordem econômica cujos alicerces estão tradicionalmente calcados na hegemonia exercida pelos conglomerados financeiros que atuam irmanados com a classe política dirigente das nações. Não se pode ignorar que o Banco Mundial exerce um papel de financiador de legislações que criam políticas públicas de desenvolvimento e que a Organização Mundial de Comércio (OMC) tem uma importância política fundamental na discussão acerca de tais políticas.

O Banco Mundial financiou 330 projetos de lei nos países em desenvolvimento ao custo de 2,9 bilhões de dólares desde 1990. É o que se chama de assistência às reformas na legislação dos países em desenvolvimento.[22] Investimentos do Banco Mundial que incentivaram, na década de 1990, projetos de leis neoliberais nos países em desenvolvimento, agora se voltam, em tese, para projetos na área social e ambiental, com objetivos altruístas. A proteção dos direitos humanos, a proteção do meio ambiente e o fortalecimento da democracia são finalidades independentes eleitas pelas nações em desenvolvimento e incentivadas pelo Banco.

A África já está entre esses países, inclusive faz parte do BRICS (a letra S representa South África – África do Sul). A recente trajetória bem-sucedida desses países, seguindo arranjos institucionais menos convencionais do que apostavam as agências internacionais de promoção do desenvolvimento, é o ponto de partida para uma série de investigações e questionamentos. SHAPIRO, Mário; TRUBEK, David. Redescobrindo o direito e desenvolvimento: experimentalismo, pragmatismo democrático e diálogo horizontal. In: TRUBEK, David; SHAPIRO, Mario (Org.). *Direito e desenvolvimento*: um diálogo entre os BRICS. São Paulo: Saraiva, 2012. p. 150-180. Ver também: MARTINUSSEN, John. State, market & society: a guide to competing theories of development. London; New York: Zed Books, 1997.p. 27-28.

[22] TRUBEK, David. The Rule of Law in Development Assistance: Past, Present, and Future. *In:* TRUBEK, David; SANTOS, Álvaro (Ed.). *The New Law and Economic Development*: a Critical Appraisal. Cambridge: Cambridge University Press, 2006. p. 74.

Projetos de lei que têm como finalidade a ampliação do acesso à justiça estão sendo elaborados. São exemplos desses esforços a busca de mecanismos de resolução de conflitos, como as composições judiciais, o eficiente gerenciamento de processos, os esforços para se conferir eficácia às decisões judiciais, o acesso dos mais pobres ao Poder Judiciário e a promoção da independência da magistratura.

Existe o reconhecimento das falhas nos transplantes legislativos e dos métodos de cima para baixo (das nações desenvolvidas para as nações em desenvolvimento, ou de desenvolvimento tardio); a rejeição da abordagem *one-size-fits-all*; a ênfase sobre a necessidade de projetos específicos de desenvolvimento baseados em consultas de todas as partes interessadas; a conscientização de que as reformas legais exigem um horizonte de longo prazo e não podem ser realizadas rapidamente; o reconhecimento da *rule of law* para os segmentos mais pobres da população; o apoio aos projetos que tratam de direitos trabalhistas, direitos das mulheres e proteção ambiental; e a necessidade de se implementar projetos de garantia de acesso ao Poder Judiciário como uma dimensão explícita dos projetos de reformas judiciais.[23]

Trubek enfatiza a importância da *rule of law*, ao tempo em que entende que existe uma abertura para a introdução de novas ideias de desenvolvimento. Observa o presente como um ponto de virada, um momento no qual é possível ir além da crítica da ortodoxia para a reconstrução de uma teoria do desenvolvimento. Defende que intelectuais progressistas deveriam engajar-se construtivamente na construção da *rule of law*. Apoia valores como a tutela da dignidade humana,[24] da igualdade e da justiça social. Reconhece que na atualidade existem sistemas judiciais que não incorporaram necessariamente tais valores, e alguns deles, ao contrário, podem negá-los em algum grau. Assevera que as atuais instituições legais são arenas nas quais se pode lutar por cada valor por meios não violentos. Sugere que a luta por metas progressistas, com algum esforço, pode criar a *rule of law*. Esse fato aumenta a possibilidade de os projetos de desenvolvimento serem moldados para servir a toda a população, e não apenas a uma elite econômica.[25] Esta perspectiva serve ao direito fundamental ao desenvolvimento sustentável aqui proposto.

A doutrina de Trubek tem como pontos positivos a acurada análise crítica e cronológica das estruturas do *direito e desenvolvimento*, nas últimas décadas, focadas em um grupo de países do qual o Brasil faz parte. Outro ponto relevante do seu pensamento é o pragmatismo de suas ideias, que insere na Terceira Era do *direito e desenvolvimento*,

---

[23] TRUBEK, David. The Rule of Law in Development Assistance: Past, Present, and Future. *In*: TRUBEK, David; SANTOS, Álvaro (Ed.). *The New Law and Economic Development*: a Critical Appraisal. Cambridge: Cambridge University Press, 2006. p. 92.

[24] Refere com precisão o Ministro Luís Roberto Barroso que o princípio da dignidade humana possui a sua dimensão nuclear "na máxima kantiana segundo a qual cada indivíduo deve ser tratado como um fim em si mesmo. Essa máxima, de corte antiutilitarista, pretende evitar que o ser humano seja reduzido à condição de meio para a realização de metas coletivas ou de outras metas individuais. Assim, se determinada política representa a concretização de importante meta coletiva (como a garantia da segurança pública ou da saúde pública, por exemplo), mas implica a violação da dignidade humana de uma só pessoa, tal política deve ser preterida, como há muito reconhecem os publicistas comprometidos com o Estado de Direito". BARROSO, Luís Roberto. *Curso de direito constitucional*. 4. ed. São Paulo: Saraiva, 2013. p. 95.

[25] TRUBEK, David. The Rule of Law in Development Assistance: Past, Present, and Future. *In*: TRUBEK, David; SANTOS, Álvaro (Ed.). *The New Law and Economic Development*: a Critical Appraisal. Cambridge: Cambridge University Press, 2006. p. 94.

sem qualquer preconceito ou *viés*, aspectos positivos de políticas de desenvolvimento intervencionistas, sem a violação de valores como a propriedade privada, contratos e a livre-iniciativa, que foram marcas da Era Neoliberal. Igualmente, as críticas de Trubek, que desconstroem o *direito e desenvolvimento* na Era do Estado Desenvolvimentista e do Estado Neoliberal, são relevantes para a formulação da definição do direito fundamental ao desenvolvimento sustentável. Soluções para a Terceira Era, nesse cenário, abarcam políticas redistributivas, mas precisam ser complementadas e podem ser justificadas pela base teórica constante na obra de Rawls sobre o liberalismo político.

4 Desenvolvimento e o liberalismo político na concepção de John Rawls

Rawls é um neocontratualista[26] que sofreu forte influência de Kant;[27] contudo, não ignorou as críticas feitas por Hegel[28] à obra do filósofo de Königsberg. Duro crítico do utilitarismo,[29] expôs uma Teoria da Justiça que até hoje é objeto de duras críticas de utilitaristas, comunitaristas e, também, liberais e dos próprios neocontratualistas. A crítica de Rawls ao utilitarismo serve para justificar em parte os pilares humanos e de respeito ao ambiente que devem estar presentes em um conceito de direito fundamental

---

[26] Segundo Rodilla, no prefácio da edição em espanhol de *Justiça e Equidade*: "Contra el modo de pensar del utilitarismo, dominante en la filosofía moral y política anglosajona, Rawls invoca la tradición del contrato social, interrumpida desde comienzos del siglo pasado no en último término a consecuencia de los embates del utilitarismo". (RAWLS, John. *Justicia como Equidad*. 2. ed. Madrid: Tecnos, 2002. p. 26). Prossegue Miguel Angel Rodilla: "En contraste com Nozick y Buchanan, Rawls adopta el enfoque contractualista precisamente para fundamentar principios substantivos de justicia social destinados a determinar la forma correcta de articular las instituciones sociales. Por ello tiene que aplicar las nociones de consenso y justificación procedimental en sentido marcadamente diferente. A diferencia de Buchanan [y en este punto también del utilitarismo], Rawls quiere establecer una teoría de la justicia que dé cuenta, en primer lugar, de las fuertes exigencias implícitas en una institución moral asociada a la idea de justicia, a saber: que cada persona posee una inviolabilidad fundada en la justicia y por encima de la cual no siquiera el bienestar de la sociedad justa las libertades de igual ciudadanía se dan por sentadas; los derechos asegurados por justicia no están sujetos a negociación política ni al cálculo de intereses sociales". RAWLS, John. *Justicia como Equidad*. 2. ed. Madrid: Tecnos, 2002. p. 32.

[27] Como afirma Weber, Kant, como "legítimo filho do Iluminismo, aposta na autonomia da razão e na maioridade do homem. Encontra no uso público da razão a defesa incondicional da liberdade". WEBER, Thadeu. *Ética e filosofia política: Hegel e o formalismo kantiano*. 2. ed. Porto Alegre: Edipucrs, 2009. p. 15.

[28] Segundo Weber: "As objeções de Hegel, no que se refere à moral kantiana, concentram-se, em grande parte, no aspecto formal do imperativo categórico [...] Para Hegel, a regra prática é resultado da mediação das vontades livres, o que inclui a sua concretização e realização objetiva nas instituições sociais. Esse segundo passo (desdobramento objetivo das vontades) é o campo da eticidade, passo esse não dado por Kant.
Se a preocupação principal de Kant é estabelecer o princípio do agir, a de Hegel, na moralidade, é determinar as condições de responsabilidade subjetiva e, na eticidade, mostrar o desdobramento objetivo das vontades livres. O primeiro está mais preocupado com os princípios do agir; o segundo mais com os desdobramentos, circunstâncias e consequências do mesmo". (WEBER, Thadeu. *Ética e filosofia política: Hegel e o formalismo kantiano*. 2. ed. Porto Alegre: Edipucrs, 2009. p. 115). Weber ressalta a importância da complementaridade da obra de Kant e Hegel: o primeiro (Kant) pretende a busca e a fixação do princípio supremo da moralidade, considerando para isso apenas o seu aspecto formal; o segundo (Hegel) está preocupado em mostrar o desdobramento e a concretização objetiva da ideia da liberdade nas instituições sociais, ou seja, está mais interessado em mostrar as determinações e as repercussões das ações humanas. Um está mais preocupado com as intenções dos sujeitos agentes, o outro com os resultados e as consequências. Relevante é demonstrar a complementaridade no que se refere a uma avaliação global dos atos humanos. WEBER, Thadeu. *Ética e filosofia política: Hegel e o formalismo kantiano*. 2. ed. Porto Alegre: Edipucrs, 2009. p. 87-88.

[29] Para Mill, a crença que aceita como fundamento da moral a utilidade, ou o Princípio da Máxima Felicidade, sustenta que as ações são corretas quando tendem a promover a felicidade e erradas quando tendem a produzir o contrário da felicidade. Por felicidade, entende-se o prazer, a ausência de dor; por infelicidade, a dor, a privação de prazer. Ver: MILL, John Stuart. *Utilitarianism*. London: Longmans, Green, and Co., 1879. p. 21.

ao desenvolvimento sustentável que não se satisfaça com o mero crescimento econômico ou com justificações de eficiência.

Rawls critica o utilitarismo e discorda da máxima, já utilizada em políticas públicas de desenvolvimento, de beneficiar o maior número de pessoas (saldo médio), nem que para isso outra parcela significativa da sociedade (hipossuficientes) seja prejudicada, por exemplo, na distribuição de bens essenciais. O raciocínio utilitário ignora os fatores antrópicos causadores dos extremos climáticos. A busca pela maximização dos lucros e pelo prazer desvinculada de princípios morais e do homem ético não serve para sua Teoria da Justiça,[30] nem para o conceito de desenvolvimento sustentável aqui proposto. Deve haver uma precedência do justo sobre o bem, e os princípios de justiça devem ser eleitos entre doutrinas morais razoáveis e abrangentes. Na busca por essa finalidade, defende-se a implementação de um procedimento justo que proporcione um resultado justo e sustentável para todos.

Os princípios defendidos por Rawls são de natureza política, e não princípios morais[31] *a priori*,[32] como os defendidos por Kant.[33] Na obra de sua maturidade intelectual, *Liberalismo Político*, formula princípios de justiça fundamentais:

---

[30] É árdua a formulação de uma Teoria da Justiça. Perelman é feliz ao catalogar as seis concepções mais correntes de justiça. São elas: 1. a cada qual a mesma coisa; 2. a cada qual segundo os seus méritos; 3. a cada qual segundo suas obras; 4.a cada qual segundo suas necessidades; 5. a cada qual segundo sua posição; 6. a cada qual segundo o que a lei lhe atribui. Para Perelman, as concepções de justiça têm, contudo, ao menos um ponto em comum: a mesma concepção de justiça formal. A justiça formal não prejulga os juízos de valor e o seu caráter racional posto em evidência. Ela é conciliável com as mais diferentes filosofias e legislações, revelando como se pode ser justo concedendo a todos os homens os mesmos direitos e concedendo direitos diferentes a diferentes categorias de homens. A justiça formal, ao contrário da justiça concreta, não introduz as desvantagens do uso de fórmulas. Para a justiça formal, os cidadãos da mesma categoria devem ser tratados da mesma maneira. Quando aparecem antinomias de fórmulas de justiça, e quando a aplicação da fórmula eleita força transgredir a justiça formal, Perelman sugere o recurso à equidade (como uma muleta de justiça). A decisão com base na equidade tende a diminuir a desigualdade quando o estabelecimento de uma igualdade perfeita, de uma justiça formal, é tornado impossível pelo fato de se levar em conta, simultaneamente, duas ou várias características essenciais que vêm entrar em choque em certos casos de aplicação. PERELMAN, Chaim. Ética e direito. 2. ed. São Paulo: Martins Fontes, 2005. p. 37-41.

[31] Bobbio, no seu Direito e Estado no Pensamento de Emmanuel Kant, refere que "o primeiro critério de distinção entre moralidade e legalidade é que existe moralidade quando a ação é cumprida por dever; tem-se, ao invés, a pura e simples legalidade, quando a ação é cumprida em conformidade ao dever, mas segundo alguma inclinação ou algum interesse diferente do puro respeito ao dever. Em outras palavras, a legislação moral é aquela que não admite que uma ação possa ser cumprida segundo inclinação ou interesse; a legislação jurídica, ao contrário, é a que aceita simplesmente a conformidade da ação à lei e não se interessa pelas inclinações ou pelos interesses que a determinaram. Finalmente, quando eu atuo de determinada maneira porque esse é o meu dever, cumpro uma ação moral; por outro lado, quando atuo de determinada maneira para conformar-me à lei, mas ao mesmo tempo porque é do meu interesse ou corresponde à minha inclinação, tal ação não é moral, mas somente legal. Com as palavras de Kant: 'A legislação que erige uma ação como dever, e o dever ao mesmo tempo como impulso, é moral. Aquela, pelo contrário, que não compreende esta última condição na lei, e que, consequentemente, admite também um impulso diferente da ideia do próprio dever, é jurídica'". BOBBIO, Norberto. *Diritto e Stato nel Pensiero di Emmanuelle Kant*. Torino: Giappochelli, 1969. p. 54-55.

[32] Para Kant: "Os direitos, como doutrinas sistemáticas, são divididos em direito natural, o qual se apoia somente em princípios a priori, e direito positivo (estatutário), o qual provém da vontade de um legislador. A divisão superior dos direitos, como faculdades (morais) de submeter outrem a obrigações (isto é, como base legal, *titulum* para fazê-lo), é a divisão em direito inato e adquirido. Um direito inato é aquele que pertence a todos por natureza, independentemente de qualquer ato que estabelecesse um direito. Um direito adquirido é aquele para o qual se requer tal ato. O que é inatamente meu ou teu também pode ser qualificado como o que é internamente meu ou teu (*meum vel tuum internum*), pois o que é externamente meu ou teu tem sempre que ser adquirido". KANT, Immanuel. *A metafísica dos costumes*. São Paulo: Folha de São Paulo, 2010. p. 58.

[33] Para Kant: "Em contraste com as leis da natureza, essas leis da liberdade são denominadas leis morais. Enquanto dirigidas meramente a ações externas e à sua conformidade à lei, são chamadas de leis jurídicas; porém, se

a) cada pessoa tem um direito igual a um sistema plenamente adequado de direitos e liberdades iguais, sistema esse que deve ser compatível com um sistema similar para todos. E, nesse sistema, as liberdades políticas, e somente essas liberdades, devem ter seu valor equitativo garantido;
b) as desigualdades sociais e econômicas devem satisfazer duas exigências: em primeiro lugar, devem estar vinculadas a posições e cargos abertos a todos em condições de igualdade equitativa de oportunidades; em segundo lugar, devem se estabelecer para o maior benefício possível dos membros menos privilegiados da sociedade.[34]

O primeiro princípio tem prioridade sobre o princípio da diferença. Ou seja, os direitos e as liberdades políticas, nos quais se incluem os direitos fundamentais, têm preponderância sobre todo e qualquer outro princípio. O segundo princípio (diferença) está subordinado tanto ao princípio de justiça (que garante as liberdades básicas iguais) como ao princípio da liberdade equitativa (igualitária e justa) de oportunidades.

Na sociedade bem ordenada, a instituição mais importante é a Constituição Política, a partir da qual se buscam consensos políticos entre as pessoas. É mais fácil obtê-los que consensos morais buscados em doutrinas abrangentes. Direitos fundamentais, como o direito fundamental ao desenvolvimento sustentável, por sua vez, são uma conquista histórica da humanidade e estão previstos em Constituições escritas e não escritas.

Do princípio da diferença, extrai-se uma ideia de justiça distributiva, de que a desigualdade é admitida desde que estabeleça um maior benefício possível para os setores hipossuficientes da sociedade aos quais se pode acrescentar o meio ambiente. O princípio da diferença deve ser associado aos princípios prioritários citados e deve ser aplicado nas instituições de fundo em que os dois primeiros são satisfeitos. O princípio da diferença parte da premissa de que a cooperação social é sempre produtiva, isto é, sem cooperação social nada é produzido e, consequentemente, distribuído. Rawls, em sua explanação acerca da justiça distributiva, concebe a cooperação conforme segue:

> Um esquema de cooperação concebe-se em grande medida pela maneira como suas regras públicas organizam a atividade produtiva, determinam a divisão de trabalho, atribuem funções variadas aos que dela participam e assim por diante. Esses esquemas incluem planos de ganhos e salários a serem pagos em função da produção. A diferenciação de ganhos e salários leva a um incremento de produção porque, ao longo do tempo, a maior remuneração aos mais favorecidos serve, entre outras coisas, para cobrir os custos de treinamento e educação, para marcar postos de responsabilidade e estimular as pessoas a ocupá-los, e como incentivo.[35]

O princípio da diferença não exige crescimento econômico de geração após geração para maximizar, para cima e infinitamente, como no utilitarismo, as expectativas (de renda e poupança) dos mais pobres. Outro ponto a ser destacado é que o princípio da

---

adicionalmente requererem que elas próprias (as leis) sejam os fundamentos determinantes das ações, são leis éticas e, então, diz-se que a conformidade com as leis jurídicas é a legalidade de uma ação e a conformidade com as leis éticas é sua moralidade". KANT, Immanuel. *A metafísica dos costumes*. São Paulo: Folha de São Paulo, 2010. p. 43.

[34] RAWLS, John. *Political Liberalism*. New York: Columbia University Press, 2005. p. 6.
[35] RAWLS, John. *Political Liberalism*. New York: Columbia University Press, 2005. p. 89.

diferença impõe que as desigualdades (de renda e riqueza), por mais que os indivíduos queiram lucrar com maior parte da produção, devem sempre beneficiar os menos favorecidos. As desigualdades devem beneficiar tanto "os outros" como a "nós mesmos". Importante referir que as pessoas em uma sociedade bem-ordenada escolhem livremente qual trabalho exercerão e qual intensidade de empenho nele empregarão. Daí que a visão de sociedade tem aplicação apenas em regimes democráticos.

Por meio desse princípio, é possível identificar os menos favorecidos como aqueles que usufruem em comum com os demais cidadãos das liberdades básicas iguais e das oportunidades equitativas, mas que, a despeito disso, têm pior renda e riqueza. São utilizadas a renda e a riqueza, portanto, para identificar os menos favorecidos. Grifa-se que a dimensão da inclusão social do direito fundamental ao desenvolvimento sustentável pode ser fortalecida com a implementação deste princípio.

5 Desenvolvimento e justiça distributiva

Os problemas da justiça distributiva formulada por Rawls são, principalmente, dois:

a) como ordenar as instituições da estrutura básica num esquema unificado de instituições para que um sistema de cooperação social equitativo, eficiente e produtivo possa se manter no transcurso do tempo, de uma geração para outra;

b) comparar o primeiro problema com o de distribuir ou alocar um determinado conjunto de produtos entre diferentes indivíduos cujos desejos e cujas necessidades e preferências particulares são conhecidas e que não cooperaram de modo algum para produzir esses produtos (problema da justiça alocativa).[36]

No que concerne ao primeiro problema, não existe critério para uma distribuição justa fora das instituições de fundo e das titularidades que emanam do funcionamento de um procedimento justo, instituições de fundo que dão o contexto para uma cooperação equitativa no interior da qual surgem as titularidades.[37]

O princípio da diferença, que é um dos fundamentos da justiça distributiva, está inserido em um sistema público de normas. Não é dado ao cidadão ignorar normas inseridas em um sistema legislativo público e cogente. Em específico, ele não pode afirmar que desconhece as normas de tributação que servem para a distribuição da riqueza. Os efeitos dessas normas são previstos, e sempre que os cidadãos elaboram seus planos devem levá-los em conta de antemão. Está implícito que, quando participam da cooperação social, sua propriedade e sua riqueza estão sujeitas aos tributos que são sabidamente impostos pelas instituições de fundo. Ademais, o princípio da diferença (bem como o primeiro princípio e a primeira parte do segundo princípio) respeita as expectativas legítimas baseadas nas normas publicamente reconhecidas e as titularidades adquiridas pelos indivíduos. Normas das instituições de fundo impostas pelos dois princípios de justiça (incluindo o princípio da diferença) destinam-se a alcançar as metas e as aspirações da cooperação social equitativa ao longo do tempo.[38]

---

[36] RAWLS, John. *Justice as Fairness*: a Restatement. Cambridge: Harvard University Press, 2001. p. 71.
[37] RAWLS, John. *Justice as Fairness*: a Restatement. Cambridge: Harvard University Press, 2001. p. 72-73.
[38] RAWLS, John. *Justice as Fairness*: a Restatement. Cambridge: Harvard University Press, 2001. p. 74.

Embora existam normas de justiça de fundo, a justiça distributiva é uma justiça procedimental pura. Preservar as condições de fundo equitativas é função das normas da justiça procedimental que atua em um cenário em que as riquezas, as propriedades e os ativos financeiros têm a propensão de se acumularem nas mãos de poucos indivíduos. Essa concentração de riquezas "mina a igualdade equitativa de oportunidades, o valor equitativo das liberdades políticas e assim por diante".[39] A estrutura básica deve ser regulada ao longo do tempo, visto que distribuições iniciais justas de ativos não garantem a justiça nas distribuições posteriores.[40] Preocupação, aliás, que vem ao encontro da perspectiva intergeracional: garantir às futuras gerações o direito de viverem em um meio ambiente protegido de eventos climáticos causados por fatores antrópicos e que tenham à disposição recursos naturais renováveis e não renováveis abundantes e em condições de uso.

A *Justiça como Equidade* é um exemplo de processo ideal marcado por transações e acordos entre indivíduos e associações, integrados em uma estrutura básica justa. Está focada na estrutura básica e nas regulamentações necessárias para manter a justiça para todas as pessoas e todas as gerações, independentemente de posição social. Nessa concepção pública de justiça, as regras são simples, claras e estão apoiadas em uma divisão institucional do trabalho. Depois de firmada a divisão de trabalho, indivíduos e associações podem promover livremente os seus objetivos permitidos no âmbito da estrutura básica, sabedores de que em todo sistema social as regulamentações para preservar a justiça de fundo estão em vigor.

Nessa obra são abordadas a desigualdade[41] dos cidadãos – incompatível com o pilar da inclusão social que sustenta o direito fundamental ao desenvolvimento sustentável – e as suas perspectivas medidas por bens primários (e por sua insuficiência). Tais perspectivas são afetadas por três tipos de contingências:

> a) sua classe social de origem: a classe em que nasceram e se desenvolveram antes de atingir a maturidade;
> b) seus talentos naturais (em contraposição a seus talentos adquiridos) e as oportunidades que têm de desenvolver esses talentos em função de sua classe social de origem;
> c) sua boa ou má sorte ao longo da vida (como são afetados pela doença ou por acidente e, digamos, por períodos de desemprego involuntário e declínio econômico regional).[42]

Absorvendo a crítica de Hegel a Kant, Rawls refere que, mesmo numa sociedade bem-ordenada, as perspectivas de vida são profundamente afetadas por "[...] contingências sociais, naturais e fortuitas, e pela maneira como a estrutura básica, pela forma

---

[39] RAWLS, John. *Justice as Fairness*: a Restatement. Cambridge: Harvard University Press, 2001. p. 75.
[40] RAWLS, John. *Justice as Fairness*: a Restatement. Cambridge: Harvard University Press, 2001. p. 75.
[41] De acordo com Atkinson, um conjunto abrangente de políticas públicas poderia promover a distribuição de renda e combater a desigualdade. Segundo o autor o problema não é os ricos estarem ficando cada vez mais ricos, mas os Estados e a sociedade não estarem sendo bem-sucedidos em combater a pobreza. Para reduzir a desigualdade, sugere políticas ambiciosas em cinco áreas: tecnologia, emprego, segurança social, distribuição de capitais e tributação. Ver: ATKINSON, Anthony. *Inequality*. What can be done? Cambridge: President and Fellows of Harvard College, 2015.
[42] RAWLS, John. *Justice as Fairness*: a Restatement. Cambridge: Harvard University Press, 2001. p. 78.

como dispõe as desigualdades, usa essas contingências para cumprir certas metas sociais".[43]

Instituições devem promover a educação dos seus cidadãos dentro de uma sociedade bem-ordenada a fim de que os cidadãos possam reconhecer uns aos outros como livres e iguais, com uma concepção de si mesmos. A tarefa da educação é "uma função ampla de uma concepção política".[44] A educação estimula as atitudes de otimismo e confiança no futuro e o sentimento de o cidadão ser tratado equitativamente. A estrutura básica da sociedade deve ser o objeto primário, compreendidas instituições sociais integradas por seres humanos que nela estão aptos a desenvolver faculdades morais e tornarem-se membros cooperativos de uma sociedade como cidadãos livres e iguais.

Impostos sobre a herança e sobre as rendas com alíquotas progressivas (quando necessário), assim como a definição legal dos direitos de propriedade, devem assegurar as instituições de liberdade igual em uma democracia de propriedade privada, bem como o valor equitativo dos direitos estabelecidos.[45]

As pessoas em uma sociedade bem-ordenada devem concordar com um princípio de poupança que assegure que cada geração receba a sua parte das gerações anteriores – dentro de uma perspectiva intergeracional – e garanta poupança para as gerações que virão posteriormente. Trocas que podem advir entre as gerações são ajustes compensatórios que podem ser feitos na posição original. As pessoas não devem perder de vista o objetivo de acumulação, que é uma condição essencial para a construção de uma base material suficiente, desde que as instituições sejam justas e as liberdades básicas sejam respeitadas.

Nesse sentido, nenhuma geração pode apontar defeitos, descuidos ou equívocos das gerações precedentes. O governo não pode ignorar os cidadãos quanto à observância do montante da poupança sem violar o próprio regime democrático, porquanto deve obediência à vontade pública expressa pela legislação e pelas políticas sociais que devem ser implantadas com alto grau de governança.

6 Contribuição das ideias de John Rawls para os desafios da Terceira Era do Desenvolvimento (sustentável)

Não há dúvida de que a Teoria da Justiça proposta por Rawls e, em específico, o princípio da diferença por ele formulado são fundamentais para a justificação e a implementação de uma justiça distributiva necessária na Terceira Era do desenvolvimento.

Trubek enfatiza que existe a necessidade de uma intervenção direta do Estado nas políticas públicas na área da saúde, da educação, na defesa dos direitos humanos, no acesso à justiça e na proteção de bens ambientais. Tal visão é coerente com a constatação de que o desenvolvimento baseado na supremacia do mercado demonstrou ser ineficaz para o provimento dessas necessidades e, portanto, insustentável.

---

[43] RAWLS, John. *Justice as Fairness*: a Restatement. Cambridge: Harvard University Press, 2001. p. 78.
[44] RAWLS, John. *Justice as Fairness*: a Restatement. Cambridge: Harvard University Press, 2001. p. 79.
[45] RAWLS, John. *A Theory of Justice*. Cambridge: Harvard University Press, 1971. p. 308.

Intervenções pontuais podem ser viabilizadas com a aplicação do princípio da diferença preconizado por Rawls. Para se viabilizar políticas de distribuição, mecanismos como a tributação com alíquotas progressivas e o tratamento desigual dos indivíduos desiguais, para a busca da justiça, se fazem essenciais na definição do direito fundamental ao desenvolvimento sustentável aqui proposto. É de se observar que o princípio da diferença dispõe que as desigualdades sociais e econômicas devem satisfazer duas exigências:

a) a primeira exigência do princípio da diferença é que as posições e os cargos estejam abertos a todos em condições de igualdade equitativa de oportunidades;

b) a segunda exigência é que deve ser estabelecido o maior benefício possível para os membros menos privilegiados da sociedade.

Quando Trubek prega uma *rule of law*[46] que permita o acesso dos pobres à justiça, a proteção dos direitos humanos, a saúde universal e a educação pública às expensas do Estado, está defendendo algo em conformidade com o princípio da diferença idealizado por Rawls, que visa trazer o maior benefício aos menos privilegiados. Recursos arrecadados com os tributos deverão ser distribuídos em um volume maior para a construção de escolas, o combate à fome, o tratamento integral de saúde, a assistência social e a previdência, beneficiando, assim, diretamente os setores hipossuficientes da sociedade. A tributação, nesse caso, deverá dar-se de modo progressivo junto ao topo da pirâmide social (mais ricos). A receita também pode ser utilizada para o subsídio da energia renovável a fim de cumprir os objetivos traçados na COP 21 em Paris e para evitar eventos climáticos extremos causados por fatores antrópicos.

Para Rawls e Trubek, a livre-iniciativa deve ser respeitada e incentivada, desde que regulada para que excessos e falhas de mercado não acabem por violar o princípio da diferença. Tal princípio pode ser aplicado na Terceira Era preconizada por Trubek para, a partir da adoção de cotas raciais ou sociais, por exemplo, garantir acesso à educação aos setores discriminados da sociedade, como negros, índios, transgêneros e, quem sabe, refugiados políticos e ambientais. Deve ser observada a proteção da mulher, que historicamente sofre discriminação com menos liberdade política, menor grau de instrução, salários mais baixos e menores oportunidades de emprego em relação às fornecidas aos homens. Políticas públicas na Terceira Era podem valer-se do princípio da diferença, por algum período (transitoriedade da medida), para desfazer injustiças históricas e promover a dimensão da inclusão social do direito fundamental ao desenvolvimento sustentável.

---

[46] Stiglitz questiona, no capítulo 7 de The Price of Inequality, o conceito norte-americano de justiça para todos. De acordo com o autor, apenas 1% dos norte-americanos usufruem da *rule of law* em detrimento dos outros 99%. A mobilidade social fica inviabilizada e comprometida. Assim ele analisa, também, os modos pelos quais a desigualdade está corroendo a *rule of law* (o Estado de Direito). Stiglitz refere que a necessidade de uma *rule of law* forte é amplamente aceita, mas é necessário definir que tipos de regras existem e como são aplicadas. Em um sistema de leis e regulamentações que regem uma economia e uma determinada sociedade, existem vantagens e desvantagens. Algumas leis e alguns regulamentos favorecem um grupo específico, outras favorecem outros. As leis e as regulamentações, e como elas são implementadas e cumpridas, refletem mais os interesses das pessoas do estrato mais alto da sociedade que os das pessoas dos setores médios e inferiores. A desigualdade crescente, combinada com um sistema falho de financiamento de campanhas, enseja o risco de tornar o sistema legal dos EUA uma justiça apenas de aparência. Alguns ainda podem chamar de *rule of law*, mas hoje nos EUA a orgulhosa pretensão da justiça para todos está sendo substituída pela pretensão mais modesta de justiça para aqueles que possam pagar por ela, e o número dos que podem pagar está diminuindo rapidamente. STIGLITZ, Joseph E. *The Price of Inequality*. London: Penguin Books, 2013. p. 206.

No mesmo sentido, um regime de escola pública, com pré-escola, ensino fundamental, médio e, ainda, superior, deve ser financiado pelo Estado – cumpridas determinadas exigências pelos beneficiários –, com a finalidade de atender à população de mais baixa renda que precisa ser resgatada do *apartheid social*. Com base no princípio da diferença, é justo que o Estado invista mais recursos em pessoas que vivem nas camadas mais pobres da população.

No Brasil, por exemplo, recursos do governo financiaram e ainda financiam, em certa medida, cursos superiores para os mais ricos nas universidades federais em detrimento dos mais pobres. Sem regras de cotas, os alunos ricos, que estudaram em escolas particulares por toda uma vida, são aprovados nos concursos vestibulares e podem cursar gratuitamente universidades públicas. Os pobres, que estudaram – e continuam estudando – em escolas públicas precárias, devido à reforma do ensino no período ditatorial (1964-1985), são, em geral, reprovados sistematicamente nos vestibulares das universidades públicas. Por gerações, consequentemente, o Estado brasileiro financiou o estudo do ensino superior da população mais rica e excluiu a camada social hipossuficiente da universidade pública. Isso foi um obstáculo e, em certa medida, ainda é para a mobilidade social e o acesso igualitário à educação. Essa política de igualdade formal (não substancial) no concurso vestibular nada mais fez do que aprofundar dramaticamente a desigualdade econômica e social preexistente. O resgate de tal injustiça pode ser implementado com a aplicação do princípio da diferença de Rawls.

Não há dúvida de que a doutrina de Trubek caminha no sentido da busca do desenvolvimento humano, mais próxima da valorização do IDH que do PIB como índices de avaliação do desenvolvimento. Conceitos de bens essenciais de Rawls – em especial o de mínimo social – têm grande valia quando se apreciam políticas na atual Era do Desenvolvimento. Índices de mensuração de desenvolvimento que consideram nível de educação, qualidade na saúde, distribuição de renda, assistência social e previdência devem ser levados em conta juntamente com a produção e a renda nacional quando se elaboram políticas públicas. Quando Rawls refere-se aos bens primários e divide-os em cinco categorias, observa-se que renda e riqueza são apenas categorias de bens, mas as demais também precisam ser consideradas. O mínimo social de Rawls pode ser relacionado perfeitamente com a quantidade de bens essenciais que deve possuir o cidadão em qualquer nação do mundo, em especial nos países em desenvolvimento, que são objeto permanente da análise de Trubek.

Por outro lado, observa-se que Rawls parte do pressuposto de que a sociedade bem-ordenada deve essencialmente estar inserida em um regime democrático. Democracia é uma *conditio sine qua non*. No mesmo sentido, Trubek atribui os fracassos ocorridos nas políticas públicas adotadas no passado à falta de democracia, à opacidade e à corrupção em nações em desenvolvimento. Critica, também, a falta de discussão (e democracia) na implantação de políticas públicas e o simples transplante de tais políticas de países ricos para países pobres sob a abordagem *one-size-fits-all*, a qual ignora realidades locais. Essa crítica também pode ser complementada por Rawls, quando defende o acesso à informação, a participação popular, a publicidade e a transparência como integrantes do conceito de democracia. Modelos de desenvolvimento baseados no *one-size-fits-all* necessariamente não se encaixam no conceito de sociedade bem-ordenada de Rawls e, desde já, são rechaçados na presente obra.

A democracia e a garantia dos direitos fundamentais e das liberdades políticas básicas (liberdade de consciência, associação e expressão) são essenciais para a formulação de um conceito satisfatório de direito fundamental ao desenvolvimento sustentável. Regimes ditatoriais, marcados pelo desrespeito aos direitos humanos e violadores das liberdades básicas são contraproducentes ao desenvolvimento econômico e à inclusão social em médio e longo prazo.

A imprescindibilidade da poupança pública e da responsabilidade para com as futuras gerações de Rawls serve perfeitamente à implementação de uma política de desenvolvimento na concepção de Trubek. Conceitos de Rawls e Trubek são compatíveis com a responsabilidade das gerações atuais no que se refere às futuras no aspecto da sustentabilidade, da proteção ao meio ambiente e dos direitos individuais homogêneos e difusos. A imputabilidade administrativa, civil e penal daqueles que violam os bens ambientais é convergente com o exposto por ambos, sendo um instrumento importante para a promoção do desenvolvimento sustentável.

O conceito de *direito e desenvolvimento* de Trubek está focado em sociedades em desenvolvimento. Nações desenvolvidas ficaram de fora dessa análise. Rawls, por exemplo, quando se refere à sociedade bem-ordenada, é inequívoco ao afirmar que nela se entra pelo nascimento e se sai pela morte. Embora em *Direito dos Povos* pretenda justificar a sua teoria e compatibilizá-la com o direito internacional, levando em consideração as outras nações, foi e é duramente criticado por tal postura. Trubek, por seu turno, enfatiza o direito ao desenvolvimento das nações em desenvolvimento e de desenvolvimento tardio; não enfrenta, todavia, com maior vigor as crises do capitalismo global e as falhas de mercado que atingem todas as nações do globo que estão interligadas fundamentalmente.

Críticas que podem ser feitas à obra de Rawls, como excessivamente abstrata e focada em uma sociedade utópica e "isolada dos demais povos", são semelhantes às que podem ser opostas à obra de Trubek, de que em tempos de economia global (caracterizada por nações interdependentes no que tange ao sistema financeiro) pensa o direito ao desenvolvimento essencialmente para os países em desenvolvimento, ignorando as economias dos países ricos. Possivelmente ambas as críticas possam ser testadas e em parte bem rebatidas.

A abstração da teoria de Rawls é justamente o que faz com que ela seja aplicada e testada, com relativo sucesso, nos mais diferentes cenários e nas mais diversas conjunturas e contingências. O alegado defeito da teoria rawlsiana talvez seja o seu grande mérito demonstrado ao longo das últimas décadas. Em *Direito dos Povos*,[47] inclusive, seleciona princípios para a relação entre os povos, o que, de certo modo, responde aos seus críticos nesse aspecto específico e pontual.

Ainda que Trubek pudesse focar o seu conceito de *direito e desenvolvimento* em todas as nações integradas em uma economia global, inseridas em uma sociedade de informação, talvez seja correto seu foco apenas nas nações em desenvolvimento ou desenvolvimento tardio, as quais precisam de maiores esforços para a construção da *rule of law* no aspecto local para o combate às desigualdades e a promoção da justiça social. Por outro lado, se é verdade que a abordagem *one-size-fits-all* é insatisfatória para as nações

---

[47] RAWLS, John. *The Law of Peoples*. Cambridge: Harvard University Press, 1999.

em desenvolvimento, também é verdade que políticas adotadas especificamente para contingências locais devem necessariamente estar atentas para os fatores de variação econômica, social, política e ambiental globais que afetam a todas as nações.[48] Políticas locais de desenvolvimento sustentável não podem estar desconectadas do cenário global e devem trazer em seu bojo alguns princípios comuns que possibilitem uma maior probabilidade de êxito em uma sociedade de risco.[49]

Conclusão

A abordagem do direito e desenvolvimento, professada por Trubek, insere com precisão o contexto histórico do desenvolvimento em três eras que não podem ser ignoradas: a do Estado Desenvolvimentista, a do Estado Neoliberal e a atual. Esse é um dos méritos de sua obra, a sistematização das eras do direito e desenvolvimento, a que se pode acrescentar especialmente a desconstrução crítica das duas primeiras eras e o repúdio da política ineficaz e insustentável do *one-size-fits-all*, aplicada, nestas plagas, com pompa e circunstância, e sugerida pelo Banco Mundial, em largo espectro, ao longo do século passado. Aí a contribuição de Trubek pode ser sentida.

Nem o Estado desenvolvimentista, nem o Estado neoliberal foram capazes de promover o desenvolvimento econômico com justiça social, governança e tutela ambiental nos países em desenvolvimento e de desenvolvimento tardio. A era atual está marcada pela necessária busca da garantia intergeracional dos direitos fundamentais, dos direitos humanos e pelo combate à corrupção. No aspecto prático, o Estado precisa implementar diretamente políticas públicas – evitando intermediários – de garantia à educação, à saúde e à previdência, de acesso à justiça, de proteção ao meio ambiente e de assistência social, no estilo *cash transfer*, como o bolsa-família, desde que, ao contrário do exemplo brasileiro, também ofereça uma porta de saída aos seus beneficiários. O direito fundamental ao desenvolvimento sustentável[50] somente pode ser concretizado com políticas públicas dessa envergadura, que são incompatíveis com o assistencialismo irresponsável e não esclarecido, promovido por regimes populistas e com altas taxas de corrupção. A atuação suplementar e concomitante da iniciativa privada nas áreas de saúde, pesquisa e educação não pode ser afastada, pois ela também está vinculada ao cumprimento do dever constitucional fundamental de promoção do desenvolvimento sustentável e à concretização deste como direito fundamental.

O fortalecimento do regime democrático e o reconhecimento das falhas de mercado colaboram para a promoção do desenvolvimento sustentável. O preciso diagnóstico da atual era do *direito e desenvolvimento* revelado por Trubek, contudo, pode ser aprofundado e aperfeiçoado teoricamente por uma abordagem rawlsiana.

---

[48] Um inadimplemento em Bangladesh, de acordo com Posner, pode também tornar-se um risco para a economia americana se decorre de um empréstimo fornecido por um banco americano. POSNER, Richard. *The Crisis of Capitalist Democracy*. Cambridge: Harvard University Press, 2010. p. 367.

[49] Sobre a sociedade de risco, ver: BECK, Ulrich. *Risk Society*: Towards a New Modernity. London: Sage, 1997.

[50] Sobre o direito e dever fundamental ao desenvolvimento sustentável, ver: WEDY, Gabriel. *Desenvolvimento sustentável na era das mudanças climáticas*: um direito fundamental. São Paulo: Saraiva, 2018.

Dentro da conjuntura político-econômica atual, a Teoria da Justiça professada por Rawls oferece uma base teórica para a implementação de políticas públicas que visam ao desenvolvimento sustentável. Conceitos de justiça distributiva e do princípio da diferença, se incorporados ao direito fundamental ao desenvolvimento sustentável, em especial no aspecto humano, são instrumentos preciosos que podem certamente auxiliar na formulação das políticas públicas distributivas e não poluentes.

Princípios políticos selecionados por Rawls podem ser o alicerce de uma sociedade bem ordenada – neocontratualista – e de uma democracia que permita a todos uma liberdade igual construída sustentavelmente. É impensável concretizar o direito fundamental ao desenvolvimento sustentável ignorando os conceitos de *bens primários* e de *mínimo social*. Existe outra maneira? Evidências demonstram que não.

Referências

ATKINSON, Anthony. *Inequality*. What can be done? Cambridge: President and Fellows of Harvard College, 2015.

BOBBIO, Norberto. *Diritto e Stato nel Pensiero di Emmanuelle Kant*. Torino: Giappochelli, 1969.

BARROSO, Luís Roberto. *Curso de direito constitucional*. 4. ed. São Paulo: Saraiva, 2013.

BECK, Ulrich. *Risk Society*: Towards a New Modernity. London: Sage, 1997.

FONSECA, Reynaldo Soares da. *O princípio constitucional da fraternidade*: seu resgate no Sistema de justiça. Belo Horizonte: D'Plácido, 2019.

FREITAS, Juarez. *Interpretação sistemática do direito*. São Paulo: Malheiros, 2010.

FURTADO, Celso. *Formação econômica do Brasil*. São Paulo: Companhia das Letras, 2007.

KANT, Immanuel. *A metafísica dos costumes*. São Paulo: Folha de São Paulo, 2010.

MARTINUSSEN, John. *State, Market & Society*: a guide to competing theories of development. London; New York: Zed Books, 1997.

MILL, John Stuart. *Utilitarianism*. London: Longmans, Green, and Co., 1879.

PERELMAN, Chaim. *Ética e Direito*. São Paulo: Martins Fontes, 2005.

POSNER, Richard. *The Crisis of Capitalist Democracy*. Cambridge: Harvard University Press, 2010.

POSNER, Richard A. *How Judges Think*. Cambridge: Harvard University Press, 2010.

PREBISCH, Raul. *Keynes*: uma introdução. Brasília: Brasiliense, 1998.

RAWLS, John. *A Theory of Justice*. Cambridge: Harvard University Press, 1971.

RAWLS, John. *Political Liberalism*. New York: Columbia University Press, 2005.

RAWLS, John. *Justice as Fairness*: a restatement. Cambridge: Harvard University Press, 2001.

RAWLS, John. *The Law of Peoples*. Cambridge: Harvard University Press, 1999.

RAWLS, John. *Justicia como Equidad*. 2. ed. Madrid: Tecnos, 2002

SHAPIRO, Mário; TRUBEK, David. Redescobrindo o direito e desenvolvimento: experimentalismo, pragmatismo democrático e diálogo horizontal. *In:* TRUBEK, David; SHAPIRO, Mario (Org.). *Direito e desenvolvimento*: um diálogo entre os BRICS. São Paulo: Saraiva, 2012. p. 150-180.

SILVA, Fernando Quadros da. *Controle judicial das agências reguladoras*: aspectos doutrinários e jurisprudenciais. Porto Alegre: Verbo Jurídico, 2014.

STIGLITZ, Joseph E. *The Price of Inequality*. London: Penguin Books, 2013.

TRUBEK, David; SANTOS, Alvaro. Introduction: the Third Moment in Law and Development Theory and the Emergence of a New Critical Practice. *In:* TRUBEK, David; SANTOS, Alvaro (Ed.). *The New Law and Economic Development*: a Critical Appraisal. Cambridge: Cambridge University Press, 2006.

TRUBEK, David. The Rule of Law in Development Assistance: Past, Present, and Future. *In:* TRUBEK, David; SANTOS, Álvaro (Ed.). *The New Law and Economic Development*: a Critical Appraisal. Cambridge: Cambridge University Press, 2006.

WEDY, Gabriel. *Desenvolvimento sustentável na era das mudanças climáticas*: um direito fundamental. São Paulo: Saraiva, 2018.

WEBER, Thadeu. Ética e filosofia política: Hegel e o formalismo kantiano. Porto Alegre: EDIPUCRS, 2009.

WORLD BANK. *Legal Institutions of a Global Economy Homepage*. Washington, 2015. Disponível em: http://www1.worldbank.org/publicsector/legal/index.htm. Acesso em: 30 jul. 2019.

Informação bibliográfica deste texto, conforme a NBR 6023:2018 da Associação Brasileira de Normas Técnicas (ABNT):

WEDY, Gabriel. Direito e desenvolvimento de acordo com David Trubek e as lições de John Rawls para a sustentabilidade. *In*: COSTA, Daniel Castro Gomes da; FONSECA, Reynaldo Soares da; BANHOS, Sérgio Silveira; CARVALHO NETO, Tarcisio Vieira de (Coord.). *Democracia, justiça e cidadania:* desafios e perspectivas. Homenagem ao Ministro Luís Roberto Barroso. Belo Horizonte: Fórum, 2020. p. 133-153. t. 2: Pensando as instituições, a justiça e o Direito. ISBN 978-85-450-0749-4.

ANÁLISE DE IMPACTO REGULATÓRIO E FALHAS DE REGULAÇÃO

GUSTAVO BINENBOJM

I O que é?

A Análise de Impacto Regulatório (AIR) é um procedimento administrativo preparatório à tomada de decisão baseado na coleta de informações e análise sistemática de possíveis ou efetivos efeitos de uma medida regulatória, já em vigor ou a ser editada, mediante sopesamento de seus custos, benefícios e efeitos colaterais distribuídos pelas empresas, consumidores, Estado e terceiros eventualmente afetados.

A Organização para a Cooperação e Desenvolvimento Econômico – OCDE recomenda que as regulações devam "produzir benefícios que justifiquem os seus custos, levando em conta a distribuição dos efeitos por toda a sociedade".[1] Enquanto a regulação costuma ser justificada a partir das *falhas de mercado,* a AIR se justifica como antídoto ou corretivo contra as chamadas *falhas de regulação,* assim entendidas como medidas regulatórias inaptas a promover os fins determinados pelo ordenamento jurídico, as quais acabam por gerar efeitos indesejados ou mesmo contraproducentes para a sociedade. Segundo Cass Sunstein, as falhas de regulação podem decorrer de defeitos na concepção da medida regulatória (*falhas de concepção*) ou na sua implementação (*falhas de implementação*).[2] Em geral, as falhas regulatórias se caracterizam pela produção de efeitos sistêmicos inesperados ou indesejáveis, ou por custos sociais que superam os eventuais benefícios da medida.

---

[1] OCDE, Recomendação sobre Melhoria da Qualidade Regulatória (OECD Recommendation on Improving the Quality of Government Regulation). *In: Guia Orientativo para elaboração de Análise de Impacto Regulatório* (http://www.casacivil.gov.br/governanca/regulacao/boas-praticas-regulatorias/consulta-publica/consulta-publica-001-2017-diretrizes-e-guia-air-pasta/abertura/anexo-v-guia-air.pdf).

[2] SUNSTEIN, Cass. *After the rights revolution*: reconceiving the regulatory state. Cambridge: Harvard University Press, 1993, p. 36 e seguintes.

II Para que serve?

A adoção da AIR como método decisório no bojo dos processos regulatórios tem como objetivos (i) superar a natural assimetria de informações entre reguladores e agentes econômicos; (ii) dotar tais processos de maior transparência, legitimidade e *accountability* (responsividade e controlabilidade social); bem como (iii) promover eficiência regulatória, com a redução de custos (para a sociedade e o próprio Estado) e a maximização de benefícios sociais.

Longe de se tratar de uma espécie de *algoritmo* que possa oferecer, matematicamente, a decisão administrativa correta, a AIR parece ser um instrumento pragmático vocacionado a evidenciar (i) quando as prioridades foram mal escolhidas pela Administração, (ii) quando os meios empregados foram excessivamente onerosos ou (iii) quando a regulação produzir efeitos colaterais indesejáveis ou até contraproducentes à luz dos objetivos fixados pelo legislador.

Embora a AIR já viesse sendo adotada como procedimento preparatório à tomada de decisões por alguns entes reguladores setoriais no Brasil, o art. 6º da Lei nº 13.848/2019 e o art. 5º da Lei nº 13.874/2019 foram os pioneiros dispositivos legais que trataram da matéria entre nós.

III AIR *ex ante* e AIR *ex post*

Os dispositivos em questão deixam claro que a AIR é uma avaliação que pode se referir tanto a uma proposta inaugural de edição de ato normativo como também a uma proposta de alteração de norma preexistente. No primeiro caso, tem-se típica AIR *ex ante*, na qual serão sopesados os potenciais efeitos futuros da medida que se almeja implementar. No segundo caso, tem-se uma combinação da AIR *ex post* com a AIR *ex ante*: serão avaliados os efeitos já produzidos pela normativa em vigor em cotejo com a antecipação dos prováveis efeitos da nova a ser editada em seu lugar. Vale sublinhar que nada impede que a AIR seja pura e simplesmente *ex post*, hipótese em que terá por objeto apenas avaliar se a norma estudada deve permanecer em vigor ou ser revogada, integral ou parcialmente.

IV A quem cabe realizar AIR?

Os destinatários da norma legal são os órgãos e entidades da Administração Pública federal, incluídas as autarquias e fundações públicas, esclarecimento do legislador de caráter meramente expletivo e dispensável. Como se vê, o alcance do preceptivo cinge-se à produção normativa da Administração Pública direta e indireta, não abarcando a atividade legiferante propriamente dita. Nada obstante, a alusão genérica a órgãos da Administração permite a exegese segundo a qual a AIR é também exigível quando a proposta de edição ou alteração de ato normativo parta de órgão situado fora da estrutura do Poder Executivo, mas no exercício de competências administrativas normatizadoras. De pronto, pode-se pensar, em tese, em atos normativos expedidos pelo Tribunal de Contas da União, pelo Tribunal Superior Eleitoral, pelo Conselho Nacional de Justiça e pelo Conselho Nacional do Ministério Público. Seria interessante que órgãos típicos de controle dessem o exemplo aos controlados e instituíssem procedimentos decisórios de autocontenção e prudência na sua própria produção normativa.

Por outro lado, a AIR é exigível quando em jogo "propostas de edição e de alteração de atos normativos de interesse geral de agentes econômicos ou de usuários dos serviços prestados (...)". Isto significa que, segundo a letra da lei, será devida a realização da AIR quando da medida em questão puder resultar (ou já tiver resultado) algum efeito útil para os agentes econômicos ou para os usuários de serviços. Parece-me que a linguagem fluida e um tanto vaga do legislador pretendeu abranger tanto as atividades econômicas em sentido estrito como os serviços públicos, seja quando estes últimos forem prestados diretamente pelo Estado, seja quando o forem por concessionários ou permissionários, nos temos do art. 175 da Constituição da República. Com efeito, enquanto a expressão "agentes econômicos" alcança fornecedores e consumidores, no âmbito das atividades econômicas privadas, o termo "usuários", no Direito brasileiro, refere-se aos utentes de serviços públicos, consoante o art. 37, §3º, da Constituição e a Lei nº 13.460/2017.

Cumpre ainda mencionar que o legislador não limitou o alcance da norma a propostas normativas relativas à atividade regulatória, no estrito sentido do termo. Inobstante o *nomen iuris*, a AIR "conterá informações e dados sobre os possíveis efeitos do ato normativo para verificar a razoabilidade do seu impacto econômico." Ora, além das normas clássicas de comando e controle, o dispositivo se aplica também a casos menos ortodoxos, como os de regulação por incentivos e os de normas que versem sobre programas de fomento e até sobre intervenção direta do Estado no domínio econômico. Afinal, o que importa na lei são os possíveis efeitos do ato normativo e a verificação da razoabilidade de seu impacto econômico – e não, evidentemente, a categorização feita pela literatura sobre seu enquadramento. Parece evidente que a proposta de pura e simples revogação de norma regulatória também estará sujeita a prévia AIR, uma vez que não regular é uma forma de regular, com impactos econômicos óbvios.

V Regulamento: início da vigência, metodologia, obrigatoriedade e dispensa

O parágrafo único do art. 5º da Lei nº 13.874/2019 remete à definição quanto ao início da exigência da AIR à previsão em regulamento. Também nele serão estipulados "o conteúdo, a metodologia da análise de impacto regulatório, os quesitos mínimos a serem objeto de exame, as hipóteses em que será obrigatória sua realização e as hipóteses em que poderá ser dispensada".

A decisão do legislador me parece sábia. A uma, porque a exigência da AIR importa elevados custos, emprego de pessoal qualificado e infraestrutura por parte da Administração Pública. É prudente delegar à própria Administração a definição da *vacatio legis* neste caso, pois a exigibilidade imediata da AIR poderia comprometer a sua efetividade e desmoralizar o instituto. Tudo o que não se deseja é que a AIR se torne, na prática, um formulário a mais, cujo efeito prático seja apenas o de legitimar decisões previamente tomadas pelo administrador público. Se existe alguma utilidade na AIR, ela consiste em revelar pontos cegos, ampliar o horizonte dos impactos causados pela regulação, de forma a aperfeiçoá-la, isto é, torná-la algo distinto e melhor do que se tinha em mente antes da sua realização.

Veja-se que embora o dispositivo se refira a "regulamento", no singular, nada impede que cada órgão ou entidade da Administração edite seu próprio regulamento sobre a matéria, autovinculando-se, desde logo, a prazos, metodologia e hipóteses em que a AIR será exigível ou dispensável. Isto significa dizer, por óbvio, que os atos normativos de cada órgão ou entidade que já tenham sido editados continuarão em vigor, inclusive aqueles que já exigiam a realização de AIR em seu âmbito específico de aplicação. Isto não impedirá que o Presidente da República, via decreto, edite um regulamento geral, ao qual os órgãos públicos e as entidades da Administração indireta dever-se-ão adequar.

Também me parece adequada a definição da metodologia da AIR pela instância regulamentar. Existem alguns métodos de avaliação de impactos regulatórios praticados mundo afora, tendo destaque a análise de custo-benefício (ACB) e a análise de custo-efetividade (ACE). Na ACB são levantados todos os possíveis custos decorrentes da medida (para o Estado, empresas, consumidores e terceiros, eventualmente) e sopesados com os potenciais benefícios para toda a sociedade. O desafio da análise é que custos e benefícios devem ser monetizados, de maneira a permitir uma efetiva comparação. Sua utilidade está em lançar luz sobre o quanto a sociedade está disposta a pagar para ter acesso a certos benefícios, permitindo escolhas públicas mais informadas.

Já na ACE, não há uma comparação entre custos e benefícios, mas entre os custos de medidas alternativas e seus potenciais resultados (*e.g.*, número de vidas salvas, redução da incidência de doenças, redução da evasão escolar etc.), sem a monetização destes últimos. A vantagem da ACE sobre a ACB é que os resultados não precisam ser monetizados, permitindo que as escolhas recaiam sobre a medida que apresentar melhor desempenho na sua maximização. De outra parte, a ACE não consegue fugir de certa subjetividade na escolha dos objetivos públicos da regulação, isto é, do estabelecimento *a priori* de uma finalidade que será apenas otimizada pela comparação entre possíveis alternativas.

Finalmente, também parece acertada a possibilidade de previsão regulamentar das hipóteses em que a AIR será obrigatória e daquelas em que esta poderá ser dispensada. Por envolver custos elevados, tempo significativo e emprego de pessoal, a AIR deve ser compreendida como um recurso escasso, cuja utilização deve justificar os benefícios que dela possam advir para a sociedade. O regulamento deverá prever critérios quantitativos e qualitativos para tornar a exigência da AIR algo que realmente valha a pena em termos de melhora regulatória. Tal como na disciplina da licitação, há casos menos relevantes que não justificarão a perda do tempo e dos recursos (financeiros e humanos) para a realização da AIR. Em alguns casos, talvez o regulamento possa exigir uma *AIR simplificada*, deixando a *AIR completa* para situações cujo impacto econômico seja de fato muito relevante.

VI Críticas à AIR e possíveis respostas em sua defesa

A AIR é muito criticada, sobretudo quando se utiliza da metodologia da análise de custo-benefício (ACB). As principais críticas se referem à dificuldade em monetizar bens preciosos, como a vida e a saúde – "*pricing the priceless*", como sintetizaram Frank Ackerman e Liza Heinzerling.[3] Com efeito, a incomensurabilidade de alguns bens e a incomparabilidade entre grandezas muito distintas nos levam à necessidade de juízos subjetivos que estabeleçam prioridades em lugar do mero sopesamento quantitativo.

Outra crítica comum à AIR é a chamada visão de túnel, consistente no viés do regulador na seleção da abrangência do que conta como custos e benefícios de uma medida. Por mais aberto que seja o procedimento, sempre haverá uma linha de corte entre os impactos a serem considerados como efeito direto e imediato da regulação, e outros eventuais efeitos secundários, a serem desconsiderados. Isto importa reconhecer uma margem de subjetividade por parte de quem conduz o procedimento, com potencial para influenciar no seu resultado.

Por fim, há quem veja na AIR um instrumento antidemocrático, pois ela permitiria tratamento diferenciado a distintos grupos sociais afetados pela medida regulatória, conforme seus padrões internos de preferência, desafiando a lógica democrática do "*one person, one vote*". Em outras palavras, a AIR permitiria distribuir os ônus e bônus sociais de medidas governamentais de maneira diferenciada entre grupos de pessoas, consoante diferentes critérios socioeconômicos, geográficos, étnicos, de gênero, dentre outros. Ter-se-ia, potencialmente, uma abertura para o *lobby* de grupos de interesses, em detrimento do interesse geral.

Aqui vão algumas das possíveis respostas em defesa da AIR. Em primeiro lugar, a incomensurabilidade de alguns bens preciosos, como vida e saúde humanas, não impede que esses bens sejam *precificados* para fins de planejamento econômico de políticas públicas estatais (alocação de despesas nos orçamentos de saúde pública), nem que o sejam pelo mercado privado (*v.g.*, o preço dos prêmios de seguros de vida e de seguros de saúde). O fato de a vida e a saúde humanas serem bens sagrados não nos permite ignorar que (i) a sua preservação importa custos, (ii) que os recursos são escassos, (iii) que há ainda outras despesas muito importantes e que, por conseguinte, (iv) algumas escolhas trágicas serão necessariamente feitas. Não se trata de reduzir o valor de bens sagrados, mas de reconhecer que os recursos disponíveis para preservá-los não são infinitos, nem excluem outros interesses humanos.

A AIR pode servir à proteção de direitos ao lançar luzes sobre os impactos econômicos que decorrem da regulação, permitindo que cada sociedade faça escolhas esclarecidas sobre o quanto está disposta a pagar por cada bem valioso. Caso a decisão pública já tenha sido tomada pelo legislador ou por outra instância de governo, a AIR poderá assumir a metodologia da análise de custo-efetividade, limitando a avaliação a uma comparação entre a efetividade de medidas alternativas para promover o mesmo fim. Por exemplo, a literatura norte-americana registra que, em diversas situações, o *Office of Information and Regulatory Affairs* (OIRA) promoveu estudos de impacto regulatório e alertou reguladores setoriais a levar em conta soluções de baixo custo que maximizavam objetivos legais na área de proteção da vida e da saúde.[4]

---

[3] ACKERMAN, Frank; HEINZERLING, Liza. Pricing the Priceless: Cost-Benefit Analysis of Environmental Protection. *University of Pennsylvania Law Review*, 150(5):1553-1584, May 2002.

[4] SUSTEIN, Cass. *The Cost-Benefit State*: the future of regulatory protection, 2002, p. 7.

No que se refere à visão de túnel, deve-se ter em conta que este é um risco que se corre em qualquer forma de regulação, haja ou não prévia AIR. A abertura procedimental da AIR, com sua transparente submissão a procedimentos participativos, como consultas e audiências públicas, pode permitir a inclusão de custos e benefícios até então ignorados pelo Estado, evidenciando quem ganha e quem pagará a conta com a medida. Não se nega, portanto, o possível viés do regulador, mas a AIR pode servir como instrumento para evidenciá-lo e até corrigi-lo, eventualmente. Tudo dependerá da seriedade com que o procedimento será conduzido e da capacidade de geração e absorção de informações relevantes por parte dos reguladores.

Por fim, no que toca à objeção democrática à AIR, as críticas não parecem convincentes. Por evidente, o *lobby* em defesa de grupos de interesses sempre existiu e sempre existirá nas democracias liberais, seja ele legalizado e institucionalizado, ou não. Em muitos casos, a ausência de um estudo de impactos econômicos permite, com maior facilidade, que reguladores adotem medidas baseadas em crenças, preconceitos, vieses os mais diversos ou por puro e simples populismo. Em alguns deles, grupos de interesses são beneficiados sem que haja oportunidade para esclarecimento da sociedade sobre quem ganha e quem pagará a conta, ao fim e ao cabo. A AIR, como procedimento pragmático-consequencialista por excelência, não permite que o regulador se esconda por meio da invocação de valores jurídicos abstratos, devendo levar em consideração os – potenciais ou efetivos – resultados práticos de suas decisões.

VII Conclusões

O objetivo deste breve artigo foi conceituar a Análise de Impacto Regulatório (AIR) como um procedimento administrativo preparatório à tomada de decisão baseado na coleta de informações e na análise sistemática de possíveis ou efetivos efeitos de uma medida regulatória, já em vigor ou a ser editada, mediante sopesamento de seus custos, benefícios e efeitos colaterais distribuídos pelas empresas, consumidores, Estado e terceiros eventualmente afetados. Sua previsão expressa no art. 6º da Lei nº 13.848, de 25 de junho de 2019, e no art. 5º da Lei nº 13.874, de 20 de setembro de 2019, representa a elevação ao patamar hierárquico da legislação ordinária de normas administrativas que, pontualmente, já contemplavam a necessidade da AIR como mecanismo de racionalização da sanha regulatória do Estado.

Nesse processo de gradual institucionalização, terá sobranceira importância a regulamentação que se fará do instituto, seja por meio de um decreto presidencial – em caráter mais geral –, seja por meio de resoluções dos diferentes entes reguladores – no âmbito da regulação setorial. Não há na Lei uma amarração *a priori* a uma específica metodologia de AIR, ficando a questão do método e das perguntas relevantes a serem enfrentadas para definição no plano da regulamentação administrativa. De igual modo, o legislador deixou aberta a possibilidade de previsão regulamentar das hipóteses em que a AIR será obrigatória e daquelas em que esta poderá ser dispensada, o que parece ser uma decisão acertada.

Ao final, o artigo aborda as objeções clássicas feitas à AIR e algumas possíveis respostas a elas. A visão que se pretende transmitir é a de que o instituto tem um grande potencial de contribuir para a racionalização e a melhora da eficiência regulatória no país. Todavia, eventuais erros de regulamentação poderão reduzi-lo a uma peça formal – um formulário a mais, como se disse – no já burocrático processo regulatório brasileiro.

Informação bibliográfica deste texto, conforme a NBR 6023:2018 da Associação Brasileira de Normas Técnicas (ABNT):

BINENBOJM, Gustavo. Análise de Impacto Regulatório e falhas de regulação. *In*: COSTA, Daniel Castro Gomes da; FONSECA, Reynaldo Soares da; BANHOS, Sérgio Silveira; CARVALHO NETO, Tarcisio Vieira de (Coord.). *Democracia, justiça e cidadania:* desafios e perspectivas. Homenagem ao Ministro Luís Roberto Barroso. Belo Horizonte: Fórum, 2020. p. 155-161. t. 2: Pensando as instituições, a justiça e o Direito. ISBN 978-85-450-0749-4.

O DEVIDO PROCESSO LEGAL NO DIREITO BRASILEIRO: A ATUALIDADE DA DEFESA DAS GARANTIAS CONSTITUCIONAIS

MARCUS VINICIUS FURTADO COÊLHO

I Introdução

Desde a promulgação da Constituição Federal de 1988, o Brasil vive o mais duradouro período de estabilidade de sua história constitucional, pautado por um diploma democraticamente deliberado e promulgado. A Carta da Federação representa um equilibrado projeto de nação, centrado no respeito à dignidade da pessoa humana, instituindo um Estado de Direito qualificado como democrático para ressaltar que a democracia é o único caminho possível à consolidação de uma nação plural, inclusiva e equânime.

Sob os escombros do segundo pós-guerra, o constitucionalismo ressurgiu mais forte e vigoroso, alastrando por toda Europa – e depois por todo o mundo – a noção de uma constituição enquanto norma cogente, dotada de força vinculante para obrigar a todos, indistintamente, o respeito aos direitos fundamentais e alijar, de uma vez por todas, as atrocidades cometidas contra os direitos durante a Segunda Guerra Mundial.

Ao lado da expansão da jurisdição constitucional e do desenvolvimento de nova dogmática de interpretação constitucional, o reconhecimento de normatividade ao texto constitucional é uma das transformações que sopraram sobre o Direito Constitucional contemporâneo.[1] Deixando de ser diploma somente político, cuja concretização estava atrelada à atuação do legislador e do administrador, a Constituição passa a ser revestida de imperatividade e o desrespeito às suas normas passa a deflagrar mecanismos próprios de cumprimento forçado.

---

[1] BARROSO, Luís Roberto. Neoconstitucionalismo e Constitucionalização do Direito. (O Triunfo Tardio do Direito Constitucional no Brasil). *Revista Eletrônica sobre a Reforma do Estado (RERE)*, Salvador, Instituto Brasileiro de Direito Público, n. 9, p. 5, mar./maio 2009.

Esse entendimento, consagrado pela célebre obra de Konrad Hesse,[2] influenciaria todo o ordenamento jurídico, que hoje é lido e interpretado com fulcro, em última instância, nos direitos e garantias constitucionais, inclusive adotando-se a chamada nova hermenêutica constitucional, que supera os métodos tradicionais para aplicar interpretações pautadas em valores e princípios, criando uma teoria material da constituição. Nesse sentido, leciona Hesse que, por mais que a Constituição vincule-se à realidade histórica, seu texto não está condicionado a ela: "Ao contrário, existem pressupostos realizáveis (*realizierbare Voraussetzungen*) que, mesmo em caso de confronto, permitem assegurar a força normativa da Constituição".[3]

Ao falar da "vontade de Constituição", de realizar seus objetivos fundamentais, Konrad Hesse contrapõe-se à doutrina de Ferdinand Lassalle, para quem a Constituição apenas cristalizava os fatores reais e efetivos de poder que dominavam a sociedade.[4]

No Brasil, a promulgação da Constituição da República de 1988 representou a superação de um longo período de supressão de direitos civis e políticos e de violência à cidadania brasileira perpetradas pelo regime militar, que se travestia de Estado de Direito, mas destilava suas normas ilegítimas e violadoras da dignidade humana.

Como pude destacar em outra oportunidade,[5] a nossa Lei Máxima, com sua ampla gama de direitos fundamentais – entre os quais direitos políticos, sociais, culturais, econômicos e individuais e tantas liberdades e garantias asseguradas, além de amplo leque de princípios e de regras à concretização de todos eles –, tornou-se um símbolo para o Direito Constitucional contemporâneo. Foi a primeira Constituição no Brasil a positivar, expressa e claramente, os direitos e garantias fundamentais como cláusulas pétreas e, no mundo, a primeira a garantir subjetivamente esses direitos via efetivos e respeitados controles concentrados e difusos de constitucionalidade. Além disso, a Carta Constitucional de 1988 foi a primeira a garantir, de forma expressa, a garantia ao devido processo legal.

Contemporaneamente o Brasil tem experimentado um momento no qual suas instituições democráticas têm sido questionadas e, em última análise, postas à prova. O distanciamento da população das instâncias decisórias somado aos crescentes casos de corrupção e ilegalidades diversas envolvendo autoridades políticas têm provocado um aprofundamento na crise de representatividade pela qual passam nossas instituições.

Observa-se um forte anseio social por celeridade processual, por resultados exemplares, sobremaneira no que diz respeito a processos penais que envolvem autoridades políticas. O punitivismo e o Direito Penal passam a ser apontados como o remédio para os males de uma sociedade com profundos índices de desigualdade social e imersa numa séria crise de representatividade de suas instituições.

---

[2] HESSE, Konrad. A força normativa da constituição. *In*: HESSE, Konrad. *Temas fundamentais do Direito Constitucional*. São Paulo: Saraiva, 2009.

[3] HESSE, Konrad. A força normativa da constituição. *In*: HESSE, Konrad. *Temas fundamentais do Direito Constitucional*. São Paulo: Saraiva, 2009. p. 138.

[4] Cf. LASSALLE, Ferdinand. *A Essência da Constituição*. Rio de Janeiro: Liber Juris, 1985.

[5] Cf. COÊLHO, Marcus Vinicius Furtado. . Constituição brasileira: um projeto de nação. *In*: COÊLHO, Marcus Vinicius Furtado (Org.). *Reflexões sobre a constituição. Uma homenagem da advocacia brasileira*. Brasília: Alumnus, OAB, 2013. p. 16.

Nesse cenário, saídas rápidas apontam para a flexibilização de garantias constitucionais, como o devido processo legal, a ampla defesa e o contraditório. Contudo, o pacto constitucional firmado em 1988 alçou essas garantias a cláusulas pétreas, a fim de que fossem protegidas contra as maiorias de ocasião e resistissem às intempéries dos governos e da oscilação da opinião pública.

Em tempos em que garantias tão fundamentais se veem ameaçadas, como se fossem obstáculos, importa reiterar o que outrora parecia óbvio: sem o devido processo legal, ampla defesa e contraditório, o Estado de Direito é mero simulacro. São essas garantias, elementares e fundamentais, que separam nossa sociedade da barbárie e do autoritarismo e, em tempos sombrios, é salutar que essa antiga – mas sempre necessária – lição seja rememorada. A atualidade e a relevância da defesa das garantias constitucionais, aqui, notadamente do devido processo legal, mostram-se como tarefa não apenas dos juristas, mas de toda a sociedade, na defesa das liberdades e garantias asseguradas pela Carta Constitucional.

II A garantia ao devido processo legal na história constitucional brasileira

Ao longo da história constitucional brasileira o princípio do devido processo legal se fez presente, em alguma medida, em todas as cartas constitucionais do país. Trata-se de uma garantia construída sob os postulados da liberdade e da legalidade, na medida em que a restrição de liberdade somente pode ocorrer mediante o processo e julgamento previamente definidos em lei.[6] O devido processo legal significa o conjunto de garantias constitucionais que, de um lado, asseguram às partes o exercício de suas faculdades e poderes processuais e, de outro, são indispensáveis ao correto exercício da jurisdição.[7] É, portanto, um princípio que promove o exercício de todos os outros direitos. Uma cláusula geral, cuja definição depende, em muito, do espaço e do tempo em que seja aplicada.

Na esfera constitucional, a primeira menção expressa ao princípio do devido processo legal somente veio a ocorrer com a Carta de 1988, mas, como se trata de um axioma fundamental do constitucionalismo contemporâneo,[8] nas constituições pretéritas se fez presente, ainda que implicitamente, com a previsão das garantias processuais que resguardam a liberdade do indivíduo.

Na Carta de 1824 o artigo 179, inciso XI, previa que "Ninguém será sentenciado, senão pela Autoridade competente, por virtude de Lei anterior, e na fórma por ella prescripta". Embora o referido dispositivo não contenha expressamente o princípio do devido processo legal, impõe a necessidade de observância do procedimento prefixado e exprime noções relativas aos princípios do juiz natural e da anterioridade da lei penal.

---

[6] MENDES, Gilmar Ferreira; Comentário ao art. 5º, LIV. *In*: SARLET, Ingo W.; STRECK, Lenio L. (Coord.). Comentários à Constituição do Brasil. São Paulo: Saraiva/Almedina, 2013, p. 460.
[7] CINTRA, Antônio Carlos de Araújo; DINAMARCO, Cândido Rangel; GRINOVER, Ada Pellegrini. *Teoria Geral do Processo*. 22. ed. rev. e atual. São Paulo: Malheiros. p. 89, 2006.
[8] MENDES, Gilmar Ferreira. *Op. cit.*

Tais medidas jurídicas nada mais são do que as garantias processuais decorrentes do devido processo legal.

Seguindo a ideia de que os julgamentos deveriam ser realizados de maneira justa e livre de manifestações jurídicas inconstantes, incertas, desconhecidas ou arbitrárias, o teor deste dispositivo foi mantido integralmente na Constituição de 1891, aquela que veio a inaugurar o regime republicano.

Na Constituição Federal de 1934 encontra-se prescrito no artigo 72, §16, que "A lei assegurará aos acusados ampla defesa, com os meios e recursos essenciais a esta". Há um avanço em relação aos textos constitucionais anteriores, visto que a ampla defesa passa a ser expressamente reconhecida. Relevante lembrar que os princípios da ampla defesa e do contraditório não podem ser dissociados da esfera do devido processo legal, dado que estão intrinsecamente relacionados.

Da lição de Cretella Júnior[9] se abstrai que os princípios da ampla defesa e do contraditório são desdobramentos do princípio do devido processo legal. De modo genérico, o princípio do contraditório relaciona-se com o direito de realizar todo tipo prova, desde que por meio lícito, e participar efetivamente do processo através do direito de informação acerca dos atos praticados e da possibilidade de reagir às manifestações feitas pela parte contrária. A ampla defesa figura como uma prerrogativa do réu em poder oferecer argumentos e elementos aptos a impugnar as alegações que sobre ele recaem dentro dos limites legais.

Embora tenha sido outorgada sob o contexto do regime totalitário de Getúlio Vargas, a Constituição de 1937 ampliou o espectro das garantias do devido processo legal. O princípio do contraditório passou a ser expressamente reconhecido no artigo 122 do referido diploma constitucional: "A instrução criminal será contraditória, asseguradas as necessárias garantias de defesa". Os contornos e abrangências do devido processo legal são mantidos no ordenamento jurídico na Constituição de 1946, nos termos do seu artigo 141, §25,[10] sendo suprimidos com o início do regime militar em 1964, apesar das Cartas de 1967 e 1969 consignarem expressamente a proteção da ampla defesa e do contraditório. O artigo 150, §15, da Constituição de 1967 estabeleceu que "a lei assegurará aos acusados ampla defesa, com os recursos a ela inerentes, não haverá foro privilegiado nem Tribunais de exceção".

O devido processo legal exige que o desenvolvimento do processo promova a igualdade de oportunidades para as partes, o procedimento determinado na lei, a imparcialidade do juiz e todas as outras disposições constitucionais. No entanto, embora as disposições legais e doutrinárias da época reconhecessem a existência do princípio do devido processo legal, a repressão do regime ditatorial, sobremaneira após a edição do Ato Institucional nº 5, tornava-o letra morta.

Ao inaugurar o Estado Democrático de Direito, a Constituição Federal de 1988 positivou, no seu artigo 5º, inciso LIV, que "ninguém será privado da liberdade ou

---

[9] CRETELLA JÚNIOR, José. *Comentários à Constituição 1988*. 3. ed. Rio de Janeiro: Forense Universitária, v. I, 1992.

[10] Art. 141 - A Constituição assegura aos brasileiros e aos estrangeiros residentes no País a inviolabilidade dos direitos concernentes à vida, à liberdade, a segurança individual e à propriedade, nos termos seguintes:
§25 - É assegurada aos acusados plena defesa, com todos os meios e recursos essenciais a ela, desde a nota de culpa, que, assinada pela autoridade competente, com os nomes do acusador e das testemunhas, será entregue ao preso dentro em vinte e quatro horas. A instrução criminal será contraditória.

de seus bens sem o devido processo legal", consolidando o princípio de maneira expressa no ordenamento. Isso significa que as restrições à liberdade dos indivíduos, como também no âmbito do seu patrimônio, deverão necessariamente ser fruto de um processo que tenha tramitado em conformidade com o procedimento previamente fixado em lei.[11] É uma medida que limita o exercício do Poder do Estado, uma vez que protege as liberdades do indivíduo contra restrições decorrentes de eventuais abusos ou excessos cometidos por agentes estatais, especialmente o Estado-juiz no exercício da jurisdição.[12]

III Devido processo legal e Estado de Direito

As origens do que se conhece hoje por devido processo legal remontam à assinatura da Carta Magna, em 1215, pelo rei inglês João Sem-Terra. O documento, hoje tido como o pilar ocidental das liberdades modernas, foi concebido em um âmbito local e para circunstâncias particulares, notadamente como uma garantia dos senhores feudais ingleses contra os abusos reais.[13] No entanto, alcançou uma longevidade jamais imaginada à época, funcionando como pedra angular da constituição britânica e influenciando o desenvolvimento do constitucionalismo ocidental nos séculos seguintes.

A Carta Magna estabelecia que "nenhum homem livre será preso, aprisionado ou privado de uma propriedade, ou tornado fora-da-lei, ou exilado, ou de maneira alguma destruído, nem agiremos contra ele ou mandaremos alguém contra ele, a não ser por julgamento legal dos seus pares, ou pela lei da terra".[14] Os mandamentos ali estabelecidos marcam uma significativa inflexão histórica na conformação do Estado de Direito. Revogava-se a máxima medieval de que "diante da justiça do soberano, todas as vozes devem se calar". A partir de então, nenhum homem livre poderia ter sua liberdade ou propriedade sacrificadas sem que fosse observado um procedimento adequado para o julgamento imparcial.

A versão original da Carta Magna utilizou a expressão *law of the land* para se referir ao devido processo legal, que consistia na necessidade de observância de procedimentos aceitos conforme o sistema de precedentes da *common law*, já vigente à época. Posteriormente, em 1354, adotou-se pela primeira vez o termo *due process of law*, cuja tradução literal é devido processo legal, em documento legislativo intitulado *Statute of Westminster of the Liberties of London* que reforçava o teor garantista da Magna Carta em face do poder real.[15]

---

[11] WAMBIER, Luiz Rodrigues; TALAMINI, Eduardo. *Curso Avançado de Processo Civil*: Teoria Geral do Processo 15. v. 1. ed. São Paulo: RT, 2016, p. 76.

[12] CINTRA, Antonio Carlos Araújo; GRINOVER, Ada Pelegrini; DINAMARCO, Cândido Rangel. *Teoria Geral do Processo*. 29. ed. São Paulo: Malheiros, 2013, p 74-75.

[13] DÓRIA, Antônio Roberto Sampaio. *Direito Constitucional Tributário e o "due process of law"*. 2. ed. Rio de Janeiro: Forense, 1986.

[14] "No free man shall be seized or imprisoned, or stripped of his rights or possessions, or outlawed or exiled, or deprived of his standing in any way, nor will we proceed with force against him, or send others to do so, except by the lawful judgment of his equals or by the law of the land".

[15] Versão original em inglês: "None shall be condemned without trial. Also that no Man, of what State or Condcition that the be, shall be ut out of the Land of Tenement, nor taken or imprisoned, nor disinherited, not put to death, without being brought to Answer by DUE PROCESS OF LAW".

O desenvolvimento inglês do *due process of law* foi fruto de uma preocupação histórica com os limites ao poder real que perpassou a evolução do constitucionalismo inglês, direcionando a aplicação do instituto para este fim. Com a imigração de colonos ingleses para a América e o desenvolvimento de uma incipiente nação norte-americana, houve a ampliação do espectro de aplicação do instituto para os demais poderes do Estado e a consolidação como garantia individual do cidadão, consagrada no *Bill of Rights* Americano, de 1791.

Contemporaneamente, o devido processo legal está intimamente relacionado aos princípios da legalidade, do contraditório e da ampla defesa. O respeito ao procedimento legalmente estabelecido é pressuposto do resultado jurídico justo. É certo que o que se busca num processo judicial é a resolução do mérito com a solução do conflito ali posto. Todavia, nenhum resultado será justo se não houver a observância das garantias constitucionais da ampla defesa e do contraditório.

De acordo com Reis Friede, o entendimento moderno do devido processo legal remete a "um conjunto complexo e plural de 'diversas garantias constitucionais' que, associadas aos parâmetros da ética e da moral, buscam, em última análise, assegurar o correto exercício da jurisdição, ao mesmo tempo que legitimam o poder jurisdicional exercido pelo julgador e titularizado pelo Estado-juiz".[16]

O devido processo legal pode ser compreendido tanto na dimensão processual quanto na dimensão material. Ao versar sobre ambas as dimensões do devido processo legal na sistemática jurídica norte-americana, Allan Ides e Christopher May enfatizam a duplicidade das limitações garantidas pela cláusula do devido processo legal: processual e material.[17] Em sua natureza processual, a cláusula determina que eventual privação da vida, liberdade ou propriedade do indivíduo pelo governo seja precedida dos processos considerados justos. Distinto do devido processo legal processual, que se preocupa com os procedimentos empregados na aplicação da lei, a vertente substantiva determina que a lei seja justa, arrazoada, justificável e implementável.

A classificação também é adotada no Brasil, onde o devido processo legal é a um só tempo garantia processual de obediência às normas, no caso de restrição à liberdade e ao patrimônio de alguém, e garantia de razoabilidade do próprio conteúdo das normas. Determina-se "a correta e regular elaboração da lei com razoabilidade, senso de justiça e respeito à Constituição; aplicação judicial da lei através de processo judicial; respeito no processo das oportunidades iguais para as partes envolvidas".[18]

O Supremo Tribunal Federal, no bojo da Ação Direta de Inconstitucionalidade nº 1.511-MC, de relatoria do Ministro Carlos Velloso, chancelou tal entendimento.[19] Para o Tribunal, o devido processo legal desdobra-se em uma garantia de natureza material e em outra de natureza procedimental. A primeira seria limite ao Poder Legislativo por determinar a elaboração de leis dotadas de razoabilidade e racionalidade, a fim de

---

[16] FRIEDE, R. Reis. A garantia constitucional do devido processo legal. *Justitia*, São Paulo, n. 57, v. 172, p. 49, out./dez. 1995.

[17] IDES, Allan; MAY, Christopher N. *Constitutional Law*. Individual rights: examples & explanations. New York: Wolters Kluwer Law & Business, 1949. p. 58.

[18] TUCCI, Rogério Lauria; CRUZ, José Rogério. *Constituição de 1988 e processo*. São Paulo: Saraiva, 1989, p. 16.

[19] ADI nº 1.511-MC/DF, rel. Min. Carlos Velloso, DJ 06.06.2003.

guardar "um real e substancial nexo com o objetivo que se quer atingir. O segundo, por sua vez, seria garantia de "um procedimento judicial justo, com direito de defesa".

Ao lado do direito de acesso à Justiça e do direito à ampla defesa e ao contraditório, o devido processo legal encerra o ciclo das garantias processuais. Tais garantias não são importantes apenas à tutela do interesse dos litigantes, na condição de direitos públicos subjetivos, mas funcionam antes como salvaguarda do próprio processo jurisdicional ao legitimar o exercício da jurisdição.[20]

No âmbito das garantias processuais, o preceito do devido processo legal possui "uma amplitude inigualável e um significado ímpar como postulado que traduz uma série de garantias hoje devidamente especificadas e especializadas nas várias ordens jurídicas".[21] Fala-se de devido processual legal quando se está a falar, por exemplo, da inadmissibilidade da prova ilícita, dos pressupostos constitucionais da prisão, da prisão civil por dívida, entre outros.[22]

A Constituição Federal de 1988, no inciso LVI do artigo 5º, veda expressamente a utilização em processos judiciais de prova obtida ilicitamente. A produção de provas em desacordo com os dispositivos constitucionais, dentre as quais o sigilo profissional, a intimidade, a inviolabilidade do domicílio e a proibição à autoincriminação, contraria o devido processo legal. Cuida-se, portanto, de garantia constitucional processual ligada intrinsecamente a outras garantias constitucionais, seja de ordem processual, seja de caráter material.

Os incisos LXI a LXVI do artigo 5º da Lei Fundamental, em devido repúdio às arbitrariedades praticadas durante o regime militar, estabelecem exaustiva disciplina da decretação e do procedimento de prisão. Determina-se, entre outras prescrições, que o preso será informado dos seus direitos e amparado por sua família e seu advogado, que o preso tem direito à identificação dos responsáveis por sua prisão e seu interrogatório, que a prisão ilegal será relaxada pela autoridade judiciária e que ninguém será levado ou mantido em prisão caso a lei admita a liberdade provisória.

Por fim, o inciso LXII do artigo 5º da Constituição Federal especifica que "não haverá prisão civil por dívida, salvo a do responsável pelo inadimplemento voluntário e inescusável de obrigação alimentícia e a do depositário infiel". Cuida-se de proibição introduzida pela Carta de 1934 e, de lá para cá, fez a de 1988 apenas limitar ainda mais o campo de aplicação da prisão civil – cujo escopo é o de coagir o devedor a cumprir a dívida contraída – ao exigir que o inadimplemento seja voluntário e inescusável.

"Há consenso a respeito da desproporcionalidade da restrição à liberdade do indivíduo como meio de coerção ao pagamento da dívida e, ao mesmo tempo, como retribuição ao prejuízo causado ao credor".[23] Há outros mecanismos menos gravosos

---

[20] FRIEDE, R. Reis. A garantia constitucional do devido processo legal. *Justitia*, São Paulo, n. 57, v. 172, p. 49, out./dez. 1995.
[21] MENDES, Gilmar Ferreira; BRANCO, Paulo Gustavo Gonet. *Curso de direito constitucional*. 8. ed. rev. e atual. São Paulo: Saraiva, 2013. p. 529.
[22] MENDES, Gilmar Ferreira; BRANCO, Paulo Gustavo Gonet. *Curso de direito constitucional*. 8. ed. rev. e atual. São Paulo: Saraiva, 2013. p. 530-605.
[23] MENDES, Gilmar Ferreira; BRANCO, Paulo Gustavo Gonet. *Curso de direito constitucional*. 8. ed. rev. e atual. São Paulo: Saraiva, 2013. p. 530-605.

que podem ser empregados para compelir o devedor à quitação do débito, como a execução civil.

Não há divergência sobre a constitucionalidade da prisão civil do alimentante. Já a hipótese da prisão do depositário infiel suscitou maiores debates em virtude da adesão do Brasil à Convenção Americana sobre Direitos Humanos, sem qualquer reserva. Na medida em que o artigo 7º do Pacto ordena que "ninguém deve ser detido por dívidas. Este princípio não limita os mandados de autoridade judiciária competente expedidos em virtude de inadimplemento de obrigação alimentar", iniciou-se um rico debate sobre a revogação da parte final do inciso LXVII do artigo 5º da Carta.[24]

O Supremo Tribunal Federal foi chamado a decidir a controvérsia nos autos do Recurso Extraordinário nº 466.343/SP, de relatoria do Ministro Cezar Peluso, quando se pronunciou pela inadmissibilidade absoluta da prisão civil do depositário infiel com a seguinte tese: é ilícita a prisão civil de depositário infiel, qualquer que seja a modalidade do depósito.[25] Para o tribunal, à luz do artigo 7º do Pacto de São José da Costa Rica, não mais subsistiriam a previsão constitucional e normas ordinárias que outrora permitiam a decretação da medida de prisão no caso de alienação fiduciária.

Reverteu-se, nessa oportunidade, o entendimento firmado no julgamento do HC nº 72.131/RJ, cujo acórdão foi relatado pelo Ministro Moreira Alves.[26] Firmada antes da promulgação da Emenda Constitucional nº 45, que acrescentou o parágrafo terceiro ao artigo 5º da Carta,[27] a jurisprudência indicava que o artigo 7º da Convenção Americana era uma regra de ordem geral e, portanto, não poderia revogar o disposto na legislação especial do contrato de depósito. Estaria, nesses termos, a prisão autorizada por meio da ressalva contida na parte final do inciso LXVII do artigo 5º. Ademais, registrou-se que o parágrafo segundo do artigo 5º da Constituição Federal[28] não autorizava a ampliação do feixe de direitos e garantias pela incorporação de tratados por quórum simples, em que pese os direitos e as garantias expressos na Constituição não excluíssem os decorrentes de tratados internacionais dos quais o Brasil fosse signatário.

No RE nº 466.343/SP o Supremo reconheceu a natureza supralegal – porém, ao mesmo tempo, infraconstitucional – dos tratados internacionais de direitos humanos não recepcionados no rito previsto pelo artigo 5º, parágrafo terceiro, da Carta Magna, qual seja, a aprovação em cada Casa do Congresso em dois turnos, por três quintos dos votos dos respectivos membros. Nesta hipótese, os tratados internacionais possuirão *status* de emenda constitucional.

Tendo em vista a natureza supralegal do *Pacto de San José*, atribui-se efeito paralisante ao artigo 7º a fim de obstar a aplicabilidade da legislação infraconstitucional que seja conflitante com a vedação da prisão do depositário infiel, como o Código Civil

---

[24] LXVII - não haverá prisão civil por dívida, salvo a do responsável pelo inadimplemento voluntário e inescusável de obrigação alimentícia e a do depositário infiel;
[25] RE nº 466.343/SP, rel. Min. Cezar Peluso, DJe 05.06.2009.
[26] HC nº 71.131/RJ, rel. p/ acórdão Min. Moreira Alves, DJe 01.08.2003.
[27] §3º Os tratados e convenções internacionais sobre direitos humanos que forem aprovados, em cada Casa do Congresso Nacional, em dois turnos, por três quintos dos votos dos respectivos membros, serão equivalentes às emendas constitucionais.
[28] §2º Os direitos e garantias expressos nesta Constituição não excluem outros decorrentes do regime e dos princípios por ela adotados, ou dos tratados internacionais em que a República Federativa do Brasil seja parte.

de 1916, então vigente, e do Decreto-Lei nº 911/69. O resultado não foi simples perda de eficácia, mas verdadeira ilicitude da previsão de prisão, como depois o Tribunal declarou no texto da Súmula Vinculante nº 25: "É ilícita a prisão do depositário infiel, qualquer que seja a modalidade de depósito".

Em outra oportunidade, o STF,[29] ao julgar as Ações Diretas de Inconstitucionalidade nº 173, ajuizada pela Confederação Nacional da Indústria, e nº 394, ajuizada pelo Conselho Federal da Ordem dos Advogados do Brasil, fixou entendimento no sentido de que, no Direito Tributário, "a sanção política[30] viola o *substantive due process of law* na medida em que implica no abandono dos mecanismos previstos no sistema jurídico para apuração e cobrança de créditos tributários, como por exemplo, ação de execução fiscal, em favor de instrumentos oblíquos de coação e indução". As sanções políticas são proibidas constitucionalmente porque se mostram desproporcionais e desarrazoáveis, considerando que existem mecanismos de cobrança de créditos tributários menos gravosos.

Textualmente, a Constituição Federal de 1988 não faz distinção quanto aos aspectos procedimentais e substantivos do devido processo legal, apenas o assegura expressamente em seu artigo 5º, inciso LIV, e estabelece princípios decorrentes, que se apresentam como garantias processuais, tais como a ampla defesa e o contraditório, o acesso à jurisdição, o duplo grau de jurisdição, a segurança jurídica e a razoável duração do processo. Tanto o princípio do devido processo legal como os seus subprincípios ocupam posição de destaque na Carta de 1988, dado que foram incluídos no rol dos direitos e garantias fundamentais previstos no artigo 5º, não podendo ser abolidos do texto, uma vez que são cláusulas pétreas. Portanto, sob essa perspectiva, o texto constitucional assegura o devido processo, legal seja no seu aspecto procedimental, seja em sua dimensão substantiva ou material.

IV Considerações finais

A evolução histórica do princípio do devido processo legal encontra-se intrinsecamente relacionada ao surgimento e desenvolvimento do constitucionalismo no mundo, especialmente na medida em que se apresenta como um mecanismo de limitação do poder do Estado sobre a esfera de direitos dos indivíduos.

Não obstante isso, sua relevância não se esgota nas restrições postas ao exercício do poder, mas encontra guarida numa abertura histórico-conceitual que, ao contrário de enfraquecê-lo, proporcionou sua evolução e adaptação aos mais diversos contextos políticos, espaciais e temporais constituições mundo afora. O princípio do devido

---

[29] EMENTA: CONSTITUCIONAL. DIREITO FUNDAMENTAL DE ACESSO AO JUDICIÁRIO. DIREITO DE PETIÇÃO. TRIBUTÁRIO E POLÍTICA FISCAL. REGULARIDADE FISCAL. NORMAS QUE CONDICIONAM A PRÁTICA DE ATOS DA VIDA CIVIL E EMPRESARIAL À QUITAÇÃO DE CRÉDITOS TRIBUTÁRIOS. CARACTERIZAÇÃO ESPECÍFICA COMO SANÇÃO POLÍTICA. AÇÃO CONHECIDA QUANTO À LEI FEDERAL 7.711/1988, ART. 1º, I, III E IV, PAR. 1º A 3º, E ART. 2º.
(ADI 173, Relator(a): Min. JOAQUIM BARBOSA, Tribunal Pleno, julgado em 25.09.2008, DJe-053 DIVULG 19.03.2009 PUBLIC 20.03.2009 EMENT VOL-02353-01 PP-00001).

[30] As sanções políticas são as restrições ao exercício da atividade econômica ou profissional ilícita, são aquelas utilizadas como forma de indução ou coação ao pagamento de tributos.

processo legal permanece em vigor em diferentes ordenamentos jurídicos porque logrou êxito em acompanhar o progresso das sociedades contemporâneas, tornando-se, tal como elas, plural e multifacetado.

Essa garantia nasceu sob o prisma da observância do procedimento prescrito em lei, ou seja, do respeito à forma. Posteriormente, desencadeou subprincípios que deram forma ao seu alto grau de abstrativização, a exemplo dos princípios da ampla defesa e do contraditório.

Ao longo da história constitucional brasileira, o princípio do devido processo legal adquiriu novos contornos e teve seu conteúdo ampliado seja textualmente, seja por força da evolução jurisprudencial em torno no tema. Atualmente, encontra-se expressamente consignado na Carta de 1988, tendo múltiplas garantias processuais constitucionais e legais que servem de reforço para a sua concretização procedimental e substancial. A abertura conceitual do princípio sinaliza para a dinamicidade e mutabilidade das relações jurídicas, ao tempo em que resguarda as garantias mínimas das pessoas e do patrimônio por meio de um processo razoável, adequado e, em última instância, justo.

De toda sorte, não se pode perder de vista a origem histórica do devido processo legal, que surge como uma garantia do cidadão contra o autoritarismo estatal. A sociedade brasileira passa por um período em que suas instituições democráticas – não apenas os poderes democraticamente eleitos, mas também o Poder Judiciário – têm sido questionadas e, muitas vezes descredibilizadas pela opinião pública e pelos meios de comunicação.

O dissenso, por óbvio, é próprio das sociedades democráticas. A existência de divergências é algo intrínseco a esse regime. No entanto, as divergências políticas e as críticas a determinado posicionamento das instituições não podem pretender solapar as garantias constitucionais. A justiça das decisões e a estabilidade e confiança que delas derivam depende da observância do devido processo legal, do contraditório e da ampla defesa. Trata-se de pilares do Estado Democrático de Direito, cuja tutela segue sendo atual e imprescindível às sociedades contemporâneas.

Referências

BARROSO, Luís Roberto. Neoconstitucionalismo e Constitucionalização do Direito (O Triunfo Tardio do Direito Constitucional no Brasil). *Revista Eletrônica sobre a Reforma do Estado (RERE)*, Salvador, Instituto Brasileiro de Direito Público, n. 9, mar./maio 2009.

CINTRA, Antônio Carlos Araújo; GRINOVER, Ada Pelegrini; DINAMARCO, Cândido Rangel. *Teoria Geral do Processo*. 29. ed. São Paulo: Malheiros, 2013.

COÊLHO, Marcus Vinicius Furtado. Constituição brasileira: um projeto de nação. *In*: COÊLHO, Marcus Vinicius Furtado (Org.). *Reflexões sobre a constituição*. Uma homenagem da advocacia brasileira. Brasília: Alumnus, OAB, 2013.

CRETELLA JÚNIOR, José. *Comentários à Constituição 1988*. 3. ed. Rio de Janeiro: Forense Universitária, v. I, 1992.

DÓRIA, Antônio Roberto Sampaio. *Direito Constitucional Tributário e o "due process of law"*. 2. ed. Rio de Janeiro: Forense, 1986.

FRIEDE, R. Reis. A garantia constitucional do devido processo legal. *Justitia*, São Paulo, n. 57, v. 172, p. 49, out./dez. 1995.

HESSE, Konrad. A força normativa da constituição. *In*: HESSE, Konrad. *Temas fundamentais do Direito Constitucional*. São Paulo: Saraiva, 2009.

IDES, Allan; MAY, Christopher N. *Constitutional Law*. Individual rights: examples & explanations. New York: Wolters Kluwer Law & Business, 1949.

LASSALLE, Ferdinand. *A Essência da Constituição*. Rio de Janeiro: Liber Juris, 1985.

MENDES, Gilmar Ferreira. Comentário ao art. 5º, LIV. *In*: SARLET, Ingo W.; STRECK, Lenio L. (Coord.). *Comentários à Constituição do Brasil*. São Paulo: Saraiva/Almedina, 2013.

TUCCI, Rogério Lauria; CRUZ, José Rogério. *Constituição de 1988 e processo*. São Paulo: Saraiva, 1989.

WAMBIER, Luiz Rodrigues; TALAMINI, Eduardo. *Curso Avançado de Processo Civil*: Teoria Geral do Processo 15. v. 1. ed. São Paulo: RT, 2016.

Informação bibliográfica deste texto, conforme a NBR 6023:2018 da Associação Brasileira de Normas Técnicas (ABNT):

COÊLHO, Marcus Vinicius Furtado. O devido processo legal no Direito brasileiro: a atualidade da defesa das garantias constitucionais. *In*: COSTA, Daniel Castro Gomes da; FONSECA, Reynaldo Soares da; BANHOS, Sérgio Silveira; CARVALHO NETO, Tarcisio Vieira de (Coord.). *Democracia, justiça e cidadania*: desafios e perspectivas. Homenagem ao Ministro Luís Roberto Barroso. Belo Horizonte: Fórum, 2020. p. 163-173. t. 2: Pensando as instituições, a justiça e o Direito. ISBN 978-85-450-0749-4.

"MÁXIMO EXISTENCIAL POSSÍVEL" NO SOPESAMENTO ENTRE O DIREITO FUNDAMENTAL À EDUCAÇÃO SUPERIOR E O INTERESSE PÚBLICO AO EQUILÍBRIO FISCAL

RICHARD PAE KIM

DANIEL DELA COLETA EISAQUI

Introdução

Honrados com o convite para participar desta importante obra em justa homenagem ao grande constitucionalista brasileiro, o eminente Ministro Luís Roberto Barroso (STF), analisamos importantes votos e decisões monocráticas proferidas por Sua Excelência que apontam para o evidente respeito do nobre julgador ao direito constitucional à educação, que trazem a sua premente visão de que este se vincula à dignidade da pessoa humana e o toma como um valor axiológico máxime de um Estado Democrático Constitucional de Direito.

O estágio contemporâneo da ciência jurídica em matéria de direitos fundamentais sociais não se debruça a reconhecer direitos ou teorizar sobre as qualificações dimensionais ou geracionais dos direitos que são positivados em declarações, tratados e constituições. Ao revés, o foco passou a ser a eficácia e plena efetividade dos direitos fundamentais reconhecidos em textos normativos.

A partir do término da Primeira Grande Guerra, em que os Estados passaram a se ver confrontados não apenas com um dever de abstenção –, lhes sendo obstado imiscuir-se nas posições jurídicas individuais –, mas também com um dever de provisão de prestações fático-jurídicas em proveito da sociedade, exsurgiu a problemática do custo financeiro necessário para a implementação desses direitos.

Diante de conjunturas socioeconômicas deficitárias, as políticas estatais voltaram-se às medidas de austeridade, com rigor na alocação de recursos e delimitação restritiva nas ações de implementação de direitos sociais, legitimando-se sob o manto da teoria da reserva do possível.

Em conformidade a esta realidade, o presente artigo, a partir de uma metodologia hipotético-dedutiva, analisa a legitimidade do contingenciamento de verbas federais a universidades públicas, autorizado pelo Decreto nº 9.741/2019.

Assim, no primeiro tópico, delineia-se o direito fundamental à educação, situando-o no complexo dos direitos fundamentais sociais, os quais dependem da prestação do Estado para sua efetivação, inclusive *ex vi* da Constituição.

Algumas premissas foram utilizadas no processo de construção deste trabalho. Os direitos fundamentais sociais não devem ser compreendidos sob a ótica do mínimo existencial, mas a partir de um novo paradigma diametralmente oposto, o do "máximo existencial", exposto na obra recente do brasileiro Miguel Calmon Dantas; a existência do permanente conflito entre o dever estatal de resguardar os direitos fundamentais e a realidade orçamentária dos Estados, com enfoque na teoria da reserva do possível como política de austeridade destinada ao equilíbrio fiscal das finanças públicas; e a certeza de que, a despeito da legítima e necessária adoção de políticas de austeridade com vistas a possibilitar o equilíbrio orçamentário, as políticas de ajuste fiscal não podem ser aplicadas de forma exclusivamente discricionária pelo Poder Executivo.

Por fim, em vias conclusivas, em prestígio à contribuição doutrinária do Ministro Luís Roberto Barroso, a quem a racionalidade estatal é tema caro, defendemos igualmente o aprimoramento dos mecanismos de financiamento universitário e a reorganização estrutural e ideológica do Estado e, ao mesmo tempo, evocando a doutrina do dever de mitigar o prejuízo, sob uma ótica constitucional, concluímos que, no sopesamento do direito fundamental e do referido interesse público que busca a proteção ao equilíbrio fiscal, o Estado há de garantir o que nós podemos denominar de "máximo existencial possível".

1 O direito fundamental à educação à luz da teoria do máximo existencial

O Estado, enquanto entidade jurídico-política, tem por fim geral o bem comum de seu povo, isto é, a garantia das condições que colaborem para o desenvolvimento integral da personalidade humana.[1] Azambuja, ao tratar do bem público como fim do Estado, afirma que "o Estado pode chamar a si certos serviços ou permitir que os particulares os executem; mas, tanto quando amplia como quando restringe a própria competência, o Estado visa realizar o bem público".[2]

O bem público, portanto, em termos conceituais, cinge-se à criação, pelo Estado, das "condições necessárias para que os indivíduos, vivendo harmônica e solidariamente em sociedade, desenvolvam suas aptidões físicas, morais e intelectuais";[3] e para se alcançar esse desiderato, positivam-se os direitos humanos, ditos fundamentais, em um processo tridimensional ligado à asseguração da liberdade, da igualdade e da

---

[1] DALLARI, Dalmo de Abreu. *Elementos de teoria geral do Estado*. 32. ed. São Paulo: Saraiva, 2013, p. 112.
[2] AZAMBUJA, Darcy. *Teoria Geral do Estado*. 44. ed. São Paulo: Globo, 2005, p. 123.
[3] AZAMBUJA, Darcy. *Teoria Geral do Estado,* p. 126.

fraternidade, no escopo de realizar – em cada indivíduo – "a dignidade alcançada pela civilização".[4]

Vale dizer, são direitos que, em determinada situação histórica, são julgados essenciais para dar concretude à existência digna do ser humano, entendendo-se os padrões dignificantes à luz do estágio alcançado em determinado lugar e momento.[5]

Daí dizer, ressoando o professor Luís Roberto Barroso, que estes direitos combinam o avanço civilizatório (sendo, pois, conquistas históricas) com valores morais, razão pública e a busca pela felicidade, significando uma reserva mínima de justiça assegurada a todas as pessoas.[6]

Exsurge, pois, no andar da História, "o princípio da solidariedade como dever jurídico, ainda que inexistente no meio social a fraternidade enquanto virtude cívica"[7] e, por consequência, o reconhecimento dos direitos sociais como direitos humanos, reclamando-se a "execução de políticas públicas, destinadas a garantir amparo e proteção social"[8], a fim de se alcançar a igualdade com solidariedade.

A conexão dos direitos sociais com a finalidade estatal de assegurar o bem público justifica-se, na medida em que se passa a ser exigível a implementação de condições sociais que permitam ao ser humano realizar todas as suas virtualidades.[9]

Em razão desta finalidade estatal de realização do bem público, abrangendo a coletividade como um todo, não se pode deixar de reconhecer a essencialidade da participação estatal na viabilização da fruição pelos indivíduos, enquanto cidadãos, destes direitos sociais. De fato, a previsão constitucional explícita de direitos torna-os não apenas meras garantias ou postulados, mas os constituem como verdadeiras obrigações que invariavelmente devem ser cumpridas.[10]

Concretamente, assume relevo o direito à educação, o qual desempenha papel essencial na completa eficácia dos direitos políticos dos cidadãos, "porque as falhas na formação intelectual da população inibem sua partição no processo político e inibem o aprofundamento da democracia".[11] Esta participação, em verdade, não se limita a um aspecto formal eleitoral, mas, como reconhecido pelo Ministro Luís Roberto Barroso, comporta uma dimensão material relacionada à cidadania enquanto compromisso com

---

[4] BARROS, Sérgio Resende de. A difusão dos direitos humanos fundamentais. *In*: KIM, Richard; BARROS, Sérgio Resende de; KOSAKA, Fausto Kozo Matsumoto (Coord.) *Direitos fundamentais coletivos e difusos*: questões sobre a fundamentalidade. São Paulo: Verbatim, 2012, p. 37.

[5] BARROS, Sérgio Resende de. A difusão dos direitos humanos fundamentais, p. 39.

[6] BARROSO, Luís Roberto. Trinta anos da Constituição: A República que ainda não foi. *In*: FUX, Luiz; BODART, Bruno; MELLO, Fernando Pessôa da Silveira (Coord.). *A Constituição da República segundo Ministros, Juízes auxiliares e Assessores do STF*. Salvador: Juspodivm, 2018, p. 87.

[7] COMPARATO, Fábio Konder. *A afirmação histórica dos direitos humanos*. 11. ed. São Paulo: Saraiva, 2017, p. 78.

[8] COMPARATO, Fábio Konder. *A afirmação histórica dos direitos humanos*, p. 79.

[9] COMPARATO, Fábio Konder. *A afirmação histórica dos direitos humanos*, p. 80.

[10] BODART, Bruno; YEUNG, Luciana L. A constitucionalização de direitos sociais: uma análise econômica. *In*: FUX, Luiz; BODART, Bruno; MELLO, Fernando Pessôa da Silveira (Coord.). *A Constituição da República segundo Ministros, Juízes auxiliares e Assessores do STF*. Salvador: Juspodivm, 2018, p. 118; KIM, Richard Pae; PEREZ, José Roberto Rus. Responsabilidades públicas, controles e exigibilidade do direito a uma Educação de qualidade. *In*: ABMP; Todos pela Educação (Org.) *Justiça pela Qualidade na Educação*. São Paulo: Saraiva, 2013, p. 748.

[11] MENDES, Gilmar Ferreira; BRANCO, Paulo Gustavo Gonet. *Curso de direito constitucional*. 12. ed. São Paulo: Saraiva, 2017, p. 686.

uma cultura de direitos humanos, tolerância e respeito, valores essenciais à convivência democrática, à deliberação política e ao funcionamento das instituições.[12]

É de se apartar, porém, que o direito à educação não encontra sua fundamentalidade apenas em razão da contribuição à participação política do indivíduo enquanto cidadão. Antes, e sobretudo, sua razão de ser encontra-se no fato de que o desenvolvimento intelectual e cultural consubstancia imperativo da dignidade da pessoa humana.

A dignidade humana, efetivamente, além de importar em uma qualidade de todos os direitos fundamentais, significa também a humanidade e a igualdade no outro, a livre vontade, a autodeterminação, garantindo a não marginalização e tampouco o desnaturar do homem como um instrumento em fins alheios.[13]

É neste passo, então, que a educação se materializa como medida dignificante: é por meio dela que o indivíduo se autonomizará, como acentuado pelo Ministro Barroso ao apreciar a Medida Cautelar na Ação Direta de Inconstitucionalidade nº 5.537[14] e a Medida Cautelar em Arguição de Descumprimento de Preceito Fundamental nº 461.[15]

Verifica-se, de fato, que é através da educação que se possibilita que a personalidade humana alcance o seu pleno desenvolvimento, habilitando o indivíduo a uma integral concretização da própria cidadania, colaborando para que se alcance o avanço econômico e social.[16] Desta feita bem reconheceu o Ministro Luís Roberto Barroso em seu voto na Ação Declaratória de Constitucionalidade nº 41, tendo assentado que:

> O acesso ao ensino superior cumpre, primordialmente, uma função de qualificação do próprio indivíduo. A frequência em cursos em instituições de ensino superior é um meio para possibilitar, entre outros objetivos, o desenvolvimento das capacidades e intelecto dos estudantes, preparando-os para que desenvolvam raciocínio crítico e autonomia, e se tornem membros ativos da economia.[17]

Extrai-se do escrito de José Afonso da Silva o escólio de que "[a] educação como processo de reconstrução da experiência é um atributo da pessoa humana, e, por isso, tem que ser comum a todos". Em desenvolvimento do tema, a educação é serviço público essencial, cabendo ao Poder Público possibilitá-lo a todos, prefigurando uma

---

[12] BRASIL. Supremo Tribunal Federal. *Recurso Extraordinário nº 888.815*. Rel. Min. Luís Roberto Barroso. Rel. p/ Acórdão: Min. Alexandre de Moraes, Pleno, J. 12/09/2018. Disponível em: http://redir.stf.jus.br/paginadorpub/paginador.jsp?docTP=TP&docID=749412204. Acesso em: 23 nov. 2019.

[13] EISAQUI, Daniel Dela Coleta. *Revisão judicial dos contratos:* a teoria da imprevisão no Código Civil brasileiro. 1. ed. Curitiba: Juruá, 2019, p. p. 58 e p. 61.

[14] BRASIL. Supremo Tribunal Federal. *Medida Cautelar na Ação Direta de Inconstitucionalidade nº 5.537*. Rel. Min. Luís Roberto Barroso, Decisão Monocrática, J. 21.03.2017. Disponível em: http://luisrobertobarroso.com.br/wp-content/uploads/2017/08/ADI-5537.pdf. Acesso em: 23 nov. 2019.

[15] BRASIL. Supremo Tribunal Federal. *Medida Cautelar na Arguição de Descumprimento de Preceito Fundamental nº 461*. Rel. Min. Luís Roberto Barroso, Decisão Monocrática, J. 16.06.2017. Disponível em: http://luisrobertobarroso.com.br/wp-content/uploads/2016/06/texto_312038140.pdf. Acesso em: 23 nov. 2019.

[16] KIM, Richard Pae; BOLZAM, Angelina Cortelazzi. Direito à Educação de Qualidade e seus fundamentos jurídicos. *Cadernos de Direito*, vol. 15, n. 29, 2015. Disponível em: https://www.metodista.br/revistas/revistas-unimep/index.php/cd/article/view/2683. Acesso em: 28 ago. 2019, p. 169; SINGH, Kishore. Apresentação. *In:* ABMP; Todos pela Educação (Org.) *Justiça pela Qualidade na Educação*. São Paulo: Saraiva, 2013, p. 23.

[17] BRASIL. Supremo Tribunal Federal. *Ação Declaratória de Constitucionalidade nº 41*. Rel. Min. Luís Roberto Barroso, Pleno, J. 08/06/2017. Disponível em: http://portal.stf.jus.br/processos/downloadPeca.asp?id=312447860&ext=.pdf. Acesso em: 23 nov. 2019.

opção da Constituição pelo ensino público.[18] Nesta sorte de ideias, é preciso afastar a mercantilização da "Educação"; isto é, o desiderato último não se refere a ganhos comerciais e lucros financeiros; antes, a Educação constitui-se num bem público, devendo ser balizada pelo interesse social que lhe é inerente.[19]

A preocupação com esse enfoque restou evidenciada no voto proferido pelo Ministro Luís Roberto Barroso, no julgamento do RE nº 888.815, cuja fundamentação traz arrazoado justificador do afastamento da mercantilização da educação exatamente pela premência da dignidade da pessoa humana enquanto baliza axiológica do direito à educação:

> Em primeiro lugar, a educação deve ser capaz de promover o desenvolvimento pleno e normal das crianças e adolescentes. Como se tratam de pessoas em formação, é por meio do processo educacional que elas poderão: (i) desenvolver suas capacidades, intelecto e personalidade; (ii) adquirir raciocínio crítico, julgamento independente e autonomia individual para realizarem suas próprias escolhas ao longo de suas vidas e refletirem sobre o mundo à sua volta; e (iii) qualificarem-se para que se tornem membros ativos da economia e ingressem no mercado de trabalho. A educação precisa, assim, proporcionar à criança o denominado "direito a um futuro aberto", que se refere à abertura de variados caminhos e opções de vida, para que tenha a oportunidade de optar, na medida em que for crescendo e ganhando maturidade, por aqueles que se adequarem às suas concepções de bem e de autorrealização individual.[20]

Tem-se, pois, que a partir do momento em que se reconhecem esses postulados elencados pelo eminente Ministro, qualificando-se a educação em um viés dignificante do indivíduo, não se abre margem à dúvida quanto à impropriedade de se subsumir a conformação educacional em uma lógica estritamente econômica, financista. Conclui-se, então, que a natureza jurídica da educação não se resume em um direito fundamental social subjetivo, seja individual, coletivo e coletivo, mas, antes, constitui um dever fundamental do Estado.[21]

Assim sendo, a oferta de ensino e a garantia da qualidade deste ensino ofertado não se situam em um campo unicamente discricionário do administrador público; mas, antes, estão submetidas a competências e atribuições com força de obrigações vinculantes, em relação aos atores e agentes públicos – eleitos ou não.[22] Por conseguinte, cabe "ao Estado a obrigação de manter uma estrutura institucional que permita ao cidadão comum, tenha ou não recursos financeiros, o acesso ao ensino superior, em seus vários níveis, da graduação à pós-graduação".[23]

---

[18] SILVA, José Afonso da. *Curso de direito constitucional positivo*. 37. ed. São Paulo: Malheiros, 2014, p. 851-852.
[19] SINGH, Kishore. Apresentação, p. 25.
[20] BRASIL. Supremo Tribunal Federal. *Recurso Extraordinário nº 888.815*. Rel. Min. Luís Roberto Barroso. Rel. p/ Acórdão: Min. Alexandre de Moraes, Pleno, J. 12.09.2018.
[21] KIM, Richard Pae; BOLZAM, Angelina Cortelazzi. Direito à Educação de Qualidade e seus fundamentos jurídicos, p. 177.
[22] KIM, Richard Pae; PEREZ, José Roberto Rus. Responsabilidades públicas, controles e exigibilidade do direito a uma Educação de qualidade, p. 714; RANIERI, Nina Beatriz Stocco. O direito educacional no sistema jurídico brasileiro. *In*: ABMP; Todos pela Educação (Org.) *Justiça pela Qualidade na Educação*. São Paulo: Saraiva, 2013, p. 87.
[23] BRASIL. Supremo Tribunal Federal. *Recurso Extraordinário nº 500.171*. Rel. Min. Ricardo Lewandowski, Pleno, J. 13.08.2008. Disponível em: http://redir.stf.jus.br/paginadorpub/paginador.jsp?docTP=AC&docID=557455. Acesso em: 31 ago. 2019.

Esta obrigação constitucional quanto ao provimento estatal da educação redunda no fato de que o direito à educação e sua concretização se subtraem às intercorrências políticas circunstanciais, como reconhecido pelo Ministro Luís Roberto Barroso na Ação Direta de Inconstitucionalidade nº 3.874, ao frisar em sua decisão que o "princípio da autonomia universitária tem o objetivo principal de garantir a livre difusão do conhecimento, evitando sua restrição por razões meramente políticas".[24]

Em última razão, portanto, o próprio financiamento das universidades – e da educação pública em geral – não se sujeita a decisões contingenciais de matiz ideológico, daí, pois, prever a Constituição Federal tanto um mínimo de financiamento à educação quanto, em relação às universidades, a autonomia inclusive no que concerne à gestão orçamentária.

Em relação ao seu conteúdo jurídico, este direito-dever educacional não se encerra na mera viabilização de acesso, entendido como políticas públicas de ingresso (v. g., ações afirmativas), mas compreende igualmente a manutenção do estudante no sistema de ensino (como bolsas de financiamento de pesquisa). A respeito desta amplitude, Nina Beatriz Stocco Ranieri destaca que o dever estatal "não se esgota no oferecimento e financiamento final da Educação", mas "deve prover todos os meios necessários para que o direito esteja a todos disponível, seja acessível, adequado às necessidades sociais e adaptado às necessidades dos indivíduos".[25]

De todo modo, o dever estatal de educar baliza-se pelo fornecimento de um padrão de qualidade, consoante determinado pelo artigo 206, VII, da Constituição Federal. Ressalva-se, contudo, que "a qualidade da educação, como objeto social, político e ideológico que é, apresenta-se como conceito polissêmico e em constante evolução, tornando complexa sua análise mediante o Poder Judiciário".[26]

José Afonso da Silva, a respeito do tema explicita que a qualidade da educação decorre de fatores intrínsecos, vinculados à organização das instituições, as quais devem possuir um instrumental adequado às habilitações que ofereçam, exigindo-se dos poderes públicos permanente atenção para com as condições materiais, o que se traduz na disponibilização das mais modernas tecnologias de ensino.[27]

Existem, ademais, fatores extrínsecos, compreendidos como o oferecimento de condições para que os estudantes se predisponham física, psíquica, social, cultural e economicamente para o aprendizado.[28]

É possível concluir, então, que a temática da qualidade de educação demanda que se propiciem condições de higidez e salubridade interna à instituição de ensino, mas também condições tais externas. Não se resume, assim, ao mero espaço físico ou ao tempo em que o indivíduo permanece na instituição de ensino, antes, é um conceito conjectural e complexo.

---

[24] BRASIL. Supremo Tribunal Federal. *Ação Direta de Inconstitucionalidade nº 3.874*. Rel. Min. Luís Roberto Barroso, Pleno, J. 23.08.2019. Disponível em: http://redir.stf.jus.br/paginadorpub/paginador.jsp?docTP=TP&docID=750738451. Acesso em: 23 nov. 2019.

[25] RANIERI, Nina Beatriz Stocco. O direito educacional no sistema jurídico brasileiro, p. 80.

[26] SCAFF, Elisângela Alves da Silva; PINTO, Isabela Rahal de Rezende. O Supremo Tribunal Federal e a garantia do direito à educação. *Revista Brasileira de Educação*, vol. 21, n. 65, abril/junho 2016, p. 431-454. Disponível em: https://www.redalyc.org/pdf/275/27544654009.pdf. Acesso em: 04 set. 2019, p. 443.

[27] SILVA, José Afonso da. *Comentário contextual à Constituição*. 7. ed. São Paulo: Malheiros, 2010, p. 805.

[28] SILVA, José Afonso da. *Comentário contextual à Constituição*, p. 805.

Esta polissemia do postulado constitucional da qualidade na educação se revela, desta feita, na garantia das condições prévias de subsistência (alimentação, saúde, lazer – as necessidades físicas e psíquicas tanto para o estudante absorver o aprendizado quanto o professor fornecer o conhecimento), na garantia das condições estruturais (adequação quantitativa e qualitativa do espaço educacional) e também na gestão curricular e temporal, evitando sobrecarga no conteúdo e no tempo despendido no edifício educacional.

Esta demanda pela qualidade na educação, em verdade, remete à própria estrutura dos direitos fundamentais sociais, segundo a qual a disposição e o acesso se valoram em termos de "bem-estar" e "qualidade de estar".[29]

A leitura a ser feita deste postulado é que em matéria de direitos fundamentais sociais "deve seguir-se a interpretação mais conforme à realização efectiva desses direitos, o que corresponde, na terminologia de Hesse, a sua 'efectividade óptima'".[30]

Como corolário, a noção de mínimo existencial resta por ser superada, na medida em que os direitos fundamentais não se resumem a condições vitais mínimas e, portanto, as ações e medidas estatais não podem se limitar a prover direitos em grau mínimo.[31]

Na leitura do Ministro Luís Roberto Barroso, em verdade, o mínimo existencial se configura tão somente como um limite mínimo, de modo que cabe aos três Poderes – Legislativo, Executivo e Judiciário – o dever de realizar os direitos fundamentais, na maior extensão possível.[32] O mestre, em sua obra doutrinária, assenta: "[p]ara serem livres, iguais e capazes de exercer uma cidadania responsável, os indivíduos precisam estar além de limiares mínimos de bem-estar, sob pena de a autonomia se tornar uma mera ficção, e a verdadeira dignidade humana não existir".[33]

Assim, impõe-se que "a ação estatal e as políticas públicas visem sempre a desenvolver plenamente a efetividade dos direitos fundamentais, voltando-se à promoção do máximo existencial", vale dizer, "não apenas alcançar as condições de subsistência, mas dirigir as políticas públicas e as ações estatais para a implementação das condições de existência que propiciem o pleno desenvolvimento da personalidade".[34]

Neste passo, o postulado da efetividade suficientemente satisfatória encontra gemelaridade no preceito constitucional da qualidade educacional. Isto pois, se pelo máximo existencial se busca o "que se afigure como bom o suficiente tendo em vista os níveis de prestação alcançados de acordo com as necessidades vivenciadas e experimentadas",[35] igualmente no âmbito da educação:

---

[29] QUEIROZ, Cristina. *Direitos fundamentais sociais*: funções, âmbito, conteúdo, questões interpretativas e problemas de justiciabilidade. Coimbra: Coimbra Editora, 2006, p. 31.
[30] QUEIROZ, Cristina. *Direitos fundamentais sociais*, p. 67.
[31] DANTAS, Miguel Calmon. *Máximo existencial como direito fundamental*: rejeitando a tese do mínimo vital pelo desenvolvimento de referenciais mais protetivos. Curitiba: Juruá, 2019, p. 21.
[32] BARROSO, Luís Roberto. *Da falta de efetividade à judicialização excessiva*: direito à saúde, fornecimento gratuito de medicamentos e parâmetros para a atuação judicial. Disponível em: https://www.conjur.com.br/dl/estudobarroso.pdf. Acesso em: em 24 nov. 2019, p. 11.
[33] BARROSO, Luís Roberto. *A dignidade da pessoa humana no direito constitucional contemporâneo*: a construção de um conceito jurídico à luz da jurisprudência mundial. Belo Horizonte: Fórum, 2016, p. 85.
[34] DANTAS, Miguel Calmon. *Máximo existencial como direito fundamental*, p. 22.
[35] DANTAS, Miguel Calmon. *Máximo existencial como direito fundamental*, p. 25.

aplicar o princípio da progressividade na implantação dos direitos sociais não significa trabalhar fora dos limites do possível, mas, pelo contrário, significa trabalhar com o possível, sem olvidar os elementos axiológicos e teleológicos de um direito social inserto na Constituição Federal. Isso significa que o poder público deve buscar dar a "destinação do máximo de recursos econômicos e técnicos disponíveis em cada estágio de desenvolvimento" no processo de implantação de uma política estatal (...).[36]

O pressuposto essencial da proposição é que, se os direitos fundamentais não se resumem a assegurar a mera sobrevivência, e a mera sobrevivência em condições mínimas, por conseguinte igualmente não é possível legitimar que o poder público e as vias de garantia de direitos sejam institucionais ou informais, se compadeçam de uma atuação minimalista.[37]

Diante de tal postulado, a atuação pública na concretização do direito fundamental à educação não pode e não deve se limitar ao fornecimento de condições mínimas, mas antes, e sobretudo, está vinculada à prestação maximizada:

> os direitos fundamentais, como um todo, têm uma dimensão programática, pois visam sempre, enquanto princípios jurídicos destinados à promoção de uma situação máxima de fato, ao máximo de concretização possível, não se equiparando esse possível, usualmente, ao mínimo vital e nem bastando que seja alcançado.[38]

A respeito do máximo existencial, Dantas assevera que se trata de verificar se o direito fundamental e seu correlato dever fundamental comportam ampliação e alargamento do âmbito de proteção efetivo, enriquecendo seu conteúdo material.[39] Nesta linha de pensamento, cabe ao Estado sempre ampliar os níveis de prestação, de modo que a satisfação suficiente das necessidades existenciais se dê pela ampliação dos níveis essenciais de prestação.[40]

O raciocínio, a despeito da novidade da terminologia, a toda evidência não é novo. Em magistério análogo, Cristina Queiroz obtempera que "deverá aí distinguir-se, de um lado, a "medida" de protecção e cuidado (isto é, o "quanto") das "alternativas" pelas quais se deve atingir o âmbito da prestação prescrita, do outro".[41] O que se depreende é que os direitos fundamentais atuam como imperativos de tutela alavancada, ou seja, consoante um mandado de otimização, de propiciação ao maior grau que seja reclamado para a plena satisfação das necessidades vivenciadas pelos destinatários dos direitos fundamentais.

Sendo assim, não se sustenta recepcionar o inciso IX do artigo 4º da Lei de Diretrizes e Bases da Educação (Lei nº 9.394/1996 – LDB), pelo qual o dever educacional do Estado se concretiza pelo oferecimento de "padrões mínimos de qualidade de ensino definido como a variedade e quantidade mínimas, por aluno, de insumos indispensáveis

---

[36] KIM, Richard Pae; BOLZAM, Angelina Cortelazzi. *Direito à Educação de Qualidade e seus fundamentos jurídicos*, p. 189.
[37] DANTAS, Miguel Calmon. *Máximo existencial como direito fundamental*, p. 25.
[38] DANTAS, Miguel Calmon. *Máximo existencial como direito fundamental*, p. 140.
[39] DANTAS, Miguel Calmon. *Máximo existencial como direito fundamental*, p. 412.
[40] DANTAS, Miguel Calmon. *Máximo existencial como direito fundamental*, p. 412 e p. 446.
[41] QUEIROZ, Cristina. *Direitos fundamentais sociais*, p. 79.

ao desenvolvimento do processo de ensino-aprendizagem". Na esteira do quanto argumentado, não se trata de assegurar o mínimo, mas, sim, da superação em busca de um melhor desempenho através da adoção de prestações suplementares, como sustentado pela boa doutrina.[42]

No que concerne à educação, conforme expresso por José Afonso da Silva, a garantia da qualidade no ensino se vincula à disponibilização pelo Poder Público das condições materiais mais avançadas disponíveis em cada estágio tecnológico.[43] É dizer, com efeito, a garantia da qualidade da educação perpassa pelo máximo existencial estudantil e professoral.

Em síntese, no que se refere ao direito à educação, portanto, incumbe ao Estado promover a maximização das condições de acesso, de permanência e de aproveitamento do espaço-tempo educacional, viabilizando o pleno desenvolvimento intelectual, psíquico, físico, ético-moral e humano (educação para direitos humanos).

2 O equilíbrio fiscal como interesse público e sua colisão com direitos fundamentais: a teoria da reserva do possível

A beleza do discurso e da argumentação nem sempre é correspondida pela facilidade de sua concretização no mundo material. A transposição do plano das ideias para o plano das coisas, não raro, colide com a necessidade de utilização de recursos, no mais das vezes, escassos.

A questão em si é pragmática, e não ideológica. Consoante explica Mankiw, "[a] gestão dos recursos da sociedade é importante porque estes são escassos (...) a sociedade tem recursos limitados e, portanto, não pode produzir todos os bens e serviços que as pessoas desejam ter".[44]

Em matéria de direitos fundamentais não é diferente, mormente em relação aos direitos fundamentais sociais: "se o governo que está encarregado de conceder acesso a esses direitos não tiver recursos ou capacidades de gestão, a obtenção dessas "obrigações" será simplesmente (para sempre) adiada".[45]

Estes, por serem constituídos de obrigações positivas, possuem custos, de modo que sua implementação resulta vinculada ao desenvolvimento e ao progresso socioeconômico. É dizer, então, que os direitos fundamentais sociais são dependentes dos recursos econômicos disponíveis, da cobertura orçamental e financeira existente.[46] A respeito do tema, Holmes e Sunstein ressaltam que "os direitos custam dinheiro e não podem ser protegidos nem garantidos sem financiamento e apoio públicos".[47]

---

[42] SOARES, Dilmanoel de Araújo. O direito fundamental à educação e a teoria do não retrocesso social. *Revista de informação legislativa*, v. 47, n. 186, p. 291-301, abr./jun. 2010. Disponível em: https://www2.senado.leg.br/bdsf/bitstream/handle/id/198687/000888837.pdf?sequence=1&isAllowed=y. Acesso em: 04 set. 2019, p. 294.
[43] SILVA, José Afonso da. *Comentário contextual à Constituição*, p. 805.
[44] MANKIW, Nicholas Gregory. *Introdução à economia*. São Paulo: Cengage Learning, 2014, p. 4.
[45] BODART, Bruno; YEUNG, Luciana L. A constitucionalização de direitos sociais: uma análise econômica, p. 118.
[46] QUEIROZ, Cristina. *Direitos fundamentais sociais*, p. 25 e p. 97-99.
[47] HOLMES, Stephen; SUNSTEIN, Cass R. *O custo dos direitos*: porque a liberdade depende dos impostos. São Paulo: WMF Martins Fontes, 2019, p. 5.

Decorre, outrossim, que os direitos, incluídos os fundamentais, e sobretudo os fundamentais sociais, "não são autorrealizáveis nem podem ser realisticamente protegidos num estado falido ou incapacitado".[48] Esta realidade constitui preocupação de relevo no pensamento de Luís Roberto Barroso, com interlocuções voltadas à reforma política, extraindo-se de sua obra a constatação de que entre os custos da corrupção se encontra o custo social, isto é, o comprometimento da qualidade dos serviços públicos.[49]

Na leitura de Nabais[50] e de Holmes e Sunstein,[51] o Estado contemporâneo tem, como suporte financeiro do seu dever de materialização dos direitos fundamentais, a figura dos impostos, constituindo-se em um Estado fiscal. Quanto a esta dinâmica, tem-se que o Estado brasileiro é "marcado pela voracidade do fisco, cuja arrecadação tem aumentado de forma notavelmente extraordinária",[52] realidade esta que arrazoa o empreendimento de uma reforma tributária, conforme advogado pelo ora homenageado.[53]

A questão fática que se faz subjacente é a contração de despesas em valor superior às receitas líquidas de que dispõe o Estado, ou seja, as consequências do desequilíbrio deficitário nas contas públicas, e diante das tarefas a que se destina o Estado, em complexidade quantitativa e qualitativa, há a necessidade de um orçamento superavitário, aqui entendido como a disponibilidade de receita em valor igual ou maior que os das despesas previstas: "[h]á sempre uma decisão financeira detrás de cada atuação estatal que demande recursos, esta é, por sua vez, precedida de um atividade de arrecadação que torna a decisão de gastar possível".[54]

No entanto, a realidade se mostra em sentido contrário. As despesas estatais se avolumam em montantes que superam a receita esperada e, não raro, a efetivamente recebida, resultando em déficit nas contas públicas.

A par dessas ideias, quando a realidade orçamentária do Estado (em nível nacional, mas igualmente das unidades da Federação) não recepciona o suporte financeiro a todas as necessidades e a todos os deveres estatais de provimento social, exsurge ao governante, cá especificamente o chefe do Poder Executivo, a tarefa de gerir, administrar os recursos disponíveis, estabelecendo prioridades e balizando o fluxo financeiro do erário.

Trata-se, de fato, do equilíbrio fiscal como interesse público, vale dizer, da sustentabilidade orçamentária do Estado como princípio da administração em proveito do próprio bem comum a que se destina o Estado[55] e, na terminologia empregada por Nabais, o equilíbrio fiscal transmuta-se na sustentabilidade do Estado, vale dizer, sem

---

[48] NABAIS, José Casalta. A face oculta dos direitos fundamentais: os deveres e os custos dos direitos. *Revista Direito Mackenzie*, vol. 03, n. 02, 2002. Disponível em: http://editorarevistas.mackenzie.br/index.php/rmd/article/view/7246/4913. Acesso em: 01 set. 2019, p. 19-20.

[49] BARROSO, Luís Roberto. Trinta anos da Constituição: A República que ainda não foi, p. 96.

[50] NABAIS, José Casalta. A face oculta dos direitos fundamentais: os deveres e os custos dos direitos, P. 21.

[51] HOLMES, Stephen; SUNSTEIN, Cass R. *O custo dos direitos:* porque a liberdade depende dos impostos. São Paulo: WMF Martins Fontes, 2019.

[52] BRASIL. Supremo Tribunal Federal. *Recurso Extraordinário nº 500.171.* Rel. Min. Ricardo Lewandowski, Pleno, J. 13.08.2008.

[53] BARROSO, Luís Roberto. *O momento institucional brasileiro e uma agenda para o futuro.* Disponível em: http://luisrobertobarroso.com.br/wp-content/uploads/2017/08/Oxford-Momento-institucional-brasileiro-e-uma-agenda-para-o-futuro.pdf. Acesso em: 23 nov. 2019, p. 16-17.

[54] MENDES, Gilmar Ferreira; BRANCO, Paulo Gustavo Gonet. *Curso de direito constitucional,* p. 1487.

[55] MENDES, Gilmar Ferreira; BRANCO, Paulo Gustavo Gonet. *Curso de direito constitucional,* p. 1502.

que a economia proporcione uma tributação correspondente à dimensão do Estado, este se tornará insustentável.[56]

As vias tradicionalmente empregadas como vias de asseguração do equilíbrio fiscal – aumento de receita e diminuição de despesa – se mostram não raro impraticáveis por consequência da alta carga fiscal e da rigidez das despesas estatais.[57]

Assim, clama-se a reconstrução da socialidade em prol de um novo equilíbrio do Estado, com vistas a assegurar a sustentabilidade da economia pela adequação na cobertura das despesas públicas sem sobrecarregar os contribuintes.[58] É dizer, com efeito, a sustentabilidade estatal tem por alternativa a "redução muito significativa das despesas públicas de modo a restabelecer um equilíbrio adequado às forças da nossa economia de mercado", observando-se o respeito à capacidade contributiva.[59]

Deflui, neste contexto, a prevalência de critérios econômicos, ditos critérios de ajuste financeiro, em detrimento da juridicidade, "como se os critérios jurídicos fossem 'coisa non grata em tempos de escassez de recursos econômicos' ou consubstanciassem parâmetros incapazes de originar soluções eficientes e adequadas a contextos de austeridade".[60] Equivale a dizer, passa-se "à adopção de medidas político-legislativas, que procuram orientar a situação econômica nacional para o cumprimento das directrizes macroeconómicas gerais das políticas públicas de crescimento", cujo escopo maior é o ajustamento entre a riqueza produzida e o gasto público.[61]

Por conseguinte, é inafastável que "se assista a um retrocesso social, ou a um retrocesso do bem-estar", não obstante sejam discutíveis as extensões deste retrocesso.[62]

É neste contexto que se clarifica o princípio da reserva do possível, ou seja, a possibilidade fática de concretização dos direitos sociais, conforme explicita Jorge Bacelar Gouveia, citado por Leal:

> Sendo um desses corolários a dependência dos direitos sociais da realidade constitucional (ou da reserva econômica do possível), é natural que a sua eficácia sofra as influências dessa mesma realidade constitucional, nela sem dúvida pontificando as decorrentes da saúde financeira das entidades públicas que estão vinculadas ao cumprimento de tais direitos. Essa sua eficácia não é, deste modo, estática, mas profundamente dinâmica, sendo maior ou menor consoante os circunstancialismos econômico-sociais que se afigurem relevantes. É indubitável que a existência de uma grave crise econômico-financeira faz atenuar – quando não menos desaparecer por momentos – a força de tais direitos sociais, uma vez que não é possível fazê-los de outro modo.[63]

---

[56] NABAIS, José Casalta. Da sustentabilidade do Estado fiscal. *In*: NABAIS, José Casalta; SILVA, Suzana Tavares da (Coord.). *Sustentabilidade fiscal em tempos de crise*. Coimbra: Almedina, 2011, p. 25.
[57] NABAIS, José Casalta. Da sustentabilidade do Estado fiscal, p. 32.
[58] NABAIS, José Casalta. Da sustentabilidade do Estado fiscal, p. 55.
[59] NABAIS, José Casalta. Da sustentabilidade do Estado fiscal, p. 55.
[60] SILVA, Suzana Tavares da. Sustentabilidade e solidariedade em tempos de crise. *In*: NABAIS, José Casalta; SILVA, Suzana Tavares da (Coord.). *Sustentabilidade fiscal em tempos de crise*. Coimbra: Almedina, 2011, p. 62.
[61] SILVA, Suzana Tavares da. Sustentabilidade e solidariedade em tempos de crise, p. 72.
[62] SILVA, Suzana Tavares da. Sustentabilidade e solidariedade em tempos de crise, p. 73.
[63] LEAL, Gabriel Prado. Exceção econômica e governo de crise nas democracias. *In*: NABAIS, José Casalta; SILVA, Suzana Tavares da (Coord.). *Sustentabilidade fiscal em tempos de crise*. Coimbra: Almedina, 2011, p. 121.

A reserva do possível é, efetivamente, um recurso jurídico-econômico de justificação da discricionariedade do Poder Público na adoção e implementação de políticas públicas voltadas à satisfação dos direitos fundamentais sociais. É, ainda, retórica política de legitimação da ação ou omissão estatal:

> Especialmente em períodos de recessão financeira, não há como negar que a função do Estado de assegurar direitos sociais poderá estar limitada por restrições de cunho orçamentário. Em tais casos, a interpretação do texto constitucional não poderá se desenvolver alheia aos óbices econômicos postos.
> Assim, em razão da inexistência de suportes financeiros suficientes para a satisfação de todas as necessidades sociais, enfatiza-se que a formulação das políticas sociais e econômicas voltadas à implementação dos direitos sociais implicaria, invariavelmente, escolhas alocativas.[64]

Tal exculpatória, porém, em que pese justificada como medida de austeridade assecuratória do equilíbrio fiscal – em desiderato último eminentemente econômico, mas igualmente jurídico, nos limites da Lei de Responsabilidade Fiscal –, origina debates outros, mormente relativos ao retrocesso social, à proteção insuficiente e à máxima efetividade dos direitos fundamentais.

Apesar de, *a priori*, se destinar à estagnação da implementação de políticas públicas, dá-se, no mais das vezes, que se inicia um processo de desarticulação do patamar social alcançado.

Diante desta prejudicialidade intrínseca à utilização da reserva do possível em matéria de ação estatal, assentou o Ministro Luís Roberto Barroso que a invocação de tal postulado não dispensa o ônus da prova, isto é, não se configura como mero artifício retórico, antes demanda a demonstração inequívoca da efetiva incapacidade de recursos.[65]

É nesta quadra que se observa a exigência da necessidade e da proporcionalidade na restrição a direitos, salvaguardando um conteúdo mínimo obstativo da eliminação de direitos tais e observando-se a idoneidade do meio escolhido; isto é, a decisão deve ser em favor do meio mais benigno, menos agressivo, menos restritivo, a fim de se evitar sacrifícios desnecessários aos direitos fundamentais.[66]

Efetivamente, o orçamento público não é um fim em si mesmo, mas "deve obediência aos imperativos de tutela que amparam os direitos fundamentais". Desta forma, "alterações que impliquem retrocesso no estágio de proteção por eles [*direitos e garantias fundamentais*] alcançado não são admissíveis, ainda que a pretexto de limites orçamentário-financeiros".[67]

---

[64] MENDES, Gilmar Ferreira; BRANCO, Paulo Gustavo Gonet. *Curso de direito constitucional*, p. 676-677.
[65] BRASIL. Supremo Tribunal Federal. *Recurso Extraordinário nº 580.252*. Rel. Min. Alexandre de Moraes. Rel. p/ Acórdão: Min. Gilmar Mendes, Pleno. J. 16.02.2017. Disponível em: http://redir.stf.jus.br/paginadorpub/paginador.jsp?docTP=TP&docID=13578623. Acesso em: 23 nov. 2019.
[66] QUEIROZ, Cristina. *Direitos fundamentais sociais*, p. 81, p. 118-119 e p. 167-168.
[67] BRASIL. Supremo Tribunal Federal. *Medida Cautelar na Ação Direta de Inconstitucionalidade nº 5.595*. Rel. Min. Ricardo Lewandowski. J. 31.08.2017. Disponível em: http://portal.stf.jus.br/processos/downloadPeca.asp?id=312629019&ext=.pdf. Acesso em: 02 out. 2019.

Neste sentido, delineadas as linhas gerais da implementação das políticas públicas de direitos sociais e a lógica jurídico-econômica que sustenta a aplicação da teoria da reserva do possível, é de se analisar a concretude da temática a partir da experiência do contingenciamento de verbas do Governo Federal às universidades e aos órgãos de fomento à pesquisa.

3 O contingenciamento de verbas às universidades à luz do dever de mitigar o próprio dano

Conforme exposto nos tópicos anteriores, a ação do Estado em prover o bem comum perpassa pela efetivação de direitos fundamentais de cunho social através de implementação de políticas públicas as quais, a seu turno, demandam recursos financeiros. Essas políticas públicas, assim, restam condicionadas à disponibilidade financeira do Estado e acabam por serem comprometidas em cenários de necessidade econômica sob fundamento da preservação do equilíbrio orçamentário-fiscal, justificativa que resulta na adoção da retórica da reserva do possível como legitimação das escolhas governamentais.

Esta situação conflituosa de antagonismo entre a efetivação de direitos e escassez dos recursos financeiros conduz o Estado às escolhas ditas trágicas, nas quais se dá, para o Poder Executivo principalmente, o encargo de realizar "opções por determinados valores, em detrimento de outros igualmente relevantes", isto é, "alguns direitos, interesses e valores serão priorizados 'com sacrifício' de outros".[68]

Como reconhecido pelo Ministro Roberto Barroso, "os recursos públicos são insuficientes para atender a todas as necessidades sociais, impondo ao Estado a necessidade permanente de tomar decisões difíceis: investir recursos em determinado setor sempre implica deixar de investi-los em outros".[69] A controvérsia, com efeito, não obstante recorrente no que atine à judicialização da saúde, assumiu relevo contemporâneo em razão das medidas de contingenciamento de verbas destinadas pelo Executivo Federal às universidades a ele vinculadas.

Se é certo que o clamor popular da temática assumiu viés ideológico, volatilizado pelas dissonâncias de oposição que marcam a atual conjuntura política, não é menos certo que a temática é jurídica, tendo sido o Supremo Tribunal Federal provocado a manifestar-se a respeito. Verifica-se, por exemplo, que o Mandado de Segurança nº 36.460 restou denegado sob argumento primeiro que o ato normativo apontado, Decreto nº 9.741/2019, não promoveria o apontado corte de verbas, ato este sujeito a decisão no âmbito dos próprios Ministérios. Consoante se extrai da decisão denegatória, "[o] argumento de haver o Decreto possibilitado a prática do ato coator não se presta a justificar a competência do Supremo (...)".[70]

---

[68] BRASIL. Supremo Tribunal Federal. *Recurso Extraordinário nº 639.337*. Rel. Min. Celso de Mello, Segunda Turma. J. 23.08.2011. Disponível em: http://redir.stf.jus.br/paginadorpub/paginador.jsp?docTP=AC&docID=627428. Acesso em: 11 set. 2019.

[69] BARROSO, Luís Roberto. *Da falta de efetividade à judicialização excessiva*, p. 29.

[70] BRASIL. Supremo Tribunal Federal. *Mandado de Segurança nº 36.460*. Rel. Min. Marco Aurélio. Disponível em: https://www.conjur.com.br/dl/marco-aurelio-nega-acoes1.pdf. Acesso em: 12 set. 2019.

Reconhece-se, de fato, que os direitos fundamentais sociais, mormente saúde e educação, vinculam o Estado a uma política de financiamento suficiente e progressivo, outorgando-se a estes citados direitos prioridade alocativa dos orçamentos públicos e garantia de irredutibilidade no volume de benefícios.[71]

Escoimando-se na leitura de Kishore Singh, não há dúvida de que o direito à educação há de assumir a posição prioritária em grau máximo na agenda desenvolvimentista de qualquer país, em razão de sua abrangência e essencialidade para o próprio exercício dos demais direitos humanos.[72]

Cuida-se ainda de premissa científica, alicerçada em magistério doutrinário, que a definição de uma determinada política pública e a consequente alocação de recursos devem observar o número de cidadãos atingidos, a efetividade e eficácia do serviço e a maximização dos resultados.[73]

Neste passo, demanda-se um escalonamento das práticas de austeridade fiscal, bem como a ponderação dos bens jurídicos atingidos, sua relevância (vale dizer, sua fundamentalidade), de modo que, *a priori*, se vislumbra a prevalência das políticas públicas voltadas ao fomento da educação, saúde, segurança, moradia e emprego, por serem, sem tautologia, os valores mais caros dos direitos sociais.

Vale dizer, a axiologia norteadora das medidas de austeridade fiscal vincula-se exclusivamente à restrição momentânea dos gastos estatais, a fim de promover a sustentabilidade do orçamento estatal (superávit), e não como diretriz de extinção de direitos fundamentais sociais ou de renúncia ao dever estatal de promoção do bem-estar dos cidadãos.

> Não se mostrará lícito, no entanto, ao Poder Público, em tal hipótese – mediante indevida manipulação de sua atividade financeira e/ou político-administrativa – criar obstáculo artificial que revele o ilegítimo, arbitrário e censurável propósito de fraudar, de frustrar e de inviabilizar o estabelecimento e a preservação, em favor da pessoa e dos cidadãos, de condições materiais mínimas de existência.[74]

Assim sendo, mesmo diante de um cenário orçamentário deficitário e recessivo, as políticas de adequação econômica das finanças públicas hão de se submeter à ideia do *duty to mitigate the loss*, o dever de minimizar o próprio dano. Cuida-se de princípio civilista do Direito anglo-saxão, que infelizmente não poderá ser aprofundado em razão da limitação formal deste artigo.

Podemos sintetizar, no entanto, para os objetivos deste trabalho, que o *duty to mitigate* incide "menos no âmbito da reprovabilidade da conduta e mais no âmbito das suas consequências".[75]

---

[71] BRASIL. Supremo Tribunal Federal. *Medida Cautelar na Ação Direta de Inconstitucionalidade nº 5.595*. Rel. Min. Ricardo Lewandowski. J. 31.08.2017.

[72] SINGH, Kishore. Apresentação, p. 24.

[73] MENDES, Gilmar Ferreira; BRANCO, Paulo Gustavo Gonet. *Curso de direito constitucional*, p. 677.

[74] BRASIL. Supremo Tribunal Federal. *Arguição de Descumprimento de Preceito Fundamental nº 45*. Rel. Min. Celso de Mello. J. 29.04.2004. Disponível em: http://stf.jus.br/portal/jurisprudencia/listarJurisprudencia.asp?s1=%28A DPF%24%2ESCLA%2E+E+45%2ENUME%2E%29+NAO+S%2EPRES%2E&base=baseMonocraticas&url=http:// tinyurl.com/l7lb9d2. Acesso em: 02 out. 2019.

[75] MORAES, Bruno Terra de. *O dever de mitigar o próprio dano:* fundamentos e parâmetros no direito brasileiro. Rio de Janeiro: Lumen Juris, 2019, p. 11.

Em conformidade com os estudos de Paulo Nalin e Hugo Sirena, trata-se, com efeito, da seguinte ideia: o sujeito responsável deve precaver-se e adotar todas as medidas possíveis e necessárias para que o dano causado não seja agravado (vale dizer, que ocorra na menor extensão possível, nos limites do estritamente necessário). Por outro lado, a vítima tampouco pode agir de maneira permissiva a que o dano causado se avolume.[76] Este princípio, em verdade, assenta-se sobre o fundamento de que não é possível falar-se em exercício regular de direito sem que haja ponderação sobre a esfera jurídica alheia.[77]

Transpondo a assertiva para o âmbito em testilha, ainda que o Estado possa – e deva, em verdade – decidir eventualmente pela alocação de recursos disponíveis (exercício formalmente legítimo), se o fizer sem que esta alocação seja feita com ponderação (razoabilidade/proporcionalidade, necessidade), incorrerá o obrigado no exercício irregular de direito se a sua decisão for desarrazoada, desnecessária e/ou desproporcional.

Nessa linha de raciocínio, lembramos do que escreveu Bruno Terra de Moraes: "quanto mais volumosos os danos não mitigados, mais insegurança jurídica será impingida (...) quem não mitiga os danos certamente está agindo em prol de interesses ilegítimos".[78]

Exsurge, assim um dever de preocupação com a outra parte que se traduz, na presente temática, no fato de que cabe ao Estado não se limitar única e exclusivamente a considerar o interesse público ao equilíbrio fiscal, mas, sobretudo, às consequências que as medidas de austeridade terão sobre a população. Neste desiderato, portanto, o dever de mitigar o dano causado, aplicado à intersecção entre superávit orçamentário e satisfação de direitos sociais, enseja a adoção de medidas que reduzam os custos sociais ao mínimo necessário, ao menor nível possível.[79]

Dá-se, em verdade, que, se o ajuste fiscal é necessário e inafastável, este deve afetar os direitos fundamentais sociais no menor patamar possível. Ou seja, quando superveniente política de austeridade com vistas ao equilíbrio orçamentário, o primeiro critério de materialização do dever de mitigar o prejuízo jurídico há de ser o respeito último aos direitos fundamentais à educação, saúde, segurança, moradia e emprego, como políticas a serem readequadas, atingidas, diminuídas.

Como bem salientou o Ministro Ricardo Lewandowski, ao julgar a Medida Cautelar na ADIN nº 5595, "não é oponível a alegação imotivada e discricionária de restrição orçamentária em face de tais direitos fundamentais", em razão de serem direitos essenciais à vida digna dos cidadãos brasileiros e por possuírem fontes próprias de receita e deveres de gastos mínimos constitucionalmente previstos.[80]

Outrossim, manifestou o Ministro Celso de Mello, tendo assentado, na já referida decisão monocrática proferida na ADPF nº 45, que "não se revela absoluta, nesse domínio,

---

[76] MORAES, Bruno Terra de. *O dever de mitigar o próprio dano*, p. 34.
[77] MORAES, Bruno Terra de. *O dever de mitigar o próprio dano*, p. 57.
[78] MORAES, Bruno Terra de. *O dever de mitigar o próprio dano*, p. 60.
[79] MORAES, Bruno Terra de. *O dever de mitigar o próprio dano*, p. 67.
[80] BRASIL. Supremo Tribunal Federal. *Medida Cautelar na Ação Direta de Inconstitucionalidade nº 5.595*. Rel. Min. Ricardo Lewandowski. J. 31.08.2017. Disponível em: http://portal.stf.jus.br/processos/downloadPeca.asp?id=312629019&ext=.pdf. Acesso em: 02 out. 2019.

a liberdade de conformação do legislador, nem a de atuação do Poder Executivo",[81] pois a atuação desarrazoada ou abusiva dos Poderes do Estado permitirá a intervenção do Poder Judiciário em verdadeiro controle de constitucionalidade da política adotada.

Efetivamente, a intervenção judicial em matéria de políticas públicas tem sido reiterada pelo Ministro Luís Roberto Barroso, tanto em matéria de educação, ora em comento,[82] como igualmente no que concerne à saúde[83] e em outras áreas, sempre a fim de dar concretude aos direitos fundamentais.[84]

É nesta perspectiva, portanto, que a professora Cristina Queiroz assevera que o comprometimento das políticas públicas de direitos fundamentais sociais deve vir acompanhado de um processo de ponderação do núcleo essencial do direito e de análise das alternativas e compensações às medidas restritivas desses direitos e das políticas públicas correlatas.[85]

Não é adequado valer-se de uma restrita equação matemática na elaboração e execução de orçamentos, mas é preciso correlacionar de forma substantiva os meios fiscais e os fins constitucionais a que se destinam.[86]

Há de se consignar, neste desiderato, que a legitimidade constitucional das políticas de austeridade fiscal demanda contemporaneidade das medidas alternativas e compensatórias, haja vista que "a promessa de crescimento futuro do piso não garante que os subpisos serão superados ao longo das execuções orçamentárias".[87]

A conformação das medidas de austeridade à axiologia constitucional demanda que haja a apresentação de justificativa hábil acerca de eventuais medidas compensatórias, comprovação expressa da proporcionalidade e obediência ao princípio da segurança jurídica.[88] Dentre as alternativas possíveis, *a priori* do comprometimento do fluxo de verbas para as universidades e agências de financiamento de pesquisas, afigura-se viável a instituição de empréstimos compulsórios com fundamento no artigo 148, I, da Constituição Federal, especificamente para destinação educacional.

De fato, explicita Paulo de Barros Carvalho que "por calamidade pública, se deva entender (...) também outros eventos, de caráter socioeconômico, que ponham em perigo o equilíbrio do organismo social, considerado na sua totalidade".[89] Também não se

---

[81] BRASIL. Supremo Tribunal Federal. *Arguição de Descumprimento de Preceito Fundamental nº 45*. Rel. Min. Celso de Mello. J. 29.04.2004.

[82] BRASIL. Supremo Tribunal Federal. *Agravo Regimental no Recurso Extraordinário com Agravo nº 761.127*. Rel. Min. Luís Roberto Barroso, Primeira Turma, J. 24.06.2014. Disponível em: http://portal.stf.jus.br/processos/downloadPeca.asp?id=251335631&ext=.pdf. Acesso em: em 24 nov. 2019.

[83] BRASIL. Supremo Tribunal Federal. *Agravo Regimental no Recurso Extraordinário com Agravo nº 894.085*. Rel. Min. Luís Roberto Barroso, Primeira Turma. J. 15.12.2015. Disponível em: http://redir.stf.jus.br/paginadorpub/paginador.jsp?docTP=TP&docID=10275124. Acesso em: 24 nov. 2019.

[84] BRASIL. Supremo Tribunal Federal. *Agravo Regimental no Recurso Extraordinário com Agravo nº 1.215.692*. Rel. Min. Luís Roberto Barroso, Primeira Turma. J. 27.09.2019. Disponível em: http://redir.stf.jus.br/paginadorpub/paginador.jsp?docTP=TP&docID=751164957. Acesso em: 24 nov. 2019.

[85] QUEIROZ, Cristina. *Direitos fundamentais sociais*, p. 103.

[86] BRASIL. Supremo Tribunal Federal. *Medida Cautelar na Ação Direta de Inconstitucionalidade nº 5.595*. Rel. Min. Ricardo Lewandowski. J. 31.08.2017.

[87] BRASIL. Supremo Tribunal Federal. *Medida Cautelar na Ação Direta de Inconstitucionalidade nº 5.595*. Rel. Min. Ricardo Lewandowski. J. 31.08.2017.

[88] BRASIL. Supremo Tribunal Federal. *Medida Cautelar na Ação Direta de Inconstitucionalidade nº 5.595*. Rel. Min. Ricardo Lewandowski. J. 31.08.2017.

[89] CARVALHO, Paulo de Barros. *Curso de Direito Tributário*. 28. ed. São Paulo: Saraiva, 2017, p. 61.

olvide que a cobrança de mensalidade em cursos de pós-graduação pelas universidades federais restou autorizada pelo Supremo Tribunal Federal no julgamento do Recurso Extraordinário nº 597854, relatado pelo digno Ministro Edson Fachin – julgado pelo Pleno em 26 de abril de 2017 – quando se aprovou a seguinte tese: "[a] garantia constitucional da gratuidade de ensino não obsta a cobrança, por universidades públicas, de mensalidade em curso de especialização".[90]

Na oportunidade, ao proferir seu voto, o nosso homenageado expressou a necessidade de se aprimorar a captação de receitas das universidades públicas, através da adoção de mecanismos complementares. Para o Ministro Roberto Barroso, em que pese o dever da universidade possuir o máximo de recursos públicos, impende adotar-se fontes de autofinanciamento e autossustentação.[91]

Neste sentido, a partir do pensamento do Ministro Barroso[92] e da ideia de parcerias público-privadas, mostra-se plausível a conjugação de esforços da iniciativa privada para financiamento da educação, como o modelo americano de fundo patrimonial (*endowment*), doação de ex-alunos e de empresas.[93]

Como assenta o Ministro Barroso, "[a] referência ao tamanho do Estado não tem por alvo programas e redes de proteção social, a despeito dos problemas de gestão. A crítica volta-se contra estruturas onerosas", as quais convivem com um "excesso de cargos em comissão, o clientelismo e a distribuição discricionária e seletiva de benesses", em uma cultura cartorial e burocrática.[94]

À guisa de conclusão, os custos sociais dos direitos fundamentais e a retórica da reserva do possível, insuficiência financeira, estado de necessidade econômico, e do interesse público ao equilíbrio fiscal somente serão aptos a legitimar restrições às políticas públicas de educação, saúde, segurança, moradia e emprego quando se constituírem últimos elementos de atenção estatal a serem contingenciados.

Considerações finais

Quanto aos direitos fundamentais sociais – e mesmo os de primeira geração –, não há dúvida: demandam custos para sua implementação e salvaguarda.

Diante da estrutura hipertrofiada do Estado, as despesas estatais, não raro, superam as receitas, redundando em um cenário econômico deficitário que demanda adoção de medidas de ajuste fiscal. Neste cenário, então, mesmo as medidas de

---

[90] BRASIL. Supremo Tribunal Federal. *Recurso Extraordinário nº 597.854*. Rel. Min. Edson Fachin, Tribunal Pleno, J. 26.04.2017. Disponível em: http://www.stf.jus.br/portal/jurisprudencia/listarJurisprudencia.asp?s1=%28597854%2ENUME%2E+OU+597854%2EACMS%2E%29&base=baseAcordaos&url=http://tinyurl.com/y647qvqy. Acesso em: 15 set. 2019.

[91] BRASIL. Supremo Tribunal Federal. *Recurso Extraordinário nº 597.854*. Rel. Min. Edson Fachin, Tribunal Pleno, J. 26.04.2017.

[92] BARROSO, Luís Roberto. *Brazil + 30: O legado de 30 anos de democracia e os desafios pela frente*. Disponível em: http://www.luisrobertobarroso.com.br/wp-content/uploads/2017/09/trinta-anos-democracia-port.pdf. Acesso em: 23 nov. 2019, p. 10.

[93] BRASIL. Supremo Tribunal Federal. *Recurso Extraordinário nº 597.854*. Rel. Min. Edson Fachin, Tribunal Pleno, J. 26.04.2017.

[94] BARROSO, Luís Roberto. Trinta anos da Constituição: A República que ainda não foi, p. 97.

austeridades se submetem a um critério de universalidade, isto é, a todos devem caber implicações decorrentes das decisões de retrocesso social.

No entanto, é preciso ter em conta que alguns direitos não devem ser analisados somente pelo quanto custam aos cofres estatais, mas igualmente no viés do retorno obtido pela maximização da efetividade de tais direitos. Assim, como exemplifica o direito à educação, sua garantia é acompanhada de retorno do investimento público, justificando sua proteção.

Desta feita, o financiamento do direito à educação não é meramente um custo, mas sim um investimento. Explica-se. Os recursos destinados às instituições de ensino criam condições de pesquisa e desenvolvimento, cujos retornos compensam os aportes feitos, e tanto mais os superam. Assim, constata-se que o contingenciamento de verbas às universidades e agências de fomento à pesquisa não se legitima sob o manto da reserva do possível e do interesse público ao equilíbrio fiscal, quando ocorre de forma primária e dissociado de outras medidas tanto mais eficazes, como a redução dos custos da máquina pública (governos, tribunais, autarquias etc.).

Ao propor a adoção de medidas alternativas à redução de verbas educacionais, está-se, em verdade, propugnando por uma ampla, geral e irrestrita reestruturação do paternalismo estatal hipertrofiado.[95]

Se de um lado não há condições orçamentárias e desenvolvimentistas para manter-se um Estado máximo, doutro também não há condições sociopolíticas que legitimem a adoção de um Estado mínimo: [o] caminho, longe de maniqueísmos, é a terceira via minarquista, que concilia idealismos e pragmatismos, gerando um Estado dito necessário. Como vaticina o Ministro Luís Roberto Barroso, diminuir o Estado significa retirar o Estado de onde não deve estar.[96]

Em suma, se o homem é si mesmo e suas circunstâncias, como obtempera Ortega y Gasset, as circunstâncias de contingenciamento de verbas públicas ao financiamento do ensino superior federal, e seus efeitos deletérios à academia, traduzem-se em oportunidade para trazer ao debate as propostas do Ministro Luís Roberto Barroso para a educação universitária e também para a racionalização estatal.

Ao final, levando-se em consideração a doutrina do dever de mitigar o prejuízo, sob uma ótica constitucional, podemos inferir que no sopesamento entre o direito fundamental à educação superior e o referido interesse público que busca a proteção ao equilíbrio fiscal, o Estado há de garantir o resultado justo e proporcional, qual seja: o máximo existencial possível do cidadão.

---

[95] BARROSO, Luís Roberto. *Estado, Sociedade e Direito:* diagnósticos e propostas para o Brasil. Texto-base da conferência de abertura da XXII Conferência Nacional dos Advogados. Rio de Janeiro, 20 de outubro de 2014. Disponível em: http://www.luisrobertobarroso.com.br/wp-content/uploads/2017/09/conferencia-OAB.pdf. Acesso em: em: 23 nov. 2019, p. 3-4.

[96] BARROSO, Luís Roberto. *O momento institucional brasileiro e uma agenda para o futuro,* p. 15.

Referências

AZAMBUJA, Darcy. *Teoria Geral do Estado*. 44. ed. São Paulo: Globo, 2005.

BARROS, Sérgio Resende de. A difusão dos direitos humanos fundamentais. *In*: KIM, Richard; BARROS, Sérgio Resende de; KOSAKA, Fausto Kozo Matsumoto (Coord.) *Direitos fundamentais coletivos e difusos*: questões sobre a fundamentalidade. São Paulo: Verbatim, 2012.

BARROSO, Luís Roberto. *A dignidade da pessoa humana no direito constitucional contemporâneo:* a construção de um conceito jurídico à luz da jurisprudência mundial. Belo Horizonte: Fórum, 2016.

BARROSO, Luís Roberto. *Brazil + 30: O legado de 30 anos de democracia e os desafios pela frente*. Disponível em: http://www.luisrobertobarroso.com.br/wp-content/uploads/2017/09/trinta-anos-democracia-port.pdf. Acesso em: 23 nov. 2019.

BARROSO, Luís Roberto. *Da falta de efetividade à judicialização excessiva*: direito à saúde, fornecimento gratuito de medicamentos e parâmetros para a atuação judicial. Disponível em: https://www.conjur.com.br/dl/estudobarroso.pdf. Acesso em: 24 nov. 2019.

BARROSO, Luís Roberto. *Estado, Sociedade e Direito:* diagnósticos e propostas para o Brasil. Texto-base da conferência de abertura da XXII Conferência Nacional dos Advogados. Rio de Janeiro, 20 de outubro de 2014. Disponível em: http://www.luisrobertobarroso.com.br/wp-content/uploads/2017/09/conferencia-OAB.pdf. Acesso em: 23 nov. 2019.

BARROSO, Luís Roberto. *O momento institucional brasileiro e uma agenda para o futuro*. Disponível em: http://luisrobertobarroso.com.br/wp-content/uploads/2017/08/Oxford-Momento-institucional-brasileiro-e-uma-agenda-para-o-futuro.pdf. Acesso em: 23 nov. 2019.

BARROSO, Luís Roberto. Trinta anos da Constituição: A República que ainda não foi. *In*: FUX, Luiz; BODART, Bruno; MELLO, Fernando Pessôa da Silveira (Coord.). *A Constituição da República segundo Ministros, Juízes auxiliares e Assessores do STF*. Salvador: Juspodivm, 2018.

BODART, Bruno; YEUNG, Luciana L. A constitucionalização de direitos sociais: uma análise econômica. *In*: FUX, Luiz; BODART, Bruno; MELLO, Fernando Pessôa da Silveira (Coord.). *A Constituição da República segundo Ministros, Juízes auxiliares e Assessores do STF*. Salvador: Juspodivm, 2018.

BRASIL. Supremo Tribunal Federal. *Ação Declaratória de Constitucionalidade nº 41*. Rel. Min. Luís Roberto Barroso, Pleno, J. 08.06.2017. Disponível em: http://portal.stf.jus.br/processos/downloadPeca.asp?id=312447860&ext=.pdf. Acesso em: 23 nov. 2019.

BRASIL. Supremo Tribunal Federal. *Ação Direta de Inconstitucionalidade nº 3.874*. Rel. Min. Luís Roberto Barroso, Pleno, J. 23.08.2019. Disponível em: http://redir.stf.jus.br/paginadorpub/paginador.jsp?docTP=TP&docID=750738451. Acesso em: 23 nov. 2019.

BRASIL. Supremo Tribunal Federal. *Agravo Regimental no Recurso Extraordinário com Agravo nº 761.127*. Rel. Min. Luís Roberto Barroso, Primeira Turma, J. 24.06.2014. Disponível em: http://portal.stf.jus.br/processos/downloadPeca.asp?id=251335631&ext=.pdf. Acesso em: 24 nov. 2019.

BRASIL. Supremo Tribunal Federal. *Agravo Regimental no Recurso Extraordinário com Agravo nº 894.085*. Rel. Min. Luís Roberto Barroso, Primeira Turma. J. 15.12.2015. Disponível em: http://redir.stf.jus.br/paginadorpub/paginador.jsp?docTP=TP&docID=10275124. Acesso em: 24 nov. 2019.

BRASIL. Supremo Tribunal Federal. *Agravo Regimental no Recurso Extraordinário com Agravo nº 1.215.692*. Rel. Min. Luís Roberto Barroso, Primeira Turma. J. 27.09.2019. Disponível em: http://redir.stf.jus.br/paginadorpub/paginador.jsp?docTP=TP&docID=751164957. Acesso em: 24 nov. 2019.

BRASIL. Supremo Tribunal Federal. *Arguição de Descumprimento de Preceito Fundamental nº 45*. Rel. Min. Celso de Mello. J. 29.04.2004. Disponível em: http://stf.jus.br/portal/jurisprudencia/listarJurisprudencia.asp?s1=%28ADPF%24%2ESCLA%2E+E+45%2ENUME%2E%29+NAO+S%2EPRES%2E&base=baseMonocraticas&url=http://tinyurl.com/l7lb9d2. Acesso em: 02 out. 2019.

BRASIL. Supremo Tribunal Federal. *Mandado de Segurança nº 36.459*. Rel. Min. Marco Aurélio. Disponível em: https://www.conjur.com.br/dl/marco-aurelio-nega-acoes.pdf. Acesso em: 12 set. 2019.

BRASIL. Supremo Tribunal Federal. *Mandado de Segurança nº 36.460*. Rel. Min. Marco Aurélio. Disponível em: https://www.conjur.com.br/dl/marco-aurelio-nega-acoes1.pdf. Acesso em: 12 set. 2019.

BRASIL. Supremo Tribunal Federal. *Medida Cautelar na Ação Direta de Inconstitucionalidade nº 5.537*. Rel. Min. Luís Roberto Barroso, Decisão Monocrática, J. 21.03.2017. Disponível em: http://luisrobertobarroso.com.br/wp-content/uploads/2017/08/ADI-5537.pdf. Acesso em: 23 nov. 2019.

BRASIL. Supremo Tribunal Federal. *Medida Cautelar na Ação Direta de Inconstitucionalidade nº 5.595*. Rel. Min. Ricardo Lewandowski. J. 31.08.2017. Disponível em: http://portal.stf.jus.br/processos/downloadPeca.asp?id=312629019&ext=.pdf. Acesso em: 02 out. 2019.

BRASIL. Supremo Tribunal Federal. *Medida Cautelar na Arguição de Descumprimento de Preceito Fundamental nº 461*. Rel. Min. Luís Roberto Barroso, Decisão Monocrática, J. 16.06.2017. Disponível em: http://luisrobertobarroso.com.br/wp-content/uploads/2016/06/texto_312038140.pdf. Acesso em: 23 nov. 2019.

BRASIL. Supremo Tribunal Federal. *Recurso Extraordinário nº 500.171*. Rel. Min. Ricardo Lewandowski, Pleno, J. 13/08/2008. Disponível em: http://redir.stf.jus.br/paginadorpub/paginador.jsp?docTP=AC&docID=557455. Acesso em: 31 ago. 2019.

BRASIL. Supremo Tribunal Federal. *Recurso Extraordinário nº 580.252*. Rel. Min. Alexandre de Moraes. Rel. p/ Acórdão: Min. Gilmar Mendes, Pleno. J. 16.02.2017. Disponível em: http://redir.stf.jus.br/paginadorpub/paginador.jsp?docTP=TP&docID=13578623. Acesso em: 23 nov. 2019.

BRASIL. Supremo Tribunal Federal. *Recurso Extraordinário* nº 597.854. Rel. Min. Edson Fachin, Tribunal Pleno, J. 26.04.2017. Disponível em: http://www.stf.jus.br/portal/jurisprudencia/listarJurisprudencia.asp?s1=%28597854%2ENUME%2E+OU+597854%2EACMS%2E%29&base=baseAcordaos&url=http://tinyurl.com/y647qvq. Acesso em: 15 set. 2019.

BRASIL. Supremo Tribunal Federal. *Recurso Extraordinário nº 639.337*. Rel. Min. Celso de Mello, Segunda Turma. J. 23.08.2011. Disponível em: http://redir.stf.jus.br/paginadorpub/paginador.jsp?docTP=AC&docID=627428. Acesso em: 11 set. 2019.

BRASIL. Supremo Tribunal Federal. *Recurso Extraordinário nº 888.815*. Rel. Min. Luís Roberto Barroso. Rel. p/ Acórdão: Min. Alexandre de Moraes, Pleno, J. 12.09.2018. Disponível em: http://redir.stf.jus.br/paginadorpub/paginador.jsp?docTP=TP&docID=749412204. Acesso em: 23 nov. 2019.

CARVALHO, Paulo de Barros. *Curso de Direito Tributário*. 28. ed. São Paulo: Saraiva, 2017.

COMPARATO, Fábio Konder. *A afirmação histórica dos direitos humanos*. 11. ed. São Paulo: Saraiva, 2017.

DALLARI, Dalmo de Abreu. *Elementos de teoria geral do Estado*. 32. ed. São Paulo: Saraiva, 2013.

DANTAS, Miguel Calmon. *Máximo existencial como direito fundamental*: rejeitando a tese do mínimo vital pelo desenvolvimento de referenciais mais protetivos. Curitiba: Juruá, 2019.

EISAQUI, Daniel Dela Coleta. *Revisão judicial dos contratos*: a teoria da imprevisão no Código Civil brasileiro. 1. ed. Curitiba: Juruá, 2019.

HOLMES, Stephen; SUNSTEIN, Cass R. *O custo dos direitos:* porque a liberdade depende dos impostos. São Paulo: WMF Martins Fontes, 2019.

KIM, Richard Pae; PEREZ, José Roberto Rus. Responsabilidades públicas, controles e exigibilidade do direito a uma Educação de qualidade. *In*: ABMP; Todos pela Educação (Org.) *Justiça pela Qualidade na Educação*. São Paulo: Saraiva, 2013.

KIM, Richard Pae; BOLZAM, Angelina Cortelazzi. Direito à Educação de Qualidade e seus fundamentos jurídicos. *Cadernos de Direito*, vol. 15, n. 29, 2015. Disponível em: https://www.metodista.br/revistas/revistas-unimep/index.php/cd/article/view/2683. Acesso em: 28 ago. 2019.

LEAL, Gabriel Prado. Exceção económica e governo de crise nas democracias. *In*: NABAIS, José Casalta; SILVA, Suzana Tavares da (Coord.). *Sustentabilidade fiscal em tempos de crise*. Coimbra: Almedina, 2011.

MANKIW, Nicholas Gregory. *Introdução à economia*. São Paulo: Cengage Learning, 2014.

MENDES, Gilmar Ferreira; BRANCO, Paulo Gustavo Gonet. *Curso de direito constitucional*. 12. ed. São Paulo: Saraiva, 2017.

MORAES, Bruno Terra de. *O dever de mitigar o próprio dano:* fundamentos e parâmetros no direito brasileiro. Rio de Janeiro: Lumen Juris, 2019.

NABAIS, José Casalta. A face oculta dos direitos fundamentais: os deveres e os custos dos direitos. *Revista Direito Mackenzie*, vol. 03, n. 02, 2002. Disponível em: http://editorarevistas.mackenzie.br/index.php/rmd/article/view/7246/4913. Acesso em: 01 set. 2019.

NABAIS, José Casalta. Da sustentabilidade do Estado fiscal. *In*: NABAIS, José Casalta; SILVA, Suzana Tavares da (Coord.). *Sustentabilidade fiscal em tempos de crise*. Coimbra: Almedina, 2011.

QUEIROZ, Cristina. *Direitos fundamentais sociais:* funções, âmbito, conteúdo, questões interpretativas e problemas de justiciabilidade. Coimbra: Coimbra Editora, 2006.

RANIERI, Nina Beatriz Stocco. O direito educacional no sistema jurídico brasileiro. *In*: ABMP; Todos pela Educação (Org.) *Justiça pela Qualidade na Educação*. São Paulo: Saraiva, 2013.

SCAFF, Elisângela Alves da Silva; PINTO, Isabela Rahal de Rezende. O Supremo Tribunal Federal e a garantia do direito à educação. *Revista Brasileira de Educação*, vol. 21, n. 65, abr./jun. 2016, p. 431-454. Disponível em: https://www.redalyc.org/pdf/275/27544654009.pdf. Acesso em: 04 set. 2019.

SILVA, José Afonso da. *Comentário contextual à Constituição*. 7. ed. São Paulo: Malheiros, 2010.

SILVA, José Afonso da. *Curso de direito constitucional positivo*. 37. ed. São Paulo: Malheiros, 2014.

SILVA, Suzana Tavares da. Sustentabilidade e solidariedade em tempos de crise. *In*: NABAIS, José Casalta; SILVA, Suzana Tavares da (Coord.). *Sustentabilidade fiscal em tempos de crise*. Coimbra: Almedina, 2011.

SINGH, Kishore. Apresentação. *In*: ABMP; Todos pela Educação (Org.) *Justiça pela Qualidade na Educação*. São Paulo: Saraiva, 2013.

SOARES, Dilmanoel de Araújo. O direito fundamental à educação e a teoria do não retrocesso social. *Revista de informação legislativa*, v. 47, n. 186, p. 291-301, abr./jun. 2010. Disponível em: https://www2.senado.leg.br/bdsf/bitstream/handle/id/198687/000888837.pdf?sequence=1&isAllowed=y. Acesso em: 04 set. 2019.

Informação bibliográfica deste texto, conforme a NBR 6023:2018 da Associação Brasileira de Normas Técnicas (ABNT):

KIM, Richard Pae; EISAQUI, Daniel Dela Coleta. "Máximo existencial possível" no sopesamento entre o direito fundamental à educação superior e o interesse público ao equilíbrio fiscal. *In*: COSTA, Daniel Castro Gomes da; FONSECA, Reynaldo Soares da; BANHOS, Sérgio Silveira; CARVALHO NETO, Tarcisio Vieira de (Coord.). *Democracia, justiça e cidadania:* desafios e perspectivas. Homenagem ao Ministro Luís Roberto Barroso. Belo Horizonte: Fórum, 2020. p. 175-195. t. 2: Pensando as instituições, a justiça e o Direito. ISBN 978-85-450-0749-4.

JURISDIÇÃO PENAL E EFETIVIDADE*

ROGERIO SCHIETTI MACHADO CRUZ

I Introdução

O destino nos oferece a oportunidade de cruzar com diversas pessoas, com as quais convivemos, quer no âmbito meramente intelectual ou profissional, quer em formato de relacionamentos, mais próximos ou mais distantes, e esses encontros de algum modo interferem no caminho que escolhemos trilhar em nossa trajetória terrena.

Luís Roberto Barroso é uma dessas pessoas de quem o destino naturalmente se encarregou de me aproximar.

Sinto-me, portanto, imensamente agradecido pelo privilégio de participar deste seminário em sua homenagem, tão oportuno, justo e memorável. Sou não somente grato mas particularmente honrado e lisonjeado.

Conheci Barroso, o doutor, escritor e professor Luís Roberto Barroso, como advogado, defensor de ideais e de ideias,[1] humanista de escol, alguém de quem nunca se espera o óbvio ou o trivial; alguém que consegue, por sua fecunda atividade acadêmica e seu notável tirocínio jurídico, transformar o Direito em algo vivo, intenso e, ao mesmo tempo, simples e profundo, inquietante, transformador.

Essa curtíssima descrição me remete a José Ingeñieros, para quem "Todo idealista é um homem qualitativo: possui um sentido das diferenças que lhe permite distinguir entre o mal que observa e o melhor que imagina". E Barroso parece ter sempre observado o mal que há no mundo, mas, com otimismo contagiante e semblante de um homem pacífico, repudia qualquer análise fotográfica e imediata; prefere visualizar o mundo com a dinâmica de um filme, que projeta cenas de um Brasil e de um planeta melhores.

Outra característica que salta aos olhos na personalidade do homenageado é sua capacidade de se comunicar com o público e de expressar as questões mais complexas com simplicidade, cooptando a atenção de todos os que o assistem. E isso é verdadeiramente um talento, tão essencial para quem representa um poder quase inacessível, por sua linguagem hermética, à população.

---

* O texto serviu de base para a exposição no Seminário em Homenagem ao Ministro Luís Roberto Barroso, realizado pela EMERJ no dia 29.11.2019, na sede do Tribunal de Justiça do Estado do Rio de Janeiro.
[1] Em uma das intervenções durante a jornada de homenagens, Carlos Ayres Britto, com sua verve poética, veio com esse oportuno pensamento: "Quando se pensa por ideais, as ideias vêm a reboque, aos borbotões".

Recordo-me de, amiúde, vê-lo na Tribuna do Supremo Tribunal Federal, sereno, respeitoso, posto que altivo, com a elegância, portanto, de um lorde e a combatividade de um samurai, perfeita expressão humana do conhecido brocardo de Claudio Acquaviva, jesuíta italiano do século XVI: *fortiter in re, suaviter in modo*.

E a biografia desse homem das letras jurídicas permitiu que viesse a ocupar uma das cadeiras do Colegiado mais elevado da República, acostumado, até então, a ouvi-lo da tribuna. Ocupou com naturalidade essa cadeira, como se já soubesse – e muitos de nós já esperávamos por isso – que sua missão na Terra seria a de juntar-se ao seleto grupo de homens e mulheres a quem se reserva a augusta e aflitiva missão de julgar. Vestiu a Toga Máxima e, desde então, nesses últimos seis anos, temos observado importantes transformações no Direito e na sociedade brasileira.

Por isso, quero prestar-lhe uma singela e humilde homenagem, falando sobre algo que vejo sempre presente em suas intervenções, tanto na Academia quanto no Foro, e que, em iguais espaços, é algo que me desperta particular interesse: a efetividade da jurisdição penal.

II Distância entre o mundo normativo e o mundo real – consequências

Este ensaio é fruto tanto de reflexões pessoais antigas, algumas já registradas, quanto da atuação diária na jurisdição penal, onde a rica realidade da vida nos ensina que nem sempre nossas prévias construções e idealizações mentais encontram conformidade na necessária dicção do Direito (*jurisdictio*).

Nós, juízes, ao julgar, buscamos diuturnamente aproximar, tanto quanto possível, o direito que está nos livros (*law on books*) do direito praticado no fórum (*law in action*), certos de que, na percepção da singularidade de cada caso examinado, precisamos encontrar o melhor direito a aplicar.

Tal é, portanto, *a perspectiva de quem, na jurisdição criminal, se ocupa e se preocupa com um Direito Penal que cumpra suas funções* de modo a que o *gap* entre o mundo do *ser* (realidade do sistema de justiça criminal e, mais ainda, do subsistema penitenciário) e o do *dever-ser* (as normas e os princípios constitucionais e a dogmática penal, influenciada pela Política Criminal do Estado) não seja de tal monta relevante a retirar-lhe uma *credibilidade e a funcionalidade,* tudo, evidentemente, dentro dos postulados de um Estado Democrático de Direito, destinado – como enunciado já no preâmbulo da Constituição, "a assegurar o exercício dos direitos sociais e individuais, a liberdade, a segurança, o bem-estar, o desenvolvimento, a igualdade e a justiça como valores supremos de uma sociedade fraterna, pluralista e sem preconceitos".

A esse respeito, Luís Roberto Barroso aduz, com apoio em Kelsen, que

> [a] *efetividade significa a realização do Direito,* o desempenho concreto de sua função social. Ela representa *a materialização, no mundo dos fatos, dos preceitos legais e simboliza a aproximação, tão* íntima *quanto possível, entre o dever-ser normativo e o ser da realidade social.* Assim, ao jurista cabe formular estruturas lógicas e prover mecanismos técnicos aptos a *dar efetividade* às *normas jurídicas*.[2]

---

[2] BARROSO, Luís Roberto. *O direito constitucional e a efetividade de suas normas limites e possibilidades da Constituição brasileira*. 9. ed. Rio de Janeiro: Renovar, 2009, p. 82.

Esse é, precisamente, o ponto nodal a realçar: em tempos de desesperança, de desrespeitos, de intolerância e de radicalizações, o Direito, em sua plenitude normativa e real, é a melhor resposta que as civilizações podem oferecer.

Desafortunadamente, é inevitável reconhecer que, no Brasil, ainda é grande a distância entre esses dois mundos, do que resultam algumas consequências, nefastas à higidez do sistema e à realização dos direitos sociais e individuais a que alude o preâmbulo da Carta de 1988.

A *primeira consequência, imediata*, é a *perda da confiança da população no sistema de justiça*,[3] algo que não apenas produz uma desagregação social e fortalece a *cultura da ilegalidade*, mas também engendra, ou ao menos facilita, a proliferação e a aceitação de mecanismos informais, autoritários e primitivos de solução de conflitos sociais e individuais.

A *segunda consequência*, relativamente ao sistema de justiça criminal, é *também um sintoma dessa fraqueza normativa* da Constituição e das leis penais: a *disfuncionalidade* do sistema, com não raro desvirtuamento no manejo dos institutos jurídicos, de que é exemplo a *prisão cautelar*, a qual, nessa perspectiva patológica, acaba amiúde assumindo *viés punitivo*, como alertado por Ibáñez.[4]

Isso porque, na similar perspectiva de Giulio Illuminati, a *excessiva duração dos processos*, que não permite alcançar o seu resultado final em tempo razoável, induz a que se transfira para o sistema das cautelares toda a tensão da justiça criminal.[5]

Evidentemente, tal disfuncionalidade opera para ambos os lados envolvidos, e não é leviano afirmar que muitos contam com a longa duração dos feitos para procrastinar ao máximo o processo, sob a perspectiva de que *"dum pendet, rendet"*, mormente se se adotam, como em nosso ordenamento, regras de prescrição que acabam por estimular manobras recursais tendentes a obter a extinção da punibilidade.

Parece-me correto afirmar, ainda sobre a disfuncionalidade da justiça criminal, ter sido ela o móvel do *overruling* realizado em 2016 pelo Pleno do Supremo Tribunal Federal, na questão da execução da pena privativa de liberdade. E uma boa evidência dessa nova compreensão jurisprudencial – que acaba de retornar ao *status quo ante* – pode ser extraída, *inter alia*, da assertiva do Ministro Luís Roberto Barroso ao alinhar, em voto proferido no HC nº 126.292 e agora substancialmente reverberado nas ADCs 43, 44 e 54, três *fundamentos pragmáticos* que reforçam a possibilidade de execução da pena após a condenação em segundo grau, dos quais se destaca o primeiro, *i.e.*, o de que *iniciar a execução da pena tão logo encerrada a jurisdição ordinária*, com o esgotamento da discussão sobre a matéria fática, "(i) *permite tornar o sistema de justiça criminal mais*

---

[3] De acordo com o Relatório ICJ Brasil 2017, apresentado pela FGV, tem havido um decréscimo no grau de confiança da população no Poder Judiciário. De 34% de confiança manifestada em pesquisa de 2013, o percentual caiu para 24% em 2017. Segundo apurou a pesquisa, esse percentual de confiança no Judiciário é levemente inferior ao da Polícia (26%) e bem abaixo ao de outras instituições como as Forças Armadas (56%) e a Igreja Católica (53%). Disponível em: http://bibliotecadigital.fgv.br/dspace/bitstream/handle/10438/19034/Relatorio-CJBrasil_1_sem_2017.pdf?sequence=1&isAllowed=y. Acesso em: 7 set. 2019.

[4] IBÁÑEZ, Perfecto. Presunción de inocencia y prisión sin condena. *Revista de Ciencias Penales de Costa Rica*, año 9, n. 13, ago. 1997.

[5] ILLUMINATI, Giulio. Tutela da liberdade pessoal e exigências processuais na jurisprudência da Corte Constitucional italiana. *Revista Brasileira de Ciências Criminais*, ano 7, n. 25, p. 105, jan./mar. 1999.

funcional e equilibrado, na medida em que coíbe a infindável interposição de recursos protelatórios e favorece a valorização da jurisdição criminal ordinária".

Certo é que a longa duração dos processos, além de produzir a *perda da qualidade da própria jurisdição* – notadamente pela *corrosão da verdade* trazida pela prova oral, sujeita sempre à capacidade de reprodução dos fatos pelos depoimentos orais, cuja fidedignidade se dilui progressivamente com o passar dos meses e dos anos – *compromete a própria utilidade da resposta punitiva* ("quanto mais pronta for a pena e mais de perto seguir o delito, tanto mais justa e útil ela será").[6]

III Os frustrados fins do Direito Penal

Para averiguar se o Direito Penal entre nós praticado pode ser tido como efetivo, cabe analisar, posto que muito sinteticamente, seus fins ou objetivos, a saber:

a) Proteger bens jurídicos;
b) Punir quem viola a lei penal, com ou sem finalidade ressocializadora;
c) Limitar o papel punitivo e repressivo do Estado;
d) Prevenir crimes e reações informais de terceiros.

Desdobremos, muito sucintamente, cada um desses objetivos.

a) Inicialmente, se entendermos o Direito Penal como um *meio necessário de regulação da vida social*, ou como uma *exigência de tutela dos direitos fundamentais* e dos valores mais caros a uma sociedade, resta definir quais são esses bens, valores ou interesses dignos de proteção, escolha que dependerá do *perfil mais interventivo ou menos interventivo do Estado*.

Como anota Aníbal Bruno, a finalidade do Direito Penal, sob essa angulação, é:

> [...] *a defesa da sociedade*, pela *proteção de bens jurídicos fundamentais*, como a vida humana, a integridade corporal do homem, a honra, o patrimônio, a paz pública etc. [...] O que se manifesta no exercício da Justiça Penal é esse poder soberano do Estado, um *poder jurídico que se faz efetivo pela lei penal*, para que o Estado cumpra a sua função originária, que é assegurar as condições de existência e continuidade da organização social. (grifo nosso)[7]

Quando se elegem bens jurídicos, materiais ou imateriais, como dignos de tutela penal, é natural que se estabeleçam *regras de conduta* dirigidas a todos os que compõem dada sociedade.

E, numa perspectiva minimalista (ou, como preferimos, de *estrita necessidade*), encontradiça, de um modo geral, no discurso penal da elite acadêmica, as proibições e as penas "têm por fim assegurar o *máximo de bem-estar possível dos não desviantes e o mínimo mal-estar necessário dos desviantes*".[8]

Em semelhante equação, o legislador há de ponderar se o valor do bem jurídico penalmente tutelado justifica a utilização do instrumento punitivo mais extremado, nomeadamente a *pena privativa de liberdade*, se é possível sua proteção se dar por meio

---

[6] BECCARIA, Cesare. *Dos delitos e das penas*. 2. ed. Trad. Cretela Jr.; Cretella, Agnes. São Paulo: Revista dos Tribunais, 1997, p. 71.
[7] BRUNO, Aníbal. *Direito penal*. 5. ed. Rio de Janeiro: Forense, 2005. T. I, p. 5-9.
[8] FERRAJOLI, Luigi. *Direito e razão*. Teoria do garantismo penal. São Paulo: Revista dos Tribunais, 2002, p. 271.

punitivo de caráter menos interventivo (*restrições de direitos*, por exemplo), ou se é melhor deixar de lado o Direito Penal e relegar a *outros meios de controle* (oficiais ou não) à tutela de determinado bem jurídico.

b) Cumpre, por sua vez, definir, com a dogmática jurídico-penal e *o auxílio da política criminal e da criminologia*, quais comportamentos humanos devem ser considerados para legitimar o legislador a elevá-los a um patamar *digno de reprovação penal*[9] (FIGUEIREDO DIAS, 1999) e, a partir daí, implementar *políticas penais e penitenciárias* que cumpram o papel *retributivo* e/ou *preventivo* da sanção criminal, conforme as escolhas prevalentes de cada Estado.

De um modo geral, pode-se ter como certo que a sanção criminal pretende, como dito, punir pelo crime perpetrado, em caráter *retributivo*, e punir para que se *previna* o cometimento de novo crime, pelo próprio infrator ou por qualquer outro integrante da comunhão social (*prevenção especial* e *geral*, respectivamente). Santiago Mir Puig bem enfatiza que "se a retribuição visa ao passado e se esgota no castigo pelo fato, a prevenção visa ao futuro e objetiva inibir, mediante a cominação da pena, o cometimento de delitos".[10]

Pense-se, ainda, que, se o objetivo a alcançar-se com a pena, mesmo que também com caráter punitivo, *é o de evitar novos crimes*, impõe nutrir a confiança dos cidadãos no Estado Democrático de Direito por meio *(a) da afirmação da vigência real* (e não meramente jurídica) das normas, *i.e.*, a *prevenção geral, positiva*; *(b) da coação psicológica* como desestímulo a práticas delitivas por terceiros (*prevenção geral, negativa*) e *(c) da incapacitação* para a prática de novos delitos pelo segregado (*prevenção especial negativa*).[11]

Se, a seu turno, o escopo primordial da pena for simplesmente o de *retribuir o mal causado* com outro mal, *é preciso que haja a mais equilibrada proporção e racionalidade na qualidade e na quantidade da pena* a ser infligida ao infrator, de sorte a *não transformar a potestade punitiva em mero exercício de arbítrio e de autoritarismo legislativo e judicial*.

c) Aqui reside, a meu sentir, a função mais nobre e importante do Direito Penal, em sua concepção pós-iluminista, que surge contemporaneamente às constituições modernas, como "a mais proeminente forma jurídica de contenção do arbítrio estatal".[12] Deveras, na função de controle e de punição, *o Estado deve também ser controlado* e, se excedidos os limites da lei, punido, administrativa, civil ou penalmente (neste último caso, na pessoa de seus agentes ou prepostos). E o *Direito Penal*, quando estabelece os limites de atuação do poder punitivo – definindo os comportamentos que podem ser punidos e as respectivas sanções que podem ser impingidas ao infrator –, exerce o papel, de extremo relevo em um Estado de Direito, de *evitar o abuso ou o excesso de poder*.

---

[9] FIGUEIREDO DIAS, Jorge de. Fundamento, sentido e finalidades da pena criminal. *In*: *Questões fundamentais de direito penal revisitadas*. 1. ed. São Paulo: RT, 1999, p. 55.
[10] PUIG, Santiago M. *El Derecho penal en el Estado Social y Democrático de Derecho*. Barcelona: Bosch, 1994, p. 118-120.
[11] ROXIN, Claus. Sentido e limites da pena estatal. *Problemas Fundamentais de Direito Penal*. 2. ed. Lisboa: Vega Universidade, 1993, p. 15 e ss.; FIGUEIREDO DIAS, Jorge de. Fundamento, sentido e finalidades da pena criminal. *Questões fundamentais de direito penal revisitadas*. 1. ed. São Paulo: RT, 1999, p. 86 e ss.
[12] BORGES DE SOUSA FILHO, Ademar. *O controle de constitucionalidade de leis penais no Brasil*. Belo Horizonte: Fórum, 2019, p. 82.

Na lição clássica de Montesquieu,

> [...] a liberdade política somente existe nos governos moderados. Mas nem sempre ela existe nos governos moderados. Só existe quando não se abusa do poder, mas é uma experiência eterna que todo homem que detém o poder é levado a dele abusar: e vai até onde encontra limites. Quem o diria? A própria virtude precisa de limites. Para que não se abuse do poder é necessário que pela disposição das coisas o poder limite o poder (*Espírito das Leis*, livro XI. Cap. VI).

Tal prática era, não custa lembrar, usual em muitos impérios, reinos e principados do passado, cujos soberanos, investidos do poder de punir, sob diversas configurações, grassaram durante toda a existência humana. Amiúde invocando o nome de Deus para legitimar suas ações, ou simplesmente se autoproclamando detentores de virtudes que os tornavam infensos ao pecado e ao erro, não foram poucos os que se excederam em seus poderes, quer na realização de julgamentos sem a observância de regras previamente definidas, quer na inflição de penas não cominadas no (suposto) ordenamento sancionador.[13]

d) Por último, a não menos importante função de *prevenir reações informais ao crime*, de sorte a coibir e punir o exercício das próprias razões, que a vingança e outras possíveis atitudes expressam, como já acentuado.

O Direito Penal, assim, "não serve apenas para prevenir os delitos injustos, mas, igualmente, as injustas punições".[14]

Semelhante percepção se mostra ineludivelmente visível em países como o Brasil, em que, por diversos motivos (históricos, culturais, sociais etc.), *entre os quais*, no que nos interessa, a *ausência de um Direito Penal efetivo*, verificam-se altos índices *de impunidade e de descrédito das agências estatais* de segurança, a gerar cenas diárias de justiçamento pela própria comunidade ou pelas vítimas de crimes praticados em locais onde é virtualmente nula a presença do Estado. Isso, sem falar, sob diversa angulação, da *criminalidade de colarinho branco*, que, conquanto tenha passado a fazer parte, recentemente, do foco das agências punitivas, ainda está longe de atingir um grau de atenção suficiente para ilidir o caráter seletivo e preconceituoso do sistema penal brasileiro.[15]

Parece óbvio que, também em relação aos outros três objetivos do Direito Penal, há um visível *déficit de execução* em nosso país. Nem temos sido capazes de proteger os

---

[13] Nessa categoria de governantes – ainda, desafortunadamente, não extintos na raça humana – também são incluídos aqueles que se afirmem imbuídos de bons propósitos, pois mesmo esses, tal qual advertiu Voltaire em relação aos magistrados, não podem ser deixados sem vínculos e limites legais, atados apenas às suas consciências e ao bom senso, pois "quem nos garantirá que esta consciência e esse bom senso não se extraviarão?" (Voltaire, *apud* FERRAJOLI, Luigi. *Direito e razão*. Teoria do garantismo penal. São Paulo: Revista dos Tribunais, 2002, p. 148, nota 34).

[14] FERRAJOLI, Luigi. *Direito e razão*. Teoria do garantismo penal. São Paulo: Revista dos Tribunais, 2002, p. 268.

[15] Desse diagnóstico compartilha Luís Roberto Barroso: "Entre nós, no entanto, um direito penal discriminatório e absolutamente ineficiente em relação à criminalidade de colarinho branco criou um país de ricos delinquentes. O país da fraude em licitações, da corrupção ativa, da corrupção passiva, do peculato, da lavagem de dinheiro sujo. O sistema punitivo deixou de cumprir o seu papel principal, que é o de funcionar como mecanismo de prevenção geral: é o temor da punição que inibe os comportamentos criminosos. As pessoas na vida tomam decisões baseadas em incentivos e riscos. Se há incentivos para a conduta ilícita – como o ganho fácil e farto – e não há grandes riscos de punição, a sociedade experimenta índices elevados de criminalidade" (CRUZ, Rogério Schietti. *Prisão Cautelar*: dramas, princípios e alternativas. Posfácio à 4ª edição de BARROSO, Luís Roberto. Salvador: Juspodivm, 2018).

bens jurídicos mais caros à comunidade (vida, integridade física, liberdade sexual, saúde pública, patrimônio, meio ambiente etc.), nem de punir, de modo justo e proporcional, as violações às normas penais primárias, como igualmente não tem sido raro constatar que o Estado brasileiro ainda está longe de preservar, satisfatoriamente, as liberdades públicas e os direitos individuais das pessoas, especialmente as envolvidas em conflitos penais.[16]

Nessa relação Estado-indivíduo, o que se demanda sempre é a verificação do *equilíbrio, da criteriosa ponderação entre os interesses em conflito*, i.e., o interesse estatal de punir, de modo eficiente, autores de crimes quaisquer, em conformidade com as leis do país, e o interesse do acusado (mas que também é interesse do Estado) de proteger sua liberdade. Aliás, sobre essa aparente oposição de interesses é oportuna a lição de Roxin, para quem, em um Estado de Direito,

> la regulación de esa situación de conflicto no es determinada a través de la antítesis Estado-ciudadano; *el Estado mismo está obligado por ambos fines – aseguramiento del orden a través de la persecución penal y protección de la esfera de libertad del ciudadano*.[17]

Tenha-se que, em um Estado Social e Democrático de Direito, o seu respectivo Direito Penal, "enquanto Direito Penal de um Estado *social*, deverá legitimar-se como sistema de *proteção efetiva dos cidadãos* [...] na medida – e só na medida – do necessário para aquela proteção". Por sua vez, "enquanto Direito Penal de um Estado *democrático de Direito*, deverá submeter a prevenção penal a outra série de *limites*, em parte herdados da tradição liberal do Estado de Direito e em parte reforçados pela necessidade de preencher de conteúdo democrático o Direito Penal".[18]

IV A realidade desafia o sistema de justiça criminal

Antes de avançar nesta reflexão, julgo indispensável conhecer alguns dados importantes, subjacentes ao sistema de justiça criminal.

De início, reporto-me ao *Anuário do Fórum Brasileiro de Segurança Pública*, que bem explicita o *comportamento violento que caracteriza nossa sociedade*.

De acordo com os números do *Anuário 2019*,[19] divulgados em 10 de setembro do corrente ano, houve, em 2018, *57.341 mortes violentas* intencionais no Brasil.[20] Esses números mostram uma *queda da quantidade de homicídios em 2018*, mormente quando

---

[16] "Diz-me como tratas o arguido, dir-te-ei o processo penal que tens e o Estado que o instituiu" (FIGUEIREDO DIAS, Jorge. *Direito Processual Penal*, 1. v., Coimbra: Ed. Almedina, 1974, p. 428).
[17] ROXIN, Claus. *Derecho Procesal Penal*. Buenos Aires: Editores del Puerto, 2000, p. 258.
[18] PUIG, Santiago M. *Derecho Penal*. Parte general. 5. ed. Barcelona: Editorial REpertor, 1998, p. 65.
[19] Disponível em: http://www.forumseguranca.org.br/wp-content/uploads/2019/09/Anuario-2019-FINAL-v3.pdf. Acesso em: 10 set. 2019.
[20] Os números são mais negativos por outro medidor, o IPEA. Segundo o *Atlas da Violência – IPEA* 2019, foram cometidos *65.602 homicídios em 2017*, com taxa de 31,6 por 100 mil habitantes, o maior número já medido. Quanto ao instrumento usado, 76,9% dos homicídios de homens e 53,8% dos de mulheres foram causados por arma de fogo. A soma, em 10 anos, de homicídios é estarrecedora: de 2007 a 2017, 618 mil pessoas foram assassinadas no Brasil, algo equivalente a 10 lotações máximas do estádio do Mineirão ou 8 do Maracanã. Disponível em: http://www.ipea.gov.br/portal/images/stories/PDFs/190626 _infograficoatlas_2019.pdf. Acesso em: 6 set. 2019.

se contrapõem aos mais de 63 mil registrados no mesmo anuário em 2017, mas não deixam de ser extremamente alarmantes, ainda que também o primeiro semestre deste ano sinalize uma aparente tendência de queda,[21] pois *superam as mortes provocadas pela explosão da bomba nuclear que dizimou a cidade de Nagasaki*, em 1945, no Japão.[22]

Em relação a outro crime de impacto social mais relevante – estupro –, o *Anuário do Fórum de Segurança 2019* aponta que no ano passado foram registradas *66.041 agressões sexuais*,[23] o que representa *4,1% a mais* do que a cifra do ano anterior, a maior já registrada.

Essa incômoda realidade repercute profundamente não apenas na vida quotidiana das pessoas mas também na economia do país, como indica o *Relatório de Conjuntura n. 4 (junho de 2018) – Custos Econômicos da Criminalidade no Brasil* –, elaborado pela Secretaria de Assuntos Estratégicos da Presidência da República. Além de uma perda produtiva que chegou a *26 bilhões de reais em 2015, os custos econômicos da criminalidade alcançaram naquele ano 4,38% do PIB (285 bilhões de reais)*, e só o gasto com segurança pública atingiu a marca de 89 bilhões de reais/ano.[24]

Preocupante, por sua vez, é constatar que essa cultura da violência também perpassa o pensamento das assim chamadas "pessoas de bem". Evidência disso é o estudo realizado pelo Datafolha, no Rio de Janeiro, a respeito de como os moradores do Rio de Janeiro reagiam em relação a episódio noticiado pela mídia, em fevereiro de 2014, em que um jovem suspeito de haver cometido roubo foi amarrado a um poste e covardemente espancado por uma turba de moradores na região do Flamengo. O estudo indicou que *o índice de aprovação aos justiceiros foi de 20% entre pessoas de classe média e de 24% entre os que detêm renda familiar acima de dez salários-mínimos*.[25]

Outra pesquisa com resultados inquietantes – *Olho por olho? O que pensam os cariocas sobre "Bandido bom é bandido morto"*, feita pelo Centro de Estudos de Segurança e Cidadania da Universidade Cândido Mendes em 2016, sob coordenação dos pesquisadores Julita Lemgruber, Leonarda Musumeci e Ignacio Cano[26] – mostrou que 25%

---

[21] Há indicativos de redução de 22% nas mortes violentas no primeiro semestre deste ano em comparação com o mesmo período de 2018. O Nordeste responde por mais da metade dessa queda, com 53% do total no país (Disponível em: https://g1.globo.com/monitor-da-violencia/noticia/2019/09/01/brasil-tem-queda-de-22percent-no-numero-de-mortes-violentas-no-1o-semestre-revela-monitor-da-violencia.ghtml. Acesso em: 1º set. 2019).

[22] Os números podem ser ainda bem maiores se considerarmos que houve *82.094 notificações de pessoas desaparecidas* no Brasil em 2018.

[23] Perceba-se que a menção é a estupros "registrados", o que implica reconhecer a existência de uma quantidade bem maior de crimes ocorridos e não notificados às autoridades. A *Pesquisa Nacional de Vitimização*, feita a partir de entrevistas com 78 mil pessoas em 346 municípios com mais de 15 mil habitantes, nos períodos de junho de 2010 a maio de 2011 e junho de 2012 a outubro de 2012, relativamente a doze tipos de ocorrências policiais (furto e roubo de automóveis, furto e roubo de motocicletas, furto e roubo de objetos ou bens, sequestro, fraudes, acidentes de trânsito, agressões, ofensas sexuais e discriminação) concluiu que *somente 19,9% das vítimas de alguns desses crimes*, nos doze meses que antecederam a coleta de dados, comunicaram a polícia sobre o ocorrido, o que permite projetar uma subnotificação média para a vitimização anual no Brasil em 80,1%. Mostrou também esse estudo que 32,6% dos brasileiros que vivem em cidades com mais de 15 mil habitantes dizem ter sofrido, ao longo da vida, algum dos doze tipos de ilicitudes mencionados na Pesquisa Nacional de Vitimização (http://www.crisp.ufmg.br/wp-content/uploads/2013/10/Sumario_SENASP_final.pdf).

[24] O *Relatório* aponta que, *apesar de o país ter uma população equivalente a 3% da população mundial, nele são contabilizados cerca de 14% dos homicídios do mundo*.

[25] Disponível em: http://www1.folha.uol.com.br/cotidiano/2014/02/1412865-acao-de-justiceiros-e-reprovada-por-79-no-rio.shtml. Acesso em: 15 jul. 2018.

[26] Além disso, 31% dos entrevistados apoiam integralmente a ideia de que "bandido bom é bandido morto". Disponível em: https://www.ucamcesec.com.br/reportagens/cariocas-rejeitam-ideia-de-que-bandido-bom-e-bandido-morto. Acesso em: 15 jul. 2018. Certamente a origem dessa doxa punitiva radica, em boa parte, na falta

dos moradores do Rio de Janeiro, consultados sobre "Se tiver escolha, o policial deve prender ou matar", consideraram que dar carta branca à polícia para matar criminosos seria uma saída eficaz para resolver o problema da violência urbana, percentual que se elevou a 35,9% se o alvo fosse autor do crime de estupro.

Tanto o justiçamento sumário de pessoas por grupos de extermínio ou milicianos (e, em muitos casos, por policiais em serviço[27]) quanto o linchamento de supostos criminosos pela própria comunidade[28] são *sinais claros da fragilidade estatal no papel de proteção dos direitos humanos e do estágio pré-civilizatório que ainda permeia o modo de pensar e agir de significativa parte de nosso povo*, independentemente de grau de escolaridade, nível econômico ou classe social.

Sobre isso, aliás, há outra pesquisa, realizada por José de Souza Martins, que conclui ser o *Brasil possivelmente o país em que mais se lincha no mundo*. Estima o sociólogo – em entrevista concedida à jornalista Flávia Tavares, de O Estado de São Paulo, e publicada na edição de 17.02.2008 – que aconteçam de *três a quatro linchamentos no país por semana* e que São Paulo seja a cidade com a maior incidência desse fenômeno, seguida de Salvador e Rio de Janeiro.

V Fragilidade normativa do Direito Penal

Tal realidade não reclama necessariamente uma justiça mais dura como meio para acalmar o clamor popular e os sentimentos irracionais por mais punição. Isso significaria simplesmente atender à maioria, o que vai de encontro à ideia que justifica a existência do Direito Penal, o qual é, ontológica e funcionalmente, contramajoritário.

Afinal – como pontua Roberto Barroso,

> um direito penal sério e eficaz constitui instrumento para a garantia desses bens jurídicos tão caros à ordem constitucional de 1988. *A exigência de uma intervenção eficaz não é, porém, incompatível com a defesa de uma intervenção mínima do direito penal*. Um direito penal efetivo, capaz de cumprir os seus objetivos, não precisa de excesso de tipificações, nem de exacerbação de penas.[29]

---

de percepção, pelas pessoas em geral, sobre o que representa a defesa, em um dado país, dos direitos humanos. De fato, uma das conclusões dessa mesma pesquisa indica que, entre os entrevistados cariocas, 73% consideram que a defesa dos direitos humanos é incompatível com o controle da criminalidade.

[27] O relatório do Fórum Brasileiro de Segurança Pública de 2019 mostrou que *6.220 pessoas morreram em 2018 em decorrência de intervenções policiais, 19% acima do número verificado em 2017*. A seu turno, também é expressivo o número de policiais (civis e militares da ativa) mortos por civis em confrontos ou por lesão não natural. Sem embargo, em *2018, foram anotados 343 policiais mortos no Brasil, número 8% menor do que no ano anterior*.

[28] Em muitos casos se vê um justiçamento "privado", como o ocorrido em agosto deste ano, quando um adolescente (negro e pobre) foi espancado por seguranças, dentro de uma sala de supermercado situado na zona sul de São Paulo, após ser flagrado, supostamente, furtando uma barra de chocolate. (Disponível em: https://g1.globo.com/sp/sao-paulo/noticia/2019/09/02/policia-investiga-tortura-contra-jovem-que-teria-furtado-chocolate-em-supermercado-da-zona-sul-de-sp.ghtml).

[29] E é por isso – como alerta Ferrajoli – "que cada vez que um juiz é movido por sentimentos de vingança, ou de parte, ou de defesa social, ou o Estado deixa espaço à justiça sumária dos particulares, pode-se dizer que o direito penal regrediu a um estado selvagem, anterior à formação da civilização" (FERRAJOLI, Luigi. *Direito e razão*. Teoria do garantismo penal. São Paulo: Revista dos Tribunais, 2002, p. 269)

Na clássica, mas ainda atual, lição de Cesare Beccaria: "A perspectiva de um castigo moderado, mas inevitável, causará sempre uma impressão mais forte do que o vago temor de um suplício terrível, em relação ao qual se apresenta alguma esperança de impunidade. [...]" (Excerto de voto proferido no HC nº 126.292).[30]

Nessa perspectiva, é nefasta uma justiça jacobina,[31] irracionalmente punitivista; mas *também não há espaço para o extremo oposto, do romântico abolicionismo penal*, porquanto o Direito Penal, como sistema de minimização da violência e do arbítrio punitivo, não pode ser deslegitimado, sob pena de retorno aos modelos punitivos irracionais.

Com efeito,

> o abolicionismo penal – independentemente dos seus intentos liberatórios e humanitários – configura-se, portanto, como uma utopia regressiva que projeta, sobre pressupostos ilusórios de uma sociedade boa ou de um Estado bom, modelos concretamente desregulados ou autorreguláveis de vigilância e/ou punição, em relação aos quais é exatamente o direito penal – com o seu complexo, difícil e precário sistema de garantias – que constitui, histórica e axiologicamente, uma alternativa progressista.[32]

Sob visão similar, Silva Sánchez pontua que "a diferencia de la perspectiva abolicionista, que afronta la realidad del Derecho Penal proponiendo su desaparición, la tesis resocializadora es una de las posibles manifestaciones de la lucha por un 'mejor Derecho penal'".[33]

Não creio, assim, seja leviano concluir que, se de um lado é vazio o discurso por mais crimes e penas mais severas,[34] é inegável, por outro lado, que a *fraqueza normativa e a ausência de eficácia das leis penais no Brasil*, com consequentes índices *elevados de impunidade*, seguramente *catalisam novos comportamentos criminais*, os quais se inibiriam, ainda que parcialmente, ante um Estado que fosse menos débil e que cumprisse, no âmbito do seu poder punitivo, a função de dar resposta, de modo *célere*, *adequado* e *proporcional*, às violações mais graves às normas de convivência, sempre, por óbvio, *sob o marco civilizatório das regras que compõem o que se entende por due process of law* (em sua dúplice faceta, substancial e procedimental).[35]

---

[30] Em outro voto, com sabedoria asseriu o homenageado: "Não ignoro que toda sociedade democrática precisa de uma dose inevitável e proporcional de repressão penal e punição, como pressuposto da vida civilizada e da proteção dos direitos humanos de todos. A despeito disso, é imperativo encontrar um ponto de equilíbrio. O direito penal deve ser moderado e sério: sem excesso de tipificações, que geralmente importam em criminalização da pobreza, e sem exacerbação de penas, que apenas superlotam presídios degradados. Como exige a Constituição, a privação de liberdade deve ser medida de *ultima ratio*, aplicada apenas quando a gravidade da ofensa e a importância do bem jurídico tutelado tornarem todas as demais medidas nitidamente inadequadas" (RE n. 580.252/ms, Rel: Min. TEORI ZAVASCKI, Relator(a) p/ Acórdão: Min. GILMAR MENDES, Tribunal Pleno, julgado em 16.02.2017, mérito DJe-204 p. 11.09.2017)

[31] Justiça Jacobina (ou justicialismo jacobino) é expressão utilizada, *inter alia*, por Vitto CAFERRA (*Il magistrato senza qualità. LATERZA & FIGLI, BARI*, 1996, p. 53).

[32] FERRAJOLI, Luigi. *Direito e razão*. Teoria do garantismo penal. São Paulo: Revista dos Tribunais, 2002, p. 275.

[33] SILVA SÁNCHEZ, Jesús María. *Aproximación al derecho penal contemporâneo*. Barcelona: Bosch, 1992, p. 26.

[34] Tem sido crescente, já desde as últimas décadas do século passado, a utilização do Direito Penal de modo populista pelo legislador, ao colocar a opinião pública "acima da posição dos especialistas penais e de dados estatísticos. Assim, os profissionais da área penal são deslocados do debate, bem como as investigações científicas da área penal são ignoradas" (TEIXEIRA MENDES, André Pacheco. *Por que o legislador quer aumentar penas?* Belo Horizonte: Del Rey, 2019, p. 42).

[35] O *World Justice Project Rule of Law* reúne esforços para produzir dados confiáveis sobre o Estado de Direito vigente nos países avaliados (em um total de 113), baseados nas experiências e nas percepções do público em

Neste ponto, cabe uma *provocação acadêmica* para a reflexão de todos: é inegável, de um lado, a existência de uma *cultura autoritária*, de que resultam não raros exemplos de abusos de poder no exercício da atividade punitiva estatal, desde as instâncias policiais, passando pelos órgãos de acusação e também de jurisdição; mas, por outro lado, como deixar de constatar a *tibieza estatal* no cumprimento de suas leis penais, quando, por falta de estrutura, de interesse, de capacidade ou, o que é pior, por deliberada intenção omissiva, crimes da maior gravidade nem sequer são investigados e menos ainda punidos os seus autores?

Releva anotar, a esse respeito, que, *das sete condenações sofridas pelo Brasil na Corte Interamericana de Direitos Humanos*, em *cinco* delas a razão principal para formar o convencimento dos juízes daquele Tribunal não foi o excesso de intervenção estatal no âmbito punitivo, mas, ao revés, a *omissão ou o atraso indevido do Estado brasileiro na apuração de crimes de homicídio contra nacionais e na punição de seus autores*. Vejam-se, a esse respeito, os acórdãos proferidos pela Corte Interamericana nos casos *Sétimo Garibaldi*, *Gomes Lundi* (Guerrilha do Araguaia), *Trabalhadores da Fazenda Brasil Verde*, *Favela Nova Brasília* – Cosme Rosa Genoveva e outros, e, por último, o caso do jornalista *Vladimir Herzog*.[36]

Tal intervenção do Sistema Interamericano de Direitos Humanos não é sem motivo, pois se há um dado ignominioso em relação ao funcionamento do sistema de justiça criminal do Brasil é o do *percentual de apuração dos crimes pelas polícias estaduais*. Em pesquisa realizada pelo *Núcleo de Estudos de Violência da Universidade de São Paulo* (NEV/Cepid/USP) no Município de *São Paulo*, com base na observação das ocorrências policiais no fluxo do sistema de justiça criminal, concluiu-se que, *de 344.767 boletins de ocorrência policial (BOs) registrados* em dezesseis delegacias que compõem a 3ª Seccional de Polícia, no período de janeiro de 1991 a dezembro de 1997, *apenas 5,48% deles por crimes não violentos* (furto, furto qualificado e consumo de drogas) *converteram-se em inquérito*

---

geral e de experts dos próprios países. Entre todos os fatores examinados (*Constraints on Government Powers, Open Government, Order & Security, Civil Justice, Regulatory Enforcement, Fundamental Rights, Absence of Corruption, Criminal Justice*), os piores índices ostentados pelo Brasil se referem ao Sistema de Justiça Criminal, sobre o qual se busca medir se as investigações, os processos e a execução penal são efetivos e se o sistema é imparcial, livre de corrupção e de influências impróprias, e protetor do devido processo e dos direitos do acusado. O Brasil, nesse item do relatório, ocupa a nada honrosa 78ª posição. O relatório do WJP 2016 está disponível em: https://worldjusticeproject.org/sites/default/files/documents/RoLI_Final-Digital_0.pdf. Acesso em: 22 jul. 2017.

[36] Outras denúncias não chegaram a originar condenações do Brasil por aquela Corte, em parte porque não se desenvolveu, entre nós, o costume de acionar o Sistema Interamericano de Direitos Humanos e também porque essas denúncias encontraram solução na Comissão Interamericana de Direitos Humanos (CIDH). Em um caso notório, *Maria da Penha Fernandes v. Brasil* (CIDH, Caso 12.051, Relatório 54/01, 4 de abril de 2001) – no qual o Poder Judiciário, passados dezessete anos das duas tentativas de homicídio da denunciante pelo seu marido, ainda não proferira sentença definitiva, com risco iminente de prescrição –, aquela Comissão, em 4 de abril de 2001, concluiu que "a República Federativa do Brasil é responsável da violação dos direitos às garantias judiciais e à proteção judicial, assegurados pelos artigos 8 e 25 da Convenção Americana em concordância com a obrigação geral de respeitar e garantir os direitos, prevista no artigo 1(1) do referido instrumento pela dilação injustificada e tramitação negligente deste caso de violência doméstica no Brasil". Em outro caso, conhecido como o *Caso dos Meninos Emasculados do Maranhão v. República Federativa do Brasil* – relativo a uma série de 28 homicídios praticados no Estado do Maranhão contra crianças de 8 a 15 anos entre 1991 e 2003 –, o Brasil firmou acordo com a Comissão IDH, em que reconheceu a ineficiência da proteção penal, além de assumir uma série de compromissos em decorrência disso, entre eles, o dever de "apurar a responsabilização do réu confesso [então] preso, dentro do marco do devido processo legal e do respeito aos direitos humanos, [bem como] o compromisso de persistir em eventuais investigações e sanção de outros possíveis responsáveis".

policial, percentual que se eleva a 8,14% quando se trata de crimes violentos (homicídio, roubo, roubo seguido de morte, estupro e tráfico de drogas).[37]

VI Algumas causas do déficit de efetividade da justiça criminal

Uma das explicações para esse considerável grau de inefetividade sistêmica é, ao que tudo indica, o tempo que as agências que integram o sistema de justiça criminal demoram para investigar os crimes e, depois, processar e julgar, definitivamente, seus autores.

A estrutura burocratizada, excessivamente escrita e arcaica da investigação criminal – ainda centrada, como se fazia no modelo inquisitorial de eras remotas, na tomada formal de depoimentos de possíveis testemunhas e na confissão do investigado, com pouca atenção à perícia técnica –, a carência de recursos humanos e materiais das corporações policiais, a falta de transparência e de *accountability* do trabalho policial são algumas das possíveis razões para explicar a demora e a escassez de eficácia da tarefa estatal de investigar crimes e apontar seus autores.[38]

Em juízo, a lide se alonga em sucessivas audiências, prazos prorrogados, tempos mortos do processo em cartório, muito embora, no plano normativo, os procedimentos sejam previstos para durar poucos meses, da acusação inicial até a sentença.

De acordo com os dados do *Justiça em Números de 2018*, publicação do Conselho Nacional de Justiça, *um processo criminal* dura, no Brasil, em média *3 anos e 9 meses*. São Paulo e Rio Grande do Sul levam bem mais tempo: 6 anos e 11 meses e 7 anos e 10 meses, respectivamente.[39] No total, a Justiça Criminal estadual possui *7,5 milhões de processos tramitando*, com ingresso de 2,7 milhões de novos processos só em 2017.

---

[37] Com Ciência SBPC/Labjor. Disponível em: http://www.comciencia.br/comciencia/? section=8&edicao=35&id=420&tipo=1). Acesso em: 12 ago. 2018. A seu turno, pesquisa realizada em 2011 pela *Associação Brasileira de Criminalística*, por exemplo, indicou que no Brasil oscila entre *5% e 8% a taxa de elucidação* dos homicídios, percentual que é de 65% nos Estados Unidos, 80% na França e 90% no Reino Unido (O Globo, Política, Alessandra Duarte e Carolina Benevides, 24.11.2009. Disponível em: https://oglobo.globo.com/politica/brasil-negligente-com-pericia-impunidade-como-resultado-apenas-10-dos-homicidios-sao-elucidados-2694252. Acesso em: 1º set. 2019).

[38] Ademar Borges, em diagnóstico do sistema de justiça criminal, aponta que "A atividade policial brasileira se baseia fundamentalmente na gestão burocrática da prisão em flagrante. A partir de ampla *pesquisa realizada pelo IPEA em parceria com o Ministério da Justiça* entre os anos de 2011 a 2013, foi possível concluir que a atividade da polícia judiciária no Brasil se concentra na espera passiva da realização de prisões em flagrante, com baixa realização de atividades ligadas à inteligência policial. Depois de analisar a origem dos processos criminais – casos em que houve apresentação de denúncia pelo Ministério Púbico – em nove Estados da federação, *o estudo mostrou que mais da metade (57,6%) dos inquéritos policiais instaurados se iniciaram a partir de prisões em flagrante.* A quase totalidade desses inquéritos (89%) indiciaram apenas uma pessoa, aquela presa em flagrante. Além disso, *na imensa maioria dos casos (73,8%) a polícia não realizou qualquer outra diligência após a prisão em flagrante.* A grande maioria das detenções no Brasil decorrem de prisões em flagrante, que fazem instaurar inquéritos policiais que contam, em cerca de dois terços dos casos, com a palavra do policial que efetuou a prisão como única fonte de prova. Além disso, no caso dos delitos envolvendo o tráfico de entorpecentes, *91% das prisões são realizadas com a entrada dos policiais nas residências sem autorização judicial*. E mais: a confissão tem um papel central nas investigações policiais, o que está na base da institucionalização da tortura como usual técnica de investigação." (BORGES DE SOUSA FILHO, Ademar. *O controle de constitucionalidade de leis penais no Brasil*. Belo Horizonte: Fórum, 2019, p. 46.)

[39] Quando se trata de *crimes dolosos contra a vida*, da competência do Tribunal do Júri, o tempo médio de duração se eleva para aproximadamente *seis anos* (Diagnóstico das Ações Penais de Competência do Tribunal do Júri 2019 – CNJ).

O resultado dessa demora, muitas vezes, resulta em impunidade. Dados coletados pelo Conselho Nacional de Justiça mostram que, em *52% dos processos de competência do Tribunal do Júri julgados entre 2015 e 2018, o resultado não levou* à *punição do réu*, muito embora, desconsiderados os casos de *extinção de punibilidade* (32% na média), o percentual de réus condenados tenha chegado a 71%.[40] Porém, o dado assustador veio do Estado de *Pernambuco*, onde a ocorrência de extinção da punibilidade correspondeu a *97,4% dos casos* (*Diagnóstico das Ações Penais de Competência do Tribunal do Júri 2019* – CNJ).

Uma das dificuldades que se costuma apontar para esse quadro de ineficácia do sistema é a escassez de magistrados, em número de 18.168 no país (e há cerca de 20% de cargos vagos), segundo dados do CNJ (*Justiça em Números* de 2018).

Por outra angulação, é curioso observar que, à medida que as instituições integrantes do sistema de justiça melhor se aparelham e respondem, com maior racionalidade, às demandas crescentes, mais se reclama da qualidade de seus serviços. Ou seja, o desejado maior acesso ao Judiciário e a disponibilização crescente de recursos (por exemplo, com estruturação das Defensorias Públicas estaduais) acabam gerando um paradoxo: *quanto mais se abre a porta de acesso ao Judiciário, mais se aperta a porta de saída da Justiça.*[41]

Há, também, aspecto de suma importância a merecer séria reflexão neste debate: a *prescrição retroativa da pretensão punitiva*, instituto tupiniquim e responsável por um sem-número de extinções de punibilidade. Como sabido, a prescrição retroativa opera a partir da definição concreta da pena na sentença, cujo *quantum* passa a regular os marcos temporais previstos no art. 109 do Código Penal, de sorte a retroagir para julgar extinta a punibilidade quando, não mais pela sanção em abstrato, mas pela que foi definida em sentença, já houver sido ultrapassado o prazo demarcatório para o Estado desincumbir-se de sua pretensão punitiva.

O tema mereceu exaustiva análise em voto da lavra do Ministro Dias Toffoli, ao julgar, como relator, o HC nº 122.694, em que o impetrante pretendia afastar, sob a pecha de inconstitucionalidade, a inovação normativa introduzida pela Lei nº 12.234/2010, que, ao alterar o art. 110, §1º, do Código Penal, não mais permitiu a incidência da prescrição retroativa tendo como marco temporal a distância entre o fato e o recebimento da denúncia.

Em seu substancioso voto, reportou-se S. Exa. à legislação de diversos países (como Alemanha, Argentina, Chile, Colômbia, Espanha, Itália, México e Portugal), para, em seguida, assinalar:

> Como se observa, em todas essas legislações estrangeiras a prescrição da pretensão punitiva (ora denominada de "prescrição da ação penal", ora de "prescrição do procedimento criminal"), regula-se, invariavelmente, pela pena máxima abstratamente cominada ao crime, e nunca pela pena aplicada na sentença, a qual regula, tão somente, a prescrição da

---

[40] Não se está aqui afirmando que deveria ter havido um número maior ou menor de condenações, mas apenas se percebe que é no mínimo *estranho que, em apenas metade dos crimes dolosos contra a vida, o resultado seja a condenação do réu*. De duas uma: ou está havendo um número enorme de acusações sem prova, infundadas ou mesmo abusivas, ou o grau de eficácia do sistema punitivo no Brasil por esse tipo de crime é baixíssimo e o resultado é uma alta dose de impunidade.

[41] PIGNANELI, Guilherme. *Análise econômica da litigância*. Uma busca pelo efetivo acesso à Justiça. Rio de Janeiro: Lumen Juris, 2019, p. 34.

pretensão executória. Dito de outro modo, nas legislações alienígenas a vocação da pena aplicada na sentença é regular, com efeitos *ex nunc*, a prescrição da pretensão executória após o trânsito em julgado da condenação, não a prescrição da pretensão punitiva, com efeitos *ex tunc*.

Concluiu a análise e, a seguir, o voto, com uma pergunta desafiadora, à qual respondeu de modo negativo:

> Seria lícito afirmar que esses ordenamentos jurídicos violam a proporcionalidade em sentido amplo e os princípios da dignidade da pessoa humana, da humanidade da pena, da culpabilidade, da individualização da pena, da isonomia e da razoável duração do processo, pelo fato de não reconhecerem, em nenhuma hipótese, a prescrição da pretensão punitiva, na modalidade retroativa, entre a data do fato e a do recebimento da imputação, com base na pena aplicada? (HC n. 122.694, Relator Ministro Dias Toffoli, Tribunal Pleno, julgado em 10.12.2014, DJe-032, p. 19.02.2015).

Resulta claro que, na esfera legislativa – e no referido voto há completa incursão histórica sobre como o instituto foi sendo tratado ao longo da vigência do Código Penal de 1940 –, seria alvissareira a melhor regulação desse tema.[42]

Aliás, a preocupação sobre essa matéria não é apenas nossa. Na Itália, vale registrar recente modificação no art. 159 do Código Penal, por força da Lei nº 3, de 9 de janeiro de 2019 (*"Misure per il contrasto dei reati contro la pubblica amministrazione, nonché in materia di prescrizione del reato e in materia di trasparenza dei partiti e movimenti politici"*) – com entrada em vigor, nesse ponto, em janeiro de 2020 – que suspende o curso da prescrição assim que proferida sentença (condenatória ou absolutória).

É preciso, porém, observar que, se tal medida busca responder à impunidade decorrente dos casos alcançados pela prescrição, poderá provocar uma "eternização" dos processos no segundo grau de jurisdição (e na jurisdição extraordinária). É dizer, se, de um lado, evita a frequente ocorrência de prescrição da pretensão punitiva, de outro acaba por incentivar, indiretamente, a longa duração dos processos após a sentença.

VII O sistema penitenciário – triste epílogo da justiça criminal

O maior opróbrio, a meu aviso, do sistema de justiça criminal é o seu subsistema penitenciário. Isso porque, em que pese o já apontado alto grau de ineficácia do sistema, temos uma justiça criminal que, mesmo com suas deficiências e dificuldades, funciona, durante o processo de conhecimento, sem desrespeitar, de modo sintomático e grave, os direitos e as garantias individuais dos que por ela são alcançados. Porém, quando o réu, condenado, ingressa no sistema penitenciário, passa a ser *objeto de violações diárias* aos mais comezinhos direitos da pessoa humana, a colocar em xeque a própria legitimidade – e, evidentemente, a funcionalidade – do sistema como um todo.

---

[42] CAPEZ, Rodrigo. *Efetividade da Justiça criminal exige mudanças pontuais na prescrição penal*. Disponível em: https://www.conjur.com.br/2019-set-04/rodrigo-capez-efetividade-justica-criminal-prescricao-penal. Acesso em: 8 set. 2019.

A propósito, foi sob esse viés que o STF decidiu o RE nº 580.252/MS como Recurso Extraordinário representativo da controvérsia, em Repercussão Geral (Rel. Ministro Teori Zavascki; Relator(a) p/ Acórdão Ministro Gilmar Mendes, Tribunal Pleno, julgado em 16.2.2017, mérito DJe-204 p. 11.09.2017). A Corte Suprema reconheceu o dever do Estado de ressarcir danos, inclusive morais, efetivamente causados a detentos do sistema prisional por ato de agentes estatais ou pela inadequação dos serviços públicos. Merece registro, a propósito, o voto-vista do Ministro Roberto Barroso, que sustentou ser mais adequada e benéfica ao condenado a compensação, em forma de remição da pena, de violações estatais a seus direitos e a sua dignidade, em tese assim formulada:

> O Estado é civilmente responsável pelos danos, inclusive morais, comprovadamente causados aos presos em decorrência de violações à sua dignidade, provocadas pela superlotação prisional e pelo encarceramento em condições desumanas ou degradantes. Em razão da natureza estrutural e sistêmica das disfunções verificadas no sistema prisional, a reparação dos danos morais deve ser efetivada preferencialmente por meio não pecuniário, consistente na remição de 1 dia de pena por cada 3 a 7 dias de pena cumprida em condições atentatórias à dignidade humana, a ser postulada perante o Juízo da Execução Penal. Subsidiariamente, caso o detento já tenha cumprido integralmente a pena ou não seja possível aplicar-lhe a remição, a ação para ressarcimento dos danos morais será fixada em pecúnia pelo juízo cível competente.

Certo é que, mesmo com uma Lei de Execução Penal satisfatória, em que são previstos diversos benefícios e direitos aos que cumprem penas, muitos dos quais, inclusive, otimizados pela jurisprudência dos Tribunais Superiores, o descaso com que a execução penal é tratada pelas autoridades responsáveis pelas políticas públicas, nas unidades federativas, conduz a uma *situação caótica em muitos estados, como ilustram diversos episódios de rebeliões e massacres ocorridos em presídios*, desde o de Carandiru (SP), em 1992, que resultou na morte de 111 detentos.

Outros tantos estabelecimentos prisionais foram palco, nos últimos anos, de cenas dantescas, como o Complexo Penitenciário Anísio Jobim, em Manaus (AM), com 56 presos mortos; Presídio Urso Branco, em Porto Velho, com 27 mortos; e Complexo Penitenciário de Pedrinhas, em São Luís (MA), com 18 mortos, os dois últimos, aliás, objetos de Resoluções da Corte Interamericana de Direitos Humanos. O último desses massacres, em Altamira, Pará, resultou na morte de 62 presos, muitos decapitados, segundo balanço da Superintendência do Sistema Penitenciário (Susipe) do Estado do Pará.

Em algumas dessas rebeliões – como a de Carandiru –, os internos foram mortos por agentes estatais de segurança e, em muitas outras, como na ocorrida em Altamira, houve uma bárbara e cruel *guerra de facções* (PCC, CV, FDA etc.), à busca por ocupar seu espaço de poder e comando, o que só tem sido possível pela *modesta presença do Estado na administração* desses estabelecimentos prisionais, incapaz de manter a ordem e de exercer pleno controle sobre os internos.

Sem embargo, o fator determinante para a proliferação dessas revoltas no sistema penitenciário parece ser mesmo a *superlotação dos presídios*, haja vista o *déficit total de 358.663 mil vagas* e a taxa de ocupação média de 197,4% em todo o país, cenário também agravado em relação ao último levantamento disponível.

Além disso, a *carência de recursos humanos* que castiga a jurisdição criminal se reproduz, de modo acentuado, na *execução das penas* impingidas aos condenados, notadamente na insatisfatória quantidade de *agentes penitenciários* (a par de outros profissionais, como psicólogos, assistentes sociais, médicos, dentistas etc.), os quais, em boa parte mal treinados e sem o devido preparo, trabalham sob permanente e concreta ameaça de morte, quando não cooptados por facções criminosas.[43]

Deveras, a *média no Brasil é de 1 agente penitenciário para 8,2 presos*, o que contraria a Resolução nº 9, de 2009, do Conselho Nacional de Política Criminal e Penitenciária (CNPCP), que indica a proporção de 1 agente para cada 5 pessoas presas como padrão razoável para a garantia da segurança física e patrimonial nas unidades prisionais. No estado de *Pernambuco*, ainda segundo dados do Infopen 2017, chega-se ao cúmulo de haver *35 presos para cada agente de custódia*.

Esse cenário preocupa pelo fato de refletir um *quadro crescente de encarceramento no país*, concomitante à *ausência de políticas* públicas eficientes e permanentemente direcionadas a *diminuir as desigualdades sociais, aumentar o grau de escolaridade* das pessoas e *incrementar as oportunidades de trabalho*. Entretanto, não há como desconsiderar que boa parte dessa realidade reflete o aumento da criminalidade e da generalizada desagregação social.

À vista de toda essa situação do sistema penitenciário, muitos magistrados, de todos os graus de jurisdição, têm buscado, com responsabilidade, minimizar os efeitos danosos que recaem sobre a imensa população de pessoas submetidas, direta e indiretamente, às agruras do cárcere. O ponto de partida é *reconhecer a precariedade das condições dos estabelecimentos prisionais* de um modo geral e, a partir de então, oferecer qualificada jurisdição, quer nos processos subjetivos, quer nos processos objetivos.

Em um destes últimos (*MC-ADPF n. 347*, julgada em 2016), o Supremo Tribunal Federal reconheceu o *Estado de Coisas Inconstitucional*.[44] O relator, Ministro Marco Aurélio, votou no sentido de determinar a juízes e tribunais a adoção de certas providências, com destaque para a necessidade de considerar "o quadro dramático do sistema penitenciário brasileiro no momento de concessão de cautelares penais, na aplicação da pena e durante o processo de execução penal", e de estabelecer, "quando possível, penas alternativas à prisão".

A determinação não pode ser recebida como mera exortação ou isolada tomada de posição da cúpula do Poder Judiciário. É preciso, de fato, que cada magistrado do país leve em conta, no momento de decidir, essa realidade, que, em números desatualizados

---

[43] Exemplos dessas duas situações são retratados em reportagens publicadas no UOL (disponível em: https://noticias.uol.com.br/cotidiano/ultimas-noticias/2017/11/27/matadores-do-pcc-tinham-nomes-e-enderecos-demais-de-20-agentes-penitenciarios-federais.htm. Acesso em: 3 ago. 2018) e na Folha de São Paulo, de 28 de julho de 2018 (disponível em: https://www1.folha.uol.com.br/cotidiano/2018/07/agentes-penitenciarios-sao-batizados-pelo-pcc-aponta-investigacao-da-policia-civil.shtml. Acesso em: 3 ago. 2018).

[44] [...] SISTEMA PENITENCIÁRIO NACIONAL – SUPERLOTAÇÃO CARCERÁRIA – CONDIÇÕES DESUMANAS DE CUSTÓDIA – VIOLAÇÃO MASSIVA DE DIREITOS FUNDAMENTAIS – FALHAS ESTRUTURAIS – ESTADO DE COISAS INCONSTITUCIONAL – CONFIGURAÇÃO. Presente quadro de violação massiva e persistente de direitos fundamentais, decorrente de falhas estruturais e falência de políticas públicas e cuja modificação depende de medidas abrangentes de natureza normativa, administrativa e orçamentária, deve o sistema penitenciário nacional ser caraterizado como "estado de coisas inconstitucional" [...] (MC-ADPF nº 347, DJE nº 31, divulgado em 18.2.2016). O reconhecimento desse *Estado de Coisas Inconstitucional teve sua gênese na Corte constitucional da Colômbia*, onde, em um de seus mais referidos julgados, a Sentença T-153, de 1998, conferiu aquele *status* negativo ao sistema prisional colombiano. A Corte constatou que a superlotação e as condições desumanas de detenção nos presídios representavam uma violação dos direitos fundamentais da população carcerária e determinou a diversos órgãos do Poder Público a adoção de medidas para reverter esse quadro.

do Departamento Penitenciário Nacional (Depen),[45] traduz uma população carcerária, *em junho de 2016, de 727 mil presos* por todo o Brasil, com índices de superlotação carcerária em todas as unidades federativas.[46]

A situação *mais grave é a do Amazonas, com quase cinco presos por vaga no sistema, seguido por Pernambuco, com três presos por vaga*. A taxa de encarceramento vem crescendo no país e *já atinge mais de 500 presos por 100 mil habitantes nos estados do Acre, Mato Grosso do Sul, Rondônia, São Paulo e no Distrito Federal*, com várias outras unidades federativas já próximas dessa marca.

Certamente em razão desses números, há generalizada afirmação de que a quantidade de presos no Brasil é elevadíssima – atualmente *o país é o terceiro no mundo em população carcerária*.[47]

Sem embargo, mais uma vez é preciso não dar um tom superlativo e passional a essa questão; em verdade, embora muito expressivo e desalentador, o citado número de presos em parte se explica pela circunstância de ser o *Brasil o quinto país mais populoso* do mundo (atrás de Indonésia, EUA, Índia e China).

O que, de fato, melhor afere o grau de encarceramento de um dado país é o *número de pessoas presas a cada grupo de 100 mil habitantes*. Com esse critério, o Brasil passa a ocupar, ainda de acordo com o *Prison Studies*, a *25ª posição (com 324/100 habitantes)*, atrás de países como Costa Rica (374/100 mil habitantes), Rússia (415/100 mil habitantes), Cuba (510/100 mil habitantes) e os insuperáveis Estados Unidos, país primeiro colocado em números absolutos e relativos (2.121.600 presos e taxa de 655/100 mil habitantes).

Outro ponto sensível nos debates sobre o tema diz respeito ao número de *presos provisórios,* cujo *percentual médio gira em torno de 33%* dos que se encontram recolhidos em estabelecimentos prisionais (segundo o *World Prison Brief*).

Seria desejável, seguramente, que esse percentual fosse muito menor, o que sem dúvida alguma ocorreria se não houvesse tanta *resistência* de uma parte da magistratura em *aceitar que a prisão provisória*, mesmo para crimes abstratamente graves, constitui a *exceção* à *regra de que o acusado deve responder ao processo em liberdade*, salvo extrema necessidade de sua segregação cautelar.

Também seria menor o índice de pessoas provisoriamente presas se houvesse maior adesão, tal qual se dá em relação às penas alternativas, ao uso de medidas cautelares alternativas à prisão preventiva, muitas vezes tão idôneas e suficientes quanto esta para a proteção do interesse cautelar sob risco.

Mais uma vez o espírito humanista do Ministro Roberto Barroso – que, ao contrário do que muitos podem pensar, não contradiz a busca por uma jurisdição penal efetiva – o leva a sustentar solução de minimização do quadro caótico do sistema prisional brasileiro, ao propor, para a diminuição do déficit de vagas nos presídios,

---

[45] Não há como deixar de expressar o estupor diante de uma total incapacidade de gestão dos dados do Sistema Penitenciário pelos órgãos estatais, divulgados com injustificável atraso. Com os recursos tecnológicos disponíveis atualmente, não seria impensável que se soubesse de imediato, a um apertar de tecla, o número exato de pessoas encarceradas, com os respectivos dados pessoais e processuais.

[46] Porém, pesquisa mais recente do BNMP (Banco Nacional de Monitoramento de Prisões), também de iniciativa do CNJ, aponta, com dados referentes ao ano de 2018, que a população carcerária brasileira é da ordem de 813 mil pessoas, sendo 41,6% presos/as provisórios/as.

[47] Disponível em: http://www.prisonstudies.org/highest-to-lowest/prison-population-total? field_region_taxonomy_tid=All. Acesso em: 20 jul. 2018.

[...] (iii) o fim do uso excessivo e desproporcional da prisão provisória, a partir: a) da imposição aos juízes de um ônus argumentativo mais severo para justificar tanto o decreto de prisão, quanto a não aplicação de medidas cautelares diversas da prisão, exigindo-se a especificação de fatos concretos que fundamentem a presença dos requisitos legais justificadores da prisão e que comprovem a insuficiência de cada uma das medidas cautelares não privativas de liberdade, ainda que aplicadas cumulativamente (voto-vista proferido no RE n. 580.252/MS, referido anteriormente).

Indispensável, então, que se passe a compreender que o juiz da causa dispõe de diversas opções – e não apenas a prisão preventiva – para a proteção dos bens e dos interesses que estejam sob ameaça, sem, necessariamente, ter de sacrificar totalmente a liberdade do acusado, a quem é possível impor, se houver necessidade, obrigações adequadas às peculiaridades do caso concreto, de modo proporcional à gravidade do crime e às exigências cautelares.[48]

Em que pese tudo isso, *não se pode caminhar ao extremo oposto*, de *considerar como uma grave anomalia funcional que* – aceitas as premissas de sermos *um país assaz violento*, com elevadas taxas de criminalidade – *tenhamos mais de 1/3 de presos provisórios*, máxime quando comparamos nossos índices aos de outros países, tanto periféricos quanto centrais.

Para que se tenha uma ideia, na América do Sul, há países com percentual de presos provisórios superiores a 70%, como é o caso do *Paraguai (77,9%)* e da Venezuela (71,3%). Na Europa, em que o índice de desenvolvimento humano dos Estados e o baixíssimo número de crimes violentos, comparativamente aos nossos, poderia implicar uma realidade muito diversa, há países que ostentam índices similares ao do Brasil, a exemplo da *Suíça, da Dinamarca e da Itália, nos quais os percentuais de prisão provisória giram em torno de 42,2%, 35,5% e 31,6%, respectivamente*, segundo dados da *World Prison Brief.*[49]

VIII Encaminhamento reflexivo

Muito há, portanto, que refletir sobre todos esses aspectos mencionados no texto, que dão ao sistema de justiça criminal brasileiro contornos de um sistema em permanente crise.

Considero, entre as principais conclusões que se pode extrair a partir do que se expôs, é que, mais do que lamentar e protestar por sermos o país com a terceira população prisional do planeta – e, alerte-se, somente não somos a primeira ou a segunda porque temos um sistema pouco eficiente na responsabilização de centenas de milhares de crimes que permanecem impunes e porque milhares de mandados de prisão não são

---

[48] Recentemente se divulgou estudo promovido pelo Instituto de Defesa do Direito de Defesa (IDDD) – *O FIM DA LIBERDADE* – sobre audiências de custódia, no qual se concluiu ser baixíssimo o número de concessões de liberdade provisória sem qualquer imposição de medida cautelar alternativa à prisão – menos de 1% da amostra total – o que seria indicativo de um cenário de grande resistência por parte de juízes em conceder liberdade às pessoas custodiadas sem o controle do Estado. Disponível em: http://www.iddd.org.br/wp-content/uploads/dlm_uploads/2019/08/OFimDaLiberdade_simples.pdf. Acesso em: 8 set. 2019.

[49] Disponível em http://www.prisonstudies.org/world-prison-brief-data. Acesso em: 12 ago. 2018. Curioso observar que, nessa publicação internacional, o Brasil é colocado na mesma posição da Dinamarca (79º lugar), com 36,6% de presos provisórios.

cumpridos –, é preciso estancar ou, ao menos, minimizar os fatores que desencadeiam a ocorrência de tantos delitos (sobretudo os violentos) no convívio social.

E, entre inúmeras possíveis medidas, nenhuma se mostra mais óbvia, urgente e necessária do que a efetiva prioridade a ser dada à educação, não apenas a que formalmente instrui milhares de crianças e jovens nas instituições de ensino, mas, nomeadamente, a educação para a paz, a educação cívica, a educação para a vida social, a educação que efetivamente provoque mudanças de hábitos e costumes do povo brasileiro.

Sem esse radical realinhamento de rota, continuaremos a caminhar de forma errática, feito o retirante que deseja abandonar as agruras da seca e não sabe aonde seu destino o levará, "[...] cansado da luta e de tanto esperar da vida, esquecido no mesmo lugar".[50]

As mudanças se fazem necessárias. Mudanças no padrão de comportamento individual e social, na relação entre Estado e indivíduo, na otimização dos recursos, humanos e materiais, para que a Justiça criminal e o sistema penitenciário funcionem em padrões mais elevados.

Não importam os discursos – cada vez mais presentes e fortes – daqueles que pugnam por retrocessos nos espaços tão arduamente conquistados para a preservação dos direitos de todos. Contra esses "idiotas da pós-modernidade", devemos responder com o Direito, com a Constituição.

Críticas e manifestações de desapreço ao complexo de direitos e garantias penais e processuais instituídas ou aperfeiçoadas com a Constituição de 1988 decorrem da má compreensão, por aqueles que não identificam a necessária autocontenção do Estado punitivo.[51]

Nem se diga, a propósito, ser inimaginável um processo penal que exerça sua função de realização do Direito Penal, a partir da apuração da verdade, e, ao mesmo tempo, garanta a proteção do indivíduo contra eventuais abusos e reações injustas, com o respeito, portanto, das liberdades públicas elencadas no nosso *Bill of Rights*.

O binômio eficiência-garantismo é não apenas possível como também necessário, para "evitar os extremos do hipergarantismo ou de movimentos como o do Direito Penal do Inimigo ou da Lei e da Ordem", de maneira a permitir que o processo penal, "no movimento pendular da história, não se distancie do ponto médio entre a proteção à liberdade e a segurança da sociedade".[52]

Postos em igual nível de importância os valores da liberdade e da segurança, todos têm direito a

> que o Estado atue positivamente no sentido de estruturar órgãos e criar procedimentos que, ao mesmo tempo, lhes deem segurança e lhes garantam a liberdade. Em outras palavras, têm direito a um sistema que faça atuar as normas do direito repressivo, necessárias

---

[50] SILVESTRE SOBRINHO. *Retirante*. Disponível em: https://sitedepoesias.com/poesias/6768.

[51] Não aceitam os que reagem a essa postura que os valores e os princípios consagrados em nossa Constituição – a "principal invenção da modernidade" (VIEIRA, Oscar Vilhena. *A batalha dos poderes*. São Paulo: Companhia das Letras, 2018, p. 70), ou, como na sempre oportuna linguagem humanista e poética de Carlos Ayres Britto, nosso "posto Ypiranga" – são a maior referência para o intérprete e aplicador das leis, nosso porto mais seguro para bem julgar.

[52] SCARANCE FERNANDES, Antonio. O equilíbrio entre a eficiência e o garantismo e o crime organizado. *RBCCRIM* 70/229, 2008.

para a concretização do direito fundamental à segurança, e atribua ao acusado todos os mecanismos essenciais para a defesa de sua liberdade. De forma resumida, um sistema que assegure *eficiência* com *garantismo*.[53]

São justos e legítimos, por conseguinte, os anseios por um sistema de justiça criminal efetivo, célere, que cumpra sua função dúplice de proteção das liberdades públicas (de inocentes e culpados) e de responsabilização e punição, mas apenas dos culpados. Um sistema que consiga a conciliação entre os interesses aparentemente opostos, sob a premissa de que é eficaz aquele que, sem sacrificar o exercício dos direitos e das garantias individuais, consiga atender aos interesses sociais reproduzidos em um processo penal.

Nosso compromisso, como juristas e, particularmente, como juízes – a quem se reserva o nobre ofício da *juris-dictio* e também de formar a *juris-prudentia* do país – é o de compreender o papel histórico reservado às instituições e o de assumir as responsabilidades que cada um de nós possui diante do poder que detemos.

Devemos, inspirados na festejada locução de Norberto Bobbio, avançar da mera teoria dos direitos para a sua prática, do "direito pensado para o direito realizado". Em um país que, nas palavras de Eric Hobsbawm, é um "monumento à negligência social", cumpre-nos levar adiante o compromisso de fazer, na particular esfera de poder e de possibilidades, o que for necessário para a melhoria da qualidade de vida das pessoas e do planeta. Não é tempo para a neutralidade de posições. Conforme a sabedoria oriental, a simpatia por uma causa ou por um ideal, "que não leve à ação positiva de alguma espécie, torna-se uma ferida ulcerada".

Como já pude observar,[54] nesses tempos de graves tensões e conflitos entre nações, tempos em que o terror, a barbárie e a intolerância de indivíduos e de grupos parecem comprometer a própria ideia de civilização, é indispensável difundir a cultura dos direitos humanos, a despeito das críticas e das observações pejorativas de segmentos da população que não conseguem entender "as vozes ocultas da história" (Bobbio), a nos exigir novos paradigmas e novas soluções para antigos problemas.

É imperiosa a percepção de que o poder não é algo que se possui, mas que se exerce, de sorte a permitir que seu usuário possa optar por direcioná-lo para o norte ou para o sul, para baixo ou para cima, para as trevas ou para a luz.

A escolha é livre, mas o que dela advém escraviza ou liberta.

Referências

BARROSO, Luís Roberto. *O direito constitucional e a efetividade de suas normas limites e possibilidades da Constituição brasileira*. 9. ed. Rio de Janeiro: Renovar, 2009.

BECCARIA, Cesare. *Dos delitos e das penas*. 2. ed. Trad. Cretela Jr.; Cretella, Agnes. São Paulo: Revista dos Tribunais, 1997.

---

[53] SCARANCE FERNANDES, Antonio. O equilíbrio entre a eficiência e o garantismo e o crime organizado. *RBCCRIM* 70/229, 2008.
[54] SCHIETTI CRUZ, Rogerio. *O uso do poder e os direitos humanos* – Correio Braziliense, Caderno Opinião, 12.12.2005.

BORGES DE SOUSA FILHO, Ademar. *O controle de constitucionalidade de leis penais no Brasil*. Belo Horizonte: Fórum, 2019.

BRUNO, Aníbal. *Direito penal*. 5. ed. Rio de Janeiro: Forense, 2005. T. I.

CAPEZ, Rodrigo. Efetividade da Justiça criminal exige mudanças pontuais na prescrição penal. Disponível em: https://www.conjur.com.br/2019-set-04/rodrigo-capez-efetividade-justica-criminal-prescricao-penal. Acesso em: 8 set. 2019.

FERRAJOLI, Luigi. *Direito e razão*. Teoria do garantismo penal. São Paulo: Revista dos Tribunais, 2002.

FIGUEIREDO DIAS, Jorge de. Fundamento, sentido e finalidades da pena criminal. In: *Questões fundamentais de direito penal revisitadas*. 1. ed. São Paulo: RT, 1999, p. 55.

IBÁÑEZ, Perfecto. Presunción de inocencia y prisión sin condena. *Revista de Ciencias Penales de Costa Rica*, año 9, n. 13, ago. 1997.

ILLUMINATI, Giulio. Tutela da liberdade pessoal e exigências processuais na jurisprudência da Corte Constitucional italiana. *Revista Brasileira de Ciências Criminais*, ano 7, n. 25, p. 105, jan./mar. 1999.

PIGNANELI, Guilherme. *Análise econômica da litigância*. Uma busca pelo efetivo acesso à Justiça. Rio de Janeiro: Lumen Juris, 2019.

PUIG, Santiago M. *El Derecho penal en el Estado Social y Democrático de Derecho*. Barcelona: Bosch, 1994.

PUIG, Santiago M. *Derecho Penal*. Parte general. 5. ed. Barcelona: Editorial REpertor, 1998.

ROXIN, Claus. Sentido e limites da pena estatal. In: *Problemas Fundamentais de Direito Penal*. 2. ed. Lisboa: Vega Universidade, 1993, p. 15 e ss.

ROXIN, Claus. *Derecho Procesal Penal*. Buenos Aires: Editores del Puerto, 2000.

SCARANCE FERNANDES, Antonio. O equilíbrio entre a eficiência e o garantismo e o crime organizado. *RBCCRIM*, 70/229, 2008.

SCHIETTI CRUZ, Rogerio. O uso do poder e os direitos humanos – *Correio Braziliense*, Caderno Opinião, 12.12.2005.

SILVA SÁNCHEZ, Jesús María. *Aproximación al derecho penal contemporâneo*. Barcelona: Bosch, 1992, p. 26.

Informação bibliográfica deste texto, conforme a NBR 6023:2018 da Associação Brasileira de Normas Técnicas (ABNT):

CRUZ, Rogerio Schietti Machado. Jurisdição penal e efetividade. In: COSTA, Daniel Castro Gomes da; FONSECA, Reynaldo Soares da; BANHOS, Sérgio Silveira; CARVALHO NETO, Tarcisio Vieira de (Coord.). *Democracia, justiça e cidadania:* desafios e perspectivas. Homenagem ao Ministro Luís Roberto Barroso. Belo Horizonte: Fórum, 2020. p. 197-217. t. 2: Pensando as instituições, a justiça e o Direito. ISBN 978-85-450-0749-4.

O DIÁLOGO INSTITUCIONAL ENTRE OS PODERES LEGISLATIVO E JUDICIÁRIO: O CONTEXTO DA JUDICIALIZAÇÃO DA POLÍTICA E A MUDANÇA DO PARADIGMA DA "ÚLTIMA PALAVRA DECISÓRIA"

PATRÍCIA CERQUEIRA KERTZMAN SZPORER

MAURÍCIO KERTZMAN SZPORER

VALMIR CHAVES DE OLIVEIRA NETO

1 Introdução

O debate constitucional brasileiro possibilita a emergência de diversas questões relevantes para o desenvolvimento do ambiente democrático nacional e permite a consolidação das instituições republicanas.

A relação entre os poderes, em especial o Legislativo e o Judiciário, está inserida nesse debate e abarca a problemática da interação deliberativa das instituições, em especial a judicialização da política e sua inserção no debate estrutural da separação de poderes.

Essa problemática é permeada por duas teorias antagônicas que advogam pela predominância de um poder sobre o outro e, por fim, de uma terceira via teórica, de caráter dialógico e realista. Tal questão se caracteriza como tema fundamental no debate constitucional e político brasileiro e é objeto do presente artigo.

A título preliminar e introdutório, vale ressaltar que este estudo está alicerçado no patamar estrutural, ou seja, o debate localiza-se no plano da engenharia constitucional da separação de poderes.

Diante disso, a questão central abordada no artigo diz respeito à desconstrução de teorias unitárias de prevalência do Judiciário ou de prevalência do Legislativo e, em grau maior, o questionamento da existência de uma última palavra nas questões constitucionais, tudo isso dentro de um contexto de judicialização da política.[1]

---

[1] Sobre a delimitação do conceito de judicialização da política, importa citar as lições do homenageado, Ministro Luís Roberto Barroso: "O fenômeno tem uma face positiva: o Judiciário está atendendo a demandas da sociedade

Por outro lado, o trabalho propõe a construção e adoção de uma teoria da inexistência da "última palavra", uma teoria binomial do diálogo entre os poderes, sem prevalências.

Será utilizado, portanto, o método da desconstrução-construtivista de Jacques Derrida,[2] ou seja, busca-se, a partir da desconstrução discursiva de argumentos dominantes nas teorias constitucionais unitárias, a construção (ou adoção) de uma nova saída teórica. A adoção desse método representa o método de leitura do problema e, por conseguinte, da possibilidade de respostas.

Como decorrência da lente epistemológica utilizada, em um grau teórico material da posição constitucional adotada (matriz teórica), utilizar-se-á, como elemento de leitura constitucional, a teoria do "diálogo institucional",[3] o que perpassar por uma construção realista do "estado da arte" constitucional, com um viés crítico e passando por uma relativização de posições excludentes da prevalência do Judiciário ou do Legislativo.

A teoria do diálogo institucional, entendida como um "fato" da engenharia constitucional da separação de poderes, possibilita, além de uma leitura realista e racional à luz da Constituição, o amadurecimento de cada instituição envolvida diante do seu lugar na estrutura democrática e da mutabilidade do sistema de deliberações e, dessa maneira, da própria cultura constitucional e democrática brasileiro. Nesse sentido, elaboram-se categorias teóricas de leitura dessas interações, a partir da fixação de duas formas principais de diálogo institucional: o "pacífico" e o "estocada-e-bloqueio".[4]

---

que não puderam ser satisfeitas pelo parlamento, em temas como greve no serviço público, eliminação do nepotismo ou regras eleitorais. O aspecto negativo é que ele exibe as dificuldades enfrentadas pelo Poder Legislativo – e isso não se passa apenas no Brasil – na atual quadra histórica. A adiada reforma política é uma necessidade dramática do país, para fomentar autenticidade partidária, estimular vocações e reaproximar a classe política da sociedade civil. Decisões ativistas devem ser eventuais, em momentos históricos determinados. Mas não há democracia sólida sem atividade política intensa e saudável, nem tampouco sem Congresso atuante e investido de credibilidade" (BARROSO, Luís Roberto. *O Controle de constitucionalidade no direito brasileiro*. 5. ed. São Paulo: Saraiva, 2011. p. 127).

[2] A par da grande variedade de concepções e entendimentos da construção teórica de Derrida, sobretudo do que seria o seu desconstrutivismo, o artigo adota a interpretação de Miriam Bankovsky e Lasse Thomassen de uma "desconstrução-construtivista": "o que é a desconstrução? Esta é uma pergunta difícil, especialmente porque, como uma abordagem, a desconstrução é crítica a qualquer tentativa de definir ou atribuir uma essência mediante a cópula 'é', como em 'desconstrução é'. [...]. Utilizações específicas da desconstrução devem afirmar ser exemplos de algo que transcende cada um deles: a desconstrução. No entanto, a desconstrução – o que 'ela' 'é' – não existe independentemente de seus usos específicos; ao contrário, o sentido da desconstrução é constituído pelos seus usos particulares. Isso é muito parecido com o ponto de Wittgenstein de que a regra é constituída através da sua aplicação, que é, em cada caso, também uma reinvenção parcial da regra". Derrida escreve que a desconstrução "não é um método geral. Não é minha propriedade. Não é uma ferramenta; é claro que existem alguns esquemas, alguns tipos, tipos regulares que você pode usar como uma gramática, como uma técnica, mas são apenas coisas secundárias na desconstrução. A desconstrução não é uma técnica, não é um método". Derrida conclui que "há um possível ensino desses dispositivos [de desconstrução], mas não da desconstrução como tal, que não é um método geral, ligado a idiomas. A desconstrução deve ser diferente em cada língua, em cada idioma, em sua relação com cada trabalho único. [...]. A desconstrução como método, poderíamos dizer, é também a desconstrução do método, se com método queremos dizer a aplicação de um programa ou técnica para um objeto, na qual se supõe o método como um meio transparente. A 'desconstrução', Derrida escreve, 'não é neutra. Ela intervém'" (THOMASSEN, Lasse. *Deconstructing Habermas*. Londres/Nova York; Routledge, 2008, p. 5 – Tradução Daniel Oitaven).

[3] MENDES, Conrado Hubner. *Direitos fundamentais, separação de poderes e deliberação*. 2008. Tese (Doutorado em Ciência Política) – Faculdade de Filosofia, Letras e Ciências Humanas, Universidade de São Paulo, São Paulo, 2008.

[4] Trata-se de questão objeto de escritos anteriores de um dos coautores.

2 Os "chavões"[5] teóricos e a terceira via: diálogo entre os poderes

Compreender a arquitetura da relação entre os Poderes Legislativo e Judiciário é fundamental.[6] Em síntese há duas principais teorias constitucionais unitárias, a de um maior respaldo ao legislador na palavra final do debate constitucional e, em contraponto, a teoria de supremacia do Judiciário. Entre os dois polos há uma terceira teoria, de tez binária e dialógica, que confere prevalência às interações dos poderes e não a um dos polos.

A abordagem deste tópico, portanto, será a de selecionar argumentos-chave utilizados para a defesa discursiva das teorias unitárias de prevalência de uma última palavra.

Ambas as teorias apresentam um denominador comum, ou seja, a pressuposição da existência de uma instituição a quem compete dar a última palavra e pôr fim ao processo interpretativo-decisório em matérias constitucionais. O paradigma da última palavra permeia o debate das duas teorias.

Duas posições costumam se sobressair nesse debate. A primeira, do juiz (ou Tribunal) bom, "salvador da constituição", "seu intérprete por natureza" para a garantia da Constituição e, por esse caminho, da própria democracia. Essa posição costuma ser veiculada, explícita ou implicitamente, nas teorias que defendem uma supremacia judicial como a instituição "escolhida" para dar a última palavra sobre as grandes questões constitucionais, bem como da "necessidade de uma revisão judicial".

Dentre os seus maiores defensores, se destaca Ronald Dworkin.[7] O citado autor norte-americano parte de uma noção que, invariavelmente, requer uma influência da moral nos tribunais.[8]

O reflexo dessa posição, no entanto, é a figura que exsurge quando se proclama a existência do "bem", isto é, a figura do "mal". Só pode existir algo "bom" em relação a algo "mau", um "salvador" ou "guardião" em relação a algo "violador" ou "ameaçador". Essa figura "maligna" do imaginário das teorias de prevalência do Judiciário recai sobre o legislador e reforça a tese da necessidade de uma atuação de contenção do Judiciário.

A segunda posição (prevalência do Legislativo) inverte os sinais e propõe o parlamento como fiel representante da maioria ou vontade geral do povo, em uma afirmação de "guardião democrático por natureza", expressão de pluralidade e espelho da vontade popular, pautando o discurso no axioma do sufrágio universal e nas suas deliberações por maioria.

---

[5] O termo "chavões", sintaticamente, é um substantivo masculino; semanticamente apresenta algumas variações (ideia, frase, pensamento desgastado) que só podem ser significadas na pragmática. Assim, o termo "chavões", aqui utilizado em tom de ceticismo, está a significar uma "ideia desgastada", um "clichê" ou "lugar-comum argumentativo".

[6] A discussão, neste momento, exclui o Poder Executivo do debate, por entender que há uma prevalência, para fins do fenômeno até aqui delimitado, dos Poderes Legislativo e Judiciário.

[7] Vide: DWORKIN, Ronald. *O império do direito*. 3. ed. São Paulo: Martins Fontes, 2010.

[8] "A melhor estrutura institucional é aquela que produz as melhores respostas para a pergunta (de caráter essencialmente moral) de quais são efetivamente as condições democráticas e que melhor garante uma obediência estável a essas condições" (DWORKIN, Ronald. *O Direito da Liberdade*: A leitura moral da constituição norte-americana. São Paulo: Martins Fontes, 2006, p. 59).

Entre os pensadores que defendem essa posição destaca-se John Locke, que exalta o caráter sufragista e afirma que o equilíbrio para "uma sociedade política bem ordenada pressupõe que o Poder Legislativo seja depositado nas mãos de diversas pessoas que, reunidas em assembleia ou em conjunto com outras, têm a prerrogativa de elaborar leis".[9]

A defesa do Parlamento deita-se, muitas vezes, na tese da regra de maioria e utiliza como trunfo argumentativo de sua legitimidade representativa, unicamente, o voto popular.

Essa posição de "romantização" do Legislativo acarreta o crescimento de um ideal de aceitação ao caráter "elitista" e "antidemocrático" do Judiciário, gerando um efeito simbólico ruim.

Transpassar o binômio introdutório deste tópico de desconstrução requer uma análise de "chavões" utilizados pelos defensores das posições citadas anteriormente.[10]

Assim, partindo do dualismo explicitado no início do tópico, é preciso desconstruir a noção (chavão) da existência *a priori* de uma instituição boa e outra má, quando o assunto é defender a Constituição e suas pré-condições democráticas. A postura de adotar o "juiz bom e o legislador mau"[11] de forma predeterminada transfere o estudo para um campo das paixões, ou melhor, das ingenuidades.

As instituições, tanto o Legislativo quanto o Judiciário, têm características próprias e ambas estão inseridas no ambiente democrático. Contudo, há nessa relação uma hierarquia fluída de graus, sem existir um predomínio ético de um poder em relação ao outro, nem relação de "bem" e "mal".

"Quebrado" o maniqueísmo exposto, resta anotar e desconstruir os "chavões" da suposta oposição entre as "teorias constitucionalistas" e "teorias democráticas". A distinção entre as teorias baseia-se na falta de compreensão de que ambos os poderes estão no mesmo contexto político (em sentido macro).

Comumente, para tal diferenciação se alega que as teorias são diametralmente opostas. É possível concordar que são linhas teóricas diferentes, mas, por outro lado, são plenamente conciliáveis. Essa diferenciação, como oposição, gera um entrincheiramento das instituições, que não reflete a realidade da arquitetura da separação dos poderes.

São conciliáveis, porque há um erro comum das teorias constitucionalistas de que apenas o Judiciário tem a supremacia de interpretação da constituição como produto da democracia. Essa visão confere ao Judiciário o papel de "pagador das promessas perdidas", um agente racional, imune às pressões da vontade da maioria.[12]

---

[9] LOCKE, John. *Dois tratados sobre o governo*. São Paulo: Martins Fontes, 1998. p. 515.

[10] Trata-se de listagem sem pretensão exauriente.

[11] Criticando essa ingenuidade, disserta Waldron: "As pessoas convenceram-se de que há algo indecoroso em um sistema no qual uma legislatura eleita, dominada por partidos políticos e tomando suas decisões com base no governo da maioria, tem a palavra final em questões de direitos e princípios. Parece que tal fórum é considerado indigno de questões mais graves e sérias dos direitos humanos que uma sociedade moderna enfrenta. O pensamento parece ser que os tribunais, com suas perucas e cerimônias, seus volumes encadernados em couro e seu relativo isolamento ante a política partidária, sejam um local mais adequado para solucionar questões desse caráter". (WALDRON, Jeremy. *A dignidade da legislação*. São Paulo: Martins Fontes, 2003, p. 79).

[12] "Uma vontade popular majoritária permanente, sem freios contramajoritários, equivale à *volonté générale*, a vontade geral absoluta propugnada por Rousseau, que se revelaria, na verdade, em uma ditadura permanente" (STRECK, Lenio Luiz. A baixa constitucionalidade e a inefetividade dos direitos sociais em *terrae brasilis*. *Revista Brasileira de Direito Constitucional*, n. 4, 272-308, 2004, p. 274).

Baseia-se, assim, no silogismo que atrela o tribunal à constituição: "se a constituição é suprema e o judiciário é seu 'guardião', compete ao judiciário ter a supremacia da sua interpretação". O silogismo, porém, é falso porque parte de um pressuposto de ser o sistema judicial o autêntico intérprete da Constituição.

O Judiciário não é o "guardião" da Constituição, muito menos da democracia. Não se protege a democracia, estruturalmente, através de uma instituição de origem não sufragista. Democracia só pode ser assegurada com mais democracia, não com o seu inverso. Ademais, a Constituição (ao menos a sua noção moderna) é fruto de uma radicalidade democrática (Poder Constituinte Originário), não o inverso.

A ideia do Judiciário como guardião da democracia é reacionária e empiricamente falsa, além de propagar uma infantilização de outras instâncias decisórias (institucionais e para-institucionais).

Para comprovar essa afirmação, as teorias constitucionalistas teriam que responder: apenas o sistema judicial protege direitos? A resposta é negativa. Ele pode proteger, assim como o Legislativo também pode proteger e ampliar. A suposta proteção de direitos não pode ser uma justificativa para a supremacia judicial, pois assentada em bases apriorísticas e presente em outras instituições.[13]

Outro "chavão" que merece ser desconstruído se relaciona ao processo de deliberação por maioria. Muito se afirma, nas teorias democráticas, que o Parlamento deve ser o detentor da última palavra porque decide por maioria e, assim, espelha a vontade do povo. Por outro lado, os defensores da supremacia do Judiciário utilizam a crítica à regra da maioria como um elemento de proteção, justamente, contra as maiorias ocasionais.

O debate é limitado. A democracia não pode se resumir à vontade da maioria, inclusive porque uma votação nem sempre é o espelho da vontade desta[14] e os processos de votação apresentam elementos que o fazem mais peculiar do que a simples noção da maior quantidade de votos em uma posição ou em outra.

Ademais, essa crítica às votações por maioria não isenta as Cortes, pois os Tribunais também decidem por maioria. Tomando por exemplo o STF, os 11 ministros, geralmente, não chegam a uma unanimidade, sobretudo nas delicadas questões envolvendo direitos fundamentais e/ou políticos de esteio constitucional.

---

[13] "Decisões tomadas em sede de controle judicial de constitucionalidade não valem porque asseguram valores essenciais ao regime democrático, ou porque evitam a tirania da maioria ou barram o terror e, consequentemente, elas não deixam de valer quando não cumprem qualquer dessas metas. Todos esses objetivos são, evidentemente, louváveis, mas nenhum deles representa caminho efetivo algum para a compreensão do papel que um Judiciário dotado do poder de revisão judicial exerce, qual seja: suplantar desacordos com autoridade, independentemente do que qualquer teoria da justiça possa dizer sobre sua decisão, e seja ela "correta" ou "incorreta"." (POLI, Vinicius. Quem deve ser o detentor da última palavra, judiciário ou legislativo? *Rev. Fac. Dir. Sul de Minas*, Pouso Alegre, v. 31, n. 2, p. 355-380, jul./dez. 2015. Disponível em: http://www.fdsm.edu.br/adm/artigos/2c9d0aad05d4affd3fff862f2ea5b9df.pdf. Acesso em: 30 jul. 2017, p. 375).

[14] Mais um elemento que ainda não foi citado é o chamado poder de pauta do presidente. Tanto o presidente do Congresso quanto do Supremo Tribunal Federal tem largas prerrogativas de pautar as matérias a serem votadas. O arranjo dessas votações apresenta reflexos no resultado decisório. Nesse sentido: "Os juízes que presidem os tribunais, sobre cuja pauta e ordem de encaminhamento das questões eles exercem um considerável controle, conhecem bem as posições de seus colegas, porque julgam muitos casos estritamente relacionados entre si e a renovação de pessoal é paulatina e lenta" (SHAPIRO, Ian. *Os fundamentos morais da política*. São Paulo: Martins Fontes, 2006, p. 272).

Na realidade, votação por maioria é um método de decisão, bem verdade o mais comum nas democracias, embora não se confunda com esta.[15]

Assim, o "trunfo" argumentativo a favor e contra o majoritarismo não encontra respaldo, pois se trata de uma metodologia de votação e não da substância da vontade da maioria ou minoria. Tanto o Legislativo quanto o Judiciário decidem – nos desacordos – por maioria e, no caso deste – especialmente nos tribunais de cúpula –, o argumento da defesa contra a "tirania da maioria" perde força, pois este Poder, por também decidir com base nessa metodologia, não está imune às suas características.[16]

Soma-se aos "passos" de desconstrução o "chavão" que reduz o controle de constitucionalidade ao controle *judicial* de constitucionalidade. Existe um erro muito comum propagado pela doutrina que consiste em visualizar apenas uma forma de controle de constitucionalidade (ou adequação à constituição).

Todos os Poderes (incluindo o Executivo) exercem um *endo* e *exo* controle de constitucionalidade. O controle judicial de constitucionalidade é apenas uma espécie do grande gênero "controle de constitucionalidade".

O conjunto dos chavões listados funciona como *topoi* de primeiro grau, para utilizar uma estrutura exposta pela teoria tópica de Theodor Viehweg.[17] Ou seja, lugares-comuns argumentativos que são utilizados como pontos de partida da argumentação dos defensores de cada posição.

O desenho argumentativo do tópico cria um sentimento de ceticismo e desconfiança sobre as duas principais e óbvias correntes quando se debate a interação deliberativa entre os poderes, quais sejam: as tendências pró-judiciário e pró-legislativo.

O sentimento de desconfiança deve imperar no debate, pois ajuda a afastar conclusões apressadas e pouco fundamentadas, bem como proporciona um ponto de chegada mais firme. O enfoque presente não é de negação de uma esfera de poder a outra. Ao contrário, as divergências revelam uma fragilidade de cada lado e a necessidade de uma tendência a outra.

3 O diálogo institucional e o paradigma da "última palavra decisória"

A partir da desconstrução de argumentos basilares e da demonstração da falibilidade das teorias unitárias de prevalência do Poder Judiciário ou do Legislativo, defende-se neste estudo uma tendência dialógica como terceira via ao debate.

A teoria do diálogo institucional[18] consegue colher elementos racionais dos dois polos e propõe uma resposta estrutural para a democracia constitucional, questionando

---

[15] "Democracia e majoritarismo são conceitos que devem ser desagregados. Não há, de modo efetivo, nada de especialmente democrático em uma votação majoritária: democracia é um ideal político; votação majoritária é método de decisão" (WALDRON, Jeremy. *A dignidade da legislação*. São Paulo: Martins Fontes, 2003, 2003, p.110s).

[16] Por isso, "a dificuldade que surge quando o órgão com menor legitimidade democrática, dentro da separação de poderes, impõe sua autoridade sobre os demais". (GARGARELLA, Roberto. *La Justicia Frente ao Gobierno*: Sobre el Carácter Contramayoritário del Poder Judicial. Barcelona: Editorial Ariel S. A. 1996. p. 13).

[17] VIEHWEG, Theodor. *Tópica e jurisprudência*. Tradução de Tércio Sampaio Ferraz Júnior. Brasília: Departamento de Imprensa Nacional, 1979.

[18] No Brasil o debate ganha importante destaque acadêmico através de Conrado Hubner Mendes, quando da sua tese de doutoramento.

se, nesse ambiente democrático, é desejável (ou necessário) que uma instituição dê a "última palavra".

O diálogo institucional, dessa forma, pode ser encarado como um fato, pois reflete uma situação que, em maior ou menor grau, acontece na realidade, independente da teoria que se adote. O "diálogo" ou "intercomunicação deliberativa" entre as instituições faz parte da própria engenharia constitucional, essa engenharia representa o dinamismo da separação de poderes e a impropriedade de se analisar as deliberações que são realizadas, especialmente nos Poderes Legislativo e Judiciário, como um fim em si mesmo.

Há na propositura de uma perspectiva dialógica um caráter descritivo e empírico e, também, uma pretensão normativa, ainda que mínima, de analisar, contextualmente, como deveria (ou poderia) ocorrer a "intercomunicação deliberativa".

Consoante explicação de Conrado Hubner Mendes, o diálogo institucional é forjado pelo desenho institucional que o disciplina formalmente e pela cultura política que o anima. Esses dois componentes (engenharia institucional e cultura política) devem ser inseridos em uma perspectiva histórica.

Assim, sem adentrar as especificidades de cada desenho institucional, é importante ter em mente quais as bases históricas e a maturidade das instituições em determinada sociedade.

São duas as premissas: (i) na separação de poderes há intercomunicação deliberativa; (ii) os graus e formas da interação, bem como a sua funcionalidade, estão atrelados à cultura política que rodeia as instituições.[19] [20]

Dessa forma, reconhecendo que o diálogo entre as instituições ocorre inevitavelmente e de diferentes formas, cabe descortinar e trazer algumas explicações sobre categorias teóricas que explicam essa situação, que se caracteriza pela sua constância, circularidade e pela relativização da existência de uma última palavra decisória.

As noções de "rodada procedimental" e "última palavra provisória", portanto, são construções teóricas essenciais. A primeira funciona como "círculo condutor" pelo qual o diálogo vai sempre acontecendo, se renovando e retroalimentando, tendo a Constituição como a enciclopédia de sua memória operacional.

Desse movimento constante, se extrai que os círculos funcionam como espiral, ou seja, sempre há a possibilidade de, concluída uma "volta", ser reaberto o debate em outro patamar. A finalização de um círculo num dado patamar e a possibilidade de reabertura do debate é o que pode ser chamado de "última palavra provisória".

---

[19] "Apesar de a corte poder errar, e errar grosseiramente (seja qual for o critério por meio do qual se meça o erro), não é realista nem historicamente plausível dizer que ela possa decidir continuamente de modo desconectado da realidade, que ela não se preocupe com a manutenção de seu prestígio e respeitabilidade, dos quais depende não só sua legitimidade, mas inclusive a eficácia de suas decisões. Ela não consegue sustentar sua autoridade por muito tempo se insistir numa postura que não seja aceitável numa determinada cultura política" (MENDES, Conrado Hubner. *Direitos fundamentais, separação de poderes e deliberação*. 2008, p. 186).

[20] Como explica Conrado Hubner Mendes: "Waldron, mais de uma vez, afirmou que seus argumentos contrários à revisão judicial se dirigem a países em que a adoção desse arranjo ainda era uma escolha em aberto. Não se destinava a participar do debate americano, onde a instituição estaria consolidada pela história e qualquer argumento que questionasse a sua existência mesma estaria fadado à irrelevância. Diversos autores já fizeram declarações parecidas para disciplinar o escopo da discussão. Dworkin, por exemplo, afirmou que "essa autoridade interpretativa já foi distribuída pela história". Whittington não deixou de observar que a revisão judicial é "uma realidade institucional e histórica, independentemente de qualquer crítica acadêmica contra ela" (MENDES, Conrado Hubner. *Direitos fundamentais, separação de poderes e deliberação*. 2008, p. 169-170).

A noção de "última palavra provisória" é a negação da existência de uma última palavra definitiva, ou seja, a conclusão de que sempre será possível uma nova rodada procedimental, o que implica lidar que, no máximo, alguma instituição fale por último numa determinada rodada, mas isso não encerra a possibilidade de revisão ou mudança.

As duas categorias propostas estão inseridas numa espécie de "circuito decisório entre os poderes". Trata-se de um circuito dinâmico que está a todo o momento envolvendo medidas de negociação, ataque e contenção em um movimento que leva à decisão.

O diálogo está a acontecer na própria constância do procedimento decisório de uma determinada rodada procedimental, que tem o condão de resultar em uma palavra final provisória. Existe o diálogo, também – e costuma ser mais perceptível – quando um resultado decisório não alcança um consenso interinstitucional e inicia-se uma nova rodada decisória com uma nova palavra final provisória.

Essa possibilidade de reabertura condiciona as instituições à utilização, cada vez maior, de esforços argumentativos e, em tese, de melhores fundamentações, pois podem existir correções e vetos recíprocos. O diálogo é, assim, um elemento essencial para um efetivo sistema de freios e contrapesos, a independência e harmonia entre os poderes.

Como ilustração, pode-se supor[21] a abertura de uma rodada procedimental "R", que se inicia no Parlamento com a proposição de um projeto de lei ordinária sobre uma matéria "M". O projeto costuma ser redigido a partir de experiências e memórias anteriores (o Legislativo normalmente conhece quais as posições do Judiciário sobre o determinado procedimento decisório e sobre as posições deste quanto à adequação constitucional de temas afins).

Realizado o trâmite do processo Parlamento, um dos grupos de interesses cujo posicionamento foi contrariado pela Lei "L" propõe ao Tribunal competente a revisão daquela lei, sob o fundamento "F" de que a constituição foi violada. O Tribunal passa a uma rodada procedimental R.1 (decorrência) e, na construção de sua decisão, costuma levar em conta de qual maneira o fundamento "F" vem sendo entendido na comunidade institucional.

Supondo, ainda, que o Tribunal declare a Lei "L" inconstitucional, pondo fim à rodada "R" – "R.1", esta decisão do Tribunal pode ser superada com a abertura, por exemplo, de um novo procedimento decisório "P", em um novo patamar argumentativo, através de uma proposta de emenda constitucional sobre a matéria "M". E assim por diante.[22]

Apesar de o ciclo ser teoricamente tendente ao infinito, na prática, o diálogo tende a acomodações, considerando a necessidade de melhora dos argumentos. Isso porque as mudanças de posições costumam ser custosas a uma relação interinstitucional e perigosas ao equilíbrio da separação de poderes e à necessidade de uma estabilidade social.

Perigo maior, no entanto, é negar essa engenharia constitucional e "eleger" uma instituição como guardiã da consciência constitucional e, pois, da consciência do seu titular, o povo.

---

[21] A suposição em questão tem por plano de fundo o sistema constitucional brasileiro.
[22] O exemplo é simplório, mas ilustra, dentro de suas limitações, uma situação reduzida de um diálogo institucional.

Antes de concluir este ponto, dois alertas precisam ser feitos: (i) o fator temporal não pode ser negligenciado na noção de "última palavra" e (ii) a propositura de uma nova "rodada procedimental" representa um custo a ser ponderado.

A possibilidade de uma constante revisão e mudança na deliberação não pode significar que o Judiciário ou o Legislativo possa "arriscar" deliberações sem o devido cuidado ou responsabilidade política (constitucional).[23] Uma rodada procedimental leva tempo e suas decisões têm consequências.

Em paralelo a essa preocupação, não pode ser negado o custo da abertura de um novo procedimento decisório através de uma rodada procedimental. Além do fator temporal já explicitado, há um custo de um possível enfrentamento entre instituições e um custo de energia de construir um argumento de superação em face da última decisão (última palavra provisória).

Compreender esses custos representa a necessidade de entender que o diálogo institucional pode ocorrer de forma "pacífica" ou de forma "agressiva", com consequências diferentes na estrutura da separação de poderes.

4 Espécies de diálogo institucional: "pacífico" x "estocada e bloqueio"

A estrutura da palavra diálogo, em uma análise corriqueira, tende a pressupor uma concordância, uma confluência de ideias ou uma "conversa". Não raramente, as palavras diálogo e debate são entendidas, contextualmente, como opostas, consenso e dissenso, respectivamente.

Diálogo, entretanto, não se trata apenas de mera comunicação (falar e ouvir ou julgar e legislar), o diálogo tem um potencial transformador e complexo.

A considerar o diálogo como um "fato" na separação de poderes (premissa adotada), há de se ressaltar que a sua forma e intensidade não são dadas de maneira una pelo sistema constitucional. Nesse sentido, propõe-se a existência de ao menos duas grandes formas de diálogo: o diálogo pacífico (preventivo ou de ajuste) e o diálogo "estocada e bloqueio" (ou ofensivo).

Por diálogo pacífico, entendem-se os diálogos comuns, ordinários e estruturais na separação de poderes, são os diálogos que as instituições fazem menos por uma vontade e mais como pressuposto de suas deliberações.

---

[23] "A invocação da ideia de "última palavra provisória" não pode esconder o custo temporal, material e intelectual de novas "rodadas procedimentais". Há graus de provisoriedade. Decisões, mesmo que possam ser revistas, são mais ou menos duradouras e resistentes. Alguns de seus efeitos se consumam e, em certo sentido, tornam-se irreversíveis. O fato de ser interlocutora, por essa razão, não significa que a corte esteja isenta da responsabilidade de boas decisões e de um teste rigoroso de legitimidade. De qualquer modo, relativizar a importância da última palavra tem um valor. Se o ponto de chegada é sempre provisório, dever-se-ia atentar também para o caminho, o processo de interação que precede e sucede a decisão. Diálogo, no longo prazo, é inevitável. Decisões são tomadas e problemas concretos resolvidos, mas os mesmos temas são reprocessados pela comunidade política. Essa constatação trivial traz um elemento surpreendentemente novo para a reflexão sobre o papel e legitimidade do controle de constitucionalidade" (MENDES, Conrado Hubner. *Direitos fundamentais, separação de poderes e deliberação*. 2008, p. 168-169).

O diálogo pacífico se dá no consenso e com baixo grau de belicosidade. É uma interação tendente a uma adequação[24] ao pensamento de cada instituição e, por óbvio, à adequação da interpretação constitucional.

Essa interação normalmente ocorre dentro de uma mesma rodada procedimental, trata-se de um diálogo pacífico, preventivo, marcado pela acumulação e amadurecimento argumentativo das instituições, um diálogo exposto numa memória racional das instituições e da sociedade. Esse diálogo deve ser fomentado porque possibilita decisões com possibilidade maior de acerto e durabilidade.

O diálogo pautado em um grau pacífico também pode ocorrer em uma nova rodada procedimental, mormente quando há uma mudança na jurisprudência da corte[25] ou uma alteração legislativa. No sistema constitucional brasileiro, a previsão da Ação Direta de Inconstitucionalidade por Omissão (ADO) pode ser caracterizada como um exemplo dessa categoria dialógica.

Já o diálogo ofensivo será aqui chamado de diálogo *Thrust-and-parry*. Essa expressão foi proposta por Llewelyn (jurista do chamado realismo americano), numa ideia de "jogo concertado (*thrust-and-parry* – estocadas-e-bloqueios) de deslocamentos entre um esforço construtivo na argumentação de fundamentação".[26]

Essa relação de estocada e bloqueio pode ser ilustrativa do fenômeno dos ataques e contra-ataques no diálogo entre o Legislativo e o Judiciário, sobretudo quando não há um consenso mínimo entre as instituições. Neste ponto, o papel contradispositivo do diálogo é latente.

Dessa forma, quando o Parlamento aprova uma lei (primeira rodada deliberativa – início da relação) e ela é declarada inconstitucional pelo sistema de justiça (segunda rodada deliberativa – estocada), há uma relação de "ataque", já que a inconstitucionalidade deve ser a exceção, porque os atos e leis gozam de uma presunção de constitucionalidade.

Ao seu turno, existe a possibilidade de o Legislativo iniciar uma nova rodada procedimental sobre a matéria, em um novo patamar, com a propositura de um Projeto de Emenda Constitucional (terceira rodada deliberativa – bloqueio e nova estocada), temos aí uma resposta com um bloqueio, de pronto seguido por uma nova estocada ("counter-riposte").

O diálogo *Thrust-and-parry* costuma ocorrer quando uma nova rodada procedimental é aberta, mediante um desacordo político com a última decisão proposta. Essa espécie de diálogo costuma ter uma carga de beligerância maior, além de um custo político e temporal que não pode ser desprezado e por isso é mais ligada à vontade institucional de um dos poderes.

---

[24] Sobre essa tendência de acomodação e prudência no diálogo dentro de uma rodada procedimental: "[...] acomodações prudenciais e flutuações de legitimidade são um fenômeno que os Federalistas arquitetaram e pesquisas empíricas comprovaram. Poderes usam de prudência para testar até onde podem ir. Trata-se de um juízo de ocasião e de medida. O retrato da separação de poderes é, a cada momento, diferente. Não se participa de modo bem sucedido desse jogo sem as qualidades, nas palavras de Bickel, de um "animal político"" (MENDES, Conrado Hubner. *Direitos fundamentais, separação de poderes e deliberação*. 2008, p. 183).

[25] O instrumento do *overruling*, presente na nova sistemática processual civil brasileira, pode ser utilizado como um vetor desse diálogo Legislativo – Judiciário.

[26] OITAVEN, Daniel. *A hermenêutica da esgrima e os direitos humanos*: as aporias vinculação/discricionariedade, contexto de descoberta/contexto de justificação das decisões judiciais e universalismo/multiculturalismo à luz da paranóia mútua entre autopoiese e desconstrução. Salvador: Faculdade Baiana de Direito, 2016. p. 27.

No Brasil, essa relação dialógica, quando inserida no fenômeno da judicialização da política, encontra algumas peculiaridades de ordem acadêmica, cultural e histórica. As categorias teóricas propostas podem ser aplicadas ao sistema constitucional pátrio, não sem antes sobrelevar algumas peculiaridades.

A engenharia institucional do país, disposta constitucionalmente, prevê a separação dos poderes (independentes e harmônicos), ou seja, o diálogo é condição estrutural do arranjo constitucional brasileiro. Porém, as rodadas procedimentais apresentam alguns custos políticos próprios.

O primeiro deles é o já citado custo temporal, pois os processos legislativos são, em regra, demorados (razões políticas), bem como os processos judiciais (em razão do volume de demandas e do dever especial de argumentação). Assim, uma rodada que culmina numa última palavra decisória pode se protrair por um longo período de tempo e impactar definitivamente relações jurídicas e vidas.

Outro custo é o cultural. Há no país, ao menos no inconsciente coletivo da sociedade, um crédito maior ao Judiciário do que ao Legislativo. Em pesquisa realizada pelo Instituto Brasileiro de Opinião Pública (IBOPE) o nível de confiança na "Justiça" foi maior do que a confiança no Congresso Nacional (Poder Legislativo).[27]

Dessa desconfiança social cresce uma teoria constitucional mais ativa e que confere ao Judiciário o papel de protagonismo. Entretanto, tal postura, a par de "solucionar" as demandas em curto prazo, prejudica, em longo prazo, o amadurecimento das demais instituições e o esvaziamento de espaços mais democráticos e plurais.

Assim, quando se fala em diálogo institucional no Brasil, esses fatores devem ser considerados. Acrescente-se à lista uma espécie de ideal utilitarista que desloca o polo de tensão social para o Judiciário, através de um ideal de "otimização" que, contudo, só consegue visualizar o problema concreto do caso em específico, sem compreender (ou deixando na omissão) as repercussões estruturais de uma crescente tendência de judicialização da política cada vez maior, em uma "substituição" do Legislativo e do Executivo, pelas Cortes de cúpula.

Nesse quadro do diálogo institucional brasileiro, o Parlamento sai em desvantagem por sua maior desconfiança social, de outro lado há uma transferência para o sistema de justiça de uma necessidade de intervenção cada vez maior na busca de "amparo social" para além do "aparo constitucional".

A partir da classificação proposta, que tem uma pretensão generalista, pode-se dizer que, no Brasil, embora a maior parte dos casos seja de um diálogo pacífico, a incidência de novas rodadas procedimentais de decisão em face de outra rodada anterior tem sido cada vez mais frequente e mais dramática.

Essa frequência – tendente ao crescimento[28] – do diálogo brasileiro *Thrust-and-parry* é propiciada, dentre outros fatores: (i) por uma pluralidade de grupos de pressão com legitimidade para propor Ações de Controle Concentrado de Constitucionalidade,

---

[27] IBOPE. Instituições políticas perdem ainda mais confiança dos brasileiros. 2015. Disponível em: http://www.ibopeinteligencia.com/noticias-e-pesquisas/confianca-do-brasileiro-nas-instituicoes-e-a-mais-baixa-desde-2009/. Acesso em: 14 ago. 2019.

[28] A estatística de processos de controle concentrado, elaborada pelo STF, demonstra o crescimento dessa classe processual, como se observa em: http://www.stf.jus.br/portal/cms/verTexto.asp?servico=estatistica&pagina=CC_Geral. Acesso em: 28 nov. 2019.

bem como uma pluralidade de grupos de interesses institucionalizados, como são os casos dos partidos políticos;[29] (ii) por uma doutrina e formação jurídica nacional de base utilitarista, que fomenta o fenômeno da judicialização da política no Brasil; (iii) por um sistema de controle de constitucionalidade "forte"; e (iv) por uma deficiência no diálogo "pacífico", que antecede uma decisão (legislativa ou judiciária) dentro de uma mesma rodada procedimental, bem como as dificuldades internas de formação de consensos para uma posição externa e institucional mais coesa.

5 Considerações finais

A relação das instituições no bojo do sistema da separação de poderes carrega uma alta complexidade, que, em geral, não consegue ficar adstrita a uma divisão estanque de competências típicas e atípicas de cada instituição.

Diante dessa engenharia constitucional de funcionalidades múltiplas, o que se extrai como pressuposto conclusivo é o reconhecimento de uma complexidade no arranjo dos poderes constitucionais e a necessidade de analisar a interação entre as instituições e a judicialização da política como reflexos dessa estrutura, não apenas como um mero produto dessa separação, mas também como condicionante da interação entre as instituições.

Fixadas as bases ontológicas dessa situação do sistema da separação de poderes, o artigo busca fazer uma readequação de tons (pró e contra Judiciário/Legislativo) para visualizar de forma crítica a relação entre as instituições, com o recorte nos Poderes Legislativo e Judiciário. Essa readequação envolve a adoção da teoria do diálogo institucional como "lente" para compreender a relação entre os polos citados.

A tendência dialógica, portanto, rompe com o paradigma da existência de uma "última palavra" enquanto tal – questionando chavões discursivos (ou lugares-comuns argumentativos[30]) – e propõe a existência de "últimas palavras provisórias", possíveis em cada "rodada procedimental de deliberação", rodadas essas que podem sempre ser reabertas, mesmo que com imperfeições[31] – observados os seus custos temporais, materiais e argumentativos.

O diálogo institucional é aqui proposto como "fato" na relação entre o Legislativo e o Judiciário, onde se insere a judicialização da política matizada com outros elementos. O artigo, no entanto, busca ainda que de forma genérica destrinchar as formas desse diálogo em dois grandes grupos: o diálogo "pacífico" e o diálogo *Thrust-and-parry*.

Assim, o diálogo "pacífico" (preventivo ou de ajuste) ocorre como fato da própria separação de poderes e, em geral, dentro de uma mesma "rodada procedimental de deliberação". É um diálogo que não apresenta muitos custos (materiais, temporais e

---

[29] Segundo dados do Tribunal Superior Eleitoral (TSE), o Brasil tem hoje 32 partidos políticos registrados oficialmente. TSE. Partidos Políticos registrados no TSE. Disponível em: http://www.tse.jus.br/partidos/partidos-politicos/registrados-no-tse. Acesso em: 28 nov. 2019.

[30] A exemplo do Judiciário como "guardião" da constituição; do Legislativo como "espelho da vontade popular pela representação eleitoral"; ou das dicotomias "maioria" e "minoria", "contramajorianismo" e "racionalidade minoritária".

[31] Limites materiais, a exemplo da vedação de propostas tendentes a abolir cláusulas pétreas.

etc.). Trata-se do diálogo "comum" e corriqueiro que tende à acomodação e harmonia entre as instituições.

Já o diálogo *Thrust-and-parry* (estocada-e-bloqueio) representa um diálogo mais agressivo, numa relação de ataque e contra-ataque entre os poderes, de resposta a uma "última palavra provisória" com outra e nova "última palavra provisória".

As duas formas de diálogos estão inseridas no contexto da interação decisória entre as instituições, especialmente na sua expressão mais notável, a judicialização da política, mas possuem graus e intensidades diferentes e se prestam, também, a funções diferentes na engenharia constitucional, desde um diálogo comum e tendente à adequação até um diálogo mais bélico.

Dessa forma, compreender a existência de um diálogo institucional e as impossibilidades da existência de uma "última palavra definitiva" no debate entre os poderes significa um alicerce com bases mais realistas, de tez crítica e menos ingênua sobre a relação entre o Judiciário e o Legislativo.

Assim, especialmente num país de desenvolvimento tardio (inclusive constitucional) como o Brasil, com instituições em amadurecimento no contexto democrático, o que se impõe desse quadro é uma estrutura teórica que descreva o panorama, sem afãs utilitaristas, e possibilite uma posição de desconfiança institucional ampla para, consciente das limitações e capacidades de cada instituição, propor um diálogo cada vez mais maduro, sem a hipertrofia de um polo em detrimentos de outro(s).

Referências

BARROSO, Luís Roberto. *O Controle de constitucionalidade no direito brasileiro*. 5. ed. São Paulo: Saraiva, 2011.

BRASIL. *Constituição da República Federativa do Brasil*. Brasília, DF: Senado Federal: Centro Gráfico, 1988. 292 p.

DWORKIN, Ronald. *O Direito da Liberdade*: A leitura moral da constituição norte-americana. São Paulo: Martins Fontes, 2006.

DWORKIN, Ronald. *O império do direito*. 3. ed. São Paulo: Martins Fontes, 2010.

GARGARELLA, Roberto. *La Justicia Frente ao Gobierno*: Sobre el Carácter Contramayoritário del Poder Judicial. Barcelona: Editorial Ariel S. A., 1996.

IBOPE. *Instituições políticas perdem ainda mais confiança dos brasileiros*. 2019. Disponível em: http://www.ibopeinteligencia.com/noticias-e-pesquisas/confianca-do-brasileiro-nas-instituicoes-e-a-mais-baixa-desde-2009/. Acesso em: 14 ago. 2019.

KLAFKE, Guilherme Forma; PRETZEL, Bruna Romano. *Revista de Estudos Empíricos em Direito. Brazilian Journal of Empirical Legal Studies*. vol. 1, n. 1, p. 89-104, jan. 2014.

LOCKE, John. *Dois tratados sobre o governo*. São Paulo: Martins Fontes, 1998.

MENDES, Conrado Hubner. *Direitos fundamentais, separação de poderes e deliberação*. 2008. Tese (Doutorado em Ciência Política) – Faculdade de Filosofia, Letras e Ciências Humanas, Universidade de São Paulo, São Paulo, 2008. Acesso em: 15 jul. 2017.

MENDES, Conrado Hubner. *Onze ilhas*. Folha de São Paulo. 2010, 1º fev.

OITAVEN, Daniel. *A hermenêutica da esgrima e os direitos humanos*: as aporias vinculação/discricionariedade, contexto de descoberta/contexto de justificação das decisões judiciais e universalismo/multiculturalismo à luz da paranóia mútua entre autopoiese e desconstrução. Salvador: Faculdade Baiana de Direito, 2016.

POLI, Vinicius. Quem deve ser o detentor da última palavra, judiciário ou legislativo? *Rev. Fac. Dir. Sul de Minas*, Pouso Alegre, v. 31, n. 2, p. 355-380, jul./dez. 2015. Disponível em: http://www.fdsm.edu.br/adm/artigos/2c9d0aad05d4affd3fff862f2ea5b9df.pdf. Acesso em: 30 jul. 2017.

SHAPIRO, Ian. *Os fundamentos morais da política*. São Paulo: Martins Fontes, 2006.

STF. *Estatística de processos de controle concentrado*. http://www.stf.jus.br/portal/cms/verTexto.asp?servico=estatistica&pagina=CC_Geral. Acesso em: 28 nov. 2019.

STRECK, Lenio Luiz. A baixa constitucionalidade e a inefetividade dos direitos sociais em terrae brasilis. *Revista Brasileira de Direito Constitucional*, n. 4, 272-308, 2004.

THOMASSEN, Lasse. *Deconstructing Habermas*. Londres/Nova York; Routledge, 2008.

TSE. *Partidos Políticos* registrados no TSE. Disponível em: http://www.tse.jus.br/partidos/partidos-politicos/registrados-no-tse. Acesso em: 28 nov. 2019.

VIEHWEG, Theodor. *Tópica e jurisprudência*. Tradução de Tércio Sampaio Ferraz Júnior. Brasília: Departamento de Imprensa Nacional, 1979.

WALDRON, Jeremy. *A dignidade da legislação*. São Paulo: Martins Fontes, 2003.

Informação bibliográfica deste texto, conforme a NBR 6023:2018 da Associação Brasileira de Normas Técnicas (ABNT):

SZPORER, Patrícia Cerqueira Kertzman; SZPORER, Maurício Kertzman; OLIVEIRA NETO, Valmir Chaves de. O diálogo institucional entre os Poderes Legislativo e Judiciário: o contexto da judicialização da política e a mudança do paradigma da "última palavra decisória". *In*: COSTA, Daniel Castro Gomes da; FONSECA, Reynaldo Soares da; BANHOS, Sérgio Silveira; CARVALHO NETO, Tarcisio Vieira de (Coord.). *Democracia, justiça e cidadania*: desafios e perspectivas. Homenagem ao Ministro Luís Roberto Barroso. Belo Horizonte: Fórum, 2020. p. 219-232. t. 2: Pensando as instituições, a justiça e o Direito. ISBN 978-85-450-0749-4.

O SUPREMO TRIBUNAL FEDERAL EM MOVIMENTO: A INTRODUÇÃO DA VOTAÇÃO DE TESES E O ENCONTRO COM A TEORIA DOS PRECEDENTES

PATRÍCIA PERRONE CAMPOS MELLO

Palavras iniciais: O Ministro e o Professor

Em 1999, um livro – *Interpretação e aplicação das normas constitucionais* – me levou definitivamente para o Direito Constitucional. O livro representava a construção de um espaço em que o Direito e a Arte se combinavam: um lugar de encontro entre o texto da Constituição e a construção de significados que atendessem às necessidades da comunidade que a Constituição regulava. Seu autor – Luís Roberto Barroso – já era, então, um professor muito querido na Universidade do Estado do Rio de Janeiro – UERJ. Era, ainda, um procurador do Estado destacado, que chefiava o Centro de Estudos Jurídicos da Procuradoria-Geral do Estado do Rio e que atuava no que havia de mais relevante para o Estado.

Alguns anos mais tarde, a advocacia no STF fez com que se mudasse para Brasília, mas não o afastou da UERJ. Lembro-me ainda, como aluna do programa de doutorado, das suas chegadas à faculdade, nas sextas-feiras de manhã, sempre puxando uma mala, na qual trazia leituras, computador, caderno de notas (amarelo), canetas marca-texto e um relógio (com o qual cronometrava rigorosamente as apresentações dos alunos nas aulas). Parecia ter uma vida atribuladíssima. Morava em outra cidade. No entanto, estava sempre na faculdade. A sua atuação como professor, como procurador e como advogado no STF inspirou muitas trajetórias e levou muitos jovens à UERJ e ao Direito Constitucional.

Quando veio a sua indicação para o Supremo Tribunal Federal, a cena parecia se repetir. A primeira entrevista a que assisti, após o anúncio do seu nome, foi curiosamente gravada no aeroporto. A primeira imagem da matéria trazia o professor e futuro Ministro puxando a mesma mala. Pensei: – "Está indo ou vindo de alguma aula". Creio mesmo que estava. Está sempre. Ainda hoje, Ministro do Supremo, toda quinta-feira, ao final das sessões plenárias, embarca para o Rio de Janeiro. Toda sexta-feira, pela manhã, dá aulas na UERJ. Também dá aulas no Centro Universitário de Brasília – UniCEUB. Faz palestras por todo o país e no exterior.

Esse é o meu retrato de Luís Roberto Barroso. Ele é, antes de tudo, um grande professor. O professor fez o procurador, construiu o advogado, criou o ministro; e coloca, no dia a dia, a sua formação a serviço da vida prática e das instituições concretas – para pensar o Judiciário, para estudar e testar soluções que possam aprimorar o Direito Constitucional, para refletir sobre o Brasil.

Mais uma palavra: a despeito da vida atribuladíssima e de dias muito duros, é amigo, leve, engraçado e sempre tem uma palavra positiva. Sou muito grata por esse convívio. É um grande líder, uma pessoa extremamente educada e disciplinada, sabe o que cada assessor pode render, sabe construir suas equipes e extrair, de forma saudável, o que cada um pode oferecer de melhor. Tem um olhar para cada assessor, acompanha o que se passa em nossas vidas, é alguém a quem se pode recorrer. Embora ocupe uma posição de muito poder, não perdeu a sensibilidade, nem o olhar para outro. É, de verdade e acima de tudo, um ser humano extraordinário, e creio que essa é a principal razão do seu sucesso.

A questão-problema que é objeto deste artigo não é de surpreender, foi alvo de muitos debates em sala de aula, de estudos e de propostas que ganharam o espaço público, por meio da sua voz, e que acabaram modificando o jeito de decidir do Supremo Tribunal Federal. Essa é a marca registrada desses anos do Ministro no Tribunal: a inquietação quanto ao que precisa ser aprimorado, o recurso à academia para formular propostas de mudança e o esforço de empurrar uma agenda transformadora. Há certamente muito a ser feito, mas já contabilizamos alguns ganhos, como será possível constatar a seguir.

Introdução

A Constituição de 1988 ampliou substancialmente a abrangência do controle concentrado da constitucionalidade. Em primeiro lugar, estabeleceu um amplo rol de legitimados ativos para provocar essa modalidade de controle (na Constituição anterior, tal legitimidade se limitava ao Procurador-Geral da República).[1] Previu igualmente novos instrumentos para deflagrá-lo, dispondo sobre: a ação direta de inconstitucionalidade por ação, a ação direta de inconstitucionalidade por omissão e a arguição de descumprimento de preceito fundamental.[2] A Emenda Constitucional nº 3/1993 criou, ainda, a ação declaratória da constitucionalidade. Por fim, as Leis nºs 9.868/1999 e 9.882/1999 regulamentaram o processo e o julgamento das ações diretas. Por determinação constitucional, as decisões proferidas no âmbito dessas ações

---

[1] De acordo com o art. 103 da Constituição de 1988, podem propor ação direta de inconstitucionalidade: o Presidente da República, a Mesa do Senado Federal, a Mesa da Câmara dos Deputados, a Mesa de Assembleia Legislativa ou da Câmara Legislativa do Distrito Federal, o Governador de Estado ou do Distrito Federal, o Procurador-Geral da República, o Conselho Federal da Ordem dos Advogados do Brasil, partido político com representação no Congresso Nacional e confederação sindical ou entidade de classe de âmbito nacional.

[2] A arguição de descumprimento de preceitos fundamentais (ADPF) só teve seus contornos definidos com a edição da Lei nº 9.882/1999, que regulamentou o instituto. O art. 102, §1º, CF/1988 previa apenas que a ADPF seria apreciada pelo Supremo Tribunal Federal e remetia a regulamentação do instituto à lei.

produzem precedentes vinculantes e gerais para todos os demais órgãos do Judiciário e para a administração pública.[3] As decisões produzidas em controle concentrado constituem, portanto, há muito, um mecanismo que confere ao STF a possibilidade de firmar o significado da Constituição com efeitos obrigatórios e gerais.

O controle difuso da constitucionalidade, a seu turno, foi originalmente disciplinado pela Constituição como um mecanismo destinado a levar ao Supremo Tribunal Federal, por meio da interposição do recurso extraordinário, a revisão do julgamento de casos concretos. Não tinha propriamente a finalidade de gerar precedentes a serem obrigatoriamente observados pelas demais instâncias.[4] Voltava-se precipuamente à satisfação dos interesses subjetivos das partes. Todavia, a reforma promovida pela Emenda Constitucional nº 45/2004 passou a exigir a presença de repercussão geral para que tal recurso fosse admitido. Promoveu, assim, uma espécie de "objetivação" do controle difuso. Com a alteração, a admissibilidade do recurso extraordinário passou a depender da demonstração da importância da questão nele debatida do ponto de vista coletivo, por tratar de uma questão política, jurídica, econômica ou social relevante para a comunidade.[5] O interesse subjetivo da parte foi remetido a segundo plano.

A Lei nº 11.418/2006, que regulamentou a repercussão geral, ainda introduziu no sistema o procedimento para julgamento de recursos repetitivos, contribuindo para reforçar a ideia de que, também nos julgamentos em sede difusa, a interpretação firmada pelo Supremo deveria ser observada por todo o Judiciário. Estava subjacente à sistemática de julgamento dos recursos repetitivos a ideia de que, diante de uma multiplicidade de recursos sobre o mesmo tema, caberia ao STF decidir a questão jurídica e às demais instâncias replicar nos casos idênticos a solução conferida pelo Supremo. Assim, com essas inovações, o STF passava a ter por missão, também no recurso extraordinário, a fixação de precedentes que deveriam ser observados pelas demais instâncias.[6]

A despeito disso, durante a vigência do CPC/1973 (e mesmo depois de alterado pela Lei nº 11.418/2006), o Tribunal manteve o entendimento de que o desrespeito às teses firmadas em sede de repercussão geral não possibilitava a propositura de reclamação diretamente perante o Supremo, para a cassação das decisões divergentes.[7] Ao decidir desse modo, a Corte privou os precedentes firmados em sede difusa de um mecanismo essencial para assegurar a sua efetividade.[8] Foi preciso aguardar até a Lei nº 13.105/2015,

---

[3] V. CF/1988, art. 102, §2º.

[4] Muito embora, por uma questão de coerência sistêmica, os entendimentos firmados pelo Supremo Tribunal Federal, em matéria constitucional, devessem ter sido observados por todas as demais instâncias, independentemente de qualquer previsão legal.

[5] CPC/1973: "Art. 543-A. O Supremo Tribunal Federal, em decisão irrecorrível, não conhecerá do recurso extraordinário, quando a questão constitucional nele versada não oferecer repercussão geral, nos termos deste artigo. §1º Para efeito da repercussão geral, será considerada a existência, ou não, de questões relevantes do ponto de vista econômico, político, social ou jurídico, que ultrapassem os interesses subjetivos da causa".

[6] BARROSO, Luís Roberto; MELLO, Patrícia Perrone Campos. Trabalhando com uma nova lógica: a ascensão dos precedentes no direito brasileiro. *Revista da AGU*. Brasília, v. 15, n. 03, p. 09-52, jul./set. 2016; MARINONI, Luiz Guilherme. *Precedentes obrigatórios*. 4. ed. São Paulo: Revista dos Tribunais, 2016.

[7] STF. Pleno, Rcl 7569, rel. min. Ellen Gracie, *DJe*, 11.12.2009; Rcl 10.973, rel. min. Ellen Gracie, *DJe*, 06.06.2011; Segunda Turma, Rcl 17036 AgR, rel. min. Teori Zavascki, *DJe*, 27.04.2016; Segunda Turma, Rcl 16245 AgR-ED, rel. min. Gilmar Mendes, *DJe*, 01.09.2015; Segunda Turma, Rcl 17914 AgR, rel. min. Ricardo Lewandowski, *DJe*, 04.09.2014.

[8] MELLO, Patrícia Perrone Campos. *Precedentes*: o desenvolvimento judicial do direito no constitucionalismo contemporâneo. Rio de Janeiro: Renovar, 2008.

que editou o Código de Processo Civil de 2015 (CPC/2015), para que esse panorama se alterasse e para que se estabelecesse expressamente, por lei, o cabimento de reclamação para assegurar a aplicação da interpretação firmada pelo STF pelas demais instâncias.[9] A despeito disso, com a Emenda nº 45/2004 e com a Lei nº 11.418/2006 (que a regulamentou), o STF passou a ter por função precípua não mais a solução de casos concretos, mas a produção de precedentes que deveriam orientar as decisões do Judiciário em matéria constitucional.

É certo que essa função, em alguma medida, já era exercida pelo Supremo, no âmbito do controle concentrado da constitucionalidade. Entretanto, essa modalidade de controle nunca foi responsável por mais de 3% do acervo anual de processos da Corte. Os recursos extraordinários e agravos contra despacho denegatório dos recursos extraordinários, ao contrário, representavam mais de 80% do acervo do Tribunal. Portanto, alterar o critério de admissibilidade desses recursos e a função a ser desempenhada pelo Tribunal quando de seu julgamento significava alterar de maneira profunda o papel desempenhado pelo Supremo Tribunal Federal.[10]

Ocorre justamente que, embora a função e a finalidade da atuação do STF tenham se alterado substancialmente desde a promulgação da Constituição de 1988, o modelo colegiado de decisão da Corte permaneceu idêntico. Mesmo depois das alterações narradas, os 11 ministros do Tribunal continuaram a se reunir, nas sessões plenárias, para apreciar os casos levados a julgamento,[11] e a colher votos apenas acerca do dispositivo da decisão. Nos julgamentos de recursos extraordinários, os votos eram computados apenas para decidir qual parte tinha razão. Cada ministro continuava apresentando, contudo, os seus próprios fundamentos acerca das razões que justificavam a sua posição. Não havia preocupação em votar ou em explicitar a tese que servia de base para o desfecho do caso. Embora a função essencial do STF tivesse passado a ser a produção de precedentes sobre matéria constitucional, o procedimento colegiado adotado pela Corte permanecia focado no interesse subjetivo da parte. O processo e a missão da Corte estavam, portanto, descasados.

O presente artigo apresenta algumas propostas formuladas pelo Ministro Luís Roberto Barroso para ajustar o processo decisório do Supremo Tribunal Federal à sua nova missão. Com esse propósito, o trabalho examinará: (i) os diferentes modelos colegiados de decisão reconhecidos pela doutrina e a sua influência sobre a implementação de um sistema efetivo de precedentes vinculantes (item 1); (ii) as características do modelo colegiado de decisão adotado pelo Supremo Tribunal Federal, à luz dos mencionados

---

[9] CPC/2015, art. 988.

[10] FALCÃO, Joaquim; CERDEIRA, Pablo de Camargo; ARGUELHES, Diego Werneck. *I relatório supremo em números*: o múltiplo Supremo. Rio de Janeiro: Escola de Direito do Rio de Janeiro da Fundação Getúlio Vargas, abr. 2011. Disponível em: https://bibliotecadigital.fgv.br/dspace/bitstream/handle/10438/10312/I%20Relat%C3%B3rio%20 Supremo%20em%20N%C3%BAmeros%20-%20O%20M%C3%BAltiplo%20Supremo.pdf. Acesso em: 24 jan. 2018.

[11] Há todo um conjunto de publicações que demonstra que o STF produz um excesso de decisões monocráticas. De fato, o congestionamento da pauta do plenário do Tribunal é um fator relevante – entre outros – que tem contribuído para tal monocratização. O presente trabalho não nega tal fenômeno, apenas não se propõe a examiná-lo. A proposta deste artigo é tão somente examinar o processo decisório colegiado do Tribunal. V., sobre o referido fenômeno, v., a título ilustrativo: ARGUELHES, Diego Werneck; RIBEIRO, Leandro Molhano. Ministocracia: O Supremo Tribunal individual e o processo democrático brasileiro. *Novos estudos. CEBRAP* [online]. 2018, v. 37, n. 1, p. 13-32.

modelos (item 2); (iii) as propostas para o aprimoramento do processo decisório do STF formuladas pelo Ministro (itens 3 e 4), consistentes:(a) na introdução do mecanismo de votação das teses que serviram de base à decisão, ao final de cada julgamento, e (b) na utilização de elementos da teoria dos precedentes para a delimitação de tais teses.

1 Os diferentes modelos colegiados de decisão

A doutrina classifica os modelos colegiados de decisão a partir de diferentes critérios. No que respeita à forma de alcançar a decisão colegiada, aludem-se aos modelos deliberativo e agregativo. No que se refere à possibilidade de acompanhamento do processo decisório pelo público, fala-se nos modelos interno e externo de decisão. Finalmente, quanto à forma de expressar a decisão, faz-se menção aos formatos *per curiam* e *seriatim*. Esses modelos não necessariamente existem em sua concepção pura na realidade. Trata-se, em verdade, de modelos estilizados, cuja principal função é possibilitar uma melhor compreensão dos processos reais de decisão e das implicações da adoção de determinados desenhos institucionais sobre as decisões proferidas pelas cortes.[12]

Segundo tal esquema, *uma corte pode decidir os casos que lhe são submetidos por um processo predominantemente deliberativo ou agregativo*. Há *deliberação* quando os diversos membros de um colegiado constroem conjuntamente uma decisão, em um processo que pressupõe a disposição de tais membros para argumentar, para defender seus pontos de vista, mas também para ouvir entendimentos divergentes, para enfrentá-los e para eventualmente se deixar convencer a adotar entendimentos diversos dos seus. Acredita-se que as decisões que são fruto de deliberação tendem a ser mais moderadas, em razão do confronto entre diferentes visões do problema submetido ao tribunal e de um esforço de acomodação das preocupações que elas suscitam.[13]

Quando os casos são decididos por *agregação*, há menor interação e acomodação de entendimentos entre os membros do colegiado. Em lugar de se construir conjuntamente uma decisão, o desfecho do caso é decidido pelo somatório dos votos dos julgadores em um ou em outro sentido. As decisões proferidas por agregação tendem a ser, por isso, menos moderadas. Podem mesmo gerar polarização de entendimentos, quer por conta da baixa interação entre membros que pensam diferentemente, quer por conta de um baixo esforço de acomodar diferentes perspectivas de um mesmo problema.

No que respeita à possibilidade de que terceiros acompanhem o processo decisório, o modelo colegiado de decisão pode ser *interno ou externo*. Quando for *interno*, o debate, o

---

[12] KORNHAUSER, Lewis A. Deciding together. *New York University Law and Economics Working Papers.* Paper 358. 2013. Disponível em: http://lsr.nellco.org/nyu_lewp/358. Acesso em: 5 dez. 2017; FRIEDMAN, Barry. The politics of judicial review. *Texas Law Review,* Austin, v. 84, p. 257, 2005, p. 284 e ss.; KORNHAUSER, Lewis A.; SAGER, Lawrence G. The one and the many. *California Law Review,* v. 81, n. 1, p. 1-61, jan. 1993; Ferejohn, John; Pasquino, Pasquale. Constitutional adjudication: Lessons from Europe. *Texas Law Review,* n. 82, p. 1671, jun. 2004; BARROSO, Luís Roberto. Constituição, democracia e supremacia judicial: direito e política no Brasil contemporâneo. In: *A judicialização da vida e o papel do Supremo Tribunal Federal.* Belo Horizonte: Fórum, 2018. p. 39-84.; MELLO, Patrícia Perrone Campos. *Nos bastidores do STF.* Rio de Janeiro: Forense, 2016. p. 57-147 e 171-184.

[13] SUNSTEIN, Cass R. Deliberative trouble? Why groups go to extremes. *Yale Law Journal,* New Haven, v. 110, p. 71, 2000; SUNSTEIN, Cass R. et al. Are judges political? An empirical analysis of the federal Judiciary. Washington: Brookings Institution, 2006; MELLO, Patrícia Perrone Campos. *Nos bastidores do STF.* Rio de Janeiro: Forense, 2016. p. 171-184;

julgamento e a produção da decisão ocorrerão exclusivamente na presença dos membros da corte. Não serão acompanhados por terceiros. Acredita-se que o processo decisório interno favorece a deliberação, a troca de argumentos e a mudança e acomodação de entendimentos. No contexto interno, os membros de um colegiado têm por interlocutores exclusivamente os seus colegas. Preocupam-se em ouvir e eventualmente em convencer apenas os demais magistrados. Mostram-se mais abertos às perspectivas dos demais. Sentem-se mais à vontade para mudar de posição. Têm menos preocupação com sua própria performance ou em criar uma imagem positiva para um público mais amplo.

Quando o processo decisório é *externo*, parte dele é aberto ao público e, portanto, se passa na presença de uma audiência. Os interlocutores dos magistrados deixam de ser apenas os demais colegas e passam a ser também aqueles presentes na sala de sessão ou, ainda, o grupo mais amplo de pessoas a quem os presentes poderão reportar as suas impressões sobre o julgamento. Há, por isso, uma tendência a que o foco da comunicação dos membros do colegiado migre da interação interna para o público que os assiste.[14] O juiz tende a se preocupar mais com seu próprio desempenho e com a construção de uma imagem positiva a respeito de si e da sua atuação.[15] Esse tipo de preocupação pode dificultar a deliberação, o diálogo, as mudanças e acomodações de posição. Por isso, acredita-se que os julgamentos externos podem desfavorecer uma postura deliberativa e induzir a adoção de modelos agregativos de decisão.[16] São, contudo, uma forma de conferir maior visibilidade aos julgamentos de uma corte e possibilitar que o público saiba como vota e se porta cada qual dos seus membros. Nessa medida, os modelos externos de decisão favorecem o exercício do controle social sobre a corte.[17]

No que respeita à forma de expressar a decisão, os modelos colegiados são classificados como "per curiam" ou "seriatim". A decisão *per curiam* se consubstancia em um arrazoado único, que expressa o entendimento da corte como instituição. Nas cortes que adotam esse modelo é rara a apresentação de um voto vencido.[18] O tribunal fala por uma voz única. Em razão dessa característica, as teses e os entendimentos adotados como fundamento para decidir tendem a ser mais facilmente identificáveis. Trata-se, por essa razão, de uma forma de expressar a decisão que permite o desempenho eficaz do papel de Corte de Precedentes. A clareza dos posicionamentos adotados oferece uma orientação segura aos juízos vinculados.

Nos modelos de decisão em série (*seriatim*), ao contrário, cada membro do colegiado produz o seu próprio voto e, ao proferi-lo, fala por si e não em nome da corte.[19] Nessas

---

[14] BAUM, Lawrence. *Judges and their audiences:* a perspective on judicial behavior. Nova Jersey: Princeton University, 2008. p. 50 e ss.; MELLO, Patrícia Perrone Campos. *Nos bastidores do STF*. Rio de Janeiro: Forense, 2016. p. 57-147 e 171-184.

[15] GOFFMAN, Irving. *The presentation of self in everyday life*. New York: Double Day, 1959, p. 238 e ss.

[16] MELLO, Patrícia Perrone Campos. *Nos bastidores do STF*. Rio de Janeiro: Forense, 2016. p. 57-147 e 171-184.

[17] Sobre a relação entre "portas fechadas" e decisões "suspeitas" no imaginário social brasileiro, v. SELIGMAN, Felipe. Barroso: criatividade judicial em um mundo complexo. *Jota*, 19.11.2017. Disponível em: https://www.jota.info/justica/barroso-criatividade-judicial-em-um-mundo-complexo-19112017. Acesso em: 9 jan. 2018. Para percepção semelhante no Direito estrangeiro, ELSTER, Jon. *Explaining social behavior*: more nuts and bolts for the social sciences. Nova Iorque: Cambridge University, 2007. p. 406-409.

[18] KOMMERS, Donald P. Germany: Balancing rights and duties. *In*: GOLDSWORTHY, Jeffrey (Org.). *Interpreting constitutions: a comparative study*. New York: Oxford University, 2006. p. 161-214.

[19] MENDES, Conrado Hübner. *Constitutional Courts and Deliberative Democracy*. Oxford: Oxford University Press, 2013, p. 100 e ss.

condições, a identificação da tese que serviu de base ao julgamento passa a depender do exame detido da fundamentação de todos os votos e da identificação de um eventual entendimento comum, que tenha sido chancelado pela maioria. Há menos clareza e mais margem para imprecisões na definição do alcance do precedente produzido pela corte. A dificuldade de compreensão do entendimento adotado pela maioria pode frustrar o desempenho da função de Corte de Precedentes. Afinal, as instâncias inferiores só podem aplicar um entendimento se compreenderem, com precisão, seu alcance.

Na realidade concreta, como já observado, os modelos citados não necessariamente aparecem em sua versão pura e diversas combinações são possíveis. A título de ilustração, o modelo de decisão adotado pela Suprema Corte norte-americana combina características de diversos dos modelos descritos. O processo decisório da Suprema Corte tem início em uma reunião *interna*, a portas fechadas, de que participam apenas seus nove *justices*. Nessa reunião, há uma definição preliminar do entendimento da maioria acerca de como o caso deve ser decidido. A redação do entendimento majoritário é assinada por um juiz que integre tal maioria. O desafio do redator é ser o mais fiel possível ao entendimento dela e redigir um voto capaz de manter a adesão dos demais membros e conquistar novas adesões, ampliando o quórum de decisão.[20]

Nessa linha, o redator da decisão produz uma primeira minuta e a circula entre os membros da corte. Segue-se, geralmente, uma troca de memorandos por meio dos quais alguns *justices* sugerem mudanças e outros, eventualmente, condicionam a sua adesão a ajustes e a abrandamentos na minuta. Ao final, a maioria tende a se aglutinar em torno do voto majoritário, e a dissidência, em torno de um voto vencido. São possíveis, ainda, concorrências simples e qualificadas. As simples somam-se ao entendimento da maioria, mas são consequência da opção do *justice* por produzir um voto próprio. As qualificadas geralmente ocorrem quando um membro da corte diverge sobre o desfecho do caso ou sobre os fundamentos que o justificam.[21]

O modelo decisório da Suprema Corte norte-americana tem, portanto, características do modelo agregativo. A decisão final é produto do somatório de votos dos seus membros e não propriamente de uma construção comum, mediante a interação e a troca de argumentos e pontos de vista entre os juízes.[22] Entretanto, a circulação de minutas e de memorandos amplia, em alguma medida, a interação entre seus integrantes e permite acomodações de entendimentos e mudanças de posição. O processo de decisão é essencialmente interno, tanto no que respeita à reunião entre os membros do colegiado quanto no que respeita à troca de minutas e de memorandos. Entretanto, cada juiz pode produzir um voto próprio e dar publicidade à sua divergência.

Embora a Suprema Corte admita a produção de votos em série, na prática, há uma tendência à votação em blocos – reunindo os membros que adeririam ao entendimento majoritário e ao entendimento vencido – ainda que votos concorrentes também possam ser apresentados. A produção de um voto majoritário faz com que, a despeito dos votos

---

[20] EPSTEIN, Lee; KIGHT, Jack. *The choices justices make*. Washington: CQ Press, 1998; FRIEDMAN, Barry. The politics of judicial review. *Texas Law Review*, Austin, v. 84, p. 257, 2005.
[21] HETTINGER, Virginia A.; LINDQUIST, Stepanie A.; MARTINEK, Wendy L. Separate opinion writing on the United States Courts of Appeals. *American Politics Research*, v. 31, p. 215, 2003.
[22] Ao menos é como a própria academia norte-americana qualifica o processo decisório da Suprema Corte. Nesse sentido: FRIEDMAN, Barry. The politics of judicial review. *Texas Law Review*, Austin, v. 84, p. 257, 2005.

individuais e em série, haja um arrazoado que expresse o entendimento da maioria. A maioria tende, portanto, a falar por meio de uma única voz, a despeito de se tratar de um modelo predominantemente agregativo e de votação em série. A produção de um arrazoado único, que expressa a opinião da maioria, favorece a compreensão dos precedentes firmados pela corte *porque as razões de decidir de tal maioria são consolidadas e explicitadas em tal documento*. Fica claro, portanto, que o desenho institucional das cortes e o modelo colegiado de decisão que adotam podem interferir substancialmente sobre a efetividade de seus precedentes.

2 O modelo colegiado de decisão do Supremo Tribunal Federal

O Supremo Tribunal Federal adota um modelo de decisão agregativo, externo e em série. O conteúdo das decisões proferidas pelo Tribunal é definido pela aglutinação das manifestações de voto de seus ministros. As decisões não são construídas conjuntamente pelos membros da corte, por meio do diálogo, da troca de argumentos e de pontos de vista. Ao contrário, há pouca interação entre os seus membros, e pouca margem para a argumentação, o convencimento e a acomodação de entendimentos.[23]

Geralmente os ministros chegam às sessões plenárias com votos individuais prontos a respeito dos casos que serão julgados. Como não sabem como o relator ou os demais ministros votarão, não podem simplesmente optar por aderir ao entendimento com o qual estão de acordo. Assim, mesmo quando há concordância entre os ministros, onze votos são produzidos, ainda que para manifestar entendimento idêntico. A despeito do enorme volume de processos em curso no Tribunal, seus ministros ainda atuam como juízos singulares. Falam apenas por si. E redigem votos como se fossem os relatores de todos os casos relevantes em que se manifestam, ainda que, frise-se, tão somente para concordar com a maioria.[24]

O Brasil adota o modelo externo de decisão judicial por expressa determinação constitucional. De acordo com o art. 93, IX, da Constituição de 1988 todos os julgamentos devem ser públicos, previsão que vem sendo interpretada como determinante de que as sessões de julgamentos sejam abertas ao público em geral. O Supremo Tribunal Federal adota, contudo, um tipo extremado de modelo externo. É que o pleno do Tribunal – órgão que reúne todos os seus ministros e que é responsável pelos julgamentos mais relevantes – tem as suas sessões televisionadas, ao vivo, e transmitidas, via satélite, em

---

[23] SILVA, Virgílio Afonso da. Deciding without deliberating. *International Journal of Constitutional Law*, v. 11, n. 3, p. 557-584, jul. 2013; e O STF e o controle de constitucionalidade: deliberação, diálogo e razão pública. *Revista de Direito Administrativo*, Rio de Janeiro, n. 250, p. 197-227, 2009; MENDES, Conrado Hübner. Desempenho deliberativo de cortes constitucionais e o STF. In: MACEDO JR., Ronaldo Porto; BARBIERI, Catarina Cortada Barbieri (Org.). *Direito e interpretação. Racionalidade e instituições*. São Paulo: Saraiva, p. 337-361, 2011; BARROSO, Luís Roberto; MELLO, Patrícia Perrone Campos. Modelo decisório do Supremo Tribunal Federal e duas sugestões de mudança. In: BARROSO, Luís Roberto (Org.). Prudências, ousadias e mudanças necessárias ao STF. Disponível em: http://www.conjur.com.br/2010-dez-28/retrospectiva-2010-prudencias-ousadias-mudancas-necessarias-stf. Acesso em: 09 out. 2012.

[24] A exceção, quanto ao ponto, é o processo de julgamento de casos "em lista", espécie de julgamentos em lotes, em que, como regra, os ministros apenas acompanham os entendimentos do relator. Entretanto, os casos julgados com base nesse procedimento geralmente envolvem a reiteração de jurisprudência.

canal exclusivo para todo o país. Como não poderia deixar de ser, o televisionamento do pleno deu uma outra dimensão aos julgamentos do STF.

Em primeiro lugar, o televisionamento permitiu o acompanhamento quase que simultâneo de tudo quanto se passa nas sessões plenárias do Supremo e gerou uma espécie de espetacularização dos seus julgamentos.[25] A imprensa transmite em tempo real o que ocorre ali; critica os votos; avalia o desempenho de cada ministro; repercute os embates entre eles. Nessas circunstâncias, os interlocutores dos julgadores deixam de ser apenas os demais membros do colegiado e passam a ser toda a potencial audiência que os assiste. E a imprensa ganha relevo por produzir uma "primeira opinião" sobre a performance de cada membro do colegiado que influencia fortemente a percepção do púbico a seu respeito.

É natural, portanto, que os ministros tendam a se preocupar com os impactos que seu comportamento pode gerar sobre a sua própria imagem ou com a avaliação que será produzida a seu respeito pela imprensa. Eventuais mudanças de entendimentos ou acomodações de julgamentos podem ser mal compreendidas e constituir um risco que precisa ser evitado. O modelo externo de decisão – sobretudo tal como praticado no Supremo Tribunal Federal – pode ser, por isso, fortemente limitador da efetiva troca de pontos de vista entre os julgadores ou da viabilização de uma corte deliberativa.

A despeito de tais aspectos, acredita-se que o televisionamento das sessões plenárias constitui uma medida importante a ser preservada. O televisionamento conferiu grande visibilidade à Corte e à atuação de seus ministros. Se, por um lado, essa visibilidade é responsável por alguns incentivos institucionais que não são desejáveis, por outro lado aproximou o Tribunal da população, possibilitou que o cidadão comum compreendesse o que se passa ali e, sobretudo, permite o exercício de algum controle social sobre um Tribunal que tem sido chamado a julgar as matérias mais relevantes para o país, dentre elas questões atinentes à corrupção e à punição de altas autoridades, à tutela do funcionamento do processo democrático e à proteção de direitos fundamentais.

Por fim, o Supremo expressa as suas decisões segundo o modelo *seriatim*. Os acórdãos do Tribunal se compõem pelos votos individuais escritos de cada ministro, por seus votos orais e, ainda, pela transcrição dos debates travados entre eles. Em casos relevantes, as decisões somam centenas de páginas. Até bem pouco tempo, tais decisões dispunham expressamente apenas sobre o dispositivo do julgado, mas não sobre os fundamentos adotados pela maioria. Sem a explicitação de tais fundamentos, a efetividade de uma decisão como precedente vinculante dependia do exame de todos os votos da maioria, em busca de um entendimento ou de uma tese comum, que sustentasse a decisão e que servisse de orientação para a solução de casos futuros. Obviamente, esse modo de proceder frustrava a normatividade dos precedentes proferidos pela Corte.

3 A introdução da votação das teses

Uma mudança importante no modo de operar do Supremo Tribunal Federal foi introduzida entre 2013 e 2014: a votação das teses que serviram de base para as suas

---

[25] MELLO, Patrícia Perrone Campos. *Nos bastidores do STF*. Rio de Janeiro: Forense, 2016. p. 360-371.

decisões. Em lugar de se procurar interferir sobre o modelo agregativo de decisão ou sobre a produção de votos em série, defendeu-se uma alteração relativamente simples no modo de decidir do Tribunal. Cada ministro continuaria a votar individualmente e a deduzir os fundamentos do seu entendimento, conforme o procedimento já consolidado. Ao final do julgamento, e uma vez definido o seu desfecho, a Corte deveria determinar, em conjunto, a tese que servia de base ao julgamento proferido pela maioria. Esse pequeno ajuste do modo de decidir do Supremo permitiria ao menos que se explicitasse o entendimento que serviu de base à decisão, ou seja, permitiria que se esclarecesse a razão de decidir da Corte. A tese seria, portanto, uma síntese da interpretação definida pelo STF, aplicável a casos futuros idênticos.

Essa providência tornou mais claros os precedentes do Tribunal. Facilitou a sua observância pelos juízos vinculados. Favoreceu a sua compreensão pelos jurisdicionados em geral. Pelas mesmas razões, tornou mais evidente a inobservância de tais precedentes. Deixou de ser necessário examinar em detalhe acórdãos de centenas de páginas proferidos pela Corte para buscar os argumentos comuns invocados na fundamentação dos votos de cada integrante da maioria, de modo a inferir o entendimento do STF. Em lugar disso, o próprio STF passou a oferecer uma síntese de tal entendimento, por meio da explicitação da tese do julgamento.

Obviamente, a formulação da tese não reduz a importância de compreender os fatos do caso, os elementos levados em consideração para a sua formulação ou os argumentos tecidos por cada ministro. Esses elementos são fundamentais para exercer um juízo crítico sobre a própria tese formulada pelo tribunal e poderão se prestar, no futuro, à distinção de um novo caso que não guarde exatamente as mesmas características do caso anterior. A própria apreensão da tese, com maior profundidade, pressupõe uma compreensão mais detalhada do julgado em que foi afirmada. Portanto, a formulação da tese não neutraliza todos os problemas associados à adoção de um modelo de votação em série extremo (como é aquele empregado pelo Supremo) para fins de implementação de um sistema de precedentes vinculantes. Entretanto, a explicitação da tese tem, ao menos, a virtude de apresentar uma síntese que expressa a compreensão da Corte sobre a decisão que proferiu e, portanto, de fornecer um ponto de partida que facilite, aos juízes e aos jurisdicionados em geral, acessar as razões dos julgados.

Do mesmo modo, a formulação da tese não resolve os problemas associados à falta de deliberação ou de interação entre os ministros. Como se procurou demonstrar, o modelo colegiado de decisão por deliberação pressupõe que os ministros estejam abertos a diferentes pontos de vista e que se engajem verdadeiramente em uma atividade de construção de uma decisão comum. A deliberação significa pressupor que o saber de cada ministro pode contribuir para a construção de uma solução que é qualitativamente superior ao mero agregado de opiniões individuais. No atual modelo, contudo, o processo agregativo de tomada de decisão persiste.

No entanto, ao final de cada julgamento, a necessidade de produzir uma tese tem o aspecto positivo de impor algum nível de interação entre os membros do colegiado. Trata-se de uma interação bastante limitada, uma vez que o desfecho do caso já foi definido. A contribuição que pode oferecer não pode ser comparada aos benefícios de ter onze ministros engajados em uma atuação verdadeiramente deliberativa. Entretanto, permite a construção conjunta, ao menos, da tese que serve de base ao julgado. Impõe, nessa medida estreita, que os ministros acessem os fundamentos dos integrantes da maioria (ainda que não concordem com eles); que interajam a partir do voto apresentado por cada membro da Corte no pleno; e que construam conjuntamente ao menos esse conteúdo mínimo.

A votação da tese adotada pela maioria do STF era defendida pelo Ministro Luís Roberto Barroso desde 2010, ainda na condição de advogado atuante perante a Corte e de professor.[26] Os primeiros julgados em que o Supremo Tribunal Federal formulou teses explicitamente datam de 2013, ano de ingresso do Ministro no Tribunal.[27] A providência encontrava, contudo, resistência entre alguns ministros,[28] que acabou superada por um argumento literal: o art. 543-A, §7º, do CPC/1973 previa que *a súmula da decisão sobre a repercussão geral constaria de ata, que deveria ser publicada no Diário Oficial e valer como acórdão*. A partir desse dispositivo, defendeu-se que a tese firmada em repercussão geral deveria ser explicitada no julgamento e constar da respectiva ata, providência essencial para que as teses firmadas pela Corte produzissem efeitos vinculantes. Por volta do segundo semestre de 2014, a ideia de explicitar e votar a tese começou a se consolidar no processo decisório da Corte, como ilustra o diálogo travado entre os Ministros Toffoli, Lewandowski e Marco Aurélio Mello, após oposição do último à fixação da tese:

> O SENHOR MINISTRO DIAS TOFFOLI (RELATOR): Mas eu penso que, como uma Corte constitucional – e com os instrumentos que a Emenda Constitucional nº 45 nos trouxe –, nós temos que fazer esse balizamento [definir a tese], dando maior eficiência, mais eficácia à prestação jurisdicional. Portanto, pedindo vênia ao Ministro Marco Aurélio, eu mantenho meu voto no sentido de estabelecer essas diretrizes, que são fundadas na jurisprudência.
> O SENHOR MINISTRO RICARDO LEWANDOWSKI (PRESIDENTE): E a impressão que tenho é que Vossa Excelência não criou nada de novo, extraiu do seu voto as consequências que acaba de explicitar, e que servirão, em sendo uma repercussão geral, de balizas para as Cortes brasileiras.
> O SENHOR MINISTRO DIAS TOFFOLI (RELATOR): Para não ficarem os fundamentos ao longo do voto e, depois, em razão da repercussão geral, não se saber o que pinçar. *Então, explicito as diretrizes de maneira objetiva, acatando a sugestão do Ministro Roberto Barroso.* (Grifou-se)[29]

Ainda no final de 2014, a definição da tese e a sua inclusão em ata foram regularmente incorporadas como etapas finais do julgamento dos recursos extraordinários com repercussão geral, pelo então presidente do STF, Ministro Ricardo Lewandowski.

---

[26] BARROSO, Luís Roberto; MELLO, Patrícia Perrone Campos. Modelo decisório do Supremo Tribunal Federal e duas sugestões de mudança. *In*: BARROSO, Luís Roberto (org.). Prudências, ousadias e mudanças necessárias ao STF. Disponível em: http://www.conjur.com.br/2010-dez-28/retrospectiva-2010-prudencias-ousadias-mudancas-necessarias-stf. Acesso em: 09 jan. 2018.

[27] STF, Pleno, RE 627.815, rel. Min. Rosa Weber, j. 23.05.2013, *DJe*, 01.10.2013; ARE 728.188, rel. Min. Ricardo Lewandowski, j. 18.12.2013, *DJe*, 12.08.2014.

[28] Entre todos, destaca-se o Ministro Marco Aurélio, abertamente desfavorável à objetivação do controle difuso. V., a título ilustrativo, suas manifestações em: STF, Pleno, RE 596.962, rel. Dias Toffoli, *DJe*, 30.10.2014.

[29] STF, Pleno, RE 596.962, rel. Dias Toffoli, j. 21.08.2014, *DJe*, 30.10.2014. Na sequência dessa decisão: STF, Pleno, RE 596.663, rel. p/ acórdão Min. Teori Zavascki, j. 24.09.2014, *DJe*, 26.11.2014; RE 568.645, rel. Min. Cármen Lúcia, j. 24.09.2014, *DJe*, 13.11.2014; ARE 660.010, rel. Min. Dias Toffoli, j. 30.10.2014, *DJe*, 19.02.2015; RE 600.003, rel. p/ acórdão Min. Luís Roberto Barroso, j. 25.02.2015, *DJe*, 15.05.2015.

Em 09.12.2015, promoveu-se, ainda, em sessão administrativa, a aprovação retroativa das teses de repercussões gerais julgadas até aquela data e ainda não explicitadas em ata, sob a invocação do mencionado art. 543-A, §7º, do CPC/1973.[30] Atualmente, a definição da tese, por votação de todos os membros do colegiado (e não apenas daqueles que integraram a maioria), é a praxe adotada em todos os julgamentos de recursos com repercussão geral.[31]

A votação da tese passou a ser adotada igualmente no controle concentrado de constitucionalidade, em que igualmente se começou a explicitar a razão de decidir dos julgados.[32] A providência foi incorporada, ainda, ao julgamento de outras classes processuais, cujos julgados são desprovidos de efeitos vinculantes e gerais.[33] Nesses últimos casos, a inovação não é menos importante. Tem o valor de explicitar o entendimento do Supremo Tribunal Federal sobre a matéria. Produz eficácia persuasiva sobre outros julgados. Gera um ônus argumentativo para as partes e para os julgadores que pretendam decidir de modo contrário. Favorece uma cultura de atenção aos precedentes produzidos pelo Supremo.

Por fim, a entrada em vigor do novo Código de Processo Civil (CPC/2015) também favoreceu a estabilização da explicitação das teses firmadas pelo STF. O novo Código atribuiu expressamente efeitos vinculantes e gerais às teses proferidas no controle concentrado da constitucionalidade, nos recursos extraordinários com repercussão geral reconhecida, nos incidentes de resolução de demandas repetitivas e nos incidentes de assunção de competência. E determinou que o desrespeito a tais teses ensejaria reclamação diretamente para o tribunal que a proferiu, que poderia cassar a decisão divergente. Nessas circunstâncias, a efetividade do sistema de precedentes vinculantes idealizado pelo CPC/2015 depende de e pressupõe uma clara definição das teses firmadas pelos tribunais.[34]

4 O encontro com a teoria dos precedentes

Um segundo passo de extrema importância para a consolidação do Supremo Tribunal Federal como uma Corte de Precedentes em matéria constitucional foi a discussão sobre a metodologia a ser adotada na definição do conteúdo da tese e, portanto, do precedente vinculante. A discussão foi travada, originalmente, no RE 669.069, de relatoria do Ministro Teori Zavascki.[35] No caso, a União pretendia se ressarcir por danos gerados a um veículo federal, em razão de um acidente de trânsito, e o particular arguia a prescrição da pretensão. Em sua defesa, a União afirmou que a ação de reparação de

---

[30] Disponível em: http://portal.stf.jus.br/textos/verTexto.asp?servico=legislacaoAtasSessoesAdministrativas &pagina=atasSessoesAdministrativas. Acesso em: 13 dez. 2017.
[31] Disponível em: http://www.stf.jus.br/portal/jurisprudencia/menuTese.asp?tese=TRG. Acesso em: 13 dez. 2017.
[32] Disponível em: http://www.stf.jus.br/portal/jurisprudencia/menuTese.asp?tese=TCC. Acesso em: 13 dez. 2017.
[33] Disponível em: http://www.stf.jus.br/portal/jurisprudencia/menuTese.asp?tese=TOP. Acesso em: 13 dez. 2017.
[34] CPC/2015, art. 988, *caput* e §§4º e 5º. No caso de reclamação contra decisões divergentes de teses afirmadas em repercussão geral, o novo CPC condiciona o cabimento da reclamação à exaustão das instâncias ordinárias pela parte prejudicada.
[35] STF, Pleno, RE 669.069, rel. Min. Teori Zavascki, j. 03.02.2016, *DJe*, 28.04.2016.

danos ao erário público seria imprescritível, com base no art. 37, §5º, CF/1988.[36] Em segundo grau, o tribunal rejeitou a tese da imprescritibilidade, e a União interpôs recurso extraordinário para o Supremo, ao qual se conferiu repercussão geral.

Durante o julgamento, havia uma convergência entre os ministros no sentido de que, *no caso específico*, não havia que se falar em imprescritibilidade. A União argumentava que as ações de ressarcimento em favor do erário eram, de modo geral, imprescritíveis. O recorrido, a seu turno, defendia a prescritibilidade da ação voltada ao mero ressarcimento dos danos decorrentes de uma colisão de veículos e, portanto, de um mero ilícito civil. Para o recorrido, era irrelevante se outras ações de ressarcimento passíveis de propositura pela União seriam prescritíveis ou não. Por essa razão, centrava sua defesa nas ações para a reparação de colisões de veículos. Para a União, importava a (im) prescritibilidade tanto da ação para a reparação de danos decorrentes de ilícitos civis especificamente quanto das ações para a reparação de todo e qualquer dano perpetrado em desfavor do poder público, *inclusive para danos decorrentes de atos de improbidade administrativa*.

No momento da definição da tese, o relator propôs que se afirmasse a prescritibilidade da ação para reparação da colisão de veículos, mas a imprescritibilidade da ação para a reparação de danos ao erário em decorrência de atos de improbidade administrativa. Estabeleceu-se, então, um debate no pleno. Era possível afirmar tal entendimento inclusive no que respeita a atos de improbidade, com força vinculante, a partir do caso concreto que se apreciava? Os fatos relevantes do caso concreto referiam-se à colisão entre um veículo da União e um veículo de um particular. Não havia ato de improbidade. A moldura fática do caso não gerava uma discussão jurídica tão ampla. Nessa linha, o Ministro Barroso observou:

> O SENHOR MINISTRO LUÍS ROBERTO BARROSO – [...]. Eu gostaria de adiantar, desde logo, que eu estou de acordo com o voto do Ministro Teori Zavascki naquilo em que decidiu a demanda posta. Portanto, acho que, nas ações de reparação de dano por ilícito civil, a prescritibilidade se impõe, e, no caso concreto, se impõe de acordo com os critérios que Sua Excelência apontou. De modo que não tenho nenhuma dúvida em acompanhá-lo na solução desta lide específica.
> Sua Excelência, no entanto, foi um pouco além, preocupado em sistematizar o tema, e, talvez, nós não estejamos ainda em condições de sistematizar o tema. Dentre outras razões, porque *a questão da imprescritibilidade em matéria de improbidade, ou mesmo em matéria de crime, ela não foi objeto – eu diria – de um contraditório neste processo*. Ou seja, nós não fomos expostos aos diferentes argumentos, alguns deles suscitados agora, pelo Ministro Toffoli e pelo Ministro Gilmar Mendes. E *eu não gostaria de ter um pronunciamento do Plenário sobre esta questão importante e delicada da imprescritibilidade, sem um contraditório em que nós pudéssemos considerar todos os argumentos*. [...]. (Grifou-se)

De fato, a questão jurídica posta pelo caso aludia à (im)prescritibilidade de uma ação para ressarcimento de danos decorrentes de um ilícito civil. O réu debateu exclusivamente a prescritibilidade deste tipo de ação. O ilícito por improbidade administrativa não

---

[36] CF/1988. art. 37, §5º: "A lei estabelecerá os prazos de prescrição para ilícitos praticados por qualquer agente, servidor ou não, que causem prejuízos ao erário, ressalvadas as respectivas ações de ressarcimento".

estava em causa e era-lhe indiferente. Assim, não havia parte interessada em defender a prescritibilidade das ações de reparação de atos de improbidade. Os argumentos em desfavor da imprescritibilidade dessas ações não foram deduzidos. Eventual decisão da Corte sobre esse ponto específico se produziria, portanto, sem o estabelecimento de um contraditório mínimo a respeito do assunto, sem a reunião de um nível seguro de informação a seu respeito e, em virtude dos efeitos gerais atribuídos às teses proferidas em repercussão geral, seria de observância obrigatória em casos de terceiros, que tampouco teriam a oportunidade de defender entendimento diverso.

O RE nº 669.069 se converteu, por isso, em um *leading case* sobre a definição do alcance das teses produzidas pelo STF e permitiu que algumas reflexões fossem desenvolvidas, à luz dos elementos da teoria dos precedentes.[37] Em primeiro lugar, como restou decidido, a tese emergente do julgamento, ou seja, a sua *ratio decidendi*, deve corresponder ao entendimento firmado pela maioria da Corte como uma premissa necessária para solucionar o caso concreto.[38] Os precedentes vinculantes são produto do exercício da jurisdição e, portanto, se sujeitam aos mesmos limites desse exercício. As decisões proferidas não podem versar sobre causas que não foram propostas (princípio da inércia da jurisdição), não podem cuidar de causa de pedir ou de pedido diverso daquele debatido (princípio da congruência), precisam assegurar às partes a possibilidade de deduzir todos os argumentos da forma mais ampla possível (princípio do contraditório e ampla defesa) e decidir com nível informacional adequado à demanda proposta e aos argumentos deduzidos (princípio do devido processo legal). Justamente em virtude disso, *a tese que vinculará novos casos só pode ser aquela que serviu de premissa para a decisão do caso concreto.*

Qualquer conteúdo que vá além da *ratio decidendi* – como considerações sobre questões próximas, mas desnecessárias para a solução específica do conflito submetido à Corte, opiniões veiculadas em votos vencidos ou discussões não apreciadas pela maioria – constitui mero *obiter dictum*. Trata-se de consideração marginal tecida por alguns membros da Corte, que pode desempenhar função argumentativa, inspirar novas teses e sinalizar entendimentos futuros do Tribunal. Entretanto, não produz precedentes vinculantes.[39] Esse era o caso do debate acerca da (im)prescritibibildade das ações de ressarcimento por ato de improbidade administrativa. Decidir sobre a (im)prescritibilidade em caso de improbidade não era necessário ou lançava qualquer

---

[37] BARROSO, Luís Roberto; MELLO, Patrícia Perrone Campos. Trabalhando com uma nova lógica: a ascensão dos precedentes no direito brasileiro. *Revista da AGU*. Brasília, v. 15, n. 03, p. 09-52, jul./set. 2016.

[38] ALEXANDER, Larry. Constrained by precedent. *Southern California Law Review*, Los Angeles, v. 63, p. 1-64, nov.1989; MONAGHAN, Henry Paul. Stare decisis and constitutional adjudication. *Columbia Law Review*, Nova Iorque, v. 88, n. 4, maio 1988, p. 763-766. SCHAUER, Frederick. Precedent. *Stanford Law Review*, Palo Alto, v. 39, p. 571-605, fev. 1987; ALVIM, Teresa Arruda. Precedentes e evolução do direito. *In*: ALVIM, Teresa Arruda (Org.). *Direito jurisprudencial*. São Paulo: Revista dos Tribunais, 2012, p. 11-96; MELLO, Patrícia Perrone Campos. *Precedentes*: o desenvolvimento judicial do direito no constitucionalismo contemporâneo. Rio de Janeiro: Renovar, 2008. p. 113-174.

[39] MARSHALL, Geoffrey. What is binding in a precedent. *In*: MACCORMICK, D. Neil; SUMMERS, Robert S. (Org.). Interpreting precedents: a comparative study. England: Dartmouth Publishing Company Limited e Ashgate Publishing Limited, 1997. p. 503-518; MELLO, Patrícia Perrone Campos. *Precedentes*: o desenvolvimento judicial do direito no constitucionalismo contemporâneo. Rio de Janeiro: Renovar, 2008. p. 120-127; BUSTAMANTE, Thomas da Rosa. *Teoria do Precedente Judicial*: a justificação e a aplicação das regras jurisprudenciais. São Paulo: Noeses, 2012. p. 272-273.

luz sobre a situação concreta que deflagrara o debate constitucional na hipótese: uma mera colisão de veículos.

Não se trata de questão puramente formal. Decidir, em sede de repercussão geral, questão jurídica desnecessária à solução do conflito concreto significa decidir sem nível informacional adequado e atribuir à decisão efeitos vinculantes e gerais, violando direitos fundamentais, expondo a Corte ao erro e à possível necessidade de alteração do precedente afirmado, em prejuízo à sua credibilidade e ao sistema como um todo.

Portanto, esse é o alcance possível da tese firmada em um caso. Ela corresponderá à regra ou ao princípio de direito adotado pela maioria como uma premissa para a solução da questão posta pela ação. E será aplicável a uma nova ação sempre que essa tiver fatos relevantes semelhantes e, portanto, sempre que colocar questão jurídica idêntica. Fatos relevantes distintos suscitam questão jurídica diversa e não são regidos pelo precedente. Sujeitam-se, por isso, ao que a teoria dos precedentes convencionou denominar juízo de distinção.[40] Nessa linha, a prescritibilidade das ações de reparação por ilícito civil em face da Fazenda Pública já foi afirmada em precedente do Supremo. Todas as demais ações que se enquadrem nessa categoria devem ser decididas da mesma forma, pela prescritibilidade. Por outro lado, a tese da (im)prescritibilidade do dano decorrente de ato de improbidade administrativa ainda não foi apreciada pelo Tribunal. Não há, ainda, precedente vinculante sobre o assunto.

O debate travado no RE 669.069 expressa as potenciais dificuldades que um sistema jurídico sem tradição na operação com precedentes vinculantes enfrenta ao introduzir esse instrumento em sua prática. O Direito brasileiro tem origem romano-germânica e, portanto, tem a lei (e não as decisões judiciais) por principal fonte do direito (diferentemente dos países do *common law*). De todo modo, ao final do julgamento, o STF se limitou a assentar tese a respeito das ações de ressarcimento de prejuízos gerados por ilícitos civis e, nesse sentido, corroborou a reflexão já empreendida sobre os limites a serem observados pela Corte na formulação das suas teses.

O RE 669.060 deu início, portanto, à definição das categorias e dos limites com os quais se deve operar na definição e aplicação dos precedentes. Esclarecer e conferir visibilidade a tais categorias é tão importante quanto explicitar as teses firmadas pelo Tribunal de forma clara: é uma medida fundamental para orientar as demais instâncias e a própria Corte no trato com precedentes.[41]

---

[40] LLEWELYN, Karl N. *The common law tradition*: deciding appeals. Boston: Little, Brown and Company, 1960. p. 77 e ss.; GOODHART, Arthur L. Determining the ratio decidendi of a case. *Modern Law Review*, London, v. 22, p. 117-124, 1959; SCHAUER, Frederick. Rules, the rule of law, and the Constitution. *Constitutional commentary*, Minneapolis, v. 6, p. 69-85, 1989; MELLO, Patrícia Perrone Campos. *Precedentes*: o desenvolvimento judicial do direito no constitucionalismo contemporâneo. Rio de Janeiro: Renovar, 2008. p. 175-232.

[41] Não se ignora que a Corte tem, ainda, um importante caminho a percorrer no tema. Em alguns julgamentos, a tese aprovada pela maioria é excessivamente ampla. Em outros, há algum nível de politização na etapa de delimitação da tese, disso resultando certa incongruência entre o conteúdo que lhe é atribuído e os fundamentos efetivamente utilizados pela maioria como base para a decisão. V., nesse sentido, RE 846.854, red. p/ acórdão Min. Alexandre de Moraes, j. 01.08.2017, pendente de publicação. De todo modo, não há como negar a relevância do debate travado no RE 669.069, em que a questão começou a ser endereçada.

Conclusão

Desde a promulgação da Constituição de 1988, mudanças relevantes foram inseridas no controle de constitucionalidade. Essas mudanças resultaram na atribuição ao Supremo Tribunal Federal do papel de Corte de Precedentes em matéria constitucional. Apesar da efetivação de alterações tão substanciais no sistema de controle de constitucionalidade, o processo colegiado de decisão do Tribunal permaneceu essencialmente o mesmo, e esse processo entra em choque com a missão atribuída à Corte. O modo de deliberar do Supremo, agregativo, externo e por votação em série, prejudica a compreensão dos precedentes e pode comprometer a sua eficácia normativa. Em boa hora, uma proposta simples – de votação da tese que servia de base para cada decisão proferida pelo colegiado – minimizou tais problemas e permitiu a definição do conteúdo das decisões do STF que vincularia o julgamento de casos subsequentes semelhantes.

A assunção da função de Corte de Precedentes pelo Supremo Tribunal Federal também lhe impôs a operação com novas categorias, às quais o Tribunal não estava habituado. Os debates travados no RE 669.069 e as reflexões que eles permitiram, em torno dos conceitos de *ratio decidendi*, *obiter dictum* e distinção entre casos, são um passo importante para conferir visibilidade ao raciocínio e aos limites a serem observados na operação com precedentes vinculantes. Ambas as iniciativas representam uma contribuição importante do Ministro Barroso para o aperfeiçoamento do processo decisório do Supremo Tribunal Federal e favorecem a construção de um caminho na direção de uma Corte de Precedentes.

Referências

ALEXANDER, Larry. Constrained by precedent. *Southern California Law Review*, Los Angeles, v. 63, p. 1-64, nov. 1989.

ALVIM, Teresa Arruda. Precedentes e evolução do direito. *In*: ALVIM, Teresa Arruda (Org.). *Direito jurisprudencial*. São Paulo: Revista dos Tribunais, 2012, p. 11-96.

ARGUELHES, Diego Werneck; RIBEIRO, Leandro Molhano. Ministocracia: O Supremo Tribunal individual e o processo democrático brasileiro. *Novos estudos*. CEBRAP [on-line]. v. 37, n. 1, p. 13-32, 2018.

BARROSO, Luís Roberto. *A judicialização da vida e o papel do Supremo Tribunal Federal*. Belo Horizonte: Fórum, 2018.

BARROSO, Luís Roberto. Constituição, democracia e supremacia judicial: direito e política no Brasil contemporâneo. Constituição, democracia e supremacia judicial: direito e política no Brasil contemporâneo. *In*: A judicialização da vida e o papel do Supremo Tribunal Federal. Belo Horizonte: Fórum, 2018. p. 39-84.

BARROSO, Luís Roberto; MELLO, Patrícia Perrone Campos. Modelo decisório do Supremo Tribunal Federal e duas sugestões de mudança. *In*: BARROSO, Luís Roberto (Org.). Prudências, ousadias e mudanças necessárias ao STF. Disponível em: http://www.conjur.com.br/2010-dez-28/retrospectiva-2010-prudencias-ousadias-mudancas-necessarias-stf. Acesso em: 09 jan. 2018.

BAUM, Lawrence. *Judges and their audiences*: a perspective on judicial behavior. Nova Jersey: Princeton University, 2008.

BUSTAMANTE, Thomas da Rosa. *Teoria do precedente judicial*: a justificação e a aplicação de regras jurisprudenciais. São Paulo: Noeses, 2012.

ELSTER, Jon. *Explaining social behavior*: more nuts and bolts for the social sciences. New York: Cambridge University, 2007.

EPSTEIN, Lee; KNIGHT, Jack. *The choices justices make.* Washington: CQ Press, 1998.

FEREJOHN, John; PASQUINO, Pasquale. Constitutional adjudication: Lessons from Europe. *Texas Law Review*, n. 82, p. 1671, jun. 2004.

FRIEDMAN, Barry. The politics of judicial review. *Texas Law Review,* [Austin], v. 84, p. 257, 2005.

GOFFMAN, Irving. *The presentation of self in everyday life*. New York: Double Day, 1959.

GOODHART, Arthur L. The ratio decidendi of a case. *Modern Law Review*, London, v. 22, p. 117-124, 1959.

HETTINGER, Virginia A.; LINDQUIST, Stepanie A.; MARTINEK, Wendy L. Separate opinion writing on the United States Courts of Appeals. *American Politics Research*, v. 31, p. 215, 2003.

KOMMERS, Donald P. Germany: Balancing rights and duties. *In*: GOLDSWORTHY, Jeffrey (Org.). *Interpreting constitutions*: a comparative study. New York: Oxford University, 2006. p. 161-214.

KORNHAUSER, Lewis A. Deciding together. *New York University Law and Economics Working Papers.* Paper 358. 2013. Disponível em: http://lsr.nellco.org/nyu_lewp/358. Acesso em: 5 dez. 2017.

KORNHAUSER, Lewis A.; SAGER, Lawrence G. The one and the many. *California Law Review*, v. 81, n. 1, p. 1-61, jan. 1993.

LLEWELYN, Karl N. *The common law tradition*: deciding appeals. Boston: Little, Brown and Company, 1960.

MARINONI, Luiz Guilherme. *Precedentes obrigatórios*. 4. ed. São Paulo: Revista dos Tribunais, 2016.

MARSHALL, Geoffrey. What is binding in a precedent. *In:* MACCORMICK, D. Neil; SUMMERS, Robert S. (Org.). *Interpreting precedents*: a comparative study. England: Dartmouth Publishing Company Limited e Ashgate Publishing Limited, 1997. p. 503-518.

MELLO, Patrícia Perrone Campos. *Nos bastidores do STF*. Rio de Janeiro: Forense, 2016.

MELLO, Patrícia Perrone Campos; BARROSO, Luís Roberto. Trabalhando com uma nova lógica: a ascensão dos precedentes no direito brasileiro. *Revista da AGU*, Brasília, v. 15, n. 03, p. 09-52, jul./set. 2016.

MELLO, Patrícia Perrone Campos. *Precedentes*: o desenvolvimento judicial do direito no constitucionalismo contemporâneo. Rio de Janeiro: Renovar, 2008.

MENDES, Conrado Hübner. *Constitutional Courts and Deliberative Democracy*. Oxford: Oxford University Press, 2013.

MENDES, Conrado Hübner. Desempenho deliberativo de cortes constitucionais e o STF. *In:* MACEDO JR., Ronaldo Porto; BARBIERI, Catarina Cortada (Org.). *Direito e interpretação, racionalidade e instituições*. São Paulo: Saraiva, 2011. p. 337-361.

MONAGHAN, Henry Paul. Stare decisis and constitutional adjudication. *Columbia Law Review*, New York, v. 88, n. 4, p. 723-773, maio 1988.

SCHAUER, Frederick. Rules, the rule of law, and the Constitution. *Constitutional commentary*, Minneapolis, v. 6, p. 69-85, 1989.

SCHAUER, Frederick. Precedent. *Stanford Law Review*, Palo Alto, v. 39, p. 571-605, fev. 1987.

SILVA, Virgílio Afonso da. Deciding without deliberating. *International Journal of Constitutional Law*, v. 11, n. 3, p. 557-584, jul. 2013.

SILVA, Virgílio Afonso da. O STF e o controle de constitucionalidade: deliberação, diálogo e razão pública. *Revista de Direito Administrativo*, Rio de Janeiro, n. 250, p. 197-227, 2009.

SUNSTEIN, Cass R. et al. *Are judges political?* An empirical analysis of the federal Judiciary. Washington: Brookings Institution, 2006.

SUNSTEIN, Cass R. et al. Deliberative trouble? Why groups go to extremes. *Yale Law Journal*, New Haven, v. 110, p. 71, 2000.

Informação bibliográfica deste texto, conforme a NBR 6023:2018 da Associação Brasileira de Normas Técnicas (ABNT):

MELLO, Patrícia Perrone Campos. O Supremo Tribunal Federal em movimento: a introdução da votação de teses e o encontro com a teoria dos precedentes. *In:* COSTA, Daniel Castro Gomes da; FONSECA, Reynaldo Soares da; BANHOS, Sérgio Silveira; CARVALHO NETO, Tarcisio Vieira de (Coord.). *Democracia, justiça e cidadania:* desafios e perspectivas. Homenagem ao Ministro Luís Roberto Barroso. Belo Horizonte: Fórum, 2020. p. 233-250. t. 2: Pensando as instituições, a justiça e o Direito. ISBN 978-85-450-0749-4.

MINISTÉRIO PÚBLICO E SUAS *ONDAS EVOLUTIVAS*

ANTÔNIO AUGUSTO BRANDÃO DE ARAS

CARLOS VINÍCIUS ALVES RIBEIRO

I Notas introdutórias

O Ministério Público Brasileiro não surgiu, no estágio atual, como um acaso. Foi fruto de longa sedimentação e aprimoramento institucional, que, aqui, nominamos "ondas evolutivas".

De um período em que havia absoluta confusão com as funções que hoje compreendemos como típicas das procuradorias ou advocacias públicas à autonomia constitucional, o Ministério Público agigantou-se em atribuições, ferramental de atuação e número de membros.

Hoje, com mais de treze mil membros em suas fileiras, é tão plural quanto é a própria sociedade.

Sem embargos, com a maturidade institucional e com o atuação do Conselho Nacional do Ministério Público, que deve ser o maestro, o regente de uma atuação una e concertada, é perceptível o avizinhamento de uma nova onda renovadora.

O Ministério Público se reposiciona no debate nacional não como mero autor de ações penais ou parecerista, mas como peça-chave no desenvolvimento do país, no crescimento econômico sustentável, na garantia dos direitos mais caros à coletividade, principalmente, a segurança pública.

Abandona pouco a pouco a posição de um controlador paralisante e que não responde por suas ações, para um controle de aconselhamento, prevenido, deixando apenas para quando forem efetivamente necessárias as medidas mais drásticas.

Para compreender esse cenário é imperioso compreender como chegamos até aqui.

II A primeira onda evolutiva: em busca da identidade institucional

Em 1521, quando aqui se aplicavam as Ordenações Manuelinas, o livro I, Título XI, cuidava do Procurador dos Nossos Feitos, enquanto o Título XII, do Promotor de Justiça da Casa de Suplicação.

Em 1603, as Ordenações Filipinas definiram com mais precisão as atribuições do Procurador dos Feitos da Coroa, no Livro I, Título XII, do Procurador dos Feitos da Fazenda (Livro I, Título XIII), do Promotor de Justiça da Casa de Suplicação, Livro I, Título XV, e do Promotor de Justiça da Casa do Porto, Livro I, Título XI.III.

Em 7 de março de 1609, criou-se na Bahia o Tribunal de Relação, que corresponde ao que hoje conhecemos como Tribunais de Justiça; ali atuavam os Procuradores dos Feitos da Coroa, Fazenda e Fisco.

Havia, nessa fase colonial brasileira, uma confusão entre o que seriam, tempos depois, as Procuradorias e o Ministério Público.

A separação entre essas funções ocorreu apenas em 1808, quando o então Tribunal da Relação do Rio de Janeiro, criado em 1751 para julgar os recursos da Relação da Bahia, converteu-se em Casa da Suplicação do Brasil, como decorrência da transferência da Corte para o Brasil.

A Casa de Suplicação tinha competência para, em última instância, conhecer os processos originados no Brasil, que até então estavam sujeitos aos recursos da Casa de Suplicação de Lisboa. Ao realizar um paralelo com o que temos hoje, pode-se considerar a Casa de Suplicação como sendo o Supremo Tribunal Federal.

Na Casa de Suplicação atuavam um Regedor, um Chanceler, Desembargadores dos Agravos, Corregedores do Crime, Corregedores do Cível da Corte, Juízes dos Feitos da Coroa e Fazenda, Ouvidores das Apelações dos Crimes, Procurador dos Feitos da Coroa, Procuradores dos Feitos da Fazenda, Juiz da Chancelaria e Procurador da Justiça.

A partir disso, pela primeira vez foi realizada a separação das atribuições do que, anos depois, tornar-se-iam o Ministério Público e as Procuradorias. Esse pode ser considerado, portanto, o marco jurídico do Ministério Público Brasileiro, pois até então havia uma confusão nas atribuições.

Logo em seguida, em 1832, o Código de Processo Criminal do Império previu o Promotor de Justiça como órgão titular da ação penal.

A Lei nº 261, de 03 de novembro de 1841, reformou o Código de Processo Criminal, dando ao Imperador e aos Presidentes das Províncias competência para nomear os Promotores de Justiça para as comarcas, escolhidos em lista tríplice proposta pelas Câmaras Municipais. Nessa mesma oportunidade, os Promotores de Justiça ficaram subordinados aos Juízes de Direito, que eram responsáveis por fixar-lhes a remuneração por arbitramento.

Uma nova reforma nesse código, em 1851, previu a possibilidade de os promotores serem demitidos *ad nutum*, tanto pela Câmara Municipal quanto pelo Poder Executivo.

Em 1891, a Constituição não fez qualquer referência ao Ministério Público, mas sim ao Procurador-Geral da República (art. 58, §2º), sendo este um integrante do Poder Judiciário a ser escolhido pelo Presidente da República dentre os membros da cúpula do Judiciário.

Pelo Decreto nº 848, de 11 de outubro de 1890, o Ministério Público passa a ser tratado como instituição. No artigo 24, alínea "c", destacaram-se suas atribuições no âmbito federal, no qual deveria atuar como defensor da lei, fiscal de sua execução, procurador do interesse geral, promotor da ação pública contra violação do direito, assistente dos sentenciados, dos alienados, dos asilados e dos mendigos, requerendo o que for a bem de justiça e dos deveres de humanidade.

Em 1916, o Código Civil Brasileiro que vigeu até recentemente atribuiu ao Ministério Público a função de *custus legis* em inúmeras matérias. A instituição passou a ser, ainda no começo daquele século, curadora das fundações, dos matrimônios, dos interesses dos menores e incapazes, entre outras várias atribuições.

Surgem então, aqui, as primeiras atuações do Ministério Público, na área cível, vinculadas a processos relativos aos direitos individuais indisponíveis ou envolvendo pessoas consideradas incapazes. Essas duas características marcarão, decisivamente, a atuação ministerial na área cível, como conclui Rogério Bastos Arantes (2002, p. 26): "a incapacidade individual e a indisponibilidade de certos direitos são os dois princípios originários que justificam a presença do Ministério Público na esfera cível".

A Constituição de 1934, em um capítulo à parte (Título I, Cap. VI, Secção I, arts. 95 a 98), dispensou ao Ministério Público atenção maior que a Constituição anterior. Previa que lei federal deveria organizar o Ministério Público da União e do Distrito Federal e quais leis locais regeriam os Ministérios Públicos dos Estados. Introduziu também a participação do Senado na escolha do Procurador-Geral da República, garantindo-lhe vencimentos iguais aos dos ministros da Corte Suprema. Os membros do Ministério Público, com essa Carta, passaram a gozar de estabilidade funcional, por ingressarem na carreira por meio de concurso público, e, uma vez nomeados, só perderiam o cargo nos termos da lei e por sentença judicial ou decisão proferida em processo administrativo, assegurada a ampla defesa.

Não obstante esse avanço, o Ministério Público ainda era dependente do Executivo, sendo tratado e utilizado como instrumento político dos governantes, pelo menos até a Constituição de 1946.

Apesar de a legislação infraconstitucional, especialmente o Código Civil, ter agregado novas atribuições ao Ministério Público, além da de titular da ação penal pública, a Constituição seguinte, de 1937 (Estado Novo), sequer fez menção à instituição.

Mesmo assim, dois anos depois, o Código de Processo Civil reforçou expressamente a função de *custos legis*, passando a instituição a ofertar pareceres em ações que tinham como objeto os interesses de famílias, crianças, incapazes, bem como em matéria registral. Inicia-se a fase do "parecerismo", que marcaria a atuação do Ministério Público quando não autor de ações até os dias atuais.

O Decreto-Lei nº 3.689/41 adicionou às atribuições do Ministério Público a prerrogativa de requisitar a instauração de inquéritos policiais, criando, pela primeira vez em sua história, a possibilidade de requisição direta, sem intervenção do Poder Judiciário. É nesse ponto que surge a primeira função extrajudicial do Ministério Público, ligada à persecução penal e, portanto, alheia ao presente estudo.

A Constituição que se seguiu, de 1946, volta a fazer referência ao Ministério Público. Pela primeira vez na história constitucional brasileira essa instituição é desvinculada dos demais poderes. Foi nessa Carta que também se fez a previsão de um Ministério Público para as questões de interesse da União e outro para as dos Estados.

A Constituição de 1967 trouxe o Ministério Público também em seção específica, mas, dessa vez, ao contrário do que havia feito a Constituição de 1946, dentro do Capítulo sobre o Poder Judiciário. Se, de uma banda, foi um retrocesso em relação à Constituição anterior, de outra trouxe avanços, principalmente por proporcionar aos membros do Ministério Público as mesmas garantias e prerrogativas do Poder Judiciário.

Interessante observar como o Ministério Público cresceu em prerrogativas no período militar, ainda que em um primeiro momento isso aparente certa incompatibilidade com a instituição. Desde 1964 o Ministério Público avançou em prerrogativas exatamente por ser o braço jurídico-institucional do regime militar e uma importante ferramenta do regime.

Vinculado ainda em um primeiro momento ao Executivo, desempenhava função estratégica para os militares, que fizeram da Procuradoria-Geral da República importante agente de institucionalização da revolução, isto é, de impor governo pela lei.

Essa tentativa de institucionalizar o poder pela lei, inclusive constitucional (atos, emendas e a própria Constituição de 1967), servia para impor limitações a todos, menos aos "constituintes originários". Surge nesse período a ação protagonista do Ministério Público: fiscalizar a observância das leis editadas sob a batuta militar, garantindo sua observância e implementação. Havia uma ambígua preocupação dos militares em realçar a legalidade e a constitucionalidade, ganhando a instituição, em decorrência disso, mais força.

Em novembro de 1965, por meio da Emenda Constitucional nº 16, criou-se a representação por inconstitucionalidade de lei ou ato normativo, cuja legitimidade exclusiva era do Procurador-Geral da República (PGR), podendo este representar ao Supremo pleiteando a inconstitucionalidade de leis ou atos normativos, inclusive estaduais, bem como a intervenção federal nos estados da federação em decorrência dessa inconstitucionalidade. O PGR torna-se, então, fiscal dos interesses da União nos Estados.

Logo em seguida, em 1966, o Ato Institucional nº 4 convocou o Congresso Nacional, então fechado em outubro daquele ano, para aprovar a nova Constituição, que previa, no artigo 151, a atribuição do PGR para representar perante o Supremo contra aqueles que abusassem de alguns dos direitos individuais previstos no artigo 150 da mesma Carta, tais como a liberdade de manifestação, de pensamento, de convicção política, de reunião e de associação.

A junta militar que governava o país promoveu, três anos depois, uma ampla reforma constitucional, por meio da Emenda nº 1, que, mais uma vez, inseriu o Ministério Público no Poder Executivo (estava inserido naquele momento no Poder Judiciário), retirando, ainda, a participação do Senado na escolha do chefe da instituição.

III A segunda onda: o construcionismo institucional

Em meio a tudo isso, começaram a ser colocadas em prática, no Brasil, as ideias de Chiovenda,[1] que serviram de alicerce para o Anteprojeto Buzaid, de 1964. O autor italiano fazia referência ao elemento nuclear das funções institucionais do Ministério Público ao defender que cabia à instituição velar pelas leis, pela administração da justiça, bem como tutelar o interesse das pessoas destituídas de plena capacidade jurídica.

Essas ideias foram disseminadas no Brasil por Liebman (2005, p. 133), que definia o Ministério Público como órgão instituído para promover a atuação jurisdicional das normas de ordem pública.

---

[1] CHIOVENDA, G. *Instituições de Direito Processual Civil*. São Paulo: Livraria Acadêmica Saraiva e Cia., 1942.

Quase dez anos depois da apresentação do projeto, em 1973, o Código de Processo Civil, em seu artigo 82, encampou definitivamente essa ideia, estampando a necessidade de intervenção do Ministério Público em todas as causas em que houvesse interesse público, evidenciado pela natureza da lide ou pela qualidade da parte.

Quinze anos antes da Constituição de 1988, portanto, esse dispositivo do Código de Processo Civil dá o primeiro passo rumo ao novo Ministério Público, que surgiria apenas com a Constituição Republicana Democrática. Essa nova função de defensor do interesse público desencadeia uma série de ações até então inimagináveis para uma instituição com atuação marcadamente penal e vinculada aos desejos do Executivo. Não foi por acaso, portanto, que o Código de Processo Civil fez referência a essa nova atribuição ministerial.

Em 1971, um Promotor de Justiça do Rio Grande do Sul chamado Sérgio da Costa Franco (1973, p. 203) defendeu, no I Congresso do Ministério Público do Estado de São Paulo, a tese intitulada *Sobre a conveniência da ampliação das atribuições processuais do Ministério Público como custos legis*.

Franco pretendia que o Ministério Público tivesse atuação garantida como *custos legis* nas ações envolvendo interesses de pessoas jurídicas de direito público. A intenção clara do autor era aumentar a fiscalização sobre o erário, tarefa que, segundo advogava, apenas o Ministério Público tinha condição de cumprir com isenção.

A tese de Franco acabou sendo comprada pelo Projeto Buzaid de maneira distorcida. A redação que chegou ao Congresso não foi a redação aprovada. No texto sancionado, não se fez menção expressa às pessoas jurídicas de direito público, deixando, ainda, a definição do que era interesse público para o legislador suplementar:

> Entretanto o artigo 84 do Projeto 810 foi novamente alterado, por iniciativa do deputado Amaral de Souza, cuja emenda restabeleceu o espírito da proposta gaúcha e acabou resultando na redação finalmente aprovada pelo Congresso: 'compete ao Ministério Público intervir em todas as demais causas em que há interesse público, evidenciado pela natureza da lide ou qualidade da parte'. Segundo o deputado, a substituição da cláusula final na forma determinada pela lei pela menção aos dois elementos informadores do interesse público seria a maneira mais eficiente de 'obter texto legal assegurador da intervenção do Ministério Público em todas as causas que envolvam as pessoas públicas de direito interno e suas autarquias, como custos legis, pois inquestionável o interesse público em tais demandas, ressaltado pela simples presença das entidades públicas. (ARANTES, 2002, p. 33)

Com o inciso III do art. 82 do Código de Processo Civil utilizando a expressão *interesse público*, mas não definindo com precisão qual seria o interesse deflagrador da atuação do Ministério Público e tampouco permitindo que legislações complementares o fizessem temendo restrições excessivas, descortina-se para a instituição um horizonte de atuação bem mais amplo do que pretendia Franco em sua tese.

Aprovado o novo código, o Ministério Público tratou de ampliar ao máximo a atuação na defesa do interesse público, ante, principalmente, a formulação genérica do artigo 82 (natureza da lide).

Ainda que a intenção original fosse criar um mecanismo de intervenção do Ministério Público nas ações em que figuravam pessoas jurídicas de Direito Público, sob o argumento defendido por Franco de que o Ministério Público seria um *plus* na defesa dos interesses do Estado, com a redação aprovada permitiu-se que o Ministério Público se descolasse da formulação primeira, dando início a uma noção de interesse público bem mais ampla do que a pretendida inicialmente, inclusive podendo ser contraposta aos interesses do próprio Estado.

Nessa quadra, com um dispositivo legal a favor da instituição, surge a tese de que o Ministério Público se transformara no guardião do interesse público e não mais seria o advogado da administração ou o cocontrolador das entidades de Direito Público. *Identificamos neste momento o ponto de inflexão na virada histórica do Ministério Público rumo à almejada posição de tutor dos interesses da sociedade, processo que só se completará com o Texto Constitucional de 1988* (ARANTES, 2002, p. 35).

Ganha coro, em decorrência disso, o discurso de que não fazia sentido uma instituição ser vocacionada à defesa do interesse público que, segundo Antônio Cláudio da Costa Machado (1989, p. 333), é evidenciado pela natureza da lide ou pela qualidade da parte, dois critérios reduzidos à indisponibilidade que justifica a atuação do Ministério Público, inclusive contra, em grande medida, o Poder Executivo, e ser essa instituição integrante desse mesmo Executivo. Com essa construção, o Ministério Público dá início a um novo pleito, dessa vez em busca da autonomia e independência em relação aos clássicos poderes do Estado.

Desse rápido *replay* histórico percebe-se que o Ministério Público se agigantou durante o regime militar, que utilizava a instituição como instrumento de controle dos cidadãos e das administrações públicas estaduais e municipais. Seja como for, os membros do Ministério Público fizeram confluir os interesses da própria instituição com os interesses do regime, ganhando em atribuições.

IV A terceira onda: o Ministério Público da Constituição de 1988

O Ministério Público da Constituição de 1988 foi a apoteose de uma instituição que deitou raízes em momentos sombrios da história brasileira. Nessa curta história do Ministério Público Brasileiro contemporâneo, houve a ampliação de suas atribuições em matérias cíveis, crescimento esse fundamentado, basicamente, em três inovações legais e um componente ideológico fortíssimo (ARANTES, 2007).

Juntamente com o nascimento dessa "nova" instituição, surgiu, também, a normatização dos interesses difusos e coletivos, a ação civil pública e a independência da instituição. Passa, ademais, o Ministério Público a ser não apenas ator nas ações civis públicas para a tutela de interesses de massa, mas também tributário de instrumentos extrajudiciais potentes, como o inquérito civil público – cujo único órgão com competência para manejar é o próprio Ministério Público –, as recomendações e os ajustamentos de conduta.

Mais interessante ainda é perceber que a Constituição da República disciplinou as ações coletivas na seção do Ministério Público mesmo não sendo ele o titular exclusivo desses instrumentos.

Reconhece Arantes, ainda, o voluntarismo político – componente ideológico na construção desse novo Ministério Público – como responsável pela ampliação da atuação do Ministério Público nas tutelas de interesse de massa. Voluntarismo político, segundo o autor, é o movimento endógeno da instituição em reivindicar a condição de agente político de lei, decorrente da consciência coletiva ministerial que a sociedade civil é incapaz de defender-se de grupos econômicos ou do próprio Estado de forma autônoma, sendo, portanto, incapaz ou hipossuficiente, bem como por possuir visão pessimista dos poderes político-representativos – corrompidos e incapazes de cumprir suas funções e, finalmente, por entenderem os integrantes do Ministério Público que apenas essa instituição possui capacidade para representar essa sociedade incapaz frente aos administradores ineptos.

Em verdade, a decepção com o sistema de funcionamento da democracia representativa e com o sistema político, somada à fragilidade da sociedade civil, que não conseguia, por si só, garantir e efetivar seus direitos, propiciou a criação do Ministério Público como instituição composta por profissionais externos à política partidário-representativa, com mecanismos capazes de garantir o *enforcement* das normas. Com o sistema que se criou, deslocou-se em grande medida a fiscalização e a efetivação de direitos transindividuais da esfera política *stricto sensu* para a esfera jurídica.

Não é dado olvidar, ademais, que, com a abertura constitucional para que o Ministério Público tutelasse "outros interesses difusos e coletivos", após a Constituição, muitos diplomas normativos intumesceram não apenas a carta de atribuições da instituição, mas também, e principalmente, o ferramental colocado à disposição dos membros do Ministério Público.

Dois diplomas, em especial, merecem destaque justamente por criar uma nova ferramenta que passaria a ser o principal meio de atuação do Ministério Público na defesa dos interesses transindividuais, quais sejam, o Estatuto da Criança e do Adolescente, de 13 de julho de 1990, e o Código de Defesa do Consumidor, de 11 de setembro do mesmo ano.

Ao contrário do que muitos creem, foi o Estatuto da Criança e do Adolescente que previu, pela primeira vez, a possibilidade de o Ministério Público compor extrajudicialmente um litígio, formando um título executivo extrajudicial.

Ainda em 1990, o Código de Defesa do Consumidor (artigo 113) modificou a Lei de Ação Civil Pública, possibilitando, no §6º do artigo 5º, a tomada de compromisso de ajustamento de conduta por parte dos órgãos públicos legitimados, um deles o Ministério Público.

Mesmo sendo esses os diplomas que estamparam no ordenamento jurídico, pela primeira vez, da forma atualmente utilizada, o compromisso de ajustamento de conduta, forçoso reconhecer, principalmente ao se buscar a base histórica de formação de institutos, que a possibilidade de o Ministério Público compor com as partes tem bases ainda mais remotas.

Nas duas décadas que antecederam o surgimento do compromisso de ajustamento de conduta, o Ministério Público, mormente em cidades do interior, mantinha como hábito o atendimento ao público, que acabava desembocando em uma recomendação informal às partes, em uma admoestação ou, até mesmo, em providências policiais e judiciais.

Percebendo a possibilidade de busca concertada de solução de conflitos, várias leis orgânicas estaduais do Ministério Público previram, na década de 1980, a possibilidade de o Ministério Público homologar acordos extrajudiciais quando a matéria conflituosa envolvesse incapazes.

Temendo questionamentos sobre a base legal dessa homologação, membros do Ministério Público iniciaram forte *lobby*, ainda nos anos 1980, para que o projeto de lei que trataria dos juizados especiais previsse a possibilidade de a instituição homologar acordos mesmo entre partes maiores e capazes.

A pressão do Ministério Público rendeu frutos e a possibilidade ficou estampada na Lei nº 7.244/84, cujo artigo 55, parágrafo único, afirmava que o Ministério Público poderia referendar acordos extrajudiciais de qualquer natureza ou valor, sendo esse documento título executivo extrajudicial.

A Lei nº 7.244/84 foi revogada pela Lei nº 9.099/95, que acabou mantendo a mesma possibilidade no artigo 57. Mais; o próprio Código de Processo Civil, no artigo 585, II, com a redação dada pela Lei nº 8.953/94, já havia consagrado, antes mesmo da Lei dos Juizados Especiais, tal possibilidade.

Na sequência da Constituição de 1988, as Leis Orgânicas dos Ministérios Públicos, em especial a Lei Complementar nº 75/93 e a Lei nº 8.625/93, previram outro importantíssimo instrumento de *enforcement* que seria manejado pelo Ministério Público, qual seja, a recomendação.

Em síntese, desde 1981, com a Lei da Política Nacional do Meio Ambiente, somada à abertura conferida pelo artigo 84 do Código de Processo Civil Brasileiro de 1973, o Ministério Público iniciou sua trajetória do que neste trabalho se denomina construcionismo institucional, que encontra seu ápice em 1988, mas permanece, mesmo após a Constituição, principalmente com as normas pós-constitucionais que continuaram municiando a instituição com novos instrumentos de atuação, com destaque para os extrajudiciais (inquérito civil público, compromisso de ajustamento de conduta e recomendação), bem como alargando as suas atribuições.

Nessa trilha, ainda que a edificação do sistema judicial de tutela dos interesses metaindividuais tenha sido sempre a prioridade, a criação, no artigo 8º, §1º, da Lei de Ação Civil Pública, do inquérito civil público, presidido com exclusividade pelo Ministério Público, apresenta-se como a certidão de nascimento da atuação extrajudicial da instituição, que seria, posteriormente, como foi todo o sistema, reforçada pela Constituição da República e pelas legislações esparsas que sobrevieram.

Essa abertura para tutela extrajudicial dos interesses metaindividuais mostrou-se, na prática, como alternativa aos problemas que surgiriam na inflexão das medidas judiciais, em que o Ministério Público era apenas a ignição do sistema. A efetividade e a celeridade almejadas pelos integrantes da instituição esbarraram na demora do Poder Judiciário em sentenciar os pedidos definitivamente, ora pela incultura de seus integrantes no tocante aos direitos materiais e processuais de massa, ora pelo elevado número de recursos passíveis de manejo para protelação do resultado definitivo:

> [...] passados pouco mais de dez anos da Carta de 1988, a lentidão do método judiciário e os parcos resultados processuais das ações coletivas comprometeram decisivamente o êxito do novo modelo constitucional e têm levado o Ministério Público a um sinuoso movimento de privilegiar a fase pré-processual por meio do uso intensivo de procedimentos administrativos, do inquérito civil e do chamado termo de ajustamento de conduta para antecipar a solução de litígios sem ter que recorrer ao Judiciário. (ARANTES, 2007, p. 89)

V Uma nova onda de mudanças se avizinha

Passados 31 anos desde a afirmação da nova identidade institucional e bastante experimentado quanto às suas funções e forma de manejo, o Ministério Público está maduro.

Compreende que promessas vazias, sem resultados efetivos, não entregam à coletividade o que verdadeiramente é necessário.

Percebeu que o encastelamento é inócuo e que o diálogo institucional é condição necessária para o aprimoramento das relações democráticas.

Para tanto, é fundamental a verticalização na unidade institucional e a correta compreensão do conteúdo jurídico da independência funcional.

O princípio, ao que parece, sendo garantia ao membro da instituição, é, antes de tudo, garantia ao próprio cidadão *cliente* final das atividades ministeriais, no seguinte sentido: não é possível conceber uma instituição dotada de poderosas ferramentas para tutela e garantia de interesses os mais relevantes, inclusive contra o próprio Estado, se os agentes dessa instituição forem subservientes e passíveis de sofrerem influência política de qualquer natureza.

De igual forma, o princípio irradia blindagem dentro da própria instituição, na medida em que, salvo quando expressamente previsto em lei ou em instrumento normativo legítimo, não deve o membro do Ministério Público obedecer a imposições ou limitações às suas funções advindas dos órgãos de administração superior.

Isso, em uma análise superficial, seria obstáculo à hierarquia, mas não é, na medida em que o controle ou até mesmo as designações e avocações são feitas, todas elas, quando houver norma jurídica que permita.

Tem-se dado a esse princípio um conteúdo tão amplo e distorcido que chega a gerar a sua completa incompatibilidade com o princípio da unidade. Disso advém a crítica encabeçada por Maria Tereza Sadek ao afirmar que o *Ministério Público é uma tribo só de caciques*. Necessário, nesse prólogo, tentar trazer de volta ao eixo o verdadeiro conteúdo jurídico desse princípio.

Como dito anteriormente, o Ministério Público é um órgão que exerce função estratégica no Estado Brasileiro. Se assim é, exerce, repete-se, função. Exatamente por isso qualquer princípio informador do Ministério Público não é uma garantia aos integrantes da instituição, mas, antes, é garantia para os cidadãos.

Afasta-se, assim, de plano, qualquer interpretação da independência funcional que leve ao livre exercício de sua função, no sentido de que o órgão poderia agir de acordo com as ideias de quem o titulariza:

> Um indivíduo que não funciona como órgão do Estado tem permissão para fazer qualquer coisa que a ordem jurídica não o tenha proibido de fazer, ao passo que o Estado, isto é, o indivíduo que funciona como órgão do Estado, só pode fazer o que a ordem jurídica o autoriza a fazer. É, portanto, supérfluo, do ponto de vista da técnica jurídica, proibir alguma coisa a um órgão do Estado. Basta não autorizá-lo. Se um indivíduo atua sem autorização da ordem jurídica, ele não mais o fez na condição de órgão do Estado. (KELSEN, 2000, p. 376)

Se assim é, no exercício de suas funções os órgãos ministeriais, cada um deles, são garantidos contra pressões internas e externas, mas não se livram, como pretendem alguns, de seguir as orientações e as metas de atuação traçadas pela própria instituição, de forma genérica. Óbvio que, para tanto, torna-se necessário, como frisou Goulart (*apud* RIBEIRO, 2010, p. 169), que as metas sejam democraticamente definidas:

> o membro do Ministério Público que deixa de observar metas, prioridades e ações estabelecidas nos Planos e Programas de Atuação não pode invocar, em sua defesa, o princípio da independência funcional, pois esse princípio não pode servir de escudo àqueles que deixem de cumprir objetivos institucionais constitucionais e democraticamente definidos.

Há sempre o risco de atuações animadas por questões pessoais:

> As regras de experiência, no entanto, são pródigas em nos ensinar que qualquer força, natural ou não, tende a avançar até que um óbice lhe seja oposto: o evolver de um rio somente é contido por obstáculos que impeçam o avanço de suas águas ou até que chegue ao extremo de suas forças, o encontro com o mar; à míngua de mecanismos de contenção, o agente que exerce um poder é inconscientemente levado a dele abusar. (GARCIA, 2010, p. 65)

O risco da má utilização dessa garantia é que haja o transbordamento dos limites do princípio.

Sem freios, é natural, até de um direito pode advir um abuso. Ou, tão ruim quanto, que aquele que detém a competência não a exerça, por questões pessoais, escudado pela independência funcional.

A primeira atenção deve ser voltada para o fato, como já dito, de que a independência funcional não é da pessoa que empresta vida ao órgão de execução, mas sim tão somente do órgão. Este, por ser exatamente órgão, está ligado a um sistema, a um corpo. É apenas parte de um todo que é o Ministério Público. Funciona de forma similar ao corpo humano: composto por vários órgãos e, quando todos operam em sintonia, em harmonia, diz-se saudável o corpo. Em contrapartida, quando um órgão ou uma célula acelera o seu crescimento, opera em descompasso, se projeta mais que o natural, diz-se que há um câncer.

No outro oposto, o órgão que labora com lentidão, com letargia, fadiga o corpo, que fica com uma de suas funções subutilizadas; sobrecarrega outros órgãos que, com isso, tenderão à falência.

O Ministério Público é, pois, o corpo, e os seus órgãos devem estar sintonizados com o todo. Como pode ser percebido até o momento, ele labora na satisfação de suas metas constitucionais. Pela gravidade, volume e dificuldade em alcançá-las, a própria instituição traça, de tempos em tempos, suas metas institucionais ou, como querem alguns, seus planos estratégicos. Essa construção dos planos, metas ou estratégias nada mais é que o plano de voo. É o corpo institucional dizendo para onde e como navegará.

No Ministério Público esse plano deve ser feito em conjunto: participam sociedade, e aqui nota-se, nessa participação, um controle social prévio da atividade do Ministério Público, outros corpos sociais e os próprios órgãos da instituição. Caso tudo ocorra como deve, com ampla e efetiva participação e transparência, ainda que as ideias ou os planos de um não galguem o *status* de plano de todos, aquele que sucumbiu deverá se curvar à vontade da maioria, pois disso também é composto o regime democrático que cabe ao Ministério Público tutelar.

O órgão em descompasso passa a demonstrar uma apropriação, pelo agente, das atribuições outorgadas à instituição e não à pessoa, a se apropriar de suas atribuições, de suas funções, manejando-as como lhe convém e, portanto, afastando-se da própria ideia de função.

Esta, repete-se, existe quando *alguém está investido no dever de satisfazer dadas finalidades em prol do interesse de outrem, necessitando, para tanto, manejar os poderes requeridos para supri-las* (MELO, 2007, p. 68).

Como constatou Floriano Azevedo Marques Neto (2010, p. 159), o poder-função pode ceder espaço ao poder-vontade, ocorrendo o que nomina de "neopatrimonialismo de acesso impessoal":

> No patrimonialismo de acesso impessoal, uma vez investido no cargo (recrutamento impessoal), o servidor passa a dele se apropriar como se tratasse de um direito perpétuo e pessoal, desvencilhando-se do dever de servir, imune a controles de mérito e balizado exclusivamente pelas suas convicções pessoais. Nesse patrimonialismo, qualquer tentativa institucional de dotar o exercício do cargo de maior previsibilidade, uniformidade, racionalidade, eficiência ou responsabilidade é rapidamente refutada como violação de prerrogativas ou como tentativa de usurpação da função.

Incrivelmente, o Ministério Público, desde 1988, foi o principal ator da despatrimonialização da administração pública, podendo apresentar, todavia, manchas de apropriações de poderes por alguns de seus membros.

Com essa ciência – ou consciência, a unidade e a independência poderão ser definitivamente harmonizadas e a instituição poderá caminhar com mais eficiência na consecução de seus misteres.

Pior é que a sacralização da independência funcional acaba por esvaziar quase completamente o conteúdo jurídico de outro princípio institucional, qual seja, a unidade.

A unidade, no Ministério Público pós-1988, deve ter uma leitura que não implique choque com a independência funcional. A doutrina engajada é prenha de exemplos e construções que acabam por minimizar um princípio ante a maximização do outro. Vale dizer que, nos exemplos encontrados, quanto maior a unidade, menor a independência funcional, e quanto maior a independência, menor a unidade.

O que se conclui, sob pena de um princípio acabar por esgotar o conteúdo de outro, é a necessidade de compatibilizá-los. Não é de hoje, aliás, que o Superior Tribunal de Justiça tem atribuído importância capital à unidade:

> Não pode o Ministério Público cindir-se em ações diversas reivindicando posições diametralmente opostas. Admitir-se o contrário seria estimular o confronto entre membros do Ministério Público, em prejuízo do princípio da indivisibilidade da instituição, consagrado na Lei Maior.[2]

A unidade é a única forma de membros do Ministério Público, capilarizados por todos os rincões do Brasil, agirem de maneira vetorial.

---

[2] STJ, 6ª T, RHC n. 2.234/RS, rel. Min. José Cândido de Carvalho Filho, *DJU* de 20.06.94, p. 16.

Afigura-se legítima, ainda, a iniciativa do Procurador-Geral em editar atos que visem a orientar os membros do Ministério Público quanto à posição a ser seguida em determinadas situações em que é ordinariamente divisada a presença do interesse público justificador da atuação ministerial.(Lei 8.625/93, art. 10, inciso X). Acaso não seja seguida a recomendação e sendo o Procurador-Geral instado a se pronunciar a respeito, tornar-se-á cogente a atuação do agente caso assim seja deliberado. É importante repetir que fixar a atribuição não guarda similitude com a conduta de interferir no exercício das atribuições. Aquela é admissível, esta não. Fixada a atribuição do agente, somente poderá ele se recusar a atuar nas hipóteses previstas em lei: impedimento e suspeição, as quais em nada se confundem com a negativa de exercer suas atribuições ente a ausência de interesse público que justifique. A atuação funcional encontra0se relacionada ao cargo e à própria instituição, enquanto que o impedimento e a suspeição estão vinculados à pessoa do agente.[3]

A unidade de atuação é a forma mais eficiente de o Ministério Público brasileiro participar do aprimoramento das instituições, da democracia e do país.

É a representação da maturidade institucional, do afastamento do voluntarismo, da dedicação à solução de problemas e não de apego ao problema em si. Essa é a nova onda institucional.

Referências

ANDRADE, J. C. V. de. *O dever de fundamentação expressa de actos administrativos*. 2. reimpressão. Coimbra: Almedina, ano 2007.

ARANTES, R. B. *Ministério Público e política no Brasil*. São Paulo: Editora Sumaré, 2002.

ARANTES, R. B. Ministério Público na fronteira entre a Justiça e a Política. *Justitia*, v. 197, p. 325335, 2007.

BARNES, J. *La transformación del procedimiento administrativo*. Sevilla: Editorial Derecho Global, 2008.

BASTOS, C. R. *Curso de Direito Constitucional*. 18. ed. São Paulo: Saraiva, 1998.

BÉNÔIT, F.-P. *El Derecho Administrativo Francés*. Madrid: Instituto de Estudios Administrativos, 1977.

BONAVIDES, P. *Ciência Política*. 10. ed. São Paulo: Malheiros, 1999.

CANOTILHO, J. J. G. *Direito Constitucional e teoria da constituição*. 3. ed. Coimbra: Almedina, 1999.

CANOTILHO, J. J. G. *Introdução ao direito do ambiente*. Lisboa: Universidade Aberta, 1998.

CAPPELLETTI, M.; GARTH, B. *Acesso à justiça*. Porto Alegre: Fabris, 1988.

CARNELUTTI, F. *Tratatto del processo civile*. Diritto e processo. Napoli: Morano Editore, 1958.

CAVALCANTI, T. B. A teoria do silêncio no direito administrativo. *Revista Forense*, Rio de Janeiro, v. 77, ano 36, n. 427, p. 579-580, jan./mar. 1939.

CHIOVENDA, G. *Instituições de Direito Processual Civil*. São Paulo: Livraria Acadêmica Saraiva e Cia, 1942.

DA SILVA, L. V. A. O proporcional e o razoável. *Revista dos Tribunais*, ano 91, v. 798, p. 26, abr. 2002.

---

[3] GOULART, Marcelo Pedroso, *apud* RIBEIRO, 2010, p. 170.

DAL POZZO, A. A. F. Atuação Extrajudicial do Ministério Público: Dever ou faculdade de agir? *In*: RIBEIRO, C. V. A. (Coord.). *Ministério Público*: reflexões sobre os princípios e funções institucionais. São Paulo: Atlas, 2010.

DAROCA, E. D. *Discricionalidad administrativa y planeamiento urbanístico*. 2. ed. Navarra: Aranzadi Editorial, 1999.

DECOMAIN, P. R. *Comentários à Lei Orgânica Nacional do Ministério Público*. Florianópolis: Obra Jurídica, 1994.

DI PIETRO, M. S. Z. *Direito Administrativo*. 12. ed. São Paulo: Atlas, 2000.

DI PIETRO, M. S. Z. *Direito Administrativo*. 22. ed. São Paulo: Atlas, 2009.

DI PIETRO, M. S. Z. *Discricionariedade Administrativa na Constituição de 1988*. 1. ed. São Paulo: Atlas Jurídico, 1991.

DI PIETRO, M. S. Z. *Discricionariedade Administrativa na Constituição de 1988*. 2. ed. São Paulo: Atlas Jurídico, 2001.

DI PIETRO, M. S. Z. O Ministério Público como instituição essencial à justiça. *In*: RIBEIRO, C. V. A. (Org.). *Ministério Público*: Reflexões sobre princípios e funções institucionais. São Paulo: Atlas, 2010.

DWORKIN, R. *A matter of principle*. Oxford: Clarendon Press, 1992.

DWORKIN, R. *Taking rights seriously*. London: Duckworth, 1987.

ENGLISH, K. *Introdução ao pensamento jurídico*. Trad. de João Batista Machado. Lisboa: Fundação Calouste Gulbenkian, 1983.

FERNÁNDEZ FARRERES, G. *La subvención*: concepto y régimen jurídico. Madrid: Instituto de Estudios Fiscales, 1983.

FERRARI, R. M. M. N. *Direito Municipal*. São Paulo: Revista dos Tribunais, 1993.

FERRAZ, A. A. M. de C. Anotações sobre os Ministérios Públicos Brasileiro e Americano. *Justitia*, São Paulo, v. 50, n. 144, out./dez. 1988.

FINGER, J. C. O Ministério Público pós-88 e a efetivação do Estado Democrático de Direito: Podemos comemorar? *In*: RIBEIRO, C. V. A. (Org.). *Ministério Público*: Reflexões sobre princípios e funções institucionais. São Paulo: Atlas, 2010.

FORSTHOFF, E. *Traité de Droit Administratif Allemand*. Trad. de Michel Fromont. Bruxelas: Établissements Émile Bruylant, 1969.

FRAGA, G. *Derecho Administrativo*. México: Editorial Porrúa, 1973.

FRANCO, S. da C. Sobre a conveniência da ampliação das atribuições processuais do Ministério Público como custos legis. *Anais do I Congresso do Ministério Público do Estado de São Paulo*, 1971. São Paulo: Imprensa Oficial do Estado, 1973.

GALLIGAN, D. J. *Discretionary powers*. A legal study of Official Discretion. Oxford: Clarendon Press, 1992.

GARCIA, E. *Ministério Público*. Organização, atribuições e regime jurídico. 3. ed. Rio de Janeiro: Lumen Juris, 2008. p. 7.

GARCIA, E. Ministério Público: essência e limites da independência funcional. *In*: RIBEIRO, C. V. A. (Org.). *Ministério Público*: reflexões sobre os princípios e funções institucionais. São Paulo: Atlas, 2010.

GARCÍA, V. A. *El concepto de necesidad en Derecho Público*. Madrid: Ed. Civitas, 1996.

GARCÍA ENTERRÍA, E. *Democracia, jueces y control de la administración*. Madrid: Thomson Civitas, 2009.

GARCÍA ENTERRÍA, E. *La lengua de los derechos*. La formación del Derecho Público europeo tras la Revolución Francesa. Madrid: Alianza Editorial, 1994.

GARCÍA ENTERRÍA, E.; FERNÁNDEZ, T.-R. *Curso de derecho administrativo I*. 14. ed. Madrid: Thomson Civitas, 2009.

GARRAUD, R. *Traite théorique et pratique de Droit Penal Franjáis*. Tomo 1º. Paris: L. Larousse et L. Tenin, 1913.

GONZÁLEZ PÉREZ, J.; GONZÁLEZ NAVARRO, F. *Régimen jurídico de las administraciones públicas y procedimiento administrativo común*. Madrid: Civitas, 1994.

GORDILLO, A. A. *Tratado de Derecho Administrativo*. Capítulo IX, Las funciones del Poder, p. IX-3. Disponível em: http://www.gordillo.com/tomos_pdf/1/capitulo9.pdf. Acesso em: 02 fev. 2011.

GRAU, E. R. *O Direito posto e o direito pressuposto*. São Paulo: Malheiros, 1996.

GUIMARÃES, B. S. A justa causa nas ações coletivas. *In*: RIBEIRO, C. V. A. *Ministério Público*: Reflexões sobre os princípios e funções institucionais. São Paulo: Atlas, 2010.

HART, H. L. A. *The Concepto f Law* ("O conceito de Direito"). Trad. de Ribeiro Mendes. Lisboa: Fundação Calouste Gulbenkian, 2005.

HIGHTON, E. I.; ALVARES, G. S. *Mediación para resolver conflictos*. Buenos Aires: Ad Hoc, 1995.

HYMAN, D. Utility consumer dispute settlement: a regulatory model for medication, arbitration and class advocacy. *In*: MILLS, Miriam K. (Ed.). *Conflict resolution and public policy*. New York: Greenwood Press, 1990.

JARROSON, C. Justice Douce. Les modes alternatifs de règlement des conflits: Présentation génerale. *Revue internationale de droit comparé*, n. 2, p. 325, avril/juin. 1997.

JOLOWICZ, J. A.; CAPPELETTI, M. *Public interest parties and the active role of the judge in civil litigation*. New York: Oceana Publications, 1975.

KELSEN, H. *Teoria geral do Direito e do Estado*. Trad. de Luiz Carlos Borges. São Paulo: Martins Fontes, 2000.

KELSEN, H. *Teoria pura do Direito*. Trad. de João Baptista Machado. Coimbra: Armênio Amado, 1939.

LIEBMAN, E. T. *Manual de Direito Processual Civil*. Trad. de Cândido Rangel Dinamarco. v. 1. 3. ed. São Paulo: Malheiros, 2005.

LIEBMAN, E. T. *Manual de Processo Civil*. Rio de Janeiro: Forense, 1985.

LIMA, F. A. N. *A intervenção do Ministério Público no Processo Civil brasileiro como 'custos legis'*. São Paulo: Método, 2007.

LYRA, R. *Teoria e prática da promotoria pública*. Porto Alegre: SafE, 2001.

MACCORMICK, N. *On reasonablesness*. Les notions a contenu variable em Droit. Bruxelles: Bruylant, 1984.

MACHADO, A. C. da C. *A intervenção do Ministério Público no Processo Civil Brasileiro*. São Paulo: Saraiva, 1989.

MACHADO, S. M. *Tratado de Derecho Administrativo y Derecho* Público I. 2. ed. Madrid: Iustel, 2006.

MALBERG, C. de. *Teoría general del Estado*. 2. Reimpressão. México: Facultad de Derecho/UNAM/Fondo de Cultura Económica, 2001.

MARQUES NETO, F. A. A nova regulamentação dos serviços públicos. *Revista Eletrônica de Direito Administrativo Econômico*, Salvador, Instituto de Direito Público da Bahia, n. 1, fev. 2005a. Disponível em: http://direitodoestado.com.br. Acesso em: 13 dez. 2010.

MARQUES NETO, F. A. *Agências reguladoras independentes*. Belo Horizonte: Fórum, 2005b.

MARQUES NETO, F. A. Discricionariedade administrativa e controle judicial da administração. *In*: SALLES, C. A. de. *Processo civil e interesse público*. São Paulo: RT, 2003. p. 181-198.

MARQUES NETO, F. A. Discricionariedade e regulação setorial: o caso do controle dos atos de concentração por regulador setorial. *In*: ARAGÃO, A. S. de (Coord.). *O poder normativo das agências reguladoras*. Rio de Janeiro: Forense, 2006.

MARQUES NETO, F. A. Entre a independência institucional e o neopatrimonialismo: a distorção da doutrina do promotor natural. *In*: RIBEIRO, C. V. A. (Org.). *Ministério Público*: Reflexões sobre princípios e funções institucionais. São Paulo: Atlas, 2010. p. 135-163.

MATTARELLA, B. G. L'attività in Trattato di Diritto Amministrativo. *In*: CASSESE, S. *Tomo Primo*, Seconda Edizione. Milano: Dott. A Giuffrè Editore, 2003.

MAZZILLI, H. N. *Manual do Promotor de Justiça*. 2. ed. São Paulo: Saraiva, 1991.

MAZZILLI, H. N. *O inquérito civil*. 3. ed. São Paulo: Saraiva, 2008.

MAYER, O. *Derecho Administrativo Alemão*. Trad. de Horácio H. Heredia e Ernesto Krotoschio. Buenos Aires: Editorial Depalma, 1982.

MEDAUAR, O. *A processualidade no direito administrativo*. 2. ed. São Paulo: RT, 2008b.

MEDAUAR, O. Administração Pública: do ato ao processo. *In*: ARAGÃO, A. S. de; MARQUES NETO, F. A. *Direito Administrativo e seus novos paradigmas*. Belo Horizonte: Fórum, 2008a.

MEIRELLES, H. L. *Direito Administrativo brasileiro*. 23. ed. São Paulo: Malheiros, 1998.

DE MELLO, C. A. B. *Curso de Direito Administrativo*. 22. ed. São Paulo: Malheiros, 2007.

DE MELLO, C. A. B. *Discricionariedade e controle judicial*. 2. ed. São Paulo: Malheiros, 2000.

DE MELLO, C. A. B. *Elementos de Direito Administrativo*. 2. ed. São Paulo: RT, 1991.

DE MELLO, C. A. B. *Elementos do Ato Administrativo*. São Paulo: RT, 1984.

MIRANDA, M. P. de. A recomendação ministerial como instrumento extrajudicial de solução de conflitos ambientais. *In*: CHAVES, C. et al. (Coord.). *Temas atuais do Ministério Público*: a atuação do Parquet nos 20 anos da Constituição Federal. Rio de Janeiro: Lumen Juris, 2008.

MIRANDA, M. P. de. *Comentários à Constituição de 1946*. Tomo III. 3. ed. Rio de Janeiro: Editor Borsoi, 1960.

MODESTO, P. Função Administrativa. *Revista Eletrônica de Direito do Estado*, Bahia, n. 5, jan./fev./mar./2006. Disponível em: http://www.direitodoestado.com.br. Acesso em: 12 dez. 2010.

MOREIRA NETO, D. de F. *Quatro paradigmas do direito administrativo pós-moderno*. Belo Horizonte: Fórum, 2008.

MOREIRA NETO, D. de F. *Mutações do Direito Administrativo*. 2. ed. Rio de Janeiro: Renovar, 2001.

MORENO, F. S. *Conceptos jurídicos, interpretación y discrecionalidad administrativa*. Madrid: Civitas, 1976a.

MORENO, F. S. Reducción de la discrecionalidad: el interés público como concepto jurídico. *REDA*, n. 8, 1976b.

NERY, N. e R. *Código de Processo Civil comentado*. 8. ed. São Paulo: RT, 2004.

NOHARA, I. P. *Limites à razoabilidade nos atos administrativos*. São Paulo: Atlas, 2006.

NOHARA, I. P. *O motivo no ato administrativo*. São Paulo: Atlas, 2004.

NOHARA, I. P.; MARRARA, T. *Processo Administrativo*. São Paulo: Atlas, 2009.

OLIVEIRA, R. F. de. *Ato Administrativo*. São Paulo: RT, 1978.

PASSOS, D. *Ministério Público na Constituinte*. Brasília: Centro de Documentação e Informação da Câmara dos Deputados, 1985.

PIERANGELLI, J. H. O Ministério Público órgão da justiça. *Justitia*, São Paulo, PGJ/APMP, n. 61, p. 173, 1968.

PINHEIRO, I. Ministério Público novo de guerra. *Jornal Zero Hora*, 06.09.2000.

RASSAT, M.-L. Le *Ministère Public entre son passé et son avenir*. Paris: Librairie generale de droit et de jurisprudence, 1967.

RECASENS SICHES, L. *Introducción al estudio del Derecho*. México: Porrúa, 1977.

RIBEIRO, C. V. A. (Org.). *Ministério Público*: Reflexões sobre os princípios e funções institucionais. São Paulo: Atlas, 2010.

RIBEIRO, C. V. A. Os 20 anos da Constituição de 1988 e o exercício de funções administrativas pelo Ministério Público. *Fórum Administrativo*, Belo Horizonte, ano 8, n. 92, p. 54, 2008.

RIVERO, Jean. *Droit Administratif*. 5. ed. Paris: Precis Dalloz, 1970.

RODRIGUES, G. de A. *Ação Civil Pública e Termo de Ajustamento de Conduta*. Teoria e Prática. Rio de Janeiro: Forense, 2002.

RODRIGUES, G. de A. Reflexões sobre a atuação extrajudicial do Ministério Público: Inquérito Civil Público, Compromisso de Ajustamento de Conduta e Recomendação Legal. *In*: CHAVES, C. *et al.* (Coord.). *Temas atuais do Ministério Público*: a atuação do Parquet nos 20 anos da Constituição Federal. Rio de Janeiro: Lumen Juris, 2008.

SADEK, M. T. *Conjur*. Disponível em: http://www.conjur.com.br/2009-fev-08/entrevistamaria-teresa-sadek-cientista-politica. Acesso em: 9 fev. 2009.

SADEK, M. T. Diagnóstico dos Ministérios Públicos dos Estados. Disponível em: http://www.conamp.org.br/04_arquivos/pesquisa/diagMP171006.pdf. Acesso em: 5 abr. 2010.

SADEK, M. T. Palestra apresentada na Semana do Ministério Público do Estado de Minas Gerais, em: 08.09.2008, com o tema "A construção de um novo Ministério Público Resolutivo". Disponível em: http://aplicacao.mp.mg.gov.br/xmlui/bitstream/handle/123456789/135/ constru%C3%A7ao%20novo%20mp_Sadek.pdf?sequence=1.

SCHIRATO, V. R. O processo administrativo como instrumento do Estado e da Democracia. *In*: MEDAUAR, O.; SCHIRATO, V. R. (Org.). *Atuais rumos do Processo Administrativo*. São Paulo: RT, 2010.

SOARES, R. E. *Direito Público e sociedade técnica*. 1. ed. Coimbra: Atlântida, 1969.

STROBEL, B. A justa causa nas ações coletivas. *In*: RIBEIRO, C. V. A. (Org.). *Ministério Público*: reflexões sobre os princípios e funções institucionais. São Paulo: Atlas, 2010.

STROPPA, Y. M. C. e S. *Função Administrativa no Estado Brasileiro*. São Paulo: Malheiros, 1994.

SUNDFELD, C. A. *Direito Administrativo Ordenador*. 1. ed. 3. tiragem. São Paulo: Malheiros, 2003.

SADEK, M. T. *Fundamentos de Direito Público*. São Paulo: Malheiros, 1992.

TÁCITO, C. Ombudsman o defensor do povo. *RDA*, Rio de Janeiro, p. 15-25, jan./mar. 1998.

TRASSARD, C. O Ministério Público em França. *In*: *O papel do Ministério Público*. Coimbra: Almedina, 2008.

ZAGREBELSKY, G. *El derecho dúctil*: ley, derechos, justicia. 3. ed. Madrid: Trota, 1999.

WATANABE, K. Juizado Especial de Pequenas Causas. *Revista dos Tribunais*, p. 2, 1985.

WEBER, M. A política como vocação. *In*: WEBER, M. *Ciência e Política*. Duas vocações. 2. ed. São Paulo: Cultrix, 1972.

Informação bibliográfica deste texto, conforme a NBR 6023:2018 da Associação Brasileira de Normas Técnicas (ABNT):

ARAS, Antônio Augusto Brandão de; RIBEIRO, Carlos Vinícius Alves. Ministério Público e suas *ondas evolutivas*. *In*: COSTA, Daniel Castro Gomes da; FONSECA, Reynaldo Soares da; BANHOS, Sérgio Silveira; CARVALHO NETO, Tarcisio Vieira de (Coord.). *Democracia, justiça e cidadania*: desafios e perspectivas. Homenagem ao Ministro Luís Roberto Barroso. Belo Horizonte: Fórum, 2020. p. 251-266. t. 2: Pensando as instituições, a justiça e o Direito. ISBN 978-85-450-0749-4.

EVOLUÇÃO DO CONTROLE DE CONVENCIONALIDADE NA PROTEÇÃO DOS DIREITOS HUMANOS

RENATA GIL

RENEE DO Ó SOUZA

MARCELLE RODRIGUES DA COSTA E FARIA

Há muitas maravilhas, mas nenhuma é tão maravilhosa quanto o homem.

Coro de *Antígona* (Sófocles)

1 Introdução

A frase imortalizada na Tragédia Grega de Sófocles, obra do Teatro representada em 441 a.C., narra a luta da heroína Antígona, filha do Rei Édipo, contra a tirania do seu Tio Creonte, que a impede de enterrar seu irmão Etéocles, morto pelo outro irmão, Polinices, na invasão de Tebas. Antígona, contrariando a lei imposta e motivada pela crença na existência de uma lei maior, – de que todo homem tem direito a um sepultamento –, declara: "de qualquer modo hei de enterrá-lo e será belo para mim morrer cumprindo esse dever: repousarei ao lado dele, amada por quem tanto amei e santo é o meu delito, pois terei de amar os mortos muito, muito tempo mais que os vivos".[1][2]

---

[1] Sófocles. *A trilogia tebana*. Rio de Janeiro: Zahar, 2011. Tradução de Mário da Gama Kury.
[2] Confessando ter enterrado o corpo do seu irmão, quando questionada por Creonte, Antígona é contundente em afirmar que: "não me pareceu que tuas determinações tivessem força para impor aos mortais até a obrigação de transgredir normas divinas, não escritas, inevitáveis; não é de hoje, não é de ontem, é desde os tempos mais remotos que elas vigem, sem que ninguém possa dizer quando surgiram. E não seria por temer homem algum, nem o mais arrogante, que me arriscaria ser punida pelos deuses por violá-las" (Sófocles. *A trilogia Tebana*. Rio de Janeiro: Zahar: 2011. Tradução de Mário Gama Kury. p. 112).

Dentre tantas outras lições possíveis desta fantástica história mitológica, verifica-se a ideia de que o ser humano tem direitos pelo simples fato de existir nele uma imanente humanidade. A dignidade da pessoa humana e o devido respeito a ela decorrem dessa sua natureza, o que aproxima o direito positivo da justiça e daquilo que o nosso sentimento nos indica como o bom e o correto.[3]

Foi nessa linha de ideia que Miguel Reale comentou a obra-prima de Sófocles:

> Na Hélade encontramos, entre os pré-socráticos, uma distinção fundamental, que é também um dos motivos de *Antígona* de Sófocles, cuja atualidade é um conforto para os que cultivam os valores espirituais: a distinção entre o justo por natureza e o justo por convenção, ou, por outras palavras, entre lei natural e lei positiva.[4]

A função conectiva entre os reais sentimentos de justiça e real respeito à condição humana é tema das várias escolas do pensamento jurídico, da jusnaturalista à pós-positivista, todas sempre calcadas na necessidade de conferir ao direito uma função instrumental protetiva adequada, função que hoje é parametrizada, minimamente, pela universalização dos direitos humanos, os quais, segundo Luís Roberto Barroso, notadamente após a Segunda Grande Guerra, devem ser reconhecidos como um patamar mínimo a ser observado por todos os Estados na organização do poder e nas suas relações com seus cidadãos.[5]

No presente trabalho faremos uma breve contextualização sobre a função de garantia complementar dos direitos humanos, além de incursionar sobre o controle de convencionalidade, mecânica apta a assegurar o respeito a esses direitos.

2 Hodierno sistema de proteção dos direitos do homem

O sentimento de Antígona de que existem direitos inerentes à condição humana somente foi sedimentado após 25 séculos, a duras penas é verdade, depois de a humanidade ter testemunhado e sofrido as atrocidades de duas grandes guerras, por meio da Declaração Universal dos Direitos do Homem, que na sua disposição inaugural prevê que "todos os homens nascem livres e iguais em dignidade e direito".

De lá pra cá, a civilização avançou na direção de criar o Direito Internacional dos Direitos Humanos, a funcionar como verdadeira âncora a manter a humanidade dentro das balizas de uma sociedade humanista e justa, distante da barbárie. Os instrumentos globais de proteção dos direitos humanos, quando os Estados passaram a celebrar tratados para a proteção dos Direitos Humanos, surgem no âmbito da Organização das Nações Unidas, que inseriu o ser humano como sujeito do Direito Internacional Público.

São concebidos, atualmente, dois sistemas internacionais de proteção aos direitos humanos, o global e o regional, que coexistentes e complementam-se entre si, de modo a conferir ao cidadão um sistema amplo e coordenado de proteção.

---

[3] NEVES, José Roberto de Castro. *A invenção do Direito*. 2. ed. Rio de Janeiro: Edições de Janeiro, 2018, p. 201.
[4] REALE, Miguel. *Filosofia do Direito*. 20. ed. São Paulo: Saraiva, 2002, p. 622.
[5] BARROSO, Luís Roberto. *Direito Constitucional Contemporâneo*. 5. ed. São Paulo: Saraiva, 2015. p. 149.

Os sistemas regionais de proteção, quais sejam, o europeu, o interamericano – no qual o Brasil é vinculado – e o africano, são sistemas que dialogam entre si "para melhor salvaguardar (também com aplicação do princípio *pro homine*) os interesses dos seres humanos".[6]

O sistema interamericano de proteção dos direitos humanos foi estabelecido com a Carta da Organização dos Estados Americanos, denominada Carta de Bogotá, proclamada em 1948 e tem como instrumento fundamental a Convenção Americana de Direitos Humanos, assinada em 1969. Possui como base a Declaração Universal dos Direitos Humanos. A convenção, insista-se, tem uma função complementar do ordenamento jurídico interno do Estado signatário.

> Tal não significa que não se retira dos Estados a competência primária para amparar e proteger os direitos das pessoas sujeitas à sua jurisdição, mas que nos casos de falta de amparo ou de proteção aquém da necessária, em desconformidade com os direitos e garantias previstos pela Convenção, pode o sistema interamericano atuar concorrendo (de modo coadjuvante, complementar) para o objetivo comum de proteger determinado direito que o Estado não garantiu ou preservou.[7]

3 Direito Internacional Público e Direito Interno Estatal

A simultânea regulamentação de determinadas relações fáticas por diferentes normas jurídicas, uma de Direito Internacional e outra interna, produziu a necessidade de serem desenvolvidas metodologias aptas para indicar qual delas deve prevalecer, notadamente quando se identifica um conflito entre elas.

É imperioso asseverar que a Carta Magna de 1988 não tratou explicitamente da hierarquia dos tratados internacionais frente à legislação interna, situação que deve, em princípio, ser solucionada pela incidência do art. 26 da Convenção de Viena, que estabelece que "todo tratado em vigor obriga as partes e deve ser cumprido por elas de boa-fé". Trata-se de dispositivo que veicula o chamado princípio fundamental do direito dos tratados, especialmente caro a todo o Direito Internacional Público.

O problema se agrava quando há aparente antinomia entre a norma interna e o tratado internacional cujo conteúdo é de direitos humanos.

Das diversas teorias que pretendem solucionar a antinomia apontada, sobressaem as teorias dualistas e monistas, que discutem se o Direito Internacional e o Direito Interno são duas ordens jurídicas distintas (teoria dualista) e independentes ou, ao contrário, são dois sistemas que derivam um do outro (teoria monista).

Para os dualistas, o Direito Interno dos Estados e o Direito Internacional Público são ordens jurídicas distintas e independentes que não se interseccionam, de forma que as normas de Direito Internacional não influenciam o Direito Interno, não havendo entre eles, assim, antinomia normativa. Entendem os dualistas que, somente quando há edição de norma interna, com o respectivo processo legislativo, de modo a contemplar

---

[6] MAZZUOLI, Valério de Oliveira. *Curso de Direitos Humanos*. 2018. p. 70.
[7] MAZZUOLI, Valério de Oliveira. *Curso de Direitos Humanos*. 2018. p. 144.

o compromisso internacional firmado pelo Estado Soberano, é que as responsabilidades assumidas perante a ordem internacional passam a vincular seus cidadãos, fenômeno que a doutrina denomina "transformação" ou "adoção". Para esta corrente, os deveres assumidos internacionalmente são essencialmente de ordem moral e por isso (1) seu desrespeito enseja "somente" uma responsabilização internacional e (2) o conflito entre suas disposições com as normas domésticas resulta na prevalência do Direito Interno.

A teoria monista, defendida por Hans Kelsen, diversamente da dualista, entende haver unicidade do sistema, em que o Direito Interno e o Direito Internacional integram o mesmo ordenamento jurídico:

> A unidade ente Direito Internacional e Direito Estadual pode, no entanto, ser produzida de dois modos diferentes, do ponto de vista gnosiológico. E, quando consideramos ambos estes Direitos como ordenamentos de normas vinculantes simultaneamente válidas, não o poderemos fazer por qualquer outra forma que não seja abrangendo a ambos, por uma forma ou por outra, em um sistema descritível em proposições jurídicas não contraditórias.[8]

Manifestando preferência pela teoria monista, Luís Roberto Barroso, com a didática que lhe é peculiar, explica esta corrente doutrinária:

> O monismo jurídico afirma, com melhor razão, que o direito constitui uma unidade, um sistema, e que tanto o direito internacional quanto o direito interno integram esse sistema. Por assim ser, torna-se imperativa a existência de normas que coordenem esses dois domínios e que estabeleçam qual deles deve prevalecer em caso de conflito. Kelsen admite, em tese, o monismo com prevalência da ordem interna e o monismo com prevalência da ordem internacional, embora seja partidário desse último. A superioridade do direito internacional sobre o direito interno de cada Estado foi afirmada desde 1930, pela Corte Permanente de Justiça Internacional.[9]

Importa observar que a teoria monista pode ser identificada mediante sua relação com a ordem jurídica interna e com a ordem jurídica internacional. No primeiro modo de ver, os chamados monistas nacionalistas aceitam a integração de normas, sem relação de subordinação entre lei interna e internacional. Já para os monistas internacionalistas, como Kelsen, há primazia do Direito Internacional, de forma que o Direito Interno passa a derivar daquele e com isso mantém uma relação de vertical compatibilidade hierárquica. Neste sentido, ensina Kelsen:

> Os representantes do primado da ordem jurídica internacional afirmam, a partir daí, que o direito internacional está supra ordenado ao Direito Estadual, que aquele é, em face deste, a ordem jurídica mais elevada, que em consequência, em caso de conflito entre os dois, o Direito Internacional goza de prevalência – quer dizer, o Direito estadual que o contradiga é nulo.[10]

---

[8] KELSEN, Hans. *Teoria Pura do Direito*. 6ª tiragem. São Paulo: Martins Fontes, 2018. p. 368.

[9] BARROSO, Luís Roberto. Constituição e Tratados Internacionais: alguns aspectos da relação entre direito internacional e direito interno. *In*: MARINONI, Luiz Guilherme; MAZZUOLI, Valério de Oliveira. *Controle de Convencionalidade, um panorama latino-americano, Brasil, Argentina, Chile, México, Peru e Uruguai*. Brasília: Gazeta Jurídica, 2013. p. 150.

[10] KELSEN, *Teoria Pura do Direito*. 6ª tiragem. São Paulo: Martins Fontes, 2018. p. 381.

A doutrina monista internacionalista parece ter sido contemplada no art. 27 da Convenção de Viena sobre o Direito do Tratado (1969) quando prevê que o Estado "não pode invocar as disposições de seu direito interno para justificar o inadimplemento de um tratado."

De forma a superar o embate entre essas concepções doutrinárias e diferenciar as normas internacionais pelo seu conteúdo, mormente em relação às normas internacionais de proteção aos Direitos Humanos, Valério Mazzuoli desenvolve a ideia de um monismo internacionalista dialógico, capaz de inter-relacionar as normas de direitos humanos vigentes, ainda que provenientes de fontes diferentes:

> Se é certo que à luz da ordem jurídica internacional os tratados internacionais sempre prevalecem à ordem jurídica interna (concepção monista internacionalista clássica), não é menos certo que em se tratando dos instrumentos que versam direitos humanos pode haver coexistência e diálogo entre eles e as normas de Direito interno. Em outros termos, no que tange às relações entre os tratados internacionais de direitos humanos e as normas domésticas, é correto falar num "diálogo das fontes". Os próprios tratados de direitos humanos (bem assim a prática dos organismos regionais de direitos humanos, v. g., da Comissão e da Corte Interamericana de Direitos Humanos) têm contemplado esse 'diálogo' internormativo textualmente, quando exigem seja aplicada a norma 'mais favorável' ao ser humano.[11]

A concepção implica a predominância do princípio *pro homine*, em que, independentemente da espécie de norma, interna ou internacional, eventual conflito entre normas internas e internacionais deve ser resolvido mediante a adoção de maior peso à norma mais favorável à proteção dos direitos do homem. O modelo parece ter sido contemplado no próprio texto da Convenção Americana dos Direitos do Homem, no seu art. 29, "b", que dessa maneira dispõe:

> Art. 29. Nenhuma disposição da presente Convenção pode ser interpretada no sentido de: limitar o gozo e exercício de qualquer direito ou liberdade que possam ser reconhecidos em virtude de leis de qualquer dos Estados-partes ou em virtude de Convenções em que seja parte um dos referidos Estados;

Estabelecida a prevalência das normas relacionadas a direitos humanos, passemos ao estudo do papel e mecanismos conferidos ao Poder Judiciário nesta atividade.

4 Poder Judiciário como responsável pelo controle de convencionalidade das normas de direitos humanos

Embora seja certo que a Corte Interamericana de Direitos Humanos faz controle de convencionalidade das normas dos Estados signatários da Convenção, dada a incapacidade física e condições para julgar todos os casos de violações de direitos humanos ocorridas nos Estados membros, é concedido aos órgãos investidos de jurisdição o desempenho concorrente dessa atividade.

---

[11] MAZZUOLI, Valério de Oliveira. *Direitos Humanos*. 5. ed. Rio de Janeiro: Forense, 2018. p. 46.

Com efeito, para se ter uma ideia do ganho protetivo desta delegação, das aproximadamente cinco mil denúncias que anualmente são levadas àquela Corte, apenas três são julgadas, de forma que o órgão, inevitavelmente, seleciona os casos mais graves de violação para proferir julgamentos concentrados. Assim, conhecedora de sua limitação frente à assombrosa quantidade de violação dos direitos humanos que acomete os países da América Latina, e ciente de que os órgãos internos dos Estados devem fazer valer as convenções por eles subscritas, a Corte vem decidindo que os órgãos investidos de jurisdição, ao analisar os casos que lhes são submetidos, antes de apreciarem o pedido, devem verificar a convencionalidade da norma aventada, além de observar a jurisprudência da Corte na aplicação do direito.

Dessa forma, a Corte, por ocasião do julgamento do caso *Almonacid Arrelano e outros Vs. Chile*, determinou a obrigatoriedade do controle interno de convencionalidade:

> A Corte tem consciência de que os juízes e tribunais internos estão sujeitos ao império da lei e, por isso, estão obrigados a aplicar as disposições vigentes no ordenamento jurídico. Porém, quando um Estado ratifica um tratado internacional como a Convenção Americana, seus juízes, como parte do aparato do Estado, também estão submetidos a ela, o que os obriga a velar para que os efeitos das disposições da Convenção Americana não se vejam prejudicados pela aplicação de leis contrárias ao seu objeto e fim, e que desde o seu início, carecem de efeitos jurídicos. Em outras palavras, o poder judiciário deve exercer uma espécie de controle de convencionalidade entre as normas jurídicas internas que aplicam nos casos concretos e a Convenção Americana sobre Direitos Humanos. Nesta tarefa, o Poder Judiciário deve ter em conta não somente o tratado. Senão também a interpretação que do mesmo tem feito a Corte Interamericana, intérprete última da Convenção Americana.

O diálogo entre as esferas internacionais e as instituições de âmbito estadual deve levar em conta os parâmetros protetivos emanados pela Corte Interamericana, incumbida de dar a mais adequada interpretação aos direitos humanos consagrados nos tratados regionais.

Portanto, hodiernamente, o julgador, para resolver a questão que lhe foi posta que resvale em violações a direitos humanos, terá que sistematicamente aplicar as normas constitucionais, tratados e convenções internacionais, jurisprudência da Corte Interamericana, legislação interna e jurisprudência nacional, sempre levando em conta o princípio *pro homine*. O doutrinador André de Carvalho Ramos traz luz ao controle referido até mesmo por autoridades administrativas:

> (...) é possível que o controle de convencionalidade nacional seja feito pelas autoridades administrativas, membros do Ministério Público e Defensoria Pública (no exercício de suas atribuições) e haja, inclusive, o controle preventivo de convencionalidade na análise de projetos de lei no Poder Legislativo. Consagra-se o controle de convencionalidade de matriz nacional não jurisdicional (Corte Interamericana de Direitos Humanos, Caso Gelman vs. Uruguai, supervisão de cumprimento de sentença, decisão de 20 de março de 2013, parágrafo 69). No âmbito jurisdicional interno, o controle de convencionalidade nacional na seara dos direitos humanos consiste na análise da compatibilidade entre as leis (e atos normativos) e os tratados internacionais de direitos humanos, realizada pelos juízes e tribunais brasileiros, no julgamento de casos concretos, nos quais se devem deixar de aplicar os atos normativos que violem o referido tratado.[12]

---

[12] RAMOS, André de Carvalho. *Curso de direitos humanos*. 5. ed. São Paulo: Saraiva, 2018, p. 591.

As normas internacionais de direitos humanos não devem ser entendidas como meramente programáticas, vez que, conforme entendimento da Corte Interamericana de Direitos Humanos e nos termos do art. 5º, §§ 1º e 2º, da Carta Magna, possuem aplicabilidade imediata e que lhes conferem intercâmbio dialógico e plena imperatividade.

Ademais, no Brasil, os Tribunais Superiores têm reconhecido que os tratados de direitos humanos que ingressaram antes de EC nº 45 são *normas supralegais*, com hierarquia superior a lei complementares e ordinárias, de modo a possibilitar um controle de compatibilidade e de validade das leis em face dessas convenções. A tese, que já vinha sendo defendida pela doutrina, foi contemplada finalmente pelo STF em 03 de dezembro de 2008 no HC 87.585 TO e RE 466.434 SP, quando a Corte reconheceu a superioridade dos tratados de direitos humanos frente à legislação doméstica. Essa concepção modifica a conhecida pirâmide de Kelsen, de modo a alçar os tratados de direitos humanos a patamar acima da legislação ordinária, logo após a Constituição, estabelecendo um novo tipo de controle das normas, que devem, doravante, estar de acordo com o Texto Magno e também observar as Convenções de Direitos Humanos que integram o ordenamento jurídico.

O controle de convencionalidade, assim denominado pela doutrina e jurisprudência, autoriza, desta forma, a avaliação da norma interna frente à Convenção de Direitos Humanos, de maneira que sua validade e eficácia ficam condicionadas à compatibilidade com a Constituição da República, com os tratados internacionais de direitos humanos e sua interpretação dada pela Corte Interamericana de Direitos Humanos.

O juiz doméstico, portanto, ao exercer o controle de convencionalidade, há de ser proativo na implementação dos tratados de direitos humanos em vigor no Estado, rechaçando, *ex officio*, qualquer interpretação contrária aos objetivos e finalidades desses tratados. Ainda, deve reconhecer o espírito do sistema internacional (global e regional) de proteção dos direitos humanos, seus princípios e diretrizes. Trata-se de dever inescusável, como aliás foi decidido pela Corte Interamericana, no Caso *Gelma vs Uruguai*, em 24 de fevereiro de 2011, que definiu que todos os órgãos do Estado estão submetidos aos tratados internacionais de direitos humanos, especialmente o Poder Judiciário.

A obrigação de o juiz realizar controle de convencionalidade deve ser exercida preliminarmente, consoante pronunciamento da Corte Interamericana, ao decidir o caso *Comunidade Garifuina de Punta Pedra vs Honduras*, em que destacou-se que a análise da convencionalidade deve ser feita antes da apreciação do mérito para avaliar qual a norma mais benéfica para a proteção do direito.

Deve-se, ainda, atentar para o disposto no art. 62, §1º, da Convenção Americana de Direitos Humanos, que contempla a necessidade de o juiz manter-se vinculado àquilo que foi assumido no plano internacional, mediante interpretações emanadas pela Corte Interamericana. Assim, se para o Estado-parte envolvido em determinado caso concreto a decisão da Corte Interamericana serve como *res judicata*, para os demais Estados deve ser tomada, então, como *res interpretata*, a fim de vincular a interpretação jurídica do comando convencional apreciado a casos semelhantes. Posto isso, se exercido com zelo e sobriedade, o controle de convencionalidade favorece o diálogo entre os juízes, nacionais e internacionais, bem como fomentam uma cultura de direitos humanos capaz de alcançar o desejado *jus comunne* interamericano.[13]

---

[13] MAZZUOLI. Valério de Oliveira. *Controle de Convencionalidade*. 4. ed. São Paulo: Revista dos Tribunais, 2016. p. 42.

Não se olvide que caso o compromisso internacional seja aprovado no Brasil, segundo as formalidades do art. 5º, §3º, da Constituição Federal, o controle de convencionalidade das leis pode se dar tanto em via de ação, por meio de controle concentrado, quanto na via da exceção, por meio de controle difuso, porque neste caso são normas equivalentes a emenda constitucional. Sem aprovação qualificada, no entanto, resta somente possível o controle de convencionalidade via controle difuso, realizável por todos os magistrados do Brasil, o que inegavelmente representa um avanço do constitucionalismo pátrio, rumo à concretização do almejado Estado Constitucional e Humanista de Direito.

E como destaca Ingo Sarlet:

> No atual sistema normativo brasileiro, os tratados que possuem status normativo supralegal apenas abrem oportunidade ao controle difuso. O exercício do controle da compatibilidade das normas internas com as convencionais é um dever do juiz nacional, podendo ser feito a requerimento da parte ou mesmo de ofício.[14]

5 Exemplo de controle de convencionalidade no Brasil – a incompatibilidade da nova Lei de Abuso de Autoridade com o dever de tutela penal inserido na Convenção Interamericana de Direitos Humanos

Tomando como parâmetro a Convenção Interamericana dos Direitos Humanos, que reconhecidamente se situa em patamar de superioridade hierárquica às demais leis internas, o controle de convencionalidade já é uma realidade em nosso país. Assim ensina Luís Roberto Barroso:

> Os tratados internacionais sobre direitos humanos firmados pelo Brasil são idôneos a tornar inaplicável a legislação interna que disponha em sentido contrário, por força de sua hierarquia supralegal. Dessa forma, as leis ordinárias, para serem aplicadas, precisarão guardar coerência não apenas com a constituição, mas também com esses tratados. Nesse sentido o Supremo Tribunal Federal já reconheceu expressamente a qualidade de 'tratado internacional de proteção de direitos humanos do Pacto de São José de Costa Rica (Decreto nº 678/92) e do Pacto Internacional dos Direitos Civis e Políticos (Decreto nº 592/92).[15]

Embora já tenham sido proferidas decisões com controle de convencionalidade no Brasil, inclusive em matéria penal, casos dignos de inúmeras considerações acadêmicas, optamos nesta sessão em realizar algumas considerações sobre a inconvencionalidade da nova Lei nº 13.869/2019, que define crimes de abuso de autoridade mediante a criminalização de condutas que, a nosso ver, produz efeitos contrários às disposições

---

[14] SARLET, Ingo Wolfgang; MARINONI, Luiz Guilherme; MITIDIERO, Daniel. *Curso de direito constitucional*. 7. ed. São Paulo: Saraiva Educação, 2018, p. 1408.

[15] BARROSO, Constituição e Tratados Internacionais: alguns aspectos da relação entre direito internacional e direito interno. *In*: MARINONI, Luiz Guilherme e; MAZZUOLI, Valério de Oliveira. *Controle de Convencionalidade, um panorama latino-americano, Brasil, Argentina, Chile, México, Peru e Uruguai*. Brasília: Gazeta Jurídica, 2013. p. 175-176.

contidas na Convenção Interamericana de Direitos Humanos, mais especificamente quanto aos seus artigos 8º e 25.[16] Vejamos.

O conjunto de normas que compõem os direitos humanos representa verdadeira limitação à soberania dos Estados nacionais, porque devem conformar a edição de suas leis penais aos valores humanísticos. Foi neste contexto que a Lei nº 13.869/2019, a pretexto de proteger bens jurídicos nobres, muitos deles relacionados ao direito de liberdade de locomoção, pretensão absolutamente ínsita ao Estado Democrático de Direito, de forma excessiva e desnecessária, criminalizou condutas de autoridades públicas responsáveis pela defesa de direitos fundamentais de outros cidadãos, o que implica, de forma reflexa, o enfraquecimento do dever de garantia dos direitos fundamentais contra agressão propiciada por terceiros.

Isso acontece porque a atuação estatal na defesa dos direitos fundamentais, seja aqueles de matriz individual, seja de conformação difusa, dá-se por meio protetivo, de modo a conferir-lhe deveres e obrigações positivas na concretização dos direitos atingidos, o que resulta na concepção da *proibição de proteção insuficiente* ou *imperativo de tutela* dos direitos fundamentais. A nova Lei de Abuso de Autoridade, lamentavelmente, olvida do papel do *Estado Moderno* como guardião dos direitos fundamentais, notadamente no plano horizontal, concepção atualmente consolidada que substituiu aquela outra que o considerava mero "adversário" dos direitos fundamentais do cidadão. A partir desse novo ponto de vista, identifica-se o dever de o Estado tomar todas as providências necessárias para a realização ou concretização dos direitos fundamentais.

No caso específico dos crimes praticados em face de cidadãos, o dever do Estado, em conferir um sistema de proteção, deve ser feito por meio do "dever de justiça penal" – expressão consagrada pelo juiz García Ramírez, no emblemático caso *Myrna Mack Chang c. Guatemala* –, julgado em 2003, pela Corte Interamericana de Direitos Humanos, segundo o qual o Estado deve ser suficientemente investido em mecanismos e instrumentos investigatórios e processuais penais aptos a debelar as violações aos direitos humanos, o que também implica a concessão de garantias para autoridades encarregadas desta atividade que atuarão sem retaliações indevidas. Como observa Douglas Fischer, essa obrigação de justiça penal, para ser efetiva, deve ser completa e em consonância com as exigências convencionais de proteção aos direitos humanos, o que implica obrigações processuais positivas voltadas a estas finalidades.[17] Muitos tipos penais previstos na Lei nº 13.869/2019, ao produzirem nocivos efeitos emulativos e intimidatórios sobre autoridades que atuam sem desvios de conduta, rompem com o necessário equilíbrio entre dissuadir abusos e inibir a necessária atuação protetiva estatal. Nesses casos, vislumbra-se não apenas a *inconstitucionalidade* como a *inconvencionalidade da Lei*, sobretudo se lembrarmos que, em setembro de 2009, o Brasil foi condenado pela Corte Interamericana de Direitos Humanos, no caso *Garibaldi vs. Brasil*, por falta de atuação estatal e de investigação adequada e eficiente, o que violou os artigos 8.1 e 25.1 da

---

[16] As ideias contidas nesta sessão são desenvolvidas na obra sobre a Lei de Abuso de Autoridade, coordenada por um dos autores: *Leis Penais Especiais*. 3. ed. Salvador: Juspodivm (no prelo).

[17] FISCHER, Douglas; VALDEZ PEREIRA, Frederico. *As obrigações processuais penais positivas*: segundo as Cortes Europeia e Interamericana de Direitos Humanos. 2. ed. Porto Alegre: Livraria do Advogado, 2019, p. 70.

Convenção Interamericana dos Direitos Humanos.[18] Naquela emblemática condenação foi assentado que:

> 112. A obrigação de investigar violações de direitos humanos está incluída nas medidas positivas que devem adotar os Estados para garantir os direitos reconhecidos na Convenção. A Corte tem sustentado que, para cumprir a obrigação de garantia, os Estados devem não só prevenir, mas também investigar as violações dos direitos humanos reconhecidos nesse instrumento, como as alegadas no presente caso, e procurar, ademais, o restabelecimento, se é possível, do direito infringido e, se for o caso, a reparação dos danos produzidos pelas violações dos direitos humanos.
> 113. É pertinente destacar que o dever de investigar é uma obrigação de meios, e não de resultado. No entanto, deve ser assumida pelo Estado como um dever jurídico próprio e não como uma simples formalidade condenada de antemão a ser ineficaz, ou como uma mera gestão de interesses particulares, que dependa da iniciativa processual das vítimas ou de seus familiares ou do aporte privado de elementos probatórios.
> 114. À luz desse dever, quando se trata da investigação de uma morte violenta, como no presente caso, uma vez que as autoridades estatais tenham conhecimento do fato, devem iniciar ex officio e sem demora, uma investigação séria, imparcial e efetiva. Essa investigação deve ser realizada por todos os meios legais disponíveis e orientada à determinação da verdade.
> 130. A Corte considera que os órgãos estatais encarregados da investigação relacionada com a morte violenta de uma pessoa, cujo objetivo é a determinação dos fatos, a identificação dos responsáveis e sua possível sanção, devem realizar sua tarefa de forma diligente e exaustiva. O bem jurídico sobre o qual recai a investigação obriga a redobrar esforços nas medidas que devam ser praticadas para cumprir seu objetivo. A atuação omissa ou negligente dos órgãos estatais não resulta compatível com as obrigações emanadas da Convenção Americana, com maior razão se está em jogo um dos bens essenciais da pessoa.
> 132. Diante do exposto, a Corte indica que a falta de resposta estatal é um elemento determinante ao avaliar se tem descumprido os artigos 8.1 e 25.1 da Convenção Americana, pois tem relação direta com o princípio de efetividade que deve caracterizar o desenvolvimento de tais investigações. No presente caso, as falhas e omissões apontadas pelo Tribunal demonstram que as autoridades estatais não atuaram com a devida diligência nem em consonância com as obrigações derivadas dos artigos mencionados.

A criminalização de condutas funcionais ordinariamente regulares, revisáveis por outros mecanismos processuais, é uma abjeta opção política que pode produzir indevidos efeitos desmotivadores e que ferem os deveres de efetiva investigação penal do Estado. A situação é agravada, ainda, pelo emprego excessivo dos elementos normativos em vários tipos, notadamente pelo emprego de locuções vagas e imprecisas, que generalizam a criminalização de condutas ordinárias e regulares de agentes públicos responsáveis

---

[18] Corte Interamericana de Direitos Humanos: Caso Garibaldi vs. Brasil. Disponível em: http://www.corteidh.or.cr/docs/casos/articulos/seriec_203_por.pdf. Acesso em: 13 nov. 2019. Prevê as normas indicadas como paramétricas: art. 8.1: "Toda pessoa tem direito a ser ouvida, com as devidas garantias e dentro de um prazo razoável, por um juiz ou tribunal competente, independente e imparcial, estabelecido anteriormente por lei, na apuração de qualquer acusação penal formulada contra ela, ou para que se determinem seus direitos ou obrigações de natureza civil, trabalhista, fiscal ou de qualquer outra natureza". Art. 25.1: "1. Toda pessoa tem direito a um recurso simples e rápido ou a qualquer outro recurso efetivo, perante os juízes ou tribunais competentes, que a proteja contra atos que violem seus direitos fundamentais reconhecidos pela constituição, pela lei ou pela presente Convenção, mesmo quando tal violação seja cometida por pessoas que estejam atuando no exercício de suas funções oficiais".

pela atuação estatal, no enfrentamento dos atos ilícitos, o que atenta decisivamente contra a segurança jurídica,[19] princípio caro ao bom desempenho das funções das autoridades públicas.

6 Conclusão

A Convenção Americana de Direitos Humanos, que tem *status* de norma supralegal, pode servir como norma paramétrica para a realização de controle de convencionalidade difuso, a ser exercido por cada magistrado do país, de forma a proteger satisfatoriamente os direitos humanos, pois como já afirmou o STF, "o status normativo supralegal dos tratados internacionais de direitos humanos subscritos pelo Brasil torna inaplicável a legislação infraconstitucional com ele conflitante, seja ela anterior ou posterior ao ato de adesão" (RE 349703).

Controlar a compatibilidade de leis domésticas com tratados internalizados pelo Brasil, que versem sobre direitos humanos, é um mecanismo de refinamento apto a investir os agentes que atuam no sistema de justiça do Brasil como defensores de direitos humanos, principalmente em casos em que sua violação, causadora de injustiças, resulta de estruturas, em grande escala, como a aprovação de uma lei penal não protetiva dos direitos humanos.

Se os gregos vivessem sob a égide de um sistema de proteção aos direitos humanos, Creonte poderia ter postulado o humanitário direito de seu sobrinho ser sagradamente sepultado, sem que isso lhe tivesse custado a própria vida.

A teoria do controle de convencionalidade proporciona, de forma difusa, por múltiplos atores, a defesa de todos os direitos de todos os seres humanos, prática que nos ensina a sermos um pouco mais humanos.

Referências

BARROSO, Luís Roberto. Curso *de Direito Constitucional Contemporâneo*. 5. ed. São Paulo: Saraiva, 2015.

BARROSO, Luís Roberto. Constituição e Tratados Internacionais: alguns aspectos da relação entre direito internacional e direito interno. In: MARINONI, Luiz Guilherme; MAZZUOLI, Valério de Oliveira. *Controle de Convencionalidade, um panorama latino-americano, Brasil, Argentina, Chile, México, Peru e Uruguai*. Brasília: Gazeta Jurídica, 2013.

FISCHER, Douglas; VALDEZ PEREIRA, Frederico. *As obrigações processuais penais positivas*: segundo as Cortes Europeia e Interamericana de Direitos Humanos. 2. ed. Porto Alegre: Livraria do Advogado, 2019.

KELSEN, Hans. *Teoria Pura do Direito*. 6ª tiragem. São Paulo: Martins Fontes, 2018.

NEVES, José Roberto de Castro. A *invenção do Direito*. 2. ed. Rio de Janeiro: Edições de Janeiro, 2018.

---

[19] "O princípio da segurança jurídica, elemento fundamental do Estado de Direito, exige que as normas sejam precisas e claras para que o destinatário das disposições possa identificar a nova situação jurídica e as consequências que dela decorrem. A s formulações obscuras, imprecisas, confusas ou contraditórias devem ser evitadas" (BRASIL. Manual de Redação da Presidência da República. 2018, p. 111).

MAZZUOLI, Valério de Oliveira. *Direitos Humanos*. 5. ed. Rio de Janeiro: Forense; 2018.

MAZZUOLI, Valério de Oliveira. *Curso de Direito Internacional Público*. 11. ed. Rio de Janeiro: Forense, 2018.

MAZZUOLI, Valério de Oliveira. *Controle de Convencionalidade*. 4. ed. São Paulo: Revista dos Tribunais, 2016.

RAMOS, André de Carvalho. *Curso de direitos humanos*. 5. ed. São Paulo: Saraiva, 2018.

REALE, Miguel. *Filosofia do Direito*. 20. ed. São Paulo: Saraiva, 2002.

SARLET, Ingo Wolfgang; MARINONI, Luiz Guilherme; MITIDIERO, Daniel. *Curso de direito constitucional*. 7. ed. São Paulo: Saraiva Educação, 2018.

SÓFOCLE. *A trilogia tebana*. Rio de Janeiro: Zahar, 2011 (Tradução de Mário da Gama Kury).

Informação bibliográfica deste texto, conforme a NBR 6023:2018 da Associação Brasileira de Normas Técnicas (ABNT):

GIL, Renata; SOUZA, Renee do Ó; FARIA, Marcelle Rodrigues da Costa e. Evolução do controle de convencionalidade na proteção dos direitos humanos. *In*: COSTA, Daniel Castro Gomes da; FONSECA, Reynaldo Soares da; BANHOS, Sérgio Silveira; CARVALHO NETO, Tarcisio Vieira de (Coord.). *Democracia, justiça e cidadania*: desafios e perspectivas. Homenagem ao Ministro Luís Roberto Barroso. Belo Horizonte: Fórum, 2020. p. 267-278. t. 2: Pensando as instituições, a justiça e o Direito. ISBN 978-85-450-0749-4.

A FUNÇÃO SOCIAL DO PODER JUDICIÁRIO E O PAPEL DAS ESCOLAS JUDICIÁRIAS NA CONTEMPORANEIDADE

ANGELA ISSA HAONAT

Se o homem falhar em conciliar a justiça e a liberdade, então falha em tudo.

Albert Camus[1]

Introdução

A epígrafe escolhida para estampar o trabalho demonstra a preocupação do homenageado com os rumos do Direito Constitucional no Brasil. Esse foi o ponto de partida para a eleição de um tema que ao mesmo tempo o homenageasse e trouxesse alguma reflexão para pensar as instituições, em especial o Poder Judiciário, e o papel das escolas de magistratura na contemporaneidade.

Isto porque a Constituição de 1988 rompeu paradigmas, criou um farto catálogo de direitos e atribuiu ao Poder Judiciário a fiscalização da Constituição, entre outras atribuições. Essa mudança mexeu com estruturas há muito estabelecidas e, em particular, com a forma de atuação do magistrado. Como leciona Vianna (2017, p. 71)

> Em vez de agir como mero reprodutor dos comandos normativos; de ser escravo da lei, o juiz passa a esquadrinhar o conteúdo finalístico das disposições legais, com ênfase nas diretrizes constitucionais. Busca interpretar a lei em cotejo com a realidade histórico cultural e com o propósito de promover a justiça social. Desse modo, culmina por desempenhar papel fundamental na sociedade e no equilíbrio de forças e tensões entre os demais poderes do Estado, mas principalmente em benefício do cidadão, destinatário central e razão de existir do Estado.

---

[1] Disponível em: https://dicionariocriativo.com.br/citacoes/constitucionalista/citacoes/direito/2. Acesso em: 29 jan. 2020.

Ou seja, a atuação do magistrado passa de um modelo automatizado para um modelo em que se exige um constante cotejo com as normas constitucionais com o fim de promover a justiça social a partir da análise do caso concreto.

Ocorre que os currículos dos cursos de Direito nem sempre foram suficientes apesar das mudanças ocorridas desde o surgimento das primeiras diretrizes curriculares para preparar holisticamente o seu público-alvo para as diversas carreiras jurídicas.

E com o Poder Judiciário não foi diferente, lembrando que a própria exigência de experiência jurídica só veio muito recente com a reforma de 2004, por meio da EC nº 45/2004.

Não é demais mencionar que com o advento da Constituição de 1988 restou evidente o *gap* entre os novos direitos e instrumentos advindos desta Carta Cidadã e o *modus operandi* de um Poder Judiciário moroso e tendente a uma visão privatista do Direito.

Esse fator nos leva a refletir sobre a importância das escolas da magistratura na formação continuada de magistrados e servidores que compõem o Poder Judiciário.

O artigo visa estabelecer essa relação entre a formação continuada e a melhoria da prestação jurisdicional. Como objeto de estudo utilizar-se-á a Escola da Magistratura Tocantinense (ESMAT) a partir da implantação dos cursos de mestrado, especialmente os mestrados profissionais, dos programas de doutorado já em curso e o reflexo dos produtos finais desses cursos na melhoria da prestação jurisdicional no Estado do Tocantins.

O (re)surgimento do Direito Constitucional

A epígrafe do texto, de autoria do homenageado, foi escolhida para demonstrar o quanto o pensar do Direito já se fazia presente enquanto este ainda era um estudante. Mas um estudante de vanguarda, considerada a época e o seu apego ao Direito Constitucional, que em suas palavras, na década de 80, "não dava prestígio a ninguém". Mas ele conseguiu antever a necessidade de uma mudança de rumo para esse ramo do Direito. Foi sempre um autor festejado, figurando no rol das bibliografias básicas e complementares dos cursos de Direito.

Sem sombra de dúvida, a Constituição de 1988 foi o marco legal da redemocratização no País, trazendo com ela uma mudança de paradigma do Direito. Isto porque, a partir da Constituição de 1988, esse Documento adquire força normativa e insere-se hierarquicamente no topo da pirâmide normativa como uma espécie de norma que não pode ser contrariada por nenhuma outra.

Só que esse não foi um processo fácil. Como lembra Barroso (2012, p. 6), o movimento pela efetividade da Constituição passou por três mudanças significativas

> Para realizar seus propósitos, o movimento pela efetividade promoveu, com sucesso, três mudanças de paradigma na teoria e na prática do direito constitucional no país. No plano jurídico, atribuiu normatividade plena à Constituição, que se tornou fonte de direitos e de obrigações, independentemente da intermediação do legislador. Do ponto de vista científico ou dogmático, reconheceu ao direito constitucional um objeto próprio e autônomo, estremando-o do discurso puramente político ou sociológico. E, por fim, sob o aspecto institucional, contribuiu para a ascensão do Poder Judiciário no Brasil, dando-lhe um papel

mais destacado na concretização dos valores e dos direitos constitucionais. O discurso normativo, científico e judicialista foi fruto de uma necessidade histórica. O positivismo constitucional, que deu impulso ao movimento, não importava em reduzir o direito à norma, mas sim em elevá-lo a esta condição, pois até então ele havia sido menos do que norma. A efetividade foi o rito de passagem do velho para o novo direito constitucional, fazendo com que a Constituição deixasse de ser uma miragem, com as honras de uma falsa supremacia, que não se traduzia em proveito para a cidadania.

De modo que o Estado Constitucional de Direito a partir desses movimentos, nas palavras de Oriana Pinto (2008), passa a caracterizar-se, ao mesmo tempo, como direito e limite e como direito e garantia.

A atividade jurisdicional ganha relevo e ao juiz, cabe, a partir de então, concretizar o significado dos enunciados normativos e, a partir deles, a sua validade e ou invalidade. Ao juiz cabe perquirir não só a constitucionalidade, mas também a convencionalidade das normas postas.

Isto, porque, nesse contexto pós-Constituição, já não cabe a aplicação automática da norma, tendo em vista que não há norma que não envolva valores. E, nesta perspectiva, o Poder Judiciário torna-se mais visível ou, dito de outro modo, mais acessível àqueles que dele necessitam em caso de lesão ou ameaça de lesão de direitos nos termos do art. 5º, XXXV, da Constituição.

Mas, de outro lado, de acordo com Vianna (2017), o Poder Judiciário passa a receber as mais variadas críticas, seja de ativismo judicial, de falta de legitimidade para criar o direito, de judicialização da política e da politização do direito.

Enfim, a Constituição de 1988 foi a responsável por inserir o País na busca do verdadeiro Estado Democrático de Direito, pois, representou o rompimento com a antiga ordem, estabelecendo um farto catálogo de direitos fundamentais, mas não só isso, estabelecendo também um novo paradigma na tutela dos direitos difusos e coletivos (a título exemplificativo em relação às mudanças), o que também pode ser lido como a inserção de novas gerações/dimensões de direitos, emprestando-lhes reconhecimento constitucional.

E toda essa mudança trouxe uma profunda transformação ao Direito Constitucional e por consequência exigiu mudanças na forma de aplicar o Direito. Assim, embora o Direito Constitucional sempre estivesse presente nas matrizes curriculares dos cursos de Direito, ele ganha um novo conteúdo, que passa a iluminar os demais ramos do Direito. Daí a visão de vanguarda do homenageado a que me referi inicialmente e a importância dos seus escritos constarem nas bibliografias dos cursos de Direito.

Carreiras jurídicas e currículos dos cursos de Direito

Não é demais lembrar que quem teve formação jurídica antes de 1988 deparou-se com um grande *gap*, pois a Constituição assegurou um farto catálogo de direitos e garantias e muitos desses direitos eram até então pouco instrumentalizados no Direito brasileiro. Ainda que tivéssemos algumas leis recepcionadas pela Constituição, como por exemplo a Lei da Ação Popular e a Lei da Ação Civil Pública, esses eram instrumentos muito pouco utilizados. Até mesmo pela prevalência de uma visão privatista do direito em prol do que hoje já estamos mais familiarizados – os direitos difusos e coletivos.

O Ministério Público talvez tenha sido a instituição que mais precocemente buscou aperfeiçoar os estudos nesta área e começou a priorizar o uso da tutela coletiva com a propositura de Ações Civis Públicas ainda na década de 1980. Como precursores deste movimento cita-se, sem desmerecer os demais, Hugo Nigro Mazzili, Herman Benjamin, Nelson Nery, entre outros, pois ao tempo em que se protegia um bem de uso comum do povo, abria-se a possibilidade de diminuir o número de demandas repetitivas, promovendo-se assim maior acesso à justiça.

Contudo, nem sempre quando provocado o Poder Judiciário estava pronto para responder à provocação sob a perspectiva necessária aos direitos que nasceram ou de alguma forma se fortaleceram com o advento da Constituição, perpetuando uma visão mais privatista, incompatível com a natureza dos novos direitos, a exemplo, o Direito Ambiental, o Direito do Consumidor, o Direito da Infância e da Juventude, o Direito dos Idosos, entre outros direitos difusos e coletivos. Isto porque nesta seara muitas vezes a lesão de uma só pessoa representa a lesão de toda a sociedade.

Ademais, a Constituição ampliou o acesso à justiça e os números do Poder Judiciário brasileiro são assustadores. Embora o Relatório Justiça em Números (CNJ, 2019) anuncie que 2017 foi o primeiro ano em que se pôde constatar um freio no acervo e que em 2018 houve redução de casos novos em relação aos julgados (finalizou com 78,3 milhões de processos em tramitação, sendo que desses 14,1 milhões (17,9%) estavam suspensos, sobrestados ou em arquivo provisório – resultando que 2018 fechou o ano com 64,6 milhões de ações judiciais em andamento).

De modo que se tornou relevante o reconhecimento de novos direitos advindos da Constituição de 1988 e o reflexo desse reconhecimento foi justamente o aumento de demandas judiciais para a garantia desses direitos. Como lembra Faria (2004, p. 105), "os tribunais brasileiros passaram a protocolar, carimbar, distribuir e julgar milhões de ações", embora "apesar dessa explosão de litigiosidade, ou por causa dela, eles jamais conseguiram conduzir os processos a uma solução definitiva e coerente com outras ações idênticas, dentro de prazos de tempo razoáveis".

Além das questões relativas ao direito material, Faria (2004, p. 105), citando Arantes e Kerche (1999), relembra que

> [...] a conversão dos recursos judiciais num sistema quase automático e repleto de tecnicalidades de discutível utilidade, faz da atividade-fim de juízes e promotores um trabalho de Sísifo, reduzindo as instancias superiores ao papel de juntas administrativas de confirmação de decisões já anteriormente tomadas em casos idênticos (entre 1991 e 1996, 84% dos recursos extraordinários e agravos de instrumento julgados pelo Supremo Tribunal Federal foram repetições de casos já decididos pela corte).

A incongruência entre o sistema posto e a realidade vivida permeou as inquietações do memorável professor da USP. Faria (2004, p. 106) nos leva a refletir acerca de uma situação que, apesar de descritiva da realidade em 2004, permanece ainda tão atual apesar de decorridos 15 anos. Em suas palavras

> Como lidar com os conflitos emergentes no âmbito de uma sociedade heterogênea e complexa se o arcabouço do sistema jurídico está superado? Como aplicar direitos que conferem prioridade aos valores da igualdade e da dignidade se a cultura profissional dos operadores jurídicos, de caráter privatista e normativista, foi forjada com base em premissas incompatíveis com a realidade socioeconômica? Como traduzir o interesse público em

situações concretas, nas quais estão em choque interesses e direitos difusos, por um lado, e o direito à propriedade privada, por outro? Se as regras processuais foram concebidas basicamente para filtrar, canalizar e viabilizar a tramitação de litígios interindividuais, como os tribunais devem tratar conflitos comunitários, grupais e classistas? De que modo desestimular o uso abusivo dos recursos, especialmente os impetrados com fins dilatórios, fator responsável pela banalização dos tribunais superiores? Se as decisões dos juízes se circunscrevem apenas aos autos e às partes, como devem agir quando a resolução dos litígios a eles submetidos implica políticas públicas, cuja responsabilidade é do Executivo? Como suas sentenças podem guardar de coerência entre si, uma vez que a inflacionada e fragmentária ordem legal não permite decisões unívocas e o sistema descentralizado de decisões judiciais carece de articulação entre suas diferentes instâncias e braços especializados? Como proceder quando os demais poderes batem à porta dos tribunais solicitando decisões que não foram capazes de tomar consensualmente?

De certo modo essas questões também sofreram modificações a partir de reformas que propiciaram uma filtragem das matérias que ascendem ao máximo grau de jurisdição, mas isso não significou uma diminuição nos números de ações judiciais em tramitação, o que só veio a ocorrer em 2017/2018, conforme os dados do Justiça em Números. E novamente aqui não se pode deixar de considerar a importância do Direito Constitucional no âmbito das garantias processuais, pois justamente a Constituição de 1988 deixa em segundo plano o império da lei e prioriza a garantia das normas constitucionais, sejam elas regras ou princípios, e quanto a estes, explícitos e ou implícitos. Uma mudança que, diga-se de passagem, encontrou muita resistência no sistema posto. Tanto que muitas vezes, até hoje, a jurisdição constitucional é injustamente confundida com o ativismo judicial.

Sem entrar no mérito da questão do ativismo judicial, o que por si só já é assunto suficiente para um artigo, rememoro os ensinamentos de Diez-Picazo (2008, p. 33), que ressalta a aproximação entre as Declarações de Direitos e a história do Constitucionalismo. De acordo com o autor,

> La historia de las declaraciones de derechos está íntimamente ligada a la historia del constitucionalismo, es decir, a aquella corriente de pensamiento que propugna la limitación y el control del poder político por medio del derecho. Ello es claro ya en las primeras declaraciones de derechos: el Bill of Rights de 1689, en Inglaterra; las declaraciones de las ex colonias norte-americanas – sobretodo, la de Virginia de 1776 – y las primeras diez enmiendas a la Constitución federal, en los Estados Unidos; la *Déclaration des droits de l'omme et du citoyen* de 1789, en Francia. Todas ellas fueron producto de las grandes revoluciones liberales que frente al absolutismo, dieron vida al constitucionalismo moderno.

A relevância do tema abordado pelo professor espanhol ilustra que a relação entre as Declarações de Direito e o Constitucionalismo veio a fortalecer a proteção do cidadão frente ao Estado. E, no Brasil, essa foi uma preocupação relativamente recente considerado o contexto mundial.

Entre nós esta questão só ganha reforço no período da redemocratização e depois com a Constituição de 1988, ressaltando-se as reformas oriundas da EC nº 45/2004, que empresta *status* de emenda constitucional aos tratados internacionais que versem sobre direitos humanos, condicionados à aprovação nos termos exigidos pela Constituição (art. 5º, §3º). Assim é que hoje não tratamos só do controle de constitucionalidade, mas também do controle de convencionalidade.

Das escolas judiciárias antes e depois da EC nº 45/2004

Antes de adentrar no histórico e origem das Escolas Judiciárias, trago as considerações de Aguiar (2005, p. 9) acerca do perfil ideal de um magistrado na atualidade. Segundo ele

> O mundo contemporâneo necessita do juiz-jurista (o técnico com boa formação profissional, capaz de resolver a causa com propriedade e adequação), do juiz-cidadão (com percepção do mundo que o circunda, de onde veio a causa que vai julgar e para onde retornarão os efeitos da sua decisão), do juiz-moral (com a ideia de que a preservação dos valores éticos é indispensável para a legitimidade de sua ação), do juiz-administrador (que deve dar efetividade aos procedimentos em que está envolvido, com supervisão escalonada sobre os assuntos da sua vara, do foro, do tribunal, dos serviços judiciários como um todo). Quem pode prestar esse serviço de formação de juízes para o mundo contemporâneo? A Escola Judicial.

Torna evidente a relevância das escolas judiciárias não só na preparação inicial do magistrado, mas sobretudo em sua formação continuada. E além, o Poder Judiciário não pode ser visto apenas na pessoa dos magistrados. É fundamental a formação continuada também dos servidores.

A título conceitual para uma abordagem pedagógica quanto às denominações das escolas de magistratura, tem-se que as "escolas da magistratura são órgãos voltados para a formação e o treinamento de juízes no Brasil". E não é demais acrescentar que elas estão ligadas aos respectivos tribunais e, além de acompanhar o estágio probatório dos candidatos selecionados, atuam em sua formação continuada.

De acordo com o CNJ, a ENFAM é a Escola Nacional de Formação e Aperfeiçoamento de Magistrados e caracteriza-se por ser o órgão oficial de treinamento de juízes de direito e dos juízes federais. À ENFAM compete

> regulamentar, autorizar e fiscalizar os cursos oficiais para ingresso, vitaliciamento e promoção na carreira da magistratura. A entidade tem, entre outras competências, definir diretrizes básicas para a formação e o aperfeiçoamento de juízes e promover a cooperação com entidades nacionais e estrangeiras ligadas ao ensino, à pesquisa e à extensão. Foi criada em 30 de novembro de 2006 pelo Superior Tribunal de Justiça.

Com a criação da ENFAM, realça-se o fortalecimento da política de regulamentação e de definição de diretrizes básicas para a formação e aperfeiçoamento dos magistrados a partir da exigência do novo perfil de magistrado que ora se impõe. Ou seja, deixa-se para trás o juiz que é apenas jurisdicional, para formar o juiz que além do perfil jurisdicional seja também um juiz gestor da sua própria unidade.

Assim, os tribunais, cada um em sua especificidade, possuem as suas escolas, que aqui enumeramos em nota de rodapé,[2] conforme informação disponibilizada no site do CNJ.

---

[2] ENAMAT – A Escola Nacional de Formação e Aperfeiçoamento de Magistrados do Trabalho (Enamat) tem como objetivo promover a seleção, a formação e o aperfeiçoamento dos magistrados do trabalho, que necessitam de qualificação profissional específica e atualização contínua, dada a relevância da função estatal que exercem. Instituída em 1º de junho de 2006 pelo Tribunal Superior do Trabalho (TST).

Ou seja, a partir da EC nº 45/2004, que cria o CNJ e as Escolas Nacionais de Formação de Magistrados como instituições que orbitam em busca do aperfeiçoamento do Poder Judiciário, fica ainda mais claro que o perfil do magistrado brasileiro passou por grande transformação para acompanhar a marcha do tempo e superar uma cultura que não tem mais espaço na atualidade (BACELLAR, 2013).

Com a definição das linhas básicas de atuação na atividade judiciária, de acordo com Bacellar (2013, p. 11)

> a ENFAM realizou eventos destinados a definir, as aptidões, habilidades e atitudes necessárias ao exercício dessa judicatura integral e humanística. E a partir desse diagnóstico foi identificado no gênero atividade judiciaria, pelo menos três linhas de atuação: a) jurisdicional; b) de representação (social/política); c) de gestão (em sentido amplo).

Aqui chego ao ponto que gostaria de realçar utilizando parte da *expertise* da experiência como docente no ensino superior desde 1996. É nítida a percepção de que os cursos de Direito, a despeito das constantes reformulações de seus PPCs, não formam seus alunos (independentemente da carreira – embora aqui o foco seja a magistratura) com as aptidões, habilidades e atitudes necessárias ao exercício dessa judicatura integral e humanística. Muito menos capacita o magistrado para ser o gestor da sua unidade como hoje lhe é exigido.

A partir desta constatação, percebe-se que o papel das escolas da magistratura agigantou-se na formação e aperfeiçoamento de magistrados e servidores do Poder Judiciário e para além disso sua responsabilidade alcança também a sociedade.

Isto porque uma sociedade mais consciente e politizada pode resultar inclusive na redução do número de ações que aportam ao Poder Judiciário. Deixa-se de buscar o Poder Judiciário como a única via de resolução de conflitos. Porém, como relembra Nalini (2014, *on-line*), ainda vivemos em uma sociedade infantilizada, na qual predomina a cultura da judicialização. Segundo ele

> O malefício é a consolidação de uma sociedade infantilizada, puerilizada, sem condições de assumir a maturidade de saudável discussão a respeito de seus próprios interesses. Alguém que precisa recorrer ao Judiciário para questões minúsculas nunca assumirá a cidadania responsável de que o Brasil carece para implementação da democracia participativa.

EJE – A Escola Judiciária Eleitoral (EJE) foi criada, em 13 de agosto de 2002, com o intuito de contribuir para a capacitação e o aperfeiçoamento dos magistrados eleitorais e demais interessados na matéria eleitoral. Realiza e promove ações no sentido de tornar as escolas judiciárias órgãos propulsores dos debates e do desenvolvimento do direito eleitoral e atua ainda na conscientização política dos cidadãos por meio de conteúdos explicativos sobre o processo eleitoral, especialmente em colaboração com as escolas regionais.

ENAJUM – A Escola Nacional de Formação e Aperfeiçoamento de Magistrados da Justiça Militar da União (Enajum) foi criada pelo Superior Tribunal Militar (STM), por meio da Resolução nº 219, de 3 de dezembro de 2015. A entidade tem as seguintes finalidades: o desenvolvimento científico e cultural dos magistrados e, quando houver delegação, a formação profissional de servidores da carreira jurídica da Justiça Militar da União; o planejamento e a promoção sistemática de estudos e pesquisas voltados à modernização e aperfeiçoamento dos serviços judiciários e do respectivo apoio administrativo, observada a estrutura de competência e atribuições dos demais órgãos da administração do STM.

Escolas Judiciais Estaduais – Cada tribunal de Justiça estadual, assim como o do DF e dos Territórios, é responsável pela formação e aperfeiçoamento dos seus magistrados. As escolas estaduais foram criadas a partir de 1988, em cumprimento à determinação expressa na Constituição Federal.

Participar requer maturidade, protagonismo cidadão. E muito embora denominemos a parte de sujeito processual, ao preferir a única via do processo convencional para a apreciação de seus direitos, ela se converte em objeto da decisão do Estado-Juiz. Este não lhe dá vez e voz no processo. E é assim que o povo se vê destreinado da cultura do diálogo e fica à mercê de políticas públicas a cuja formulação ele não foi chamado.

Esse me parece um outro desafio posto na atualidade. A cultura da paz. E esta cultura só começa com a conscientização da sociedade. A mudança da cultura que enxerga na sentença judicial a solução do conflito, esquecendo-se que muitas vezes a sentença termina o processo, mas não o conflito.

Objeto de análise: Escola da Magistratura Tocantinense (ESMAT)

A ESMAT, atualmente sob a direção do Desembargador Marco Villas Boas,[3] tem por objetivo a formação e o aperfeiçoamento de magistrados e servidores como elementos essenciais ao aprimoramento da prestação jurisdicional.[4]

A eleição da Escola como objeto de estudo deu-se pela observação exitosa tanto na formação do seu corpo docente como pelos resultados obtidos a partir dos produtos finais dos cursos oferecidos, na melhoria da prestação jurisdicional no Estado do Tocantins, além da responsabilidade social em contemplar a sociedade com um percentual de vagas universais no Programa de Mestrado em Prestação Jurisdicional e Direitos Humanos (mestrado profissional). A escolha do programa para análise deu-se pela participação da autora como docente desde a primeira turma em 2013.

---

[3] Mestre em Direito Constitucional e doutorando em Ciências Jurídico-Políticas pela Faculdade de Direito da Universidade de Lisboa (FDUL). É membro da Academia Tocantinense de Letras. Foi um dos fundadores do curso de Direito da Fundação Universidade do Tocantins, no qual lecionou Introdução ao Estudo do Direito e Direito Constitucional. Presidiu o Tribunal de Justiça do Estado do Tocantins, no biênio 2003-2005. Presidiu o Tribunal Regional Eleitoral do Tocantins (TRE-TO), biênios 2011-2012 e 2017-2018, e o Colégio de Presidentes dos Tribunais Regionais Eleitorais do Brasil (COPTREL). Exerceu o cargo de vice-presidente e corregedor do Tribunal Regional Eleitoral do Tocantins, biênios 2005-2007; 2013-2014 e Presidiu o Colégio de Corregedores Eleitorais do Brasil. Atualmente é Presidente do Colégio Permanente de Diretores de Escolas Estaduais da Magistratura (COPEDEM); Diretor Geral da Escola Superior da Magistratura Tocantinense (ESMAT); Vice-Presidente e Corregedor do Tribunal Regional Eleitoral do Tocantins (TRE-TO). Autor de vários artigos, com destaque para: Proteção Ambiental das Reservas Indígenas; A cláusula de Barreira no Direito Brasileiro; Orçamento Participativo no Poder Judiciário: uma perspectiva de democratização da justiça.

[4] Criada pela Resolução nº 005, de 1998, do Tribunal de Justiça do Estado do Tocantins, em sessão Plenária, de 5 de novembro de 1998, foi instalada em 2003, pelo então presidente do Tribunal de Justiça, desembargador Marco Villas Boas, após a aprovação de seu Regimento pelo Tribunal Pleno. A iniciativa, conforme enuncia o artigo 1º da referida Resolução, foi a criação de um órgão no Tribunal de Justiça capaz de atender aos requisitos previstos no artigo 93, inciso II, letra c, e IV, da Constituição Federal. Entre eles, o de organizar e promover cursos de preparação à carreira de juiz, de iniciação funcional para novos magistrados, de extensão e atualização, de altos estudos, seminários, simpósios, painéis e outras atividades destinadas ao aprimoramento dos serviços prestados pela instituição. Por meio da Resolução nº 02, de 2011, do Tribunal de Justiça, publicada no Diário da Justiça nº 2.589, de 15 de fevereiro de 2011, houve a unificação das escolas de formação e aperfeiçoamento funcional do Poder Judiciário Estadual, com a incorporação da Escola Judiciária do Poder Judiciário do Estado do Tocantins, a qual tinha sido criada pela Resolução nº 14, de 13 de agosto de 2009, do Tribunal de Justiça. Assim, a Esmat passa a se consolidar como instituição de ensino corporativa, que atende a magistrados e servidores, de primeira e segunda instâncias, vinculados ao Poder Judiciário do Estado do Tocantins, com vista ao alcance da excelência técnica e ética nos serviços prestados pela Justiça Estadual. Com a Emenda Constitucional nº 28, de 8 de dezembro de 2015, da Assembleia Legislativa do Estado do Tocantins, a Esmat passa a ter *status* constitucional estadual, figurando no §7º do inciso VI do artigo 43 como órgão do Tribunal de Justiça com atribuição de formar e aperfeiçoar magistrados e servidores.

A partir do convênio firmado entre a Universidade Federal do Tocantins (UFT), a Escola da Magistratura do Tocantins (ESMAT) e o Tribunal de Justiça do Estado do Tocantins (TJTO), firmado em 2013,[5] que atualmente oferece a sétima turma (com créditos finalizados) e oitava turma em andamento, propiciou-se uma série de melhorias no Poder Judiciário pela implementação de trabalhos oriundos desse programa. A título exemplificativo cita-se:

- O trabalho do mestrando, o juiz Jean Fernandes Barbosa de Castro, diretor do Fórum da Comarca de Aurora do Tocantins, participou da primeira edição do Concurso Nacional de Decisões Judiciais e Acórdãos em Direitos Humanos realizado pelo Conselho Nacional de Justiça e foi o vencedor na categoria – Direitos da Pessoa Idosa – com uma decisão que garantiu o registro de nascimento a um idoso de 98 anos. (10.03.2017).

- A Recomendação nº 01/2017/CGJUS/TO dispõe sobre a observância dos tratados de direitos humanos e o uso da jurisprudência da Corte Interamericana de Direitos Humanos. A mencionada recomendação teve origem a partir do trabalho do mestrando, o juiz Roniclay Alves de Morais, intitulado "Corte interamericana de direitos humanos e Poder Judiciário Tocantinense: internalização da jurisprudência da corte como forma de aplicação dos direitos humanos e conhecimento dos tratados internacionais".

Outros exemplos poderiam ser mencionados, seja como produto inédito, seja como aperfeiçoamento de programas e políticas já existentes no Tribunal. Acreditando que a formação continuada é a base da construção de uma sociedade melhor, uma vez que a ESMAT tem como valores a ética, a moral, a cultura, o respeito, a urbanidade, a dedicação ao estudo e ao trabalho e a responsabilidade, novos desafios apresentam-se na forma de cursos de pequena duração, pós-graduações *lato sensu* e a implantação de novos cursos de mestrado e doutorado.

---

[5] O Mestrado Profissional Interdisciplinar em Prestação Jurisdicional e Direitos Humanos, realizado pela Universidade Federal do Tocantins em parceria com a Escola Superior da Magistratura Tocantinense, nasceu da necessidade de incremento e aperfeiçoamento do Sistema de Justiça e da imperiosa necessidade de formação de recursos humanos qualificados para solucionar os problemas da sociedade.
No Tocantins, até 2013, inexistiam cursos de mestrado interdisciplinares que focassem as questões dos direitos humanos e a melhoria dos serviços públicos dos órgãos que integram o sistema de justiça, o que inviabilizou a nucleação de grupos de pesquisa na área, com consequências diretas para o eficaz desenvolvimento de pesquisas no Estado.
A partir dos aspectos negativos percebidos nos indicativos de ciência, tecnologia, educação, no desempenho do Judiciário e na insatisfação da sociedade, o projeto de Mestrado oferece uma oportunidade de capacitação *stricto sensu* não apenas aos profissionais de Direito, mas também aos psicólogos, filósofos, assistentes sociais, historiadores, educadores, entre outros que atuam no âmbito justiça.
O curso tem como objetivo capacitar profissionais qualificados para o exercício da prática profissional avançada e transformadora de procedimentos, visando atender demandas sociais, organizacionais ou profissionais e do mercado de trabalho; transferir conhecimento para a sociedade, atendendo demandas específicas e de arranjos produtivos com vistas ao desenvolvimento nacional, regional ou local; promover a articulação integrada da formação profissional com entidades demandantes de naturezas diversas, visando melhorar a eficácia e a eficiência das organizações públicas e privadas por meio da solução de problemas e geração e aplicação de processos de inovação apropriados; contribuir para agregar competitividade e aumentar a produção de conhecimento nas organizações públicas.
O mestrado tem proporcionado uma maior aproximação entre a academia, o Judiciário e a sociedade, engendrando a conquista de uma cidadania comum e plena, com a solidificação dos valores éticos e democráticos, bem como tem viabilizado o incremento do ensino, o desenvolvimento de pesquisa e a proposição de projetos de extensão pela UFT.
O programa promove ações que estão resultando em estudos sistematizados e núcleos de pesquisa em temas trazidos por demandas cada vez maiores, apontados pelos profissionais atuantes do sistema de justiça e, principalmente, pela sociedade, contribuindo para o aperfeiçoamento da prestação jurisdicional e a efetivação dos direitos humanos no Tocantins.
(informação disponível no site: www.http://esmat.tjto.jus.br/portal/index.php/mestrado.html).

Considerações finais

O texto aqui apresentado de forma singela buscou render homenagens ao hoje Ministro Luís Roberto Barroso, que já foi advogado, que também é professor e com sua eloquência conseguiu emprestar ao Direito Constitucional, que dantes "não rendia prestígio a ninguém", o *status* da disciplina quiçá mais disputada em um colegiado de Direito.

E, nesse viés, valorizar o papel do estudante, do professor, do advogado e atualmente Ministro no STF, pois em cada um desses papéis sempre teve em si o respeito à Constituição. De modo que encerro minha fala citando parte do prefácio da obra Curso de Direito Constitucional Brasileiro: Constituições Econômica e Social, em que o homenageado ressalta um período ao longo da década de 1990 em que juntamente com o coordenador da obra – Professor Clèmerson Merlin Clève – passaram de uma visão crítica do Direito para uma visão transformadora do Direito. Segundo ele

> Em busca da efetividade da Constituição e da concretização do seu papel emancipatório, trabalhamos ambos, em interação constante, pela construção de um constitucionalismo normativo, apoiado em boa dogmática jurídica e numa visão progressista da vida. Com os percalços inevitáveis, com dias de sol e noites de tempestade, cumprimos o nosso destino e realizamos alguns dos nossos melhores sonhos de juventude: a criação de um país com instituições estáveis, uma cultura democrática e uma agenda de direitos humanos que tem avançado. Nem tudo se passou na velocidade que desejávamos. Mas conservamos ao longo do caminho a certeza de estarmos indo na direção certa. E, na vida, a direção certa é mais importante que a velocidade.

E na tentativa de buscar a direção certa, enquanto docente na graduação e na pós-graduação da Universidade Federal do Tocantins, deixo minha reflexão sobre a importância das escolas da magistratura na formação dos magistrados e servidores, mas sobretudo com a inspiração de construir uma sociedade mais justa e solidária.

Referências

AGUIAR, Ruy Rosado. *A função jurisdicional no mundo contemporâneo e o papel das escolas judiciais*. Artigo baseado no texto básico da palestra proferida na Escola Superior da Magistratura do Rio Grande do Sul – AJURIS, por ocasião da solenidade comemorativa dos seus 25 anos, em Porto Alegre, no dia 17 de novembro 2005. Disponível no site: https://scholar.google.com/scholar?cluster=618168799160908071&hl=pt-BR&as_sdt=0,5&sciodt=0,5. Acesso em: 20 nov. 2019.

BACELLAR, Roberto Portugal. *Juiz servidor, gestor e mediador*. Brasília: Escola Nacional de Formação e Aperfeiçoamento de Magistrados – Ministro Sálvio de Figueiredo Teixeira, 2013.

BARROSO, Luís Roberto. Conversas acadêmicas: Luís Roberto Barroso (I). *In*: Os Constitucionalistas: Um Blog para pensar, desconstruir e revolucionar o direito constitucional. Disponível no site: https://www.osconstitucionalistas.com.br/conversas-academicas-luis-roberto-barroso-i. Acesso em: 16 dez. 2019.

BARROSO, Luís Roberto. O constitucionalismo democrático no Brasil: crônica de um sucesso imprevisto. Disponível no site: http://www.luisrobertobarroso.com.br/wp-content/uploads/2012/12/O-constitucionalismo-democratico-no-Brasil.pdf Acesso em: 16. dez. 2019.

BRASIL. Conselho Nacional de Justiça. Brasília: CNJ. Disponível no site https://www.cnj.jus.br/cnj-servico-saiba-qual-e-a-funcao-das-escolas-da-magistratura/, acesso em: 20 nov. 2019.

BRASIL. Conselho Nacional de Justiça. Justiça em Números 2019/Conselho Nacional de Justiça – Brasília: CNJ, 2019.

CLÈVE, Clèmerson Merlin (Coord.). *Direito Constitucional Brasileiro*: Constituições econômica e social. BARROSO, Luís Roberto (Prefácio). São Paulo: Thomson Reuters: Revista dos Tribunais, 2014.

DIÉZ-PICAZO, Luís Maria. *Sistema de Derechos Fundamentales*. 3. ed. Serie Derechos Fundamentales y Libertades Públicas. Pamplona/ES: Editorial Aranzadi S.A., 2008.

FARIA, José Eduardo. O sistema brasileiro de Justiça: experiência recente e futuros desafios. *In: Estudos Avançados*, 18 (51), 2004, p. 103-125.

NALINI, José Renato. O juiz ideal e o juiz possível. Disponível no site https://www.editorajc.com.br/o-juiz-ideal-e-o-juiz-possivel/. Acesso em: 10 dez. 2019.

PINTO, Oriana Piske de Azevedo Magalhães. O Poder Judiciário no Estado Contemporâneo – Parte II. Disponível no site: https://www.tjdft.jus.br/institucional/imprensa/artigos-discursos-e-entrevistas/artigos/2008/o-poder-judiciario-no-estado-contemporaneo-parte-ii-juiza-oriana-piske-de-azevedo-magalhaes-pinto. Acesso em: 02 nov. 2019.

TOCANTINS. Escola da Magistratura Tocantinense. Disponível no site: esmat.tjto.jus.br/portal/index.php/mestrado.html. Acesso em: 16 dez. 2019.

VIANNA, J. R. A. A função social do Poder Judiciário no Estado Democrático de Direito. *In: ANIMA: Revista Eletrônica do Curso de Direito das Faculdades OPET*, Curitiba, ano IX, n. 16, jan./jun. 2017. ISSN 2175-7119.

Informação bibliográfica deste texto, conforme a NBR 6023:2018 da Associação Brasileira de Normas Técnicas (ABNT):

HAONAT, Angela Issa. A função social do Poder Judiciário e o papel das escolas judiciárias na contemporaneidade. *In*: COSTA, Daniel Castro Gomes da; FONSECA, Reynaldo Soares da; BANHOS, Sérgio Silveira; CARVALHO NETO, Tarcisio Vieira de (Coord.). *Democracia, justiça e cidadania:* desafios e perspectivas. Homenagem ao Ministro Luís Roberto Barroso. Belo Horizonte: Fórum, 2020. p. 279-289. t. 2: Pensando as instituições, a justiça e o Direito. ISBN 978-85-450-0749-4.

A TUTELA JURISDICIONAL CONFERIDA AOS DEMANDISTAS SINGULARES – NOVA MINORIA DO ESTADO BRASILEIRO. A VERTENTE DE ACELERAÇÃO DA ESTABILIDADE JURISPRUDENCIAL DO ARTIGO 926 DO CPC, DIANTE DO EXCESSO DE DEMANDAS EM MASSA E/OU AÇÕES PREDATÓRIAS

ALEXANDRE AGUIAR BASTOS

Introdução

Certo da honraria e da atenção que uma obra desse porte significa no mundo do Direito, sobretudo pela coordenação do dedicadíssimo Min. Reynaldo da Fonseca, numa obra que homenageia dos maiores nomes do Direito Brasileiro, o Min. Barroso, ousei apresentar um chamado à reflexão de algo intrigante que vejo desenvolver-se entre nós, porém, ainda de forma desapercebida e inominada.

Invocando a eficiência do sistema de precedentes da nova ordem processual e observando fenômenos cotidianos em nossa vida no Tribunal, fez-se nascer uma inquietação quanto à eficácia pretendida na entrega da jurisdição pelo Estado brasileiro.

Ao lado da consolidação da resposta intransigente do Estado-juiz aos abusos perpetrados por grandes corporações face aos consumidores brasileiros, e analisados os aspectos de indiscutível ampliação do acesso ao Judiciário propiciado por reformas nas últimas décadas, culminando com a massificação de demandas, exsurge uma categoria carente da atenção de todos nós.

Sem definição própria, sobre tal categoria nascedoura adotei a nomenclatura mais próxima do que de fato isso possa significar, e não vejo outra nominação que não a "Minoria dos Demandistas Singulares".

Tal fator, ao lado do volumoso grupo de demandistas em massa, forma hoje o principal desafio para esta geração de intérpretes, que está sob a égide de um Código que exige aplicação do Direito em observância à paz social e enquanto ferramenta de alcance do bem comum do art. 8º Código de Processo Covil – CPC.

Talvez a simples defesa da estabilização das decisões como meio de obtenção da segurança jurídica represente solução para tal desafio contemporâneo.

Ou não.

A solução nunca é simples, ou fácil, quando se tenta apropriar-se das condutas humanas no interior do quadrado de nossas ficções.

1 Acesso ao Judiciário (*heterocomposição*)

Não é novidade, tampouco exclusividade do Estado brasileiro, que o acesso à tutela jurisdicional exige análise de impactos e consequências ao considerar-se o volume de demandas, de ações colocadas para sua apreciação.

É imprescindível admitir que, antigamente, o livre acesso ao Judiciário não era, por assim dizer, tão livre assim, vez que manejado somente para quem portasse condições econômicas para o seu custeio. Veja-se, a título de ilustração, que a gratuidade da justiça no Brasil foi positivada expressamente em 1950, pela Lei nº 1.060 (BRASIL, 1950). Tanto que a gratuidade para a prestação do serviço público jurisdicional compõe o que se denomina como "primeira onda reformista do acesso ao judiciário".[1]

Com o passar do tempo e com a abertura do Judiciário pela efetivação da primeira onda reformista de acesso ao Judiciário (*assistência judiciária*), não somente a burguesia,[2] mas, também, outras classes sociais passaram a se valer da prestação jurisdicional, com aumento expressivo de ações postas à apreciação.

Assim, o elemento 'tempo' passou a ter relevância e ser fonte de valor de aferição de justiça, e isso diante da maior carga de trabalho em razão do anatocismo de ações propostas. Sem dúvidas, nesse ponto, a "crise da justiça" passa a ser uma "crise de justiça".[3] [4]

Com a Constituição cidadã potencializou-se o acesso ao Judiciário no inciso XXXV, do art. 5º da CF/88 (BRASIL, 1988), vez que se estimulou a criação dos juizados especiais

---

[1] "O acesso à justiça pode, portanto, ser encarado como o requisito fundamental – o mais básico dos direitos humanos – de um sistema jurídico moderno e igualitário que pretenda garantir, e não apenas proclamar os direitos de todos (...) Os sistemas de assistência judiciária da maior parte do mundo moderno foram, destarte, grandemente melhorados. Um movimento foi desencadeado e continuou a crescer e, como veremos, excedeu até mesmo as categorias da reforma da assistência judiciária. Antes de explorar outras dimensões do movimento – e, sem dúvida, para ajudar a esclarecer a lógica dessas dimensões ulteriores – precisamos acompanhar as principais realizações, assim como os limites dessa primeira grande onda da reforma" (CAPPELLETTI; GARTH, 1988, p. 12 e 35).

[2] "[...] sendo uma colônia portuguesa, a justiça civil no Brasil nos setecentos obedecia às regras processuais constantes das Ordenações Filipinas e tem a sua organização judiciária atrelada à portuguesa (...) e sofre as vicissitudes próprias de um sistema burocrático entremeado pelo patrimonialismo e pelo valor das posições sociais e das relações pessoais" (MITIDIERO, 2018).

[3] Esta narração consiste apenas em parâmetro argumentativo e não reflete a exata e pontual reminiscência histórica, já que podemos encontrar desde o primeiro período do processo romano, denominado de *legis actiones* (século VIII a II a.C.), a preocupação com o tempo. Nesse período, havia a *legis actio per pignoris capionem* que compunha uma das cinco ações da Lei e que permitia ao credor retirar das mãos de seu devedor reticente algum bem sem prévia determinação legal.

[4] "A lentidão do processo pode transformar o princípio da igualdade processual, na expressão de *Calamandrei,* em 'coisa irrisória'. A morosidade gera a descrença do povo na justiça; o cidadão se vê desestimulado de recorrer ao Poder Judiciário quando toma conhecimento da sua lentidão e dos males – angústias e sofrimento psicológico – que podem ser provocados pela morosidade" (LOPES, 2002, p. 274).

(art. 98), que tiveram na sua razão de nascer o trato das ações de menor complexidade, portanto, de ações que não eram levadas para o fórum ou seção judiciária, por não dependerem de toda a *ordinariedade do rito* reservado às ações complexas (que chamo de singulares), para o reconhecimento do direito posto à apreciação.

Em 1995 foi criado o *juizado especial estadual* "comum" por meio da Lei nº 9.099 (BRASIL, 1995), que vedava a demanda, dentre outros, contra o poder público estadual e municipal, sendo o estímulo para o acesso ao Judiciário representado pela dispensa da capacidade postulatória em ações com valor da causa de até 20 salários mínimos (art. 9º), bem como da gratuidade de todos os atos processuais até a publicação da sentença (art. 54).

Em 2001 foi criado o *juizado especial federal* através da Lei nº 10.259 (BRASIL, 2001), que estimulou o manejo das ações de menor complexidade, o que inclui as infindáveis ações previdenciárias levadas para esse microssistema, onde o rito era encurtado e regido pela celeridade e simplicidade, vez que esses princípios eram aplicados da Lei nº 9.099, de 1996 (art. 2º), pois o art. 1º da Lei do Juizado Federal determina a aplicação subsidiária do juizado estadual "comum".

Em 2009 foi criado o juizado especial da fazenda pública, o qual admitiu o curso de ações no micro, mas cada vez mais "macro", sistema de justiça simplificada, integrando a legitimidade passiva integrada pelo poder público estadual, municipal e suas autarquias e empresas públicas por meio da Lei nº 12.153 (BRASIL, 2011) e, portanto, estimulou a demanda em face do poder público em decorrência de pequenos danos derivados de atos do administrador (como ocorre com o dano por má conservação do asfalto e de várias outras de menor complexidade, que não seriam levadas ao fórum se não fosse o juizado).

Dessa feita, dentre os vários institutos que se voltam a efetivar o livre acesso ao Judiciário, sem dúvidas ocupa o topo da pirâmide o juizado especial, vez que quem tinha lides de menor complexidade e que não demandava por depender de capacidade postulatória e do pagamento das custas iniciais passou a usar esse microssistema, sem prescindir de capacidade postulatória (*valor da causa de até 20 salários mínimos no juizado especial estadual comum*) e sem nada pagar até a publicação da sentença.

Sem qualquer discussão quanto ao legítimo e irrestrito direito de tutela, e apesar da boa intenção de aumentar o acesso ao Judiciário àqueles que não demandariam perante o fórum e seção judiciária, tais inovações serviram como pano de fundo, também, para desafogar os juízos das ações de menor complexidade e que usavam o rito padrão, o qual deveria ser reservado para as ações de maior complexidade ou singulares.

Essa intenção, contudo, teve efeito colateral porque retirou magistrados dos juízos dos fóruns e seções judiciárias e pulverizou-os nas varas dos juizados especiais, que não são poucas (tanto é verdade que tem se visto, e não é incomum, mutirão perante as varas dos juizados especiais).

E mais, o órgão de segundo grau dos juizados são as turmas recursais – art. 43 da Lei nº 9.099/1995 – (BRASIL, 1995) compostas de juízes, mantendo-se a regra de que os juízes dos fóruns e seções judiciárias que exercem essa função temporária não são licenciados de suas varas, ou seja, *cumulam o exercício da turma recursal com o da vara onde atuam como juízes*.

Ora, ao mesmo tempo em que se amplia e estimula o acesso ao Judiciário, também, e na mesma intensidade, estrangula-o com sobrecarga de trabalho para os 'mesmos julgadores', que se revezam para o atendimento no fórum ou seções judiciárias, nas varas dos juizados e na turma recursal.

Ao ponto destas linhas, um fato demonstra que realmente ocorreram estímulo e efetivação da ampliação do acesso ao Judiciário perante o juizado, se vê da jurisprudência defensiva nas decisões dos juizados, mormente, no que se denomina como "indústrias do dano moral", quando um acontecimento considerado como fato gerador do dano moral no fórum não o é no juizado ou, quando o seja, se o fórum aplica o valor de dez mil reais (*v.g.* negativação indevida no órgão de proteção de crédito ou frustração de viajem de férias), no juizado, o valor fica muito aquém.

Interessante gráfico comparativo em publicação no ciberespaço[5] aponta diferença de dano moral por empréstimo consignado indevido perante o TJPR e TRPR de quase R$ 8.000,00 (oito mil reais), ou seja, no tribunal o valor se aproxima de R$ 15.000,00 (quinze mil reais) e na turma recursal de R$ 7.000,00 (sete mil reais).

Após a Constituição de 1988, e ainda explorando os modais que impuseram maior volume de ações a serem tuteladas pelo Estado-Juiz, também ocupa o topo da pirâmide de ampliação do livre acesso ao Judiciário a *internet*, que desembarcou no Brasil em 1995, potencializando, dentre tantas, a relação de consumo em massa, por meio do comércio eletrônico (*e-commerce*), onde os contratos são feitos prescindindo do deslocamento do consumidor, ou seja, feitos pelo próprio celular ou computador, o que pode ser constatado pelo aumento de demanda judicial de temas ligados à prestação de serviço bancário de empréstimo consignado, dentre outras hipóteses.

> Como aponta Arruda Alvim, possivelmente o fato mais marcante do século XX foi a chamada "ascensão de massas", que na década de 20 já afetava toda a Europa. Tal fenômeno, cuja intensidade variou de país para país, constitui-se no acesso das massas ao poder social. Em razão desse fenômeno, grupos antes marginais à sociedade, passaram a integrá-la e a exerce sobre ela influência política, jurídica e econômica (...) a existência de mais conflitos de interesses, somada ao maior acesso à justiça, acarretou a maior procura pelo judiciário (ALVIM; BRASIL, p. 301 e p. 302).

Essa potencialização da relação de consumo pela via do *e-commerce*, com reflexos no acesso ao Judiciário, pode ser constatada na jurisprudência do Superior Tribunal de Justiça – STJ (Recurso Especial – REsp 1495920/DF), que relativizou regra expressa de exigência de duas testemunhas para que o contrato valha como título extrajudicial (art. 784, III do CPC de 2015), ao permitir sua força executiva, ainda que sem assinatura de duas testemunhas, desde que feito por meio eletrônico, como pode ser visto na jurisprudência citada (REsp 1495920/DF):

> De início, registre-se que o rol de títulos executivos extrajudiciais, previsto na legislação federal em *numerus clausus*, deve ser interpretado restritivamente, em conformidade com a jurisprudência desta Corte Superior. É possível, no entanto, o excepcional reconhecimento da executividade de determinados títulos (contratos eletrônicos) quando atendidos especiais

---

[5] REDAÇÃO My Lex. *Ajuizar a demanda na Justiça Comum ou no JEC?* Saiba qual a melhor opção. 07 de agosto de 2018. Disponível em: https://www.mylex.net/br/blog/Ajuizar-demanda-Justica-Comum-JEC-qual-melhor-opcao_0_2486751301.html. Acesso em: 20 set. 2019.

requisitos, em face da nova realidade comercial com o intenso intercâmbio de bens e serviços em sede virtual, visto que nem o Código Civil, nem o Código de Processo Civil, inclusive o de 2015, mostraram-se permeáveis à realidade negocial vigente e, especialmente, à revolução tecnológica que tem sido vivida no que toca aos modernos meios de celebração de negócios, que deixaram de se servir unicamente do papel, passando a se consubstanciar em meio eletrônico. Nesse sentido, a assinatura digital de contrato eletrônico tem a vocação de certificar, através de terceiro desinteressado (autoridade certificadora), que determinado usuário de certa assinatura a utilizara e, assim, está efetivamente a firmar o documento eletrônico e a garantir serem os mesmos os dados do documento assinado que estão a ser sigilosamente enviados. Ademais, é necessário destacar que, com base nos precedentes desta Corte, em regra, exigem-se duas testemunhas em documento físico privado para que seja considerado executivo, mas excepcionalmente, poderá ele dar azo a um processo de execução, sem que se tenha cumprido esse requisito formal entendimento este deve-se aplicar aos contratos eletrônicos, desde que observadas as garantias mínimas acerca de sua autenticidade e segurança (BRASIL. REsp 1495920/DF, Rel. Ministro PAULO DE TARSO SANSEVERINO, TERCEIRA TURMA, julgado em 15.05.2018, *DJe* 07.06.2018).

E essa relativização da exigência do inciso III do art. 784 do CPC (BRASIL, 2015) pelo menos vem como *otimização*, porque manter a exigência do contrato eletrônico de duas testemunhas faria resultar que uma imensidão de ações sobre esse tema passasse, previamente, a prévio processo de conhecimento, em vez de relativizar a regra do inciso III do art. 784 para permitir a demanda direta ao processo executivo, portanto, economia de movimentação da máquina judiciária.

Inclusive, consultando o STJ, com descritores "contrato + eletrônico + duas + testemunhas" encontraram-se 02 (dois) acórdãos e 212 (duzentos e doze) decisões monocráticas, o que revela ser o entendimento dominante do STJ, nos termos da Súmula nº 568 do STJ.

Até mesmo a vida das pessoas cotidianamente vinculada à *internet* faz nascer fato que não geraria dano moral, por ser considerado mero dissabor ou mero aborrecimento, passando a ser fonte de dano. Veja que no passado o fato de uma pessoa não conseguir fazer ligação em telefone público (orelhão) não era, por si só, fato gerador para dano moral. Na atualidade, a ausência de *internet* no celular (o que equivaleria à falta de ligação/contato no passado) passa a ser fonte de dano moral. Acórdão do TJMS reflete o assunto em questão, na fundamentação da Apelação Cível nº 0821539-88.2014.8.12.0001, pelo Desembargador Alexandre Bastos:

> (...) Para este caso posto à apreciação há distinção quanto a este entendimento, uma vez que é certo que ocorreu o inadimplemento contratual, contudo, ele não pode ser considerado, por si só e, portanto, imune ao dano moral. E isso porque o celular na atualidade não pode ser considerado como um simples produto, por si só, mas sim, é produto essencial à vida social, ou seja, ele é instrumento de otimização da vida do ser humano, de forma que a sua falta não é mero dissabor, mas sim, a sua falta é fonte de grande transtorno. Não podemos esquecer que com o celular a pessoa tem acesso à internet e a internet é um lugar, ou seja, as pessoas vivem nela e não há maiores diferenças entre o ir e vi no mundo virtual do mesmo direito de ir e vir no mundo físico (inciso XV do art. 5º da CF/88). A título de ilustração, sem o celular a parte que pagaria uma conta pelo celular de sua casa tem que se deslocar fisicamente até uma agência bancária para tal fim. E o que estou a dizer que esta limitação de ir e vir no mundo virtual fere o direito de locomoção do internauta e esta afronta à esta garantia constitucional não pode ser considerada como um mero dissabor,

mas sim, restrição de garantia constitucional. E nem se diga que a garantia de ir e vir da Constituição somente alberga o mundo físico, uma vez que a Constituição de 1988 e a internet somente chegou ao Brasil em 1995,[6] portanto, após ela (...).

Pois bem, essas anotações foram realizadas para apontar, em síntese, momentos e fatos sociais em que o acesso ao Judiciário, que era para poucos, passou a ser para muitos e encontra-se no momento do "quase para todos", o que revela luta incansável do intérprete em lançar meios para que haja otimização e efetivação do acesso ao Judiciário.

Assim, talvez seja imprescindível que a atividade jurisdicional se utilize dos meios disponíveis, normativos e tecnológicos, de forma a acompanhar a realidade social, mormente quanto ao excesso de demandas em massa ou aquelas chamadas como predatórias, a fim de que não somente elas sejam 'clientes' pelo tempo e atuação da atividade judiciária que exigem.

De toda sorte, que a *minoria* formada pelo cidadão proponente das *demandas singulares* não tenha malferido seu legítimo direito à tutela jurisdicional, mitigado pelo volume daquelas.

2 O sistema de precedentes e a otimização da heterocomposição

Sem adentrar nos mecanismos quando do CPC de 1973, que também buscavam a otimização da heterocomposição pela ampliação dos clientes do Judiciário, adentra-se diretamente ao novo CPC de 2015 que trouxe a primazia pela 'segurança jurídica', de forma que as decisões a respeito de uma mesma questão sejam unificadas, para que todos ganhem ou percam, em obediência à igualdade do art. 7º e art. 139, I do CPC e art. 5º da Constituição Federal (BRASIL, 1988), tornando o judiciário mais ágil pelo desestímulo de ações sem chances meritórias e das ações com chances meritórias com mais racionalização e otimização de seus atos.

Desse mecanismo, ocupam-se, genericamente, os artigos 926 a 928 do CPC (BRASIL, 2015), que trazem o sistema de precedentes.[7]

E o mais interessante é que o sistema de precedentes não combate apenas o direito lotérico trazendo segurança jurídica, mas efetiva também a celeridade e eficiência processual, porque otimiza atos processuais, ou seja, diante do direito já posto a ser seguido, haverá encurtamento dos atos processuais, vez que não prescinde de maiores

---

[6] A Portaria nº 295, de 20.07.95, possibilitou às empresas denominadas 'provedores de acesso' comercializar o acesso à internet.

[7] Parece correto falar em precedentes porque, com a precedência da formação das decisões do art. 927 do CPC, as posteriores lhe devem correlação, de forma a efetivar a ideologia do bom combate ao direito lotérico ou ativismo judicial. Sabido que precedentes significa julgar um caso de acordo com o que já julgou e, portanto, não reflete que a questão esteja pacificada. A forma constante e uniforme de julgar uma mesma questão é a jurisprudência que se materializa pelo enunciado de súmulas. Pelo §2º do art. 926, revela-se que um conjunto de precedentes faz jurisprudência que justifica o enunciado de súmula. Igualmente o art. 1º da Lei nº 11.417/2006, que trata de edição, revisão ou cancelamentos de súmulas vinculantes pelo STF, ao mencionar que '*após reiteradas decisões sobre matéria constitucional, editar enunciado de súmula*'. Levando em conta essa terminologia, parece correto referir às decisões do art. 927 como precedentes jurisprudenciais ou sumular, mas, repita-se, utilizaremos precedentes judiciais com a conotação de que o posterior deve seguir o anterior (coerência).

delongas diante da tese já firmada (resultado de julgamento prefixado), que se encaixa perfeitamente como meio para se combater o excesso de demanda ou ação predatória.[8]

Em outros termos, o devido processo legal em sua integralidade pressupõe o reconhecimento do direito, o que não justifica sua perseguição em direito já reconhecido.

Por exemplo, sobre otimização com o sistema de precedentes, após a tese firmada, para as ações com *pedidos contrários à tese*, permite-se ao juiz aplicar o 'julgamento de plano pela improcedência' do art. 332 do CPC de 2015 (art. 285-A do CPC de 1973) e, acaso entenda o autor pela *distinção* (art. 1037, §§9º e 12), poderá apelar ao tribunal com pedido de reforma, para que o feito tenha normal prosseguimento e, acaso recorra sem suscitar qualquer distinção, parece proporcional e razoável a aplicação de multa por má-fé processual do art. 80, IV e V, do CPC (BRASIL, 2015).[9]

Se a decisão *estiver de acordo com o pedido da ação*, é caso de concessão de tutela de evidência do art. 311 do CPC (BRASIL, 2015), desde que haja pedido expresso nesse sentido, vez que regido pelo princípio da inércia do art. 2º do CPC (BRASIL, 2015).[10]

Estando a sentença de acordo com o sistema de precedentes, o novo CPC (BRASIL, 2015) afasta o reexame necessário (art. 496, §4º, CPC de 2015) e, na execução provisória, dispensa-se a caução (art. 521, IV, CPC de 2015).

Para os recursos, abre julgamento monocrático pelo relator (inciso III, IV e V do art. 932) diante do sistema de precedentes e permite ao presidente ou vice-presidente não admitir o recurso especial e extraordinário (inciso I e §2º do art. 1030) e, em face dessa decisão de inadmissão, não caberá recurso de agravo ao STJ ou STF (art. 1042 do CPC de 2015), mas sim agravo interno (art. 1021 do CPC), que será julgado monocraticamente pelo próprio presidente ou vice-presidente que inadmitiu o recurso excepcional, uma vez que a delegação para apreciação a respeito de juízo de admissibilidade de recursos excepcionais somente é para esses desembargadores e não para o tribunal como um todo, conforme se infere do art. 1029 e art. 1030 do CPC (BRASIL, 2015).

Em outros termos, esse agravo interno, na hipótese do inciso I e §2º do art. 1030, não será julgado pelo órgão especial ou pleno do tribunal local. Portanto, é caso excepcionalíssimo de *agravo interno sendo julgado monocraticamente* (exceção ao julgamento colegiado do art. 1021 do CPC de 2015).[11]

Assim sendo, o sistema de precedente não encurta alguns atos ou parte deles, como ocorre com a dispensa do reexame necessário, mas impede a prática de todos os atos do processo subsequentes ao protocolo da inicial (*com exceção da via recursal*), o que revela meio de otimização da atividade jurisdicional, que deve ser amoldada à realidade

---

[8] Apesar de aparentar-se genérico, o próprio CNJ refere-se ao problema utilizando tal vocábulo.

[9] "Ao menos segundo a novel dogmática introduzida, crível assumir que a litigância contrária a precedentes revela ato de improbidade processual coibido pelo ordenamento jurídico (...) tornando possível cogitar a aplicação de penalidade" (AZEVEDO, 2018, p. 28).

[10] Grifo nosso.

[11] Pode-se anotar otimização pelo sistema de precedentes em relação ao poder público, que, através da tese firmada, poderá gerar autorização para o advogado público em não praticar atos processuais em processo com tese firmada. Nesse sentido, o Enunciado nº 22 do III Fórum Nacional do Poder Público, ao dispor que: "Quando a pretensão deduzida ou a decisão judicial estiver de acordo com as teses fixadas nos pronunciamentos previstos nos incisos I a III do art. 927 do CPC, o Advogado Público está autorizado a reconhecer a procedência do pedido, a abster-se de contestar e de recorrer e a desistir dos recursos já interpostos, desde que proferidos em caráter definitivo e, para a Advocacia Pública Federal, possuam abrangência nacional".

social, para que o Judiciário possa dar resposta na mesma medida desta realidade, o que revela que a estabilidade jurisprudencial do art. 926 do CPC (BRASIL, 2015) não pode ser vista somente pelo elemento tempo, mas sim pela modificação social, ainda que em curto espaço de tempo.

Aliás, como esse é o ponto central desse estudo, qual seja, a otimização da jurisdição pela higidez do sistema de precedentes do novel CPC (BRASIL, 2015), oportuna e feliz a conclusão do Relatório Analítico Propositivo, elaborado pelo INSPER – Instituto de Ensino e Pesquisa a pedido do Conselho Nacional de Justiça – CNJ sobre a judicialização da saúde no Brasil, ao apontar subsídios para as políticas no âmbito do Poder Judiciário:

> (...) Parte dos obstáculos identificados está sob o controle do próprio Judiciário, sendo fruto da discricionariedade de que gozam os vários tribunais para a organização e sistematização de acesso ao seu repertório de decisões. (...) Finalmente, esta pesquisa desafia algumas das hipóteses da literatura, como a menor chance de sucesso de ações coletivas em relação às ações individuais, e reforça outras, como a grande heterogeneidade regional nos tipos de demandas judicializadas, assim, como nos padrões de fundamentação predominantes nos diversos tribunais.

Sob a premissa do estudo da judicialização da saúde, um dos pontos apontados como integrantes do grupo de demandas massificadas, restou evidenciado por toda a referida pesquisa que a estabilização de padrões decisórios pode conferir saudável solução para o enfrentamento da entrega de jurisdição efetiva para os demandantes.

3 A alteração do perfil das demandas – excesso e ações predatórias – fenômenos sociais econômicos

Importante registrar que nas linhas deste arrazoado não se pretende afirmar conclusões absolutas sobre volumes de dados e nem se desafia conjuntos estatísticos científicos. Instituições, como o próprio CNJ, dedicam-se na coleta de dados de forma técnica e ponderada. Aqui, apenas tenho a ousadia de provocar sobre impressões empíricas e percebidas no cotidiano do trabalho em nosso Tribunal de Justiça do Estado de Mato Grosso do Sul.

Visto sobre a ampliação do acesso ao judiciário e da busca intensa do legislador para dar meios à otimização da heterocomposição, não se pode deixar sem registro que fenômenos sociais, por vezes, impulsionam determinados grupos homogêneos às demandas de potencial repetitivo e de grande volume.

Os grupos impulsionados subdividem em subgrupos, o que ocorre com aqueles que estão no exercício regular do direito e albergados no livre acesso ao Judiciário. Exemplo disso foram as ações de fundo ambiental, em face das queimadas de palhas de cana de açúcar, que avolumaram o TJSP ao ponto de merecer, em 2005, a instalação de Câmaras Reservadas ao Direito Ambiental. O mesmo sobre ações nas quais comunidades inteiras, infelizmente nem sempre pela via das ações coletivas, demandam de forma individual por danos causados pelo derramamento de produtos estranhos em suas águas.

Outro subgrupo e que ocupa o objeto destas escritas, são aqueles que, na busca do próprio direito, acabam por dele exceder dado a forma dessa busca. Então incorrem no abuso de direito em exercer o livre acesso ao judiciário com excesso de demandas ou ações com caráter predatório, geralmente formados pela prática ilícita de alguns profissionais do direito que agem em 'captação de clientes', conduta reprovada pelo Código de ética da OAB.

A massa de ações de tal natureza geralmente agrupa pessoas vulneráveis, como pensionistas do INSS, indígenas e aposentados em geral. O objeto das ações quase sempre decorre da conduta não menos reprovável de instituições financeiras e grandes fornecedores de serviços, que promovem as conhecidas cobranças indevidas, empréstimos sem formalidades observadas, serviços defeituosos e outros.

E desse plexo social, dessa anomalia da vida conectada e virtual, agressões reais ao direito das pessoas, tornam-se veículo de novos comportamentos que, se não impróprios, desvirtuam a própria essência da busca pela tutela jurisdicional do Estado.

Assim, uma ação que antes buscava de fato a reparação da honra por uma negativação indevida, torna-se um instrumento de esperança de capitalização. Os exemplos são infindáveis. Mas destacaria os casos envolvendo empréstimos consignados, onde o consumidor alega inexistência do negócio, por inexistir ou por "não se lembrar da contratação", em muitos casos com empréstimos já quitados em longo período de parcelas.

Ou ainda casos em que o consumidor opta por distribuir num mesmo período, diversas ações em face de uma só concessionária de serviço público, em busca de danos por cortes indevidos do serviço. Já ocorreram casos em que, ajuizadas mais de 15 ações, a consumidora sequer sabia de tal volume de demandas, eis que de início já havia 'cedido seu crédito' de forma antecipada.

Tais modais de impulso impactam o volume de ações predatórias, porém, apresentam sazonalidade em sua existência. Todavia, outro fenômeno começou ser percebido, enquanto modal permanente de impulso de acesso ao Judiciário, na esteira do "nada a perder" oportunizado, de certa forma, pela justiça gratuita. E isso se avoluma em proporção e conexão com a situação econômica do país, o que exigiria, e não é o caso, como dito, no âmbito dessas linhas a atração das ciências sociológicas e econômicas para lastrear tal afirmação.

Apenas por referência bibliográfica, vale apontar o estudo de *Papayannis*, em sua tese de doutoramento, que destaca:

> Tal como se lo concibe usualmente, el utilitarismo plantea que el valor moral de una acción, una práctica, una institución o una norma jurídica debe apreciarse por sus efectos sobre la promoción de la felicidad agregada de los miembros de la sociedad. La economía normativa, en cambio, postula que el valor de una acción debe apreciarse por los efectos que produce sobre el bienestar social. Cree Posner que la norma económica que él denomina maximización de la riqueza ofrece una base más sólida que el utilitarismo para formular una teoría normativa del Derecho (PAPAYANNIS, 2011, p. 38).

De toda sorte, ousando flertar com aspectos econômicos que interferem no direito e sua aplicação, é inegável que a difusão do acesso ao judiciário, com o resultado, *v.g.*, da fixação em montantes econômicos atrativos para grande parte da população brasileira em ações de massa, vem causando no inconsciente popular a aspiração de assunção de tais valores não só para a reparação do bem ofendido, mas, sobretudo, como item de acréscimo patrimonial singular e expressivo em suas rendas e de onde faz nascer o "excesso de demanda" ou "ação predatória", em verdadeiras aventuras jurídicas com aparente ausência de riscos.

E, numa situação da economia nacional em que o anúncio da liberação ao acesso das contas inativas de FGTS pelo Governo Federal, em limites de R$ 500,00 (quinhentos reais), com previsão de alteração positiva até mesmo do PIB da economia, como não admitir como impulso de conduta demandista o ingresso de ações que, por tipo de infração consumerista, pode render R$ 10.000,00 (dez mil reais) ou mais, para a mesma família que teve limitação dos "R$ 500,00" ao sacar o FGTS?

Assim temos julgado em nossa 4ª Câmara Cível do TJMS. Face da avalanche de ações predatórias, que se enquadram no abuso de direito de demandar, o melhor exemplo é que, para o bloco de ações predatórias, acaso o autor tenha razão, mas tenha optado por distribuir diversas ações, reconhece-se o direito a dano em valor de R$ 10.000,00 (dez mil reais) numa delas e reduz as demais de forma a desestimular este anatocismo de ação da mesma parte afeta à mesma causa de pedir. E mais, sendo o valor do empréstimo resultante em descontos de valores ínfimos, afasta-se o dano moral indenizável, de forma a desestimular o abuso de direito fomentado, ou mesmo desestimular a opção social de demandar pelo apelo meramente econômico.

De relevo, portanto, que, ao entregar a jurisdição, especialmente pelo teor expansivo e 'extraprocessual' do conteúdo normativo do artigo 8º do NCPC (BRASIL, 2015), sejam identificados tais modais de impulso social, a fim de que a pacificação e a segurança jurídica sejam verdadeiros instrumentos de justiça efetiva.

De tal arte, aspectos econômicos e exegese normativa não podem ser dissociados. O Ministro do Supremo Tribunal Federal – STF, Luiz Fux, em obra referenciada neste artigo (Processo Civil e Análise Econômica), abriu exatamente dizendo que:

> Uma das principais características da análise econômica do Direito, portanto, é concentrar o exame das normas jurídicas exclusivamente nas suas consequências. Leis e decisões judiciais são importantes não por possuírem um valor em si, mas pelos efeitos causados em relação ao grupo que pretendem atingir – ou que atingem não intencionalmente. Sob a análise econômica, o Direito é uma política pública, sendo que o raciocínio analítico teórico e a pesquisa empírica são utilizados para torná-la mais eficiente no cumprimento dos objetivos eleitos pela sociedade (FUX, 2019, p. 32).

Daí nasce o link com a primeira parte do texto, ao enxergar no sistema de precedentes, talvez, a ferramenta normativa processual para conferir respostas estáveis e uniformes nas demandas que possam carregar tais fenômenos sociais.

O Judiciário precisa amoldar-se à realidade (modificação social) porque o acesso é livre por garantia constitucional, contudo, exigem-se imprescindíveis modificações jurisdicionais, em vista da otimização da tutela, em busca da efetividade dessa jurisdição e especialmente num tempo que reflita a duração razoável do processo, o que é preocupação mundial.

4 A estabilidade jurisprudencial do artigo 926 do CPC com os olhos voltados à realidade social

O livre acesso ao Judiciário tem fomentado o excesso de demandas ou ações predatórias, as quais têm acumulado o estoque e feitos conclusos aos magistrados no território nacional. E, sob a influência da Meta 1, do Conselho Nacional de Justiça – CNJ, que exige vencer a barreira da distribuição em valores nominais, ou seja, julgar mais feitos do que lhe for distribuído, evidente que o enfrentamento desses grupos de ações seduz o magistrado, já que, muitas das vezes, permite a mera repetição de decisões.

A título de ilustração, e tirado da minha própria distribuição, não é incomum verificar que os feitos conclusos possam ser resumidos em 80% (oitenta por cento) deste estoque de demandas assemelhadas, oriundas desse grupo, que se subdivide em não mais que cinco ou seis temas.

Arrisco agrupá-los, em livre ordenação: aqueles com causa de pedir referente a empréstimos consignados, questões sobre DPVAT, tarifas públicas (*água & luz*), obrigações relacionadas à saúde (pública e privada) e discussões securitárias.

Peculiar a situação encontrada no Estado, relaciona-se com parte ativa advinda de comunidades indígenas, aposentados ou não. Tenho monitorado os temas que integram o acervo do Tribunal de Justiça do Estado de Mato Grosso do Sul – TJMS e verifiquei que apenas de um causídico foram aforadas mais de 15.000 ações dessa natureza (bancária/indígena), o que deriva, logicamente, de possível capitação indevida de clientela. Há casos outros em que as partes desconhecem a propositura da ação, casos com procurações fraudadas, o que revela nítida verdadeira ação predatória, e com flagrante abuso de direito amparado na falsa premissa do livre acesso ao Judiciário.

Tal excesso de demanda potencializou-se de tal modo que o Ministério Público Federal – MPF[12] celebrou termo de ajustamento de conduta com alguns profissionais, representantes em diversas dessas ações predatórias, para que toda tratativa sobre ações com cidadãos indígenas fosse documentada por filmagem. Esse ato extremo do *parquet* explicita a importância do combate ao abuso de direito de demandar.

Repetitivo, mas necessário dizer, surge no Estado brasileiro uma nova minoria que suplica por atenção e socorro: a minoria dos demandistas singulares!

Sobre esta realidade social o Judiciário precisa enfrentamento, mormente em vista de que grande parte das peças de tais feitos, são desenvolvidas com auxílio da inteligência artificial/robôs, de forma que o Judiciário não pode continuar julgando de 'forma analógica' demandas fomentadas em 'formato digital'.

Neste ponto, por que não começar a pensar na criação de turmas ou câmaras no tribunal, específicas para o julgamento dessas ações, seja aquelas com caráter predatório ou apenas em massa, a fim de obter julgamento com estabilidade e na mesma intensidade de suas proposituras. De se pensar, inclusive, também no julgamento com o apoio de ferramentas de inteligência artificial, de forma que os magistrados do 1º grau possam debruçar-se sobre temas outros que não apenas aqueles afetos ao "*ctrl c ctrl v*", que exigem maturação de teses.

---

[12] "CLÁUSULA PRIMEIRA – OS COMPROMISSÁRIOS se comprometem, doravante, em demandas nas quais representantes das comunidades indígenas figurarem como partes a registrarem em vídeo a negociação proposta, com informação adequada e clara sobre os serviços a serem prestados com especificação correta das características, preço, bem como sobre os riscos que apresentem (Termo de Cooperação nº 15/2016)".

Sobre tal pensamento, aliás, a mesma pesquisa CNJ/INSPER apresentou subsídios conclusivos acerca das políticas de enfrentamento ao fenômeno da massificação, justamente a especialização.

Constou do citado estudo:

> Um tema recorrente na discussão sobre a organização do sistema Judiciário é o de varas especializadas, sobretudo quando é elevada a quantidade de demandas em um mesmo tema e a apreciação desses casos exija conhecimento específico. Esta foi a conclusão de Maranhão et al. (2014), em pesquisa fomentada pelo CNJ, sobre a revisão judicial de decisões das agências regulatórias. A proposta encontrou acolhimento entre os formuladores da política judicial, havendo esforços no TRF3 para a criação de vara especializadas em matéria concorrencial e de comércio exterior.

Aliás, aos que resistem à estabilização dos mecanismos de fixação de teses vinculativas, qual melhor ambiente e ocasião de formação das distinções aos efeitos repetitivos do que o laboratório das sentenças de nossos magistrados do grau singelo?

Neste ponto se abre reflexão sobre a extensão do termo estabilidade do *caput* do art. 926 do CPC (BRASIL, 2015), que assim vem escrito: "Os tribunais devem uniformizar sua jurisprudência e mantê-la estável, íntegra e coerente".

Pois bem, não se descura que a jurisprudência gera otimização de julgamento, de forma que os juízes vinculados ao tribunal possam ter prévio conhecimento do resultado de julgamento e, por via de consequência, resolvendo as ações desde o seu nascedouro, pelo julgamento da improcedência de plano (*pedido disforme ao precedente*) ou com a concessão da tutela de evidência (*pedido de acordo com o precedente*), bem como limitar a dilação probatória, se as provas pretendidas não forem capazes de gerar distinção ou superação do precedente aplicado ao caso, dentre vários outros gatilhos de otimização fomentados pelo sistema de precedente.

Igualmente, aos desembargadores do Tribunal local (*coerência intestina*), obriga-se a observarem os seus próprios precedentes de forma que o julgamento de uma questão jurídica deva acompanhar decisão pretérita, dentro do mesmo órgão fracionário (*precedente intestino de órgão fracionário perante seus pares*), a fim de que haja coerência nas decisões.

De aparente redundância, mas relevante para o tema, inclusive vemos julgados do STJ decidindo com os olhos voltados para outro julgamento já efetivado, a respeito da mesma questão. Veja-se:

> (...) 9. Conforme o entendimento da Primeira Turma desta Corte Superior, firmado em situação com idênticas partes e mesma matéria, concluiu-se que o benefício previsto no art. 14, I da Lei 10.438/2002 aplica-se, também, quando a solicitação de ligação for feita pela incorporadora. Assim, é devida a restituição dos valores que esta tiver pago à Concessionária, em razão da ligação das unidades consumidoras. Acórdão paradigma: REsp. 1.484.557/RJ, Rel. Min. SÉRGIO KUKINA, DJe 30.8.2017. 10. Forte nessas razões, e também visando a preservar a estabilidade, integridade e coerência da jurisprudência deste Colegiado (art. 926, caput do Código Fux), julga-se procedente a pretensão da parte recorrente quanto à responsabilidade da Concessionária pelos custos da ligação, que lhe deverão ser restituídos (REsp 1801701/RJ, Rel. Ministro NAPOLEÃO NUNES MAIA FILHO, PRIMEIRA TURMA, julgado em 04.06.2019, DJe 07.06.2019).

Então, partindo das premissas supracitadas, exige-se cooperação de todos em direção a um mesmo resultado, até que não se torne o instituto a negativa de si mesmo, tanto que a rebeldia[13] em face do sistema de precedentes abre adequação para o manejo da reclamação, nos termos das hipóteses de incidência contidas no art. 988 do CPC (BRASIL, 2015).

Interessante acórdão do STJ, antes mesmo do sistema de precedentes, neste sentido:

> O Superior Tribunal de Justiça foi concebido para um escopo especial: orientar a aplicação da lei federal e unificar-lhe a interpretação, em todo o Brasil. Se assim ocorre, é necessário que sua jurisprudência seja observada, para se manter firme e coerente. Assim sempre ocorreu em relação ao Supremo Tribunal Federal, de quem o STJ é sucessor, nesse mister. Em verdade, o Poder Judiciário mantém sagrado compromisso com a justiça e a segurança. Se deixarmos que nossa jurisprudência varie ao sabor das convicções pessoais, estaremos prestando um desserviço a nossas instituições. Se nós os integrantes da Seção não observarmos as decisões que ajudamos a formar, estaremos dando sinal para que os demais órgãos judiciários façam o mesmo. Estou certo de que, em acontecendo isso, perde sentido a existência de nossa Corte. Melhor será extingui-la (AgRg nos EREsp 593.309/DF, Rel. Ministro HUMBERTO GOMES DE BARROS, SEGUNDA SEÇÃO, julgado em 26.10.2005, DJ 23.11.2005, p. 154).[14]

Dois enunciados do Fórum Permanente de Processualistas Civis – FPPC também apontando para o mesmo norte:

> A estabilidade da jurisprudência do tribunal depende também da observância de seus próprios precedentes, inclusive por seus órgãos fracionários – Enunciado n. 316 (PEIXOTO, 2019, p. 57).
>
> A estabilidade a que se refere o caput do art. 926 consiste no dever de os tribunais observarem os próprios precedentes – Enunciado n. 453 (PEIXOTO, 2019, p. 99).

E aos magistrados com competência para firmar a jurisprudência timoneira, norte para demais magistrados, também resta tarefa de casa a ser feita após a fixação da tese jurídica, mais precisamente em mantê-la no modo estável, coerente e íntegro, nos termos do *caput* do art. 926 do CPC (BRASIL, 2015).

A propósito, a palavra estável vem em duas vertentes perante a língua portuguesa. A primeira, como aquela inalterável ou imodificável. Neste sentido, a estabilidade almejada e a mais próxima possível da perpetuidade. A segunda, com significado de

---

[13] Nada impede que o magistrado anote sua convicção em sentido contrário ao precedente, contudo, deve aplicar a tese firmada. Inclusive, é relevante que o magistrado anote seu entendimento contrário, pois ele pode ser de grande valia para eventual superação. Eis o Enunciado nº 172 do FPPC: "A decisão que aplica precedentes, com a ressalva de entendimento do julgador, não é contraditória". Inclusive, votos de Ministros do STF (HC 201.589/RJ – Inq. 2.704/RJ – MS 33.426) e do STJ (REsp 1.443.385/RS – AgRg noREsp 1.428.174/RS) com a ressalva, contudo, seguinte à tese firmada.

[14] "Se é verdade que o desrespeito pelos juízos inferiores de entendimentos já consolidados pelos tribunais gera a quebra da isonomia e a insegurança jurídica, tornando o processo uma verdadeira loteria judiciária, ainda mais grave é a instabilidade presente nos próprios tribunais quanto ao respeito à sua própria subsistência. Ademais, quando os tribunais não respeitam sua própria jurisprudência, ou seja, quando desrespeitam seus entendimentos majoritários, os órgãos hierarquicamente inferiores não sabem qual entendimento aplicar no caso concreto à luz do entendimento do tribunal superior (NEVES, 2016, p. 1487)".

firme, segura, portanto, não perde a sua estabilidade pela modificação, ainda que efêmera, desde que elementos indiquem a sua não mais segurança ou firmeza.

É neste ponto que nos filiamos à corrente de que a estabilidade contida no art. 926 do CPC não está a dizer que a jurisprudência não poderá ser superada em curto período de tempo. Poderá sim desde que haja modificação social que justifique a mutação efêmera.

Nesse passo, os institutos do *distinguishing* e o *overruling* deverão tornar-se cada vez mais íntimos dos operadores brasileiros, já que afirmam o próprio sistema de precedentes, um por apontar a distinção de um caso com tese fixada, e outro por sustentar a superação de tese antes fixada.

A exposição de motivos traz esta corrente, ao fazer anotar que: "A segurança jurídica fica comprometida com a brusca e integral alteração do entendimento dos tribunais sobre questões de direito. Encampou-se, por isso, expressamente princípio no sentido de que, uma vez firmada jurisprudência em certo sentido, esta deve, como norma, ser mantida, salvo se houver relevantes razões recomendando sua alteração".

Recentemente, o Supremo Tribunal Federal – STF claramente aplicou a superação de tese quanto ao tema da prisão em "segunda instância" diante de modificação social efêmera. Primeira modificação, em razão do clamor social de combate à corrupção e da alta credibilidade da força-tarefa do Ministério Público à frente da Operação Lava Jato, entendeu-se, quando do julgamento do HC nº 126.292, pela prisão em "segunda instância". Contudo, meses depois, diante do vazamento de conversas pelo aplicativo *Telegram*, que provocaram perplexidade de pessoas e instituições, ocorreu o julgamento, em novembro de 2019, das Ações Declaratórias de Constitucionalidade nºs 43, 44 e 54, com a modificação de entendimento para somente permitir a prisão com o trânsito em julgado. Sem adentrar no mérito desta modificação, muito menos do conteúdo dos citados vazamentos, o que importa é que ocorreu modificação fática que justificou a superação efêmera da tese, dentro do interregno de nove meses.

No Superior Tribunal de Justiça – STJ, também, pode-se encontrar modificação social como forma de mitigação de institutos processuais em casos específicos. Por ilustração, o STJ tem mitigado a impenhorabilidade em razão da tempestividade da execução, ou seja, execuções com bens a serem penhorados e que caminham para atração da prescrição intercorrente, então, o mesmo bem, que no início da execução era impenhorável, com o decurso de tempo, transmuta-se em penhorável, em homenagem à efetividade[15][16] da execução (art. 6º do CPC de 2015), portanto, prevalecendo os interesses do credor, como exige o art. 797 do CPC (BRASIL, 2015).

Noutro exemplo, no julgamento do REsp nº 1.547.561 foi mantido acórdão do TJSP que determinou a penhora de 10% sobre os vencimentos do devedor e, com anotação expressa nesta decisão, que era a única forma de satisfação da obrigação e com execução

---

[15] "O poder-dever de adotar os meios executivos que revelem necessários à prestação integral de tutela executiva, mesmo que não previsto em lei, e ainda que expressamente vedados em lei, desse que observados os limites impostos por eventuais direitos fundamentais colidentes àquele aos meios executivos (LIMA, BRASIL, p. 104)".

[16] "Quanto mais demorar um cumprimento de sentença ou uma execução, mais se mostrará possível o afastamento das impenhorabilidades legais. Trata-se assim de autêntico gatilho temporal, posto a serviço da incolumidade do módulo constitucional da tempestividade do processo e do direito fundamental à tutela executiva (...) a fluência não constitui, à evidência, o único critério idôneo para amparar mitigações das impenhorabilidades legais. Outros critérios podem ser adotados. Notadamente o princípio da boa-fé (...) em qualquer tipo de processo não se deve tolerar a fraude e o abuso de direito (SOUZA, BRASIL, p. 149 e 152)".

que tramitava há 10 (dez) anos. No AgRg no REsp n. 1.496.670 foi deferida a penhora de salário do executado – servidor público federal – que realizou acordo de divórcio, onde ele ficaria com as cotas da sociedade com ressarcimento à exequente e que levou à extinção da pensão. Contudo, nada repassou à exequente, com atitude totalmente contrária à tempestividade da execução. Inclusive, assim constou na fundamentação do Relator, Ministro Raul Araújo: "o afastamento da regra da impenhorabilidade de vencimentos e salários é medida excepcional que se impõe como único meio de assegurar a efetividade do provimento judicial (...). Do contrário, estar-se-á permitindo que a agravante, em nome de uma proteção legal, aproprie-se indefinidamente do patrimônio da ex-esposa, desvirtuando o espírito da lei em questão".

Outro gatilho do STJ que tem o condão de mitigar a impenhorabilidade é em razão da efetividade do art. 1048, I, do CPC (BRASIL, 2015), mais precisamente levando em conta a celeridade que se exige para a execução que tenha como credor uma pessoa idosa. Veja-se:

> 1. A hipótese dos autos possui peculiaridades que reclamam uma solução que valorize a interpretação teleológica em detrimento da interpretação literal do art. 649, IV, do CPC, para que a aplicação da regra não se dissocie da finalidade e dos princípios que lhe dão suporte. 2. A regra do art. 649, IV, do CPC constitui uma imunidade desarrazoada na espécie. Isso porque: (i) a penhora visa a satisfação de crédito originado da ausência de repasse dos valores que os recorrentes receberam na condição de advogados do recorrido; (ii) a penhora de parcela dos honorários não compromete à subsistência do executado e (iii) a penhora de dinheiro é o melhor meio para garantir a celeridade e a efetividade da tutela jurisdicional, ainda mais quando o exequente já possui mais de 80 anos. 2. A decisão recorrida conferiu a máxima efetividade às normas em conflito, pois a penhora de 20% não compromete a subsistência digna do executado – mantendo resguardados os princípios que fundamentam axiologicamente a regra do art. 649, IV do CPC – e preserva a dignidade do credor e o seu direito à tutela executiva (REsp 1326394/SP, Rel. Ministra NANCY ANDRIGHI, TERCEIRA TURMA, julgado em 12.03.2013, DJe 18.03.2013).[17]
> (...) 2. A regra geral da impenhorabilidade, mediante desconto de conta bancária, de vencimentos, subsídios, soldos, salários, remunerações e proventos de aposentadoria, constante do art. 649, IV, do CPC, incidente na generalidade dos casos, deve ser excepcionada, no caso concreto, diante das condições fáticas bem firmadas por sentença e Acórdão na origem (Súmula 7/STJ), tendo em vista a recalcitrância patente do devedor em satisfazer o crédito, bem como o fato de o valor descontado ser módico, 10% sobre os vencimentos, e de não afetar a dignidade do devedor, quanto ao sustento próprio e de sua família. Precedentes (REsp 1285970/SP, Rel. Ministro SIDNEI BENETI, TERCEIRA TURMA, julgado em 27.05.2014, DJe 08.09.2014).

Além da modificação fática que pode levar à quebra da estabilidade jurisprudencial da prisão de "segunda instância" e da mitigação da impenhorabilidade diante da tempestividade da execução e da idade do exequente, soma-se à configuração de ato

---

[17] Neste julgado, a Relatora, Ministra Nancy Andrighi, assim anotou na fundamentação: "O outro aspecto a ser considerado, na hipótese, é a necessidade de se ponderar a idade avançado credor, pois o tempo do processo tem um custo muito maior para o idoso (...) nessa dimensão, a idade avançada do exequente deve ser sopesada na escolha da medida executiva adequada ao caso concreto, para que o tempo do processo não impeça o idoso de receber o bem da vida o qual foi indevidamente privado".

indenizável o assédio processual, consistente na sucessão de ações infundadas, ou seja, excesso de demanda e da ação predatória, como se vê de recente acórdão do STJ:

> (...) 4. Embora não seja da tradição do direito processual civil brasileiro, é admissível o reconhecimento da existência do ato ilícito de abuso processual, tais como o abuso do direito fundamental de ação ou de defesa, não apenas em hipóteses previamente tipificadas na legislação, mas também quando configurada a má utilização dos direitos fundamentais processuais. 5. O ardil, não raro, é camuflado e obscuro, de modo a embaralhar as vistas de quem precisa encontrá-lo. O chicaneiro nunca se apresenta como tal, mas, ao revés, age alegadamente sob o manto dos princípios mais caros, como o acesso à justiça, o devido processo legal e a ampla defesa, para cometer e ocultar as suas vilezas. O abuso se configura não pelo que se revela, mas pelo que se esconde. Por esses motivos, é preciso repensar o processo à luz dos mais basilares cânones do próprio direito, não para frustrar o regular exercício dos direitos fundamentais pelo litigante sério e probo, mas para refrear aqueles que abusam dos direitos fundamentais por mero capricho, por espírito emulativo, por dolo ou que, em ações ou incidentes temerários, veiculem pretensões ou defesas frívolas, aptas a tornar o processo um simulacro de processo ao nobre albergue do direito fundamental de acesso à justiça. 6. Hipótese em que, nos quase 39 anos de litígio envolvendo as terras que haviam sido herdadas pelos autores e de cujo uso e fruição foram privados por intermédio de procuração falsa datada do ano de 1970, foram ajuizadas, a pretexto de defender uma propriedade sabidamente inexistente, quase 10 ações ou procedimentos administrativos desprovidos de fundamentação minimamente plausível, sendo que 04 destas ações foram ajuizadas em um ínfimo espaço de tempo – 03 meses, entre setembro e novembro de 2011 –, justamente à época da ordem judicial que determinou a restituição da área e a imissão na posse aos autores. 7. O uso exclusivo da área alheia para o cultivo agrícola pelos 14 anos subsequentes ao trânsito em julgado da sentença proferida na primeira fase da ação divisória não pode ser qualificado como lícito e de boa-fé nesse contexto, de modo que é correto afirmar que, a partir da coisa julgada formada na primeira fase, os usurpadores assumiram o risco de reparar os danos causados pela demora na efetivação da tutela específica de imissão na posse dos legítimos proprietários. 8. Dado que a área usurpada por quem se valeu do abuso processual para retardar a imissão na posse dos legítimos proprietários era de natureza agrícola e considerando que o plantio ocorrido na referida área evidentemente gerou lucros aos réus, deve ser reconhecido o dever de reparar os danos de natureza patrimonial, a serem liquidados por arbitramento, observado o período dos 03 últimos anos anteriores ao ajuizamento da presente ação, excluídas da condenação a pretensão de recomposição pela alegada retirada ilegal de madeira e pela recomposição de supostos danos ambientais, que não foram suficientemente comprovados. 9. Considerando a relação familiar existente entre os proprietários originários das terras usurpadas e os autores da ação, o longo período de que foram privados do bem que sempre lhes pertenceu, inclusive durante tenra idade, mediante o uso desenfreado de sucessivos estratagemas processuais fundados na má-fé, no dolo e na fraude, configura-se igualmente a existência do dever de reparar os danos de natureza extrapatrimonial que do ato ilícito de abuso processual decorrem, restabelecendo-se, quanto ao ponto, a sentença de procedência (REsp 1817845/MS, Rel. Ministro PAULO DE TARSO SANSEVERINO, Rel. p/ Acórdão Ministra NANCY ANDRIGHI, TERCEIRA TURMA, julgado em 10.10.2019, DJe 17.10.2019).

Assim e diante desta visão periférica ampla, onde encontramos variadas quebras da estabilidade jurisprudencial em razão de modificações fáticas e com reflexos no processo, é que adotamos que a estabilidade do *caput* do art. 926 do CPC (BRASIL, 2015) jamais poderá ser sinônimo de máximo de tempo possível, mas sim, nos exatos termos da manutenção da realidade social que levou à formação daquela tese, de forma que, sendo ela modificada, deverá levar à modificação jurisprudencial, ainda que de forma efêmera. O gatilho de quebra da estabilidade deve ser do fato e não do tempo.

Contudo, importante alerta é apresentado pelo Min. Fux, em recentíssima obra que abordou o processo civil e a análise econômica, que, tratando de precedentes sobre a experiência norte-americana, provoca-nos todos sobre a importância da estabilidade desejada pelo sistema de precedentes do próprio art. 926, CPC (BRASIL, 2015).

O alerta foi grafado inclusive invocando os efeitos extraprocessuais que já apontamos inicialmente. Destacou o eminente Ministro:

> O sistema de precedentes vinculantes inaugurado pelo Código de Processo Civil de 2015 encontrará um grande obstáculo na sistemática de votação dos Tribunais. É muito comum que cada um dos magistrados apresente suas próprias razões de decidir, tornando difícil, senão impossível extrair do julgado uma fundamentação comum para nortear a solução de casos pendentes e futuros.
> (...)
> A segurança jurídica quanto ao entendimento dos Tribunais pauta não apenas a atuação dos órgãos hierarquicamente inferiores, mas também, o comportamento extraprocessual de pessoas envolvidas em controvérsias cuja solução já foi pacificada pela jurisprudência.

Se o fim da tutela jurisdicional é a pacificação social, então o Judiciário tem o dever de adoção de mecanismos ou gatilhos contidos no sistema jurídico de chamar o excesso de demanda ou ações predatórias do abuso direito ao exercício regular do direito, já somente podemos falar em decisão justa se ela for efetiva.[18]

Enfim, a principal preocupação que se tentou imprimir neste artigo, passando pela afirmação do sistema de precedentes como resposta ao fenômeno social de demandismo criado pelas diversas formas de estímulo do acesso ao Judiciário, foi a de perceber que tal massificação pode ter induzido na formação de uma nova minoria do Estado brasileiro.

Como dito, do sistema carregado e majoritariamente envolvido com a solução das ações em massa, adveio a geração de um déficit espontâneo e natural diminuição de maturação das teses únicas ou de caráter individual.

A *Minoria dos Demandistas Singulares* exigirá de todos nós esforço e criatividade para entregar-lhes jurisdição justa e efetiva.

Conclusão

Começam as escritas deste artigo apontando que imprescindível admitir que, antigamente, o livre acesso ao Judiciário não era, por assim dizer, tão livre assim, vez que manejado somente para quem portasse condições econômicas para o seu custeio. Veja-se, a título de ilustração, que a gratuidade da justiça no Brasil foi positivada expressamente em 1950 pela Lei nº 1.060 (BRASIL, 1950).

---

[18] "Para se ter um acesso efetivo, com a conquista plena da missão social do processo – trabalhar e eliminar conflitos com a justiça – , é preciso, de um lado, tomar consciência dos escopos motivadores de todo o sistema; e, de outro, superar os óbices que a experiência mostra estarem, constantemente a ameaçar a boa qualidade de um produto final. Em verdade, a efetividade da tutela jurisdicional corresponde ao aproveitamento integral de tudo o que o processo é capaz de propiciar, ou seja, o atingimento pleno de seus escopos (MARCHETTI, BRASIL, p. 178)".

Com o passar do tempo e com a abertura do Judiciário pela efetivação da primeira onda reformista de acesso ao Judiciário (*assistência judiciária*), não somente a burguesia,[19] mas, também, outras classes sociais passaram a se valer da prestação jurisdicional, com aumento expressivo de ações postas à apreciação.

Com a Constituição cidadã potencializou-se o acesso ao Judiciário no inciso XXXV, do art. 5º da CF/88 (BRASIL, 1988), vez que se estimulou a criação dos juizados especiais (art. 98), que teve na sua razão de nascer o trato das ações de menor complexidade, portanto, de ações que não eram levadas para o fórum ou seção judiciária, por não dependerem de toda a *ordinariedade do rito* reservado às ações complexas (que chamo de singulares), para o reconhecimento do direito posto à apreciação.

Após a Constituição de 1988, e ainda explorando os modais que impuseram maior volume de ações a serem tuteladas pelo Estado-Juiz, também ocupa o topo da pirâmide de ampliação do livre acesso ao Judiciário a *internet*, que desembarcou no Brasil em 1995, potencializando, dentre tantas, a relação de consumo em massa, por meio do comércio eletrônico (*e-commerce*), onde os contratos são feitos prescindindo do deslocamento do consumidor, ou seja, feito pelo próprio celular ou computador, o que pode ser constatado pelo aumento de demanda judicial de temas ligados à prestação de serviço bancário de empréstimo consignado, dentre outras hipóteses.

Anotações foram realizadas ao longo do texto para apontar, em síntese, momentos e fatos sociais em que o acesso ao Judiciário, que era para poucos, passou a ser para muitos e encontra-se no momento do "quase para todos", o que revela luta incansável do intérprete em lançar meios para que haja otimização e efetivação do acesso ao Judiciário.

Assim, talvez seja imprescindível que a atividade jurisdicional se utilize dos meios disponíveis, normativos e tecnológicos, de forma a acompanhar a realidade social, mormente quanto ao excesso de demandas em massa ou aquelas chamadas como predatórias, a fim de que não somente elas sejam 'clientes' pelo tempo e atuação da atividade judiciária que exigem.

Levando em contas essas premissas, que a principal preocupação que se tentou imprimir neste artigo, passando pela afirmação do sistema de precedentes como resposta ao fenômeno social de demandismo criado pelas diversas formas de estímulo do acesso ao Judiciário, foi a de perceber que tal massificação pode ter induzido a formação de uma nova minoria do Estado brasileiro (dos Demandistas Singulares), à qual os olhos se voltam a fim de que lhes possa ser assegurada a decisão justa e efetiva e não sejam sufocados com os demandantes em série, que fomentam o abuso de direito ao livre acesso com as tais demandas predatórias.

---

[19] "(...) sendo uma colônia portuguesa, a justiça civil no Brasil nos setecentos obedecia às regras processuais constantes das Ordenações Filipinas e tem a sua organização judiciária atrelada à portuguesa (...) a sofrer as vicissitudes próprias de um sistema burocrático entremeado pelo patrimonialismo e pelo valor das posições sociais e das relações pessoas" (MITIDIERO, 2018).

Referências

AZEVEDO, Júlio Camargo de. Pode o defensor negar a defesa judicial de cidadão hipossuficiente por pretensão contrária a precedente judicial? *Revista de Processo Comparado – RPC. Journal of commpartive procedural law*, ano 4, vol. 7, jan./jun. 2018.

ZEVEDO, Paulo Furquim de et al. (Coord.). Relatório Analítico Propositivo. *Judicialização da saúde no Brasil: perfil das demandas, causas e propostas de solução*. Conselho Nacional de Justiça: Brasília, 2019.

BRASIL. *Lei nº 13.105, de 16 de março de 2015*. Código de Processo Civil. Disponível em: http://www.planalto.gov.br/ccivil_03/_ato2015-2018/2015/lei/l13105.htm. Acesso em: 28 jun. 2019.

BRASIL. *Lei nº 5.869, de 11 de janeiro de 1973*. (Revogada pela Lei nº 13.105, de 2015) (Vigência). Institui o Código de Processo Civil. Disponível em: http://www.planalto.gov.br/ccivil_03/leis/L5869impressao.htm. Acesso em: 28 jun. 2019.

BRASIL. REsp 1817845/MS, Rel. Ministro PAULO DE TARSO SANSEVERINO, Rel. p/ Acórdão Ministra NANCY ANDRIGHI, TERCEIRA TURMA, julgado em 10.10.2019, *DJe* 17.10.2019.

BRASIL. REsp 1285970/SP, Rel. Ministro SIDNEI BENETI, TERCEIRA TURMA, julgado em 27.05.2014, *DJe* 08.09.2014.

BRASIL. AgRg nos EREsp 593.309/DF, Rel. Ministro HUMBERTO GOMES DE BARROS, SEGUNDA SEÇÃO, julgado em 26.10.2005, *DJ* 23.11.2005.

BRASIL. REsp 1801701/RJ, Rel. Ministro NAPOLEÃO NUNES MAIA FILHO, PRIMEIRA TURMA, julgado em 04.06.2019, *DJe* 07.06.2019.

BRASIL. TJMS. Apelação Cível nº 0821539-88.2014.8.12.0001. Desembargador Alexandre Bastos. 2ª Câmara Cível, *DJ* 07.11.2018.

BRASIL. Disponível em: https://ww2.stj.jus.br/jurisprudencia/externo/informativo/?acao=pesquisar&livre=CONTRATO+ELETR%D4NICO+TESTEMUNHAS+DUAS&operador=e&b=INFJ&thesaurus=JURIDICO&p=true. Acesso em: 13 set. 2019.

BRASIL. REsp 1.495.920-DF, Rel. Min. Paulo de Tarso Sanseverino, por maioria, julgado em 15.05.2018, DJe 07.06.2018. Execução de título extrajudicial. Contrato eletrônico de mútuo assinado digitalmente. Executividade. Ausência de testemunhas. Possibilidade. Informativo nº 0627. Publicação: 29 de junho de 2018. Disponível: https://ww2.stj.jus.br/jurisprudencia/externo/informativo/?acao=pesquisar&livre=CONTRATO+ELETR%D4NICO+TESTEMUNHAS+DUAS&operador=e&b=INFJ&thesaurus=JURIDICO&p=true. Acesso em: 13 set. 2019.

CAPPELLETTI, Mauro; GARTH, Bryant. *Acesso à justiça*. Tradução de Ellen Gracie Northfleet. Porto Alegre: Fabris, 1988.

FUX, Luiz; BODART. Bruno. *Processo civil e análise econômica*. Rio de Janeiro: Forense, 2019.

LIMA, Marcelo Guerra Lima. *Direitos fundamentais e a proteção do credor na execução civil*. São Paulo: Revista dos Tribunais, 2003.

LOPES, Dimas Ferreira. Direito processual na história. Celeridade do processo como garantia constitucional – Estudo histórico-comparativo: Constituições brasileira e espanhola. Coordenação Cézar Fiuza. Belo Horizonte: Mandamentos, 2002;

MARCHETTI, Filho. *Direitos fundamentais e o acesso à justiça efetiva, justa, eficiente e adequada*. 1. ed. Campo Grande: Contemplar, 2018.

MITIDIERO, Daniel. A justiça civil no Brasil dos setecentos. *Revista de Processo Comparado – RPC. Journal of commpartive procedural law*, ano 4, vol. 7, jan./jun. 2018.

NEVES, Daniel Assumpção Amorim. *Manual de Direito Processual Civil*. Salvador: Juspodivm, 2016.

PAPAYANNIS, Diego M. *Comprensión y justificación de la responsabilidad extracontractual*, Barcelona, 2011.

PEIXOTO, Ravi. *Enunciados do fórum permanente de processualistas civis*. Organizado por asunto, anotados e comentados. Salvador: Juspodivm, 2019.

SOUZA, José Augusto Garcia de. O tempo como fator precioso e fundamental do processo civil brasileiro: aplicação no campo das impenhorabilidades. *Revista de Processo*, ano 44, vol. 295, set. 2019.

REDAÇÃO MyLex. *Ajuizar a demanda na Justiça Comum ou no JEC? Saiba qual a melhor opção*. 07 ago. 2018. Disponível em: https://www.mylex.net/br/blog/Ajuizar-demanda-Justica-Comum-JEC-qual-melhor-opcao_0_2486751301.html. Acesso em: 20 set. 2019.

Informação bibliográfica deste texto, conforme a NBR 6023:2018 da Associação Brasileira de Normas Técnicas (ABNT):

BASTOS, Alexandre Aguiar. A tutela jurisdicional conferida aos demandistas singulares – nova minoria do Estado brasileiro. A vertente de aceleração da estabilidade jurisprudencial do artigo 926 do CPC, diante do excesso de demandas em massa e/ou ações predatórias. In: COSTA, Daniel Castro Gomes da; FONSECA, Reynaldo Soares da; BANHOS, Sérgio Silveira; CARVALHO NETO, Tarcisio Vieira de (Coord.). *Democracia, justiça e cidadania*: desafios e perspectivas. Homenagem ao Ministro Luís Roberto Barroso. Belo Horizonte: Fórum, 2020. p. 291-310. t. 2: Pensando as instituições, a justiça e o Direito. ISBN 978-85-450-0749-4.

MULTIPLICANDO LITÍGIOS: A ELEIÇÃO DA MÉTRICA SENTENÇAS-POR-MINUTO COMO UM MEIO SEM FIM. QUE LIÇÕES PODEMOS EXTRAIR DA INSOLVÊNCIA DA UNIMED PAULISTANA?

ALEXANDRE JORGE CARNEIRO DA CUNHA FILHO

ALEXANDRA FUCHS DE ARAÚJO

1 Introdução – o problema das lides repetitivas

A questão das lides repetitivas não é um problema decorrente apenas de um sistema judiciário ruim ou de um sistema processual complexo, e prova disto é justamente o fato de que ela se coloca em países com diversos sistemas jurídicos.

O fenômeno da repetição é em grande medida resultado do próprio estilo de vida experimentado pelas pessoas nas sociedades de massa.[1] Nelas a informação de oferta de bens e serviços circula em grande quantidade e em elevada velocidade, em um ambiente no qual os indivíduos celebram ininterruptamente vínculos estandardizados entre si. Esse movimento contínuo, que não se dá sem frustração de expectativas de parte a parte, leva à repetição de litígios, já que as demandas reproduzem a vida social.

Na medida em que os processos se repetem, em especial em um contexto no qual a organização de determinadas atividades por grandes empresas ou o Estado se dá de modo potencialmente lesivo a milhares de pessoas que se relacionam diariamente com esses atores, as decisões se repetem, com fundamentações padronizadas, muitas vezes longas e repletas de citações, mas, não raramente, carentes de raciocínio jurídico propriamente dito.

Diante dessa realidade, distintas nações do mundo ocidental enfrentam hoje o desafio de lidar eficientemente com a enorme quantidade de processos que deságuam diariamente nos nossos Tribunais.

---

[1] RODRIGUES, Ruy Zoch. *Ações repetitivas*: casos de antecipação de tutela sem o requisito de urgência. São Paulo: RT, 2010, p. 145/146.

2 O Judiciário sob a pressão dos números

Uma das causas do atual estado de coisas é a falta de reconhecimento de que as lides repetitivas estão inseridas em uma lógica diversa daquela que rege a tutela de direitos individuais.

Vale para as demandas replicantes a mesma crítica realizada por Arenhart em relação à ação coletiva:

> (...) tem-se nítida a percepção de que a tutela coletiva, no Brasil, é submetida à mesma lógica do processo individual. Se o autor se desincumbe mal da condução do processo, deve-se lhe imputar o prejuízo correspondente. Ocorre, porém, que aqui se está diante de valores coletivos, que interessam à toda coletividade ou a um grupo significativo de pessoas e que, em regra, possui natureza indisponível. Como é possível tratar esses interesses sob a mesma *ratio* aplicada a direitos individuais disponíveis, para os quais o processo civil clássico foi moldado?[2]

Os litígios repetitivos são uma consequência de fatos comuns que alcançam a esfera jurídica de um grande número de indivíduos, os quais, em vez de perseguirem em conjunto o resguardo de seus direitos, o fazem individualmente.

Seja pela falta de mecanismos processuais adequados para uma tutela coletiva eficiente dos lesados,[3] seja por uma cultura jurídica que privilegia o direito de ação sob sua perspectiva individual,[4] milhares de ações ingressam sazonalmente no Judiciário brasileiro em decorrência de causas que colhem grupos maiores ou menores de cidadãos que compartilham um mesmo tipo de vínculo padrão com um dado fornecedor de serviços ou empregador (seja este uma empresa ou o próprio Estado).

A correção da prova de um concurso público, a não concessão de um reajuste a uma classe de servidores, uma cláusula abusiva presente em contrato de adesão oferecido por uma instituição financeira ao mercado, o aumento excessivo da mensalidade de um plano de saúde, uma prática vexatória encampada por uma empresa na cobrança de seus créditos. Todas essas situações, que ilustram apenas uma ínfima fração das causas

---

[2] ARENHART, Sérgio Cruz. Processos estruturais no Direito Brasileiro: reflexões a partir do caso da ACP do carvão. *In: Interesse Público*, Belo Horizonte, ano XVIII, n. 97, p. 243/257, maio/jun. 2016, p. 246.

[3] Relevante reflexão acerca da necessidade de aprimoramento da defesa de direitos transindividuais em nosso sistema jurídico através do adequado emprego da ação coletiva pode ser vista em REFOSCO, Helena Campos. *Ação coletiva e democratização do acesso à Justiça*. São Paulo: Quartier Latin, 2018.

[4] Quanto a tal aspecto Társis Silva de Cerqueira lembra que o projeto do CPC de 2015 previa a possibilidade de conversão de demanda individual em coletiva em seu art. 333, o que foi vetado pelo Presidente da República (Uma breve reflexão sobre as técnicas de resolução de casos repetitivos sobre o acesso à Justiça. *In*: DIDIER JR., Fredie; CUNHA, Leonardo Carneiro da. (Org.). *Julgamento de casos repetitivos*, v. 10. Salvador: Juspodivm, 2017, p. 423/444, p. 434, nota de rodapé n. 32). Na mesma linha, sintomática a resposta dada pela nossa legislação para a hipótese de concorrência entre ações individuais e coletivas em decorrência de um mesmo fato, na medida em que estas só podem favorecer o particular, o qual, em qualquer hipótese, pode-se valer do direito da ação para buscar resultado diverso daquele obtido na via transindividual, desenho institucional que não identifica como problema o risco de pessoas em situações análogas receberem do Judiciário tratamento distinto. "Art. 103. Nas ações coletivas de que trata este código, a sentença fará coisa julgada: (...) III - erga omnes, apenas no caso de procedência do pedido, para beneficiar todas as vítimas e seus sucessores, na hipótese do inciso III do parágrafo único do art. 81" (direitos individuais homogêneos, entendidos estes como os que advêm de origem comum) (http://www.planalto.gov.br/ccivil_03/LEIS/L8078.htm, acesso em: 26 jun. 2018). Sobre as dificuldades enfrentadas por projetos de lei tendentes a conferir uma maior racionalidade ao nosso sistema de tutela coletiva de direitos, ver REFOSCO, 2018, p. 99 e ss.

que levam um sem-número de prejudicados, todos os dias, a se valerem do sistema de Justiça como anteparo contra o arbítrio, recebem do juiz/juíza, normalmente, tratamento atomizado.

O(a) julgador(a), no mais das vezes assoberbado(a) pelo volume de feitos aguardando solução em sua unidade judicial, aderindo a políticas judiciárias inspiradas em critérios privados de produtividade,[5] esforça-se por oferecer resposta ao caso singular que lhe é apresentado da forma mais célere possível, sem, contudo, conseguir ter a visão adequada do contexto em que aquela lide se insere e incapaz de, dados os limites estreitos da matéria submetida à sua avaliação, atingir a fonte das frustrações experimentadas por larga porção da população.

A compreensão que o(a) magistrado(a) tem das regras de processo civil também pode corresponder a um sério obstáculo para a racionalização da prestação jurisdicional envolvendo as lides replicantes.

O(a) juiz/juíza do final do século XX e início do século XXI é fruto da formação acadêmica do seu tempo, em que processual e administrativamente se pensa no individual e ainda se espera da lei parlamentar resposta exauriente para todos os problemas enfrentados na realidade.[6]

De modo análogo ao ensinado nos nossos livros acerca da mítica forma de vinculação do gestor público à vontade do legislador, com o magistrado não poderia ser diferente: a ação típica é o ideal de proteção do destinatário da jurisdição contra o abuso do Estado-juiz.[7]

Assim, ainda que a experiência revelasse a inadequação de certas técnicas processuais para encaminhamento da litigância de massa, como no Código de Processo Civil de 1973 e no Código de Defesa do Consumidor (Lei nº 8.078/1990), não se encontravam instrumentos específicos endereçados ao enfrentamento eficaz desse tipo de conflito, cabia ao(à) magistrado(a) simplesmente percorrer resignadamente a estrada rumo ao abismo (leia-se, à inviabilização do órgão jurisdicional pelo acúmulo invencível de processos[8]).

---

[5] ZANONI, Luciana Ortiz Tavares Costa. Os caminhos para uma governança democrática no Poder Judiciário. *In*: CONTI, José Maurício (Org.). *Poder Judiciário* – orçamento, gestão e políticas públicas, v. I. São Paulo: Almedina, 2017, p. 95/114p. 98 e ss.

[6] Dessa formação também advém o apego ao cumprimento acrítico de formalidades estéreis no âmbito do processo judicial, o que não deixa de ser um reflexo da ideia de que o caminho a ser percorrido para o exercício da jurisdição é estritamente o previsto no Código, nada obstante as vicissitudes dos problemas concretos enfrentados pelo(a) magistrado(a) poderem exigir, para seu tratamento adequado, alguma adaptação. Sobre o ponto, confira-se passagem da obra *Governança Judicial*, de Fábio Peixinho Gomes Corrêa: "O excessivo apego ao formalismo estéril, para atender a objetivos outros que as garantias antes mencionadas (igualdade de tratamento das partes e liberdade de intervir no processo quando necessário), é fenômeno patológico à prestação da tutela jurisdicional, e como tal deve ser sanado por meio da adaptação do procedimento. Essa adequação do modelo procedimental depende da técnica processual escolhida face às peculiaridades do caso concreto apresentado em Juízo" (*Governança judicial*. São Paulo: Quartier Latin, 2012, p. 47).

[7] Quanto ao instituto da suspensão do processo, por exemplo, Alexandre de Freitas Câmara inicia sua explanação asseverando que as causas respectivas são as expressamente previstas em lei, o que deixa ao intérprete a clara sensação de que, sem antevisão pelo legislador e fora do prazo por este peremptoriamente estipulado para tanto, o fenômeno não seria possível (*Lições de direito processual civil*, v. I, 14. ed. Rio de Janeiro: Lumen Juris, 2006, p. 290).

[8] A favor, ainda na vigência do CPC/1973, do poder do magistrado em adequar o procedimento às necessidades da causa sujeita à sua apreciação, nada obstante a ausência de previsão legal expressa a respeito, é a posição de Fredie Didier Jr. e Hermes Zaneti Jr. Destacamos passagem: "Se a adequação do procedimento é um direito

Embora nos pareça que o emprego teleológico de alguns institutos do CPC/1973 já pudesse levar a um resultado mais alvissareiro em termos de gestão judiciária, como o manejo das regras de prevenção como meio de concentrar em um único juízo diversas demandas relativas a uma mesma causa de pedir, a suspensão de ações individuais quando concomitante ação coletiva com o mesmo objeto[9] e o esforço pela pacificação da jurisprudência como meio de se evitar a dispersão dos entendimentos sobre uma mesma questão,[10] a prática observada nos Tribunais normalmente caminhou em sentido diverso.

Para ficarmos nos exemplos destacados.

Leu-se na regra de prevenção que esta, para ser aplicada, presumia as mesmas partes, sendo que não raramente juízes exigiam que até os pedidos fossem idênticos (ou mantivessem entre si relação de prejudicialidade) para fins de reunião de processos para julgamento em conjunto. Quanto ao juízo competente, em varas com mais de um julgador, comum se ver a disputa sobre se o caso deveria ser julgado por um mesmo juiz ou se a prevenção "tal como determinada pelo Código" seria da vara (e, logo, se pela respectiva divisão interna de serviço poderia a causa ser apreciada por juiz diverso daquele prevento para a primeira demanda[11]).

Apesar de tratarem da mesma questão de fundo, passou a ser lugar comum no dia a dia forense a existência de ações individuais tramitando concomitantemente a ações coletivas versando sobe o mesmo tema, sem que se reconhecesse prejudicialidade entre o pronunciamento a ser dado nesta última (vocacionada a propiciar ao julgador uma visão mais abrangente do problema posto, inclusive admitindo instrução mais detida acerca dos fatos controvertidos) e aquele a ser proferido nas demandas multitudinárias dispersas pelos vários órgãos judiciais com competência para análise da matéria.[12]

---

fundamental, cabe ao órgão jurisdicional efetivá-lo, quando diante de uma regra procedimental inadequada às peculiaridades do caso concreto, que impede a efetivação de um direito fundamental (à defesa, à prova, à efetividade e etc.)"(Princípio da adequação jurisdicional do processo coletivo – benfazeja proposta contida no projeto de nova lei de ação civil pública. *In*: GOZZOLO, Maria Clara *et al.* (Coord.). *Em defesa de um novo sistema de processos coletivos*. São Paulo: Saraiva, 2010, p. 245/254, p. 252).

[9] O tema, que a nosso ver é de inegável importância para a coerência no tratamento das lides replicantes em nosso sistema, ainda é controvertido na doutrina e jurisprudência. Contra a suspensão das ações individuais para aguardar o desfecho da coletiva, posiciona-se, a título ilustrativo, LEONEL, Ricardo de Barros. *Manual do processo coletivo*. 4. ed. São Paulo: Malheiros, 2017, p. 328/330. Já em sentido favorável é a lição de NAGAO, Paulo Issamu (*O papel do juiz na efetividade do processo civil contemporâneo*. São Paulo: Malheiros, 2016, p. 403 e ss.).

[10] Ainda em 2009, com fundamento na Lei nº 11.672/2008, que havia alterado o CPC, em julgamento pelo rito da Lei dos Recursos Repetitivos, o STJ no julgamento do REsp 1110549 pacificou entendimento de que, no caso de existência de ação civil pública, instaurada antecipadamente, todos os processos individuais referentes ao mesmo caso deveriam ser suspensos. Os ministros da 2ª seção, por maioria, seguiram o entendimento do relator, ministro Sidnei Beneti. Tratava-se de recurso especial contra decisão do TJ/RS que, confirmando sentença, suspendeu o processo individual movido por depositante de caderneta de poupança que visava ao recebimento de correção monetária em virtude de planos econômicos, dada a existência de ação coletiva antes instaurada. Informações sobre o recurso estão disponíveis em: https://ww2.stj.jus.br/processo/pesquisa/?src=1.1.2&aplicacao=processos.ea&tipoPesquisa=tipoPesquisaGenerica&num_registro=200900070092. Acesso em: 22 out. 2019.

[11] Uma explicação para o apego a uma visão formalista do processo pelos juízes pode ser a falta de capacidade institucional decorrente da estrutura de trabalho que lhes é conferida pelos Tribunais, seja estes tendo sob sua responsabilidade 4 mil processos, seja tendo 40 mil, sendo que não há segurança que uma vara com pico de distribuição advindo de conexão terá reforço, ainda que temporário, do seu quadro de apoio para fazer face ao novo tipo de demanda. A expressão "capacidade institucional" aqui se refere "à estrutura e aos processos organizacionais e administrativos de instituições públicas e privadas que viabilizam objetivos e metas concretizados em setores, programas e projetos" (MARTINS, A. M.; PIMENTA, C. O.; FERNANDES, F. S.; NOVAES, G. T. F.; LOPES, V. V. A capacidade institucional de municípios paulistas na gestão da educação básica. *In*: *Cadernos de Pesquisa*, v. 43, n. 150, p. 812-835, 2014, p. 815).

[12] Ilustrando a hipótese, imagine-se uma situação em que se discutam defeitos construtivos em um condomínio de apartamentos, a afetar 500 unidades habitacionais presentes em 5 edifícios. 50 dessas famílias ingressam

No âmbito do colegiado, o número incrível de processos a serem julgados encontra no ideal de pacificação da jurisprudência um obstáculo à "produtividade" segundo a métrica sentenças-por-minuto convertida em objetivo primeiro da alta administração do Judiciário, dado o trâmite necessariamente mais complexo de se formar um grande colegiado na tentativa de compor-se entendimentos díspares.

Considerando o objetivo premente de redução de acervos a qualquer custo, perdeu-se a noção de conjunto e por vezes a própria finalidade da jurisdição (pacificação social a partir da resolução de problemas), incutindo-se na mentalidade dos juízes a meta de se julgar um volume cada vez maior de processos em um mesmo espaço de tempo.[13]

Em tempos de fúria, com o Judiciário sendo cobrado por números,[14] a estratégia de guerra adotada envolveu a criação de mutirões e câmaras extraordinárias de julgamento,

---

com ações individuais, distribuídas livremente dentre as 5 varas cíveis de uma comarca, sendo que o Ministério Público ingressa com uma coletiva em face da mesma empresa, mas com causa de pedir e pedido parcialmente distintos: pretende-se a de demolição dos edifícios por violação de regras ambientais e corrupção na obtenção da licença para construir. Subsidiariamente requer-se adequação das edificações, com reforma, demolição parcial e compensação ambiental. A lógica, para se evitar decisões conflitantes, não seria se aguardar que a ação coletiva, distribuída posteriormente às individuais, fosse julgada, suspendendo-se o trâmite destas últimas. A matéria ainda hoje é controversa, mas encontra precedentes favoráveis à hipótese ainda sob a égide do CPC/1973, em uma interpretação que se pode dizer expansiva do quanto era disposto no art. 265, IV, "a" do referido diploma (suspende-se o processo quando a sentença de mérito: a) depender do julgamento de outra causa, ou da declaração da existência ou inexistência da relação jurídica, que constitua o objeto principal de outro processo pendente). Essa, aliás, é a redação do atual art. 313, V, "a" do CPC/2015. Ilustrando tal posicionamento, ver TJSP, Apelação Cível 0012702-94.2006.8.26.0348; Relatora: Christine Santini; Órgão Julgador: 1ª Câmara de Direito Privado; Foro de Mauá - 4ª Vara Cível; Data do Julgamento: 25.02.2014; Data de Registro: 26.02.2014.

[13] Estado de coisas que não passa desapercebido pela sociedade, como aponta estudo empírico recente sobre os resultados atingidos nos últimos anos pelas políticas públicas encampadas pelo Poder Judiciário: "O quadro geral da Justiça brasileira é, em síntese, de muitos processos, poucos juízes, muitos advogados, muitas faculdades de direito e uma máquina judiciária burocratizada (BRASIL, 2007 e 2011). O Brasil processa anualmente cerca de 102 milhões de processos judiciais, 74 milhões dos quais em efetiva tramitação (BRASIL, 2016, p. 42). Em 2016, houve aumento de 5,6% de casos novos, com aumento também de casos pendentes, agora em 79,7 milhões (BRASIL, 2017). Integramos um exército de 1 milhão de advogados e advogadas, 450 mil servidores e servidoras judiciais e 17 mil juízes e juízas (idem). Esse retrato é muito mais completo do que o de quinze anos atrás e tem se mostrado eficaz no desenho de políticas de gestão judiciária, sobretudo aquelas consistentes em programas cíclicos de metas de desempenho – as chamadas 'metas nacionais do Poder Judiciário', editadas pelo CNJ desde 2009. Ocorre que esses dados ainda não captam toda a complexidade que envolve o problema da justiça no Brasil e as políticas neles baseadas, além de parciais, têm eficácia limitada no tempo. Em geral, seus efeitos são de ordem quantitativa, com resultados menores, senão opostos, do ponto de vista da qualidade das decisões; e se concentram nas fases imediatamente seguintes à da implantação, com redução do seu potencial nos anos seguintes (ALVES DA SILVA, 2014). Os programas de metas de desempenho, por exemplo, surtiram o desejável aumento sequencial da produtividade dos magistrados (CNJ, 2016), resultado estacionou em 2016 e não acompanhou o aumento da entrada de processos (CNJ, 2017)148. Com isso, a previsão atual, a despeito dessas políticas, ainda piora no quadro geral – estabilização da produtividade, aumento da demanda, leve aumento do estoque e do congestionamento, manutenção da duração dos processos. Na melhor hipótese, o quadro de 'crise da justiça' permaneceria inabalado" (ALVES DA SILVA, Paulo Eduardo. *Acesso à justiça, litigiosidade e o modelo processual civil brasileiro*. Tese de livre-docência. Universidade de São Paulo, Faculdade de Ribeirão Preto, 2018, p. 119-120).

[14] Sem consideração com o aspecto qualitativo, como pertinentemente ponderado por Heitor SICA ao comentar a "taxa de congestionamento", o qual corresponde a "um dos principais indicadores do CNJ, que tem por objetivo medir a efetividade do tribunal em um período, levando-se em conta o total de casos novos que ingressaram, os casos baixados e o estoque pendente ao final do período" (informação obtida na página virtual do próprio CNJ). Disponível em: óleo;//how.cnjjus.br/gestaoeplanejamento/gestao-e-planejamento—do-judiciario/indicadores/43ó-rodape/gtrtaoplanejamento-e-perquisa/indicadorer/13659-03-taxa—de-congestionammlo. Acesso em: 23 dez. 2013). Não há como deixar de notar que esse indicador é conotado por uma grave distorção: a "efetividade" do tribunal é medida apenas em quantidade de processos resolvidos à luz da quantidade de processos novos recebidos, sem levar em conta a qualidade da tutela jurisdicional outorgada à população. Aliás, nenhum dos 46 indicadores publicados pelo CNJ reflete a preocupação em analisar o percentual de decisões de um tribunal que restam anuladas ou reformadas nos tribunais superiores (esse, sim, um indicador de qualidade) (2016, p. 144, nota de rodapé 3).

algumas vezes compostas majoritariamente por magistrados(as) com menos tempo de carreira do daquele(a) que prolatou a sentença submetida a recurso, normalmente auxiliados por equipes de assessores e estagiários, encarregados de reproduzir decisões em ritmo frenético,[15] em franco prejuízo ao valor da experiência como fator a legitimar a reanálise do pronunciamento judicial de um(a) colega por outro(a).

A urgência do quadro exigia resposta rápida, e assim se procedeu (como ainda se procede), sem muita preocupação, convenhamos, com a noção de Justiça e a reflexão sobre se estamos realmente seguindo a trilha adequada (o que naturalmente depende do entendimento que se tem do destino a ser perseguido pela magistratura com o seu agir hoje[16]).

Fruto inescapável da racionalidade fabril ora imposta aos julgadores, aliada a uma dogmática processual pouco atenta às causas dos litígios de massa (pressuposto para se identificar como o "processo" pode ser empregado para superá-las), é o que se convencionou chamar de *jurisprudência lotérica*, cujo resultado é um só: pessoas em situações equivalentes obtêm do Judiciário resposta distinta, sendo que, como o fato gerador dos litígios permanece incólume na vida social atingindo a experiência de novas pessoas, a dispersão de entendimentos realimenta continuamente o sistema de Justiça com o mesmo tipo de causa sendo julgada por anos a fio.[17]

Antes tarde do que nunca nos últimos anos passou a haver uma visão crítica acerca do fenômeno,[18] o que inclusive levou a alterações na nossa legislação (sim, sempre ela,

---

[15] O que, como é intuitivo, pelo limite temporal existente prejudica a qualidade da respectiva conferência feita pelo julgador.

[16] O caminho a ser seguido depende de uma avaliação técnica da reforma do Poder Judiciário de 2004, do conceito de acesso à justiça adotado e dos métodos de controle sobre tal instituição, apoiados na métrica quantitativa, e nas expectativas democráticas quanto à função a ser exercida por este poder, em confronto com os objetivos constitucionalmente estabelecidos. Com essa finalidade, a ferramenta "Sistema de Análise da Capacidade Institucional" pode ser adequada. Desde 2001, quando Oszlak e Orellana retomaram a metodologia criada por Tobelem em 1992, ela tem sido empregada com sucesso para o diagnóstico das limitações das capacidades institucionais, contribuindo para o desenvolvimento de diversas burocracias, pois também pode ser aplicada para atender as lacunas de capacidade em gerenciamento da rotina de uma organização e avaliar os resultados de um programa ou projeto (El análisis de la capacidad institucional: aplicación de la metodología SADCI. Documento de trabajo. 2001, disponível em http://www.oscaroszlak.org.ar/images/articulos-espanol/OSZLAK%20Oscar%20y%20ORELLANA%20EdgarTdo%20%20El%20analisis%20de%20la%20capacidad%20institucional.pdf, acesso em: 25 out. 2019).

[17] Dado que só vem a ser agravado com uma política de concessão indiscriminada de assistência judiciária gratuita a qualquer um que alegue "incapacidade mesmo que momentânea de arcar com os custos processuais", a transformar o aparato judicial em uma loteria a custo (aparentemente) zero, já que aqueles que usam seus serviços específicos e divisíveis muitas vezes não assumem o ônus financeiro pertinente (o qual é alocado, pois, à sociedade como um todo, chamada a financiar tal estrutura via pagamento de impostos). Crítica próxima à ora feita pode ser vista em VIARO, Felipe Albertini Nani (*Judicialização*. São Paulo: Quartier Latin, 2018, p. 172 e 276/282).

[18] No âmbito do próprio Judiciário passa a haver iniciativas de identificação de grandes litigantes (vide iniciativa do Conselho Nacional de Justiça: http://www.cnj.jus.br/images/pesquisas-judiciarias/pesquisa_100_maiores_litigantes.pdf, acesso em 27.05.18) e de uso de inteligência para monitoramento e prevenção de lides repetitivas (como é o caso da criação do NUMOPED pelo Tribunal de Justiça do Estado de São Paulo e do Centro de Inteligência da Justiça Federal – http://www.cjf.jus.br/centrodeinteligencia/, acesso em 27.05.2018). Sobre a experiência paulista, confira-se: CALÇAS, Manoel de Q. P.; NERY, Ana Rita de F.; DIAS, Maria Rita R. P.; DEZEM, Renata M. M. Monitoramento de perfis de demandas: um caminho na busca do planejamento do âmbito do Poder Judiciário. In: CUNHA FILHO, Alexandre J. C. da; OLIVEIRA, André Tito da M.; ISSA, Rafael H.; SCHWIND, Rafael W. (Coord.). *Direito, instituições e políticas públicas* – o papel do jusidealista na formação do Estado, p. 695/716, São Paulo: Quartier Latin, 2017.

a causa de todos os nossos problemas), embora a prática revele pouco avanço na tutela coletiva de direitos transindividuais em nosso sistema.

Esta, contudo, pode funcionar, mesmo no marco legal atual.

Senão, vejamos.

3 O caso da liquidação extrajudicial da Unimed Paulistana

Um bom exemplo de tratamento atomizado de lides com origem comum que desembarcaram no Judiciário paulista nos últimos anos é a multiplicação de ações relacionadas à liquidação extrajudicial da Unimed Paulistana.

O plano de saúde, que chegou a ter mais de 700 mil usuários,[19] acabou por experimentar situação de insolvência, gerando um grave problema para a assistência à saúde de milhares de pessoas.

Como ainda tradicional entre nós no tratamento desse tipo de questão, admitiu-se aos milhares de consumidores prejudicados, que de um dia para o outro se viram privados dos serviços pelos quais pagavam religiosamente, o manejo de ações individuais para reclamarem atendimento médico-hospitalar que lhes seria devido pela empresa, pleito cumulado ou não com requerimento de indenização por danos morais em decorrência da abusividade pela respectiva recusa.

Da parte dos diversos magistrados do Judiciário paulista chamados a apreciar a matéria também não se fugiu do roteiro conhecido para julgamento de lides com diferentes autores em face de uma mesma ré envolvendo uma origem comum: as ações foram e continuam a ser analisadas sob o prisma estritamente individual dos litigantes, com demandas distribuídas livremente para qualquer órgão judicial com competência cível, esteja este na Capital ou no interior, seja de jurisdição comum ou afeita às pequenas causas.

Um rufo de racionalidade no enfrentamento do problema só veio com a celebração do Termo de Ajustamento de Conduta elaborado no contexto de inquéritos civis instaurados junto ao Ministério Público Federal – MPF (nº 1.34.001.008283/2014-06) e ao Ministério Público do Estado de São Paulo-MPSP (nº 14.161.1023/2015-4) em face da Unimed Paulistana em razão de suspeitas de fraude na sua gestão, avença que contou ainda com a participação da Agência Nacional de Saúde Suplementar – ANS, da Fundação de Proteção e Defesa do Consumidor de São Paulo – PROCON e da UNIMED do Brasil – Confederação Nacional das Cooperativas Médicas (interveniente).

Por meio de acordo plasmado no TAC nº 51.161.1023/2115,[20] expressamente de âmbito nacional, conseguiu-se o compromisso das correqueridas Central Nacional Unimed – Cooperativa Central, Unimed do Estado de São Paulo – Federação Estadual das Cooperativas e Unimed Seguros Saúde – SA, que integravam o mesmo grupo econômico do plano em liquidação, em aceitar os então clientes desta última, sem necessidade de

---

[19] Disponível em: https://vejasp.abril.com.br/cidades/unimed-paulistana-falencia-vitimas-capa/, matéria publicada em 01.06.2017, acesso em: 16 maio 2018.

[20] O documento está disponível no site da Unimed-FESP: http://www.unimedfesp.coop.br/Documents/TERMO_DE_COMPROMISSO_DE_AJUSTAMENTO_N_51_161_1023_2015_UNIMED.pdf, acesso em: 19 out. 2019.

observância de prazos de carência, com informação aos antigos usuários da carteira dos respectivos preços máximos dos produtos, rede mínima de atendimento[21] e da documentação necessária para o exercício desse direito.

Por parte da ANS foram flexibilizadas algumas regras vigentes para a generalidade dos planos de saúde (como margem de solvência e atenuação de fiscalização por um certo período[22]), dado a demonstrar que o tratamento coletivo da matéria e pela via concertada com intervenção estatal (no caso, por meio de uma agência reguladora) foram imprescindíveis para o êxito da resposta encontrada para macrolide, com efeitos sensíveis na vida de milhares de consumidores.

Houve estipulação de multa diária de R$ 5.000,00 para o descumprimento das obrigações assumidas, convertida em favor do Fundo de Direitos Difusos, cuja cobrança não será feita em caso de correção da conduta (salvo em hipóteses de urgência) (conforme cláusula 4 do referido termo).

Outras questões, contudo, ficaram de fora da avença e, como previsto, redundaram em uma nova onda de ações individuais, discutindo, por exemplo, rede de atendimento ofertada pelo plano de saúde migrado[23] e reajustes supostamente abusivos impostos aos consumidores.[24]

Quanto às demandas que foram propostas na sequência do TAC,[25] a apreciação feita pelo Judiciário paulista, seguindo o tratamento tradicional conferido a tal tipo de litígio, continuou a se dar caso a caso, sem qualquer conexão entre as ações ou comunicação/cooperação entre os responsáveis por tais causas,[26] com soluções díspares

---

[21] Item 1.1.5 do TAC, que previu ainda o atendimento por pelo menos 2.500 médicos.

[22] Item 2.4 do TAC.

[23] Embora o acordo tenha previsto uma rede mínima de atendimento, nem sempre esta e o teor do TAC foram informados nos milhares de ações individuais propostas contra os planos que assumiram a carteira da UNIMED-PAULISTANA, sendo que houve diversos casos em que o paciente, já em tratamento em determinado hospital e por certos profissionais, pretendia a continuidade desse atendimento, obrigação que não constou do instrumento em questão.

[24] Na verdade a avença previu um índice máximo de 20% anual para os reajustes por sinistralidade (item 2.4.1), mas os consumidores que, embora representados extraordinariamente por terceiros (MP, ANS e PROCON), não participaram diretamente da elaboração do TAC, propuseram ações individuais, distribuídas livremente, buscando manter o padrão de mensalidade que antes vinham pagando. Como não houve qualquer coordenação na recepção de tais demandas, informação adequada quanto aos termos do acordo e comunicação entre os respectivos julgadores, o resultado foram decisões judiciais diferentes para situações análogas. Ilustrando o fenômeno: "Plano de saúde – Ação de Obrigação de fazer – Procedência – Insurgência – Portabilidade de segurados da Unimed Paulistana para Unimed FESP – Pretensão de manutenção dos valores das mensalidades praticados anteriormente pela Unimed Paulistana – Impossibilidade – Novo contrato – Manutenção do preço e rede credenciada apenas seria possível no caso de compra da carteira de clientes da Unimed Paulistana, o que não ocorreu – Termo de Compromisso de Ajustamento de Conduta 51.161.1023/2015 e Resolução nº 1.950 da ANS garantiram apenas a portabilidade extraordinária de carências, mas não a manutenção do plano ou da mensalidade – Entendimento deste E. Tribunal – Sentença reformada – Recurso provido" (TJSP; Apelação 1013339-44.2016.8.26.0100; Des. Rel. Luiz Antonio Costa: 7ª Câmara de Direito Privado; Foro Central Cível – 40ª Vara Cível; Data do Julgamento: 11.01.2018; Data de Registro: 11.01.2018). Nesse mesmo sentido: TJSP; Apelação 1017548-83.2015.8.26.0361; Des. Rel. Maia da Cunha; 4ª Câmara de Direito Privado; Foro de Mogi das Cruzes – 6ª Vara Cível; Data do Julgamento: 23.11.2017; Data de Registro: 27.11.2017; TJSP; Apelação 1131395-70.2015.8.26.0100; Des. Rel. Salles Rossi; 31ª Câmara Extraordinária de Direito Privado; Foro Central Cível – 31ª Vara Cível; Data do Julgamento: 09.11.2017; Data de Registro: 13.11.2017).

[25] O qual, aliás, foi expresso quanto ao fato de não "inibir, obstaculizar, retardar ou de qualquer forma embaraçar as ações individuais em andamento ou aquelas que ainda deverão ser propostas, cuja causa de pedir tenha semelhança com os fatos tratados no inquérito civil epigrafado" (cláusula 6).

[26] O que, para quem acha que haveria necessidade de autorização legal expressa em nosso ordenamento para se concretizar, encontra hoje previsão nos arts. 67, 68 e 69 do CPC/2015, cuja redação é a seguinte: "Art. 67.

para situações em tudo equivalentes, movimentando-se um elevado número de magistrados e servidores com um mesmo propósito, sem previsão de pacificação de entendimentos ao menos a curto prazo.

Diante de tal quadro, mesmo que se chegue a algum entendimento através da instauração de Incidente de Resolução de Demandas Repetitivas – IRDR para "questões de direito" pontuais, como a relativa a um padrão mínimo de rede conveniada a ser assegurado pelos novos planos ou o índice de reajuste admitido para um dado exercício, tal providência pela lógica atual demora anos para ser adotada, após já ter sido conflagrado o macrolitígio na primeira instância dos Tribunais, com um sem-número de unidades judiciais já tendo se pronunciado sobre uma dada matéria (normalmente de modo superficial, como o que é viável nessa modalidade de prestação jurisdicional).

3.1 Em que ponto avançamos?

A assinatura de um Termo de Ajustamento de Conduta na defesa de direito transindividual, sem que se recorresse ao Poder Judiciário para estabelecer qual plano de saúde seria responsável pela manutenção dos milhares de vínculos que até então existiam entre consumidores e Unimed Paulistana, já reflete, por si só, uma estratégia mais eficiente de tratamento de danos difusos do que se observa normalmente no sistema de justiça paulista na apreciação desse tipo de questão.

Verifica-se por parte dos protagonistas do ajuste uma atitude proativa na busca de conferir atendimento eficaz a uma situação grave emergente, que toca um público de cerca de 700 mil pessoas, a qual, do modo como vinha sendo tratada em ações atomizadas, dificilmente chegaria a bom termo sob uma perspectiva do conjunto, a qual normalmente é ignorada quando os litígios do tipo são analisados exclusivamente sob o prisma individual.

A concertação em tela ainda revela não só a viabilidade, quando há vontade e compromisso com o resultado, da interação entre instituições públicas com competências sobrepostas para a tutela dos mesmos bens jurídicos, como a aptidão que iniciativas análogas teriam para contribuir decisivamente para a satisfação de pautas de interesse geral.[27]

Aos órgãos do Poder Judiciário, estadual ou federal, especializado ou comum, em todas as instâncias e graus de jurisdição, inclusive aos tribunais superiores, incumbe o dever de recíproca cooperação, por meio de seus magistrados e servidores. Art. 68. Os juízes poderão formular entre si pedido de cooperação para prática de qualquer ato processual. Art. 69. O pedido de cooperação jurisdicional deve ser prontamente atendido, prescinde de forma específica e pode ser executado como: I - auxílio direto; II - reunião ou apensamento de processos; III - prestação de informações; IV - atos concertados entre os juízes cooperantes. §1º *As cartas de ordem, precatória e arbitral seguirão o regime previsto neste Código.* §2º *Os atos concertados entre os juízes cooperantes poderão consistir, além de outros, no estabelecimento de procedimento para:* I - a prática de citação, intimação ou notificação de ato; II - a obtenção e apresentação de provas e a coleta de depoimentos; III - a efetivação de tutela provisória; IV - a efetivação de medidas e providências para recuperação e preservação de empresas; V - a facilitação de habilitação de créditos na falência e na recuperação judicial; VI - a centralização de processos repetitivos; VII - a execução de decisão jurisdicional. §3º *O pedido de cooperação judiciária pode ser realizado entre órgãos jurisdicionais de diferentes ramos do Poder Judiciário"*(http://www.planalto.gov.br/ccivil_03/_Ato2015-2018/2015/Lei/L13105.htm, acesso em: 19 out. 2019).

[27] BITENCOURT NETO, Eurico. *Concertação administrativa interorgânica*. São Paulo: Almedina, 2017, p. 130 e ss. Note-se que a multiplicação de estruturas burocráticas com os mesmos objetivos e competências, mas que atuam

Na situação posta, como destacado, rompeu-se a ciranda do cumprimento protocolar de tarefas pelos agentes públicos lotados no MPF, MPE, PROCON e ANS, que em vez de se limitarem a simplesmente "executar a lei",[28] colocaram o propósito de tutelar eficazmente os cidadãos deixados desamparados pela liquidação da Unimed Paulistana em primeiro lugar.[29]

Para cumprirem seus deveres funcionais, vale dizer, bastaria que cada servidor lotado nos órgãos públicos referidos instaurasse um inquérito, um procedimento administrativo de apuração ou ingressasse com uma ação judicial tendo por objeto os fatos narrados.

Se tais medidas teriam êxito, ou gerariam alguma utilidade para a população em prazo razoável, isso escaparia às respectivas esferas de competência, valendo registrar que a concomitância de processos perante julgadores diversos, quando não Justiças distintas, é uma das receitas para sentenças contraditórias, desproporcionais (seja pelo exagero ou pela insuficiência) quando não apenas simbólicas (isto é, estéreis quanto a frutos para o bem-estar coletivo).

O avanço no tratamento do macrolitígio analisado pela via consensual, portanto, sem necessidade de uma nova lei[30] (como vem sendo a tônica dos últimos governos para qualquer disfunção diagnosticada na gestão pública), foi palpável e alvissareiro.

---

de forma insular e pouco atentas aos efeitos de sua atuação na realidade, é justamente um dos fatores aos quais podemos atribuir a baixa responsividade da nossa organização política no que se refere às expectativas que lhe são depositadas pela população. Sobre a relativa indiferença do nosso gestor com os resultados produzidos na realidade por sua atuação, ver MARQUES NETO, Floriano de Azevedo. A superação do ato administrativo autista. *In*: MEDAUAR, Odete; SCHIRATO, Vitor Rhein (Coord.). *Os caminhos do ato administrativo*. São Paulo: RT, 2011. p. 89/113.

[28] Para uma crítica à idealização da função administrativa como mero braço mecânico de decisões tomadas de antemão pelo legislador, ver SUNDFELD, Carlos Ari. *Direito administrativo para céticos*. São Paulo: Malheiros, 2012, p. 137 e ss.

[29] Em consonância, vale dizer, com o que hoje é previsto nos arts. 20 e 21 da LINDB (Decreto-lei nº 4.657/1942), e que em alguma medida já era decorrência do estabelecido no art. 5º do mesmo diploma, considerando sua aplicabilidade não só aos juízes como a qualquer agente estatal responsável pela aplicação do Direito no desempenho de suas tarefas. Confira-se o quanto previsto por tais textos legais: "Art. 5º *Na aplicação da lei, o juiz atenderá aos fins sociais a que ela se dirige e às exigências do bem comum*"; "Art. 20. Nas esferas administrativa, controladora e judicial, não se decidirá com base em valores jurídicos abstratos sem que sejam consideradas as consequências práticas da decisão. Parágrafo único. A motivação demonstrará a necessidade e a adequação da medida imposta ou da invalidação de ato, contrato, ajuste, processo ou norma administrativa, inclusive em face das possíveis alternativas. Art. 21. A decisão que, nas esferas administrativa, controladora ou judicial, decretar a invalidação de ato, contrato, ajuste, processo ou norma administrativa deverá indicar de modo expresso suas consequências jurídicas e administrativas. Parágrafo único. A decisão a que se refere o caput deste artigo deverá, quando for o caso, indicar as condições para que a regularização ocorra de modo proporcional e equânime e sem prejuízo aos interesses gerais, não se podendo impor aos sujeitos atingidos ônus ou perdas que, em função das peculiaridades do caso, sejam anormais ou excessivos" (http://www.planalto.gov.br/ccivil_03/decreto-lei/del4657.htm, acesso em: 20 out. 2019). Sobre o art. 21 e a necessidade de uma maior preocupação do servidor público (seja na esfera executiva ou controladora) com a realidade, pertinentes as ponderações feias por: ZAGO, Marina Fontão. Decidir as consequências da invalidação de ato administrativo: novo paradigma para velho problema. *In*: CUNHA FILHO, Alexandre J. C. da; ISSA, Rafael H.; SCHWIND, Rafael W. (Coord.). *Lei de Introdução às Normas do Direito Brasileiro* – anotada, v. II, p. 154/160, São Paulo: Quartier Latin, 2019.

[30] Para quem entende que há necessidade de autorização expressa em lei para a realização de acordos no âmbito da Administração Pública, o requisito no caso teria sido satisfeito pelo §6º do art. 5º da Lei nº 7.347/1985, tal como constante dos considerandos do TAC. Eis a redação do dispositivo: "§6º Os órgãos públicos legitimados poderão tomar dos interessados compromisso de ajustamento de sua conduta às exigências legais, mediante cominações, que terá eficácia de título executivo extrajudicial" (http://www.planalto.gov.br/ccivil_03/leis/L7347orig.htm, acesso em: 20 out. 2019).

3.2 O que ficou por fazer?

O principal desafio no tratamento da macrolide referente ao encerramento das atividades da Unimed Paulistana mesmo após o TAC celebrado é, a nosso ver, o alcance limitado do acordo firmado, na medida em que qualquer usuário pode livremente acionar o Judiciário para rediscutir tanto aspectos que não foram previstos na avença como aqueles que o foram, mas de forma alegadamente inadequada para um dado caso concreto.

Se tal fenômeno manifesta-se como reflexo da garantia prevista no art. 5º, XXXV, da Constituição,[31] por outro lado implica dificuldades nada ordinárias para a pacificação coerente da causa dos milhares de pretensões que batem às portas do Judiciário em decorrência de origem comum.[32]

Ainda que seja oportuna a possibilidade de indivíduos questionarem a conduta das empresas que assumiram a carteira da Unimed Paulistana quanto a obrigações e direitos previstos no novo vínculo contratual que entendam ilegítimos, a pulverização dessas demandas, ao menos nos moldes em que hoje essa é admitida no nosso sistema, ocorre em franco prejuízo aos valores da segurança jurídica e da isonomia, contribuindo para decisões que, despidas de visão de conjunto, possam impor ônus desproporcionais para as empresas que assumiram os novos clientes.

Em especial no que se refere aos reajustes dos planos advindos do TAC e à rede de cobertura para quem já estava em tratamento fazendo uso de um dado nosocômio ou time de profissionais, a atuação concertada entre MPF, MPE, PROCON, ANS e operadoras não foi capaz de impedir novas ondas de ações judiciais veiculando as insurgências dos consumidores.

Deveria o Judiciário se preocupar em traçar estratégias sobre como receber os milhares de processos decorrentes dos mesmos motivos ou deveria aguardar inerte a inundação de unidades judiciárias com picos de distribuição de novos casos, apostando no modelo de sempre: criação contínua de mais varas/cargos ou pressão para que os julgadores profiram mais sentenças por minuto?

Sobre a rede de cobertura para atendimentos em curso, a sua previsão no TAC poderia ajudar a evitar um sem-número de processos (de forma mais ou menos efetiva a depender do efeito a ser conferido às ações individuais do quanto acertado no título coletivo).

Já quanto aos reajustes dos planos a questão é mais complexa.

---

[31] Art. 5º, XXXV da CR – "a lei não excluirá da apreciação do Poder Judiciário lesão ou ameaça a direito" (http://www.planalto.gov.br/ccivil_03/Constituicao/Constituicao.htm, acesso em: 21 out. 2019).

[32] A questão se insere, sem dúvida, na má organização do sistema de saúde privada, como complementar ao sistema público de saúde, como um todo. Estamos no campo dos direitos sociais, em que "o tratamento atomizado de direitos sociais, porém, embora possível e legítimo, possui algumas consequências trágicas. Em primeiro lugar, sob a perspectiva do administrador, as múltiplas decisões concessivas de direitos sociais, próprias de uma sociedade de massa, podem vir a interferir no planejamento e execução de uma política pública em curso, na medida em que obrigam a sua adaptação e revisão para o cumprimento das ordens judiciais. Além disso, o tratamento processual individualizado do tema, em regra, não permite a discussão da política pública como um todo, mas somente da particular situação do autor. Isso pode significar a prolação de decisões distantes da realidade do Poder Público, não passíveis de universalização" (COSTA Susana Henriques da. A imediata judicialização dos direitos fundamentais sociais e o mínimo existencial: relação direito e processo. *In*: GRINOVER, Ada Pellegrini; WATANABE, Kazuo; COSTA, Susana Henriques (Coord.). *O processo para solução de conflitos de interesse público*. Salvador: Juspodivm, 2017, p. 406).

Houve previsão expressa de limite ao aumento das mensalidades por sinistralidade na avença (item 2.4.1), mas, em razão da compreensão até então prevalecente da mais completa independência entre os trâmites de ação individual e coletiva, que muitos extraem da redação do art. 104 da Lei nº 8.078/1990,[33] o esforço da tutela transindividual de direitos acabou restando infrutífero.

Haveria alternativas para o resgate da dimensão coletiva de tal tipo de discussão?

Uma das possibilidades seria reconhecer a impossibilidade jurídica da propositura de ações individuais questionando atomizadamente o que atinge todo um grupo.

Isso porque, em se tratando de plano coletivo ou de plano advindo de situação que atingiu todo um grupo, o cálculo desses reajustes leva em conta toda uma carteira de clientes, os quais entendemos que têm o direito de serem tratados isonomicamente pela operadora de seguros, a partir de critérios objetivos, em conformidade com o ajuste firmado por entidades a quem incumbe a tutela do consumidor.

Em tal contexto, admitir discussões compartimentarizadas de reajustes aplicados ao "plano coletivo" acabaria por permitir que alguns membros do grupo, sem que haja razão jurídica para tanto, possam obter tratamento privilegiado no que se refere aos demais, isso em um processo cujo âmbito para dilação probatória é necessariamente mais estreito do que aquele que poderia se dar em uma ação coletiva.

Em sede do rito da Lei nº 9.099/1995 a disfuncionalidade referida ainda é mais grave, por nele não ser possível a produção de prova de maior complexidade (como seria uma perícia atuarial para verificar se o reajuste aplicado pelo plano de saúde está fundado em dados concretos ou não).

Ou seja, em nome de uma tutela rápida para a proteção do consumidor hipossuficiente, este pode inclusive ser prejudicado pela falta dos recursos necessários, neste procedimento, para se verificar as condições em que o serviço está sendo prestado.

Outra possibilidade seria a aplicação da tese fixada no julgamento do Tema Repetitivo 923 (REsp 1.525.327),[34] reconhecendo-se o caráter coletivo do direito em jogo

---

[33] Art. 104 da Lei nº 8.078/1990 – "As ações coletivas, previstas nos incisos I e II e do parágrafo único do art. 81 (tutela de direitos difusos e coletivos), não induzem litispendência para as ações individuais, mas os efeitos da coisa julgada erga omnes ou ultra partes a que aludem os incisos II e III do artigo anterior não beneficiarão os autores das ações individuais, se não for requerida sua suspensão no prazo de trinta dias, a contar da ciência nos autos do ajuizamento da ação coletiva" (http://www.planalto.gov.br/ccivil_03/LEIS/L8078.htm, acesso em: 21 out. 2019).

[34] Em seu voto, o Ministro Luiz Salomão afirmou que "o legislador institui as referidas ações partindo da premissa de que são, presumivelmente, propostas em prol de interesses sociais relevantes ou, ao menos, de interesse coletivo, por legitimado ativo que se apresenta, ope legis, como representante idôneo do interesse tutelado". Ainda, que é possível assinar termos de ajustamento de conduta nas ações coletivas. Esse tipo de acordo só pode ser assinado pelo legitimado por lei a propor as ações, mas abrange todos os seus representados – ao contrário dos acordos individuais, que só envolvem as partes em litígio. Para o ministro, a autocomposição nos direitos coletivos, nesses casos, proporciona a pacificação social por meio do Judiciário. A seu ver, a suspensão das ações individuais não implica prejuízo à adoção de eventuais medidas de natureza cautelar pelo Juízo do feito coletivo, "e evita-se também, nos danos de magnitude, com potencial de ocasionar a insolvência do responsável, que apenas os primeiros sejam indenizados, em prejuízo dos que ajuízam a ação mais tardiamente (em regra, os mais vulneráveis)". BRASIL, Superior Tribunal de Justiça. REsp 1525327/PR, Rel. Ministro LUIS FELIPE SALOMÃO, SEGUNDA SEÇÃO, julgado em 12.12.2018, DJe 01.03.2019 https://scon.stj.jus.br/SCON/jurisprudencia/toc.jsp?repetitivos=JULGADO+E+CONFORME+E+%22RECURSOS+REPETITIVOS%22&processo=1525327&b=ACOR&thesaurus=JURIDICO&p=true. Acesso em: 23 out. 2019.

nas ações individuais, de forma sistemática, evitando-se retrabalho e trabalho repetitivo, independentemente das consequências desta decisão para as planilhas de movimento judicial e informações de estoque de processos em curso nas varas.

Finalmente poderíamos pensar em uma terceira abordagem: não havendo impedimento nem suspensão de processos individuais em razão de um coletivo, para que se mitigue ao menos um pouco as disfuncionalidades que marcam nosso sistema acerca do tema, talvez fosse pertinente haver uma sinalização na distribuição das diversas ações individuais quanto a sua origem comum (no caso, liquidação ou encerramento da Unimed Paulistana) e a criação de ferramenta de tecnologia da informação que permitisse aos magistrados responsáveis por esses casos cooperarem entre si, optando pela reunião de ações ou então ajustando atos de instrução conjunta dos feitos sob análise.

Note-se que nessa última hipótese seria viabilizada a produção de provas complexas, a coleta de informações relevantes que normalmente não seriam investigadas nas ações individuais de massa, a oitiva de especialistas, a busca de subsídios junto a agências reguladoras, em um cenário que permitiria ao Poder Judiciário aproximar-se da causa do conflito, assumindo o seu papel de ator social relevante, e não de mero instrumento no jogo de interesses da arena em que se movimentam os direitos de natureza não individual.

4 Perspectivas: ação estrutural?

Além das alternativas de racionalização da prestação jurisdicional em demandas seriais supramencionadas, ainda há outro caminho que se descortina com tal propósito, igualmente partindo do pressuposto de que o tratamento individual de questões coletivas no Poder Judiciário, longe de favorecer o consumidor, reduz suas garantias enquanto grupo merecedor de uma proteção jurídica qualificada.

No que pertine à atuação da magistratura, a experiência vem revelando que, mesmo existindo o IRDR no sistema do novo Código de Processo Civil, este instrumento não é suficiente para aumentar a efetividade processual, a segurança jurídica, a isonomia, a economia de recursos e a duração razoável dos feitos.

Mantendo-se a completa independência entre as instâncias coletivas e individuais de discussão de uma mesma matéria, com inúmeros órgãos judiciais debruçados sobre os mesmos temas sem coordenação dos respectivos esforços, com grandes litigantes resistindo a dobrar-se aos entendimentos pacificados nos Tribunais, a tendência parece ser a da manutenção (se não progressão) do nível de litigância atual, com dispersão jurisprudencial quanto aos aspectos fáticos das demandas e realimentação contínua do sistema de Justiça provocado a reapreciar reiteradamente controvérsia comum (já que a fonte dos questionamentos não é resolvida em sua origem).

Um aumento efetivo da celeridade e eficácia do processo requer, pois, que a ação coletiva enfim assuma o papel que lhe seria próprio no tratamento de lides que, fundadas na mesma causa de pedir, toquem um grande número de pessoas.

Isso poderia ocorrer caso passemos a reconhecer a ação civil pública fundada na tutela do consumidor como um processo estrutural.

Nesses processos, ensina Arenhart,

> objetiva-se decisões que almejam a alteração substancial, para o futuro, de determinada prática ou instituição. As questões típicas de litígios estruturais envolvem valores amplos da sociedade, no sentido não apenas de que há vários interesses concorrentes em jogo, mas também de que a esfera jurídica de vários terceiros pode ser afetada pela decisão judicial.[35]

As ações estruturais permitem o afastamento de princípios clássicos do processo individual, como o princípio da demanda, podendo-se reconhecer um pedido mais amplo do que aquele inicialmente formulado pelo autor da ação. O princípio dispositivo também pode ser afastado, pois as circunstâncias, quando se está diante de um direito coletivo, não são tão claras como aquelas que se colocam sob o prisma individual; não são direitos disponíveis, e que podem ser descartados por uma atuação não suficientemente informada daquele que postulou em juízo.

Em casos como este também não se pode restringir a esfera de atuação do Ministério Público em razão do princípio da adstrição da decisão ao pedido. O pedido pode ser aperfeiçoado à medida que os problemas se revelem ao órgão público com legitimação extraordinária que desencadeou o processo judicial.

Admitida a dimensão estrutural para estes litígios, é possível se utilizar de instrumentos como as audiências públicas e o *amicus curiae*. Ainda, seria viável, pela "amplitude com que a legislação processual trata dos administradores judiciais (*v.g.*, arts. 148-150, 677 e 719, CPC/1973; arts. 159-161, 862-863, 866-869, CPC/2015)"[36] (ARENHART, 2016, p. 18) autorizar a criação de grupos de acompanhamento, seja para sugerir medidas específicas para alguns problemas, seja para, como no caso do plano de saúde Unimed, conferir as questões atuariais e estabelecer critérios a serem discutidos pelos atores sociais envolvidos, encontrando-se uma solução apoiada em conhecimento técnico e capaz de atingir a todos os consumidores afetados de modo uniforme.

Uma outra alternativa que também vem se delineando na doutrina, proposta expressamente por Gagno[37] e Refosco,[38] consiste na concessão, nas ações coletivas envolvendo direitos individuais homogêneos, de uma tutela mandamental que obrigue o réu a identificar os beneficiários individuais da tutela e eventuais quantias a serem pagas, invertendo-se a execução.

5 Conclusão

Apesar do engajamento firme da magistratura no cumprimento de metas de julgamento mensais cada vez mais ambiciosas, entendemos que o momento é de reflexão.

---

[35] ARENHART, Sérgio Cruz. Processos estruturais no Direito Brasileiro: reflexões a partir do caso da ACP do carvão. In: *Interesse Público*, Belo Horizonte, ano XVIII, n. 97, p. 243/257, maio/jun. 2016, p. 216.

[36] ARENHART, Sérgio Cruz. Processos estruturais no Direito Brasileiro: reflexões a partir do caso da ACP do carvão. In: *Interesse Público*, Belo Horizonte, ano XVIII, n. 97, p. 243/257, maio/jun. 2016, p.18.

[37] GAGNO, Luciano Picoli. Tutela mandamental e efetividade dos direitos individuais homogêneos. In: *Revista dos Tribunais*, São Paulo, ano 104, vol. 95, p. 252, 2015.

[38] REFOSCO, Helena Campos. *Ação coletiva e democratização do acesso à Justiça*. São Paulo: Quartier Latin, 2018, p. 265.

Os integrantes do Judiciário, atendendo às orientações dos seus órgãos de cúpula, *passaram cada qual a fazer a sua parte*[39] no plano que lhes fora traçado pela direção dos Tribunais, sem terem sido, no mais das vezes, ativamente consultados para melhor identificação de gargalos para o bom exercício de suas atividades e sugestão de alternativas para sua superação.

Onde queremos chegar? Decidir sempre mais e mais em um mesmo espaço de tempo, sem qualquer coordenação de esforços entre os responsáveis pela apreciação de matéria comum e sem se alcançar a causa de milhares de demandas repetitivas que assolam as unidades jurisdicionais, vem contribuindo para a pacificação social?

Ao lado de objetivos pouco refletidos e da eleição de meio de eficácia duvidosa para atingi-los há a cultura, há um modo tradicional de se fazer as coisas que, nada obstante vir se revelando insuficiente para lidar com os desafios hodiernamente impostos à jurisdição, é difícil de se mudar.

É comum se esperar da lei ou do outro resposta que incumbe a cada um de nós dar para os problemas que nos cabe resolver.

No caso da Unimed Paulistana, independentemente dos novos recursos que hoje estão expressamente previstos em nossa legislação para melhor tratamento das demandas seriais, viu-se o Ministério Público, na legitimidade que lhe é conferida pela Lei nº 7.347/1985, valer-se da concertação com outros agentes públicos e privados buscando solução para parte de grave questão envolvendo milhares de cidadãos.

Outras partes da questão ainda estão por ser melhor endereçadas pelos órgãos de defesa do consumidor com competência para analisar a matéria, sistema do qual o Judiciário é apenas um dos atores envolvidos, e que vem sendo provocado para tanto preferencialmente na modalidade de ações individuais, o que vem se mostrando improdutivo e gerando injustiças de toda ordem (desde adjudicação distinta para pessoas que estão em situação igual até imposição de condutas às empresas em desconsideração com cálculos atuariais que deveriam justificar os termos dos contratos que estas oferecem no mercado).

Como essa e outras disputas que assolam milhares de brasileiros vão ser tratadas pelos juízes no porvir é história que ainda está por ser contada.

A nosso ver, contudo, já há experiência acumulada o suficiente para sabermos o que deve ser evitado caso desejemos alcançar resultado diverso do produzido até hoje com o modelo fordista transportado à arte de dar a cada um o que é seu.

---

[39] "Eu faço a minha parte". Eis o mote da reflexão de Taís Schilling Ferraz acerca da necessidade de os integrantes do Judiciário (magistrados e servidores) reverem sua postura diante do fenômeno da litigância repetitiva para fins de melhor tratamento desse tipo de conflito. Destacamos passagem: "não se nega que cada magistrado deve ser responsável por fazer sua parte, ao prestar jurisdição. O que se defende é a necessidade de uma reflexão sobre a insuficiência deste fazer individual, especialmente no contexto das demandas de massa e diante do crescimento exponencial do volume de processos ajuizados a cada ano" (2018, p. 70).

Referências

ALVES DA SILVA, Paulo Eduardo. *Acesso à justiça, litigiosidade e o modelo processual civil brasileiro*. Tese de livre-docência. Universidade de São Paulo, Faculdade de Ribeirão Preto, 2018.

ARENHART, Sérgio Cruz. Processos estruturais no Direito Brasileiro: reflexões a partir do caso da ACP do carvão. *In: Interesse Público*, Belo Horizonte ano XVIII, n. 97, p. 243/257, maio/jun. 2016.

BITENCOURT NETO, Eurico. *Concertação administrativa interorgânica*. São Paulo: Almedina, 2017.

CALÇAS, Manoel de Q. P.; NERY, Ana Rita de F.; DIAS, Maria Rita R. P.; DEZEM, Renata M. M. Monitoramento de perfis de demandas: um caminho na busca do planejamento do âmbito do Poder Judiciário. *In*: CUNHA FILHO, Alexandre J. C. da; OLIVEIRA, André Tito da M.; ISSA, Rafael H.; SCHWIND, Rafael W. (Coord.). *Direito, instituições e políticas públicas* – o papel do jusidealista na formação do Estado. São Paulo: Quartier Latin, 2017, p. 695/716,

CÂMARA, Alexandre Freitas. *Lições de direito processual civil*, v. I, 14. ed. Rio de Janeiro: Lumen Juris, 2006.

CERQUEIRA, Társis Silva de. Uma breve reflexão sobre as técnicas de resolução de casos repetitivos sobre o acesso à Justiça. *In*: DIDIER JR., Fredie; CUNHA, Leonardo Carneiro da. (Org.). *Julgamento de casos repetitivos*, v. 10. Salvador: Juspodivm, 2017, p. 423/444.

CORRÊA, Fábio Peixinho Gomes. *Governança judicial*. São Paulo: Quartier Latin, 2012.

COSTA, Susana Henriques da. A imediata judicialização dos direitos fundamentais sociais e o mínimo existencial: relação direito e processo. *In*: GRINOVER, Ada Pellegrini; WATANABE, Kazuo; COSTA, Susana Henriques (Coord.). *O processo para solução de conflitos de interesse público*. Salvador: Juspodivm, 2017.

DIDIER JR., Fredie; ZANETI JR., Hermes. Princípio da adequação jurisdicional do processo coletivo – benfazeja proposta contida no projeto de nova lei de ação civil pública. *In*: GOZZOLO, Maria Clara *et al.* (Coord.). *Em defesa de um novo sistema de processos coletivos*. São Paulo: Saraiva, 2010. p. 245/254.

FERRAZ, Taís Schilling. Gestão do conhecimento como instrumento para a efetividade do modelo brasileiro de precedentes: a importância dos centros de inteligência. *In*: Série CEJ. Notas técnicas e ações do Centro Nacional de Inteligência da Justiça Federal, Brasília: Conselho da Justiça Federal, v. 1, p. 63/71, 2018.

GAGNO, Luciano Picoli. Tutela mandamental e efetividade dos direitos individuais homogêneos. *In*: *Revista dos Tribunais*, São Paulo, ano 104, vol. 95, 2015.

LEONEL, Ricardo de Barros. *Manual do processo coletivo*, 4. ed. São Paulo: Malheiros, 2017.

MARQUES NETO, Floriano de Azevedo. A superação do ato administrativo autista. *In*: MEDAUAR, Odete; SCHIRATO, Vitor Rhein (Coord.). *Os caminhos do ato administrativo*. São Paulo: RT, 2011, p. 89/113.

MARTINS, A. M.; PIMENTA, C. O.; FERNANDES, F. S.; NOVAES, G. T. F.; LOPES, V. V. A capacidade institucional de municípios paulistas na gestão da educação básica. *In*: *Cadernos de Pesquisa*, v. 43, n. 150, p. 812-835, 2014.

NAGAO, Paulo Issamu. *O papel do juiz na efetividade do processo civil contemporâneo*. São Paulo: Malheiros, 2016.

OSZLAK, O.; ORELLANA, E. *El análisis de la capacidad institucional*: aplicación de la metodología SADCI. Documento de trabajo. 2001, disponível em: http://www.oscaroszlak.org.ar/images/articulos-espanol/OSZLAK%20Oscar%20y%20ORELLANA%20Edgardo%20%20El%20analisis%20de%20la%20capacidad%20institucional.pdf, acesso em: 25 out. 2019.

REFOSCO, Helena Campos. *Ação coletiva e democratização do acesso à Justiça*. São Paulo: Quartier Latin, 2018.

RODRIGUES, Ruy Zoch. *Ações repetitivas*: casos de antecipação de tutela sem o requisito de urgência. São Paulo: RT, 2010.

SICA, Heitor Vitor Mendonça. Congestionamento viário e congestionamento judiciário: reflexões sobre a garantia do acesso individual ao poder judiciário. *In:* BEDAQUE, José Roberto dos S.; CINTRA, Lia C. B.; EID, Elie P. *Garantismo processual* – garantias constitucionais aplicadas ao processo. Brasília: Gazeta Jurídica, 2016, p. 143/157.

SUNDFELD, Carlos Ari. *Direito administrativo para céticos*. São Paulo: Malheiros, 2012.

VIARO, Felipe Albertini Nani. *Judicialização*. São Paulo: Quartier Latin, 2018.

ZAGO, Marina Fontão. Decidir as consequências da invalidação de ato administrativo: novo paradigma para velho problema. *In:* CUNHA FILHO, Alexandre J. C. da; ISSA, Rafael H.; SCHWIND, Rafael W. (Coord.). *Lei de Introdução às Normas do Direito Brasileiro* – anotada, v. II. São Paulo: Quartier Latin, 2019, p. 154/160.

ZANONI, Luciana Ortiz Tavares Costa. Os caminhos para uma governança democrática no Poder Judiciário. *In:* CONTI, José Maurício (Org.). *Poder Judiciário* – orçamento, gestão e políticas públicas, v. I. São Paulo: Almedina, 2017, p. 95/114.

Informação bibliográfica deste texto, conforme a NBR 6023:2018 da Associação Brasileira de Normas Técnicas (ABNT):

CUNHA FILHO, Alexandre Jorge Carneiro da; ARAÚJO, Alexandra Fuchs de. Multiplicando litígios: a eleição da métrica sentenças-por-minuto como um meio sem fim. Que lições podemos extrair da insolvência da Unimed Paulistana? *In*: COSTA, Daniel Castro Gomes da; FONSECA, Reynaldo Soares da; BANHOS, Sérgio Silveira; CARVALHO NETO, Tarcisio Vieira de (Coord.). *Democracia, justiça e cidadania:* desafios e perspectivas. Homenagem ao Ministro Luís Roberto Barroso. Belo Horizonte: Fórum, 2020. p. 311-327. t. 2: Pensando as instituições, a justiça e o Direito. ISBN 978-85-450-0749-4.

OS LIMITES DA CONSTITUCIONALIZAÇÃO DO DIREITO ADMINISTRATIVO[1]

CAROLINE MARIA VIEIRA LACERDA

1 A constitucionalização do Direito

"Constitucionalização do Direito" é um termo jurídico relativamente recente e comporta uma gama de significados.[2] A despeito de todos os entendimentos cabíveis sobre o tema, busca-se, neste estudo, dar destaque à discussão sobre o relevante papel das Constituições, em todos os âmbitos do Direito, e a expansão de suas normas para todo o ordenamento jurídico infraconstitucional.

Há pouco tempo, não se considerava a Constituição como autêntica norma jurídica, mas apenas a proclamação de valores e diretrizes políticas a desempenhar papel meramente inspirador e retórico na solução de conflitos jurídicos.[3] Contudo uma série de fatores contribuiu para o declínio desse modelo e a ascensão de um novo paradigma no qual se atribui às Constituições verdadeiro papel de destaque no ordenamento jurídico. E é esse processo de centralização constitucional que se entende como constitucionalização.

Dentre os fatores que fomentaram a expansão das normas constitucionais por todo o sistema jurídico, destaca-se a reaproximação do constitucionalismo com a democracia, a qual foi determinada por diversos fatores históricos – desde a crise do Estado liberal burguês e o advento do *welfare state*, passando pelo inchaço legislativo decorrente da maior interferência do Estado nas relações privadas, até o declínio das traumáticas experiências nazista e fascista.[4]

---

[1] Estudo para obra coletiva em homenagem ao Ministro Luís Roberto Barroso, jurista cuja brilhante atuação como advogado, professor e membro do Supremo Tribunal Federal foi vanguardista no tema da constitucionalização do direito.

[2] Por constitucionalização do direito poder-se-ia entender, além do conceito discutido neste artigo, a supremacia constitucional de determinado ordenamento jurídico ou a incorporação, no texto constitucional, de normas de natureza infraconstitucional.

[3] BINENBOJM, Gustavo. *Uma teoria do direito administrativo*. Direitos fundamentais, democracia e constitucionalização. 2. ed. Rio de Janeiro: Renovar, 2008, p. 61.

[4] SARMENTO, Daniel. *Direitos fundamentais e relações privadas*. Rio de Janeiro: Lumen Juris, 2004, p. 70-78.

No plano teórico e filosófico, superaram-se o jusnaturalismo[5] e o juspositivismo,[6] o que abriu espaço para o pós-positivismo[7] – caminho amplo de reflexões acerca do Direito, sua função social e interpretação. Nesse ambiente, promoveu-se a reaproximação entre Filosofia e Direito, estabelecendo-se a ideia de que o Direito não é a expressão de uma justiça imanente, mas de interesses dominantes em determinado contexto histórico.

Com tais mudanças históricas, teóricas e filosóficas, uma grande transformação de paradigma observada foi a atribuição de *status* de norma jurídica às Constituições. Superou-se, aos poucos, o modelo no qual a Constituição era entendida como documento político[8] e consolidou-se a ideia que hoje parece inegociável: a de que a Constituição é norma de aplicabilidade e eficácia diretas.

Pelo conjunto amplo de transformações ocorridas no Estado e no Direito Constitucional e pela nova perspectiva constitucional, entendeu-se o neoconstitucionalismo,[9] o qual teve como marco filosófico o pós-positivismo; como marco histórico, a formação do Estado constitucional de direito após a Segunda Guerra Mundial; e, como marco teórico, o conjunto de fatores que reconheceram a força normativa da Constituição.[10]

Ao que tudo indica, o ponto inicial do processo de constitucionalização do Direito surgiu na Alemanha[11] sob o regime da Lei Fundamental de 1949, no qual foi estabelecido,

---

[5] Neste estudo, utiliza-se o conceito utilizado por Thomas Hobbes: jusnaturalimo é a liberdade que toda pessoa tem de usar o seu próprio poder a seu arbítrio para a conservação da sua natureza, da sua vida, segundo o seu próprio juízo e a sua razão, como o meio mais idôneo para esse fim (MALMESBURY, Thomas Hobbes de. *Leviatã*. Roma: Editora Laterza, 2001, p. 61).

[6] Adota-se a definição dada por Tércio Sampaio Ferraz Júnior, segundo a qual o positivismo jurídico é a corrente da filosofia que entende o direito como apenas aquilo que está posto, colocado, dado, positivado. Ao definir o direito, o positivismo o identifica, portanto, com o direito efetivamente posto pelas normas jurídicas (FERRAZ JR., Tércio Sampaio. *Introdução ao estudo do direito*. São Paulo: Atlas, 2003, p. 23).

[7] Para este estudo, consideram-se pós-positivistas as teorias contemporâneas que dão enfoque aos problemas da indeterminação do direito e das relações entre direito, moral e política. O debate acerca de sua caracterização situa-se na confluência de paradigmas opostos: jusnaturalismo e juspositivismo. Atualmente, supera-se a ideia de modelos puros para adotar-se modelo difuso e abrangente de ideias agrupadas pelo conceito genérico de pós-positivismo. Para um estudo mais aprofundado, ver: RAWLS, John. *Uma teoria da justiça*. São Paulo: Martins Fontes, 2000, p. 20-23.

[8] HESSE, Konrad. *A força normativa da constituição*. Porto Alegre: Sérgio Antônio Fabris Editor, 1991, p.1. Disponível em: https://edisciplinas.usp.br/pluginfile.php/4147570/mod_resource/content/0/A%20Forca%20Normativa%20 da%20Constituicao%20-%20Hesse.pdf. Acesso em: 9 dez. 2019.

[9] Adota-se o conceito de neoconstitucionalismo utilizado por Luís Roberto Barroso, jurista vanguardista no tema no Brasil (BARROSO, Luís Roberto. *O novo direito constitucional brasileiro*: contribuições para a construção teórica e prática da jurisdição constitucional no Brasil. Belo Horizonte: Fórum, 2012b, p. 201).

[10] BARROSO, Luís Roberto. *A judicialização da vida e o papel do Supremo Tribunal Federal*. Belo Horizonte: Fórum, 2018, p. 92-93.

[11] Esse processo de constitucionalização não se deu de maneira simultânea e uniforme em todos os sistemas jurídicos. Na Itália, a despeito de a Constituição ter entrado em vigor em 1948, a constitucionalização ocorreu somente entre 1960 e 1970, após a instalação da Corte Constitucional. Na França, o processo de constitucionalização do Direito teve origem muito mais tarde e enfrenta resistência até os dias atuais. Não obstante, avanços significativos vêm ocorrendo nessa seara, desde a década de 1970, com a provocação de uma maior atuação do Conselho Constitucional. Segundo Luís Roberto Barroso, na Inglaterra, não houve o fenômeno da constitucionalização do Direito, uma vez que não há Constituição escrita, controle de constitucionalidade e jurisdição constitucional no sistema inglês. Nos Estados Unidos, a situação é oposta, porquanto a Constituição americana, desde a sua criação, teve aplicação direta e imediata pelo Judiciário. Ou seja, a interpretação de todo o direito à luz da Constituição é característica americana histórica e não contemporânea. Nos Estados de democratização tardia, como Brasil, Portugal e Espanha, a constitucionalização é processo recente (BARROSO, Luís Roberto. A constitucionalização do direito e suas repercussões no âmbito administrativo. *In*: ARAGÃO, Alexandre Santos de; MARQUES NETO, Floriano de Azevedo. *Direito administrativo e seus novos paradigmas*. Belo Horizonte: Fórum, 2012a, p. 33-39).

pelo Tribunal Constitucional Federal, que os direitos fundamentais têm, além de sua dimensão subjetiva de proteção individual, a dimensão objetiva, que consagra os valores mais importantes de uma comunidade política.[12] A partir daí, entendeu-se que o sistema jurídico deve proteger determinados direitos e valores, não somente pelo proveito que possa trazer ao indivíduo, mas pelo interesse geral da sociedade. Consagrou-se que normas constitucionais condicionam a interpretação de todas as demais normas do Direito e vinculam a atuação dos poderes constituídos, o que configurou verdadeira revolução de ideias.

Reconhecer a *força normativa da Constituição*[13] implicou profunda transformação no Direito contemporâneo, com intensas modificações em todos os seus ramos. Os valores e os fins constitucionais passaram a condicionar a validade e a aplicabilidade de todas as normas infraconstitucionais, repercutindo, por isso, no âmbito de todos os poderes e nas relações entre particulares – seja entre os particulares e o Estado, seja nas relações eminentemente privadas.[14]

Segundo Luís Roberto Barroso, relativamente ao Legislativo, a constitucionalização limita sua liberdade de elaboração das leis, impondo-lhe deveres de atuação para a realização de programas constitucionais; no tocante ao Executivo, além de limitar a discricionariedade, impõe deveres de atuação e fornece fundamentos de validade para a prática de atos, independentemente de interferência legislativa; quanto ao Judiciário, serve de parâmetro para o controle de constitucionalidade incidental ou abstrato e condiciona a interpretação de normas do sistema; para os particulares, estabelece limitação à autonomia de vontade para colocar os valores constitucionais e fundamentais como centro das relações.[15]

No Brasil, a Constituição de 1988 simbolizou a travessia democrática e revelou a necessidade de fixação de limites ao poder público e o estabelecimento de direitos e garantias fundamentais nas suas dimensões subjetiva e objetiva. Por isso seu texto expressa um heterogêneo amálgama de interesses sociais, econômicos, funcionais, individuais, entre outros. De acordo com Barroso: "A euforia constituinte – saudável e inevitável após tantos anos de exclusão da sociedade civil – levou a uma Carta que, mais do que analítica, é prolixa e corporativa".[16]

Apesar de o constitucionalismo não ter como marca principal exagerada preocupação com a inclusão, na Constituição Federal, de normas infraconstitucionais – mas,

---

[12] SARMENTO, Daniel. *Direitos fundamentais e relações privadas*. Rio de Janeiro: Lumen Juris, 2004, p. 371.

[13] HESSE, Konrad. *A força normativa da constituição*. Porto Alegre: Sérgio Antônio Fabris Editor, 1991, p. 1. Disponível em: https://edisciplinas.usp.br/pluginfile.php/4147570/mod_resource/content/0/A%20Forca%20Normativa%20da%20Constituicao%20%20-%20Hesse.pdf. Acesso em: 9 dez. 2019.

[14] Segundo Virgílio Afonso da Silva, os efeitos da maior aplicação das normas constitucionais nas relações privadas recorrem a razões históricas ou à função que os direitos fundamentais desempenham (ou deveriam desempenhar) no ordenamento jurídico, qual seja: proteger os indivíduos contra violações por parte do Estado. De acordo com o autor: "Da mesma forma como são aplicados nas relações entre o Estado e os cidadãos, não é necessária nenhuma ação intermediária para que sejam também aplicáveis nas relações interprivados" (SILVA, Virgílio Afonso da. *A constitucionalização do direito*. Os direitos fundamentais nas relações entre particulares. São Paulo: Malheiros, 2011, p. 71-86).

[15] BARROSO, Luís Roberto. A constitucionalização do direito e suas repercussões no *âmbito* administrativo. In: ARAGÃO, Alexandre Santos de; MARQUES NETO, Floriano de Azevedo. *Direito administrativo e seus novos paradigmas*. Belo Horizonte: Fórum, 2012a, p. 32.

[16] BARROSO, Luís Roberto. *Temas de direito constitucional*. Tomo I. Rio de Janeiro: Renovar, 2006, p. 17.

sobretudo, a reinterpretação dessas normas infraconstitucionais sob a ótica constitucional –, abre, naturalmente, um espaço de intersecção entre os temas.[17] Assim, todos os ramos do Direito, em maior ou menor grau, foram tocados pela Constituição brasileira.

À medida que princípios interagem com todas as demais normas do sistema[18] – seja porque suas normas infraconstitucionais fazem parte da Constituição, seja porque as normas constitucionais se espraiam pelas normas infraconstitucionais –, a Constituição passa a ter caráter subordinante. Essa circunstância interfere decisivamente nos limites de atuação do legislador – e dos demais poderes – e dá à Constituição supremacia material e axiológica.

Uma das consequências desse fenômeno foi a desvalorização de microssistemas normativos nutridos de valores objetivos dissonantes dos preceitos constitucionais. Com isso, houve um movimento de decodificação e desvalorização da lei. Enquanto algumas normas envelheciam e se afastavam das bases principiológicas da Constituição, criavam-se microssistemas jurídicos, autônomos e específicos, em um claro processo de mitigação da importância – antes exclusiva – dos códigos e das leis.[19]

A Constituição deixa de ser entendida, então, como sistema ensimesmado e passa a ser respeitada como valor de todos os microssistemas, os quais são analisados sob o enfoque de seus princípios. À luz desse entendimento, todas as interpretações jurídicas passam a ser interpretações que devem ser feitas sob a lente constitucional, e a Constituição torna-se o centro do sistema jurídico, dotada de supremacia material e axiológica, mas também formal e interpretativa.

Na prática, esse exercício de constitucionalização do Direito é feito por intermédio (i) do reconhecimento da não recepção de normas infraconstitucionais, anteriores à Constituição, não compatíveis com ela; (ii) da declaração de inconstitucionalidade das leis; ou (iii) da interpretação conforme a Constituição, seja no sentido de determinar a

---

[17] CANOTILHO, J. J. Gomes; MOREIRA, Vital. *Fundamentos da constituição*. Coimbra: Editora Coimbra, 1991, p. 45.

[18] Para este estudo, utilizam-se os conceitos de regras, princípios e *polices* desenvolvido por Dworkin, segundo o qual regras e princípios são normas jurídicas com diferentes dimensões. O autor argumenta que, ao lado das regras, que têm apenas a dimensão da validade, existem os princípios, os quais têm também uma dimensão de peso. Nesse contexto, distingue três padrões de orientação dos juízes no sistema jurídico: as regras, os princípios e as *polices*. As regras seriam normas aplicáveis na maneira da disjunção excludente do "tudo ou nada". Nesse sentido, são "válidas" ou "inválidas", sob o ponto de vista de sua aplicabilidade, devendo ser utilizadas como forma de solução do caso ou afastadas. Na colisão entre duas regras, apenas uma poderá ser válida e servir de orientação para a decisão do caso. Para os princípios, não cabe essa análise de validade, uma vez que, segundo Dworkin, têm dimensão de peso ou de importância. No caso de colisão entre princípios, terá prevalência aquele que for, para o caso concreto, mais relevante, sem que essa prevalência signifique deixar de pertencer ao ordenamento jurídico, mas denote somente deixar de ser decisivo no caso concreto. Daí por que dois princípios em colisão podem ser, simultaneamente, válidos. A isso se soma o argumento de que os princípios opostos a outros não são, a rigor, suas exceções, bem como o de que os princípios não pretendem estabelecer condições que tornem sua aplicação necessária. As *polices*, segundo Dworkin, são objetivos a serem alcançados, em geral, melhorias econômicas, sociais, políticas, ainda que certos objetivos sejam negativos, no sentido de se protegerem direitos contra mudanças adversas. Com frequência, o autor se utiliza do termo "princípios" também para abranger as *policies*, mas assevera que aqueles são um padrão que deve ser observado por exigência de justiça, equidade ou moralidade, e não para promover ou assegurar situações econômicas, sociais, políticas. Para maior aprofundamento no tema, conferir: DWORKIN, Ronald. *Taking rights seriously*. Cambridge, Massachussetts: Harvard University Press, 1977; e ALEXY, Robert. *Teoria dos direitos fundamentais*. São Paulo: Malheiros, 2017.

[19] O Código Civil brasileiro é exemplo de norma que figurava no centro de todo o ordenamento jurídico do país e perdeu influência no âmbito do próprio Direito Privado com seu envelhecimento. Inúmeras leis específicas foram criadas em temas de sua alçada, gerando-se, assim, microssistemas normativos autônomos e independentes, que colocam a Constituição Federal como centro.

leitura da norma de maneira que melhor alcance os valores e fins constitucionais, seja na declaração de inconstitucionalidade por exclusão de determinada interpretação possível.

Por tais parâmetros, que inscrevem a Constituição no centro do sistema jurídico, realiza-se um filtro por meio do qual se deve entender o Direito. Por isso não há como negar o impacto da Constituição no Direito Infraconstitucional como um todo, o que demanda sua imediata reanálise sob o enfoque de novos paradigmas.

1.1 A valorização dos princípios constitucionais à luz da constitucionalização do Direito

Nesse cenário de sobrevalorização da Constituição, de papel acessório para central no sistema jurídico, operou-se a abertura desse sistema pela normatividade dos princípios constitucionais. Isso porque, nesse novo cenário, valoriza-se, sobremaneira, o papel dos princípios. Surge, assim, a necessidade de debate sobre as diferenças existentes entre regras e princípios, para qual Dworkin e Alexy propuseram uma separação qualitativa no sentido de estabelecer que tal distinção tem caráter meramente lógico.[20]

Para esses autores, que tiveram como seu ponto de partida a crítica ao positivismo jurídico desenvolvido por Herbert Hart,[21] ao lado das regras, as quais têm apenas a dimensão da validade, existem os princípios, que têm também uma dimensão de peso. As regras seriam normas aplicáveis na maneira da disjunção excludente do "tudo ou nada", "válidas" ou "inválidas", sob o ponto de vista de sua aplicabilidade, devendo ser utilizadas como forma de solução do caso ou afastadas. Quanto aos princípios, não cabe analisar sua validade, uma vez que, segundo o Dworkin, têm dimensão de peso ou de importância. No caso de colisão entre princípios, terá prevalência aquele que for, para o caso concreto, mais relevante, sem que a prevalência signifique deixar de pertencer ao ordenamento jurídico, mas denote somente deixar de ser decisivo no caso concreto.[22] Os "princípios são normas que ordenam que algo seja realizado na maior medida possível dentro das possibilidades jurídicas e fáticas existentes".[23]

---

[20] Tema que ganhou maior relevância com o fascínio pela principiologia jurídica desenvolvida nas obras de Ronald Dworkin e Robert Alexy.

[21] Segundo Herbert Hart, as situações não reguladas por regras ficariam no âmbito da discricionariedade do juiz. Ou seja, quando um juiz esgota as regras à sua disposição, tem o poder discricionário, não estando obrigado a quaisquer padrões derivados da autoridade do direito (HART, Herbert. *O conceito de direito*. Lisboa: Fundação Calouste Gulbenkian, 2007).

[22] Dworkin trata os princípios jurídicos como mandamentos morais universais, assentados na "moralidade comunitária", entendida como a moralidade política das leis e das instituições, embora não resida da decisão particular do Poder Legislativo ou do Tribunal, nem a uma regra. Ou seja, os princípios jurídicos se apoiam na moralidade de uma comunidade política e se transformam no processo histórico, mas devem passar por um tipo de consistência ou coerência constitucional, para que não dissipem da moralidade comunitária – legalmente constituída. A principal contribuição de Robert Alexy foi desenvolver os princípios como mandamentos de otimização, também partindo do pressuposto de que a distinção entre regras e princípios se dá de forma qualitativa, e não de grau. O autor propôs uma reformulação na teoria de Dworkin, e sua recepção ultrapassou as fronteiras da Alemanha, a dar um caráter de universalidade a essa concepção principiológica. Nesse sentido, criticou a tese de que as regras são aplicadas na medida do tudo ou nada, com base no argumento de que, no ordenamento jurídico moderno, as exceções à regra não são passíveis de enumeração taxativa. Dessa forma, novas exceções podem surgir a cada novo caso. Assim, segundo esse autor, as regras são normas que são sempre cumpridas ou não cumpridas. Daí por que, em um conflito de regras, em que não haja exceção para eliminar a contradição, uma das regras deve ser declarada inválida.

[23] ALEXY, Robert. *Theorie der Grundrechte*. Suhrkamp Verlag AG, 2006, p. 82 e seguintes.

Nessa perspectiva, cada norma jurídica – constitucional ou infraconstitucional – deve ser interpretada de forma que assegure, o mais amplamente possível, o princípio constitucional que rege a matéria, para impedir a prática de atos que se oponham a ele.[24] Deixa-se de negar os princípios por sua generalidade e abstração e passa-se a considerá-los autênticas normas, situadas no patamar mais elevado da ordem jurídica. Dessa forma, sua aplicação não depende da mediação do legislador infraconstitucional para a produção de efeitos jurídicos. E, para além disso, os princípios passam a ser utilizados na resolução de equações jurídicas concretamente consideradas.

O reconhecimento do caráter normativo dos princípios constitucionais demonstrou a impossibilidade de uma assepsia do Direito em relação aos valores da sociedade, uma vez que, em regra, os valores mais caros de uma coletividade são acolhidos por sua Lei Maior. O grau de generalidade e abstração desses princípios constitucionais permitiu a reaproximação do Direito e da moral,[25] conferindo a *ductibilidade*[26] necessária para a acomodação de novas demandas que surgem numa sociedade em permanente evolução.[27] Por isso tais valores se irradiaram por todo o ordenamento jurídico e impuseram aos hermeneutas a tarefa de revisitar, reler e reinterpretar suas disciplinas, a fim de procederem a uma filtragem constitucional do Direito para potencializar os anseios sociais colocados em seu texto constitucional.

Em decorrência desse enfoque constitucional, do sistema analítico adotado pela Constituição e do sistema de controle de constitucionalidade, praticamente todas as questões de relevância política, social ou moral são postas em sede judicial, sobretudo perante o Supremo Tribunal Federal. Assim sendo, a judicialização constitui circunstância inelutável, decorrente do desenho constitucional vigente, e não uma opção política do Judiciário.

Com o aumento da demanda ao Judiciário e a crescente provocação para atuar em todas as searas da sociedade – sem a possibilidade de se esquivar de tal obrigação –, houve vertiginosa ascensão desse poder. A partir de então, tornou-se ainda mais relevante a necessidade de sua independência e força políticas para a preservação das instituições democráticas e dos direitos fundamentais, visto que suas decisões interferem diretamente em todos os âmbitos do Estado e da sociedade.

Quanto às inúmeras questões que foram levadas ao Judiciário após a ampliação do alcance real da Constituição, e em virtude da complexidade de temas que abrangem, algumas soluções não se encontram prontas no ordenamento jurídico e precisam ser construídas pelo juiz. É fato inafastável que o incremento da judicialização, decorrente, em parte, da constitucionalização do direito e do espraiamento de seus princípios pelo ordenamento jurídico infraconstitucional, reservou papel mais proativo para o juiz, o

---

[24] BARCELLOS, Ana Paula de. *A eficácia jurídica dos princípios constitucionais*: o princípio da dignidade da pessoa humana. Rio de Janeiro: Renovar, 2002, p. 81.

[25] A moral, sob a ótica positiva do princípio constitucional da moralidade, no direito brasileiro, adquiriu, predominantemente, acepção semelhante à trabalhada por Hauriou – na qual se faz distinção entre a moral comum e a moral jurídica (moral administrativa), caracterizando-se como o conjunto de regras de condutas retiradas da administração pública (HAURIOU, Maurice. *Précis de droit administratif et de droit public*. 11. ed. Paris: Sirey, 1927).

[26] ZAGREBELSKY, Gustavo. *El derecho dúctil*. 2. ed. Madrid: Editorial Trotta, 1997.

[27] BINENBOJM, Gustavo. *Uma teoria do direito administrativo*. Direitos fundamentais, democracia e constitucionalização. 2. ed. Rio de Janeiro: Renovar, 2008, p. 64.

qual inclui atribuição de sentido a conceitos jurídicos indeterminados e ponderação de princípios, para além de conhecimento meramente técnico. Disso decorre o entendimento de que o juiz não é somente a *boca da lei*, mas parte do processo de transformação interpretativa da regra e do princípio em norma jurídica.

Paralelamente ao aumento da relevância do Judiciário, a constitucionalização do direito trouxe o risco de um acentuado decisionismo[28] e abriu espaço para incertezas jurídico-políticas, de casuística relativização de direitos, com a eminente possibilidade de corrosão das noções de legalidade e segurança jurídica e o consequente déficit de estabilidade social, política e econômica do Estado. Os excessos do papel do Poder Judiciário, no âmbito da constitucionalização do Direito, mormente na utilização indiscriminada da teoria da ponderação, podem levar ao esvaziamento e à inaplicação das demais normas constitucionais e infraconstitucionais tanto em nível legislativo quanto em nível jurisdicional.[29]

Em síntese, o processo de constitucionalização do Direito como um todo estendeu as nuances principiológicas constitucionais e sua aplicação nos setores específicos do Direito (microssistemas). Com isso, cresceu a demanda judicial por respostas em matérias políticas, sociais, administrativas, morais etc., ampliando os poderes do Judiciário, que passou a analisar e interferir em diversos temas, os quais, anteriormente, não estavam inseridos em seu rol de atuação.

Diante desse quadro, intensificou-se a necessidade de independência e força do Poder Judiciário, de forma que pudesse atuar em todas as frentes, sem interferências ou arbitrariedades dos demais poderes, mas também se tornou imperiosa a necessidade de imposição de limites à sua atuação. Fez-se, por isso, necessária a revisitação dos aplicadores e estudiosos do Direito a todos os microssistemas para redimensionar e reconfigurar as formas de atuação de modo a assegurar maior proteção aos princípios constitucionais.

2 A constitucionalização do Direito Administrativo e a necessidade de revisitação de seus paradigmas clássicos

A despeito das controvérsias sobre o tema, o Direito Constitucional e o Direito Administrativo têm origens e objetivos comuns: a necessidade de limitação do poder do Estado.[30] Não obstante percorreram trajetórias diversas: enquanto o Direito Constitucional

---

[28] O decisionismo de Carl Schmitt veio a lume em contraposição ao normativismo de Krabbe e Kelsen, afirmando aquele pensador alemão que a concepção do Direito não poderia estar apenas correlacionada com a norma abstratamente concebida pelo legislador, mas que o Direito deve estar sempre associado à sua efetivação, o que remete necessariamente à conclusão de que a decisão que aplica a norma no caso concreto é elemento intrínseco ao Direito. Nessa medida, decorre, obrigatoriamente, que o poder que decide sobre a aplicação da norma é igualmente elemento correlacionado à própria concepção do Direito (SCHMITT, Carl. Do decisionismo à teologia política: e o conceito de soberania. *Revista Portuguesa de Filosofia*, p. 10-11, jan./mar. 2003).

[29] Esses aspectos serão mais bem desenvolvidos no item 3 deste estudo – Limites da constitucionalização do Direito Administrativo.

[30] Para parte da doutrina, a exemplo de Gustavo Binenbojm, a associação da criação do Direito Administrativo com o advento do Estado de direito e o princípio da separação de poderes é contraditória. Segundo o autor, o Direito Administrativo não surgiu da submissão do Estado à vontade heterônoma do legislador, mas, pelo contrário, da formulação de novos princípios e regras jurídicas pelo *Conseil d'Etat*, em uma postura insubmissa desse órgão

se manteve, até a metade do século XX, destituído de força normativa e aplicabilidade direta, o Direito Administrativo se consagrou como ramo jurídico autônomo.[31]

Historicamente, a temática dos princípios constitucionais e dos direitos fundamentais não alcançou muito prestígio na seara do Direito Administrativo. Em seu contraditório percurso, a disciplina se embebeu mais da lógica da autoridade do que da liberdade. Daí por que alguns conceitos administrativos básicos, como interesse público, poder de polícia, serviços públicos, discricionariedade, tenham sido elaborados de maneira tão distante dos conceitos de direitos fundamentais e até mesmo sob signos autoritários.

Com base nisso, é possível identificar quatro paradigmas clássicos do Direito Administrativo no Brasil: (i) a supremacia do interesse público sobre o interesse privado; (ii) a legalidade como vinculação positiva à lei; (iii) a intangibilidade do mérito administrativo; e (iv) a ideia de Poder Executivo unitário, fundado em relações de hierarquia.[32]

Especialmente desde a Constituição de 1934, existiu uma intersecção com os temas de Direito Constitucional, a qual se acentuou com a Constituição de 1988 e com as alterações introduzidas por suas emendas. Nessa perspectiva, observaram-se os reflexos mais intensos da constitucionalização do Direito Administrativo após a promulgação da Carta Federal de 1988.[33]

Evidentemente, não foi somente a constitucionalização do Direito a responsável pelas profundas e recentes modificações do Direito Administrativo, mas também uma gama de outros fatores, como a reivindicação de mais democracia administrativa, diluição da distância entre Estado e sociedade, diminuição da imperialidade da administração, surgimento de diversas entidades capazes de pressionar o poder público, modificação de algumas funções administrativas no âmbito do Estado social e preocupação com as relações entre administração e administrados, apenas para citar alguns exemplos.[34] Nota-se, portanto, que tais fatores funcionam tanto como causa quanto como consequência das modificações estruturais do Direito Administrativo.

Especificamente no que se refere à constitucionalização cada vez mais ampla de todas as searas do Direito, nota-se o crescente enfoque na necessidade de redefinir os parâmetros também do Direito Administrativo à luz da supremacia da Constituição e da

---

administrativo à vontade do Parlamento. Portanto, segundo essa teoria, o Direito Administrativo surgiu como uma forma de reprodução e sobrevivência das práticas administrativas do Antigo Regime, e não como forma de limitação do poder do Estado (BINENBOJM, Gustavo. *Uma teoria do direito administrativo*. Direitos fundamentais, democracia e constitucionalização. A crise dos paradigmas do direito administrativo. São Paulo: Saraiva, 2014, p. 11).

[31] BARROSO, Luís Roberto. A constitucionalização do direito e suas repercussões no *âmbito* administrativo. *In*: ARAGÃO, Alexandre Santos de; MARQUES NETO, Floriano de Azevedo. *Direito administrativo e seus novos paradigmas*. Belo Horizonte: Fórum, 2012a, p. 47.

[32] BINENBOJM, Gustavo. *Uma teoria do direito administrativo*. Direitos fundamentais, democracia e constitucionalização. 2. ed. Rio de Janeiro: Renovar, 2008, p. 23-24.

[33] DI PIETRO, Maria Sylvia Zanella. Da constitucionalização do direito administrativo – Reflexos sobre o princípio da legalidade e a discricionariedade administrativa. *Atualidades Jurídicas: Revista do Conselho Federal da Ordem dos Advogados do Brasil*, Belo Horizonte, p. 3-4, 2012.

[34] MEDAUAR, Odete. Administração pública: do ato ao processo. *In*: ARAGÃO, Alexandre Santos de; MARQUES NETO, Floriano de Azevedo. *Direito administrativo e seus novos paradigmas*. Belo Horizonte: Fórum, 2012, p. 411-412.

centralidade de seus preceitos. O Estado tem por finalidade buscar a plena satisfação dos direitos fundamentais, em todos os seus ramos, e, quando se desvia dessa obrigação, está se deslegitimando e se desconstitucionalizando.[35] Hoje, a garantia de interesses gerais é a principal tarefa do Estado e, por isso, o Direito Administrativo deve ter presente tal realidade, sob pena de perder a função que o justifica.[36]

Em virtude de o Direito Administrativo não ter sido codificado, no ordenamento brasileiro, decorrem algumas dificuldades em seu estudo e em sua aplicação. Existem diversas normas esparsas sobre matérias específicas, sem que formem um todo sistematizado. Também pela ausência de codificação, transcorre a importância que adquirem os princípios que o informam, os quais, nas palavras de Odete Medauar, "atuam como fios a ligar os diversos institutos".[37]

Assim, definiu-se, recentemente, o Direito Administrativo como "o conjunto de normas jurídicas de Direito Público que disciplinam as atividades administrativas necessárias à realização dos direitos fundamentais e à organização e ao funcionamento das estruturas estatais e não estatais [...]".[38] Celebra-se, de tal modo, sua vinculação aos princípios constitucionais.

A constitucionalização do Direito como um todo reconstruiu também a relação entre Direito Constitucional e Direito Administrativo. A lei formal deixa de ser o fundamento único da atuação administrativa para se tornar apenas um dos microssistemas constitucionais. O agir administrativo passa a retirar ora espeque nos princípios da Constituição, sem necessidade de mediação do legislador, ora validação nos preceitos, em juízo de ponderação com a norma infraconstitucional.

Assim como houve privatização de parte do Direito Público, em contrapartida, houve publicização do Direito Privado.[39] Ou seja, a aplicação de princípios constitucionais levou determinados institutos de Direito Público para o Direito Privado e vice-versa. Portanto o fenômeno não consiste em publicização ou privatização do Direito, mas em sua constitucionalização e na mudança ocorrida em sua relação com a Constituição.[40]

No Brasil, a vasta gama de matérias constitucionais voltadas à disciplina da administração pública, as transformações sofridas pelo Estado e a grande influência dos princípios constitucionais sobre esse ramo do Direito levaram à configuração do modelo atual, o qual, apesar de já muito evoluído, ainda exige rediscussão de seus paradigmas.

---

[35] CLÈVE, Clèmerson Merlin. *O controle de constitucionalidade e a efetividade dos direitos fundamentais*. Jurisdição constitucional e direitos fundamentais. Belo Horizonte: Del Rey, 2003, p. 385-393.

[36] RODRIGUEZ-ARANA, Jaime. *Derecho administrativo y derechos fundamentales*. El derecho administrativo constitucional. INAP/Global Law Press-Editorial Derecho Global, 2015, p. 24.

[37] MEDAUAR, Odete. *Direito administrativo moderno*. Belo Horizonte: Fórum, 2018, p. 33.

[38] JUSTEN FILHO, Marçal. *Curso de direito administrativo*. São Paulo: Saraiva, 2003, p. 1.

[39] Nessa nova conjuntura, vê-se uma permuta de valores e formas entre público e privado, na medida em que vinculações classicamente típicas a figuras públicas passam também a reger a atuação de entes particulares, bem como instrumentos tipicamente privados tornam-se comuns também à atuação da administração pública. Assim, pode-se falar em diluição (ainda que não haja eliminação) das fronteiras entre esses dois campos, sobretudo, no que diz respeito à clássica dicotomia entre Direito Público e Privado. Para maior aprofundamento: ESTORNINHO, Maria João. *A fuga para o direito privado*: contributo para o estudo da actividade de direito privado da administração pública. Coimbra: Editora Coimbra, 1999.

[40] BARROSO, Luís Roberto. A constitucionalização do direito e suas repercussões no âmbito administrativo. In: ARAGÃO, Alexandre Santos de; MARQUES NETO, Floriano de Azevedo. *Direito administrativo e seus novos paradigmas*. Belo Horizonte: Fórum, 2012a, p. 50-51.

Ao longo dos anos, a modificação do perfil constitucional brasileiro foi considerável, no que tange aos domínios administrativo e econômico, devido a amplo conjunto de reformas econômicas: extinção de determinadas restrições ao capital estrangeiro antes existentes, flexibilização de monopólios, desestatização e modificação da qualidade da relação entre administração e administrados.

A diminuição da atuação empreendedora do Estado transferiu responsabilidades para a iniciativa privada e concentrou a atuação estatal nos campos da regulação e da fiscalização dos serviços e das atividades econômicas. Nesse contexto, houve evidente modificação do papel estatal na ordem econômica e administrativa como um todo.

A incidência dos princípios constitucionais, a partir da centralidade da dignidade humana e da preservação dos direitos fundamentais, alterou significativamente a qualidade das relações entre administração e administrados, com a superação de diversos paradigmas tradicionais.[41] Mudanças relevantes vêm ocorrendo, principalmente, no âmbito da (i) redefinição da ideia de supremacia do interesse público em face do particular; (ii) vinculação do administrador à Constituição, com modificação do princípio da legalidade; (iii) possibilidade de controle judicial do ato administrativo; (iv) definição da discricionariedade administrativa.[42]

Vem se consolidando, portanto, o entendimento de que devem ser prontamente afastadas atuações e interpretações que coloquem a dignidade humana e as garantias fundamentais do administrado em segundo plano. Trata-se de considerar o administrado como começo e fim das preocupações e das ações do administrador, que nada mais é que o produto das inspirações da Constituição.

De acordo com Tarcísio Vieira de Carvalho Neto, a administração pública e o Direito Administrativo, "[...] para além de uma legalidade meramente semântica, têm a obrigação constitucional de, captando a ideologia subjacente à Carta Política Maior, dar concretude à ideia de que o ser humano ocupa papel de destaque maior na pauta de preocupações do Estado".[43]

Quanto à redefinição da ideia de supremacia do interesse público sobre o privado, é imperioso, de início, diferenciar o interesse público primário do interesse público secundário, sendo aquele o interesse da sociedade e este o interesse da pessoa jurídica de Direito Público (União, Estados, Distrito Federal e Municípios).[44] Assim, a constitucionalização do Direito Administrativo volta seus valores para impedir a supremacia incontestável do interesse público secundário sobre o interesse do particular.

A noção de interesse público como universal, singular e absoluto não mais se sustenta, justamente para assegurar que ele não se transforme em cortina de fumaça para a prática de excessos e desvios de poder. É incabível, à luz das normas constitucionais

---

[41] BINENBOJM, Gustavo. *Uma teoria do direito administrativo*. Direitos fundamentais, democracia e constitucionalização. 2. ed. Rio de Janeiro: Renovar, 2008, p. 21.

[42] BARROSO, Luís Roberto. A constitucionalização do direito e suas repercussões no *âmbito* administrativo. *In*: ARAGÃO, Alexandre Santos de; MARQUES NETO, Floriano de Azevedo. *Direito administrativo e seus novos paradigmas*. Belo Horizonte: Fórum, 2012a, p. 48-50.

[43] CARVALHO NETO, Tarcísio Vieira de. *O princípio da impessoalidade nas decisões administrativas*. Brasília: Gazeta Jurídica, 2015, p. 24.

[44] A existência de diferenciação entre interesse público primário e secundário ainda é tema de vasta controvérsia doutrinária. Segundo parte da doutrina, não há tal diferenciação. Para o presente estudo, adota-se a divisão feita por Binenbojm (*Uma teoria do direito administrativo*. Direitos fundamentais, democracia e constitucionalização. 2. ed. Rio de Janeiro: Renovar, 2008, p.31).

e, mormente, dos direitos fundamentais nela dispostos, entender que o poder público terá sempre prioridade sobre o particular, independentemente das circunstâncias do caso concreto. É necessário proteger os direitos e as garantias individuais nas relações entre o público e o privado, de maneira que nenhum princípio administrativo tenha caráter absoluto – assim como não o tem no Direito em geral.

Dessa maneira, havendo colisão entre a vontade do Estado e a vontade do particular, é imprescindível a ponderação desses legítimos interesses, à luz dos princípios constitucionais e direitos fundamentais, para a solução do caso concreto, não existindo mais a incontroversa superioridade da administração sobre o particular – ou, ao menos, havendo discussão sobre a existência dessa superioridade.

O reconhecimento da centralidade da Constituição também inviabiliza a determinação *a priori* de uma regra de supremacia absoluta dos interesses coletivos sobre os individuais ou dos interesses públicos sobre os privados. A fluidez conceitual de interesse público, aliado à sua preservação, justamente pela proteção dos direitos fundamentais, torna essencial ponderar, no caso concreto, os interesses em jogo.

Segundo Floriano Peixoto, deve-se conduzir o conceito de interesse público à ideia de que não são automaticamente contrários aos interesses particulares.[45] Em muitos casos, tais interesses convergem, ou seja, o atendimento do interesse particular é, em si, a consagração do interesse público.

O princípio da supremacia do interesse público deve adquirir a aparência de *prevalência do interesse público*, o qual, de acordo com Tarcísio Vieira de Carvalho Neto, deve ser subdividido em: (i) interdição do atendimento a interesses particularísticos;[46] (ii) obrigatoriedade de ponderação de todos os interesses públicos envolvidos no caso concreto; e (iii) imprescindibilidade de explicitação das razões de atendimento de um interesse público em detrimento dos demais.[47]

Assim sendo, tem sido superada a ideia de vinculação restrita da atuação do administrador à lei (infraconstitucional) para entender-se por sua vinculação direta à Constituição Federal. Nesse sentido, o princípio da legalidade se transforma no princípio da juridicidade,[48] compreendendo a subordinação à Constituição e à lei.

O ofício administrativo deixa de se reduzir à mera aplicação mecanicista da lei[49] para apresentar algum conteúdo volitivo da administração. Para Binenbojm, "A *filtragem constitucional* do direito administrativo ocorrerá, assim, pela superação do dogma da onipotência da lei administrativa e por sua substituição por referências diretas a princípios, expressa ou implicitamente, consagrados no ordenamento constitucional".[50]

---

[45] MARQUES NETO, Floriano Peixoto. *Regulação estatal e interesses públicos*. São Paulo: Malheiros, 2002, p. 148-151.

[46] Aqueles desprovidos de amplitude coletiva e transindividual (CARVALHO NETO, Tarcísio Vieira de. *O princípio da impessoalidade nas decisões administrativas*. Brasília: Gazeta Jurídica, 2015, p. 30).

[47] CARVALHO NETO, Tarcísio Vieira de. *O princípio da impessoalidade nas decisões administrativas*. Brasília: Gazeta Jurídica, 2015, p. 30.

[48] O princípio da juridicidade consiste no fato de determinadas condutas ou inações estarem juridicamente prescritas. Tal princípio, como assim já o denominava Adolf Merkl em 1927, engloba três expressões distintas: o princípio da legalidade, o da legitimidade e o da moralidade (MOREIRA NETO, Diogo de Figueiredo. O direito administrativo do século XXI: um instrumento de realização da democracia substantiva. *Revista de Direito Administrativo & Constitucional*, Belo Horizonte, ano 3, n. 11, p. 20-21, jan./mar. 2003.

[49] A origem pretoriana e autovinculativa do Direito Administrativo e os amplos espaços discricionários deixados pela lei já comprometiam essa noção de que o administrador deve, meramente, aplicar a lei.

[50] BINENBOJM, Gustavo. *Uma teoria do direito administrativo*. Direitos fundamentais, democracia e constitucionalização. 2. ed. Rio de Janeiro: Renovar, 2008, p. 38.

Observa-se crescente superação da legalidade formal pelo constitucionalismo do Direito Administrativo, mesclada com valores de proteção do ser humano e de sua dignidade, o qual passa a ser visto como sujeito e destinatário de direitos e partícipe fundamental da relação jurídica.

Assim, a atividade administrativa continua a se efetivar segundo a lei – mas somente quando esta for constitucional – e também com fundamento direto na Constituição Federal – independentemente da lei – ou com fulcro em ponderação entre a legalidade e outros princípios constitucionais. Sob esse enfoque, leva-se em consideração, dentro do rol principiológico de conceitos indeterminados, a vontade – sempre limitada pela juridicidade – da administração.

Em virtude da ramificação constitucional nos interiores do Direito Administrativo, torna-se possível o controle judicial do ato administrativo sob o enfoque constitucional – evidentemente, observando-se a discricionariedade do administrador, e não a substituindo. A normatividade decorrente da principiologia constitucional produz a redefinição da noção tradicional de discricionariedade administrativa, a qual deixa de ser entendida como espaço de liberdade decisória para ser entendida como campo de ponderações proporcionais e razoáveis contemplado pela Constituição.[51]

Há crescente revisão da discricionariedade, que deixa de ser espaço carecedor de legitimação e de escolhas eminentemente subjetivas para ser espaço de fundamentação dos atos administrativos dentro de parâmetros constitucionais estabelecidos. A emergência da noção de juridicidade não permite mais a distinção intransponível entre atos vinculados e discricionários, mas somente sua diferenciação em seus diferentes graus de vinculação.[52] Segundo Binenbojm, "ao maior ou menor grau de vinculação do administrador à juridicidade corresponderá, geralmente, maior ou menor grau de controlabilidade judicial dos seus atos".[53]

Nesse aspecto, o controle judicial dos atos administrativos não segue a lógica puramente legalista, mas deve atentar também para procedimentos, competências e responsabilidades da administração pública. Assim, esse controle deve ser tão denso quanto maior for o grau de restrição imposto à atuação administrativa. Em outras palavras, nos campos mais complexos e dinâmicos de atuação administrativa, a intensidade do controle deve ser menor do que nos campos de atuação mais restrita.

Para Medauar, a discricionariedade passa a significar, portanto, liberdade sujeita a vínculo de natureza peculiar – liberdade-vínculo, a qual é necessária, uma vez que a atuação do Estado demanda certa flexibilidade, tendo em vista ser impossível ao legislador elaborar normas para toda a gama de aspectos da vida social em que a administração atua. Há margem de livre apreciação da conveniência e oportunidade de soluções legalmente possíveis, mas essa liberdade somente será exercida com base na atribuição legal do poder específico a determinados órgãos e autoridades.[54]

---

[51] BINENBOJM, Gustavo. *Uma teoria do direito administrativo*. Direitos fundamentais, democracia e constitucionalização. 2. ed. Rio de Janeiro: Renovar, 2008, p. 71.

[52] BINENBOJM, Gustavo. *Uma teoria do direito administrativo*. Direitos fundamentais, democracia e constitucionalização. 2. ed. Rio de Janeiro: Renovar, 2008, p. 39.

[53] BINENBOJM, Gustavo. *Uma teoria do direito administrativo*. Direitos fundamentais, democracia e constitucionalização. 2. ed. Rio de Janeiro: Renovar, 2008, p. 39.

[54] MEDAUAR, Odete. *Direito administrativo moderno*. Belo Horizonte: Fórum, 2018, p. 105-107.

Paralelamente a isso, assume papel de relevância, no Direito Administrativo moderno, a discussão sobre novas formas de legitimação da ação administrativa. Algumas vertentes entendem que, para maior legitimação administrativa, é imperiosa a constitucionalização e democratização, cada vez maior, de suas ações. Entende-se pela maior abertura à participação dos administrados nos processos decisórios da administração na defesa de interesses individuais e gerais.

Um dos traços marcantes da constitucionalização e democratização do Direito Administrativo é o que se convencionou chamar de *processualização* da atividade administrativa[55] – tema que vem sendo amplamente discutido pela melhor doutrina.[56] Trata-se de submeter o exercício do poder da administração pública ao discurso dialético, substituindo a ideia de atos administrativos unilaterais e imperativos pela noção de decisões formadas mediante consenso democrático, sob a lógica protetiva dos direitos fundamentais. É "mecanismo que impõe que os atos administrativos, inclusive aqueles que afetam os cidadãos de modo mais direto e imediato, sejam praticados depois de percorrido um caminho direcionado pela lógica, pela racionalidade e pela ponderação dos interesses".[57]

O processo administrativo, ensejando a expansão de vários interesses, posições jurídicas, argumentos, provas e dados, obriga à consideração de todos os interesses e direitos em certa situação. Mediante a colaboração individual ou coletiva de sujeitos, promove-se a aproximação entre administração e administrados, rompendo, com isso, a ideia de contraposição do Estado à sociedade.[58]

Com isso, busca-se expandir direitos ao contraditório e à ampla defesa, incrementar os níveis de informação e alcançar grau mais elevado de consensualidade e legitimação das decisões administrativas.[59] Dessa forma, o processo administrativo se transforma em medida de legitimação, atuação racional e transparente, a qual possibilita maior controle e segurança jurídica.

Dos princípios do contraditório e da ampla defesa emanam faculdades e direitos que formam o corpo do seu próprio conteúdo, como: (i) informação geral – o direito, dos sujeitos e da própria administração, de obter conhecimento adequado dos fatos que estão na base da formação do processo, documentos, provas e dados que vieram à luz em seu trâmite; (ii) audiência das partes – possibilidade de manifestar o próprio ponto de vista sobre fatos, documentos, interpretações e argumentos apresentados pela administração

---

[55] Adolf Merkl foi precursor dessa importante mudança no Direito Administrativo, em 1927, uma vez que afirmava não ser sustentável reduzir o processo à atuação da justiça, já que, por meio dele, todas as funções do Estado podem se manifestar (MERKL, Adolf. *Teoria general del derecho administrativo*. Madrid: Editorial Revista de Derecho Privado/Belo Horizonte: Fórum, 2013, p. 4).

[56] No Brasil, o dispositivo-chave em matéria de processo administrativo é o inciso LV do art. 5º, que estabelece o seguinte: "Aos litigantes, em processo judicial ou administrativo, e aos acusados em geral são assegurados o contraditório e ampla defesa, com os meios e recursos a ela inerentes". O preceito está inserido no título dedicado aos direitos e garantias fundamentais da Constituição Federal.

[57] SCHWIND, Rafael Wallbach. Processo administrativo em evolução. *In*: ALMEIDA, Fernando Dias Menezes *et al*. *Direito público em evolução*. Estudos em homenagem à professora Odete Medauar. Belo Horizonte: Fórum, 2013, p. 378.

[58] MEDAUAR, Odete. *Direito administrativo moderno*. Belo Horizonte: Fórum, 2018, p. 168-169.

[59] BINENBOJM, Gustavo. *Uma teoria do direito administrativo*. Direitos fundamentais, democracia e constitucionalização. 2. ed. Rio de Janeiro: Renovar, 2008, p. 76-77.

e por outros sujeitos; (iii) motivação – justificativa que permite verificar se a autoridade administrativa efetivamente tomou ciência e sopesou as manifestações dos sujeitos.[60]

A perspectiva fundamental do processo se revela também na divisão de ônus entre administração e administrados. Daí a gradual superação de conceitos ultrapassados e incompatíveis com a concepção do processo administrativo como dimensão dos direitos fundamentais.

Sob o enfoque da constitucionalização, não se pode mais admitir a tomada de decisões ou a prática de atos que influenciem diretamente os administrados, sem a possibilidade de ciência e manifestação por parte deles, sob pena de ferir aspectos constitucionais primordiais para o funcionamento do Estado Democrático de Direito.

É importante destacar que, dessa manifestação do administrado, não é suficiente que se registrem as alegações do interessado antes de proferir decisão, numa espécie de contraditório formal ou de devido processo legal de fachada, mas que a administração pública seja obrigada, como regra, a reconhecer, desde logo, na via administrativa, legítimos direitos e interesses particulares, ainda que discrepantes de políticas públicas em execução.[61]

Portanto, o processo administrativo desponta no cenário de constitucionalização do Direito, sob o contexto da democracia, da melhoria das relações entre administração e administrados, e torna-se um dos grandes tópicos do Direito Administrativo moderno, suscitando maior enfoque. O direcionamento metodológico do Direito Administrativo deve incidir, de maneira primordial, sobre as relações com os administrados, no sentido de assegurar a concretização de seus direitos.

Da mesma forma, o papel do Judiciário passa a ser, cada vez mais, de garantidor do processo democrático de promoção dos valores constitucionais e da estabilidade institucional, arbitrando conflitos entre os poderes e a sociedade. São recentes as discussões sobre o ponto de equilíbrio desse papel do Poder Judiciário no Direito Administrativo, motivo pelo qual se nota ser apenas o início de profunda mudança de paradigmas institucionais.

A despeito das mudanças do enfoque doutrinário e prático do Direito Administrativo já ocorridas com a revisitação de seus parâmetros clássicos, novos temas emergem diariamente no contexto político e institucional da disciplina, levando-a para cada vez mais longe das suas diretrizes tradicionais, o que exige sua reconfiguração constante para que permaneça legítima e constitucional.

3 Limites da constitucionalização do Direito Administrativo

Como demonstrado, o constitucionalismo significou uma expansão das normas constitucionais por todos os ramos do Direito e, por isso, por todos os setores da sociedade. Daí a aplicação direta da Constituição e o aumento do protagonismo do Poder Judiciário.

---

[60] MEDAUAR, Odete. *Direito administrativo moderno*. Belo Horizonte: Fórum, 2018, p. 172-173.
[61] CARVALHO NETO, Tarcísio Vieira de. O princípio da *non reformatio in pejus* e o controle de legalidade no processo administrativo. *In*: ALMEIDA, Fernando Dias Menezes *et al*. *Direito público em evolução*. Estudos em homenagem à professora Odete Medauar. Belo Horizonte: Fórum, 2013, p. 397.

Não há dúvidas de que a judicialização, no Brasil, é uma consequência do modelo constitucional e político adotado, e não do deliberado exercício de vontade política. O Judiciário, em regra, atua porque é o que lhe cabe fazer, sem alternativa.

A despeito dos aspectos positivos de ampliação dos direitos fundamentais em todas as relações, compatível com o Estado Democrático de Direito, não se pode perder de vista que consequências negativas também os acompanham. Nesse sentido, é importante perceber que esse fenômeno, caso não esteja em equilíbrio com os demais pilares do Estado – que são, segundo Canotilho, legalidade, separação de poderes, democracia e direitos fundamentais[62] –, pode levar a um decisionismo judicial,[63] a tornar tênue a linha que separa a criação da interpretação do direito, potencializado pela amplitude e indeterminação de alguns conceitos constitucionais,[64] e ao engessamento da legislação infraconstitucional.

Nesse sentido, um primeiro aspecto que merece ser apontado, segundo Barroso, é o fato de que "a Constituição não pode pretender ocupar todo o espaço jurídico em um Estado democrático de direito".[65] Pelo contrário, deve ser remédio contra a maioria. É arriscado ampliar, além dos limites do razoável, a constitucionalização pela via interpretativa judicial, tendo em vista que a Constituição brasileira já é excessivamente analítica e prolixa.

O resultado das transformações ocorridas pela constitucionalização do Direito é dúbio. Por um lado, colocou o Judiciário em posição de absoluto destaque na política nacional. Por outro, soterrou esse poder em uma avalanche de processos, obrigando-o a conciliar esse papel com o seu papel jurídico,[66] porquanto, com o progressivo deslocamento para o Poder Judiciário de decisões que *a priori* não seriam de sua alçada, confere-se a ele, por vezes, competências que não lhe são reconhecidas constitucionalmente. Por isso é importante que se leve em consideração a intrincada relação interinstitucional entre os três poderes.

Harbemas frisa que o Judiciário, em especial o tribunal constitucional, não pode assumir a função de legislador político, pois lhe cabe apenas resguardar os procedimentos democráticos para uma formação de opinião inclusiva no discurso de aplicação.[67] Para que se tenha legitimidade, exige-se que as normas jurídicas tenham sido objeto de prévia deliberação pública, pelo devido processo legislativo, que se apoia na soberania do povo.

---

[62] Para maior aprofundamento no tema: CANOTILHO, José Joaquim Gomes. *Direito constitucional e teoria da constituição*. 3. ed. Coimbra: Editora Livraria Almedina, 1998.

[63] Para o presente estudo, adota-se o entendimento segundo o qual decisionismo judicial é adotar solução jurídica com base apenas no caso concreto, dentro de uma moldura normativa. Nessa medida, repita-se, decorre, obrigatoriamente, que o poder que decide sobre a aplicação da norma é igualmente elemento correlacionado à própria concepção do Direito (SCHMITT, Carl. Do decisionismo à teologia política: o conceito de soberania. *Revista Portuguesa de Filosofia*, p. 10-11, jan./mar. 2003).

[64] Exemplos clássicos de conceitos jurídicos indeterminados são os seguintes: "interesse público", "boa-fé", "função social", "bem comum" e "bons costumes".

[65] BARROSO, Luís Roberto. A constitucionalização do direito e suas repercussões no âmbito administrativo. *In*: ARAGÃO, Alexandre Santos de; MARQUES NETO, Floriano de Azevedo. *Direito administrativo e seus novos paradigmas*. Belo Horizonte: Fórum, 2012a, p. 61.

[66] VERÍSSIMO, Marcos Paulo. A Constituição de 1988, vinte anos depois: Suprema Corte e ativismo judicial "à brasileira". *Revista Direito GV* [on-line], v. 4, n. 2, p. 407-440, 2008.

[67] HARBEMAS, Jürgen. *Direito e democracia, entre a facticidade e validade*. Rio de Janeiro: Tempo Brasileiro, 1997, p. 354.

Constitucionalizar a matéria significa retirá-la do debate legislativo e, por consequência, da política cotidiana, o que dificulta o governo da maioria, que se manifesta, em regra, pelo processo legislativo ordinário.[68] Caso não sejam respeitados os limites da razoabilidade, o papel contramajoritário exercido pelo Judiciário – especialmente pelo Supremo Tribunal Federal – passará a ter protagonismo, de forma a desequilibrar as bases do Estado Democrático de Direito.

Em outras palavras, há perigo de esvaziamento legislativo, com aumento de sua falta de legitimidade ante o protagonismo constitucional, e de engessamento e invalidação dos microssistemas infraconstitucionais. Com isso os representantes populares, eleitos, dentre outras coisas, para interferir em aspectos sociais, por meio de sua produção legislativa, passam a ter relevância secundária e perdem protagonismo para entendimentos contramajoritários do Judiciário.

Por isso é necessário que juízes e tribunais adotem rigor dogmático e assumam ônus argumentativo na aplicação de normas de conteúdo fluido e conceitos jurídicos indeterminados. O uso abusivo da discricionariedade judicial na solução de controvérsias pode ferir, de maneira intransponível, a segurança jurídica e, com isso, deslegitimar também a função judicial.

O Poder Judiciário, a rigor, deve se movimentar num espaço de decisão delimitado por normas cogentes que vão desde os dispositivos constitucionais, que estruturam o poder, até os preceitos legais e regimentais, que ordenam processos e procedimentos, os quais, somados, fazem do discurso jurídico um caso especial do discurso prático geral. Daí o reconhecimento de que aos juízes não se arrogam faculdades de que não dispõem; antes, simplesmente, exercem suas funções de acordo com as normas do sistema em que atuam.

É necessário que o julgador sempre leve em consideração que os parâmetros de sua atuação devem se dar na exata correspondência ao sentimento social colocado na Constituição – e essa talvez seja uma das tarefas mais difíceis outorgadas hoje ao Judiciário. Nesse sentido, é imperioso que se estabeleçam parâmetros objetivos para essa atuação.

De acordo com Barroso, é imprescindível que sejam seguidos os seguintes parâmetros a fim de impedir desequilíbrios e exageros pelo julgador: preferência pela lei e preferência pela regra. Assim, nas matérias em que houve manifestação válida e constitucional do legislador, deve ela prevalecer, abstendo-se o tribunal de criar solução diversa que lhe pareça mais conveniente.[69]

Portanto, a opção feita pelo legislador, por meio da regra, expressa mandado definitivo, de maneira a assegurar sua implementação no caso concreto. Não realizar o que está disposto em norma válida é, pois, violá-la. Ao parametrizar um tema por intermédio de regra, o constituinte e o legislador optam por prestigiar a segurança jurídica em detrimento da flexibilidade, minimizando a interferência deletéria do intérprete judicial.

---

[68] BARROSO, Luís Roberto. A constitucionalização do direito e suas repercussões no *âmbito* administrativo. *In*: ARAGÃO, Alexandre Santos de; MARQUES NETO, Floriano de Azevedo. *Direito administrativo e seus novos paradigmas*. Belo Horizonte: Fórum, 2012a, p. 60.

[69] BARROSO, Luís Roberto. A constitucionalização do direito e suas repercussões no *âmbito* administrativo. *In*: ARAGÃO, Alexandre Santos de; MARQUES NETO, Floriano de Azevedo. *Direito administrativo e seus novos paradigmas*. Belo Horizonte: Fórum, 2012a, p. 60.

Respeitadas as regras constitucionais, o Legislativo é livre para fazer as escolhas que lhe pareçam mais acertadas, e o Executivo, para implementá-las sem interferência da discricionariedade judicial. O reconhecimento de que julgadores podem atuar criativamente na interpretação de certo conceito jurídico indeterminado não dá a eles o direito de sobrepor suas vontades às do legislador. Havendo lei válida e constitucional a respeito do tema, ela deve prevalecer para garantir a separação de poderes, essencial ao Estado Democrático de Direito, à segurança jurídica e à isonomia.

Nesse sentido, as modificações do Direito, ocorridas em virtude da constitucionalização, mormente no que se refere ao Direito Administrativo, devem estar vinculadas ao entendimento de que as regras postas constituem mandado definitivo de aplicação, não podendo ser preteridas em prol da aplicação de princípios e conceitos jurídicos indeterminados. Isso não significa promover um retrocesso positivista, no sentido de desconsiderar os anseios sociais colocados na Constituição, mas dar garantias ao administrado, demonstrando o cumprimento dos princípios constitucionais por meio da segurança jurídica.

No que tange à aplicação de conceitos jurídicos indeterminados e à possibilidade de inserção dos princípios ao caso concreto, as significativas mudanças de paradigmas do Direito Administrativo devem continuar sendo aplicadas na prática, uma vez que aumentam a legitimidade do poder público e geram decisões mais justas, transparentes e participativas.

Não é tarefa simples alcançar equilíbrio entre a aproximação da moral e das normas, ampliado pelo protagonismo constitucional, e o espaço necessário para atuação dos demais poderes. Em virtude dos parâmetros objetivos sugeridos para evitar exageros do julgador, necessária, de tempos em tempos, a revisitação da disciplina e das próprias normas sobre os temas para que não aconteça o seu engessamento, tampouco ocorram excessos pelo Judiciário.

4 Conclusões

A ideia de constitucionalização do Direito, entendida como expansão axiológica e material das normas constitucionais para todo o sistema jurídico, é relativamente nova no sistema jurídico brasileiro – a despeito de já haver intersecção entre os temas desde a Constituição de 1934, o fenômeno foi acentuado com a Constituição de 1988. Isso porque, há pouco tempo, considerava-se a Constituição como mera proclamação retórica de valores, os quais somente deveriam inspirar o legislador, mas não ser aplicados diretamente na solução de conflitos.

Uma série de fatores contribuiu para a expansão constitucional, os quais passaram pelo colapso do estado liberal burguês, o trauma mundial após o nazifascismo, o inchaço legislativo – e a ulterior desvalorização de leis e códigos –, até a atual disfuncionalidade e a crise de legitimidade do Executivo e do Legislativo. Com o fortalecimento desse fenômeno de constitucionalização do Direito, sua interferência repercutiu no âmbito dos três poderes e nas relações entre particulares de forma a ensejar discussões imprescindíveis sobre normas, valores, fins públicos, comportamentos e relações sociais contemporâneas.

Nesse novo cenário trazido pelo protagonismo efetivo da Constituição, há relevante valorização dos princípios constitucionais e utilização de conceitos jurídicos indeterminados constitucionais nas resoluções de controvérsias jurídicas, o que impõe aos juristas a imediata tarefa de revisitar conceitos e fazer uma releitura de todo o Direito para que não se permitam abusos. Paralelamente a isso, também como consequência desse fenômeno, fortalece-se a posição do Judiciário, com evidente necessidade de aumento de sua autonomia.

Nesse sentido, amplia-se a interferência constitucional em todos os setores do Estado e do Direito, com evidente aumento da aplicação de preceitos e princípios constitucionais nas relações entre administração e administrados, bem como nas relações eminentemente privadas. Com isso, observa-se maior permeabilidade das garantias fundamentais.

No Direito Administrativo, a constitucionalização ocasionou a diminuição progressiva da incontestável autoridade em que se fundavam as bases dessa matéria, de maneira a modificar significativamente seus paradigmas clássicos, por exemplo: o sentido de supremacia do interesse público e de legalidade, a intangibilidade do mérito administrativo pelo Judiciário, a ideia de centralidade do ato administrativo e de Poder Executivo unitário. Readequou-se a lógica do relacionamento do poder público com seus administrados para colocá-los como ponto central da finalidade estatal.

Em outras palavras, o Direito Administrativo, com a mudança de paradigmas, retificou suas relações institucionais para priorizar o atingimento dos princípios fundamentais em todas as suas nuances. Operou-se, assim, verdadeira revolução ideológico-estrutural na disciplina de forma a se repensarem todos os seus conceitos e formas de atuação clássica.

Como a constitucionalização não se dá somente no âmbito do Direito Administrativo, mas em todos os demais campos jurídicos e sociais, essas alterações estão em franca evolução, a tornar imprescindível a revisitação periódica de todos os temas, em especial o da relação do Estado com seus administrados, uma vez que é função precípua do Estado garantir e proteger os direitos fundamentais dos seus.

Esse constante desenvolvimento, caso não seja bem equilibrado com a atuação dos demais poderes, pode fomentar padrões comportamentais estatais negativos, os quais merecem ser discutidos e sopesados. Isso porque, diante da grande interferência do Judiciário, é possível que exista margem para maior decisionismo, o qual gera insegurança jurídica. Logo, a preocupação em assegurar as garantias fundamentais, fomentadas pelo constitucionalismo, pode levar exatamente ao resultado oposto do pretendido, qual seja, aumento significativo da discricionariedade judicial, que não assegura a proteção dos direitos fundamentais.

Nesse sentido, é imperioso que se estabeleçam critérios objetivos para a aplicação constitucional, principalmente pelo Poder Judiciário. Assim, mantém-se o poder contramajoritário da Constituição, sem esvaziar as competências dos demais poderes, mormente do Legislativo.

Sobre o estabelecimento desses parâmetros, Barroso, que é vanguardista no tema, sugere como limites a preferência pela lei e pela regra.[70] Ou seja, para balizar a influência de conceitos jurídicos indeterminados e de princípios constitucionais, em esvaziamento

---

[70] BARROSO, Luís Roberto. A constitucionalização do direito e suas repercussões no *âmbito* administrativo. *In*: ARAGÃO, Alexandre Santos de; MARQUES NETO, Floriano de Azevedo. *Direito administrativo e seus novos paradigmas*. Belo Horizonte: Fórum, 2012a, p. 60-62.

dos demais poderes, é essencial que o julgador se atente para a existência de regras e leis de aplicação ao caso concreto, a fim de priorizá-las em detrimento de princípios e conceitos jurídicos indeterminados, caso sejam constitucionais e válidas.

Em contrapartida, no espaço em que há maior grau de liberdade de interpretação e aplicação de princípios, em virtude de margem dada pela inexistência de lei ou regra, ou da própria intenção delas, é possível que se permaneça mitigando e modificando os conceitos administrativos clássicos para o redimensionamento e melhor adequação da matéria à realidade, a fim de atender aos anseios constitucionais.

Referências

ALEXY, Robert. *Theorie der Grundrechte*. Suhrkamp Verlag AG, 2006.

ALEXY, Robert. *Teoria dos direitos fundamentais*. São Paulo: Malheiros, 2017.

BARCELLOS, Ana Paula de. *A eficácia jurídica dos princípios constitucionais:* o princípio da dignidade da pessoa humana. Rio de Janeiro: Renovar, 2002.

BARROSO, Luís Roberto. A constitucionalização do direito e suas repercussões no âmbito administrativo. In: ARAGÃO, Alexandre Santos de; MARQUES NETO, Floriano de Azevedo. *Direito administrativo e seus novos paradigmas*. Belo Horizonte: Fórum, 2012a.

BARROSO, Luís Roberto. *A judicialização da vida e o papel do Supremo Tribunal Federal.* Belo Horizonte: Fórum, 2018.

BARROSO, Luís Roberto. *O novo direito constitucional brasileiro:* contribuições para a construção teórica e prática da jurisdição constitucional no Brasil. Belo Horizonte: Fórum, 2012b.

BARROSO, Luís Roberto. *Temas de direito constitucional*. Tomo I. Rio de Janeiro: Renovar, 2006.

BINENBOJM, Gustavo. *Uma teoria do direito administrativo*. Direitos fundamentais, democracia e constitucionalização. 2. ed. Rio de Janeiro: Renovar, 2008.

CANOTILHO, J. J. Gomes; MOREIRA, Vital. *Fundamentos da constituição*. Coimbra: Editora Coimbra, 1991.

CANOTILHO, José Joaquim Gomes. *Direito constitucional e teoria da constituição*. 3. ed. Coimbra: Editora Livraria Almedina, 1998.

CARVALHO NETO, Tarcísio Vieira de. *O princípio da impessoalidade nas decisões administrativas*. Brasília: Gazeta Jurídica, 2015.

CARVALHO NETO, Tarcísio Vieira de. O princípio da *non reformatio in pejus* e o controle de legalidade no processo administrativo. In: ALMEIDA, Fernando Dias Menezes et al. *Direito público em evolução*. Estudos em homenagem à professora Odete Medauar. Belo Horizonte: Fórum, 2013.

CLÈVE, Clèmerson Merlin. *O controle de constitucionalidade e a efetividade dos direitos fundamentais.* Jurisdição constitucional e direitos fundamentais. Belo Horizonte: Del Rey, 2003.

DI PIETRO. Maria Sylvia Zanella. Da constitucionalização do direito administrativo – Reflexos sobre o princípio da legalidade e a discricionariedade administrativa. *Atualidades Jurídicas*: Revista do Conselho Federal da Ordem dos Advogados do Brasil, Belo Horizonte, p. 3-4, 2012.

DWORKIN, Ronald. *Taking rights seriously*. Cambridge, Massachussetts: Harvard University Press, 1977.

ESTORNINHO, Maria João. *A fuga para o direito privado*: contributo para o estudo da actividade de direito privado da administração pública. Coimbra: Editora Coimbra, 1999.

FERRAZ JR., Tércio Sampaio. *Introdução ao estudo do direito*. São Paulo: Atlas, 2003.

HARBEMAS, Jürgen. *Direito e democracia, entre a facticidade e validade*. Rio de Janeiro: Tempo Brasileiro, 1997.

HART, Herbert. *O conceito de direito*. Lisboa: Fundação Calouste Gulbenkian, 2007.

HAURIOU, Maurice. *Précis de droit administratif et de droit public*. 11. ed. Paris: Sirey, 1927.

HESSE, Konrad. *A força normativa da constituição*. Porto Alegre: Sérgio Antônio Fabris Editor, 1991, p. 1. Disponível em: https://edisciplinas.usp.br/pluginfile.php/4147570/mod_resource/content/0/A%20Forca%20 Normativa%20da%20Constituicao%20%20-%20Hesse.pdf. Acesso em: 9 dez. 2019.

JUSTEN FILHO, Marçal. *Curso de direito administrativo*. São Paulo: Saraiva, 2003.

MALMESBURY, Thomas Hobbes de. *Leviatã*. Roma: Editora Laterza, 2001, p. 61.

MARQUES NETO, Floriano Peixoto. *Regulação estatal e interesses públicos*. São Paulo: Malheiros, 2002.

MEDAUAR, Odete. Administração pública: do ato ao processo. *In*: ARAGÃO, Alexandre Santos de; MARQUES NETO, Floriano de Azevedo. *Direito administrativo e seus novos paradigmas*. Belo Horizonte: Fórum, 2012, p. 411-412.

MEDAUAR, Odete. *Direito administrativo moderno*. Belo Horizonte: Fórum, 2018.

MERKL, Adolf. *Teoria general del derecho administrativo*. Madrid: Editorial Revista de Derecho Privado/Belo Horizonte: Fórum, 2013.

MOREIRA NETO, Diogo de Figueiredo. O direito administrativo do século XXI: um instrumento de realização da democracia substantiva. *Revista de Direito Administrativo & Constitucional*, Belo Horizonte, ano 3, n. 11, p. 20-21, jan./mar. 2003.

RAWLS, John. *Uma teoria da justiça*. São Paulo: Martins Fontes, 2000.

RODRIGUEZ-ARANA, Jaime. *Derecho administrativo y derechos fundamentales*. El derecho administrativo constitucional. INAP/Global Law Press-Editorial Derecho Global, 2015.

SARMENTO, Daniel. *Direitos fundamentais e relações privadas*. Rio de Janeiro: Lumen Juris, 2004.

SCHMITT, Carl. Do decisionismo à teologia política: e o conceito de soberania. *Revista Portuguesa de Filosofia*, p. 10-11, jan./mar. 2003.

SCHWIND, Rafael Wallbach. Processo administrativo em evolução. *In*: ALMEIDA, Fernando Dias Menezes *et al*. *Direito público em evolução*. Estudos em homenagem à professora Odete Medauar. Belo Horizonte: Fórum, 2013, p. 378.

SILVA, Virgílio Afonso da. *A constitucionalização do direito*. Os direitos fundamentais nas relações entre particulares. São Paulo: Malheiros, 2011.

VERÍSSIMO, Marcos Paulo. A Constituição de 1988, vinte anos depois: Suprema Corte e ativismo judicial "à brasileira". *Revista Direito GV* [on-line], v. 4, n. 2, p. 407-440, 2008.

ZAGREBELSKY, Gustavo. *El derecho dúctil*. 2. ed. Madrid: Editorial Trotta, 1997.

Informação bibliográfica deste texto, conforme a NBR 6023:2018 da Associação Brasileira de Normas Técnicas (ABNT):

LACERDA, Caroline Maria Vieira. Os limites da constitucionalização do Direito Administrativo. *In*: COSTA, Daniel Castro Gomes da; FONSECA, Reynaldo Soares da; BANHOS, Sérgio Silveira; CARVALHO NETO, Tarcisio Vieira de (Coord.). *Democracia, justiça e cidadania*: desafios e perspectivas. Homenagem ao Ministro Luís Roberto Barroso. Belo Horizonte: Fórum, 2020. p. 329-348. t. 2: Pensando as instituições, a justiça e o Direito. ISBN 978-85-450-0749-4.

A INVESTIGAÇÃO CRIMINAL PELO MINISTÉRIO PÚBLICO NA VISÃO DO SUPREMO TRIBUNAL FEDERAL

ALEXANDRE MAGNO BENITES DE LACERDA

1 O Ministério Público: Constituição Federal de 1988

Na Constituição Federal de 1988, o Ministério Público corresponde à instituição permanente, essencial à função jurisdicional do Estado, incumbido da defesa do regime democrático e dos interesses sociais e individuais indisponíveis. Esse conceito está inserto no art. 127 da Lei Maior, que reserva ao *Parquet* uma seção específica no capítulo referente às funções essenciais à Justiça.

Com efeito, a seção aponta as funções institucionais, as garantias e as vedações inerentes aos membros do Ministério Público. Está, deste modo, separado dos demais Poderes de Estado.

Como esclarece Almeida, diferentemente do que ocorre no Brasil pós-Constituição de 1988, o Ministério Público de outros países não é visto pela doutrina alienígena como um legítimo e seguro defensor dos interesses e direitos coletivos, demonstrando óbices, como a falta de independência dessa instituição e, como consequência, as ingerências políticas negativas naturalmente ocorrem.[1]

A Carta de 1988 deu novo perfil ao Ministério Público, sendo que, entre as diversas áreas de atuação, foi na seara cível que a Instituição Ministerial adquiriu novas funções, merecendo destaque sua atuação na tutela dos interesses difusos e coletivos (*v.g.*, aqueles relativos ao meio ambiente, ao consumidor, ao patrimônio histórico, turístico e paisagístico, etc.), reafirmando seu papel privativo na esfera penal.

Deste modo, o "novo" Ministério Público é uma instituição autônoma e independente de quaisquer dos Poderes do Estado, sendo uma das formas por meio das quais o

---

[1] ALMEIDA, Gregório Assagra de. *Ministério Público no Neoconstitucionalismo*: Perfil Constitucional e Alguns Fatores de Ampliação de sua Legitimação Social. Publicado no site do Ministério Público do Estado de Goiás. 2008. Disponível em: http://www.mp.go.gov.br/portalweb/hp/10/docs/o_mp_no_neoconstitucionalismo1.pdf. Acesso em: 21 de ago. 2018. p. 26.

próprio Estado explicita sua soberania. Por conseguinte, não pode ser extinto por nenhum dos Poderes Constituídos e nem ter suas atribuições transferidas a outras instituições.

As disposições contidas na Constituição de 1988 quanto ao Ministério Público acabam por diferenciá-lo de todas as outras instituições do País. Deveras, as características primordiais do *Parquet*, que o distinguem das demais, são justamente seus princípios institucionais.

O princípio da unidade significa que os membros do Ministério Público constituem um só corpo, uma única vontade, de modo que as manifestações de quaisquer deles terão validade como manifestações de toda a instituição.

O princípio da indivisibilidade significa que os membros da instituição podem substituir-se uns aos outros, sem qualquer prejuízo para o exercício do *munus*.

Por fim, o princípio da independência funcional significa que não há subordinação intelectual ou ideológica a qualquer outra pessoa, tampouco ao próprio superior hierárquico – na escala administrativa. Assim, seus membros atuam apenas de acordo com os ditames da lei, seu entendimento próprio e sua consciência.

A novel Constituição assegurou ainda ao Ministério Público as mesmas garantias inerentes aos Magistrados (arts. 128, §5º, I; 93, I e II; 129, §3º e §4º): vitaliciedade, inamovibilidade e irredutibilidade de subsídios. Ainda, determinou as mesmas vedações (arts. 95, parágrafo único, e 128, §5º, II).

Dessa forma, as garantias e vedações trazidas pela Constituição de 1988 ao Ministério Público, tal como ocorre para a Magistratura, garantem o suporte necessário para que a instituição desempenhe, com isenção de influências, suas funções junto à sociedade.

A análise da evolução constitucional serve para demonstrar que, no Brasil, o Ministério Público deixou de ser o acusador público oficial para se transformar em defensor da sociedade, com a missão precípua de promover justiça.

2 Investigação criminal no Brasil

2.1 Conceito, finalidade e destinatários da investigação criminal

Praticado um ato definido em lei como delito (crime ou contravenção), surge no Brasil, como em qualquer democracia mundial, o poder-dever de punir (*jus puniendi*) do Estado. Conforme esclarece Carneiro, tal monopólio comporta raríssimas exceções no Brasil, "[...] como a legítima defesa, o estado de necessidade ou, ainda, a hipótese de autocomposição explicitada pela Lei 9.099/1995, isto é, a transação penal".[2]

A referida punição é exercida por intermédio da ação penal, respeitados o contraditório e a ampla defesa. Caberá ao Poder Judiciário, após iniciativa do titular privativo da ação penal pública, no caso o Ministério Público, ou na ação penal privada pelo particular, conduzir a uma decisão final, que poderá ser condenação ou absolvição.

---

[2] CARNEIRO, José Reinaldo Guimarães. *O Ministério Público e suas Investigações Independentes*: Reflexões sobre a Inexistência de Monopólio na Busca da Verdade Real. São Paulo: Malheiros, 2007, p. 39.

Para embasar esta aplicação da lei penal, como esclarece Goldfinger, o Estado-Administração deve buscar "[...] elementos de informação (prova) dos fatos infringentes da norma (materialidade) e quem tenha sido o autor (autoria)",[3] o que corresponde à investigação criminal.

Calabrich conceitua a investigação criminal como a "sequência de atos preliminares direta ou indiretamente voltados à produção e à colheita de elementos de convicção e de outras informações relevantes acerca da materialidade e autoria de um fato criminoso".[4]

Como alerta o referido autor, "a investigação não se resume em provar a prática de um ilícito. Acima de tudo, busca a investigação criminal impedir a acusação temerária, leviana, não embasada em elementos concretos".[5]

Deste modo, Goldfinger destaca que a investigação criminal "[...] que precede ao processo penal é figura extremamente indispensável, pois se trata de uma garantia processual constitucional".[6] Assim, servirá de elemento para subsidiar tanto o Ministério Público (ou o particular na ação penal privada) como também deverá servir para evitar acusações infundadas e elementos para arquivamento ou absolvição.

Exposto isto, no Brasil, quais seriam as formas de investigação criminal? Calabrich classifica-a em dois tipos: "policial e extrapolicial".[7]

Esclarece Dezem que as investigações criminais policial e extrapolicial "[...] não são excludentes, ou seja, pode haver mais de uma forma de investigação preliminar ao mesmo tempo para os mesmos fatos".[8] Todavia, destaca que algumas medidas durante a investigação "[...] estão submetidas à cláusula de reserva de jurisdição: somente podem ser determinadas pelo Poder Judiciário".[9]

2.2 Investigação policial: inquérito policial

Inicialmente é importante destacar que o art. 144 da Constituição Federal estabelece os vários órgãos policiais existentes no Brasil e suas funções.

O inquérito policial é atualmente o instrumento mais utilizado para a investigação criminal no Brasil. Conforme conceituado por Nucci:

> O inquérito policial é um procedimento preparatório da ação penal, de caráter administrativo, conduzido pela polícia judiciária e voltado à colheita preliminar de provas para apurar a prática de uma infração penal e sua autoria. (...)

---

[3] GOLDFINGER, Fábio Ianni. *O Papel do Ministério Público nas Investigações Criminais no Mundo Moderno*. 1. ed. Campo Grande: Contemplar, 2012, p. 41.
[4] CALABRICH, Bruno. *Investigação Criminal pelo Ministério Público*: fundamentos e limites constitucionais. São Paulo: Revista dos Tribunais, 2007. (Temas Fundamentais de Direito; v. 7 / coordenadores José Roberto dos Santos Bedaque, José Rogério Cruz e Tucci), p. 54.
[5] CALABRICH, *op. cit.*, p. 59.
[6] GOLDFINGER, *op. cit.*, p. 41.
[7] CALABRICH, *op. cit.*, p. 66.
[8] DEZEM, Guilherme Madeira. *Curso de Processo Penal*. 3. ed. rev., atual. e ampl. São Paulo: Revista dos Tribunais, 2017, p. 147-148.
[9] DEZEM, *op. cit.*, 147-148.

Seu objetivo precípuo é servir de lastro à formação da convicção do representante do Ministério Público (*opinio delicti*), mas também para colher provas urgentes, que podem desaparecer, após o cometimento do crime. Não se pode olvidar, ainda, servir o inquérito à composição das indispensáveis provas pré-constituídas que servem de base à vítima, em determinados casos, para a propositura da ação penal privada.[10]

É o principal instrumento de investigação utilizado pelas polícias civil e federal. Importante destacar que o inquérito policial busca a colheita de elementos informativos na investigação, e não de prova (produzido no curso do processo judicial), conforme se denota no art. 155 do CPP. Deste modo, como esclarece Renato Brasileiro, a participação dialética das partes só ocorrerá durante o processo. Por isso "[...] não se impõe a observância obrigatória do contraditório e da ampla defesa, [uma] vez que nesse momento não há falar em acusados em geral na dicção do inciso LV do art. 5º da Constituição Federal".[11]

Ainda, esclarece que, apesar de na fase investigativa não haver o contraditório e a ampla defesa, no inquérito serão produzidos elementos de vital importância para a persecução penal, pois, "além de auxiliar na formação da *opinio delicti* do órgão de acusação, podem subsidiar a decretação de medidas cautelares pelo magistrado ou fundamentar uma decisão de absolvição sumária".[12]

Para o tema proposto, Goldfinger destaca que, após "o encerramento das diligências do inquérito, o Delegado deverá encerrar com um relatório, contendo um relato objetivo de tudo o que fora realizado no âmbito do procedimento investigatório".[13]

2.3 Investigação extrapolicial: instrumentos investigatórios diversos do inquérito policial

Fundamental destacar a inexistência do monopólio da investigação criminal pela Polícia Judiciária, por meio do inquérito policial.

Renato Brasileiro esclarece que "a Constituição Federal não conferiu às polícias civis o monopólio das apurações das infrações penais, nem mesmo das atividades de polícia judiciária. O que restou estabelecido é que, nos crimes federais, a investigação será exercida pela Polícia Federal, sem que se atribua a esta o monopólio da investigação. Nessa esteira, à Polícia Federal compete a apuração de crimes federais, excluindo-se as polícias civis, evitando-se, com isso, o conflito de atribuições (art. 144, §1º, IV)".[14]

Neste sentido vem decidindo de forma reiterada o STF, conforme julgado do *Habeas Corpus* (HC) nº 94.173/BA:

---

[10] NUCCI, Guilherme de Souza. *Manual de processo penal e execução penal*. 12. ed. rev., atual. e ampl. Rio de Janeiro: Forense, 2015, p. 98.
[11] LIMA, Renato Brasileiro de. *Manual de processo penal*: volume único. 5. ed. rev., ampl. e atual. Salvador: Juspodivm, 2017, p. 107.
[12] LIMA, *op. cit.*, p. 107.
[13] GOLDFINGER, *op. cit.*, p. 47.
[14] LIMA, *op. cit.*, p. 105.

A QUESTÃO DA CLÁUSULA CONSTITUCIONAL DE EXCLUSIVIDADE E A ATIVIDADE INVESTIGATÓRIA. A cláusula de exclusividade inscrita no art. 144, § 1º, inciso IV, da Constituição da República – que não inibe a atividade de investigação criminal do Ministério Público – tem por única finalidade conferir à Polícia Federal, dentre os diversos organismos policiais que compõem o aparato repressivo da União Federal (polícia federal, polícia rodoviária federal e polícia ferroviária federal), primazia investigatória na apuração dos crimes previstos no próprio texto da Lei Fundamental ou, ainda, em tratados ou convenções internacionais. – Incumbe, à Polícia Civil dos Estados-membros e do Distrito Federal, ressalvada a competência da União Federal e excetuada a apuração dos crimes militares, a função de proceder à investigação dos ilícitos penais (crimes e contravenções), sem prejuízo do poder investigatório de que dispõe, como atividade subsidiária, o Ministério Público.[15]

A investigação preliminar por outras instituições está estabelecida na própria Constituição, bem como por meio de leis ordinárias especiais (valendo destacar que a legislação anterior a 1988 foi plenamente recepcionada pela Carta Magna).

Na Constituição Federal encontramos outras autorizações de investigação criminal: a) no Congresso Nacional, despontam as Comissões Parlamentares de Inquérito (§3º do art. 58 da CF), que possuem poderes de investigação próprios das autoridades judiciais; b) no Tribunal de Contas (arts. 71 e 74, §2º, da CF), tal regra se repete nos Tribunais de Contas dos Estados e, onde existem, dos Municípios; c) no Ministério Público, por meio do art. 128, I, VI, VIII e IX, da Constituição, conforme será abordado mais adiante; e d) no caso de crimes militares, inquérito policial militar (art. 144, §4º, da CF).

O Código Processual Penal brasileiro, após atribuir à polícia judiciária a competência para a apuração de infrações penais (art. 4º, *caput*), garantiu idêntica atribuição, de forma cristalina, a outras autoridades administrativas, desde que legalmente autorizadas (parágrafo único do mesmo dispositivo).

3 O Ministério Público e a investigação criminal direta – legislação e doutrina

O aumento da criminalidade, o dominante sentimento de impunidade no País, somados com a notória e lastimável falta de recursos humanos e materiais dos organismos de segurança pública, bem como a possível ingerência externa da classe política na condução das investigações, especialmente contra poderosos econômicos e políticos, trouxeram à baila importante discussão com reflexos no sistema de justiça brasileiro: pode o Ministério Público investigar diretamente crimes?

O tema é controverso, tendo se arrastado por intensos debates na doutrina, em manifestações populares da famigerada PEC 37, no parlamento e em tribunais do País, com recente decisão de nossa Suprema Corte, lastreada no instituto da repercussão geral. Por isso, importante passo é a análise dos principais argumentos doutrinários quanto à possibilidade ou não da investigação criminal direta pelo Ministério Público.

---

[15] BRASIL, Supremo Tribunal Federal, Habeas Corpus nº 94.173. Rel. Min. Celso de Mello, Segunda Turma, julgado em 27.10.2009, DJe 223. Divulg. 26.11.2009. Ement. Vol. 02384-02, p. 00336, 2009a. Disponível em: http://portal.stf.jus.br/processos/detalhe.asp?incidente=2605498. Acesso em: 10 set. 2018.

3.1 Argumentos contrários à investigação criminal pelo Ministério Público

Entre aqueles que sustentam a impossibilidade de o Ministério Público atuar diretamente na fase de investigação, começaremos pelo primeiro argumento defendido por Nucci, segundo o qual "a Constituição Federal, em seu art. 144, foi nítida em estabelecer as funções da polícia (federal e civil) para investigar e servir de órgão auxiliar do Poder Judiciário na atribuição de apurar a ocorrência e a autoria de crimes e contravenções penais".[16] Destaca o autor que ao Ministério Público foi reservada a titularidade exclusiva da ação penal pública quanto a seu ajuizamento.

Prossegue afirmando que a própria Constituição delineou a exceção à vítima, quando a ação penal não for intentada no prazo legal (art. 5º, LIX). Ao Ministério Público teria sido prevista na Constituição a possibilidade de elaborar inquérito civil e não inquérito criminal (art. 129, III). E para exercer a função de órgão oficial de acusação do Estado, a Constituição concedeu aos membros do Ministério Público: o poder de expedir notificações e requisitar informações e documentos; a possibilidade de exercer o controle externo na atividade policial; e o poder de requisitar tanto diligências investigatórias quanto a instauração de inquérito policial.[17]

Por fim, conclui que o membro do Ministério Público, ao ter conhecimento de um fato delituoso, deverá requisitar à autoridade policial a instauração de inquérito policial, controlando todo o desenvolvimento da investigação, requisitando diligência, e, ao final, formar sua opinião, denunciando a pessoa apontada como autora ou promovendo o arquivamento perante o juízo.[18]

Ainda, arremata: "O que não lhe é constitucionalmente assegurado é produzir, sozinho, a investigação, denunciando a seguir quem considera autor da infração penal, excluindo, integralmente, a polícia judiciária e, consequentemente, a fiscalização salutar do juiz".[19]

Já Silva, como um segundo argumento contrário à possibilidade de investigação, afirma que as Polícias Judiciárias estadual e federal possuem constitucionalmente a competência exclusiva, cada qual no âmbito de sua atuação, para investigar crimes comuns. As exceções estariam previstas na própria Constituição Federal, quais sejam, o inquérito policial militar e a comissão de inquérito parlamentar. Destaca que não há na Constituição nada que autorize o Ministério Público a instaurar e presidir inquérito criminal.[20] Afirma que o Ministério Público tem feito investigação criminal via inquérito civil, com notório desvio de finalidade, na medida em que serve tão somente como peça de instrução preparatória da ação civil pública e não de instrução criminal ou por meio de procedimento administrativo próprio, o que reputa inconcebível. Por fim, afirma que qualquer lei infraconstitucional ou mesmo ato normativo que permita

---

[16] NUCCI, op. cit., p. 102.
[17] NUCCI, op. cit., p. 102.
[18] NUCCI, op. cit., p. 102.
[19] NUCCI, op. cit., p. 102.
[20] Sobre o tema consultar: MORAES FILHO, Antônio Evaristo de. As funções do Ministério Público e o Inquérito Policial. Artigo publicado na *Tribuna do Advogado*, informativo produzido pela OAB/RJ. Nov. 1996, p. 10.

ao Ministério Público investigar crimes diretamente afrontaria normas e princípios constitucionais.[21]

Como terceiro argumento contrário, Pitombo afirma que a realização de investigação pelo Ministério Público prejudicaria a imparcialidade necessária do órgão de acusação pública, dando espaço assim à possibilidade de produção probatória orientada com o único propósito de buscar convalidar a investigação da acusação e não produzir provas que interessem à defesa.[22]

Como um quarto argumento contrário, Grinover defende que é indispensável a existência de uma lei que disponha expressamente sobre o instrumento de investigação do Ministério Público, à luz do disposto no art. 129, IX, da Carta Magna. Afirma que, por não existir tal legislação, não é permitida a investigação direta pelo Ministério Público. Os dispositivos previstos na Lei nº 8.625/1993 e na Lei Complementar nº 75/1993 tratariam da investigação referente ao exercício da ação civil pública, que tem previsão constitucional.[23] Machado, em arremate, sustenta que a disciplina de procedimentos de investigação criminal deve ser prevista expressamente em lei, e não a partir de resoluções, como as do CNMP, sob pena de violação frontal ao princípio da legalidade.[24]

Há ainda um quinto argumento contrário à possibilidade de investigação criminal direta pelo Ministério Público, referente a possível violação ao princípio da paridade de armas. Afirma Pereira que a investigação criminal comandada com exclusividade pelo membro do Ministério Público provoca o desequilíbrio das partes do eventual processo, pois importantes provas são produzidas nessa fase, como as periciais e a busca e apreensão, não mais repetidas sob o crivo do contraditório. O correto então seria manter o delegado (civil ou federal) à frente da investigação, pois ele não seria parte na relação processual.[25]

Por fim, outros dois argumentos utilizados pelos doutrinadores para obstar o entendimento de possibilidade de investigação criminal direta pelo *Parquet* são destacados por Goldfinger: falta de conhecimento técnico e falta de estrutura para investigação criminal pelo Ministério Público.[26]

Definidas as principais críticas doutrinárias ao poder investigatório do Ministério Público, passa-se a analisá-las, individualmente, nos itens a seguir, entre outros argumentos a favor.

---

[21] SILVA, José Afonso da. Em face da Constituição Federal de 1988, o Ministério Público pode realizar e/ou presidir investigação criminal, diretamente? *Revista Brasileira de Ciências Criminais*, São Paulo, ano 12, n. 49, p. 376-377, jul./set. 2004.
[22] PITOMBO, Sérgio Marcos de Moraes. Procedimento Administrativo Criminal realizado pelo Ministério Público. *Boletim do Instituto Manoel Pedro Pimentel*, n. 22, p. 3, jun./ago. 2003.
[23] GRINOVER, Ada Pellegrini. Investigações pelo Ministério Público. *Boletim IBCCrim* (Instituto Brasileiro de Ciências Criminais), São Paulo, ano 12, n. 145, p. 4-5, dez. 2004.
[24] MACHADO, Antônio Alberto. *Curso de Processo Penal*. 3. ed. rev., atual. e ampl. São Paulo: Atlas, 2010, p. 93.
[25] PEREIRA, *apud* NUCCI, *op. cit.*, p. 103.
[26] GOLDFINGER, *op. cit.*, p. 65-68.

3.2 Argumentos favoráveis à investigação criminal pelo Ministério Público

Quanto ao primeiro argumento apontado no item anterior, apresentado por Nucci, de que a Constituição Federal não teria autorizado o Ministério Público a realizar diretamente investigação criminal, cabendo esta função de investigar e servir de órgão auxiliar do Poder Judiciário na atribuição de apurar a ocorrência e a autoria de crimes e contravenções penais às polícias federal e civil,[27] Calabrich responde afirmando que a realização de investigações coaduna-se com as funções institucionais do Ministério Público, sendo corolário natural do seu poder-dever de acusar.[28]

Prossegue Calabrich aduzindo que essa atribuição decorre também de suas outras funções constitucionais, com destaque para o exercício do controle externo da atividade policial previsto no art. 129, VII, da Constituição Federal, que se torna uma disposição inócua sem a possibilidade de investigação direta. Ainda, em razão do próprio poder constitucional do Ministério Público de requisitar diligências investigatórias à polícia, é "implícito que quem pode determinar a terceiro que realize diligências pode, também, realizá-las diretamente, sob pena de, absurdamente, transformar-se a autoridade requisitante em 'subordinada' da autoridade requisitada".[29] Acrescenta que dizer que a lei não poderia prever a atribuição investigatória é negar o disposto no art. 129, em seu inciso VI, por meio do qual o Ministério Público pode "expedir notificações nos procedimentos administrativos de sua competência, requisitando informações e documentos para instruí-los",[30] e no inciso IX, que permite ao *Parquet* o exercício de "outras funções que lhe forem conferidas, desde que compatíveis com sua finalidade".[31] Este ponto é fundamental para o debate e merece ser melhor explicado.

O fundamento é simples: se a própria Constituição Federal considera o Ministério Público uma instituição essencial à função jurisdicional do Estado, atribuindo-lhe a tarefa de defender a ordem jurídica e conferindo-lhe a titularidade da ação penal pública, é forçoso reconhecer-lhe a possibilidade de angariar todas as provas aptas à efetivação desse mister.

Neste ponto aplica-se a Teoria dos Poderes Implícitos, construída pela Suprema Corte Americana, com base no julgamento do caso McCulloch contra o Estado de Maryland – repertório de Wheaton 316-437, de fevereiro de 1819, Chief Justice John Marshall. Calabrich esclarece a referida teoria:

> Poderes implícitos são todos os poderes indispensáveis ao exercício de uma competência expressa: "[...] um governo, investido de tão amplos poderes, de cujo oportuno desempenho a felicidade e a prosperidade da nação dependem vitalmente, deve ser investido de amplos poderes para seu desempenho" (MARSHALL, John. *Decisões constitucionais de Marshall*. Trad. Américo Lobo. Brasília: Ministério da Justiça, 1997, p. 110).[32]

---

[27] NUCCI, *op. cit.*, p. 102.
[28] CALABRICH, *op. cit.*, p. 123-124.
[29] CALABRICH, *op. cit.*, p. 123-124.
[30] CALABRICH, *op. cit.*, p. 123-124.
[31] CALABRICH, *op. cit.*, p. 123-124.
[32] CALABRICH, *op. cit.*, p. 123.

Ao comentar este paradigmático julgado, Lima esclarece que restou decidido que a Constituição, ao garantir uma atividade-fim a determinado órgão ou instituição, por consequência lógica, acaba por, implícita e simultaneamente, conceder todos os meios necessários para o cumprimento da finalidade daquele objetivo. Deste modo, aplicando-se a realidade do sistema de justiça brasileiro, a última palavra acerca da propositura ou não de denúncia ou arquivamento de um fato criminoso compete ao Ministério Público, que é o titular privativo da ação penal pública. Por isto, deve-se outorgar a esta instituição todos os meios para firmar seu convencimento, entre eles, "a possibilidade de realizar investigações criminais, sob pena de não se lhe garantir o meio idôneo para realizar a persecução criminal, ao menos em relação a certos tipos de delitos".[33]

No julgamento do HC nº 91.661-PE, a Ministra Ellen Gracie, da Suprema Corte brasileira, esclareceu:

> 5. É perfeitamente possível que o órgão do Ministério Público promova a colheita de determinados elementos de prova que demonstrem a existência da autoria e da materialidade de determinado delito. Tal conclusão não significa retirar da Polícia Judiciária as atribuições previstas constitucionalmente, mas apenas harmonizar as normas constitucionais (arts. 129 e 144) de modo a compatibilizá-las para permitir não apenas a correta e regular apuração dos fatos supostamente delituosos, mas também a formação da *opinio delicti*.
> 6. O art. 129, inciso I, da Constituição Federal, atribui ao *parquet* a privatividade na promoção da ação penal pública. Do seu turno, o Código de Processo Penal estabelece que o inquérito policial é dispensável, já que o Ministério Público pode embasar seu pedido em peças de informação que concretizem justa causa para a denúncia.
> 7. Ora, é princípio basilar da hermenêutica constitucional o dos "poderes implícitos", segundo o qual, quando a Constituição Federal concede os fins, dá os meios. Se a atividade-fim – promoção da ação penal pública – foi outorgada ao *parquet* em foro de privatividade, não se concebe como não lhe oportunizar a colheita de prova para tanto, já que o CPP autoriza que "peças de informação" embasem a denúncia.[34]

Hamilton questiona se é possível o Ministério Público poder requisitar diligências à autoridade policial e não dispor ele mesmo do poder de realizá-las diretamente, respondendo que "na verdade, como de fácil compreensão, a Constituição Federal, ao conferir ao Ministério Público a faculdade de requisitar e notificar (art. 129, VI), defere-lhe, *ipso facto*, o poder de investigar, no qual aquelas atribuições se subsumem".[35]

O segundo argumento contrário à possibilidade de investigação criminal direta pelo Ministério Público, apresentado por Silva, refere-se à competência exclusiva da Polícia Judiciária para investigar crimes, de modo que haveria um desvio de finalidade na utilização do inquérito civil para investigar crimes, e a legislação infraconstitucional ou mesmo ato normativo que viesse a ser elaborado seria tratado como inconstitucional.[36]

---

[33] LIMA, *op. cit.*, p. 186.
[34] BRASIL, Supremo Tribunal Federal. *Habeas Corpus* nº 91.661/PE. Rel. Min. Ellen Gracie, Segunda Turma, julgado em 10.03.2009, DJe 064. Divulg. 02.04.2009. Ement. vol. 2355-02, p. 279. LEXSTF v. 31, n. 364, p. 337-347, 2009b. Disponível em: http://portal.stf.jus.br/processos/detalhe.asp?incidente=2528373. Acesso em: 10 set. 2018, p. 279-280.
[35] HAMILTON, Sérgio Demoro. *Temas de processo penal*. 2. ed. Rio de Janeiro: Lumen Juris, 2000, p. 215.
[36] SILVA, *op. cit.*, p. 376-377.

Ocorre que, como referido por Lima, a Constituição da República de 88 confere à Polícia Federal a exclusividade do exercício das funções de Polícia Judiciária da União, e isto não se confunde com funções de polícia investigativa. Explica o autor que por 'polícia investigativa' "compreendem-se as atribuições ligadas à colheita de elementos informativos quanto à autoria e materialidade das infrações penais".[37] A expressão 'polícia judiciária' está relacionada às atribuições de auxiliar do Poder Judiciário, executando as decisões relativas à execução de mandados de prisão, de busca e apreensão, de condução coercitiva de testemunhas, etc.

No mesmo sentido ocorre quanto às polícias civis, às quais incumbem as funções de polícia judiciária e a apuração de infrações penais. Arremata que a própria Constituição diferencia as funções de polícia investigativa (art. 144, §1º, incisos I e II) das funções de polícia judiciária (art. 144, §1º, inciso IV). Assim, apenas à polícia federal foi conferida a exclusividade quanto à função de polícia judiciária, em relação à polícia civil, por organização. As atribuições investigatórias, todavia, poderão ser exercidas por outras autoridades administrativas, conforme disposto no art. 4º, parágrafo único, do CPP. Desta forma vem decidindo de forma reiterada o STF, tal qual se denota nos seguintes julgados: RE nº 593.727, Tribunal Pleno; AP nº 611, Primeira Turma; HC nº 94.173, Segunda Turma.

Afora os dispositivos constitucionais já transcritos que tratam da titularidade da ação pública (art. 129, I), Lima acrescenta que, no âmbito da Constituição Federal, encontra-se estabelecido como função institucional do Ministério Público o poder/dever de expedir notificações nos procedimentos administrativos de sua atribuição, podendo requisitar informações e documentos para instruí-los, além de requisitar diligências investigatórias e de instauração de inquérito policial (art. 129, VI e VII).[38]

Destaca que a Lei Complementar nº 75/1993, nos arts. 7º e 8º, enumera diversas atribuições do MPU, acrescentando outras possibilidades investigatórias, entre as quais requisitar à autoridade competente a instauração de procedimentos administrativos; notificar testemunhas e requisitar sua condução coercitiva, no caso de ausência injustificada; requisitar informações, exames, perícias e documentos de autoridades da Administração Pública direta ou indireta; requisitar da Administração Pública serviços temporários de seus servidores e meios materiais necessários para a realização de atividades específicas; requisitar informações e documento de entidades privadas, etc.[39]

Renato Brasileiro de Lima menciona farta legislação pátria no sentido de prever ao Ministério Público poderes investigatórios, tal como a Lei da Ação Civil Pública (Lei nº 7.347/1985), que prevê a possibilidade de o membro do Ministério Público instaurar, sob sua presidência, inquérito civil ou requisitar, de qualquer organismo público ou particular, certidões, informações, exames ou perícias, no prazo que assinalar, o qual não poderá ser inferior a 10 (dez) dias úteis. Já o Estatuto da Criança e do Adolescente (ECA – Lei nº 8.069/1990) permite que o Ministério Público possa instaurar sindicâncias, requisitar diligências investigatórias e determinar a instauração de inquérito policial,

---

[37] LIMA, *op. cit.*, p. 187.
[38] LIMA, *op. cit.*, p. 187.
[39] No mesmo norte restou disposto na Lei Orgânica Nacional do Ministério Público dos Estados (Lei nº 8.625/93), em seus arts. 26 e 27.

para apuração de ilícitos ou infrações às normas de proteção à infância e à juventude (ECA, art. 201, VII). Nesse sentido, semelhantes disposições encontram-se no Estatuto do Idoso (Lei nº 10.741/2003, art. 74), na legislação específica contra o Sistema Financeiro Nacional (Lei nº 7.492/1986, art. 29), no Código Eleitoral (Lei nº 4.737/65, art. 356, §2º) e na Lei de Abuso de Autoridade (Lei nº 4.898/1965, arts. 2º, 12 e 13), entre outras.[40]

Como dito anteriormente, o STF rechaça a alegação de desvio de finalidade do Ministério Público de utilizar-se da investigação do inquérito civil para fins de eventual ação penal.[41] Por óbvio, o inquérito civil não está direcionado diretamente às investigações criminais. Todavia, descobertos dados relativos a determinada infração penal, nada impede que o Ministério Público ofereça denúncia com amparo em tais elementos probatórios.

Ensina Hugo Nigro Mazzili:

> No inc. VI do art. 129, cuida-se de quaisquer procedimentos administrativos de atribuição do Ministério Público – e aqui também se incluem as investigações destinadas à coleta direta de elementos de convicção para a *opinio delicti*: se os procedimentos administrativos a que se refere este inciso fossem apenas em matéria cível, teria bastado o inquérito civil de que cuida o inciso III. O inquérito civil nada mais é que uma espécie de procedimento administrativo de atribuição ministerial. Mas o poder de requisitar informações e diligências não se exaure na esfera cível; atinge também a área destinada a investigações criminais. Sendo o Ministério Público o titular da *opinio delicti*, pois promove privativamente a ação penal pública, poderá e deverá determinar a instauração de inquérito policial e a realização de diligências investigatórias, com o fito de formar seu convencimento sobre a propositura ou não da ação penal pública.[42]

Renato Brasileiro destaca que foi claro o propósito do legislador constituinte de dar ao Ministério Público o poder de requisitar a instauração de inquérito e diligências e por isso "obviamente poderá o menos, ou seja, dispensá-lo, colhendo diretamente a prova".[43]

Calabrich arremata:

> Alguns parágrafos acima pôde-se constatar que tanto a LC 75/93 quanto a Lei 8.625/93 são cristalinas, didáticas e redundantes até, ao declinarem, em diversos incisos, os atos de investigação que o Ministério Público pode praticar. Previsão legal expressa, portanto, há.[44]
> [...] a realização de investigações coaduna-se com as funções institucionais do MP e é decorrência de seu poder-dever de acusar. Essa atribuição decorre também de suas outras funções, com destaque para o exercício do controle externo da atividade policial – que, sem a possibilidade da investigação direta, é simplesmente inócuo – e para o próprio poder de requisitar diligências investigatórias à polícia – é implícito que quem pode determinar a terceiro que se realize diligências pode, também, realizá-las diretamente, sob pena de, absurdamente, transformar-se a autoridade requisitante em "subordinada" da autoridade requisitada.[45]

---

[40] LIMA, *op. cit.*, p. 187-188.
[41] BRASIL, Supremo Tribunal Federal. Inq. nº 3.776, Relatora: Min. ROSA WEBER, Primeira Turma, julgado em 07.10.2014, Acórdão eletrônico. DJe-216. Divulg. 03.11.2014. Public. 04.11.2014.
[42] MAZZILLI, Hugo Nigro. *Regime Jurídico do Ministério Público*. 8. ed. São Paulo: Saraiva, 2014, p. 395.
[43] LIMA, *op. cit.*, p. 112-113.
[44] CALABRICH, *op. cit.*, p. 119-124.
[45] CALABRICH, *op. cit.*, p. 123-124.

Quanto ao terceiro argumento contrário ao poder investigatório do *Parquet*, de que a realização de investigação pelo Ministério Público prejudicaria a imparcialidade necessária do órgão de acusação pública,[46] esclarece ainda Calabrich que o Ministério Público, no processo penal, é parte e não um sujeito imparcial. A imparcialidade no processo penal, para o Ministério Público, tem o sentido de que, mesmo na condição de órgão legitimado para a acusação, deve zelar pelo fiel cumprimento da lei, sempre de modo impessoal. Assim, a imparcialidade do Ministério Público está vinculada à impessoalidade na atuação e desvinculação aprioristicas de pretensões acusatórias ou absolutórias.[47]

Ressalta o mencionado autor que, a despeito de ser parte, o Ministério Público tem como função precípua a defesa da Constituição, podendo e devendo assim, por exemplo, promover o arquivamento de um inquérito policial quando ausente a justa causa para a denúncia. Arremata que o próprio STJ assentou na Súmula nº 234 que "a participação de membro do Ministério Público na fase investigatória criminal não acarreta seu impedimento ou suspeição para o oferecimento da denúncia".[48] Rebate ainda o argumento de que o Ministério Público, por ser parte no processo penal, teria interesse em produzir provas apenas para a acusação.

Calabrich refuta ao afirmar que, segundo essa tese, a polícia teria mais condições de realizar uma investigação imparcial que o Ministério Público. Relembra que a investigação criminal preliminar tem a finalidade de subsidiar o Ministério Público para a formulação de uma acusação responsável.[49] Sob esta ótica, o argumento parece mais aplicável à polícia que ao Ministério Público. Ressalta um possível inconveniente da investigação pela polícia: a tendência para a obtenção de provas somente interessantes à acusação, pois a parte que dará a palavra final sobre o assunto será o Ministério Público, sob o crivo do controle judicial, além da aproximação da autoridade policial com os fatos investigados e o seu exercício na função de segurança pública.

Alerta Calabrich que o perigo surge quando os investigados integram estamentos sociais capazes de exercer influência sobre órgãos do Poder Executivo aos quais os Delegados de Polícia – desprovidos do atributo da independência funcional, caro ao Ministério Público – são hierarquicamente subordinados.[50]

Quanto ao quarto argumento, de que seria indispensável a existência de uma lei que dispusesse expressamente sobre o instrumento de investigação do Ministério Público,[51] e não apenas resoluções, como a vigente no CNMP, sob pena de violação frontal ao princípio da legalidade,[52] Calabrich refuta:

> Não há nada, nem na LC 75/93 nem na Lei 8.625/93, que estabeleça que as atribuições investigatórias limitam-se à colheita de elementos para a propositura de uma ação civil pública. Muito diversamente disso, o art. 26, I, da Lei 8.625/93 é peremptório ao prever

---

[46] PITOMBO, *op. cit.*, p. 376-377.
[47] CALABRICH, *op. cit.*, p. 126-127.
[48] CALABRICH, *op. cit.*, p. 126-127.
[49] CALABRICH, *op. cit.*, p. 127-128.
[50] CALABRICH, *op. cit.*, p. 127-128.
[51] GRINOVER, *op. cit.*, p. 4-5.
[52] MACHADO, Antônio Alberto. *Curso de Processo Penal*. 3. ed. rev., atual. e ampl. São Paulo: Atlas, 2010. p. 93.

a possibilidade de instauração, pelo Ministério Público, de inquérito civil e de outros procedimentos administrativos, abrangendo, com isso, todo e qualquer procedimento, de natureza criminal ou não, necessário ao exercício de suas funções institucionais. A instauração e a condução de procedimentos administrativos pelo MP presta-se a subsidiar toda a gama de possibilidades de atuação para o cumprimento de sua missão constitucional (art. 127 da CF/88). Esses procedimentos administrativos podem ter como objeto desde a documentação e o acompanhamento do exercício do controle externo da atividade policial, passando pela expedição de recomendações ou a adoção de medidas judiciais diversas [...] Os procedimentos administrativos criminais (procedimentos de investigação criminal) são apenas um exemplo de procedimento administrativo "de sua competência" (art. 129, VI, da CF/88).[53]

O CNMP inicialmente editou a Resolução nº 13, de 02.10.2006, posteriormente revogada e substituída pela Resolução nº 181, de 17.8.17 (com acréscimos da Resolução nº 183, de 24.01.2018), que dispõe sobre instauração e tramitação do procedimento investigatório criminal a cargo do Ministério Público, tendo por fundamento o art. 130-A, §2º, I, da Constituição Federal.

Esclarece Ziesemer que a Resolução nº 181/2017 do CNMP se ampara na possibilidade que o Conselho Nacional tem de expedir atos administrativos no âmbito de suas competências. Ainda, afirma que a investigação promovida pelo Ministério Público é prevista e autorizada pela Constituição Federal e pela legislação infraconstitucional. Assim, o CNMP nada mais fez que regulamentar internamente uma prática legítima e reconhecida pelo Poder Judiciário, com escopo de agilização, efetividade e proteção dos direitos fundamentais dos investigados, das vítimas e das prerrogativas dos advogados.[54]

Destaca que todos os procedimentos praticados pelo Ministério Público posteriormente serão levados ao processo judicial. Deste modo, a Resolução nº 181/2017-CNMP se traduz em legítima ferramenta de regulamentação.[55]

Quanto ao quinto argumento, da violação ao princípio da paridade de armas,[56] Renato Brasileiro refuta-o, esclarecendo que não há que se falar em violação a esse princípio porquanto os elementos colhidos pelo Ministério Público terão o mesmo tratamento dispensado àqueles levantados nas investigações policiais, qual seja, serão de mera informação preliminar, servindo apenas de base para a denúncia do *Parquet*, devendo assim ser ratificados judicialmente sob o crivo do contraditório e da ampla defesa, para eventual condenação de alguém.[57]

Nesse sentido segue Calabrich, ao esclarecer que a investigação é um procedimento anterior ao processo penal acusatório. Destaca que, nesta fase, não há imputação formal de um fato a ninguém, nem sequer ao investigado, mas sim a apuração de uma ou várias hipóteses. Por óbvio tal situação pode acarretar restrição de direitos para determinados sujeitos, especialmente quanto às medidas cautelares. Todavia essas situações passam

---

[53] CALABRICH, *op. cit.*, p. 125.
[54] ZIESEMER, Henrique da Rosa. Art. 6º. *In*: FISCHER, Douglas; ANDRADE, Mauro Fonseca (Org.). *Investigação criminal pelo Ministério Público*: comentários à Resolução 181 do Conselho Nacional do Ministério Público. Porto Alegre: Livraria do Advogado, 2018, p. 13.
[55] ZIESEMER, *op. cit.*, p. 13.
[56] PEREIRA, *apud* NUCCI, *op. cit.*, p. 103.
[57] LIMA, *op. cit.*, p. 186.

pelo controle judicial. Afirma que perscrutar todas as hipóteses aventadas na etapa pré-processual interessa à sociedade, que espera ver satisfeita a pretensão punitiva, e ao investigado, que, em qualquer das hipóteses, terá, no mínimo, o direito a um julgamento justo. Ao investigado inocente, terá este interesse direto em que se tenha uma investigação eficiente, independentemente de quem a conduza. Já aquele que de fato é responsável pelo cometimento da infração penal, esse ostenta interesse legítimo a ser submetido a um julgamento justo, que somente ocorrerá com uma investigação eficiente, tanto no que tange à colheita de elementos de convicção quanto de respeito a seus direitos fundamentais.[58]

Acrescenta Calabrich que, quanto ao argumento de que quando o Ministério Público investiga coloca o investigado em situação de "desvantagem", tal raciocínio descura de um dado elementar: "enquanto ainda não esclarecidas em todas as suas nuances a autoria e a materialidade de um delito, quem está em posição de 'desvantagem' é a sociedade (e o Ministério Público, que, nesse mister, a representa)".[59] Já o autor do delito, que conhece os fatos em todos os seus detalhes, tem melhores condições de atuar de modo a ocultá-lo, dificultando a formação dos elementos de convicção pelo órgão de acusação, evitando assim um julgamento justo pelo Estado-Juiz.

Por fim, em relação aos outros argumentos relevantes utilizados pelos doutrinadores, Goldfinger, de forma clara, rebate um a um, a saber: quanto à falta de conhecimento técnico para investigação criminal pelo Ministério Público, esclarece que tal argumento carece, no mínimo, de propriedade técnica e revela desconhecimento das funções institucionais do Ministério Público, pois a investigação sempre fez parte da atuação funcional da instituição. Cita a Lei da Ação Civil Pública, que estabeleceu o inquérito civil, sob a presidência do membro do *Parquet*, com o objetivo de colher elementos para a propositura da ação pública.[60]

Pode-se também mencionar os Grupos de Atuação Especializada de Repressão ao Crime Organizado (GAECOs), pertencentes ao Ministério Público dos Estados, que, por longa data, vêm combatendo nacionalmente o crime organizado e o desvio de recursos públicos e que, em alguns Estados, contam com a participação de Delegados de Polícia e, em todos os demais, com o apoio fundamental da Polícia Militar. Some-se a isto a investigação em parceria exitosa com as Polícias Rodoviárias Estadual e Federal em todo o território nacional. A cooperação é o caminho para solucionar estas eventuais divergências e proteger a sociedade.

Por fim, quanto ao argumento de falta de estrutura para que o Ministério Público realize investigações criminais, Goldfinger rebate afirmando que o Ministério Público, em razão de sua autonomia funcional e financeira, pôde estruturar-se com profissionais de diversas áreas científicas para "subsidiar a atuação dos Promotores de Justiça na área de direitos difusos, permitindo a atuação firme da Instituição através de inquéritos civis e ações civis públicas".[61] Ressalta que a vitrine do Ministério Público reconhecido mundialmente sempre foi na atuação penal.

---

[58] CALABRICH, *op. cit.*, p. 128-129.
[59] CALABRICH, *op. cit.*, p. 128-129.
[60] GOLDFINGER, *op. cit.*, p. 65-67.
[61] GOLDFINGER, *op. cit.*, p. 67.

A relevância da estruturação do Ministério Público para investigar crimes e investir em estrutura própria já foi tema de destaque no Relatório sobre a Tortura no Brasil, produzido pelo Relator Especial Nigel Rodley, da Comissão de Direitos Humanos da Organização das Nações Unidas (ONU), em Genebra, de 11 de abril de 2001 (recomendações 12 e 13):

> 12. [...] Os Procuradores Gerais, com o apoio material das autoridades governamentais e outras autoridades estaduais competentes, deveriam destinar recursos suficientes, qualificados e comprometidos para a investigação penal de casos de tortura e maus tratos semelhantes, bem como para quaisquer processos em grau de recurso. Em princípio, os promotores em referência não deveriam ser os mesmos que os responsáveis pela instauração de processos penais ordinários.
> 13. As investigações de crimes cometidos por policiais não deveriam estar sob a autoridade da própria polícia. Em princípio, um órgão independente, dotado de seus próprios recursos de investigação e de um mínimo de pessoal – o Ministério Público – deveria ter autoridade de controlar e dirigir a investigação, bem como acesso irrestrito às delegacias de polícia.[62]

Por fim, importante alerta é dado por Rogério Sanches Cunha no sentido de que o Ministério Público ao investigar deverá se orientar pelos princípios constitucionais e infraconstitucionais que tratam da matéria, evitando o sigilo, garantindo ao advogado o acesso aos autos em respeito à Súmula Vinculante nº 14 do STF, estabelecendo um prazo para o término das investigações, etc., podendo ser responsabilizado por abuso de autoridade se exorbitar de suas funções. Todavia "[...] se fechar definitivamente a porta para que o Ministério Público pudesse investigar, redundaria mesmo no mais absoluto equívoco, em franco prejuízo da sociedade".[63]

4 O Ministério Público e a investigação criminal direta – visão do Supremo Tribunal Federal

4.1 Evolução da jurisprudência no Supremo Tribunal Federal sobre o tema

No âmbito do STF, responsável por dar a palavra final sobre a questão no âmbito do Poder Judiciário, a sua jurisprudência apresentou leves oscilações até se assentar.

Garcia faz uma análise detalhada dessa evolução jurisprudencial da Corte Suprema.[64] Em 1998, a 2ª Turma do STF, no julgamento do RE nº 205.473/AL, decidiu no sentido de que "[...] não cabe ao membro do Ministério Público realizar, diretamente, tais investigações, mas requisitá-las à autoridade policial, competente para tal".[65]

---

[62] Recomendações ao Brasil dos Relatores Especiais da ONU que visitaram o país 1995-2010. Conferir site: http://dhnet.org.br/dados/relatorios/dh/br/relatores_onu/rodley/relatorio.htm. Acesso em: 25 set. 2018.
[63] CUNHA, Rogério Sanches; PINTO, Ronaldo Batista. *Código de Processo Penal e Lei de Execução Penal comentados por artigos*. 2. ed. rev., ampl. e atual. Salvador: Juspodivm, 2018, p. 27.
[64] GARCIA, Emerson. *Ministério Público*: organização, atribuições e regime jurídico. 6. ed. São Paulo: Saraiva, 2017, p. 572-573.
[65] BRASIL, Supremo Tribunal Federal. Recurso Extraordinário nº 205.473/AL, Rel. Min. Carlos Velloso, Segunda Turma, julgado em 15.12.1998, DJ 19.03.1999, ement. vol. -01943-02, p-348, 1998a. Disponível em: http://portal.stf.jus.br/processos/detalhe.asp?incidente=1653308. Acesso em: 10 set. 2018.

No mesmo ano de 1998, a própria 2ª Turma do STF, no Recurso em *Habeas Corpus* (RHC) nº 77.371/SP, decidiu, em sentido contrário, pela "legalidade da prova colhida pelo Ministério Público. Art. 26 da Lei 8.625/93".[66]

Já em 2003, no julgamento do RHC nº 81.326/DF, a 2ª Turma do STF decidiu que:

> A norma constitucional não contemplou a possibilidade de o *Parquet* realizar e presidir inquérito policial. Não cabe, portanto, aos seus membros inquirir diretamente pessoas suspeitas de autoria de crime, mas requisitar diligência nesse sentido à autoridade policial.[67]

No mesmo ano de 2003, a própria 2ª Turma do STF, no HC nº 82.865/GO, decidiu o seguinte:

> Caso que não se confunde com o RHC 81.326 que tratava de falta de legitimidade do *Parquet* para presidir ou desenvolver diligências pertinentes ao inquérito policial. A questão relativa à infância e à juventude é regulada por lei especial que tem previsão específica (Lei 8.069/90).[68]

A partir deste último julgado, o STF passou a admitir, em reiterados acórdãos prolatados pelo Pleno e pela 1ª e 2ª Turmas, a possibilidade de o Ministério Público promover, por autoridade própria, investigações de natureza penal.[69]

Importante destacar, face a sua relevância e reflexo posterior, o processo de relatoria da Min. Ellen Gracie (HC nº 91.661/PE, julgado em 10.03.2009), no qual a 2ª Turma decidiu por unanimidade que:

> O art. 129, inciso I, da Constituição Federal, atribui ao *parquet* a privatividade na promoção da ação penal pública. Do seu turno, o Código de Processo Penal estabelece que o inquérito policial é dispensável, já que o Ministério Público pode embasar seu pedido em peças de informação que concretizem justa causa para a denúncia. 7. Ora, é princípio basilar da hermenêutica constitucional o dos "poderes implícitos", segundo o qual, quando a Constituição Federal concede os fins, dá os meios. Se a atividade-fim – promoção da ação

---

[66] BRASIL, Supremo Tribunal Federal. Recurso de *Habeas Corpus* nº 77.371/SP. Rel. Min. Nelson Jobim, Segunda Turma, julgado em 01.09.1998, DJ 23.10.1998, ement. vol. -01928-02, p-00309, 1998b. Disponível em: http://portal.stf.jus.br/processos/detalhe.asp?incidente=1712622. Acesso em: 10 set. 2018.

[67] BRASIL, Supremo Tribunal Federal. Recurso em *Habeas Corpus* nº 81.326/DF. Rel. Min. Nelson Jobim, Segunda Turma, julgado em 06.05.2003, DJ 01.08.2003, ement. vol.-02117-42, p.-08973, 2003a. Disponível em: http://portal.stf.jus.br/processos/detalhe.asp?incidente=1970289. Acesso em: 10 set. 2018.

[68] BRASIL, Supremo Tribunal Federal. *Habeas Corpus* nº 82.865/GO. Rel. Min. Nelson Jobim, Segunda Turma, julgado em 14.10.2003, DJ 30.4.2004, ement. vol.-02149-08, p.-01523, 2003b. Disponível em: http://portal.stf.jus.br/processos/detalhe.asp?incidente=2100679. Acesso em: 10 set. 2018.

[69] Nesse sentido, podem ser mencionados os seguintes acórdãos: STF, Pleno, AP nº 396/RO, rel. Min. Cármen Lúcia, j. em 28.10.2010, DJ de 28.4.2011; 1ª T., HC nº 96.638/BA, rel. Min. Ricardo Lewandowski, j. em 2.12.2010, DJU de 1º.2.2011; 1ª T., HC nº 96.617/MG, rel. Min. Ricardo Lewandowski, j. 23.11.2010, DJU de 13.12.2010; 2ª T., RE nº 468.523/SC, rel. Min. Ellen Gracie, j. em 1º.12.2009, DJ de 19.2.2010; 2ª T., HC nº 97.969/RS, rel. Min. Ayres Britto, j. em 1º.2.2011, DJU de 23.5.2011; 2ª T., HC nº 93.930/RJ, rel. Min. Gilmar Mendes, j. em 7.12.2010, DJU de 3.2.2011; 2ª T., HC nº 94.127/BA, rel. Min. Celso de Mello, j. em 27.10.2009, DJU de 27.11.2009; 2ª T., HC nº 87.610/SC, rel. Min. Celso de Mello, j. em 27.10.2009, DJU de 4.12.2009; 2ª T., HC nº 90.099/RS, rel. Min. Celso de Mello, j. em 27.10.2009, DJU de 4.12.2009; e 2ª T., HC nº 89.837/DF, rel. Min. Celso de Mello, j. em 20.10.2009, DJU de 20.11.2009. Cfr. GARCIA, *op. cit.*, p. 572-573.

penal pública – foi outorgada ao *parquet* em foro de privatividade, não se concebe como não lhe oportunizar a colheita de prova para tanto, já que o CPP autoriza que "peças de informação" embasem a denúncia.[70]

Posteriormente, outro julgamento paradigmático sobre o tema foi o HC nº 89.837/DF, conforme se denota no voto proferido pelo relator, Min. Celso de Mello:

> O poder de investigar compõe, em sede penal, o complexo de funções institucionais do Ministério Público, que dispõe, na condição de "dominus litis" e, também, como expressão de sua competência para exercer o controle externo da atividade policial, da atribuição de fazer instaurar, ainda que em caráter subsidiário, mas por autoridade própria e sob sua direção, procedimentos de investigação penal destinados a viabilizar a obtenção de dados informativos, de subsídios probatórios e de elementos de convicção que lhe permitam formar a "opinio delicti", em ordem a propiciar eventual ajuizamento da ação penal de iniciativa pública.[71]

Após alguma divergência, na apreciação do RE nº 593.727/MG, julgado em 14.5.2015, no qual foi reconhecida a repercussão geral, a questão foi pacificada.

4.2 Posição atual do Supremo Tribunal Federal sobre o tema (RE nº 593.727-MG, repercussão geral, Pleno)

Em 14.05.2015, o Pleno do STF, no julgamento do RE nº 593.727-MG (que teve sua repercussão geral reconhecida), assentou o tema quanto à possibilidade de o Ministério Público promover, por autoridade própria, investigações de natureza penal. Por isto, importante a análise de cada voto dos Ministros, do debate desse julgamento e de seus principais fundamentos jurídicos.

O julgamento iniciou em 21.6.2012, sob a relatoria do Ministro Cezar Peluso, que deu provimento ao recurso, decretando a nulidade *ab initio* do processo-crime, por entender que tão somente no caso concreto não caberia investigação direta criminal do Ministério Público. Todavia, no corpo de seu voto, reconheceu o poder investigatório criminal do Ministério Público, desde que preenchidos alguns requisitos:

> [...] admito que o Ministério Público promova atividades de investigação de infrações penais, como medida preparatória para instauração de ação penal, desde que o faça nas seguintes condições: 1) mediante procedimento regulado, por analogia, pelas normas que governam o inquérito policial; 2) que, por consequência, o procedimento seja, de regra, público e sempre supervisionado pelo Poder Judiciário; 3) e que tenha por objeto fato ou fatos teoricamente criminosos, praticados por membros ou servidores da própria instituição

---

[70] BRASIL, Supremo Tribunal Federal. *Habeas Corpus* nº 91.661/PE. Rel. Min. Ellen Gracie, Segunda Turma, julgado em 10.3.2009, DJe 064. Divulg. 2.4.2009. Ement. vol. 2355-02, pp. 279. LEXSTF v. 31, n. 364, p. 337-347, 2009b. Disponível em: http://portal.stf.jus.br/processos/detalhe.asp?incidente=2528373. Acesso em: 10 set. 2018.

[71] BRASIL, Supremo Tribunal Federal. *Habeas Corpus* nº 89.837/DF. Rel. Min. Celso de Mello, Segunda Turma, julgado em 20.10.2009, DJe 218. Divulg. 19.11.2009. Ement. vol. 2383-01, pp. 104. LEXSTF v. 31, n. 372, p. 355-412, 2009c. Disponível em: http://portal.stf.jus.br/processos/detalhe.asp?incidente=2425780. Acesso em: 10 set. 2018.

(a), ou praticados por autoridades ou agentes policiais (b), ou, ainda, praticados por outrem, se, a respeito, a autoridade policial, cientificada, não haja instaurado inquérito policial.[72]

Na sequência, o Min. Lewandowski acompanhou na íntegra o voto do Min. Cezar Peluso.[73]

O julgamento foi retomado em 27.6.2012, oportunidade na qual o Min. Gilmar Mendes antecipou seu voto, não provendo o recurso, reconhecendo expressamente o poder investigatório criminal do Ministério Público:

> Em síntese, reafirmo que é legítimo o exercício do poder de investigar por parte do Ministério Público, porém essa atuação não pode ser exercida de forma ampla e irrestrita, sem qualquer controle, sob pena de agredir, inevitavelmente, direitos fundamentais. A atividade de investigação, seja ela exercida pela Polícia ou pelo Ministério Público, merece, por sua própria natureza, vigilância e controle.
> A atuação do *Parquet* deve ser, necessariamente, subsidiária, ocorrendo, apenas, quando não for possível, ou recomendável, que se efetive pela própria polícia, em hipóteses específicas, quando, por exemplo, se verificarem situações de lesão ao patrimônio público, de excessos cometidos pelos próprios agentes e organismos policiais (vg. tortura, abuso de poder, violências arbitrárias, concussão, corrupção), de intencional omissão da Polícia na apuração de determinados delitos ou se configurar o deliberado intuito da própria corporação policial de frustrar, em função da qualidade da vítima ou da condição do suspeito.
> (...) Não obstante os argumentos jurídicos anteriormente expostos, para mim, o que deveria nortear a ação das autoridades públicas é a cooperação interinstitucional, não a disputa de espaços e o corporativismo.[74]

Na sequência, o Min. Celso de Mello também antecipou seu voto, reconhecendo o poder investigatório do Ministério Público:

> Sendo assim, e tendo em considerações as razões expostas, conheço deste recurso extraordinário, para negar-lhe provimento, por entender que o Ministério Público dispõe de competência para promover, por autoridade própria, investigações de natureza penal, desde que respeitados os direitos e garantias que assistem a qualquer indiciado ou a qualquer pessoa sob investigação do Estado, observadas, sempre, pelos agentes do Ministério Público, as prerrogativas profissionais de que se acham investidos, em nosso País, os Advogados (Lei nº 8.906/94, art. 7º, notadamente os incisos I, II, III, XI, XIII, XIV e XIX), sem prejuízo da possibilidade – sempre presente no Estado democrático de Direito – do permanente controle jurisdicional dos atos praticados pelos Promotores de Justiça e Procuradores da República.[75]

No corpo do voto, o Min. Celso de Melo enfrentou pontos relevantes que merecem ser demonstrados.

---

[72] BRASIL, Supremo Tribunal Federal. Recurso Extraordinário nº 593.727/MG. Rel. Min. Cezar Peluso, Rel. para Acórdão: Min. Gilmar Mendes, Tribunal Pleno, julgado em 14.5.2015, Repercussão Geral. DJe 175. Divulg. 4.9.2015, 2015. Disponível em: http://portal.stf.jus.br/processos/detalhe.asp?incidente=2641697. Acesso em: 10 set. 2018, p. 50.
[73] Cfr. BRASIL, Supremo Tribunal Federal. Recurso Extraordinário nº 593.727/MG, *op. cit.*, p. 72.
[74] BRASIL, Supremo Tribunal Federal. Recurso Extraordinário nº 593.727/MG, *op. cit.*, p. 100-101.
[75] BRASIL, Supremo Tribunal Federal. Recurso Extraordinário nº 593.727/MG, *op. cit.*, p. 148.

Afirmou que inquéritos policiais deverão ser sempre dirigidos e presididos por autoridade policial competente. Destacou que essa regra de competência não impede o Ministério Público, que é *dominus litis*, de determinar a instauração de inquérito policial, de requisitar diligências investigatórias ou de produzir ele próprio investigação criminal. Salientou também que o inquérito policial, valiosa peça informativa, é precipuamente destinado ao órgão de acusação pública, visando possibilitar a *persecutio criminis in judicio* pelo Ministério Público. Ainda, enfatizou que o inquérito policial não é imprescindível ao oferecimento da denúncia.[76]

Ressaltou a importância de eventual intervenção do Ministério Público no curso dos inquéritos policiais, com o objetivo de complementar a atuação da Polícia Judiciária, com esta colaborando, no legítimo exercício do poder do controle externo sobre a atividade policial. Destacou que tanto a Polícia Judiciária como o Ministério Público não podem desrespeitar as garantias legais e constitucionais que assistem ao suspeito e ao indiciado, além de eventualmente poder sofrer a responsabilidade penal por abuso de poder e gerar a nulidade da produção probatória colhida.[77]

Deste modo, esclareceu que o procedimento investigatório instaurado pelo Ministério Público não afeta o exercício da atividade da autoridade policial e nem interfere neste, detendo esta a presidência do inquérito policial. Apontou que a Constituição Federal dispõe, nos incisos VIII e IX do art. 129, a prerrogativa de requisitar diligências investigatórias e a instauração de inquérito policial, além da possibilidade de exercer outras funções que lhe forem conferidas, desde que compatíveis com sua finalidade. Neste ponto, afirmou que a Carta Magna dispensou ao Ministério Público singular tratamento normativo, redesenhado o seu perfil constitucional, sob o signo da legitimidade democrática, dando-lhe, ainda, a missão de promover privativamente a ação penal pública.[78]

Esclareceu que, ao outorgar estes poderes explícitos ao Ministério Público, supõe-se que a Constituição Federal reconheça, ainda que por implicitude, aos membros da instituição a titularidade dos meios necessários para viabilizar a adoção de medidas vocacionadas a conferir a efetividade de suas atribuições constitucionais. Destacou que, nestes casos, o STF deve ter sempre presente a aplicação da teoria jurídica dos poderes implícitos, para que, por meio dela, confira eficácia real ao conteúdo e ao exercício dado constitucionalmente ao Ministério Público.[79]

Asseverou que, se assim não o fosse, estar-se-ia esvaziando por completo as atribuições constitucionais expressamente conferidas ao Ministério Público em sede de ação penal pública, tanto no seu momento pré-processual quanto na fase judicial.[80]

Afirmou, ainda, que a Constituição não deu monopólio da investigação criminal para a Polícia Judiciária, conforme decidido na Ação Direta de Inconstitucionalidade (ADI) nº 1.517/DF.[81]

---

[76] BRASIL, Supremo Tribunal Federal. Recurso Extraordinário nº 593.727/MG, *op. cit.*, p. 107-109.
[77] BRASIL, Supremo Tribunal Federal. Recurso Extraordinário nº 593.727/MG, *op. cit.*, p. 112-113.
[78] BRASIL, Supremo Tribunal Federal. Recurso Extraordinário nº 593.727/MG, *op. cit.*, p. 121-122.
[79] BRASIL, Supremo Tribunal Federal. Recurso Extraordinário nº 593.727/MG, *op. cit.*, p. 123.
[80] BRASIL, Supremo Tribunal Federal. Recurso Extraordinário nº 593.727/MG, *op. cit.*, p. 124.
[81] BRASIL, Supremo Tribunal Federal. Recurso Extraordinário nº 593.727/MG, *op. cit.*, p. 131.

Afastou o argumento de que o reconhecimento do poder investigatório do Ministério Público poderia frustrar, comprometer ou afetar a garantia do contraditório a favor da pessoa investigada, pois essa garantia fundamental não incide na esfera pré-processual da persecução penal, conforme assentado pela jurisprudência do STF, uma vez que somente em juízo se tornaria plenamente exigível tal dever. Esclareceu que, quando os elementos probatórios, mesmo que colhidos pelo Ministério Público, não forem reproduzidos em juízo, sob a garantia do contraditório, tal prova serviria unicamente para um ato de condenação.[82]

Prosseguiu aduzindo que os membros do Ministério Público, no desempenho de suas atribuições investigatórias, estão necessariamente sujeitos às limitações fundadas no nosso sistema constitucional e infralegal. Assim, as pessoas submetidas às investigações penais realizadas pelo Ministério Público poderão opor-lhe os direitos e as prerrogativas de que são titulares, tal como ocorre no contexto de qualquer inquérito policial ou procedimento investigatório instaurado no âmbito do aparelho estatal.[83]

Alertou que não poderá ser desrespeitado o direito constitucional do investigado ao silêncio, não poderá ser determinado que este produza provas contra si próprio, nem poderá ser ele constrangido a participar de reconstituição de crime ou da reprodução simulada dos fatos, tampouco será possível recusar-lhe o conhecimento das razões que motivaram a investigação, submetê-lo a medidas restritivas de direitos que exijam ordem judicial ou impedi-lo de se fazer acompanhar de advogado.[84]

Ainda, do mesmo modo que o inquérito policial, o procedimento investigatório do Ministério Público deverá conter todas as peças, termos de declarações, depoimentos, laudos periciais que tenham sido produzidos.[85] Destacou ser fundamental reconhecer que assiste ao investigado, bem como ao seu advogado, o direito de acesso aos autos, podendo examiná-los, extrair cópias ou tomar apontamentos, mesmo quando a investigação esteja sendo processada em caráter sigiloso, hipótese em que o advogado poderá ter acesso às peças que digam respeito ao seu cliente e que instrumentalizem prova já produzida nos autos.[86]

Ressaltou que o Ministério Público não poderá intimar advogado para, na condição de testemunha, depor sobre fato relacionado com a pessoa de seu constituinte. Rememorou que o sigilo profissional é inteiramente oponível ao membro do *Parquet*, como a qualquer autoridade estatal.[87]

No dia 27.6.2012, o Min. Ayres Britto antecipou o seu voto:

> [...] eu vou antecipar voto no sentido de negar provimento ao recurso reconhecendo que o Ministério Público tem, sim, competência constitucional para, por conta própria, por forma independente, fazer investigação em matéria criminal. E assim, com essa interpretação que amplia o espectro das instâncias habilitadas a investigar criminalmente, é que

---

[82] BRASIL, Supremo Tribunal Federal. Recurso Extraordinário nº 593.727/MG, *op. cit.*, p. 131-132.
[83] BRASIL, Supremo Tribunal Federal. Recurso Extraordinário nº 593.727/MG, *op. cit.*, p. 138-139.
[84] BRASIL, Supremo Tribunal Federal. Recurso Extraordinário nº 593.727/MG, *op. cit.*, p. 139.
[85] BRASIL, Supremo Tribunal Federal. Recurso Extraordinário nº 593.727/MG, *op. cit.*, p. 139.
[86] BRASIL, Supremo Tribunal Federal. Recurso Extraordinário nº 593.727/MG, *op. cit.*, p. 139-140.
[87] BRASIL, Supremo Tribunal Federal. Recurso Extraordinário nº 593.727/MG, *op. cit.*, p. 141.

o Ministério Público serve melhor à sua finalidade constitucional de defender a ordem jurídica – defender a ordem jurídica, cabeça do artigo 127 –, inclusive e sobretudo em matéria criminal.[88]

Em seguida votou o Min. Joaquim Barbosa pela possibilidade da investigação direta criminal pelo Ministério Público brasileiro, destacando que este, pela primeira vez, com a Constituição de 1988, foi encartado fora da estrutura dos demais poderes da República. Foram asseguradas aos membros do Ministério Público garantias similares às dos Magistrados.[89]

Esclareceu que a possibilidade de investigação direta pelo Ministério Público seria a melhor forma de zelar pela plena observância do princípio da obrigatoriedade, evitando, assim, que sejam instaurados apenas os inquéritos que interessam às autoridades policiais.[90]

Destacou considerar perfeitamente compatível com a Constituição Federal a possibilidade da investigação criminal direta pelo Ministério Público, pois isto militaria em favor dos direitos fundamentais do sujeito passivo da ação penal. Afirmou que isso permite um maior contato do *dominus litis* com os elementos que informarão o seu convencimento e asseguraria, em certos casos, a independência da condução dos trabalhos investigativos, especialmente quando se tiver por escopo investigar policiais.[91]

Asseverou que, quanto à formalização das diligências conduzidas pelo *Parquet*, todas devem ser documentadas, e o arquivamento deve ser submetido ao controle judicial, evitando o cometimento de abusos e permitindo o controle da observância do princípio da obrigatoriedade.[92]

Afirmou que não constitui função precípua do Ministério Público realizar medidas investigativas, mas que isto não poderia impedir que a instituição trabalhe quando se deparar com ilícitos que demandem sua atuação. Expôs ser fundamental a atuação conjunta, via força-tarefa, como já ocorre com o MPF, a Receita Federal, a Controladoria-Geral da União, o IBAMA, etc., esclarecendo ainda que, se prevalecesse o entendimento de que somente a polícia pode investigar, isso seria um grave retrocesso em relação ao modo como o Estado brasileiro já está investigando, especialmente se considerado que a República brasileira é pautada em um ambiente de cooperação.[93]

Ressaltou que a Resolução nº 13 do CNMP e, por analogia, os parâmetros definidos pelo CPP devem ser aplicados na investigação direta realizada pelo Ministério Público.[94] Por fim, propôs diretrizes procedimentais a serem observadas pelos membros do Ministério Público na investigação penal conduzida diretamente:

> 1) O procedimento investigativo conduzido pelo Ministério Público deve seguir, no que couber, os preceitos que disciplinam o inquérito policial e os procedimentos administrativos sancionatórios;

---

[88] BRASIL, Supremo Tribunal Federal. Recurso Extraordinário nº 593.727/MG, *op. cit.*, p. 158.
[89] BRASIL, Supremo Tribunal Federal. Recurso Extraordinário nº 593.727/MG, *op. cit.*, p. 173-174.
[90] BRASIL, Supremo Tribunal Federal. Recurso Extraordinário nº 593.727/MG, *op. cit.*, p. 176.
[91] BRASIL, Supremo Tribunal Federal. Recurso Extraordinário nº 593.727/MG, *op. cit.*, p. 177.
[92] BRASIL, Supremo Tribunal Federal. Recurso Extraordinário nº 593.727/MG, *op. cit.*, p. 210.
[93] BRASIL, Supremo Tribunal Federal. Recurso Extraordinário nº 593.727/MG, *op. cit.*, p. 211.
[94] BRASIL, Supremo Tribunal Federal. Recurso Extraordinário nº 593.727/MG, *op. cit.*, p. 211.

2) O procedimento deve ser identificado, autuado, numerado, registrado, distribuído livremente e, salvo nas hipóteses do art. 5º, incisos XXXIII e LX, da Constituição da República, ser público. A decisão pela manutenção do sigilo deve ser fundamentada;

3) O procedimento deve ser controlado pelo Poder Judiciário e deve haver pertinência do sujeito investigado com a base territorial e com a natureza do fato investigado;

4) O ato de instauração do procedimento deve formalizar o ato investigativo, delimitando o seu objeto e razões que o fundamentem;

5) O ato de instauração deve ser comunicado imediata e formalmente ao Procurador-Chefe ou ao Procurador-Geral;

6) Devem ser juntados e formalizados todos os atos e fatos processuais, em ordem cronológica, principalmente diligências, provas coligidas, oitivas;

7) É preciso assegurar o pleno conhecimento dos atos de investigação à parte e ao seu advogado, como bem afirmado na Súmula Vinculante 14;

8) Deve haver prazo para conclusão do procedimento investigativo e controle judicial quanto ao arquivamento, e

9) A atuação do *parquet* deve ser subsidiária e ocorrer quando não for possível ou recomendável a atuação da própria polícia.[95]

O julgamento foi retomado em 14.05.2015. Durante os debates, o Min. Luís Roberto Barroso afirmou que sua posição coincidia substancialmente com a do Min. Carlos Ayres, a quem ele substituiu, e, por essa razão, ele não votaria.[96]

Já o Min. Marco Aurélio votou pelo provimento do recurso, vedando a investigação direta criminal pelo Ministério Público:

> O fato de estar impossibilitado de investigar de forma autônoma não conduz ao desconhecimento do que for apurado. O Ministério Público, como destinatário das investigações, deve acompanhar o desenrolar dos inquéritos policiais, requisitando diligências, acessando os boletins de ocorrências e exercendo o controle externo. O que se mostra inconcebível é um membro do Ministério Público colocar uma estrela no peito, armar-se e investigar. Sendo o titular da ação penal, terá a tendência de utilizar apenas as provas que lhe servem, desprezando as demais e, por óbvio, prejudicando o contraditório e inobservando o princípio da paridade de armas. A função constitucional de titular da ação penal e fiscal da lei não se compatibiliza com a figura do promotor inquisitor.[97]

A Min. Rosa Weber seguiu o mesmo norte do voto do Min. Celso de Mello, rebatendo ponto a ponto os argumentos contrários à investigação direta criminal pelo Ministério Público.

Importante argumento foi exposto no sentido de que, embora fosse desejável, não é absolutamente necessário um diploma legal específico para regular a investigação criminal do Ministério Público, pois se aplicam as normas gerais do CPP e de resolução do CNMP, e os direitos e garantias fundamentais do investigado contemplados na Carta Magna.[98]

---

[95] BRASIL, Supremo Tribunal Federal. Recurso Extraordinário nº 593.727/MG, *op. cit.*, p. 212.
[96] BRASIL, Supremo Tribunal Federal. Recurso Extraordinário nº 593.727/MG, *op. cit.*, p. 221.
[97] BRASIL, Supremo Tribunal Federal. Recurso Extraordinário nº 593.727/MG, *op. cit.*, p. 228-229.
[98] BRASIL, Supremo Tribunal Federal. Recurso Extraordinário nº 593.727/MG, *op. cit.*, p. 242.

Reconheceu, por fim, a legitimidade constitucional da prática de atos investigatórios criminais pelo Ministério Público, sem enumerar hipóteses específicas de validade da atividade investigatória.[99] Rebateu a posição do relator afirmando:

> Portanto, em síntese, pedindo vênia ao Relator, estabeleço como únicas condições ao exercício do poder investigatório do Ministério Público a apontada necessidade de resguardo dos direitos constitucionais e legais do investigado e as aludidas garantias procedimentais, basicamente consistentes na necessidade de submissão do procedimento investigatório ao controle judicial, à semelhança do que ocorre com o inquérito.[100]

Na sequência, o Min. Dias Tofolli acompanhou o relator Min. Cezar Peluso para dar provimento ao recurso e para "admitir a possibilidade de o Ministério Público promover atividades de investigação criminal, respeitadas as balizas fixadas no voto do Ministro Cezar Peluso".[101]

Já a Min. Cármen Lúcia negou provimento ao recurso e reconheceu os poderes de investigação penal do Ministério Público:

> Em síntese, trago no voto como fundamentos: em primeiro lugar, parte-se do exame do artigo 129, que estabelece as funções institucionais do Ministério Público. Mas faço uma chamada ao artigo 127, que afirma o Ministério Público como instituição, cujas funções se desdobram naquelas atribuições elencadas no artigo 129. A doutrina e a jurisprudência vêm chamando a atenção para o inciso VI desse artigo 129.
> Geraldo Ataliba costumava repetir uma frase muito utilizada também por Rui Barbosa: "quem dá os fins dá os meios". Quem estabelece as funções institucionais do Ministério Público e as atribuições, na minha interpretação, com as vênias dos que pensam em sentido contrário, dispõe do dever de fazer valer os direitos fundamentais, que, obviamente, balizam as ações do Ministério Público.
> Então, tenho que não são competências diferentes, mas complementares. Bem disse, agora, a Ministra Rosa Weber – e me parece que o Ministro Ayres Britto também fazia essa referência –, que quanto mais atuarem em conjunto essas instituições, Polícia e Ministério Público, tanto melhor. Mas isso não exclui a participação do Ministério Público, que detém competência constitucional para investigar, porque a leitura que faço do artigo 144, também lembrado em alguns votos, é no sentido de que exclusividade só existe para a função de polícia judiciária.
> [...]
> Não tenho qualquer dúvida de que essa não é uma atribuição exercida sem limites, nem pela polícia, nem pelo Ministério Público, como nenhuma atividade pública é: os limites são os direitos fundamentais.
> E, por isso, eu estou votando no sentido, como disse, de reconhecer a competência do Ministério Público, negando provimento a este recurso e realçando aquilo que já foi enfatizado, ou seja, os limites dessa atribuição são aqueles próprios dos direitos constitucionalmente estabelecidos, especialmente em favor do investigado. Qualquer forma de exorbitância haverá de ser verificada na forma da lei, investigada, e, se for o caso, punida.[102]

---

[99] BRASIL, Supremo Tribunal Federal. Recurso Extraordinário nº 593.727/MG, *op. cit.*, p. 243.
[100] BRASIL, Supremo Tribunal Federal. Recurso Extraordinário nº 593.727/MG, *op. cit.*, p. 243-244.
[101] BRASIL, Supremo Tribunal Federal. Recurso Extraordinário nº 593.727/MG, *op. cit.*, p. 270.
[102] BRASIL, Supremo Tribunal Federal. Recurso Extraordinário nº 593.727/MG, *op. cit.*, p. 271-272.

Após debate buscando o posicionamento médio da Corte, aprovaram a fórmula redacional do acórdão, com efeitos de repercussão geral:

> Enuncio, então, Senhor Presidente, em caráter final, considerados os debates e as sugestões dos Senhores Ministros, a seguinte tese, em repercussão geral: "O Ministério Público dispõe de competência para promover, por autoridade própria, e por prazo razoável, investigações de natureza penal, desde que respeitados os direitos e garantias que assistem a qualquer indiciado ou a qualquer pessoa sob investigação do Estado, observadas, estritamente, por seus agentes, as hipóteses de reserva constitucional de jurisdição e, também, as prerrogativas profissionais de que se acham investidos, em nosso País, os Advogados (Lei nº 8.906/94, artigo 7º, notadamente os incisos I, II, III, XI, XIII, XIV e XIX), sem prejuízo da possibilidade – sempre presente no Estado democrático de Direito – do permanente controle jurisdicional dos atos, necessariamente documentados (Súmula Vinculante 14), praticados pelos membros dessa instituição".[103]

Conforme demostrado, apenas o Min. Marco Aurélio votou pela impossibilidade de investigação criminal direta pelo Ministério Público. Os Ministros Gilmar Mendes, Celso de Mello, Ayres Britto, Joaquim Barbosa, Luiz Fux, Rosa Weber e Cármen Lúcia reconheceram, de forma ampla, o poder investigatório criminal do Ministério Público. Os Ministros Cezar Peluso, Ricardo Lewandowski e Dias Tofolli reconheceram o poder investigatório criminal do Ministério Público, respeitadas as balizas fixadas pelo Min. Cezar Peluso.

5 Conclusão

No Estado Democrático de Direito, o Ministério Público brasileiro – instituição independente dos demais Poderes – tem a missão constitucional de atuar de forma proativa e eficaz, em especial, no combate à corrupção e ao crime organizado, que ofendem sobremaneira bens jurídicos e valores fundamentais da sociedade, precipuamente em razão de sua titularidade privativa na ação penal.

Nesse contexto, face o novel perfil constitucional atribuído ao *Parquet* na Constituição Cidadã de 1988, servindo de exemplo ao resto do mundo, não pode tal instituição ter sua atuação tolhida ou restrita ao âmbito civil ou administrativo, sob pena de retirar-lhe seu atributo de defensor da sociedade, violando assim uma garantia da própria sociedade brasileira. Com efeito, não se afigura razoável e lógico que, de um lado, se confira ao Ministério Público a relevante função de defensor da ordem pública, do Estado Democrático e dos direitos transindividuais e, de outro, se retirem dele os meios imprescindíveis à defesa desses bens.

As legislações constitucional e infraconstitucional, conforme exposto neste trabalho, dão ao Ministério Público o suporte necessário ao exercício desembaraçado do seu mister, que é a colheita dos elementos necessários ao início da *persecutio criminis*. Ao lado disso, colocam-se a função de exercer o controle externo da atividade policial e o princípio da obrigatoriedade da ação penal.

---

[103] BRASIL, Supremo Tribunal Federal. Recurso Extraordinário nº 593.727/MG, *op. cit.*, p. 289.

Não menos importante destaca-se a Teoria dos Poderes Implícitos, que refuta quaisquer dúvidas quanto à possibilidade de investigação direta pelo *Parquet*. De outro lado, a atividade investigatória não é exclusiva da polícia judiciária e, por conseguinte, não pode ser considerada monopólio desta.

Fundamental destacar a garantia da inamovibilidade e da independência funcional, presente no Ministério Público – nos moldes concedidos à Magistratura –, permitindo aos membros do *Parquet* maior substrato na apuração de delitos que envolvam autoridades do alto escalão do governo ou com grande poder econômico, que, não raras vezes, exercem ingerência política sobre os eventuais investigadores. Com efeito, em muitas ocasiões conseguem a impunidade diante da força política exercida. A autoridade investigante, sem estas garantias, corre o risco de não avançar na investigação.

Esta questão gerou profundo debate na doutrina e jurisprudência pátria, especialmente após manifestações populares nos últimos anos, fazendo com que o Pretório Excelso pacificasse a questão, ao decidir favoravelmente pela investigação direta pelo *Parquet*, o que, impende ressaltar, em muito contribui para a boa defesa dos interesses inerentes à sociedade brasileira, sob pena de colocarem-se por terra os mais comezinhos princípios de um verdadeiro Estado Democrático de Direito.

Referências

ALMEIDA, Gregório Assagra de. *Ministério Público no Neoconstitucionalismo*: Perfil Constitucional e Alguns Fatores de Ampliação de sua Legitimação Social. Publicado no *site* do Ministério Público do Estado de Goiás. 2008. Disponível em: http://www.mp.go.gov.br/portalweb/hp/10/docs/o_mp_no_neoconstitucionalismo1.pdf. Acesso em: 21 de ago. 2018.

BRASIL, Supremo Tribunal Federal. *Habeas Corpus* nº 82.865/GO. Rel. Min. Nelson Jobim, Segunda Turma, julgado em 14.10.2003, DJ 30.04.2004, ement. vol.-02149-08, p.-01523, 2003b. Disponível em: http://portal.stf.jus.br/processos/detalhe.asp?incidente=2100679. Acesso em: 10 set. 2018.

BRASIL, Supremo Tribunal Federal. *Habeas Corpus* nº 89.837/DF. Rel. Min. Celso de Mello, Segunda Turma, julgado em 20.10.2009, *DJe* 218. Divulg. 19/11/2009. Ement. vol. 2383-01, p. 104. LEXSTF v. 31, n. 372, p. 355-412, 2009c. Disponível em: http://portal.stf.jus.br/processos/detalhe.asp?incidente=2425780. Acesso em: 10 set. 2018.

BRASIL, Supremo Tribunal Federal. *Habeas Corpus* nº 91.661/PE. Rel. Min. Ellen Gracie, Segunda Turma, julgado em 10.03.2009, *DJe* 064. Divulg. 02.04.2009. Ement. vol. 2355-02, p. 279. LEXSTF v. 31, n. 364, p. 337-347, 2009b. Disponível em: http://portal.stf.jus.br/processos/detalhe.asp?incidente=2528373. Acesso em: 10 set. 2018.

BRASIL, Supremo Tribunal Federal. *Habeas Corpus* nº 94.173. Rel. Min. Celso de Mello, Segunda Turma, julgado em 27.10.2009, DJe 223. Divulg. 26.11.2009. Ememt. Vol. 02384-02, p. 00336, 2009a. Disponível em: http://portal.stf.jus.br/processos/detalhe.asp?incidente=2605498. Acesso em: 10 set. 2018.

BRASIL, Supremo Tribunal Federal. Recurso de *Habeas Corpus* nº 77.371/SP. Rel. Min. Nelson Jobim, Segunda Turma, julgado em 01.09.1998, *DJ* 23.10.1998, ement. vol. -01928-02, p-00309, 1998b. Disponível em: http://portal.stf.jus.br/processos/detalhe.asp?incidente=1712622. Acesso em: 10 set. 2018.

BRASIL, Supremo Tribunal Federal. Recurso em *Habeas Corpus* nº 81.326/DF. Rel. Min. Nelson Jobim, Segunda Turma, julgado em 06.05.2003, *DJ* 01.08.2003, ement. vol.-02117-42, p.-08973, 2003a. Disponível em: http://portal.stf.jus.br/processos/detalhe.asp?incidente=1970289. Acesso em: 10 set. 2018.

BRASIL, Supremo Tribunal Federal. Recurso Extraordinário nº 205.473/AL, Rel. Min. Carlos Velloso, Segunda Turma, julgado em 15.12.1998, *DJ* 19.03.1999, ement. vol. -01943-02, p-348, 1998a. Disponível em: http://portal.stf.jus.br/processos/detalhe.asp?incidente=1653308. Acesso em: 10 set. 2018.

BRASIL, Supremo Tribunal Federal. Recurso Extraordinário nº 593.727/MG. Rel. Min. Cezar Peluso, Rel. para Acórdão: Min. Gilmar Mendes, Tribunal Pleno, julgado em 14.05.2015, Repercussão Geral. *DJe* 175. Divulg. 04.09.2015, 2015. Disponível em: http://portal.stf.jus.br/processos/detalhe.asp?incidente=2641697. Acesso em: 10 set. 2018.

CALABRICH, Bruno. *Investigação Criminal pelo Ministério Público*: fundamentos e limites constitucionais. São Paulo: Revista dos Tribunais, 2007 (Temas Fundamentais de Direito; v. 7 / coordenadores José Roberto dos Santos Bedaque, José Rogério Cruz e Tucci).

CARNEIRO, José Reinaldo Guimarães. *O Ministério Público e suas Investigações Independentes*: Reflexões sobre a Inexistência de Monopólio na Busca da Verdade Real. São Paulo: Malheiros, 2007.

CUNHA, Rogério Sanches; PINTO, Ronaldo Batista. *Código de Processo Penal e Lei de Execução Penal comentados por artigos*. 2. ed. rev., ampl. e atual. Salvador: Juspodivm, 2018.

DEMERCIAN, Pedro Henrique; MALULY, Jorge Assaf. *Curso de Processo Penal*. 9. ed. Rio de Janeiro: Forense, 2014.

DEZEM, Guilherme Madeira. *Curso de Processo Penal*. 3. ed. rev., atual. e ampl. São Paulo: Revista dos Tribunais, 2017.

GARCIA, Emerson. *Ministério Público*: organização, atribuições e regime jurídico. 6. ed. São Paulo: Saraiva, 2017.

GOLDFINGER, Fábio Ianni. *O Papel do Ministério Público nas Investigações Criminais no Mundo Moderno*. 1. ed. Campo Grande: Contemplar, 2012.

GRINOVER, Ada Pellegrini. Investigações pelo Ministério Público. *Boletim IBCCrim* (Instituto Brasileiro de Ciências Criminais), São Paulo, ano 12, n. 145, dez. 2004.

HAMILTON, Sérgio Demoro. *Temas de processo penal*. 2. ed. Rio de Janeiro: Lumen Juris, 2000.

JATAHY, Carlos Roberto de Casto. *Curso de Princípios Institucionais do Ministério Público*. 4. ed. Rio de Janeiro: Lumen Juris, 2009.

LIMA, Marcellus Polastri. *Ministério Público e Persecução Criminal*. 5. ed. Salvador: Juspodivm, 2016.

LIMA, Renato Brasileiro de. *Manual de processo penal*: volume único. 5. ed. rev., ampl. e atual. Salvador: Juspodivm, 2017.

LOPES JÚNIOR, Aury; GLOECKNER, Ricardo Jacobsen. *Investigação Preliminar no Processo Penal*. 6. ed. rev., atual. e ampl. São Paulo: Saraiva, 2014.

MACHADO, Antônio Alberto. *Curso de Processo Penal*. 3. ed. rev., atual. e ampl. São Paulo: Atlas, 2010.

MAZZILLI, Hugo Nigro. *Regime Jurídico do Ministério Público*. 8. ed. São Paulo: Saraiva. 2014.

MORAES FILHO, Antônio Evaristo de. *As funções do Ministério Público e o Inquérito Policial*. Artigo publicado na Tribuna do Advogado, informativo produzido pela OAB/RJ. Nov. 1996.

MORAES, Alexandre de. *Direito Constitucional*. 21. ed. São Paulo: Atlas. 2007.

NUCCI, Guilherme de Souza. *Manual de processo penal e execução penal*. 12. ed. rev., atual. e ampl. Rio de Janeiro: Forense, 2015.

PACHECO, Denilson Feitoza. *Direito Processual Penal*: teoria, crítica e práxis. 6. ed. rev., atual. e ampl. Niterói: Impetus, 2009.

PITOMBO, Sérgio Marcos de Moraes. Procedimento Administrativo Criminal realizado pelo Ministério Público. *Boletim do Instituto Manoel Pedro Pimentel*, n. 22, jun./ago. 2003.

RANGEL, Paulo. *Investigação Criminal Direta pelo Ministério Público*: Visão Crítica. 5. ed. rev. e atual. São Paulo: Atlas, 2016.

RELATÓRIO sobre a tortura no Brasil. Recomendações ao Brasil dos Relatores Especiais da ONU que visitaram o país 1995-2010. Disponível em: http://dhnet.org.br/dados/relatorios/dh/br/relatores_onu/rodley/relatorio.htm. Acesso em: 25 set. 2018.

SILVA, José Afonso da. Em face da Constituição Federal de 1988, o Ministério Público pode realizar e/ou presidir investigação criminal, diretamente? *Revista Brasileira de Ciências Criminais*, São Paulo, ano 12, n. 49, jul./set. 2004.

TÁVORA, Nestor; ALENCAR, Rosmar Rodrigues. *Curso de direito processual penal*. 11. ed. Salvador: Juspodivm, 2016.

TUCCI, Rogério Lauria. *Ministério Público e Investigação Criminal*. São Paulo: Revista dos Tribunais, 2004.

ZIESEMER, Henrique da Rosa. Art. 6º. *In*: FISCHER, Douglas; ANDRADE, Mauro Fonseca (Org.). *Investigação criminal pelo Ministério Público*: comentários à Resolução 181 do Conselho Nacional do Ministério Público. Porto Alegre: Livraria do Advogado, 2018.

Informação bibliográfica deste texto, conforme a NBR 6023:2018 da Associação Brasileira de Normas Técnicas (ABNT):

LACERDA, Alexandre Magno Benites de. A investigação criminal pelo Ministério Público na visão do Supremo Tribunal Federal. *In*: COSTA, Daniel Castro Gomes da; FONSECA, Reynaldo Soares da; BANHOS, Sérgio Silveira; CARVALHO NETO, Tarcisio Vieira de (Coord.). *Democracia, justiça e cidadania*: desafios e perspectivas. Homenagem ao Ministro Luís Roberto Barroso. Belo Horizonte: Fórum, 2020. p. 349-375. t. 2: Pensando as instituições, a justiça e o Direito. ISBN 978-85-450-0749-4.

JURISDIÇÃO CONSTITUCIONAL ADMINISTRATIVA: EXPERIÊNCIA BRASILEIRA À LUZ DO MODELO FRANCÊS

BENEDITO GONÇALVES

ANA LUCIA PRETTO PEREIRA

1 Introdução

É comum identificar-se no sistema jurídico francês uma referência de estudo quando em pauta a temática do *contencioso administrativo* ou *jurisdição administrativa*. Nesse sentido, o presente artigo objetiva diferenciar o modelo francês do sistema vigente no Direito brasileiro, ilustrando a ideia com as experiências pátrias dos órgãos constitucionais: Conselho Nacional do Ministério Público e Conselho Nacional de Justiça.

2 Jurisdição administrativa no modelo francês

A separação radical, no modelo francês, entre o contencioso administrativo e o contencioso judicial, não nasceu desde logo no bojo da Revolução Francesa, sendo fruto de um percurso histórico de afirmação prática desse modelo de jurisdição.

Em 1790, a Assembleia constituinte revolucionária[1] deparou-se com dois caminhos a seguir: (a) o modelo de Tribunais Administrativos, que possuíam a natureza de tribunais de exceção, constituindo herança do Antigo Regime; e (b) o modelo de Tribunais Judiciais, que não compreendiam a dinâmica das questões de natureza público-administrativa.[2] Dessa forma, a Assembleia adotou uma terceira via, que foi atribuir à

---

[1] No ponto, a distinção apresentada por Luís Roberto Barroso: "Em 17 de junho de 1789, por proposta de Emmanuel Joseph Sieyès (um padre promovido a abade pela imprecisa tradução do francês *abbé*), o terceiro estado se declarou Assembleia Nacional e, em 9 de julho de 1789, sob o impacto já da insurreição popular, transformou-se em Assembleia Constituinte". BARROSO, Luís Roberto. *Curso de Direito Constitucional*. Os conceitos fundamentais e a construção do novo modelo. 4. ed. São Paulo: Saraiva, 2014. p. 48, nota de rodapé 88.

[2] CHAPUS, René. *Droit administratif général*. Tome 1. p. 748. Paris: Montchrestien, 2001. p. 748.

própria administração a solução dos litígios de que fizesse parte. Como resultado, a administração pública julgaria as suas próprias causas.[3] A fórmula, explica Chapus, não violava o princípio da separação de poderes, na medida em que tal separação, justamente, continuaria preservada: afinal, ao Judiciário viria a ser reservada a competência para decidir as questões de natureza cível e criminal.[4]

Em 1799, surgem reformas ao modelo de jurisdição administrativa francês. Aos 13 de dezembro de 1799, a Constituição de 22 Frimário do Ano VIII cria o Conselho de Estado e, aos 17 de fevereiro de 1800, a lei de 28 Pluvioso do mesmo ano cria os Conselhos de Prefeitura.[5] Trata-se, bem da verdade, de conselhos, que integram a administração pública, mas que não possuem atuação ativa e sim consultiva.[6] Assim é que Ministros de Estado assumem a tarefa de decidir, efetivamente, os conflitos de natureza público-administrativa.

O poder decisional dos Ministros de Estado, no âmbito da jurisdição administrativa, perdura, a partir dali, ao longo de mais de um século.[7] Chapus explica que a própria ausência de texto legal prevendo essa atribuição ministerial conduziu à sua superação por obra jurisprudencial. Assim, em decisão datada de 13 de dezembro de 1889, o próprio Conselho de Estado suprime a atribuição jurisdicional a Ministros de Estado, transferindo-a para si.[8]

Portanto, explica Gaudement, à concepção teórica de separação de poderes é acrescentado, no modelo francês, um elemento de *especialização*, que se traduz na distinção entre *administração ativa* e *administração contenciosa*, "que se realiza, progressivamente e parcialmente, mais ao ritmo de aparecimento do que de afirmação, no interior da administração, de tribunais separados e distintos do poder judiciário".[9]

O modelo francês de contencioso administrativo contempla diferentes órgãos responsáveis pela realização de tal tarefa. Nesse respeito, Gaudement explica que

> A jurisdição administrativa constitui-se de um certo número de tribunais de inegável importância.
>
> O *Conselho de Estado* e os *tribunais administrativos* são os elementos essenciais do sistema; eles absorvem em suas competências a maior parte do contencioso administrativo; foram completados, pela lei de 31 de dezembro de 1987, pela instituição das *cortes administrativas de apelação*.
>
> Ao lado de tais órgãos encontramos os *tribunais com competência especial*: cortes de contas, conselhos universitários, conselhos de assistência social, tribunais de pensões militares, de danos de guerra, etc.
>
> Enfim, a *arbitragem*, se não é completamente ignorada pelo contencioso administrativo, ocupa apenas um lugar de menor relevância.[10]

---

[3] CHAPUS, *op. cit.*, p. 748.
[4] CHAPUS, *op. cit.*, p. 749.
[5] CHAPUS, *op. cit.*, p. 749.
[6] CHAPUS, *op. cit.*, p. 749.
[7] CHAPUS, *op. cit.*, p. 749.
[8] CHAPUS, *op. cit.*, p. 749. Trata-se do *arrêt Cadot*, de 1889, quando o Conselho de Estado abandona a doutrina da imprescindibilidade da jurisdição ministerial (GAUDEMENT, Yves. *Droit Administratif*. 18. ed. Paris: LGDJ, 2005. p. 45).
[9] GAUDEMENT, *Droit administratif*, p. 44.
[10] GAUDEMENT, *Droit administratif*, p. 49 (grifo no original).

Com efeito, é questão interessante identificar quais órgãos fazem parte do sistema. Quanto às agências reguladoras, por exemplo, tem-se que suas decisões podem ser submetidas a exame pelo contencioso administrativo francês. Nesse respeito, Michael Asimow procede a um estudo sobre diferentes modelos de adjudicação administrativa, concluindo pela existência de variáveis comuns e diferentes entre esses modelos.[11] A adjudicação administrativa, aduz o autor, corresponde à revisão jurisdicional de decisões de órgãos regulares (agências reguladoras), e daí a nomenclatura utilizada pelo autor ("adjudicação"). Dentre as variáveis encontradas por Asimow, há duas particularmente interessantes: (a) a oportunidade de as partes apresentarem novas provas e novos argumentos quando da discussão jurisdicional da decisão administrativa, quando então a adjudicação administrativa poderá ser classificada como "aberta" (às novas provas e argumentos) ou "fechada"; e (b) a competência do órgão jurisdicional que procede a tal revisão, se comum ou especializada (no caso, por exemplo, administrativa). O autor explica que, no modelo francês, a adjudicação administrativa é "fechada" e de competência especializada.[12]

Assim é que o sistema de jurisdição administrativa nasce no modelo francês, contribuindo, decisivamente, para a construção do próprio Direito Administrativo, naquele país:

> O sistema de jurisdição dupla, também chamado de sistema do contencioso administrativo ou da jurisdição administrativa, nasceu na França em virtude da desconfiança dos revolucionários de 1789 em relação aos membros do Judiciário, que eram ligados ao antigo regime, e é adotado em vários outros países, como Alemanha, Portugal e Argentina. Nesses países, em síntese, o Judiciário só julga as causas que não envolvam a Administração Pública; sendo as ações que a envolvam julgadas pelo contencioso administrativo, integrado por um corpo de agentes (atualmente com independência e estabilidade equiparáveis às dos juízes comuns), integrantes da própria Administração Pública.[13]

3 Jurisdição administrativa na experiência brasileira

A jurisdição administrativa brasileira assemelha-se ao modelo francês, essencialmente, quanto à existência de um contencioso público-administrativo, ou seja, um contencioso que contempla dentre as partes envolvidas ente público ou pessoa sujeita a relação jurídica de direito público-administrativo. Por outro lado, difere do modelo francês em muitos pontos, dos quais se destaca a ideia de coisa julgada administrativa,[14] que, no Brasil, não opera efeitos frente à jurisdição judicial, embora a sistemática francesa

---

[11] ASIMOW, Michael. Cinco modelos de adjudicação administrativa. In: *Revista de Investigações Constitucionais*, v. 4, n. 1, p. 129-165, jan./abr. 2017.

[12] ASIMOW, *Cinco modelos de adjudicação administrativa*, p. 132-135.

[13] ARAGÃO, Alexandre Santos de. *Curso de Direito Administrativo*. Rio de Janeiro: Forense, 2012. p. 613. Sobre o tema, afirma o autor: "A jurisprudência do contencioso administrativo francês, comandada pelo Conselho de Estado, foi de enorme importância para a autonomia e a consolidação do Direito Administrativo: uma justiça especial, de um ente especial (a Administração Pública), criando um direito especial, diferenciado em relação ao Direito comum, considerado como sendo o Direito Civil" (ARAGÃO, *Curso de Direito Administrativo*, p. 614).

[14] Sobre o tema, a posição de MOREIRA, Egon Bockmann; GOMES, Gabriel Jamur. A indispensável coisa julgada administrativa. In: *Revista de Direito Administrativo*, Rio de Janeiro, v. 277, n. 2, p. 239-277, maio/ago. 2018.

não esteja imune a flexibilizações. Outra diferença relevante, diretamente relacionada à anterior, é que, no modelo francês, jurisdição judicial e jurisdição administrativa são separadas formal e materialmente, sendo que compete à jurisdição judicial conhecer das matérias de natureza cível e criminal e à jurisdição administrativa as matérias de natureza público-administrativa. Tal distinção inexiste no modelo brasileiro, fundamentado sobre o princípio constitucional da inafastabilidade da jurisdição (art. 5º, XXXV).

Odete Medauar apresenta um elemento de distinção relevante, a substitutividade, a denotar a ideia de jurisdição, de modo a diferenciá-la do agir administrativo não jurisdicional:

> b) há uma conotação de substitutividade na função jurisdicional, pois o Estado diz qual das partes em conflito tem razão, não cabendo a nenhuma delas dar essa decisão; na função administrativa inexiste, em geral, o caráter de substitutividade no conflito de dois sujeitos, pois, havendo controvérsia em seu âmbito, a própria Administração toma a decisão que vai solucioná-la.[15]

No mesmo sentido, Maria Sylvia Zanella Di Pietro liga a ideia de substitutividade à ausência de coisa julgada no exercício de *função* administrativa:

> No entanto, há que se ter em conta que, sendo muito diversas as funções jurisdicional e administrativa, pela forma como nelas atua o Estado, não se pode simplesmente transpor uma noção, como a de coisa julgada, de um ramo, onde tem pleno fundamento, para outro, em que não se justifica. Na função jurisdicional, o Poder Judiciário atua como terceiro estranho à lide; a relação é trilateral, porque compreende autor, réu e juiz, não sendo este parte na relação que vai decidir. Por isso mesmo, a função é imparcial e, como tal, torna-se definitiva, pondo fim ao conflito; por outras palavras, ela produz coisa julgada.
> *Na função administrativa, a Administração Pública é parte na relação que aprecia; por isso mesmo se diz que a função é parcial e, partindo do princípio de que ninguém é juiz e parte ao mesmo tempo, a decisão não se torna definitiva, podendo sempre ser apreciada pelo Poder Judiciário, se causar lesão ou ameaça de lesão.*
> Portanto, a expressão coisa julgada, no Direito Administrativo, não tem o mesmo sentido que no Direito Judiciário. Ela significa apenas que a decisão se tornou irretratável pela própria Administração.[16]

Nesse sentido, experimenta-se, no modelo brasileiro, uma jurisdição administrativa diferente, que contempla a existência de órgãos jurisdicionais com competência constitucionalmente delineada, e que contribuem, com suas decisões, para a construção do direito e para o aprimoramento do sistema jurídico, conforme o desenho institucional traçado na Constituição de 1988.

Sendo assim, foram selecionados casos decididos pelo Conselho Nacional do Ministério Público e pelo Conselho Nacional de Justiça, para refletir sobre a experiência brasileira à luz do modelo francês, tendo em vista uma jurisdição administrativa que atua na construção de sentido do direito fundada em competências asseguradas constitucionalmente.

---

[15] MEDAUAR, Odete. *Direito administrativo moderno*. 18. ed. São Paulo: Revista dos Tribunais, 2014. p. 60.
[16] DI PIETRO, Maria Sylvia. *Direito Administrativo*. São Paulo: Atlas, 2013. p. 809.

3.1 O caso do Conselho Nacional do Ministério Público

O Conselho Nacional do Ministério Público, órgão criado pela Emenda Constitucional nº 45/04, exerce controle sobre a atuação financeira e administrativa do Ministério Público. Tal papel é exercido por meio de uma série de competências, dentre as quais se inclui o processo e julgamento de contencioso administrativo envolvendo membros ou órgãos do *parquet*.

O caso aqui relatado demonstra como a jurisdição constitucional pode ser exercida por um órgão administrativo dotado de competência para tanto.

É evidente que o sentido de jurisdição constitucional aqui trabalhado é bastante amplo, dizendo com a construção de sentido do direito com base em competências constitucionais, sem prejuízo de revisão pelo Poder Judiciário, sobretudo, pelo Supremo Tribunal Federal.

A seguir uma breve síntese do caso.

Trata-se do Pedido de Providências nº 1.00060/2016-42. O pedido de providências teve início mediante provocação por parte de cidadão que questionou, ao Conselho Nacional do Ministério Público, as regras válidas para a distribuição de procedimentos investigatórios criminais no Ministério Público do Estado de São Paulo. O objeto de discussão era a juridicidade do artigo 3º, parágrafo 4º, da Resolução nº 13/2006, do CNMP, assim enunciado:

> Art. 3º. O procedimento investigatório criminal poderá ser instaurado de ofício, por membro do Ministério Público, no âmbito de suas atribuições criminais, ao tomar conhecimento de infração penal, por qualquer meio, ainda que informal, ou mediante provocação.
> (...)
> §4º. No caso de instauração de ofício, o membro do Ministério Público poderá prosseguir na presidência do procedimento investigatório criminal até a distribuição da denúncia ou promoção de arquivamento em juízo.[17]

No caso em questão, determinado Promotor de Justiça vinculado à 2ª Promotoria de Justiça do Estado de São Paulo recebeu um envio de peças por parte de dois advogados, noticiando a possível ocorrência de ilícitos relacionados à aquisição de apartamentos de uma construtora. O Promotor de Justiça instaurou, de ofício, procedimento investigatório criminal para apuração dos fatos, designando-se presidente do mesmo procedimento. A designação do próprio para conduzir o procedimento foi feita com amparo no art. 3º, parágrafo 4º, da Res. CNMP-13/2006, mencionada.

O pedido de providências foi apresentado ao Conselho com o objetivo de questionar a juridicidade da instauração e presidência do procedimento investigatório criminal por um mesmo promotor de justiça, alegando-se ferimento ao princípio do promotor natural. O requerente argumentou que os fatos descritos no aludido procedimento investigatório estariam intimamente relacionados a fatos deduzidos em procedimentos investigatórios criminais antecessores, e que já haviam, inclusive, resultado em ação criminal ajuizada e em trâmite junto à 5ª Vara Criminal do Foro Central de

---

[17] Res. nº 13, de 2 de outubro de 2006, revogada pela Res. nº 181, de 7 de agosto de 2017.

São Paulo. Aludiu-se, também, que a 5ª Vara Criminal englobaria os feitos vinculados à 1ª Promotoria de Justiça, sendo que o Promotor a quem remetidas as peças e que instaurara, de ofício, o procedimento investigatório em questão estaria, por sua vez, vinculado à 2ª Promotoria. Portanto, uma vez instaurado o procedimento investigatório criminal pelo Promotor de Justiça vinculado à 2ª Promotoria, somente haveria dois caminhos possíveis: a livre distribuição ou a distribuição por dependência aos procedimentos já instaurados junto à 1ª Promotoria.

O cerne da controvérsia, portanto, guarda relação com o *princípio do promotor natural*, utilizado pelo Conselho Nacional do Ministério Público como razão de decidir.

No voto condutor do procedimento investigatório criminal, o Relator, Conselheiro Valter Shuenquener de Araújo, consignou, expressamente, que, apesar de controvérsias em torno da existência de um possível princípio constitucional do promotor natural (e, também, de sua juridicidade),[18] é fato que tal princípio já fora enunciado e utilizado como razão de decidir pelo Supremo Tribunal Federal, pelo Superior Tribunal de Justiça e em órgãos de outras instâncias de jurisdição, em todo o país. Assim se manifestou o Conselheiro:

> Por meio de uma simples e rápida pesquisa no sítio eletrônico do Superior Tribunal de Justiça, que se faz com a digitação da expressão "promotor natural" (entre aspas), nos deparamos com o resultado de 133 acórdãos e 590 decisões monocráticas que utilizam o referido princípio como *ratio decidendi*. Um total, portanto, de 723 decisões que adotaram o princípio do promotor natural. E isso em apenas um único tribunal. Por sua vez, na mais alta Corte do país, o Supremo Tribunal Federal, encontramos mais 54 acórdãos e 205 decisões monocráticas no mesmo sentido.[19]

O Conselheiro destaca que, dentre os precedentes encontrados, o caso mais citado, no Supremo Tribunal Federal, é o HC nº 67.759, Rel. Min. Celso de Mello, de que extraiu o seguinte excerto:

> (...) o postulado do Promotor Natural, que se revela imanente ao sistema constitucional brasileiro, repele, a partir da vedação de designações casuísticas efetuadas pela Chefia da Instituição, a figura do 'acusador de exceção'. *Este princípio consagra uma garantia de ordem jurídica, destinada tanto a proteger o membro do Ministério Público, na medida em que lhe assegura o exercício pleno e independente do seu ofício, quanto a tutelar a própria coletividade, a quem se reconhece o direito de ver atuando, em quaisquer causas, apenas o Promotor cuja intervenção se justifique a partir de critérios abstratos e predeterminados, estabelecidos em lei.* A matriz constitucional desse princípio assenta-se nas cláusulas da independência funcional e na inamovibilidade dos membros da Instituição. O Postulado do Promotor Natural limita,

---

[18] Registra-se, no ponto, a crítica formulada por Floriano de Azevedo Marques Neto e Juliana Bonacorsi de Palma: "Há uma tendência da comunidade jurídica de se reconhecer ampla autonomia de cada pessoa que exerce função de controle. Corolário dessa visão é a *doutrina do promotor natural*, que em outra oportunidade descrevemos como a doutrina 'que tem por fundamento a identificação de um princípio implícito no texto constitucional, passa pelo alargamento de sua aplicação e, ao final, acaba por identificar tal princípio como um direito subjetivo de cada promotor, como fundamento para sustentar a autonomia e a ausência de subordinação orgânica do membro do *parquet*' [...]". MARQUES NETO, Floriano de Azevedo; PALMA, Juliana Bonacorsi de. Os sete impasses do controle da Administração Pública no Brasil. *In*: PEREZ, Marcos Augusto; SOUZA, Rodrigo Pagani. *Controle da Administração Pública*. Belo Horizonte: Fórum, 2017. p. 25.

[19] CNMP, Pedido de Providências nº 1.00060/2016-42, Rel. Cons. Valter Shuenquener de Araújo, julg. 23.02.2016.

por isso mesmo, o poder do Procurador-Geral que, embora expressão visível da unidade institucional, não deve exercer a Chefia do Ministério Público de modo hegemônico e incontrastável (...). (HC nº 67.759/RJ, relator Min. Celso de Mello, RTJ, 150/123, julgado em *06.08.1992*). (grifo no original)

O Conselheiro ainda observa que, "em 1977, o STF já havia se pronunciado favoravelmente à tese do Promotor natural. Cuida-se do RHC 55705, Rel. Min. Moreira Alves, Segunda Turma, julgado em 04.10.1977, DJ 29-12-1977". De referido julgado, o Relator extrai a seguinte fala, do Ministro Antônio Néder:

[...] ora, se é proibido o tribunal de exceção, se é vedado instituir o juízo de exceção, impedido é conceber-se o acusador de exceção, pois não se compreende que nossa Constituição proíba o juiz de exceção e admita o acusador de exceção, isto é, conceda e ao mesmo tempo subtraia uma garantia.

Dessa forma, o Relator assentou ser o princípio do promotor natural um princípio de estatura constitucional, à luz do qual deveria ser lido o enunciado normativo descrito no art. 3º, parágrafo 4º, da Res. nº 13/2006 do CNMP, objeto de discussão.

Em outras palavras, o princípio do promotor natural seria um princípio jurídico-constitucional informador de todo o sistema, inclusive dos atos administrativos normativos emanados por referido Conselho.

Como resultado, o Conselheiro apresentou o voto no sentido de que, a partir da publicação da decisão do Conselho Nacional do Ministério Público sobre o caso, o Ministério Público no Estado de São Paulo procedesse à livre distribuição de procedimentos investigatórios criminais instaurados, em atendimento ao princípio jurídico do promotor natural. O novo entendimento, segundo o Relator, incidiria apenas sobre procedimentos investigatórios criminais novos, deixando de incidir sobre o procedimento investigatório criminal em curso e objeto do pedido de providências, em virtude dos princípios da boa-fé e da segurança jurídica, e também por força da irretroatividade extraída do art. 2º, parágrafo único, XIII, da Lei Federal nº 9.784/99. O voto foi acolhido pelo Conselho por unanimidade.

O caso contempla peculiaridades diretamente ligadas à quantidade de procedimentos investigatórios criminais e de ações penais em trâmite, envolvendo fatos relacionados aos fatos objeto do procedimento investigatório criminal em questão, permitindo, em tese, a reunião de processos por conexão. Nada obstante, o que se pretende destacar do caso em exame é, em primeiro lugar, a identificação de um princípio jurídico informador extraído de outros casos julgados semelhantes no espaço judicial de construção do direito, e, em segundo lugar, a utilização de tal princípio como razão de decidir no caso concreto levado a exame perante a instância administrativa de jurisdição. Trata-se do interessante uso da jurisprudência das cortes judiciais no âmbito da jurisdição administrativa.

3.2 O caso do Conselho Nacional de Justiça

O Conselho Nacional de Justiça, órgão criado pela Emenda Constitucional nº 45/04, atua como controle sobre a atividade financeira e administrativa do Poder Judiciário.

Tal papel é exercido mediante diferentes competências, nas quais se inclui o processo e julgamento de contencioso administrativo envolvendo membros ou órgãos do Poder Judiciário, em nível nacional.

No caso ora em exame, o Conselho Nacional de Justiça condenou magistrado vinculado ao Tribunal de Justiça do Estado de Goiás por quebra de imparcialidade, impondo-lhe a sanção de aposentadoria compulsória com proventos proporcionais ao tempo de serviço. Por se tratar de processo que tramitou em sigilo perante o Conselho, colaciona-se aqui apenas a ementa do caso em questão:

> PROCESSO ADMINISTRATIVO DISCIPLINAR. MAGISTRADO ESTADUAL. APOSENTADORIA COMPULSÓRIA.
> 1. A independência judicial está assegurada ao magistrado em defesa da ordem jurídica e do direito.
> 2. Desrespeito ao princípio do juiz natural no direcionamento da distribuição de processos de interesse de tabelião e concessão de liminares incabíveis.
> 3. Decretação abusiva de segredo de justiça em processos judiciais que elevaram substancialmente o valor dos emolumentos de um único cartório, repassando custos aos consumidores por meio de decisões liminares.
> 4. Entrevistas polêmicas concedidas à imprensa, em que o Magistrado se manifesta sobre processo de sua relatoria e interesse do tabelião, sob o pretexto de prestar esclarecimentos sobre o caso, em tom desrespeitoso a este E. Conselho Nacional de Justiça e ao E. Tribunal de Justiça [...]. Excesso de linguagem e violação ao dever de colaboração com os órgãos de controle.
> 5. Usurpação da competência do E. Supremo Tribunal Federal para controle dos atos do E. CNJ, ao emitir ordem para que o Conselho altere informação relativa ao tabelião em seus cadastros, autorizando-o a descumprir normativa do CNJ.
> 6. O Magistrado agiu de forma incompatível com a dignidade, honra e decoro de suas funções, em especial pela reiteração de sua conduta, gravidade das suas ações e omissões técnicas e prejuízos causados aos jurisdicionados. Recomendada a aplicação da pena de APOSENTADORIA COMPULSÓRIA COM VENCIMENTOS PROPORCIONAIS.
> PROCESSO ADMINISTRATIVO DISCIPLINAR QUE SE JULGA PROCEDENTE.[20]

O procedimento administrativo em tela teve como objetivo apurar a ocorrência de quebra de imparcialidade na conduta do magistrado, por motivo de reiteradas decisões judiciais favoráveis a Tabelionato de Protesto e de Registro de Títulos e Documentos de Goiânia. De acordo com informação veiculada em site de notícias,

> O juiz já estava afastado do cargo desde 2013, após uma inspeção feita pela Corregedoria Nacional de Justiça em 2012 que verificou um número incomum de decisões na 3ª Vara da Fazenda Pública de Goiás em benefício do cartório. A constatação levou a Corregedoria Nacional a inspecionar também o cartório, onde se verificaram mais irregularidades.[21]

---

[20] CNJ, Procedimento de Controle Administrativo nº 0006017-28.2013.2.00.0000, Rel. Conselheira Maria Cristina Irigoyen Peduzzi, julg. 24.03.2015.
[21] Fonte: https://www.conjur.com.br/2015-mar-25/cnj-aposenta-juizes-venda-sentenca-quebra-imparcialidade. Acesso em: 16 out. 2019.

Como resultado, o magistrado foi condenado pelo Conselho Nacional de Justiça, tendo-lhe sido imposta a sanção de aposentadoria compulsória com proventos proporcionais ao tempo de serviço.

Surge relevante, no presente caso, a possibilidade de discussão judicial das decisões administrativas proferidas pelo Conselho Nacional de Justiça. Nesse respeito, a Constituição Federal estabelece o que segue:

> Art. 102. *Compete ao Supremo Tribunal Federal*, precipuamente, a guarda da Constituição, cabendo-lhe:
> I - *processar e julgar, originariamente*:
> [...]
> r) *as ações contra o Conselho Nacional de Justiça* e contra o Conselho Nacional do Ministério Público;
> [...] (grifo nosso)

Sobre o tema, o Supremo Tribunal Federal tem entendido por delimitar a revisibilidade das decisões do Conselho às hipóteses em que o objeto da controvérsia possa ser veiculado em uma das seguintes modalidades de ação constitucional: mandado de segurança, mandado de injunção, *habeas corpus* e *habeas data*. Confira-se, nesse sentido:

> *A competência originária do STF, cuidando-se de impugnação a deliberações emanadas do CNJ, tem sido reconhecida apenas na hipótese de impetração, contra referido órgão do Poder Judiciário (CNJ), de mandado de segurança, de habeas data, de habeas corpus (quando for o caso) ou de mandado de injunção*, pois, em tal situação, o CNJ qualificar-se-á como órgão coator impregnado de legitimação passiva *ad causam* para figurar na relação processual instaurada com a impetração originária, perante a Suprema Corte, daqueles *writs* constitucionais. [...] *Tratando-se, porém, de demanda diversa (uma ação ordinária, p. ex.), não se configura a competência originária da Suprema Corte*, considerado o entendimento prevalecente na jurisprudência do STF, manifestado, inclusive, em julgamentos colegiados, eis que, nas hipóteses não compreendidas no art. 102, I, *d* e *q*, da Constituição, a legitimação passiva *ad causam* referir-se-á, exclusivamente, à União Federal, pelo fato de as deliberações do CNJ serem juridicamente imputáveis à própria União Federal, que é o ente de direito público em cuja estrutura institucional se acha integrado o CNJ. Doutrina. (AO 1.706 AgR, Rel. Min. Celso de Mello, Plenário, julg. 18/12/2013, *DJE* 18/02/2014).

A sindicabilidade das decisões emanadas pelo Conselho Nacional de Justiça, portanto, é circunscrita a tais modalidades de ação. A decisão proferida pelo Conselho nesse caso foi alvo de mandado de segurança impetrado perante o Supremo Tribunal Federal, julgado extinto por perda superveniente de objeto.[22]

Em outro caso, no qual o Conselho decidiu, também, pela aposentadoria compulsória de magistrado pela conduta de venda de sentença, a questão foi igualmente objeto de mandado de segurança impetrado perante o Supremo Tribunal Federal, julgado improcedente.[23] Na ocasião, a Relatora, Min. Rosa Weber, consignou o que segue:

---

[22] STF, MS 32.700, Rel. Min. Edson Fachin, julg. 25.05.2016.
[23] STF, MS 33.565, Rel. Min. Rosa Weber, julg. 14.06.2016.

Não há prova inequívoca capaz de demonstrar de plano ilegalidade ou abuso de poder praticado pela decisão do CNJ. Ao contrário, *o exame dos documentos coligidos aos autos* do mandado de segurança apontam para a *existência de uma miríade de indícios robustos* passíveis de dar suporte à decisão proferida pelo conselho.

Diante da decisão, os fatos voltaram a ser novamente discutidos por meio de ação ordinária com pedido de tutela de urgência, ajuizada pelo magistrado contra a União na justiça federal, tendo-se obtido decisão favorável em primeira instância, reformada pelo Tribunal Regional Federal da 1ª Região.[24] Na assentada, o Relator, Des. Federal Kassio Marques apresentou o voto no sentido de declarar a incompetência da justiça federal de 1ª instância, determinando a remessa dos autos ao Supremo Tribunal Federal.

Os debates em torno de quais ações permitiriam veicular ao Supremo Tribunal Federal controvérsias em torno de atos do CNJ conduzem a reflexões sobre a extensão do conteúdo eventualmente cognoscível pelo Supremo Tribunal Federal. De acordo com as variáveis apresentadas por Asimow, há uma que merece destaque aqui e que diz respeito à oportunidade de as partes apresentarem novas provas e novos argumentos quando da discussão judicial da decisão administrativa. Como observado, caso haja a possibilidade de discussão sobre novas provas e argumentos, a jurisdição administrativa poderá ser classificada como "aberta". Caso contrário, será classificada como "fechada". A experiência brasileira contempla o princípio da inafastabilidade da jurisdição, a autorizar o amplo conhecimento da matéria pelo Poder Judiciário. Logo, guardadas as devidas distinções (quanto ao modelo francês de jurisdição administrativa), *a priori*, toda a matéria poderia ser novamente revista pelo Poder Judiciário. Cabe, porém, discutir por que via processual, tendo em vista as competências reservadas a cada instância de jurisdição e, igualmente importante, a capacidade institucional de cada qual.

4 Conclusão

Conclui-se, a partir do presente estudo, que o princípio da inafastabilidade da jurisdição é um fator determinante que diferencia a experiência brasileira do modelo francês de contencioso administrativo, sem prejuízo da atuação de órgãos administrativos constitucionalmente estabelecidos na construção de sentido do direito e na preservação da higidez do sistema jurídico, sobretudo em virtude da atuação dialógica com as demais instâncias de jurisdição.

Referências

ARAGÃO, Alexandre Santos de. *Curso de Direito Administrativo*. Rio de Janeiro: Forense, 2012.

ASIMOW, Michael. Cinco modelos de adjudicação administrativa. *In*: Revista de Investigações Constitucionais, v. 4, n. 1, p. 129-165, jan./abr. 2017.

---

[24] TRF1, AI 0056558-65.2016.4.01.0000/DF, Rel. Des. Federal Kassio Marques, julg. 24.04.2017.

BARROSO, Luís Roberto. *Curso de Direito Constitucional*. Os conceitos fundamentais e a construção do novo modelo. 4. ed. São Paulo: Saraiva, 2014.

CONSELHO NACIONAL DE JUSTIÇA, Procedimento de Controle Administrativo nº 0006017-28.2013.2.00.0000, Rel. Conselheira Maria Cristina Irigoyen Peduzzi, julg. 24.03.2015.

CONSELHO NACIONAL DO MINISTÉRIO PÚBLICO. Res. nº 13, de 2 de outubro de 2006, revogada pela Res. nº 181, de 7 de agosto de 2017.

CONSELHO NACIONAL DO MINISTÉRIO PÚBLICO, Pedido de Providências nº 1.00060/2016-42, Rel. Conselheiro Valter Schuenquener de Araújo, julg. 23.02.2016.

CONSULTOR JURÍDICO (*site*). "CNJ aposenta juízes acusados de venda de sentença e quebra de imparcialidade". Fonte: https://www.conjur.com.br/2015-mar-25/cnj-aposenta-juizes-venda-sentenca-quebra-imparcialidade. Acesso em: 16 out. 2019.

CHAPUS, René. *Droit administratif général*. Tome 1. p. 748. Paris: Montchrestien, 2001.

DI PIETRO, Maria Sylvia. *Direito Administrativo*. São Paulo: Atlas, 2013.

GAUDEMENT, Yves. *Droit Administratif*. 18. ed. Paris: LGDJ, 2005.

MARQUES NETO, Floriano de Azevedo; PALMA, Juliana Bonacorsi de. Os sete impasses do controle da Administração Pública no Brasil. *In*: PEREZ, Marcos Augusto; SOUZA, Rodrigo Pagani. *Controle da Administração Pública*. Belo Horizonte: Fórum, 2017.

MEDAUAR, Odete. *Direito administrativo moderno*. 18. ed. São Paulo: Revista dos Tribunais, 2014.

MOREIRA, Egon Bockmann; GOMES, Gabriel Jamur. A indispensável coisa julgada administrativa. *In*: *Revista de Direito Administrativo*, Rio de Janeiro, v. 277, n. 2, p. 239-277, maio/ago. 2018.

SUPREMO TRIBUNAL FEDERAL, Mandado de Segurança nº 32.700, Rel. Ministro Edson Fachin, julg. 25.05.2016.

SUPREMO TRIBUNAL FEDERAL, Mandado de Segurança nº 33.565, Rel. Ministro Rosa Weber, julg. 14.06.2016.

TRIBUNAL REGIONAL FEDERAL DA 1ª REGIÃO, Agravo de Instrumento nº 0056558-65.2016.4.01.0000/DF, Rel. Des. Federal Kassio Marques, julg. 24.04.2017.

Informação bibliográfica deste texto, conforme a NBR 6023:2018 da Associação Brasileira de Normas Técnicas (ABNT):

GONÇALVES, Benedito; PEREIRA, Ana Lucia Pretto. Jurisdição constitucional administrativa: experiência brasileira à luz do modelo francês. *In*: COSTA, Daniel Castro Gomes da; FONSECA, Reynaldo Soares da; BANHOS, Sérgio Silveira; CARVALHO NETO, Tarcisio Vieira de (Coord.). *Democracia, justiça e cidadania*: desafios e perspectivas. Homenagem ao Ministro Luís Roberto Barroso. Belo Horizonte: Fórum, 2020. p. 377-387. t. 2: Pensando as instituições, a justiça e o Direito. ISBN 978-85-450-0749-4.

A LIBERDADE DE EXPRESSÃO: UM DIREITO DE OFENDER?

BRUNO LEONARDO CÂMARA CARRÁ

KAMILE CASTRO

1 Introdução

Provavelmente a liberdade de expressão vem a ser um dos temas mais constantes na tradição política-jurídica ocidental. Uma e outra guardam, na verdade, uma correlação tão íntima que não seria exagero dizer que se retirada essa não existiria aquela. Com efeito, a liberdade de emitir opiniões, por mais inconvenientes ou indesejáveis que possam ser, vale dizer, o direito de não ser tolhido na manifestação de suas opiniões, entabula a essência do regime democrático desde sua origem na Grécia antiga.

Nada obstante, ao definirmos democracia apenas como um sistema político onde os cidadãos elegem seus mandatários através do voto, esquece-se de destacar a importância da liberdade de expressão para o exercício da democracia em sua dimensão mais virtuosa. Assim, desde Atenas, bastando para isso a lembrança da famosa oração fúnebre de Péricles,[1] até nosso quotidiano, com seu caleidoscópio de manifestações e insurgências sociais, a proteção jurídica à liberdade de expressão, uma das constantes nas aspirações dos movimentos revolucionários ocorridos na Europa e na América do século XVIII, foi fundamental para dar conformação à atual pauta de valores republicanos e democráticos que nos define como organismo político.

Por outro lado, falar de democracia sem falar de liberdade de expressão nada mais é que um sofisma. Um engodo que, pela hipocrisia que enuncia, se torna até mesmo

---

[1] É, com efeito, uma das partes mais empolgantes do discurso de Péricles honrando os mortos em batalha, o qual, contudo, é, na verdade, obra de Tucídides, embora, claro, reproduzindo passagens do verdadeiro pronunciamento feito pelo *estratego* ateniense: "nós, cidadãos atenienses, decidimos as questões públicas por nós mesmos, ou pelo menos nos esforçamos por compreendê-las claramente, na crença de que não é o debate que é empecilho à ação, e sim o fato de não se estar esclarecido pelo debate antes de chegar a hora da ação." (TUCÍDIDES. *Comentário à Guerra do Peloponeso.* Trad. de Mário da Gama Kury. 4. ed. São Paulo: Imprensa Oficial do Estado de São Paulo, 2001; p. 110-111).

pior que um regime tirânico.[2] Desse modo, a liberdade de expressão, além de ser um direito associado ao âmago do ser humano independentemente do contexto social,[3] é um direito que, igualmente, tem vocação natural para ser exercido na arena política.

Liberdade de expressão e sociedade aberta[4] são conceitos que, por definição, se justapõem, se complementam e se retroalimentam. Por implicação, o tema também acarreta consequências diretas sobre a liberdade de imprensa, um é corolário do outro de modo natural. Uma sociedade mais transparente e honesta depende de uma imprensa livre, independente e atuante como bem se sabe.[5]

Contudo, se deixa de abordar, por limites práticos, o tema da liberdade de imprensa, embora se saiba que se encontram intrinsecamente relacionados. Tratar-se-á, de conseguinte, apenas daquelas situações em que o indivíduo exerce de modo direto seu direito de liberdade de expressão. Todavia, tal distinção, a cada dia que passa, se torna mais diáfana em razão das novas ferramentas de comunicação em massa existentes na rede mundial de computadores, tais como o facebook e aplicativos de comunicação como o whattsapp.

De todo modo, o que se procura sindicar no presente trabalho é até onde é possível ir no uso da liberdade de expressão. Se ela não é, como os demais, um direito ilimitado, como nos ensina a atual teoria dos direitos fundamentais, porém sendo ela tão cara ao próprio sistema constitucional, seus limites tendem a ser maiores que os dos demais. Comecemos, então:

2 Liberdade de pensamento e expressão: da cidade antiga aos dias atuais

Junto com as prerrogativas de igualdade de tratamento perante as leis da cidade (*isonomia*) e em face da Administração Pública (isotimia), o cidadão de Atenas também tinha o direito de expressar, sem interrupção, suas opiniões perante a Eclésia.[6] Essa forma específica de igualdade era chamada, como se sabe, de isegoria.

---

[2] Embora associado a causas de ordem econômica e social, mais que diretamente políticas, o exemplo histórico brasileiro do *voto de cabresto* é um interessante exemplo de uma democracia apenas figurativa e da mais completa possibilidade de exercício pelo cidadão de qualquer de seus direitos na *Ágora*. Sobre o tema, cf.: LEAL, Victor Nunes. *Coronelismo, Enxada e Voto*: o município e o regime representativo no Brasil. 7. ed. São Paulo: Companhia das Letras, 2012. passim.

[3] Sobre a liberdade como essência do próprio ser humano e de como, por isso mesmo, ele é tributário da mais elevada dignidade, é a *Oratio de hominis dignitate* de Giovanni Pico Della Mirandolla. Foi esse o discurso filosófico onde, pela primeira vez, se usa a expressão dignidade do homem, desejando-se, com isso, diferenciá-lo dos demais seres da criação divina. Sendo o homem uma *quase divindade*, na medida em que pode fazer uso de seu livre-arbítrio, por decorrência lógica, suprimir seu exercício seria proceder de encontro aos desígnios do Pai. Cf.: PICO DELLA MIRANDOLA. *Discurso sobre a Dignidade do Homem*. Trad. Maria de Lurdes Sirgado Ganho. Lisboa: Edições 70, 1989. p. 52.

[4] O termo é empregado nos exatos termos que Karl Popper o empregou em sua consagrada obra *A Sociedade Aberta e seus Inimigos*.

[5] No ponto, parece oportuno transcrever, pela vivacidade e efeito que produzem, as palavras de Hugo Lafayette Black na opinião que emitiu no célebre: *New York Times Co. v. United States*: "The press was to serve the governed, not the governors. The Government's power to censor the press was abolished so that the press would remain forever free to censure the Government. The press was protected so that it could bare the secrets of government and inform the people. Only a free and unrestrained press can effectively expose deception in government." (Disponível em: https://www.law.cornell.edu/supremecourt/text/403/713. Acesso em: 29 nov. 2019).

[6] A assembleia de cidadãos onde se discutia os assuntos de interesse geral da cidade.

A isegoria ligava-se, entretanto, à vida pública do ateniense, pondo em evidência mais o fato de ele ter direito à voz ativa nas deliberações da *pólis*. A ela somava-se uma outra faculdade, tendo como fundamento a liberdade que Atenas conferia a seus cidadãos para dizer o que quisessem, de forma ampla e que era denominada de parresia.[7]

Se traduzida literalmente, parresia significa falar tudo, porém sua significação contextualizada implica o uso da fala com franqueza. Assim os conceitos de isegoria e parresia passam a conviver simbioticamente. Nada obstante, este sempre foi mais amplo que aquele, como ensina Michel Foucault: a parresia se exercita entre os cidadãos enquanto indivíduos e também entre os cidadãos constituídos em assembleia.[8]

Enquanto a isegoria limitava-se à pnyx, lugar onde ocorria a Eclésia, a parresia reinava por toda a ágora. Na grande praça pública de Atenas, no torvelinho dos discursos de seu demos, com efeito, exercia-se o uso da palavra de forma sincera e ampla, clara. Com o tempo, o termo assume inúmeros significados e passa a ser utilizado num contexto mais retórico, ou mesmo moral, que jurídico. Parresia assume, assim, o sentido de falar claramente, ou seja, dizer a verdade.

Franqueza no falar e não propriamente liberdade no falar é o que caracteriza o direito de expressão dos antigos. A filosofia clássica redimensiona a noção de parresia como uma virtude moral que deve presidir o discurso de qualquer pessoa e que, em resumo, significa expressar a verdade ainda que isso implique riscos para quem o faça.

Na prática, portanto, não se tratava apenas de um direito, mas de um dever, como ensina Foucault.[9] Essa conclusão coincide com aquelas de Benjamin Constant sobre a liberdade dos antigos, uma paradoxal liberdade escravizadora, que não contrapunha o indivíduo ao Estado, mas antes o vergava, numa cama de Procrusto, ao organismo social.[10]

No que se refere à liberdade de expressão em seu conteúdo clássico, Atenas, adverte o mesmo Constant, não se diferenciava em demasia das demais Cidades-Estados gregas. Prova disso são as acusações enfrentadas por Sócrates no processo que terminaria com sua condenação à pena capital, pois em boa parte relacionavam-se ao que hoje chamaríamos de delitos de opinião.

A liberdade dos antigos é a liberdade para o uso e benefício da *pólis*, não se preocupando necessariamente com o indivíduo. Fora do intervalo compreendido entre a lei ateniense e o bem comum de seu povo, ressalta Hans Vorländer, não havia liberdade de pensamento ou expressão.[11] Ao longo da História do pensamento ocidental, a propósito, essa sempre foi uma questão que inquietou seus principais filósofos políticos. Isso, por sinal, será absolutamente importante para contextualizar os limites da liberdade de expressão.

Não será essa, contudo, a noção de liberdade jurídica que, séculos depois, irá empolgar as reflexões dos filósofos políticos das luzes e os albores do constitucionalismo

---

[7] Nesse sentido: Thomas I. Emerson. What makes freedom of Speech special? *In:* WERHAN, Keith (Coord.). *Freedom of Speech*. a reference guide to the united states constitution. Westport: Praeger, 2004. p. 29 [p. 27-42].
[8] FOUCAULT, Michel. *Discorso e Verità nella Grecia Antica*. Trad. de Adelina Galeotti. Roma : Donzelli, 2005. p. 11.
[9] FOUCAULT, Michel. *Op. cit.*, p. 9.
[10] CONSTANT, Benjamin. De la liberté des anciens comparée à celle des modernes. *In:* CONSTANT, Benjamin. *Écrits Politiques*. Paris: Gallimard, 1996, p. 589-612.
[11] VORLÄNDER, Hans. *Demokratie. Geschichte, Formen, Theorien*. München: Beck, 2003. p. 33-34.

ocidental. As liberdades dos modernos, que Karel Vasak denominará de direitos fundamentais de primeira geração, têm no indivíduo seu destinatário primordial, caracterizando-as sobretudo pelo fato de poderem ser opostas contra o Estado.

A liberdade de expressão moderna traduz-se, portanto, como faculdade ou atributo da pessoa.[12] Constitui um direito público subjetivo de resistência, direcionado justamente contra o Estado, como disse o Tribunal Constitucional Alemão (Bundesverfassungsgerichts), caso Lüth (BVerfGE 7, 198 – Lüth).[13] De modo diverso à lógica da Cidade Antiga, a liberdade de expressão prevista nas Cartas Constitucionais desde o século XIX não pressupõe qualquer dever moral, não precisa ser usada para boas práticas ou para o bem do demos.

A Declaração dos Direitos do Homem e do Cidadão, de 1789, cujo texto encontra-se incorporado à Constituição Francesa de 1958, pode ser considerada o primeiro grande texto internacional a reconhecê-la (art. 11). O texto em francês usa palavras tão próximas ao português que, a nosso sentir, dispensa tradução: "La libre communication des pensées et des opinions est un des droits les plus précieux de l'Homme: tout Citoyen peut donc parler, écrire, imprimer librement, sauf à répondre de l'abus de cette liberté, dans les cas déterminés par la Loi".

A importância desse direito continuará sendo reconhecida pelos textos constitucionais de todo o mundo civilizado nos últimos dois séculos da cultura jurídica ocidental. Uma conhecida frase de Benjamin Cardozo o nomina como matriz de todas as demais formas de liberdade, pois sem ela nenhuma outra pode subsistir.[14] Contudo, é de rigor observar que a Declaração de 1789 não desconsiderava a necessidade de repressão dos abusos gerados a partir de seu exercício. Que o direito de liberdade de expressão gera excessos todos sabem. A questão, que não consta previamente definida em qualquer texto normativo a respeito do assunto, seja nacional, seja internacional, é: o que se define como excesso à liberdade de expressão? Mais ainda: como tratar esse excesso sem que isso possa ser considerado censura?

O tema segue suscitando dúvidas acaloradas tanto na doutrina como nos tribunais e os tempos atuais, longe de apaziguar os ânimos, parecem, na verdade, fornecer mais material combustível para o não esgotamento das controvérsias relacionadas à liberdade de expressão. O surgimento de meios de comunicação de quase impossível controle ou limitação – por óbvio, estamos nos referindo à rede mundial de computadores, internet – acendeu, de fato, novas e desafiantes discussões em torno do assunto. Do mesmo modo, as recentes formas de manifestação política, essas que estão na ordem do dia da agenda global, inclusive da brasileira, tornam cada vez mais difícil projetar um espaço seguro onde se possa, sem necessidade de intervenção do Poder Judiciário, dizer que o uso do direito de livre expressão não tenha interferido em direitos de terceiros e, portanto, gerado alguma forma de conflito.

---

[12] BONAVIDES, Paulo. *Direito Constitucional*. 19. ed. São Paulo: Malheiros, 2006. p. 563.

[13] Sobre o caso *Lüth*, adota-se, no presente trabalho, a transcrição para o inglês feita por Sir Basil Markesinis disponível em: https://germanlawarchive.iuscomp.org/?p=51. Acesso em: 29 nov. 2019.

[14] A frase, citada em vários julgados da Suprema Corte norte-americana e, inclusive, no célebre caso Lüth, pelo Tribunal Federal Constitucional alemão é a seguinte: *"the matrix, the indispensable condition of nearly every other form of freedom"* e foi dita por Cardozo em *Palko v. Connecticut* julgado em 1937 (302 U.S. 319).

Além disso, tem-se vislumbrado nos últimos tempos, dentro de certos grupos, uma tendência revisionista do sentido de liberdade de expressão com a procura de um fundamento moral para seu exercício, numa espécie de retorno sentimental ao mundo helênico. A onda politicamente correta tende a exacerbar o impacto de declarações, opiniões e manifestações sobre a alteridade, buscando qualificá-la como transgressões penais ou pelos menos civis. É o caso das *fake news* ou do chamado discurso de ódio, os quais serão igualmente examinados no trabalho.

Dentro desse frágil equilíbrio desenvolveram-se e, ainda hoje, continuam sendo construídas as grandes doutrinas enunciadas pelas cortes constitucionais, como adiante será exposto.

3 Liberdade e responsabilidade

A evolução do direito de liberdade de pensamento e expressão confunde-se com a própria história do constitucionalismo moderno. Por isso mesmo, desde a Declaração dos Direitos do Homem e do Cidadão de 1789, sua presença é de rigor em qualquer Carta Constitucional que postule ser reconhecida como civilizada. É iterativo, portanto, que o art. 5º da Constituição brasileira de 1988 dela se ocupe em suas primeiras disposições, logo após haver enunciado os princípios jurídicos da igualdade, da licitude e da vedação a qualquer forma de tratamento degradante.

Se é certo que as primeiras especulações sobre a liberdade de manifestação surgem na Grécia Antiga, seio da experiência democrática ateniense, não é menos verdadeiro que no contexto do mundo clássico sua percepção seja claramente diversa da que será construída séculos depois, durante a Idade Moderna. O pensamento liberal, com efeito, irá enxergar na liberdade de pensamento uma garantia do indivíduo contra o Estado e não uma virtude para ser exercida a bem da *pólis*.

Ainda assim, com a hipertrofia do indivíduo, pedra fundamental da filosofia racionalista, põe-se em destaque certos limites no exercício dessa liberdade. Sua extensão é, de regra, a subjetividade alheia, compreendida dentro da conhecida fórmula "meu direito termina quando o seu começa". Portanto, a vigente Constituição brasileira, como já o fazia a Declaração de 1789, vem consagrar uma liberdade de manifestação do pensamento com responsabilidade.

Não existe, contudo, um critério exato para definir o que seja esse uso responsável da liberdade de expressão. Se demasiada for sua restrição, poderá converter-se em censura, caso não existam remédios para a contenção de seu excesso.

Por isso que, tão logo enuncia o direito à liberdade de pensamento, a Constituição Federal veda qualquer manifestação através do anonimato, na medida em que isso impossibilitaria o que em seguida prescreve, qual seja, o direito de resposta, proporcional ao agravo, além da indenização por dano material, moral ou à imagem.

Em certas culturas jurídicas, sobretudo na *common law*, o direito de liberdade de pensamento e expressão possui relevância nitidamente maior que nos chamados países de tradição continental. A experiência parlamentar inglesa permitiu a manifestação de opiniões de modo mais franco e aberto que na Europa continental, nela se garantindo a imunidade de fala aos representantes do povo pela Bill of Rights de 1689. Nada obstante, limites já se faziam sentir pelas cortes, ou pelo próprio parlamento, como exemplifica a Stage Licensing Act de 1737 abolida somente em 1968.

O direito de cada indivíduo de expressar livremente suas convicções fincará suas raízes mais atávicas mesmo é na cultura jurídica estadunidense. A cláusula da liberdade de expressão encontra-se de tal forma arraigada ao modo de vida do norte-americano que não é por acaso que sua Suprema Corte pode ser considerada o tribunal, ainda hoje, que mais tenha se pronunciado sobre o tema e tenha construído as mais liberais doutrinas sobre o assunto.

Trata-se, como já mencionado, de uma das mais sensíveis partes da Declaração de Direitos da Constituição Norte-Americana, proibindo o Congresso de infringir nada menos que cinco direitos fundamentais relativos ao exercício da liberdade: religião, liberdade de expressão e de pensamento, de imprensa, associação pacífica e o de petição.[15] A primeira emenda, ao consagrar o núcleo duro das liberdades públicas, não apenas explicita o *right of free speech* como ainda o faz, diferentemente da Declaração de 1789, sem qualquer amarra ou limites. Com efeito, a fórmula consagrada foi: "o congresso não fará qualquer lei [...] ab-rogando a liberdade de expressão".

Isso, entretanto, não impediu que sua reverenciada Suprema Corte viesse a limitar o direito de expressão. A teórica conhecida no Direito norte-americano como *fighting words doctrine*, construída a partir de Chaplinsky v. New Hampshire, 315 U.S. 568 (1942), veio a afirmar não estar protegida pelo direito de liberdade de expressão a utilização de palavras que por sua particular expressividade possam incitar uma quebra imediata da paz social.

Parece ser, realmente, inevitável realizar uma calibragem do exercício da liberdade de expressão, pois sua disposição constitucional não permite que se tenha de pronto um exato limite de sua extensão. Por outro lado, sendo ele um direito tão essencial, é um dos que mais imediatamente pode se conflitar com outros tantos direitos também fundamentais, como a proteção à imagem, à honra e à privacidade em geral. Nesse contexto, costuma-se, mais recentemente, falar-se de ponderação na busca de se conciliar valores jurídicos díspares, cujo respeito comum, contudo, se tenta realizar.[16]

A questão, como é sabido, apresentou especial importância na Alemanha e veio a ser pano de fundo, através do caso Lüth, para o desenvolvimento da força vinculante e a eficácia imediata dos direitos fundamentais nas relações privadas (Drittwirkung).[17] Não se vai aqui ingressar em detalhes, suposto ser o caso por demais conhecido. De fato, rios de tinta já correm sobre o assunto sendo desnecessário qualquer comentário adicional no ponto. A referência, portanto, não é para descrever como a questão foi

---

[15] A tradução, livre, do texto: "O Congresso não legislará no sentido de estabelecer uma religião, ou proibindo o livre exercício dos cultos; ou cerceando a liberdade de palavra, ou de imprensa, ou o direito do povo de se reunir pacificamente, e de dirigir ao Governo petições para a reparação de seus agravos".

[16] Cf. ALEXY, Robert. *Teoría de los Derechos Fundamentales*. Trad. de Carlos Bernal Pulido. 2. ed. Madrid: Centro de Estudios Políticos y Constitucionales, 2007.

[17] Embora não deseje fazer no presente artigo qualquer análise mais vertical da *Drittwirkung*, eventuais críticas, a nosso sentir corretas, lhe podem ser dirigidas em razão dos excessos metodológicos que se têm verificado em sua aplicação desde o caso Lüth. Não se nega que possa existir uma comunicação virtuosa entre o Direito Constitucional e o Civil, mas este possui bases epidêmicas próprias e que podem, por sua vez, também influenciar a leitura das normas constitucionais, o que muitas vezes é desprezado. Sobre o assunto, cf.: RODRIGUES JUNIOR, Otavio Luiz. *Direito Civil Contemporâneo*. Estatuto epistemológico, constituição e direitos fundamentais. 2. ed. Rio de Janeiro: Forense Universitária, 2019. *Passim*.

decidida e suas implicações para a teoria dos direitos fundamentais, mas sim para demonstrar a importância do direito de liberdade de expressão e como é difícil limitá-lo no âmbito dogmático.

Como sabido, a Lei Fundamental alemã de 1949 (Grund Gesetz) proclamou em seu art. 5º, alínea 1ª, a liberdade de expressão nos termos seguintes: "toda a pessoa tem o direito de expressar livremente as suas opiniões por palavras, escritos e imagens, além de ser garantido o direito à informação a partir de fontes de acesso geral". Também consignou a liberdade de imprensa e a de se apresentar em filmes e transmissões por espectro de ondas (Rundfunk) – algo bem profético, por sinal.[18] Por outro lado, a alínea 2ª do mesmo art. 5º, a exemplo da Declaração Francesa, proclama que haverá limites a tal direito, o qual se dará para resguardar a proteção de menores e à honra pessoal.

Embora apareçam referências à proteção da juventude e à honra das pessoas como marcos para o exercício da liberdade de expressão, não há – como não poderia haver – uma regra prévia de aplicação sobre qual bem jurídico terá prevalência em caso de eventual confronto entre ambos. Do mesmo modo, seria questão de tempo para que não irrompesse situação concreta onde ambos viessem a se tocar. Esse foi o caso Lüth. A ordem dada pelo Tribunal de Hamburgo, com base no § 826 do Código Civil Alemão (Bürgerliches Gesetzbuch),[19] para que Erich Lüth deixasse de veicular seu boicote a Veit Harlan foi considerada atentatória ao direito previsto no art. 5º, alínea 1ª, da Grund Gesetz.

Como dito antes, as usuais efemérides da decisão voltam-se para o fato de ter sido essa a decisão onde o Tribunal Federal Constitucional alemão (Bundesverfassungsgericht) entendeu ser possível a aplicação direta dos direitos fundamentais no âmbito privado, o que, não se nega, foi uma importante vitória em um contexto dogmático onde o Direito Público e o Privado não se comunicavam.[20] Contudo, o que importa, presentemente, é demonstrar como a opção da Corte foi radical no sentido de dar ao direito de liberdade de expressão um tônus diferenciado dos demais direitos.

Mesmo diante do fato referido, em que a própria Constituição alemã mencionava a possibilidade de a "lei geral" fazer limitações à liberdade de expressão, o Tribunal Constitucional terminou por fazer uma defesa tão feroz de sua importância que praticamente lhe colocou em uma posição de superioridade absoluta, pelo menos em relação às regras constantes da legislação ordinária. Devido à sua importância fundamental para o Estado Democrático, seria ilógico que a Constituição se contentasse com as limitações que lhe são atribuídas pela lei ordinária, vem a concluir a Corte.[21]

Assim, o comando constitucional de natureza contida, na medida em que permite restrições formuladas por leis gerais ou pelos postulados de proteção à honra

---

[18] No mesmo *topos* normativo, consagra-se igualmente a liberdade de imprensa e a vedação a toda forma de censura. No original: "Jeder hat das Recht, seine Meinung in Wort, Schrift und Bild frei zu äußern und zu verbreiten und sich aus allgemein zugänglichen Quellen ungehindert zu unterrichten. Die Pressefreiheit und die Freiheit der Berichterstattung durch Rundfunk und Film werden gewährleistet. Eine Zensur findet nicht statt".

[19] O parágrafo 826 enuncia a cláusula geral da indenização contra os danos, inclusive os de ordem moral, contra a pessoa: "Wer in einer gegen die guten Sitten verstoßenden Weise einem anderen vorsätzlich Schaden zufügt, ist dem anderen zum Ersatz des Schadens verpflichtet".

[20] Cf. QUINT, Peter E. Free Speech and Private Law in German Constitutional Theory, 48 Md. L. Rev. 247 (1989) Disponível em: http://digitalcommons.law.umaryland.edu/mlr/vol48/iss2/3. Acesso em: 21 nov. 2019.

[21] Vide nota 13.

ou à juventude, não importa *per se* a limitação do exercício do direito de liberdade de expressão. Mercê de seu peso e importância na pauta de valores adotada pela Constituição, eventuais restrições a ele teriam que ser buscadas não na regra legal, mas através do balanço dos interesses jurídicos envolvidos.[22]

Como já dito, a ponderação de princípios, a *Drittwirkung* e a *Wechselwirkung*[23] como ferramentas hermenêuticas resultantes de uma nova teoria constitucionalista são reiteradamente destacadas quando se fala do caso Lüth. O que seria interessante observar é que poucos direitos teriam tamanha densidade para se constituírem como pano de fundo para que aflorasse todo esse novo constitucionalismo. De todo modo, no que concerne ao âmbito material da decisão, novamente o que se tem é a reafirmação da sobre-importância do direito à liberdade de expressão com a consequente vedação a toda forma de censura, ainda que mascarada de regra legal.

Volvendo os olhos para o Brasil, é de se mencionar que o Supremo Tribunal Federal, sobretudo nas últimas duas décadas, tem igualmente prestigiado a liberdade de expressão como de resto o fazem suas coirmãs Cortes Constitucionais. Um episódio ocorrido recentemente deixou isso bastante evidente. O caso se referia à busca e apreensão de obras para o público infanto-juvenil com conteúdo homotransexual, as quais estariam sendo divulgadas na Feira Bienal do Livro, ocorrida na cidade do Rio de Janeiro, entre os dias 30 de agosto e 08 de setembro de 2019. Alegou-se que as obras estariam violando os artigos 78 e 79 do Estatuto da Criança e do Adolescente (Lei nº 8.069/90).

O ponto era saber se, na publicação, um beijo de boca dado por dois adolescentes poderia ser considerado como incentivador de uma formação sexual contrária aos princípios erigidos pelo Estatuto. Além de se considerar que a Corte já havia, quando do julgamento das ADI nº 4.277 e ADPF nº 132, dito que a liberdade de dispor do próprio sexo era, ela própria, um direito fundamental, não se podendo ver, a partir daí, qualquer diferença sensível entre um beijo que se dá entre um homem e uma mulher, algo não apenas tolerado como estimulado, e outro que se dá entre homens, a decisão dada na Suspensão de Liminar 1.248/RJ pelo Ministro Presidente assinalou que a construção jurisprudencial mais recente do STF sempre foi no sentido de proteger a liberdade de expressão.

Para tanto, mencionou-se a inconstitucionalidade da antiga lei de imprensa, por possuir preceitos tendentes a restringir a liberdade de expressão de diversas formas (ADPF nº 130); a classificação indicativa das diversões públicas e dos programas de rádio e TV, de competência da União, com natureza meramente indicativa e não determinante (ADI nº 2.404) e a marcha da maconha (ADPF nº 187). Essa última de especial interesse para este trabalho.

---

[22] Carlos Bernal Pulido utiliza-se da expressão, igualmente bela como precisa: *el derecho al libre desarrollo de la personalidad como derecho restringible*. Na prática, a questão é a de saber quais são e como podem ser formalmente realizados os limites para essa restrição (Cf. PULIDO, Carlos Bernal. *El Derecho de los Derechos*. Bogotá: Externado, 2005. p. 253).

[23] Que poderia ser traduzida ao pé da letra como efeito de troca. No caso, isso vem a significar a interação dialética entre tais leis gerais, quando estipulam limites ao direito fundamental, segundo o teor do dispositivo constitucional, e a legitimação, decorrente de um processo interpretativo-constitucional, que deve existir para que haja o reconhecimento do significado axiológico deste direito. Ou seja, pela noção de *Wechselwirkung* se coloca que a legislação ordinária, em especial a civil, precisa ser interpretada, sempre e quando venha a limitar um direito fundamental, de tal forma a garantir que, de algum modo, prevaleça o conteúdo axiológico deste direito.

É que, como sabido, o art. 287 do Código Penal dispõe constituir-se como crime autônomo a apologia de um fato criminoso com as seguintes elementares: fazer, publicamente, apologia de fato criminoso ou de autor de crime. A defesa pública do tóxico, portanto, configuraria a prática criminosa. Nada obstante, entendeu o STF que a questão da liberação da maconha, por estar inserida dentro de um contexto sociopolítico bem mais amplo, estaria protegida pelas liberdades mencionadas no art. 5º da Constituição Federal.

Deu-se, assim, provimento à arguição de descumprimento de preceito fundamental para dar ao artigo 287 do Código Penal interpretação conforme à Constituição, "de forma a excluir qualquer exegese que possa ensejar a criminalização da defesa da legalização das drogas, ou de qualquer substância entorpecente específica, inclusive através de manifestações e eventos públicos".[24]

Note-se que nos dois mencionados casos julgados pela Suprema Corte brasileira, a tensão dialética entre o direito de liberdade de expressão ocorreu em um contexto externo ao Direito Privado. Ou seja, as disposições limitadoras tanto em um como no outro eram de natureza pública. Uma norma de proteção de menores, no primeiro; e um artigo do Código Penal, no segundo. Mesmo assim, prevaleceu a necessidade de afirmação de uma *Wechselwirkung* ainda nesses campos da juridicidade onde interesses maiores de ordem pública poderiam autorizar a restrição à liberdade de expressão.

Em outro caso, contudo, o STF deparou-se com uma situação onde se colocaram em disputa interesses mais privados que públicos: a chamada questão das biografias, ou mais precisamente da necessidade de se exigir o consentimento da pessoa biografada em face do que estipulam os arts. 20 e 21 do Código Civil, os quais asseguram proteção à vida privada e outorgam remédios judiciais para aqueles que a estejam violando a partir da exposição não consentida da imagem, voz ou dos escritos de alguém (ADI nº 4.815). A Suprema Corte considerou que uma biografia sempre diz respeito a uma história de vida que, por definição, ocorre em congregação com os demais membros da sociedade, gerando, portanto, para os demais um legítimo interesse em ter acesso à vida daquele que se mostrou proeminente.

Daí pelo que a conclusão final do STF foi a de "dar interpretação conforme à Constituição aos arts. 20 e 21 do Código Civil, sem redução de texto, para, em consonância com os direitos fundamentais à liberdade de pensamento e de sua expressão, de criação artística, produção científica, declarar inexigível autorização de pessoa biografada relativamente a obras biográficas literárias ou audiovisuais, sendo também desnecessária autorização de pessoas retratadas como coadjuvantes (ou de seus familiares, em caso de pessoas falecidas ou ausentes)".[25]

O interessante, no pertinente, é que a Suprema Corte brasileira alçou o direito de liberdade de expressão, do mesmo modo que o Tribunal Federal Constitucional alemão a um nível de proteção ímpar na ordem jurídica nacional. Nesse sentido, a ementa do julgado enuncia que: "A liberdade é constitucionalmente garantida, não se podendo

---

[24] ADPF 187, Relator(a): Min. CELSO DE MELLO, Tribunal Pleno, julgado em 15.06.2011, ACÓRDÃO ELETRÔNICO DJe-102 DIVULG 28.05.2014 PUBLIC 29.05.2014).

[25] ADI nº 4.815, Relator(a): Min. CÁRMEN LÚCIA, Tribunal Pleno, julgado em 10.06.2015, PROCESSO ELETRÔNICO DJe-018 DIVULG 29.01.2016 PUBLIC 01.02.2016).

anular por outra norma constitucional (inc. IV do art. 60), menos ainda por norma de hierarquia inferior (lei civil), ainda que sob o argumento de se estar a resguardar e proteger outro direito constitucionalmente assegurado". O pronunciamento, nada obstante, parece se chocar com outro precedente da Corte, aquele dado no famoso caso Ellwanger e que será adiante mencionado, onde se veio a prestigiar, por assim dizer, um uso virtuoso da liberdade de expressão.[26]

Seja como for, parece ser certo mesmo que as composições mais recentes do Supremo Tribunal Federal vêm emprestando particular proteção à liberdade de expressão, sobretudo quando se cuida de exercer a censura, seja por que meio for. Assim, ainda na ADI nº 4.815, o Supremo deixou claro que eventuais erros – que podem ser lidos também como excessos – devem ser resolvidos pelo Direito, o que nos remete imediatamente ao Direito Penal, sendo o caso, ou à responsabilidade civil, na maioria das hipóteses, jamais, porém, pela censura.

Nada obstante, para que haja o crime ou o dano, que autoriza o dever de indenizar, é preciso sindicar se o exercício da liberdade de expressão, como se costuma dizer, termina onde começa o direito alheio; ou até mesmo a possibilidade de ofender, pelo menos em determinadas situações, estaria por ele também albergada?

4 Um direito para incomodar...ou mesmo ofender?

É, portanto, manifestamente pacífico nas Cortes Constitucionais modernas que, quando se cuida de reprimir ilícitos civis ou penais relacionados à utilização da liberdade de pensamento, alguma cautela deve ser tomada para que as disposições constitucionais enunciativas de ditas liberdades não fiquem esvaziadas.

Isso é particularmente de se ver quando o pano de fundo envolve pontos de vistas ideológicos, sem granjear diretamente abalo no crédito, na estabilidade econômica, na honra ou moral do indivíduo, enfim que não importe uma sensível lesão ao patrimônio ideal da pessoa.

O direito à liberdade de pensamento e expressão não é garantido apenas quando utilizado para boas práticas. Se algum valor há nele, como dito, é justamente quando se revela incômodo, inconveniente, desconcertante mesmo, se disso não resulta ofensa específica à dignidade de alguém, principalmente quando o alguém é o próprio Estado.

Em definitivo, há de se ter redobradas cautelas ao prospectar limites a seu uso, sobretudo quando o particular se volta contra o Estado, ainda que para externar sentimentos desconexos ou de aleivosia, pois, particularmente aí, a liberdade costuma ofender, dizia Clarice Lispector. Essas ofensas, contudo, não atingem a honra e sim uma conveniência momentânea, não sendo o caso de aprofundar as discussões dentro dessa perspectiva.

---

[26] Esse debate teria grande relevo sobre a doutrina e jurisprudência associada ao *direito ao esquecimento*, a qual não deixar de representar, igualmente, uma tensão dialética entre a liberdade de expressão e a privacidade das pessoas em geral. A questão que se coloca aqui é: pode o tempo, a partir da constatação de que já não existe mais interesse da sociedade em ser informada sobre fatos relacionados à vida de alguém, funcionar como limitador natural da liberdade de expressão?

Existe, parece, uma verdadeira e larga zona cinzenta entre o uso *naïve* da liberdade de expressão e a ofensa sancionada pelas leis gerais. Nela é que a *Wechselwirkung* passa a ser de vital importância, vindo a fornecer, juntamente com o princípio da proporcionalidade, os instrumentos interpretativos para o temperamento mais ajustado das limitações ao direito de livre manifestação.

Uma vez mais olhando para o caso Lüth, observa-se que o BVerfG, ao reverter a decisão do Tribunal de Hamburgo que se apoiava no § 826 do BGB, procurou priorizar o direito de expressão sobre os direitos individuais da pessoa atingida pelos efeitos da manifestação. Erich Lüth convocou os alemães a boicotarem os filmes dirigidos por Veit Harlan, importante diretor de filmes do regime nazista. O Tribunal Federal concluiu que, diante da questão pública subjacente ao teor invectivas de Lüth, deveria prevalecer a liberdade de expressão.

Ainda que com fundamentos diversos, a experiência constitucional norte-americana construiu igualmente a ideia de que no confronto entre a liberdade de manifestação e direitos individuais prevalecerá a primeira enquanto princípio, sempre que estiver em jogo a defesa de valores supraindividuais. As agressões devem, nesse contexto, ser toleradas.

Em Lewis v. New Orleans, 415 U.S. 130 (1974), a Suprema Corte afirmará que uma rigidez acentuada nesse controle inibiria o cidadão de exercer esse direito fundamental. Assim, o uso de palavras de opróbio ou protesto, ainda que bastante incisivo, estaria protegido pela 1ª Emenda (não incidindo na fórmula das *fighting words doctrine*). É necessário apurar se houve estreita motivação ideológica ou sentimental do ato e se ela se justifica dentro do preceito constitucional.

No mesmo sentido parece ser New York Times Co. v. Sullivan, 376 U.S. 254 (1964), onde a Corte pontificará que, para os fins do *tort* de difamação, não basta a mera negligência quando se trata de funcionário público. A condição de agente do Estado deixa naturalmente o detentor do cargo numa posição mais exposta, devendo tolerar eventuais comentários depreciativos a sua pessoa mercê da blindagem que a 1ª Emenda dá ao cidadão. Assim, somente em casos onde é comprovado o que foi denominado de *actual malice*, uma espécie qualificada de dolo, ainda que eventual, onde o ofensor tem conhecimento da falsidade e ainda assim profere a ofensa, é que se poderia indenizar o funcionário pelo comentário injurioso que lhe é formulado.

Por não existir – como no Brasil – uma definição precisa do que sejam assuntos de natureza pública, a Suprema Corte dos Estados Unidos, em sua sedimentada construção jurisprudencial, entende que todo e qualquer pronunciamento sobre questões de ordem política, social ou que de alguma maneira digam respeito à comunidade exprimem interesse público, como em Connick v. Myers, 461 U. S. 146 (1983).

Um dos últimos casos examinados por esta prestigiada Corte Judiciária foi Snyder v. Phelps, 562 U.S. 443 (2011). Tratou-se de uma demanda de responsabilidade civil movida pelo pai de um cabo fuzileiro naval falecido na guerra do Iraque contra o pastor Phelps e sua igreja evangélica. O militar era homossexual e os religiosos organizaram uma manifestação em seu enterro para protestar contra o que achavam ser uma excessiva tolerância do governo americano com sua opção sexual.

Phelps e seus seguidores cumpriram com todas as determinações da autoridade pública e não provocaram violência, porém trouxeram cartazes com frases ofensivas aos soldados homossexuais. Posteriormente, postaram em sua página na internet afirmações desrespeitosas ao soldado morto e a seus pais em razão de estes professarem a fé católica.

A Suprema Corte entendeu que, nada obstante o excesso, era muito visível que as palavras foram desferidas tendo por pano de fundo uma convicção ideológica que iria além do simples ato de ofender. O Tribunal, através do voto condutor de seu Presidente (John G. Roberts), foi enfático em destacar que, no âmbito privado, a proteção conferida pela 1ª Emenda é bem menor, pois, nessa hipótese, não haveria qualquer ameaça de dano à liberdade individual, muito menos censura. Nada obstante, vindo a ofensa em um contexto de debate concernente a assuntos de ordem pública (*matters of public interest*), a conclusão seria diversa.

As conclusões da Suprema Corte norte-americana em Snyder v. Phelps parecem estar em conformidade, também, com os *standards* adotados pela própria Constituição brasileira. Desse modo, o preceito constitucional tem incidência para proteger o indivíduo e não apenas quando envolver o direito de imprensa e manifestação.[27] Assim, palavra ofensiva ou desrespeitosa não gera direito à indenização quando proferida dentro da grande arena dos debates públicos.

Se as conclusões de Snyder v. Phelps estão corretas, o que particularmente se acredita, então, ao fim e ao cabo, é possível falar de uma legitimação do chamado discurso de ódio, como se costuma denominar no Brasil, o que outra coisa não é que a *fighting words doctrine*. Por conseguinte, também se devem refrear as posições que incomodam certos grupos de interesse. Vale dizer, que não seja o direito de liberdade de expressão usado apenas quando conveniente. Isso seria, no mínimo, hipócrita.

Se o direito de expressar livremente pôde ser utilizado para validar a apologia de fatos criminosos (marcha da maconha), autorizar o não recolhimento de um beijo juvenil homoafetivo (Bienal do livro), permitir biografias com eventuais fatos inverídicos (caso das biografias), por que não considerar como penalmente indiferente aquele que defende um discurso embora moralmente degradante, mas inserido no contexto de um debate público? Por mais adjeto que possa parecer, se há liberdade até mesmo para fazer proselitismo de fatos penalmente tipificados... então que não haja meio-termo.[28]

---

[27] Que constituem formas peculiares e extensivas da liberdade de expressão e em relação aos quais já existe sólida opinião formada no Supremo Tribunal brasileiro sobre sua maior capacidade de intrusão sobre interesses individuais. Com efeito, no que se refere à imprensa, o STF, na paradigmática ADPF nº 130, sendo relator o Ministro Carlos Ayres Britto, destacou *a liberdade de imprensa como reforço para a sobretutela das liberdades de manifestação e pensamento*, agregando que, nos termos do art. 220 da CF, sua densidade constitucional seria ainda superior à liberdade de pensamento prevista no art. 5º diante da vedação ao anonimato: "Assim visualizada como verdadeira irmã siamesa da democracia, a imprensa passa a desfrutar de uma liberdade de atuação ainda maior que a liberdade de pensamento, de informação e de expressão dos indivíduos em si mesmos considerados. O §5º do art. 220 apresenta-se como norma constitucional de concretização de um pluralismo finalmente compreendido como fundamento das sociedades autenticamente democráticas".

[28] Nesse sentido, em artigo escrito sobre uma lei (Lei nº 10.167, de 27 de dezembro de 2000) que proibia qualquer propaganda comercial de cigarros do rádio, da televisão e da imprensa, além de outros meios, para permiti-la apenas em *pôsteres, painéis e cartazes na parte interna dos locais de venda*, Luís Roberto Barroso, em nome da liberdade de expressão, dirá que, nada obstante ser o cigarro um "produto controvertido, sendo associado a diversos problemas de saúde", um quase pária da sociedade atual, nem mesmo isso poderia justificar tal medida: "Em todos os tempos e em todos os lugares, a censura jamais se apresenta como instrumento da intolerância, da prepotência ou de outras perversões ocultas. Ao contrário: de regra, ela destrói em nome da segurança, da moral, da família, dos bons costumes. Na prática, todavia, ela oscila entre o arbítrio, o capricho, o preconceito e o ridículo. Assim é porque sempre foi" (BARROSO, Luís Roberto. Liberdade de expressão, direito à informação e banimento da publicidade de cigarro. *Revista de Direito Administrativo*, Rio de Janeiro, v. 224, p. 31-50, abr.

No conhecido caso Ellwanger, o Supremo consignou que a liberdade de expressão não é realmente um direito absoluto, não sendo contrária ao texto constitucional a sanção de condutas atentatórias a determinados bens ou interesses jurídicos. O caso que a Corte sindicou, como é amplamente conhecido, era de um autor e editor de livros que publicava livros de caráter antissemita, propondo abertamente um revisionismo histórico tendente a negar o holocausto judeu sob o julgo nazista. Ellwanger fora condenado pelo crime do art. 20 da Lei nº 7.716/1989, com a redação dada pela Lei nº 8.081/90 (racismo).

Por uma maioria ampla, sete a três, o Ministro Relator Maurício Corrêa consignou, de modo mais panfletário que técnico, uma preocupante limitação à liberdade de expressão: a edição e publicação de fatos não verdadeiros – dentre eles os tendentes a negar o Holocausto – não estariam abrangidas pela liberdade de expressão, pois, como no caso do povo judeu, poderiam incitar atos ou manifestações discriminatórias.[29] Com a devida vênia, parecem equivocadas as conclusões da Corte nesse paradigmático julgamento, a qual, como é fácil perceber, valeu-se ainda que não intencionalmente da *fighting words doctrine* para denegar o *Habeas Corpus*.

Não se está, se esclareça logo de início, concordando com as ideias inconsequentes de Ellwanger, mas, se o que ele fez foi apenas reeditar livros históricos como o Protocolo dos Sábios do Sião e o Mein Kampf, além de defender tais ideias, claro, com argumentos mais delirantes que reais, sem proferir, ao que consta, palavras de ódio racial – note-se que a própria ementa do julgado fala em "equivalência à incitação ao discrímen" –, não estaria a conduta imunizada pela liberdade de expressão? De todo modo, tal julgamento parece mais ser histórico e pontual, considerando a ampla produção jurisprudencial que se seguiu, como já apontado.[30]

Para que não restem, então, dúvidas sobre a posição atual do STF a favor da liberdade de expressão, convém, por último, mencionar um debate bastante presente na agenda nacional: as ditas *fake news* (notícias falsas) ou mesmo o chamado discurso de ódio. Pode a liberdade de expressão ser usada para dizer mentiras ou ofender?

2001. ISSN 2238-5177. Disponível em: http://bibliotecadigital.fgv.br/ojs/index.php/rda/article/view/47757/45471. Acesso em: 03 dez. 2019. DOI: http://dx.doi.org/10.12660/rda.v224.2001.47757).

[29] Diz ainda a Ementa do julgado: "[...] 13. Liberdade de expressão. Garantia constitucional que não se tem como absoluta. Limites morais e jurídicos. O direito à livre expressão não pode abrigar, em sua abrangência, manifestações de conteúdo imoral que implicam ilicitude penal. 14. As liberdades públicas não são incondicionais, por isso devem ser exercidas de maneira harmônica, observados os limites definidos na própria Constituição Federal (CF, artigo 5º, §2º, primeira parte). O preceito fundamental de liberdade de expressão não consagra o "direito à incitação ao racismo", dado que um direito individual não pode constituir-se em salvaguarda de condutas ilícitas, como sucede com os delitos contra a honra. Prevalência dos princípios da dignidade da pessoa humana e da igualdade jurídica." (STF. HC 82424, Relator(a): Min. MOREIRA ALVES, Relator(a) p/ Acórdão: Min. MAURÍCIO CORRÊA, Tribunal Pleno, julgado em 17.09.2003, DJ 19.03.2004 PP-00017 EMENT VOL-02144-03 PP-00524).

[30] É de se considerar, contudo, que o caso espelha situação idêntica à que é descrita na Alemanha como a da "criminalização de condutas que negam o Holocausto". O tema é altamente controverso. O Código Penal alemão (*Strafgesetzbuch*) atualmente considera crime a manifestação de apreço, o que negue ou pelo menos atenue os efeitos dos atos praticados durante o regime nacional-socialista (§130, 3), ou ainda viole a dignidade de suas vítimas aprovando, glorificando, ou justificando o regime nacional-socialista (§130, 4). Outros países europeus, contudo, rejeitaram a proposta precisamente sob o fundamento de que violaria o direito de liberdade de expressão. Entre eles, a Grã-Bretanha, a Holanda e a Itália. Finalmente, na Espanha, uma lei aprovada nesse mesmo sentido, a qual foi considerada inconstitucional por seu Tribunal Constitucional. A *sentença* da Corte espanhola se acha disponível em: https://web.archive.org/web/20080215233053/http://www.tribunalconstitucional.es/jurisprudencia/Stc2007/STC2007-5152-2000.html#. Acesso em: 29 nov. 2019.

A resposta, por mais chocante que possa parecer, contudo, é sim. Isso é o que se deduz corretamente do julgamento recentemente ocorrido no Supremo Tribunal Federal sobre a constitucionalidade de parte dos incisos II e III (na parte impugnada) do artigo 45 da Lei nº 9.504/1997, com a redação que lhe deu a Lei nº 13.165, de 2015.

As conclusões obtidas na ADI nº 4.451, por sinal, apresentam clara correspondência com Snyder v. Phelps. O caso desafiava a seguinte disposição restritiva: "Encerrado o prazo para a realização das convenções no ano das eleições, é vedado às emissoras de rádio e televisão, em sua programação normal e em seu noticiário […] I - transmitir, ainda que sob a forma de entrevista jornalística, imagens de realização de pesquisa ou qualquer outro tipo de consulta popular de natureza eleitoral em que seja possível identificar o entrevistado ou em que haja manipulação de dados; II - usar trucagem, montagem ou outro recurso de áudio ou vídeo que, de qualquer forma, degradem ou ridicularizem candidato, partido ou coligação, ou produzir ou veicular programa com esse efeito".

Uma vez mais, a questão do uso salvífico da verdade contra a liberdade de manifestação em seu sentido mais verdadeiro teve lugar. No contexto, contudo, seria até possível dizer que a limitação imposta ao uso da liberdade teria alguma justificativa valorativa de significado: evitar a deturpação daquele que é o momento maior de uma democracia: o processo eletivo. Ainda assim, em decisão que nos parece absolutamente correta, o Supremo Tribunal Federal considerou que: "O direito fundamental à liberdade de expressão não se direciona somente a proteger as opiniões supostamente verdadeiras, admiráveis ou convencionais, mas também aquelas que são duvidosas, exageradas, condenáveis, satíricas, humorísticas, bem como as não compartilhadas pelas maiorias. Ressalte-se que, mesmo as declarações errôneas, estão sob a guarda dessa garantia constitucional".[31]

A parte final da citação é balsâmica e se complementa com as conclusões a que a Corte inferiu no caso das biografias já mencionado aqui (ADI nº 4.815): até mesmo palavra enganosa, até mesmo o discurso rude e desqualificado, tudo isso se encontra alcançado pelo direito de liberdade de expressão, que somente se transforma em direito fundamental quando se apresenta como desconcertante e capaz de nos arrastar para o debate mais radical de opiniões. Se os princípios (e direitos ditos fundamentais) só valem realmente quando incomodam, eis aqui um que foi imaginado exatamente para esse propósito.

5 Conclusão

Parece existir uma categoria de direitos fundamentais para que o cidadão possa resistir e preservar-se do Estado, o qual, onipresente e poderoso, não raro suprime suas liberdades. Contudo, dentro dessa mesma plêiade de direitos, há aqueles que, embora pensados na defesa do indivíduo, constituem-se como uma poderosa ferramenta para que o cidadão se projete na ágora e possa, assim, até mesmo influir, num sistema democrático, claro, nos rumos do próprio Estado. Essa dupla eficácia provavelmente venha a ser o que

---

[31] ADI nº 4.451, Relator(a): Min. ALEXANDRE DE MORAES, Tribunal Pleno, julgado em 21.06.2018, PROCESSO ELETRÔNICO DJe-044 DIVULG 01.03.2019 PUBLIC 06.03.2019.

torna o direito de liberdade de expressão tão essencial e tão indispensável a qualquer governo que deseje ser chamado de livre.

Calar o cidadão é convertê-lo, como disse em certa ocasião George Washington, em ovelha muda e servil que assim caminha para o abate. Porém, claro, passou-se a época (passou mesmo?) da supressão do direito de livre manifestação ser feita *manu militari*, a exemplo dos regimes fascistas que dominaram o cenário global nas décadas de 30 e 40 do século passado, bem como, até hoje, em várias regiões do planeta.

A tentativa de abrandar o direito de livre manifestação, com efeito, é feita atualmente de modo mais refinado e sutil: por meio da difusão da ideia de que ele não deva subsistir quando associado a práticas indevidas ou que possam colidir com valores tão queridos pela ordem constitucional como a harmonia, a paz social e, claro, a sacrossanta moral familiar ou das instituições (alguns deles, por sinal, incorporados nos textos jurídicos dos regimes já mencionados, não?). Isso está correto, certo? Não se pode usar um direito para agredir o direito outro, não é? Afinal "meu direito termina quando começa o do próximo", sim?

Não. Nada mais incorreto. A democracia, por definição, é o governo do dissenso.[32] O consenso é possivelmente o começo da morte de uma democracia. Se ele vier, é de maneira colateral e, se possível, pontual. A democracia se forma no palco da divergência, da tensão dialética de ideias, não importa se boas ou más. Só no torvelinho das opiniões sejam corretas ou incorretas, edificantes ou detratoras, polidas ou rudes, de cunho gregário ou de secessão, pacíficas ou belicosas, é que se pode construir uma sociedade mais justa, adequada e transparente.

Correta a postura de nosso Supremo Tribunal quando finca posição no respeito a tal liberdade, no que se espera seja a augusta Corte sempre coerente. E que os excessos não sejam motivo para temê-lo. Excessos, como ensina a lógica clássica, são formas de corrupção da essência e não se altera a essência pela corrupção, mas, sim, se corrige a corrupção pela essência. Que se corrijam pelo Direito, como bem ponderou a Ministra Cármen Lúcia na ADI nº 4.815, estando aí a responsabilidade civil para tais fins. A censura, no entanto, é tão intolerável como perniciosa, sobretudo quando travestida de bons propósitos, porque, como já dito, se torna além de tudo hipócrita.

Referências

ALEXY, Robert. *Teoría de los Derechos Fundamentales*. Trad. de Carlos Bernal Pulido. 2. ed. Madrid: Centro de Estudios Políticos y Constitucionales, 2007.

AMARANTE, Aparecida I. *Responsabilidade Civil por Dano à Honra*. 5. ed. Belo Horizonte: Del Rey, 2001.

BARROSO, Luís Roberto. Liberdade de expressão, direito à informação e banimento da publicidade de cigarro. *Revista de Direito Administrativo*, Rio de Janeiro, v. 224, p. 31-50, abr. 2001. ISSN 2238-5177. Disponível em: http://bibliotecadigital.fgv.br/ojs/index.php/rda/article/view/47757/45471. Acesso em: 03 dez. 2019. DOI: http://dx.doi.org/10.12660/rda.v224.2001.47757.

---

[32] Expressão cunhada por Carlos Rebelo Júnior na palestra: MERCOSUR y vigencia normativa multinivel. Avatares geopolíticos. Proferida na Faculdade de Direito de Buenos Aires, em 25 de setembro de 2019.

BONAVIDES, Paulo. *Direito Constitucional*. 19. ed. São Paulo: Malheiros, 2006.

CONSTANT, Benjamin. *Écrits Politiques*. Paris: Gallimard, 1996.

EMERSON, Thomas I. What makes freedom of Speech special? *In:* WERHAN, Keith (Coord.). *Freedom of Speech*. A reference guide to the united states constitution. Westport: Praeger, 2004. p. 27-42.

FOUCAULT, Michel. *Discorso e Verità nella Grecia Antica*. Trad. de Adelina Galeotti. Roma: Donzelli, 2005.

LEAL, Victor Nunes. *Coronelismo, Enxada e Voto*. O município e o regime representativo no Brasil. 7. ed. São Paulo: Companhia das Letras, 2012.

NUSSBAUM, Martha Craven. *Liberty of Conscience*. In defense of America's tradition of religious equality. New York: Basic Books, 2008.

PICO DELLA MIRANDOLA. *Discurso sobre a Dignidade do Homem*. Trad. Maria de Lurdes Sirgado Ganho. Lisboa: Edições 70, 1989.

PULIDO, Carlos Bernal. *El Derecho de los Derechos*. Bogotá: Externado, 2005.

QUINT, Peter E. Free Speech and Private Law in German Constitutional Theory , 48 Md. L. Rev. 247 (1989) Disponível em http://digitalcommons.law.umaryland.edu/mlr/vol48/iss2/3. Acesso em: 21 nov. 2019.

RODRIGUES JUNIOR, Otavio Luiz. *Direito Civil Contemporâneo*. Estatuto epistemológico, constituição e direitos fundamentais. 2. ed. Rio de Janeiro: Forense Universitária, 2019.

SCHWABE, Jürgen; MARTINS, Leonardo; WOISCHINK, Jan. *Cinquenta Anos de Jurisprudência do Tribunal Constitucional Federal Alemão*. Montevideo: Fundación Konrad-Adenauer, 2005.

TUCÍDIDES. *Comentário à Guerra do Peloponeso*. Trad. de Mário da Gama Kury. 4. ed. São Paulo: Imprensa Oficial do Estado de São Paulo, 2001.

VORLÄNDER, Hans. *Demokratie*. Geschichte, formen, theorien. München : Beck, 2003.

REVISTA ESPECIALIZADA:

Harvard Law Review Vol. 117, No. 8 (Jun., 2004), p. 2777-2784 Published by: The Harvard Law Review Association; Article Stable URL: http://www.jstor.org/stable/4093417.

Informação bibliográfica deste texto, conforme a NBR 6023:2018 da Associação Brasileira de Normas Técnicas (ABNT):

CARRÁ, Bruno Leonardo Câmara; CASTRO, Kamile. A liberdade de expressão: um direito de ofender? *In*: COSTA, Daniel Castro Gomes da; FONSECA, Reynaldo Soares da; BANHOS, Sérgio Silveira; CARVALHO NETO, Tarcisio Vieira de (Coord.). *Democracia, justiça e cidadania*: desafios e perspectivas. Homenagem ao Ministro Luís Roberto Barroso. Belo Horizonte: Fórum, 2020. p. 389-404. t. 2: Pensando as instituições, a justiça e o Direito. ISBN 978-85-450-0749-4.

O CRESCIMENTO DOS *HABEAS CORPUS* NO SUPERIOR TRIBUNAL DE JUSTIÇA

SEBASTIÃO ALVES DOS REIS JÚNIOR

Em um levantamento feito a partir de 2013, é possível constatar que a distribuição de *habeas corpus* (e de recursos em *habeas corpus*), nos últimos anos, tem tido um aumento crescente. De 2013 para 2019, o número de processos mais que dobrou:

2013 – 32.432 (2.702,66 por mês)
2014 – 38.132 (3.177,66 por mês)
2015 – 44.871 (3.739,25 por mês)
2016 – 50.489 (4.207,41 por mês)
2017 – 61.102 (5.091,83 por mês)
2018 – 68.971 (5.747,58 por mês)

Em 2019, até setembro, já tinham sido distribuídos 49.158 *habeas corpus* (em 2018, no mesmo período, haviam sido distribuídos 40.088; 34.470, em 2017; 27.697, em 2016; 24.396, em 2015; 19.451, em 2014; e 16.942, em 2013). Somando os 11.403 recursos em *habeas corpus* distribuídos no mesmo período temos, em 2019, um total de 60.561, o que nos dá uma média de 6.739 processos por mês, quase três vezes em relação à média de 2013.

Sempre me perguntam a razão para esse aumento absurdo de processos e, considerando a minha experiência como Ministro do Superior Tribunal de Justiça, posso sugerir várias. Não há um motivo único. Da mesma forma que não há uma solução única para esse problema.

A primeira das razões, não necessariamente a principal, é a antecipação da execução da pena para logo após o exaurimento das instâncias ordinárias.

Questões que antigamente poderiam ser discutidas por meio dos recursos próprios (recurso especial e extraordinário) passaram a ser objeto de questionamento, muitas vezes, concomitantemente ao recurso especial, também por *habeas corpus*, tendo em vista o, agora justificado, receio de que o cumprimento da pena se inicie antes do trânsito em julgado.

A intenção principal nessas impetrações não é necessariamente a absolvição, já que é sabido que a discussão de fatos é inviável no âmbito desse remédio constitucional, mas, sim, a alteração da dosimetria da pena e/ou do regime imposto para o seu cumprimento, questões que afetam diretamente a sua execução e que, por isso, não podem esperar, na maioria das vezes, o lento e demorado percurso de um recurso especial ou extraordinário.

Se adotado o caminho comum – recurso especial –, este, quando resolvido, por mais rápido que seja a sua apreciação no âmbito do Tribunal local (admissibilidade) e do Superior Tribunal de Justiça ou no Supremo Tribunal Federal (mérito), certamente, se exitoso, não impedirá o cumprimento da pena ou, pelo menos, parte dela, em regime inadequado.

No momento em que escrevo o presente texto me deparo com a seguinte notícia no *site* do UOL: "Jovem flagrada com 4 g de maconha é condenada a quase 2 anos de prisão".[1]

A notícia dá a ideia clara do motivo pelo qual o *habeas corpus* hoje está sendo usado com tanta frequência, não sendo possível a espera pelo resultado de um eventual recurso especial. Nesse caso, a ré havia, em primeira instância, sido condenada a 8 anos e 10 meses de prisão após ser presa com *4 g de maconha*. Foi condenada por tráfico e associação para o tráfico. O Tribunal, por maioria, reformou a sentença e excluiu a condenação por associação, mas manteve aquela por tráfico. A pena final ficou em 1 ano, 11 meses e 10 dias (considerou-se, ainda, que o tráfico havia ocorrido nas proximidades de uma escola, o que autorizou a incidência de uma causa de aumento de pena). *E, pior, determinou-se, também, o imediato cumprimento da pena quando do esgotamento das vias ordinárias em regime fechado.*

Ora, o regime fechado obrigatório já foi declarado inconstitucional pelo STF há vários anos e, consequentemente, há a possibilidade concreta de a decisão, pelo menos nesse particular, ser reformada. Se não houver o uso do *habeas corpus* e com a determinação do imediato cumprimento da pena, a jovem condenada certamente ficará presa enquanto os recursos especial e extraordinário estiverem sendo processados, o que demorará alguns meses. Cumprirá ela, portanto, a pena, ou parte dela, em um regime que não é o devido. O *writ*, tendo em vista a sua celeridade, certamente será utilizado para impedir que tal situação ocorra.

Não posso, ainda, deixar de registrar que, ao contrário de pessoas abonadas, réus, como essa paciente, dependem ou da defensoria pública ou de advogados dativos ou de advogados sem quase nenhuma experiência no trato de recursos especiais.

São vários os *habeas corpus* concedidos no Superior Tribunal de Justiça, em que a pena e o regime são corrigidos de modo a impedir o cumprimento de uma pena em um regime inadequado.

Acrescento, ainda, que, além das hipóteses em que se discute a questão da pena e do regime, é comum se discutirem vícios processuais que possam ter como causa a nulidade de decisões condenatórias e, consequentemente, afastar a condenação a ser cumprida. Nesses casos também há, muitas vezes, certa urgência em se discutir essas questões no Superior Tribunal de Justiça, considerando que o rito, como já dito, demorado dos recursos extraordinário e especial pode impor um cumprimento de pena indevida.[2]

---

[1] Disponível em: https://noticias.uol.com.br/cotidiano/ultimas-noticias/2019/10/31/jovem-flagrada-com-4g-de-maconha-e-condenada-a-quase-2-anos-de-prisao.htm.

[2] "2. A teor do disposto no §4º do art. 33 da Lei n. 11.343/2006, os condenados pelo crime de tráfico de drogas terão a pena reduzida, de um sexto a dois terços, quando forem reconhecidamente primários, possuírem bons

Todo esse contexto impõe, muitas vezes, que a parte se utilize do *habeas corpus* para discutir antecipadamente questões cruciais que possam interferir no cumprimento da pena.

Uma segunda questão importante e de extrema relevância se refere à recusa das instâncias ordinárias em seguir as orientações firmadas pelas Cortes Superiores. Questões há muito pacificadas no âmbito do Supremo Tribunal Federal e do Superior Tribunal de Justiça continuam sendo decididas nas instâncias ordinárias de forma diferente. Há uma recusa, não silenciosa ou tácita, mas barulhenta e expressa, em se cumprir a orientação firmada tanto pelo STF como pelo STJ.[3]

É evidente que tal insistência das instâncias ordinárias em não seguir a orientação firmada pelas Cortes que detêm a competência constitucional para definir a melhor interpretação da lei e da Constituição dá causa à utilização cada vez mais intensa do *habeas corpus*.

Aliás, nesse ponto, é importante voltar ao caso de São Paulo, citado no início deste artigo. Lá, segundo a notícia publicada, ficaram claros não só a desobediência aos precedentes do STF e do STJ como também o fato de que esse não alinhamento é consciente. Consta da notícia que um dos julgadores disse que "o Supremo é o tribunal que tem o direito de errar por último".

Aqui não posso deixar de destacar que a existência de questões não pacificadas no âmbito dos Tribunais Superiores (tanto no STF quanto no STJ), também, tendo em vista a insegurança jurídica que advém dessa permanente divergência, provoca o uso do *habeas corpus*.

---

antecedentes e não se dedicarem a atividades criminosas ou integrarem organizações criminosas. 3. Na falta de parâmetros legais para se fixar o quantum dessa redução, os Tribunais Superiores decidiram que a quantidade e a natureza da droga apreendida, além das demais circunstâncias do delito, podem servir para a modulação de tal índice ou até mesmo para impedir a sua aplicação, quando evidenciarem o envolvimento habitual do agente no comércio ilícito de entorpecentes. Precedentes. 4. *Hipótese em que, à míngua de elementos probatórios que indiquem a habitualidade delitiva do paciente, e considerando sua primariedade e seus bons antecedentes, impõe-se a aplicação do redutor do art. 33, §4º, da Lei n. 11.343/2006 no máximo legal, sobretudo porque não é expressiva a quantidade de droga apreendida (42,32 g de maconha e 2,80 g de cocaína).* 5. Estabelecida a pena em patamar inferior a 4 anos, verificada a primariedade do agente e sendo favoráveis as circunstâncias do art. 59 do CP, o regime inicial aberto é o adequado à prevenção e à reparação do delito, nos termos do art. 33, §2º, "c", do Código Penal. 6. Preenchidos os requisitos legais do art. 44 do Código Penal, é cabível a substituição da pena privativa de liberdade por restritiva de direitos. 7. Habeas corpus não conhecido. Ordem concedida, de ofício, para fazer incidir a causa de diminuição de pena do art. 33, § 4º, da Lei n. 11.343/2006 no grau máximo, redimensionando a pena do paciente para 1 ano e 8 meses de reclusão mais 166 dias-multa, bem como para estabelecer o regime aberto e substituir a pena privativa de liberdade por restritivas de direito, a serem definidas pelo Juízo Execução (HC n. 536.429/MG, Ministro Ribeiro Dantas, Quinta Turma, DJe 29.10.2019).

[3] "7. Acompanhando o entendimento firmado pelo Plenário do Supremo Tribunal Federal, nos autos do Habeas Corpus n. 118.533/MS, a Quinta e a Sexta Turmas deste Superior Tribunal de Justiça, revendo posição anterior, passaram a adotar orientação no sentido de que o crime de tráfico privilegiado de drogas não tem natureza hedionda. 8. Habeas corpus não conhecido. *Ordem concedida, de ofício, para estabelecer o regime semiaberto para início da pena reclusiva, afastado o caráter hediondo do delito*" (HC n. 513.752/SP, Ministro Ribeiro Dantas, Quinta Turma, DJe 20.08.2019 – grifo nosso).

"1. *A obrigatoriedade do regime inicial fechado aos sentenciados por crimes hediondos e os a eles equiparados não mais subsiste, diante da declaração de inconstitucionalidade do § 1º do art. 2º da Lei n. 8.072/1990, pelo Supremo Tribunal Federal, no julgamento do HC n. 111.840/ES. 2. No caso, o modo mais gravoso (fechado) foi imposto com base em mera fundamentação ope legis, decorrente de norma já declarada inconstitucional, o que não é admissível segundo reiterada jurisprudência deste Superior Tribunal de Justiça. Dessa forma, estabelecida a pena final em patamar inferior a 4 anos, verificada a primariedade do agente e a análise favorável das circunstâncias judiciais, o regime aberto é o adequado para o cumprimento da pena reclusiva, de acordo com o disposto no art. 33, §2º, alínea "c", do Código Penal. Do mesmo modo, pelas mesmas razões, mostra-se recomendável a substituição da pena privativa de liberdade por restritiva de direitos, a ser definida pelo Juízo de primeiro grau, nos termos do art. 44 do CP*" (AgRg no HC n. 515.251/SP, Ministro Ribeiro Dantas, Quinta Turma, DJe 19.08.2019 – grifo nosso).

Não havendo certeza quanto ao resultado do exame pelos Tribunais Superiores acerca de determinada tese jurídica, é evidente que a parte, visando à proteção de sua liberdade, provocará sempre a manifestação do Poder Judiciário. Da mesma forma, faltará às instâncias ordinárias um norte a seguir, o que permitirá um sem-número de decisões divergentes.

Posso citar aqui, como exemplo, o termo inicial da prescrição que, para a Primeira Turma do STF, dá-se quando do trânsito em julgado tanto para a acusação como para a defesa (RE n. 696.533/SC, Ministro Roberto Barroso, DJe 5.3.2018), enquanto, para a Segunda Turma, dá-se após o trânsito em julgado para a acusação (HC n. 113.715/DF, Ministra Cármen Lúcia, DJe 28.5.2013). Aqui é importante salientar que o Superior Tribunal de Justiça já firmou o entendimento nos mesmos termos daquele adotado pela Segunda Turma do STF: AgRg nos EAREsp n. 908.359/MG, Ministro Nefi Cordeiro, Terceira Seção, DJe 2.10.2018.

Prossigo na identificação de outras razões. Considerando que, por princípio, o *habeas corpus* visa à proteção à liberdade, é natural que um número elevado de prisões preventivas vá provocar um aumento na utilização desse remédio constitucional. Desse quadro, temos duas situações distintas.

A primeira, em que a própria prisão é inadequada, é excessiva, desproporcional ao quadro concreto.

Isso ocorre com frequência naquelas circunstâncias em que o crime é de pequena monta, sem maiores consequências e o acusado primário, sem antecedentes, ou mesmo em situações mais graves, medidas cautelares diversas da prisão previstas no art. 319 do Código de Processo Penal seriam suficientes para assegurar a ordem pública e econômica, a conveniência da instrução criminal ou a aplicação da lei penal.

Infelizmente, o que se constata é que essas medidas não são usadas com a frequência ideal. A prisão continua sendo a opção primeira tanto do órgão acusador quanto do juiz da causa. Mesmo em situações em que é patente o seu excesso, tal reprimenda é adotada como regra, sendo praticamente desconsiderada a possibilidade de se impor uma ou algumas das cautelares previstas no art. 319 do Código de Processo Penal.[4]

---

[4] "1. *A prisão preventiva é medida excepcional e se revela como última providência a ser adotada, pelo período estritamente necessário, somente quando as demais cautelas não se mostrarem adequadas ou suficientes. A prisão preventiva somente se legitima em situações em que ela for o único meio eficiente para preservar os valores jurídicos que a lei penal visa proteger.* 2. Embora o paciente tenha sido flagrado com 29 porções de maconha, embaladas individualmente, pesando 75 g, 1 tesoura, 3 facas, 3 rolos de plástico, 2 pacotes de saquinho plástico, 1 caixa aberta de seda, 1 caderno com anotações, 1 dechavador, além de R$ 74,00 (setenta e quatro reais) em dinheiro, tais circunstâncias não justificam a medida extrema da prisão. Indicam a ocorrência de usual tráfico de drogas, mas não evidenciam uma gravidade exacerbada do delito. 3. É desproporcional impor a *prisão preventiva, sobretudo quando se trata de pessoa sabidamente primária, com residência fixa, sem indicativo de envolvimento com o crime organizado ou com facção criminosa e a quantidade de maconha* não é expressiva, substância, aliás, conhecida por sua menor nocividade em relação às demais. 4. Ordem concedida, confirmando-se os termos da decisão liminar de substituição da prisão preventiva do paciente por medidas cautelares a serem fixadas pelo Juízo de origem, sem prejuízo de decretação da prisão preventiva em caso de descumprimento de qualquer das obrigações impostas por força das cautelares ou de superveniência de motivos concretos para tanto" (HC n. 524.487/SP, da minha relatoria, Sexta Turma, DJe 8.10.2019 – grifo nosso).
"1. Diz a jurisprudência do Superior Tribunal de Justiça que toda prisão imposta ou mantida antes do fim da jurisdição ordinária, por ser medida de índole excepcional, deve vir sempre baseada em fundamentação concreta, isto é, em elementos vinculados à realidade. 2. *No caso, a fundamentação utilizada pelo Magistrado de piso não é suficiente porque, em tais casos, o argumento da contemporaneidade dos fatos imputados e da necessidade da*

E uma segunda situação se apresenta em razão da falta de hábito de revisão da prisão ao longo do feito devido a mudanças das situações fáticas existentes por ocasião da prisão. A prisão preventiva não é uma situação definitiva que deva, necessariamente, perdurar por todo o processo. Se o quadro fático que a autorizou se modificou ao longo do tempo, é possível, sim, a sua substituição por medidas cautelares. Assim já decidiu o Superior Tribunal de Justiça.[5]

---

segregação cautelar extrema pode ser superado por meio da imposição de medidas cautelares outras, não menos rígidas e não menos eficientes para evitar a reiteração delitiva. 3. Ademais, os pacientes e as empresas envolvidas já tiveram ativos e bens bloqueados em outra ação penal. 4. Em situação semelhante à presente, inclusive em que os fatos envolvidos se relacionavam ao Rio de Janeiro e ao seu ex-Governador Sérgio Cabral, na qual a prisão aparentava ser desproporcional, a Sexta Turma já optou por impor, em lugar da prisão, outras cautelas. Precedente. 5. Evidenciado que a organização criminosa já teve seus integrantes identificados, bem como esclarecido o seu modo de agir, o risco apontado pode ser combatido com cautelares outras, suficiente a evitar a reiteração criminosa. 6. Imprescindível, no caso, a demonstração inequívoca de que os agentes poderiam, de alguma forma, contribuir danosamente para o regular andamento da investigação criminal ou mesmo de futura ação penal. 7. Importante salientar que, com o advento da Lei n. 12.403/2011, a prisão cautelar passou a ser, mais ainda, a mais excepcional das medidas, devendo ser aplicada somente quando comprovada a inequívoca necessidade, devendo-se sempre verificar se existem medidas alternativas à prisão adequadas ao caso concreto. Precedente" (HC n. 493.419/DF, da minha relatoria, Sexta Turma, DJe 27.5.2019).

[5] "8. Ante as condições reinantes no momento da decretação da custódia provisória, amplamente desfavoráveis ao paciente, a providência extrema se mostrou acertada e proporcional à gravidade da situação, sendo certo que o uso da medida cautelar extrema, bem como de qualquer outra prevista em lei, é perfeitamente legítimo em um Estado de Direito, porque a supressão ou a restrição eventual e temporária da liberdade humana é o custo que eventualmente se faz necessário arcar para permitir a sadia subsistência da sociedade, em face dos conflito intersubjetivos que mais gravemente afetam as relações entre os indivíduos que integram a comunhão social. 9. No processo penal, os interesses em permanente conflito – o interesse estatal de punir, de modo eficiente e em conformidade com as leis do país, autores de crimes quaisquer, e o interesse do acusado (também interesse do Estado) de proteger sua liberdade – sujeitam-se à verificação concreta e momentânea de qual deles deva preponderar, não sendo mais sustentável afirmar, como outrora, a existência da antítese Estado-cidadão. Em verdade, o Estado está obrigado tanto ao asseguramento da ordem por meio da persecução penal, quanto à proteção da esfera de liberdade do indivíduo. 10. A redação dada aos artigos que compõem o Título IX do Código de Processo Penal, om a reforma legislativa de 2011, evidenciou com maior clareza a exigência de que a prisão preventiva, por ser a medida mais extrema entre todas as cautelares pessoais, só deve ser imposta ao indiciado ou acusado quando outras medidas, agora elencadas no art. 319 do CPP, mostrarem-se inadequadas ou insuficientes às exigências cautelares. Inteligência do art. 282, §§ 4º e 6º do CPP. 11. Ainda com o advento da Lei da presunção de não culpabilidade e da excepcionalidade e da provisoriedade da prisão preventiva, a manutenção desta cautela pessoal sempre se sujeita à verificação de seu cabimento, quer para eventual revogação, quando cessada a causa ou o motivo que a justificou, quer para sua substituição por medida(s) menos gravosa(s), na hipótese em que, mantido o periculum libertatis, sejam estas últimas tão idôneas (adequadas) e suficientes para alcançar o mesmo objetivo daquela, em conformidade com a redação atual do art. 282, § 5º, do Código de Processo Penal. 12. Enquanto esteve em liberdade, o paciente compareceu aos atos processuais, atendeu aos chamados da autoridade policial que conduziu às investigações, e não há evidências de que, após a formalização do inquérito policial, haja interferido em atos de investigação. Ademais, além de afastado da gestão de suas empresas, boa parte dos bens do paciente e de seu irmão foi embargada judicialmente, em decorrência de medida assecuratória – sequestro – cuja decisão foi suspensa em razão da proposta de apresentação de seguro-garantia, pelos irmãos Batista, no total de R$238.000.000,00 (duzentos e trinta e oito milhões de reais), suficiente, como afirmou a autoridade judiciária competente, para garantir o adimplemento de eventuais indenização, prestação pecuniária, multa e custas processuais, em caso de condenação. 13. Sopesadas, assim, as circunstâncias e a gravidade dos crimes atribuídos a paciente, bem como suas condições pessoais, e considerando que já se passaram quase 9 meses da conjecturada prática ilícita e se caminha para 6 meses da segregação do paciente, o risco da reiteração delitiva e de interferência na instrução criminal se enfraqueceu, não a ponto de desaparecer totalmente, mas em grau bastante para justificar a substituição da prisão preventiva por medidas outras, restritivas à liberdade e a direitos do paciente, as quais, em juízo de proporcionalidade e à luz do que dispõem os arts. 282 e 319 do Código de Processo Penal, se mostram adequadas e suficientes para, com menor carga coativa, proteger o processo e a sociedade de possíveis e futuros danos que a plena liberdade do paciente poderia causar. 14. Habeas corpus parcialmente concedido para substituir a prisão preventiva do paciente por medidas cautelares a ela alternativas, a saber: I) compromisso de comparecimento em Juízo, para todos os atos designados pelo Juízo competente, e de manter atualizado o endereço no qual poderá receber intimações; II) proibição de se aproximar e de manter contato pessoal, telefônico ou por meio eletrônico ou virtual com os outros réus, testemunhas arroladas pela defesa e pela acusação, ou pessoas que possam interferir na produção probatória; III) proibição de participar, diretamente ou por interposta pessoa, de operações no mercado financeiro, e de ocupar cargos ou funções nas pessoas jurídicas que compõem o grupo de empresas

Pelo menos umas das razões do aumento do uso do *habeas corpus* reflete um fato positivo: o aparelhamento das defensorias públicas permitiu que um maior número de pessoas, em regra, desassistidas tivessem condições procurar o Judiciário e defender os seus direitos.

As defensorias, antes inexistentes ou com atuações inexpressivas dentro do todo, hoje se apresentam atuantes e presentes nos Tribunais Superiores. Não tenho dúvidas de que essa sua atuação contribuiu, e muito, para o aumento do uso desse remédio heroico.

Aliás, dados apresentados em reportagem publicada no *site* da Revista Época bem demonstram não só a importante e relevante, tanto qualitativa como numericamente, atuação das defensorias públicas como o percentual de sucesso superior, muitas vezes, ao dos advogados particulares (https://epoca.globo.com/brasil/defensoria-publica-responsavel-por-quase-metade-dos-recursos-apresentados-em-instancias-superiores-24048594).

Uma outra questão que não pode ser descartada é a própria falta de estrutura do Judiciário brasileiro. Inúmeras são as impetrações em que se discute a demora excessiva dos processos nos quais os réus se encontram presos. Os motivos são vários: demora no cumprimento de precatórias, demora na oitiva do próprio réu e de testemunhas, demora na realização de provas e diligências, erros de intimações, etc. A ineficiência de nosso Judiciário também dá causa ao uso do *habeas corpus*, seja para provocar a soltura daquele que se encontra preso há tempos sem um julgamento, seja para provocar a própria realização desse.

E, tendo em vista a garantia constitucional a um processo célere, muitas vezes o caminho que resta ao Superior Tribunal de Justiça é reconhecer a demora excessiva e o direito do paciente a ficar em liberdade.[6]

Por fim, não posso deixar de destacar um excesso no uso desse remédio. Da mesma forma que decisões são proferidas em desacordo com precedentes pacificados, ordens são impetradas para defender teses há muito superadas ou mesmo para tentar a reforma de decisões proferidas de acordo com a jurisprudência do próprio Superior Tribunal de Justiça.

Questões ainda não discutidas nas instâncias ordinárias, seja em sentença, seja em razão de apelações e sem urgência evidente, já são trazidas a debate pela via excepcional do *habeas corpus*. Ou mesmo questões nunca provocadas, seja por ocasião da defesa

---

envolvidas nas ilicitudes objeto da ação penal a que respondem; IV) proibição de ausentar-se do Brasil, salvo autorização expressa do juízo competente; V) monitoração eletrônica" (HC n. 422.122/SP, Ministro Rogerio Schietti Cruz, Sexta Turma, DJe 26.3.2018 – grifo nosso).

[6] *HABEAS CORPUS*. LATROCÍNIO TENTADO E CORRUPÇÃO DE MENORES. EXCESSO DE PRAZO PARA A PROLAÇÃO DE SENTENÇA. ILEGALIDADE CONFIGURADA. ORDEM CONCEDIDA.
1. É direito do réu preso, acusado em processo *penal, ser julgado em prazo razoável, sem dilações indevidas, em conformidade com a Constituição da República (art. 5º, LXVIII) e com o Decreto nº 678/1992 (Convenção Americana sobre Direitos Humanos, art. 7º, item 5)*. 2. A análise dos documentos que instruem esta impetração e dos esclarecimentos prestados pelo Juízo singular e pela Corte estadual permite verificar que, quase cinco anos após o cumprimento do mandado de prisão expedido em desfavor do acusado, não há previsão para a prolação de sentença válida na ação penal objeto deste habeas corpus. 3. *Conquanto seja desproporcional a manutenção da prisão, faz-se necessária a aplicação de cautelares menos gravosas, de modo a acautelar a ordem* pública, dada a gravidade do delito imputado ao réu. 4. Ordem concedida para, diante do excesso de prazo verificado na espécie, relaxar a prisão preventiva do réu. Fixadas as medidas cautelares previstas no art. 319, I, IV, V e IX, do CPP (HC n. 509.258/RJ, Ministro Rogerio Schietti Cruz, Sexta Turma, DJe 21.10.2019 – grifo nosso).

apresentada perante o juiz singular, seja em alegações finais ou mesmo em apelação, também, são objeto, com muita frequência, de impetrações.

Tanto a advocacia privada quanto as defensorias públicas têm, ainda, o dever de avaliar o uso do *habeas corpus* de modo a não o utilizarem em situações inapropriadas, em que, de antemão, é possível perceber o seu futuro insucesso, desgastando esse instituto tão valioso à garantia não só da liberdade como também a um julgamento justo.

Apontadas algumas das razões para a elevação do número de *habeas corpus* impetrados no Superior Tribunal de Justiça, razões essas que, acredito, sejam as principais, vou um pouco mais além e passo a indicar soluções possíveis e que não exigirão nenhuma reforma legislativa drástica.

Tais soluções são óbvias e passam necessariamente, a meu ver, por uma mudança de mentalidade de todos aqueles que integram a nossa máquina judiciária: os advogados e os defensores devem se utilizar do *habeas corpus* de modo mais criterioso; os juízes devem seguir os precedentes fixados pelos Tribunais Superiores; os juízes e Ministério Público têm que ter em mente que a prisão não é caminho obrigatório, podendo, muitas e muitas vezes, ser substituída por cautelares previstas em lei e os Tribunais Superiores devem procurar, com urgência, uniformizar o seu entendimento de modo a orientar a atuação não só da magistratura em geral como também da própria advocacia (incluindo defensores públicos), Ministério Público e demais órgãos de investigação.

O fato é que uma solução precisa ser encontrada. O número de impetrações extrapola o normal e é necessária uma ação conjunta no sentido de que esse patamar retorne ao razoável. Não há uma causa única e nem um remédio único. Da mesma forma, não compete, individualmente, a nenhum dos partícipes desse processo encontrar e pôr em prática a solução como se fosse o responsável solitário pelo caos que tomou conta do nosso Sistema Jurídico.

Informação bibliográfica deste texto, conforme a NBR 6023:2018 da Associação Brasileira de Normas Técnicas (ABNT):

REIS JÚNIOR, Sebastião Alves dos. O crescimento dos *habeas corpus* no Superior Tribunal de Justiça. *In*: COSTA, Daniel Castro Gomes da; FONSECA, Reynaldo Soares da; BANHOS, Sérgio Silveira; CARVALHO NETO, Tarcisio Vieira de (Coord.). *Democracia, justiça e cidadania*: desafios e perspectivas. Homenagem ao Ministro Luís Roberto Barroso. Belo Horizonte: Fórum, 2020. p. 405-411. t. 2: Pensando as instituições, a justiça e o Direito. ISBN 978-85-450-0749-4.

OS TRIBUNAIS DE CONTAS NO CUMPRIMENTO DE SUA FUNÇÃO SOCIAL E O REPENSAR SOBRE SUAS COMPETÊNCIAS E SUA FORMA DE ATUAÇÃO

RONALDO CHADID

Introdução

O pensar nas instituições públicas passa pelo repensar de sua atuação. Nos Tribunais de Contas, o notório desconhecimento da sociedade de suas funções exige que tracemos um histórico de sua evolução, uma vez que este se confunde com a própria história da República.

Reconhecem os Tribunais de Contas que existe um longo caminho a percorrer para que os ditames constitucionais possam ser considerados cumpridos.

E propor o aperfeiçoamento das ações do controle externo voltadas para a efetivação dos direitos humanos, como forma de priorizar os valores maiores inseridos na Constituição Federal, está na ordem do dia dessa instituição republicana.

É cediço que cabe o controle político ao Legislativo e aos Tribunais de Contas no Brasil, a missão do controle técnico, conforme determinam os arts. 70 e 71 da Constituição Federal de 1988, e que se realizam por meio da "fiscalização contábil, financeira, orçamentária, operacional e patrimonial de todos aqueles que, de algum modo possuem a incumbência de administrar, gerir ou aplicar o dinheiro público".

A fiscalização dos Tribunais de Contas sempre foi voltada para aspectos de legalidade e conformidade. Raramente a sua atuação teve como foco os fatos anteriores ou concomitantes da aplicação do dinheiro público. E mesmo depois da Emenda Constitucional nº 19/1998, que introduziu o elemento *eficiência* como princípio a ser observado pela Administração Pública, ainda hoje, mais de 20 anos dessa inclusão, os Tribunais de Contas não conseguiram (ainda) guinar suas competências para evitar o desperdício, ao invés de apenas remediar o mau emprego do erário.

Cumpre ao Tribunal de Contas o protagonismo da transformação e consolidação de sua verdadeira função social, utilizando-se de instrumentos de ação, fiscalização e inovação voltadas para detecção de problemas e irregularidades na Administração Pública, na compreensão dos mecanismos e ciclos das políticas públicas engendradas para a melhoria da qualidade de vida da população e para o desenvolvimento do país, na orientação para correção dos rumos da implementação dessas políticas públicas e que devem dar respostas aos anseios de uma sociedade que necessita ter o devido e satisfatório amparo do Poder Público.

Eis, portanto, a contribuição do presente trabalho, trazendo reflexões sobre o pensar das instituições, para que, de fato, possa o Tribunal de Contas transformar-se em órgão participativo e decisivo no progresso do país e na consolidação do Estado Social de Direito, que deve levar a sociedade à melhor e mais eficiente política pública possível, priorizando aquelas voltadas para os direitos humanos, reconhecidamente inseridos no texto constitucional como fundamentais, diante das possibilidades reais que o orçamento pode proporcionar.

1 A formação do Estado pelas diversas formas de atuação do Poder

Durante 2,5 milhões de anos, os humanos sobreviviam alimentando-se da coleta de plantas e da caça a outros animais. Há pouco mais de 10 mil anos os *sapiens* começaram a entender o ciclo de crescimento das plantas e a identificar espécies animais mais dóceis e passíveis de domesticação. Passaram a se dedicar a manipular a vida dessas plantas e animais, o que foi chamado de Revolução Agrícola.[1]

O domínio do homem sobre a natureza propiciou aos grupamentos humanos estabelecerem-se territorialmente em áreas onde o cultivo de plantas e a criação de animais pudessem ser viáveis, e a subsistência pudesse suprir as necessidades alimentares durante períodos cada vez mais longos. E isto aconteceu quase que simultaneamente na América, Ásia, África e Oriente Médio. A alimentação era o *símbolo do poder*, pois permitia que os *sapiens* conseguissem se multiplicar mais rapidamente. Mas quando inimigos fortes tentavam invadir um vilarejo agrícola, recuar significava entregar os campos, casas e seleiros, o que condenava os refugiados à fome. Assim, agricultores tendiam a lutar até o fim.[2]

Com isso, formaram-se, associações, no sentido mais amplo de agrupamentos sociais, unidos por um tipo de identidade para com os semelhantes, o que, nas palavras de Reis Friede, é:

> (...) inerente ao gênero humano a aproximação inicial com aquele que julga mais próximo (ou seja, com aquele dotado de um ou mais vínculos em comum), o agrupamento social que passa a ser estabelecido acaba por conceber a própria noção de vinculação social (ou de vínculos sociais), dando origem, em última análise, ao vínculo maior da identidade nacional ou da nacionalidade (gérmen que origina a Nação em seu conceito primitivo) e, posteriormente, até mesmo o conceito mais complexo de cidadania.[3]

---

[1] HARARI, Yuval Noah. *Sapiens*: uma breve história da humanidade. Tradução de Janaína Marcoantonio. 34. ed. Porto Alegre: L&PM Editores, 2018. p. 87.
[2] HARARI, Yuval Noah. *Sapiens*: uma breve história da humanidade. Tradução de Janaína Marcoantonio. 34. ed. Porto Alegre: L&PM Editores, 2018. p. 92.
[3] FRIEDE, Reis. *Curso de ciência política e teoria geral do Estado*. 3. ed. Rio de Janeiro: Forense Universitária, 2006. p. 34.

Com a ascensão de cidades e reinos, o que foi possível com o aprimoramento da infraestrutura de transporte e construção, surgiram novas oportunidades de especializações no comércio e serviços. Mas a economia girava em torno do escambo, o que passou a ser insuficiente para formar uma base econômica complexa. Foi assim que o dinheiro surgiu, e com ele uma nova *forma de poder,* o econômico. Conchas de cauri, por exemplo, foram usadas para simbolizar um valor durante quase 4.000 anos em toda a África, sul e leste da Ásia, e Oceania. No início do século XX ainda se podia pagar impostos em conchas de cauri na Uganda britânica. No século I, a confiança nas moedas de Roma ultrapassava as fronteiras do Império e eram aceitas nos mercados da Índia. A China desenvolveu um sistema baseado em moedas de bronze, prata e ouro. Isto tudo ajudou a desenvolver o mundo da Afro-Asia-Europa, onde, até 1450, concentrava-se 90% da população humana. Inicia-se então a chamada Revolução Científica, onde uma das vertentes de poder passou a ser o conhecimento científico, que proporcionou o aumento dos recursos, que por sua vez resultou em mais pesquisas e, no século XIX, maximizou a produção, dando início à Revolução Industrial.[4]

Com a conquista da América e da Oceania no final do século XV, novas rotas para exploração de riquezas são descobertas, integrando todos os continentes, e formando Estados numa mescla de disputas por poderes bélicos, econômicos e religiosos.

A concepção de agrupamentos humanos, até se chegar a uma estrutura de Estado, da Antiguidade até os nossos tempos, se revela com o desdobramento das diversas formas do uso do poder e de sua aceitação como um pacto pela possibilidade de convívio entre os povos.

Assim é que as principais teorias que procuram explicar a formação dos Estados (do contrato social, organicista e do equilíbrio social) sustentam o surgimento forçado ou artificial, onde a voluntariedade inicial e a compulsoriedade posterior são as tônicas principais do seu nascedouro.[5]

A formação dos Estados é uma construção histórica de múltiplos fatores, mas basicamente se definiu pela existência de um território, de um povo com a mesma identidade cultural (idioma, costumes, religião) e de um governo central, que representasse todas as forças (bélicas, econômicas, sociais, e em certos casos, religiosas) capazes de decidir por todos os representados.

A primeira forma de Estado, a absolutista, centralizava a representação do Poder nas mãos do Rei em todas as suas dimensões, e embora já existisse o esboço de um órgão legiferante e/ou judicante em alguns impérios ou reinos, estes não eram autônomos, tendo a última palavra o soberano monarca.

As vitórias dos reis sobre outros reinos, do lado externo, e internamente sobre a Igreja e senhores feudais constituem a base para o surgimento do Estado moderno, realizado com a vontade única ou predominante de uma pessoa que comandava a força bruta, representada pelo seu exército.

Os impérios desenvolveram durante a Idade Antiga e Média um sentimento de pertencimento nacional da população em relação ao território, aos costumes, à língua

---

[4] HARARI, Yuval Noah. *Sapiens*: uma breve história da humanidade. Tradução de Janaína Marcoantonio. 34. ed. Porto Alegre: L&PM Editores, 2018. p. 181-296.
[5] FRIEDE, Reis. *Curso de ciência política e teoria geral do Estado.* 3.ed. Rio de Janeiro: Forense Universitária, 2006. p. 40.

e à forma de governar. Mas o Estado absolutista avança dos séculos XI a XVII sobre a individualidade de cada súdito, quase que eliminando a sua vontade.

Nessa onda de restrições, o liberalismo reinventa o indivíduo,[6] emergem as revoluções do século XVIII, na época em que a burguesia já dominava a cultura e diversificava o comércio, o que representa a quebra do absolutismo, a diminuição do Poder Estatal e uma maior liberdade humana.

E conforme assinala Eduardo Domingos Bottallo:

> Dentro desse panorama, nada mais natural que a onda de reação verificada a partir da segunda metade do século XVIII, reação essa preliminarmente limitada ao campo das ideias e posteriormente materializada na revolução armada de 1789. Assim, se o princípio econômico dominante era o mercantilismo que propugnava o favorecimento da balança de comércio com o Exterior, surgiu, em oposição, a ideia fisiocrata que via na agricultura a primordial e mais importante fonte de riquezas; se, no plano político, o regime era despótico e o Rei se dizia mandatário de Deus e, portanto, inatingível em sua majestade, grande receptividade tinham as ideias liberais inglesas cultivadas por Bacon, Newton, Locke e muitos outros, cujas sementes encontravam em Voltaire, Montesquieu, Rousseau, nos enciclopedistas Diderot e d'Alembert terreno profícuo ao seu desenvolvimento. Os desmandos de Luis XV e Luis XVI, dignos sucessores, conquanto muito mais medíocres, do "Rei Sol" tornaram inevitável o movimento de 1789, precedido que fora, como já dito, da grande renovação filosófica e cultural processada em França, a partir de 1750.[7]

Com a queda da Bastilha, o rei Luís XVI foi forçado a convocar a Assembleia Geral dos Estados, que, sem um acordo sobre o voto entre o clero, a nobreza e a camada popular, esta se autoproclamou Assembleia Nacional e posteriormente em Assembleia Constituinte, aprovando a Declaração dos Direitos do Homem e do Cidadão.

E com a primeira Constituição da França, de 1791, a tripartição de poderes foi prevista e documentada, com dispositivos que disciplinavam as competências do Governo, do Parlamento e da Corte Suprema.[8]

A partir de então, todas as demais Constituições Republicanas passaram a adotar a sistemática de Montesquieu.

2 A separação de poderes (funções) e os diversos órgãos que compõem o núcleo da organização do Estado

A proposta de equipotência de poderes de Montesquieu significava que cada poder, Executivo, Legislativo e Judiciário, deveria ter seu controle independente com

---

[6] MAGALHÃES, José Luiz Quadros. A teoria da separação de poderes e a divisão das funções autônomas no Estado contemporâneo: o Tribunal de Contas como integrante de um poder autônomo de fiscalização. *Revista do Tribunal de Contas do Estado de Minas Gerais*, v. 71, n. 2, ano XXII, p. 93, abr./maio/jun. 2009.

[7] BOTTALLO, Eduardo Domingos. Teoria da divisão dos poderes: antecedentes históricos e principais aspectos. *Revista da Faculdade de Direito da Universidade de São Paulo*, v. 102, p. 35, jan./dez. 2007.

[8] Constituição francesa traduzida para o português. Disponível em: https://www.conseil-constitutionnel.fr/sites/default/files/as/root/bank_mm/portugais/constitution_portugais.pdf. Versão original disponível em: https://www.legifrance.gouv.fr/Droit-francais/Constitution/Declaration-des-Droits-de-l-Homme-et-du-Citoyen-de-1789.

ideia de equivalência,[9] ou seja, para que não se abusasse do poder e houvesse liberdade política, seria necessário que o poder limitasse o poder.

No entanto, cada poder, ainda que no exercício especializado de suas funções, acaba por interagir com os demais, uma vez que o exercício da função singular não significa exclusividade, pois cada qual pratica, além da sua, as outras demais funções,[10] de forma que os poderes entre si integrem-se numa relação de interdependência.

Na história das Constituições brasileiras, na primeira imperial, a separação de poderes esteve presente, com o reconhecimento de quatro poderes: Legislativo, Moderador, Executivo e Judicial. O Poder Moderador, na redação dada pelo art. 98 da Constituição de 1824, preconizava que este era a chave de toda a organização política e era delegado privativamente ao Imperador, como Chefe Supremo da Nação, e seu Primeiro Representante, para que incessantemente velasse sobre a manutenção da independência, equilíbrio e harmonia dos demais poderes políticos.

Na observação de Paulo Bonavides:

> Dominada pelas sugestões constitucionais provenientes da França, a Constituição Imperial do Brasil foi a única Constituição do mundo, salvo notícia em contrário, que explicitamente perfilhou a repartição tetradimensional de poderes, ou seja, trocou o modelo de Montesquieu pelo de Benjamin Constant, embora de modo mais quantitativo e formal do que qualitativo e material.[11]

Já na primeira Constituição Republicana, de 1891, o Poder Moderador deixa de existir e quanto aos demais poderes, o art. 6º, inc. II, "d", preconizava que o Governo Federal não poderia intervir em negócios peculiares dos Estados, salvo para assegurar a integridade nacional e o respeito ao princípio da independência e harmonia dos poderes.

Na Constituição de 1934, o art. 3º dispunha que "são órgãos da soberania nacional, dentro dos limites constitucionais, os Poderes Legislativo, Executivo e Judiciário, independentes e coordenados entre si".

A Constituição de 1937 deixa de mencionar a relação entre os poderes, definindo apenas as suas competências.

A Constituição de 1946, em seu art. 9º, inc. VII, "b", retorna à redação da Constituição de 1891, elevando a independência e harmonia a princípio constitucional.

A Constituição de 1967 define no art. 6º que são poderes da União, independentes e harmônicos, o Legislativo, o Executivo e o Judiciário. Referida redação foi mantida também na Emenda Constitucional nº 1, de 1969.

E finalmente, na Constituição Federal de 1988, em seu art. 2º, estabelece-se que são poderes da União, independentes e harmônicos entre si, o Legislativo, o Executivo e o Judiciário.

Embora os textos mencionem a existência de "poderes", na realidade trata-se da separação de "funções", uma vez que, em verdade, todos os poderes estão abaixo da Constituição, sendo que "deveras o Poder Estatal é um só, materializado na Constituição,

---

[9] WEFFORT, Francisco C. (Org.). *Os clássicos da política*: Maquiavel, Hobbes, Locke, Montesquieu, Rousseau, "o Federalista". v. 1, 13. ed. São Paulo: Ática, 2006. p. 119.
[10] AZAMBUJA, Darcy. *Introdução à ciência política*. São Paulo: Globo, 2007.
[11] BONAVIDES, Paulo. *Curso de direito constitucional*. 26. ed. São Paulo: Malheiros, 2011. p. 464.

de onde extrai-se que a separação das funções deve funcionar também como forma de viabilizar a máxima efetividade das normas constitucionais".[12]

Se no absolutismo o Estado justificava sua existência na pessoa do rei, nas Repúblicas democráticas, o Estado passa a não ser mais um fim em si mesmo, sendo assente no mundo civilizado que o Estado tem como finalidade promover o bem comum por meio do exercício de suas funções.

E no dizer do ministro Luís Roberto Barroso,[13] "o Estado, portanto, ainda é protagonista na história da humanidade, seja no plano internacional, seja no plano doméstico". Isto torna o Estado, seja na forma monarquista ou republicana, federativa ou unitária, o elemento de realização econômica, social e política para a população nele inserida.

Essa promoção do bem comum ou do bem público é intensificada na medida em que o chamado Estado Social avança no final do século XIX, início do século XX. A passagem dos direitos sociais das constituições para a prática trouxe também inúmeras dificuldades nos aspectos de implementação e manutenção das condições de trabalho, de liberdade de pensamento e expressão, de locomoção, de crença, de voto, de segurança, de saúde, de educação, de habitação, de repouso, entre outros.

Nesse ponto, passam a ter poder as forças de controle, que no sentido amplo instrumentalizam e fazem valer os direitos sociais, contribuindo para que o Estado consiga realizar a sua finalidade precípua.

É assim que espaços de transformação dos poderes vão ganhando corpo e, conforme assinala Roberto Machado, ao analisar a "Microfísica do Poder" de Michel Foucault:

> (...) o aparelho do Estado é um instrumento específico de um sistema de poderes que não se encontra unicamente nele localizado, mas o ultrapassa e complementa. O que me parece, inclusive, apontar para uma consequência política contida em suas análises, que, evidentemente, não têm apenas como objetivo dissecar, esquadrinhar teoricamente as relações de poder, mas servir como instrumento de luta, articulado com outros instrumentos, contra essas mesmas relações de poder. É que nem o controle, nem a destruição do aparelho do Estado, como muitas vezes se pensa – embora, talvez cada vez menos – é suficiente para fazer desaparecer ou para transformar, em suas características fundamentais, a rede de poderes que impera em uma sociedade.[14]

O Ministério Público como instituição constitucional é previsto inicialmente na Constituição de 1934 como órgão de "cooperação".

Na Constituição de 1937 não se faz referência, voltando a ser reconhecida na Constituição de 1946 em título próprio, sem vinculação aos poderes.

Na Constituição de 1967 o Ministério Público é inserido no capítulo destinado ao Poder Judiciário e na Emenda Constitucional de 1969, no capítulo do Poder Executivo.

Na Constituição de 1988, no título da Organização dos Poderes, o Ministério Público ganha uma seção particular, no capítulo denominado "Das funções essenciais

---

[12] FREIRE JÚNIOR, Américo Bedê. A separação dos poderes (funções) nos dias atuais. *Revista de Direito Administrativo*, Rio de Janeiro, n. 238, p. 37, out./dez. 2004.

[13] BARROSO, Luís Roberto. *Curso de direito constitucional contemporâneo*. 3. ed. São Paulo: Saraiva, 2011. p. 92.

[14] MACHADO, Roberto. Introdução: por uma genealogia do poder. In: FOUCAULT, Michel. *Microfísica do poder*. Organização e tradução de Roberto Machado. Rio de Janeiro: Edições Graal, 1979. p. XIII.

à Justiça", ladeado pelas Advocacia Pública, Advocacia e Defensoria Pública, sendo-lhe assegurada a autonomia funcional, administrativa e orçamentária, o que lhe rendeu a fama de ser integrante de um "Quarto Poder".

De fato, o Ministério Público tem poder, no sentido funcional da palavra, na medida em que desempenha a defesa da ordem jurídica, do regime democrático e dos interesses sociais e individuais indisponíveis (art. 127 da CF).

Outro exemplo nessa distribuição de competências constitucionais funcionais está na existência do *Tribunal de Contas*. Embora exista um erro topográfico na previsão institucional do Órgão de Controle, elencando-o no capítulo destinado ao Poder Legislativo, a expressa distribuição de competências decisórias e fiscalizatórias (art. 71 da CF), além da equiparação de prerrogativas de seus membros com os do Poder Judiciário (art. 73 da CF), indica de maneira precisa a existência de uma separação de "poder" enquanto instituição exercente de uma titularidade funcional autônoma e de suas competências ordinárias, administrativas e orçamentária.

Portanto, a disciplina dos poderes é um elemento central nas Constituições, uma vez que, encarada a separação dos poderes como separação de funções e competências entre diversos órgãos, ou mesmo na separação territorial dos poderes, desenha-se a construção de um regime que, democraticamente, descentraliza as diversas formas de atuação do Estado, atribuindo a alguns órgãos os "poderes" que asseguram destaque e importância na sua forma e legitimidade para atuação perante a sociedade e, principalmente, em relação a outros órgãos.

É o que ressalta Olivier Beaud quando afirma que o fenômeno estatal pode ser apreendido se estivermos atentos para as duas características do Estado: a soberania e a institucionalidade. Nessa análise, a soberania é o elemento que descreve a ruptura na fundação do Estado, procura exaltar o caráter supremo do poder que cria o Estado, o poder do pacto social e a força do pensamento político. Por sua vez, as instituições refletem o valor da continuidade e as diversas batalhas das relações de poder concretas travadas na sociedade, revelando seu caráter inovador por meio da materialização quantitativa e da substanciação qualitativa de sua atividade.[15]

Assim, poderíamos afirmar que o Brasil tanto promulgou constituições onde predominou o elemento soberania quanto se preocupou em elaborar textos com preponderância institucional. As Constituições de 1824, 1891, 1934 e 1937 podem ser consideradas de soberania e as de 1946, 1967 e 1988, institucionais.[16]

Conforme afirma Foucault, o poder não é algo que se possa possuir, pois não constitui um bem que se possa ter e alienar. Portanto, não existe em nenhuma sociedade uma divisão entre os que têm e os que não têm poder. Assim, pode-se concluir que poder se exerce ou se pratica. O poder, segundo Foucault, consiste nessas relações e nas práticas de poder.[17]

---

[15] TELES FILHO, Eliardo. *O problema do poder na Constituição da República de 1988*. Observatório Constitucional. In: https://www.conjur.com.br/2016-jun-11/problema-poder-constituicao-1988. Captura em: 20 nov. 2019.
[16] TELES FILHO, Eliardo. *O problema do poder na Constituição da República de 1988*. Observatório Constitucional. In: https://www.conjur.com.br/2016-jun-11/problema-poder-constituicao-1988. Captura em: 20 nov. 2019.
[17] FOUCAULT, Michel. *Microfísica do poder*. Organização e tradução de Roberto Machado. Rio de Janeiro: Edições Graal, 1979. p. 75.

Assim é que o Ministério Público, em seu universo institucional, assenhorou-se do poder a ele concedido pela Constituição Federal, tornando-se notória sua atuação perante a sociedade e os demais órgãos de poder.

Quanto aos Tribunais de Contas, embora na última década sua atuação tenha sido reconhecida pela Administração Pública em geral, o reconhecimento de sua importância pela população ainda carece de maior divulgação.

3 Consolidação institucional dos Tribunais de Contas nas Constituições

Visconde de Barbacena apresentou, em 1826, ao Senado, um projeto de lei que criava um Tribunal de Revisão de Contas. Em 4 de outubro de 1831 foi sancionada a Lei nº 657, que aprovou o projeto de criação do Tribunal do Tesouro Público Nacional, em substituição ao Erário. Esta instituição fazia levantamento e julgava as contas dos responsáveis pelo dinheiro público, dentro ou fora do país, contudo, sem independência e autonomia para o desempenho de suas funções. Tal proposta fora rejeitada diante da discussão quanto à necessidade de um órgão independente para exame das contas públicas ou a continuação do controle pelos mesmos órgãos que as realizavam.[18]

Ainda sobre o período colonial, registra a doutrina de Jorge Ulisses Jacoby Fernandes:

> Em 1844, um importante marco na história das contas públicas foi a definição da nova estrutura da Fazenda Pública, passando a administração central da fazenda a compreender a Secretaria de Estado dos Negócios da Fazenda, o Tribunal do Tesouro Público e o Conselho Fiscal de Contas. É o início da distinção entre as funções de administração e fiscalização. (...) Em 1849, o Conselho Fiscal de Contas é extinto. Nasce, então, o Tribunal de Contas.[19]

Após a proclamação da República instituiu-se uma Corte de Contas nos moldes preconizados pela Carta Republicana, criando-se o Tribunal de Contas da União pelo Decreto nº 966-A, de 7 de novembro de 1890. Instituído pelo Marechal Deodoro da Fonseca, "Chefe do Governo Provisório da Republica dos Estados Unidos do Brazil", por iniciativa de Rui Barbosa, Ministro da Fazenda, este justificou a criação de um Tribunal de Contas:

> A medida que vem propor-vos é a criação de um Tribunal de Contas, corpo de magistratura intermediária à Administração e à Legislatura que, colocado em posição autônoma, com atribuições de revisão e julgamento, cercado de garantias contra quaisquer ameaças, possa exercer suas funções vitais no organismo constitucional, sem risco de converter-se em instituição de ornato aparatoso e inútil. (...) convém levantar, entre o Poder que autoriza periodicamente a despesa e o Poder que periodicamente a executa, um mediador independente, auxiliar de um e de outro, que, comunicando com a Legislatura, e intervindo na Administração, seja não só o vigia, como a mão forte da primeira sobre a segunda,

---

[18] MILESKI, Helio Saul. *O controle da gestão pública*. São Paulo: Revista dos Tribunais. 2003. p. 191.
[19] FERNANDES, Jorge Ulisses Jacoby. *Tribunais de Contas do Brasil*. Belo Horizonte: Fórum, 2012, p. 774.

obstando a perpetração de infrações orçamentárias por um veto oportuno aos atos do executivo, que direta ou indiretamente, próxima ou remotamente, discrepam da linha rigorosa das leis de finanças.[20]

Registra o autor as palavras de Inocêncio Serzedello Correa,[21] proferidas em 1893, sobre a criação do Tribunal de Contas: "Felicito o país e a república pelo estabelecimento de uma instituição que será garantia de boa administração e o maior embaraço que poderão encontrar os governos para abusos no que diz respeito a dinheiros públicos".[22]

No que concerne à tratativa nas constituições, o Tribunal de Contas possui previsão desde a Constituição de 1891, cujo texto encontrava-se inserto em seu artigo 89, conferindo ao órgão competência para liquidar as contas de receita e despesa e verificar sua legitimidade, antes de serem prestadas ao Congresso. Ademais, conferiu vitaliciedade aos seus membros e o vinculou ao Poder Executivo.

Na Carta Republicana de 1891, o Tribunal de Contas tinha estatura de órgão fiscal e foi disciplinado pelo Decreto Provisório nº 1.166, de 17 de dezembro de 1892, o qual regulamentava a Lei nº 23/1891, na parte referente ao Ministério da Fazenda, e que se transformou no primeiro regulamento do Tribunal de Contas. Assim sendo, a instituição fiscalizadora pôde, então, por meio de registro prévio com veto impeditivo absoluto tornar os atos governamentais ineficazes e esta decisão tinha força de coisa julgada.[23]

Na Constituição de 1934, as Cortes de Contas foram posicionadas junto ao Ministério Público, na tratativa dos artigos 99 até 102, que se ocupava dos "Órgãos de cooperação nas atividades governamentais". Suas competências foram ampliadas, competindo-lhes acompanhar a execução orçamentária e julgar as contas dos responsáveis por dinheiros ou bens públicos. Os contratos deveriam ser registrados pelo Tribunal de Contas para serem considerados perfeitos e acabados. A recusa no registro suspendia a execução do contrato até o pronunciamento do Poder Legislativo. Era uma instituição

---

[20] *Apud* BARCELLAR FILHO, Romeu Felipe. *Tribunal de Contas Evolução e Principais atribuições no Estado Democrático de Direito*. Belo Horizonte: Fórum, 2006, p. 65.

[21] Logo após sua instalação, porém, o Tribunal de Contas considerou ilegal a nomeação, feita pelo Presidente Floriano Peixoto, de um parente do ex-Presidente Deodoro da Fonseca. Inconformado com a decisão do Tribunal, Floriano Peixoto mandou redigir decretos que retiravam do TCU a competência para impugnar despesas consideradas ilegais. O Ministro da Fazenda Serzedello Correa, não concordando com a posição do Presidente, demitiu-se do cargo, expressando-lhe sua posição em carta de 27 de abril de 1893, cujo trecho básico é o seguinte: "Esses decretos anulam o Tribunal, o reduzem a simples Ministério da Fazenda, tiram-lhe toda a independência e autonomia, deturpam os fins da instituição, e permitirão ao Governo a prática de todos os abusos e vós o sabeis – é preciso antes de tudo legislar para o futuro. Se a função do Tribunal no espírito da Constituição é apenas a de liquidar as contas e verificar a sua legalidade depois de feitas, o que eu contesto, eu vos declaro que esse Tribunal é mais um meio de aumentar o funcionalismo, de avolumar a despesa, sem vantagens para a moralidade da administração. Se, porém, ele é um Tribunal de exação como já o queria Alves Branco e como têm a Itália e a França, precisamos resignarmo-nos a não gastar senão o que for autorizado em lei e gastar sempre bem, pois para os casos urgentes a lei estabelece o recurso. Os governos nobilitam-se, Marechal, obedecendo a essa soberania suprema da lei e só dentro dela mantêm-se e são verdadeiramente independentes. Pelo que venho de expor, não posso, pois Marechal, concordar e menos referendar os decretos a que acima me refiro e por isso rogo vos dignais de conceder-me a exoneração do cargo de Ministro da Fazenda, indicando-me sucessor". Tenente-Coronel Innocêncio Serzedello Corrêa.

[22] *Idem*. p. 66-67.

[23] MONTEBELLO, Marianna. Os tribunais de contas e o controle das finanças públicas. *In: Revista do Tribunal de Contas do Estado de Minas Gerais*, v. 31, n. 2, p. 163.

com característica híbrida, um tanto como órgão do Poder Judiciário, um tanto como órgão do Poder Legislativo.[24]

Em 10 de novembro de 1937,[25] Getúlio Vargas fechou o Congresso e assinou uma nova Constituição por meio de um golpe de Estado; era implantada no País a ditadura do Estado Novo. Nesse contexto, as funções foram mitigadas, conforme Cotias e Silva comenta:

> Nesse cenário, o Tribunal de Contas perdeu importantes atribuições, sofrendo pesados golpes e profunda mutilação no exercício de suas competências em decorrência da discricionariedade conferida ao chefe do Executivo pelos decretos editados, a começar pelo antes mencionado que, ao instituir o Governo Provisório, dispôs que o mesmo iria exercer "em toda a sua plenitude, as funções e atribuições, não só do Poder Executivo como também do Poder Legislativo".[26]

A Constituição de 1946, no seu Título I, Capítulo II, que dispunha acerca do Poder Legislativo, deixou consignada, nos artigos 76 e 77, seção destinada ao Orçamento, que o Tribunal de Contas estaria inserto naquele poder. Nesta Constituição, o Tribunal foi fortalecido e viu restabelecidas as garantias e atribuições conferidas pela Constituição de 1934 e acrescido à sua competência um novo encargo: julgar legalidade das concessões de aposentadorias, reformas e pensões, além das contas dos administradores de autarquias.[27]

Em 1966, fechou-se o Congresso, que fora reaberto para aprovar a Constituição de 1967, cujas regras foram determinadas pelo Ato Institucional nº 4, de dezembro de 1966, elegendo para Presidência da República o candidato único, Marechal Costa e Silva. Nesse período houve o enfraquecimento do Tribunal de Contas, com a exclusão da atribuição de examinar e julgar previamente os atos e contratos geradores de despesas. Todavia, o Tribunal de Contas continuou a ter a função de apontar falhas e irregularidades, que, se não sanadas, seriam objeto de representação ao Congresso Nacional. Retirou-se também a competência do Tribunal de Contas de julgar a legalidade das concessões de aposentadorias, reformas e pensões, tendo o Tribunal competência apenas para a apreciação da legalidade para fins de registro.[28]

Com a promulgação da Carta Republicana de 1988, houve o fortalecimento e o alargamento das funções dos Tribunais de Contas:

> Finalmente, com a Constituição de 1988, o Tribunal de Contas da União teve a sua jurisdição e competência substancialmente ampliadas. Recebeu poderes para, no auxílio ao Congresso Nacional, exercer a fiscalização contábil, financeira, orçamentária, operacional e patrimonial

---

[24] FERREIRA, Pinto. *Comentários à Constituição Brasileira*. São Paulo: Saraiva, 1998. p. 408.

[25] Na vigência da Constituição de 1937, foi publicado o Decreto-lei nº 426, de 12 de maio de 1938, alterado pelo Decreto-lei nº 475, de 8 de junho do mesmo ano, que instituiu a "Lei Orgânica do Tribunal de Contas".

[26] SILVA, Artur Adolfo Cotias e. Tribunal de Contas da União na história do Brasil. Evolução histórica, política e administrativa (1890-1998). *In*: BRASIL. Tribunal de Contas da União. Prêmio Serzedelo Corrêa 1998 – Monografias Vencedoras – 1º lugar. Brasília: TCU, Instituto Serzedello Corrêa, 1999. p. 14.

[27] MONTEBELLO, Marianna. Os tribunais de contas e o controle das finanças públicas. *In*: Revista do Tribunal de Contas do Estado de Minas Gerais, v. 31, n. 2, p. 170.

[28] MELO, Verônica Vaz de. Tribunal de contas: história, principais características e importância na proteção do patrimônio público brasileiro. *In*: **Âmbito Jurídico**, Rio Grande, XV, n. 98, mar. 2012. Disponível em http://www.ambito-juridico.com.br/site/index.php?n_link=revista_artigos_leitura&artigo_id=11198. Acesso em: 15 ago. 2016.

da União e das entidades da administração direta e indireta, quanto à legalidade, à legitimidade e à economicidade e a fiscalização da aplicação das subvenções e da renúncia de receitas. Qualquer pessoa física ou jurídica, pública ou privada, que utilize, arrecade, guarde, gerencie ou administre dinheiros, bens e valores públicos ou pelos quais a União responda, ou que, em nome desta, assuma obrigações de natureza pecuniária tem o dever de prestar contas ao TCU.[29]

O Tribunal de Contas é, portanto, um órgão inquestionavelmente autônomo, independente, constitucionalmente delineado, desvinculado de qualquer relação de subordinação com os poderes, não fazendo parte tampouco do Poder Legislativo, como bem dissertou Carlos Ayres Brito:

> O Tribunal de Contas possui regime jurídico constitucional, o recorte de sua silhueta nasce das pranchetas da Constituição. Assim, não seriam estas casas órgãos do Poder Legislativo e quem diz isso é a própria Constituição, quando, no artigo 44, prescreve que o Poder Legislativo é exercido pelo Congresso Nacional, composto da Câmara dos Deputados e do Senado Federal. O Poder Legislativo é formado exclusivamente por suas casas legislativas e o Tribunal de Contas, definitivamente, não se inclui entre elas.[30]

Assim, os Tribunais de Contas constituem importante instituição no Estado Democrático de Direito, uma vez que o próprio Estado reconhece a necessidade de controle de sua própria atividade como forma de assegurar a proteção do "gobierno de la Ley", ou nas palavras de Gregorio Cuñado Ausín:[31]

> La creación de las Instituciones de control y su actividad adquieren plenitud de significado con el asentamiento del Estado de Derecho y la implantación de los regímenes democráticos, en los que el gobierno de la Ley y el principio de legalidad es el punto de partida en toda la actividad pública. La Ley es la expresión misma del principio democrático y los gestores públicos son meros agentes de la Ley, ejecutores de lo ordenado previamente por ésta.[32]

Portanto, forçoso concluir que os Tribunais de Contas exercem poderes (funções) autônomos e exclusivos, pelo que, no repensar de sua atuação institucional, necessita avançar para que receba da sociedade e dos demais poderes o merecido reconhecimento de sua atuação em prol da manutenção e aplicação dos recursos públicos, da boa gestão e da minimização do desperdício de serviços e do erário.

---

[29] Disponível em: http://portal2.tcu.gov.br/portal/page/portal/TCU/institucional/conheca_tcu/historia. Acesso em: 15 ago. 2016.
[30] Idem. p. 66.
[31] AUSÍN, Gregorio Cuñado. Las relaciones entre el Tribunal de Cuentas y otros órganos constitucionales con especial referencia a las Cortes Generales. In: *El Tribunal de Cuentas*: fiscalización y enjuiciamiento: estudios de derecho judicial, Madrid: Consejo General del Poder Judicial, n. 83, p. 34, 2006.
[32] Tradução: "A criação das Instituições de Controle e seu sucesso adquirem o pleno significado como o estabelecimento do Estado de Direito e a implantação dos regimes democráticos, em que o governo da Lei e o princípio da legalidade são ponto de partida em todas as atividades públicas. A Lei é a própria expressão do princípio democrático e os gerentes públicos são meros agentes da Lei, executores do que foi previamente ordenado por ela".

4 Funções dos Tribunais de Contas

A Constituição Federal, em seus artigos 70 e 71, concedeu aos Tribunais de Contas diversas funções e competências, que a doutrina elenca em nove básicas:[33]

a) função fiscalizadora com a competência de realizar auditorias e inspeções nos órgãos e entidades;
b) função judicante, na medida em que efetivamente realiza o julgamento de contas da atividade do Poder Público;
c) função sancionadora, multando os responsáveis pela prática de atos irregulares ou ilegais e determinando o ressarcimento dos prejuízos ao erário;
d) função pedagógica, no exercício da competência de emitir comunicações, recomendações e orientações;
e) função consultiva, quando lhe compete emitir pareceres;
f) função informativa, no envio de informações ao Poder Legislativo, expedir alertas previstos na Lei de Responsabilidade Fiscal e divulgar dados sobre a atividade da Administração;
g) função normativa, ao editar normas de sua competência;
h) função ouvidora, no recebimento de denúncias;
i) função corretiva, quando fixa prazos para correção de irregularidades ou que sustem os atos impugnados.

Todas essas funções constituem missão dos Tribunais de Contas para que se possa atingir um bem maior: o cumprimento de sua função social.

Nesse ponto, a função social dos Tribunais de Contas somente se concretiza quando da realização de suas competências na busca pela aplicação de todos os princípios inerentes à Administração Pública. A verificação dos aspectos meramente legais e formais deixou de ser a razão de existir dos Tribunais de Contas, cabendo-lhe transformar a previsão constitucional do princípio da eficiência, de uma categoria teórica para uma pragmática e concreta.

Portanto, os Tribunais de Contas não são a função social, mas sim possuem e cumprem uma função social na medida em que não são um fim em si mesmos. A função social consiste num núcleo vital e inerente a todas as ações humanas que pretendem atingir terceiros, como o Estado. Esse núcleo consiste no exercício do controle social quando o controle interno não é suficiente. Não que a necessidade de existir o controle seja pressuposto de ações de má-fé, mas, mesmo que de boa-fé, erros são cometidos, e a vigilância e a fiscalização precisam estar atentas, tanto para as maus quanto para os atos eivados de boas intenções.

É preciso reconhecer que a Constituição Federal, ao atribuir aos Tribunais de Contas a função de fiscalização, também lhe concedeu o poder de determinar a correção das ações de Estado que acarretem prejuízo ou má aplicação do erário.

Portanto, para os Tribunais de Contas a função social é uma reserva de lei reforçada, pois lhe permite exercer o controle técnico (e não político) das ações da Administração Pública e julgar o exercício dos atos praticados que envolvam cifras

---

[33] ZYMLER, Benjamin; ALMEIDA, Guilherme Henrique De La Rocque. *O controle externo das concessões de serviços públicos e das parcerias público-privadas*. Belo Horizonte: Fórum, 2005. p. 143-144.

estatais. A interpretação atual dos arts. 70 e 71 da Constituição Federal reclama dos Tribunais de Contas o desenvolvimento de uma atividade que assegure o cumprimento de sua função social e que supere o controle meramente formal e documental, passando a se ocupar do processo administrativo como um todo, pois somente essa abrangência é capaz de se fazer compreender e controlar a eficiência dos atos de Administração Pública voltados às políticas públicas e que levem à paz e à satisfação das necessidades da população.

Parte das funções e atribuições dos Tribunais de Contas presta-se ao controle *posterior* de atos de gestão da Administração Direta e Indireta, em especial, em relação à análise dos aspectos de legalidade e regularidade dos atos administrativos executivos, na chamada fiscalização por conformidade. Mas com o avanço, principalmente da tecnologia, o repensar da instituição Tribunal de Contas deve avançar para atuar preventiva e concomitantemente.

5 Repensando os Tribunais de Contas

Ainda que constitucionalmente sua competência tenha sido delineada com a missão de fiscalização do erário, na prática, as suas atividades sempre ocorreram por meio do fornecimento de informações prestadas pela Administração Pública. Em alguns casos, meses se passavam até que os Tribunais de Contas tivessem acesso às informações públicas, principalmente contábeis, contratuais e de pessoal, para poder analisar, formal e materialmente, aquela imensa quantidade de papel encaminhada em incontáveis volumes físicos.

A extração dos dados era realizada manualmente e o cruzamento das informações que pudessem gerar alguma forma de conhecimento relevante igualmente era realizado, no máximo, com a ajuda de calculadoras e máquinas de escrever.

Isto significa que, na grande maioria dos casos, apenas depois da realização do prejuízo, é que se conseguia detectar o mau uso do dinheiro público, restando aos Tribunais de Contas penalizar o gestor e determinar o ressarcimento ao erário.

Essa situação perdurou até o desenvolvimento da informática e dos sistemas de informação. No Brasil, somente em meados da década de 90 é que a internet se desenvolveu democraticamente, iniciando o processo de ampliação ao acesso à população e aos órgãos públicos, juntamente com o desenvolvimento da versão Windows95, do sistema Windows, e que facilitou o seu uso, até mesmo para aqueles resistentes à tecnologia. Até que a informação conseguisse trafegar em rede e os Tribunais de Contas transformassem a velocidade das informações e desenvolvessem ferramentas para o cruzamento automatizado dos dados passaram-se pelo menos mais 10 anos, de forma que o início de uma atuação concomitante se desenvolveu mais rapidamente a partir de 2007-2009.

E somente nesta última década é que os Tribunais de Contas puderam experimentar uma atuação mais próxima da emissão dos atos administrativos, de maneira a conseguir implementar ações corretivas que pudessem evitar o prejuízo, e não somente remediá-lo.

O controle externo realizado, com foco na eficiência, exige análises mais apuradas, diferentemente do diagnóstico instantâneo que normalmente a Administração Pública se limita a realizar, em cumprimento estrito à norma legal, que determina, por exemplo, a compra de qualquer produto sempre pelo menor preço. Nem sempre o menor preço ou a maior quantidade tem significado de eficiência.

Um hospital especializado em cirurgias cardíacas existe não com o objetivo de realizar tais cirurgias, que são o produto gerado pelo hospital, mas sim para reduzir o número de óbitos decorrentes desse tipo de doença (resultado). Porém, o número de óbitos depende de uma infinidade de fatores sobre os quais o *staff* do hospital não tem nenhum controle, tais como a dieta habitual da população atendida, seu estilo de vida, sua renda e aderência aos tratamentos prescritos. Esse exemplo dado por Rogério Boueri[34] ilustra bem o engendrado processo de aferição de um processo produtivo ou da entrega de um produto pelo viés da eficiência, já que produtividade não necessariamente significa eficiência, embora possam estar relacionados.

Todo um conjunto sistemático de ações compõe o conceito de eficiência, depende, antes das ações, da verificação do tamanho e da extensão do problema, além da definição dos instrumentos de solução disponíveis e do tempo para resolvê-los.

Os órgãos de controle há muito tempo deveriam ter abandonado a fiscalização, baseada na legalidade e efetividade. Para tanto, propõem-se a seguir algumas reflexões sobre a nova atuação dos Tribunais de Contas.

5.1 Eficiência pedagógica

Talvez a missão mais importante para os Tribunais de Contas seja cumprir sua função pedagógica. No atual sistema político administrativo, principalmente nos municípios, as escolhas dos cargos técnicos atribuídos a políticos têm levado à gestão governamental pessoas com pouca experiência e, como consequência, à descontinuidade do serviço público.

Muitas das vezes, essa nova administração, renovada pelo ciclo eleitoral, deixa de observar até mesmo as regras formais elementares, contidas, por exemplo, em licitações (Leis nº 8.666/93 e nº 10.520/2002), na Lei Complementar nº 123/2006, na Lei nº 12.527/2011, em regras contábeis atualizadas, entre outras.

A eficiência pedagógica dos Tribunais de Contas deve ser rápida e constante, principalmente a cada início de mandato, para alertar os administradores e gestores públicos dos seus diversos deveres, em especial, aquele de prestar contas à população e aos Tribunais de Contas.

5.2 Cautelares

Na transposição do poder geral de cautela do Processo Civil para o controle externo, os Tribunais de Contas dispõem de um importante instrumento de preservação de direitos públicos, em especial, os relacionados com as políticas públicas.

---

[34] BOUERI, Rogério; ROCHA, Fabiana; RODOPOULOS, Fabiana. *Avaliação da qualidade do gasto público e mensuração da eficiência*. Brasília: Secretaria do Tesouro Nacional, 2015. p. 270.

Além da importância da teoria da cautelaridade, porque incluem os Tribunais de Contas na vanguarda da aplicação do instituto, é que, ao contrário do Poder Judiciário, o controle externo dispõe de poder *ex officio,* na adoção de medidas de preservação de direitos subjetivos coletivos, relacionadas à aplicação de dinheiro, bens e valores públicos.

Dessa forma, além da jurisdição *ex officio* exercida pelo Tribunal de Contas na utilização dos instrumentos de fiscalização, diversos outros atores podem contribuir para que as medidas cautelares sejam cada vez mais utilizadas, prevenindo a realização de despesas desnecessárias e tornando eficiente a aplicação dos recursos públicos. Evitam danos ao erário, permitem a correção de ações de governo, garantem a efetividade das políticas públicas e o atendimento da população, ao menos em condições mínimas de preservação da dignidade da pessoa humana.

5.3 A atuação concomitante

O controle externo, exercido com foco na legalidade e na efetividade normalmente, tem como objeto esses dois aspectos da atividade administrativa cuja fiscalização ocorre apenas em momento posterior à ação desenvolvida. Essa forma de atuação em nada previne os dispêndios desnecessários, protagonizados pela Administração Pública.

Nesse contexto, insere-se o controle externo concomitante, por meio dos seus diversos instrumentos de fiscalização: auditorias, inspeções, monitoramentos, acompanhamentos e que sejam deflagrados principalmente no momento da realização da execução financeira.

5.4 Gestão de riscos

A infinidade de atos administrativos sujeitos ao controle externo leva à conclusão de que é impossível os Tribunais de Contas estarem onipresentes às ações da Administração Pública, sendo uma leviandade afirmar que teria capacidade de fiscalizar tudo.

Para maximização de sua estrutura física e de pessoal, a adoção da gestão de riscos é primordial para o alcance de um número expressivo de contratações públicas.

O gerenciamento de riscos, proveniente da iniciativa privada, é, sem dúvida, uma das áreas de gestão de projetos mais críticas e complexas. A análise e a possibilidade de diminuição de riscos, num negócio, são essenciais para evitar o desperdício de recursos, inclusive o sofrimento da empresa com as ameaças que, porventura, possam comprometer os objetivos e a eficiência de sua atividade. Para que essa atuação preventiva seja possível, é preciso utilizar ferramentas que auxiliem a identificar, analisar e gerir esses riscos da maneira correta, pois esse gerenciamento está diretamente ligado ao fracasso ou ao sucesso de um projeto, porque demanda muito conhecimento de métodos e processos.

Esses conceitos precisam ser transpostos também para o setor público, em todas as esferas de poderes e também para os órgãos de controle.

Os Tribunais de Contas constituem o maior banco de dados de informações da Administração Pública e a transformação desses dados em conhecimento mensurável é o caminho, para que possa atuar de maneira eficiente, dentro de certos parâmetros de risco administrativo.

As ferramentas de gestão conjuntamente com a análise de riscos auxiliam demasiadamente os tomadores de decisão a melhor avaliarem situações, de modo que a gravidade dos riscos envolvidos possa planificar, para o controle externo, a forma com que os instrumentos de fiscalização poderão atuar, para evitar que o impacto de danos possa afetar pessoas, equipamentos, processos, instalações, via de consequência, as ações que influenciam no fracasso de políticas públicas.

Inúmeros exemplos de relevância na gestão de riscos poderiam ser empregados pelos Tribunais de Contas, como na construção de casas populares, da distribuição de merenda, transporte escolar, aquisição de medicamentos etc.

A implementação dessa ferramenta pelos Tribunais de Contas precisa ser incorporada nas suas fiscalizações, uma vez que seus recursos são finitos diante do volume de recursos a serem fiscalizados.

Portanto, de maneira geral, as diversas ferramentas de gestão de riscos preconizadas pela iniciativa privada podem ser amplamente utilizadas pelos Tribunais de Contas, obviamente com escopo no controle externo, preferencialmente em relação ao controle prévio ou concomitante, de modo que as políticas públicas possam ser contempladas, tanto na sua fase de execução como também no planejamento, a fim de evitar desperdícios e o seu insucesso material.

5.5 Termos de ajustamento de gestão

Conforme se verificou no estudo, as fiscalizações concomitantes produzem relatórios que detectam, no momento da aplicação do recurso, as irregularidades porventura praticadas pelo administrador público.

Algumas dessas situações de anormalidade ou ilegalidade, muitas das vezes, não são possíveis de saneamento instantâneo, demandando orçamento e tempo que a Administração Pública talvez não disponha imediatamente. Para esses casos, em que a regularização da situação perdure por algum período, normalmente mais de três meses, podem os Tribunais de Contas valer-se do chamado Termo de Ajustamento de Gestão (TAG).

Esse instrumento tem origem nos Termos de Ajustamento de Conduta (TAC), do Ministério Público, que, por força do art. 127 da Constituição Federal, tem utilizado largamente o instituto, com uma atuação positiva na defesa da ordem jurídica, dos interesses sociais e individuais indisponíveis.

Nos Tribunais de Contas, em razão do foco das irregularidades envolverem necessariamente a gestão da Administração Pública, o termo de ajustamento de gestão tem sido um meio encontrado para transacionar com o gestor, comprometendo-se a cumprir o acordo firmado, as metas e objetivos formalmente estabelecidos, sob pena de aplicação de sanções, que podem culminar em atos considerados de improbidade administrativa.

Conclusão

Na medida em que o Estado se agiganta nas diversas áreas em que a Constituição Federal impõe a efetividade dos direitos fundamentais, por meio da realização de políticas públicas, os Tribunais de Contas precisam estar atentos às novas tecnologias e ferramentas de controle, dinamizar e sistematizar suas ações, fazendo-se mais presente junto à Administração Pública, como *custos legis* e, principalmente, como *custos iuris*, para ser guardião do direito e do justo na aplicação dos recursos públicos, resguardando a legalidade democrática e a eficiência de políticas públicas que atendam plenamente aos anseios da sociedade.

Muito se avançou nesta última década, de modo que os Tribunais de Contas desenvolvem a expertise de suas fiscalizações, consolidando sua importância como órgão de "poder", que exerce suas funções constitucionalmente estabelecidas.

Portanto, em um novo marco para os Tribunais de Contas e na busca pelo controle da eficiência das políticas públicas, a mudança de paradigma para uma fiscalização concomitante é absolutamente essencial para o reconhecimento e afirmação de sua existência e cumprimento de sua função social para a sociedade e o país.

E nas reflexões do ministro Luís Roberto Barroso, cabe também a sua transposição para os Tribunais de Contas:

> Com as dificuldades previsíveis, temos combatido esses males com consciência crítica em relação ao nepotismo, com empreendedorismo enfrentando o oficialismo e com ações afirmativas procurando superar a desigualdade. Nesse domínio das disfunções institucionais, temos vitórias importantes a celebrar: em uma geração, derrotamos o autoritarismo e o golpismo, superando todos os ciclos do atraso. Nessa matéria, só quem não soube a sombra não reconhece a luz.[35]

É boa hora de um novo esforço de autocompreensão. Uma bússola e um roteiro de viagem: para onde queremos ir, o que precisamos deixar para trás e como devemos percorrer o caminho. Os valores, ideias e projetos que irão constituir o nosso patrimônio comum como nação, independentemente de governos ou ideologias políticas.

O caminhar por um Brasil melhor passa pela atuação de todos os poderes, de todas as instituições, e os Tribunais de Contas não estão alheios aos anseios e necessidades da população e podem contribuir muito para o desenvolvimento do país, pela consolidação de sua importância e pelo reconhecimento de sua atuação pela sociedade.

---

[35] BARROSO, Luís Roberto. *Estado, sociedade e direito*: diagnósticos e propostas para o Brasil. Disponível em: file:///C:/Users/glauc/OneDrive/Documentos/artigos%20Barroso/estado%20sociedade%20e%20direito%20 diagnóstico.pdf. p. 4 e 15. Acesso em: 08 nov. 2019.

Referências

AUSÍN, Gregorio Cuñado. Las relaciones entre el Tribunal de Cuentas y otros órganos constitucionales con especial referencia a las Cortes Generales. *In*: *El Tribunal de Cuentas*: fiscalización y enjuiciamiento: estudios de derecho judicial. n. 83. Madrid: Consejo General del Poder Judicial, 2006.

AZAMBUJA, Darcy. *Introdução à ciência política*. São Paulo: Globo, 2007.

BARCELLAR FILHO, Romeu Felipe. *Tribunal de Contas Evolução e Principais atribuições no Estado Democrático de Direito*. Belo Horizonte: Fórum, 2006.

BARROSO, Luís Roberto. *Curso de direito constitucional contemporâneo*. 3. ed. São Paulo: Saraiva, 2011.

BARROSO, Luís Roberto. *Estado, sociedade e direito: diagnósticos e propostas para o Brasil*. Disponível em: file:///C:/Users/glauc/OneDrive/Documentos/artigos%20Barroso/estado%20sociedade%20e%20direito%20diagnóstico.pdf. Acesso em: 08 nov. 2019.

BONAVIDES, Paulo. *Curso de direito constitucional*. 26. ed. São Paulo: Malheiros, 2011.

BOTTALLO, Eduardo Domingos. Teoria da divisão dos poderes: antecedentes históricos e principais aspectos. *Revista da Faculdade de Direito da Universidade de São Paulo*, v. 102, jan./dez. 2007.

BOUERI, Rogério; ROCHA, Fabiana; RODOPOULOS, Fabiana. *Avaliação da qualidade do gasto público e mensuração da eficiência*. Brasília: Secretaria do Tesouro Nacional, 2015.

FERNANDES, Jorge Ulisses Jacoby. *Tribunais de Contas do Brasil*. Belo Horizonte: Fórum, 2012.

FERREIRA, Pinto. *Comentários à Constituição Brasileira*. São Paulo: Saraiva, 1998.

FOUCAULT, Michel. *Microfísica do poder*. Organização e tradução de Roberto Machado. Rio de Janeiro: Edições Graal, 1979.

FRIEDE, Reis. *Curso de ciência política e teoria geral do Estado*. 3. ed. Rio de Janeiro: Forense Universitária, 2006.

HARARI, Yuval Noah. *Sapiens*: uma breve história da humanidade. Tradução de Janaína Marcoantonio. 34. ed. Porto Alegre: L&PM Editores, 2018.

MACHADO, Roberto. Introdução: por uma genealogia do poder. *In*: FOUCAULT, Michel. *Microfísica do poder*. Organização e tradução de Roberto Machado. Rio de Janeiro: Edições Graal, 1979.

MAGALHÃES, José Luiz Quadros. A teoria da separação de poderes e a divisão das funções autônomas no Estado contemporâneo: o Tribunal de Contas como integrante de um poder autônomo de fiscalização. *Revista do Tribunal de Contas do Estado de Minas Gerais*, v. 71, n. 2, ano XXII, abr./maio/jun. 2009.

MELO, Verônica Vaz de. Tribunal de contas: história, principais características e importância na proteção do patrimônio público brasileiro. *In*: **Âmbito Jurídico**, Rio Grande, XV, n. 98, mar. 2012. Disponível em: http://www.ambito-juridico.com.br/site/index.php?n_link=revista_artigos_leitura&artigo_id=11198. Acesso em: 15 ago. 2016.

MILESKI, Helio Saul. *O controle da gestão pública*. São Paulo: Revista dos Tribunais. 2003.

MONTEBELLO, Marianna. Os tribunais de contas e o controle das finanças públicas. *In*: *Revista do Tribunal de Contas do Estado de Minas Gerais*, v. 31, n. 2.

SILVA, Artur Adolfo Cotias e. *Tribunal de Contas da União na história do Brasil*. Evolução histórica, política e administrativa (1890-1998). *In*: BRASIL. Tribunal de Contas da União. Prêmio Serzedelo Corrêa 1998 – Monografias Vencedoras – 1º lugar. Brasília: TCU, Instituto Serzedello Corrêa, 1999.

TELES FILHO, Eliardo. *O problema do poder na Constituição da República de 1988*. Observatório Constitucional. *In*: https://www.conjur.com.br/2016-jun-11/problema-poder-constituicao-1988. Captura em 20.11.2019.

WEFFORT, Francisco C. (Org.). *Os clássicos da política*: Maquiavel, Hobbes, Locke, Montesquieu, Rousseau, ''o Federalista''. v. 1, 13. ed. São Paulo: Ática, 2006.

ZYMLER, Benjamin; ALMEIDA, Guilherme Henrique De La Rocque. *O controle externo das concessões de serviços públicos e das parcerias público-privadas*. Belo Horizonte: Fórum, 2005.

Informação bibliográfica deste texto, conforme a NBR 6023:2018 da Associação Brasileira de Normas Técnicas (ABNT):

CHADID, Ronaldo. Os Tribunais de Contas no cumprimento de sua função social e o repensar sobre suas competências e sua forma de atuação. *In*: COSTA, Daniel Castro Gomes da; FONSECA, Reynaldo Soares da; BANHOS, Sérgio Silveira; CARVALHO NETO, Tarcisio Vieira de (Coord.). *Democracia, justiça e cidadania:* desafios e perspectivas. Homenagem ao Ministro Luís Roberto Barroso. Belo Horizonte: Fórum, 2020. p. 413-431. t. 2: Pensando as instituições, a justiça e o Direito. ISBN 978-85-450-0749-4.

ASSIMETRIAS REGULATÓRIAS FEREM O PRINCÍPIO DA ISONOMIA? PARÂMETROS E PERSPECTIVAS CONSTITUCIONAIS

JORGE OCTÁVIO LAVOCAT GALVÃO

GABRIEL CAMPOS SOARES DA FONSECA

Introdução

Após a palestra do Ministro Luís Roberto Barroso, na Universidade de Harvard, em 2017, o consagrado professor Mark Tushnet proferiu a seguinte frase: "existem pouquíssimos juristas em que se poderia dizer: 'seria um escândalo, caso ele não tivesse sido nomeado para a Suprema Corte'. Porém, o Ministro Barroso é um deles".[1]

O elogio nada mais é do que a exteriorização de um fato notório, que pode ser bem resumido pelas próprias palavras do homenageado: "Eu estou ministro, mas sou professor".[2] É que, muito antes de ocupar o assento na Suprema Corte, o Ministro Barroso ficou conhecido por outra razão: sua vasta produção acadêmica sobre os grandes temas do Direito Constitucional,[3] sobretudo no tocante ao papel das Cortes Constitucionais na democracia.[4]

No entanto, ao longo de sua carreira, as suas obras não se esgotaram em temas de índole constitucional. Em verdade, foram decisivas na resolução de questões controversas do Direito Público como um todo. Nesse sentido, o presente artigo explora as temáticas da intervenção do Estado na Ordem Econômica e da Regulação estatal: áreas em que o homenageado muito contribuiu para o seu desenvolvimento doutrinário.[5]

---

[1] Tradução livre do original: "There are a very few jurists that you could say that it would be scandalous if he had not been appointed to the Supreme Court, but it is true in the case of Justice Barroso". Disponível em: https://www.youtube.com/watch?v=2wPJqJ7JK–E&t=2432s. Acesso em: 10 dez. 2019.

[2] Disponível em: http://g1.globo.com/politica/blog/matheus–leitao/post/o–impeachment–e–um–momento–de–abalo–politico–diz–luis–roberto–barroso.html. Acesso em: 10 dez. 2019.

[3] A título de exemplo, vide: BARROSO, Luís Roberto. *O Novo Direito Constitucional Brasileiro:* Contribuições para a Construção Teórica e Prática da Jurisdição Constitucional no Brasil. Belo Horizonte: Fórum, 2012.

[4] Por todos, vide: BARROSO, Luís Roberto. A razão sem voto: o Supremo Tribunal Federal e o governo da maioria. *Revista Brasileira de Políticas Públicas*, Brasília, v. 5, número especial, p. 23–50, 2015.

[5] Vide: BARROSO, Luís Roberto. A Ordem Econômica Constitucional e os limites à atuação estatal no controle de preços. *Revista de Direito Administrativo*, Rio de Janeiro, v. 226, p. 187-212, out./dez. 2001; BARROSO, Luís

Este texto possui o objetivo central de explorar a compatibilidade entre (a) o estabelecimento de assimetrias regulatórias e (b) o princípio da isonomia.

Assimetrias regulatórias são uma espécie de modulação regulatória na qual atores privados de um mesmo setor regulado podem estar submetidos a regras diferenciadas, cada qual vivenciando ônus e benefícios diversos decorrentes da regulação estatal.

Como é cediço, em um regime democrático e capitalista, a regra da atuação estatal é o tratamento isonômico de seus administrados, sobretudo quando se tratar de intervenção no legítimo espaço da livre-iniciativa (art. 1º, IV, CRFB/88). Desse modo, a fixação de regras distintas para atores privados, caso não observe as balizas impostas pelo constituinte e pelo legislador ordinário, pode se mostrar como uma medida arbitrária e prejudicial à própria livre concorrência (art. 170, IV, CRFB/88) entre os agentes econômicos de um determinado setor regulado.

Frente a esse cenário, torna-se relevante refletir acerca das balizas constitucionais que autorizam essa "exceção à regra". Para tanto, o artigo está dividido em três partes (em homenagem ao próprio Ministro Barroso).

Na primeira parte do trabalho, destacam-se os entendimentos doutrinários e jurisprudenciais que autorizam, de modo geral, o estabelecimento de diferenciações entre atores formalmente iguais que sejam, no entanto, compatíveis com o princípio da isonomia. Na segunda parte, por sua vez, explora-se o conceito de assimetrias regulatórias, com especial destaque para casos já existentes no âmbito regulatório brasileiro e sua correlação com o princípio da isonomia. Na terceira parte, por fim, investigam-se alguns parâmetros e balizas que a doutrina e a jurisprudência têm imposto para que as assimetrias regulatórias fixadas pelo legislador e/ou pelo regulador não representem medidas arbitrárias, tampouco vulnerem o princípio da isonomia, ao revés, sejam arquitetadas a partir de critérios racionais e de forma justificada.

De forma breve, as perguntas que guiam as partes deste capítulo são respectivamente: (i) qual é o entendimento doutrinário e jurisprudencial sobre o escopo do princípio da isonomia? (ii) o que são assimetrias regulatórias e qual é o relevo para a materialização do princípio da isonomia? e (iii) quais são as balizas que devem ser observadas pelo legislador e/ou regulador ao instaurar assimetrias regulatórias, em respeito ao princípio da isonomia?

1 O princípio da isonomia na Constituição de 1988

Doutrina e jurisprudência

Com o fim da 2ª Guerra Mundial,[6] o paradigma constitucional[7] estabelecido passou a incorporar as marcas de uma sociedade notadamente pluralista.[8] As próprias

---

Roberto. Agências Reguladoras: Constituição, Transformações do Estado e Legitimidade Democrática. *Revista de Direito Administrativo*, Rio de Janeiro, v. 229, p. 285-311, jul./set. 2002.

[6] FONSECA, Gabriel. O Problema da Justiça: Totalitarismo, Direito e a Ascensão das Democracias Constitucionais. *FIDES*, Natal, v. 8, n. 2, jul./dez. 2017.

[7] ACKERMAN, Bruce. The Rise of World Constitutionalism. *Virginia Law Review*, v. 83, 1997.

[8] "A diversidade de doutrinas religiosas, filosóficas e morais existentes em sociedades democráticas modernas não é uma mera condição histórica que logo passará; é um aspecto permanente da cultura pública de uma

Constituições – na linha do já anteriormente observado em Weimar, por exemplo[9] – passaram a prever, em seus textos, um quadro de compromisso deliberadamente pluralista, *e.g.*: consolidando princípios com conteúdo político e moral concorrentes, em não raras vezes.[10]

Esse cenário também reforçou a percepção de que, nas variadas democracias constitucionais ao redor do globo, parece não haver "perspectiva de consenso entre os cidadãos sobre temas de grande relevância para a sociedade".[11] Ao revés, o que se agora observa é uma divergência latente entre indivíduos e grupos acerca de questões centrais para o funcionamento da sociedade. É dizer: a teoria constitucional contemporânea teve de se acostumar com o fato de que "mesmo acreditando na existência de direitos e da justiça, as pessoas discordam apaixonadamente sobre o seu significado e suas implicações nas situações concretas"[12] e na resolução dos conflitos políticos, econômicos e sociais.

Nesse contexto, o princípio da isonomia[13] – e sua correlação com o ideal da justiça – ocupa uma posição central, com fortes desacordos quanto ao seu escopo à sua aplicação nas situações concretas.[14]

Tomemos como exemplo a seguinte questão: como se deveria distribuir as riquezas numa sociedade livre, democrática e justa?

Para alguns, a alocação das riquezas deveria se dar com base em um sistema de meritocracia pura. Nesse, a acumulação de riquezas adviria do esforço e do trabalho de cada um, sem intervenções estatais por exemplo. Eventuais vantagens concedidas pelo Estado a grupos específicos ou certas políticas redistributivas por ele empreendidas representariam verdadeiros privilégios e distorções do princípio da isonomia.

Para outros, o objetivo precípuo a ser alcançado deveria ser o da justiça social, conforme preleciona o art. 170, *caput*, da CRFB/88, por exemplo. Assim, não seria sequer possível falar em sistema de meritocracia caso a dimensão material da igualdade de oportunidades fosse disfuncional ou desequilibrada. Com base nisso, a distribuição de riquezas ao longo do corpo social, sobretudo por meio de intervenções estatais e com enfoque nos mais necessitados, seria efetivamente condizente com o princípio

---

democracia. Nas condições políticas e sociais garantidas pelos direitos e liberdades básicos de instituições livres, pode surgir e perdurar uma grande diversidade de doutrinas abrangentes conflitantes e irreconciliáveis, mas razoáveis, caso já não existissem. É esse fato das sociedades livres que denomino fato do pluralismo razoável". RAWLS, John. *Justiça como equidade*: uma reformulação. São Paulo: Martins Fontes, 2003, p. 47.

[9] BERCOVICI, Gilberto. Constituição e política: uma relação difícil. *Lua Nova*, São Paulo, n. 61, p. 5-24, 2004.

[10] No âmbito da Constituição Econômica, por exemplo, não são raros os casos em que os interesses de defensores do princípio da livre-iniciativa (arts. 1º, IV; e 170, IV) se chocam com previsões de proteção do meio ambiente (arts. 170, VI, e 225) ou com questões trabalhistas (art. 7º). Vide: BERCOVICI, Gilberto. Constituição Econômica e Constituição Dirigente. *In*: BONAVIDES, Paulo; LIMA, Francisco Gérson Marques de; BEDÊ, Fayga Silveira (Coord.) *Constituição e Democracia:* Estudos em homenagem ao Professor J. J. Canotilho, São Paulo: Malheiros, 2006.

[11] GALVÃO, Jorge Octávio Lavocat. *Neoconstitucionalismo e o Fim do Estado de Direito*. São Paulo: Saraiva, 2004, p. 12.

[12] GALVÃO, Jorge Octávio Lavocat. *Neoconstitucionalismo e o Fim do Estado de Direito*. São Paulo: Saraiva, 2004, p. 12.

[13] No presente trabalho, para fins didáticos, as palavras "isonomia" e "igualdade" serão utilizadas como sinônimos.

[14] Vide: "[…] It also rests, however, on different philosophical understandings of the meaning of the 'equality' that the clause is designed to promote, encourage, or ensure. Very roughly, progressives tend to support a 'substantive' understanding of the equality guaranteed by the equal protection clause – which has the effect of requiring or at least permitting affirmative action to rectify the effects of past discrimination in the private sector – while conservatives support a 'formal' or 'legal' interpretation, which arguably has the effect of invalidating such plans". WEST, Robin. Progressive and Conservative Constitutionalism. *Michigan Law Review*, v. 88, p. 641-721, February 1990, p. 647.

da isonomia. O objetivo seria o de amenizar ou de extinguir as desigualdades sociais alarmantes (art. 3º, III, CRFB/88), isto é: reduzir ou acabar com as "severas privações materiais"[15] vividas por certos segmentos da sociedade, a despeito da opulência e do bem-estar de outros.

1.1 O princípio da isonomia na doutrina nacional

Delineadas tais premissas acerca do princípio da isonomia e de seus contornos interpretativos, indaga-se: como a doutrina pátria se posiciona frente aos conflitos que esse princípio, insculpido no art. 5º, *caput*, da CRFB/88, apresenta? Como a isonomia se relaciona com as demais previsões da Constituição Federal?

O artigo 5º, *caput*, da Constituição prevê o princípio da isonomia prescrevendo que "todos são iguais perante a lei, sem distinção de qualquer natureza". Trata-se de pilar do ordenamento jurídico brasileiro e do próprio paradigma do Estado Democrático de Direito. A despeito de sua importância central para o funcionamento político-jurídico da atualidade e de sua presença em textos constitucionais do mundo inteiro,[16] o escopo da isonomia tem ocupado as reflexões de filósofos, políticos e juristas há muito tempo.[17]

Uma das definições mais antigas acerca de seu conteúdo surgiu das lições de filosofia política e de filosofia moral de Aristóteles. Para o autor, o cerne de tal princípio consistiria na seguinte máxima: tratar igualmente os iguais e desigualmente os desiguais. Isso deriva de sua noção de justiça que, de um plano geral e absoluto, seria estabelecida a partir do respeito às leis, e, de um plano particular, estaria relacionada ao respeito à igualdade.

Assim, para além dos aspectos corretivos e recíprocos, a noção distributiva da "justiça particular" incorporaria o seguinte raciocínio: "se as pessoas são iguais, as partes serão iguais, e se as pessoas são desiguais, as partes serão desiguais; o justo consiste em tratar desigualmente fatores desiguais".[18] Essa visão aristotélica, por sinal, ainda é extremamente relevante para o delineamento dos atuais contornos doutrinários e jurisprudenciais acerca de tal princípio, conforme será exposto mais adiante.

Do ponto de vista constitucional, em verdade, pode-se dizer que a visão hodierna acerca da isonomia veda tratamentos diferenciados entre as pessoas na seguinte situação: quando não existe uma razão lógica suficiente – ou seja, apoiada nos ditames da Carta Maior – capaz de justificar a discriminação.

---

[15] "The goal of progressivism is to reduce and eventually to eliminate conditions of severe material deprivation". TUSHNET, Mark. Progressive Constitutionalism: What is "It"? *Ohio State Law Journal*, Columbus, v. 72, n. 6, p. 1073-1082, 2012, p. 1074.

[16] "'Equality regardless of gender' appears in 166 constitutions; 'equality for persons with disabilities' appears in 42 constitutions; 'equality regardless of age' is addressed in 27 constitutions". BAUGHER, Jessie; ELKINS, Zachary; GINSBURG, Tom. Bringing the World's Constitutions to the Classroom. *Social Education*, v. 82, n. 3, p. 128-132, 2018, p. 154.

[17] Conforme leciona o jurista português, Jorge Miranda: "pensar em igualdade é pensar em justiça na linha de análise aristotélica, retomada pela Escolástica e por todas as correntes posteriores, de Hobbes e Rousseau a Marx e Rawls; é redefinir as relações entre pessoas e as normas jurídicas; é indagar da lei e da generalidade da lei". Vide MIRANDA, Jorge. *Manual de Direito Constitucional*. Tomo IV, 2. ed. Coimbra: Coimbra Editora, 1993, p. 201.

[18] TRICOT, J. Éthique à Nicomaque. Nouvelle traduction avec introduction. Paris: Vrin, 1959, p. 227.

No entanto, estando configurada uma situação excepcional ou existindo desníveis sociais, políticos, econômicos ou jurídicos tão relevantes a ponto de alterar a própria igualdade de oportunidades entre as partes, torna-se necessário conferir, a cada uma, o que lhes é de direito à luz dessas excepcionalidades e desses desníveis, tal como já lecionava Aristóteles.

É que, como expõe Hans Kelsen,[19] "a igualdade dos sujeitos na ordenação jurídica, garantida pela Constituição, não significa que estes devem ser tratados de maneira idêntica nas normas e em particular nas leis expedidas com base na Constituição". Para o jurista austríaco, uma igualdade assim compreendida seria simplesmente inconcebível, pois "seria absurdo impor a todos os indivíduos exatamente as mesmas obrigações ou lhes conferir exatamente os mesmos direitos sem fazer distinção alguma entre eles".

Em linhas gerais, trata-se da teoria da desigualdade justificada,[20] adotada por boa parte da doutrina constitucional brasileira.

Manoel Gonçalves Ferreira Filho esclarece bem o ponto. Para o referido professor, o princípio da igualdade/isonomia não proíbe, abstratamente, todas e quaisquer diferenciações de tratamento entre as pessoas. Em verdade, apenas veda aquelas diferenciações que contenham conteúdo ou fins arbitrários.

Dessa maneira, segundo ele, uma visão constitucionalmente adequada acerca do princípio da isonomia comanda que "só se façam distinções com critérios objetivos e racionais adequados ao fim visado pela diferenciação",[21] que, por sua vez, devem possuir lastro nos próprios fins da Constituição. Em suma, o que se demanda é o seguinte: o elemento de discrímen deve estabelecer uma correlação coerente com os fins visados pela própria discriminação, que, igualmente, deve guardar coerência com os valores emanados pelo próprio sistema constitucional.

O raciocínio permeia as linhas subsequentes. A isonomia é signo fundamental de um regime democrático. Nesse regime político, tal qual hoje estabelecido, cidadãos devem ser tratados pelo Estado com igual respeito e consideração, sobretudo dentro do crivo jurídico-legal, sem distinções ou privilégios em razão de pertencerem a uma classe social ou exercerem um cargo específico, por exemplo.[22] No entanto, tal perspectiva observa apenas a faceta formal da igualdade, sem se atentar às realidades históricas, sociais, econômicas e políticas deste país. Daí se observa a relevância da faceta material da igualdade, que, por sua vez, é a efetivamente responsável por transformar tais postulados normativos em realidades fáticas.

O professor Fábio Konder Comparato[23] elucida a questão de forma assertiva: não se pode fechar os olhos para a desigualdade dos homens alegando a incidência e a aplicação do princípio da isonomia, sob pena de vulnerá-lo em sua essência. É que a previsão da isonomia não apaga ou escamoteia as desigualdades sociais de facto que existem entre os cidadãos. Assim, observar tal princípio por um viés meramente formal é conceder-lhe uma natureza aparente e ilusória, transformando-o em letra fria no papel.

---

[19] KELSEN, Hans. *Teoria Pura do Direito*. Trad. Ch. Eisenmann. 2. ed. Paris: 1992, p. 190.
[20] FERREIRA FILHO, Manoel Gonçalves. *Curso de Direito Constitucional*. São Paulo: Saraiva, 2001.
[21] FERREIRA FILHO, Manoel Gonçalves. *Curso de Direito Constitucional*. São Paulo: Saraiva, 2001, p. 277.
[22] SILVA, José Afonso da. *Curso de Direito Constitucional Positivo*. 23. ed. Malheiros: São Paulo, 2004, p. 210.
[23] COMPARATO, Fábio Konder. Igualdade, Desigualdades. *Revista Trimestral de Direito Público*, 1/1993, p. 77-78.

É dizer: mesmo com a abolição dos estamentos, no paradigma liberal, e a consequente submissão de todos ao império da Lei (*rule of law*), não se pode sustentar que ocorreu uma paralela equiparação de fortunas ou de modos de vida, por exemplo.

Luís Roberto Barroso e Aline Osório[24] não só resumem o debate como também o expandem. Para os autores, no plano teórico, a igualdade se expressa em três dimensões. A primeira dimensão é a da igualdade formal: um verdadeiro pilar do Estado de Direito cujo objetivo precípuo é vedar a existência de privilégios e de tratamentos discriminatórios infundados. Ao seu turno, a segunda dimensão é a da igualdade material correspondente às demandas por redistribuição de poder. Já a terceira dimensão é a da igualdade como reconhecimento: um desdobramento da igualdade material, porém que se expressa como um dever de tolerância social e de respeito às diferenças.

Para eles, todas as três concepções estão encampadas pela Constituição de 1988.[25] A igualdade formal vem prevista no art. 5º, *caput*: "todos são iguais perante a lei, sem distinção de qualquer natureza". Já a igualdade material como redistribuição decorre de objetivos da República, tais como "construir uma sociedade livre, justa e solidária" (art. 3º, I) e "erradicar a pobreza e a marginalização e reduzir as desigualdades sociais e regionais" (art. 3º, III). Por fim, a igualdade material como reconhecimento tem seu lastro em outros objetivos fundamentais do país, tais como: "promover o bem de todos, sem preconceitos de origem, raça, sexo, cor, idade e quaisquer outras formas de discriminação" (art. 3º, IV).

Em todas essas concepções doutrinárias acerca do referido princípio, no entanto, é possível perceber a incorporação do "paradoxo da igualdade", exposto pelo alemão Robert Alexy.[26] É que toda igualdade de direito tem por consequência uma desigualdade de fato e toda desigualdade de fato tem como pressuposto uma desigualdade de direito. Dessa forma, a lei – para proteger as diferenças e efetivamente igualar as partes – deve impor um tratamento jurídico desigual.

Em linhas gerais, o entendimento sobre o art. 5º, *caput*, da Constituição é este: o princípio da igualdade não veda, *per se*, que o Poder Público estabeleça tratamentos diferenciados entre indivíduos ou segmentos sociais, ao formular políticas públicas ou aprovar textos legislativos, por exemplo. Todavia, para tanto, é necessário que o Estado apresente uma justificativa lógica e plausível, que seja capaz de sustentar tal diferenciação nos elementos da própria Constituição.

Nessa linha, Celso Antônio Bandeira de Mello estabelece três critérios que devem nortear essa tarefa. Em vista da clareza do trecho, os *standards* estão transcritos:

> Parece-nos que o reconhecimento das diferenciações que não podem ser feitas sem quebra da isonomia se divide em três questões:
> (a) a primeira diz respeito ao elemento tomado como fator de desigualação;

---

[24] BARROSO, Luís Roberto; OSÓRIO, Aline. "Sabe com quem está falando?": Notas sobre o princípio da igualdade no Brasil contemporâneo. *Direito e Práxis*, Rio de Janeiro, v. 7, n. 13, p. 204-232, 2016, p. 207-208.

[25] BARROSO, Luís Roberto; OSÓRIO, Aline. "Sabe com quem está falando?": Notas sobre o princípio da igualdade no Brasil contemporâneo. *Direito e Práxis*, Rio de Janeiro, v. 7, n. 13, p. 204-232, 2016, p. 207-208.

[26] ALEXY, Robert. *Teoría de los derechos fundamentales*. Madrid: Centro de Estudios Políticos y Constitucionales, 2001.

(b) a segunda reporta-se à correlação lógica abstrata existente entre o fator erigido em critério de discrímen e a disparidade estabelecida no tratamento jurídico diversificado;

(c) a terceira atina à consonância desta correlação lógica com os interesses absorvidos no sistema constitucional e destarte juridicizados.[27]

Com base nisso, pode-se dizer que, em ordem de se concluir a compatibilidade de uma norma ou de uma política pública frente ao princípio da isonomia, três passos são centrais:

(i) Em primeiro lugar, perquirir o próprio elemento tomado como fator de diferenciação, podendo aí se incluir no conceito de elemento o próprio grupo elegido para diferenciação. Isto é, ele possui lastro na Constituição? A escolha detém base na história do país ou nos desníveis presentes em sua realidade fática?

(ii) Em segundo lugar, avaliar se o tratamento diverso que foi outorgado é 'justificável'. Por justificável, deve-se ter em mente a existência de uma 'correlação lógica' entre (a) o 'fator de discrímen' e (b) o regramento legal que o consolidou. Ou seja, sob o pretexto de concretizar tal diferenciação, as medidas que a norma estabeleceu são adequadas, necessárias e proporcionais? Há uma congruência lógica entre o fator elegido e a norma?

(iii) Em terceiro lugar, existindo tal correlação lógica, questionar se ela está em conformidade com os valores reconhecidos e os fins manejados pela Constituição.[28]

Dois exemplos, dentro do próprio ordenamento constitucional, podem ilustrar melhor a questão.

O primeiro exemplo é o fator discrímen "gênero". Como regra, a Constituição estabelece que "homens e mulheres são iguais em direitos e obrigações" (art. 5º, I). No entanto, em seu art. 40, §1º, III, a Constituição estabelece que o servidor público homem poderá se aposentar voluntariamente, desde que cumprido tempo mínimo de dez anos de efetivo exercício no serviço público e cinco anos no cargo em que se dará a aposentadoria, com proventos proporcionais ao tempo de contribuição, com sessenta e cinco anos de idade. Já a servidora pública mulher, na mesma situação, poderá se aposentar com sessenta anos de idade.

São estabelecidos, portanto, diferentes critérios para a aposentadoria entre homem e mulher, diferenciando suas obrigações e direitos. No entanto, ela se torna justificável, pois lastreada na comprovação empírica de que mulheres trabalham em dupla jornada pelo fato de serem mães, por exemplo, trabalhando semanalmente 3,1 horas a mais que homens.[29] Ademais, tal justificação se alicerça nos próprios ditames da Constituição, que visa construir uma sociedade justa (art. 3º, I) em que se promova o bem de todos, sem preconceitos de "sexo", ou quaisquer outras formas de discriminação (art. 3º, IV).

O segundo exemplo seria o fator discrímen "idade". Como exposto, o art. 3º, IV, da CRFB/88 preceitua que não se deve promover discriminações em razão de idade,

---

[27] MELLO, Celso Antônio Bandeira de. *Conteúdo jurídico do princípio da igualdade*. 3. ed. São Paulo: Malheiros, 2000, p. 21.

[28] MELLO, Celso Antônio Bandeira de. Princípio da Isonomia: Desequiparações Proibidas e Desequiparações Permitidas, *Revista Trimestral de Direito Público*, n. 1, 1993, p. 81-83.

[29] Disponível em: https://www.valor.com.br/brasil/6227743/dupla–jornada–faz–mulheres–trabalharem–31–horas–mais–que–homens. Acesso em: 07 ago. 2019.

sendo todos livres e iguais independentemente de tal variável. Assim, ao menos em tese, a partir da maioridade, o exercício dos direitos políticos passivos ("ser votado" ou "se candidatar") não deveria possuir qualquer restrição quanto à idade de candidatos.

Ocorre que o art. 14, IV, da CRFB/88 estabelece idade mínima para certos cargos. A justificação se dá a partir de uma presunção razoável de que tais cargos, como o de Presidente da República, demandam o exercício de competências tão complexas – envolvendo a soberania nacional ou desenvolvimento econômico do país, por exemplo – que, ao menos em tese, uma pessoa com maior experiência de vida terá melhores condições para desempenhá-las do que outra mais nova, sem tal vivência. A justificativa encontra lastro em mandamentos da própria Constituição, tais como, novamente, a plenitude da soberania nacional (art. 1º, I) e do desenvolvimento do país (art. 3º, II).

A partir das elucidações da doutrina nacional, três conclusões podem ser extraídas:

(i) A isonomia "veda a hierarquização dos indivíduos e as desequiparações infundadas, mas impõe a neutralização das injustiças históricas, econômicas e sociais, bem como o respeito à diferença";[30]

(ii) Nesse diapasão, a leitura constitucionalmente adequada do art. 5º, *caput*, da CRFB/88 demanda que o intérprete incorpore a máxima aristotélica de tratar igualmente os iguais e desigualmente os desiguais; e

(iii) O exame de compatibilidade de uma norma ou política pública frente ao princípio constitucional da isonomia é tripartite: (a) perquirir o próprio elemento tomado como fator de diferenciação; (b) avaliar a existência de uma 'correlação lógica' entre o 'fator de discrímen' e o regramento legal que o consolidou; e (c) examinar se tal correlação lógica está em consonância com as prescrições do sistema constitucional.

1.2 O princípio da isonomia na jurisprudência nacional

No âmbito do Supremo Tribunal Federal, o entendimento não é distinto.

Desde muito, a jurisprudência da Corte tem enfatizado que a previsão da isonomia não impossibilita eventual tratamento diferenciado a alguma "categoria de sujeitos" ou grupos sociais, profissionais e políticos. Ao revés, para o STF, a realização e a concretização da ideia de isonomia está igualmente imbrincada na máxima aristotélica: "tratar iguais com igualdade e desiguais com desigualdade".[31]

Levando em conta esse entendimento, a Suprema Corte entende que "o Constituinte, ao instituir a isonomia como um princípio de nosso Estado Democrático de Direito, teve como objetivo precípuo o implemento de medidas com o escopo de minorar [...] fatores discriminatórios".

Assim, adotando também a teoria da desigualdade justificada, a jurisprudência do STF vincula o próprio legislador ao fundamento exposto pelo princípio da isonomia:

---

[30] BARROSO, Luís Roberto; OSÓRIO, Aline. "Sabe com quem está falando?": Notas sobre o princípio da igualdade no Brasil contemporâneo. *Direito e Práxis*, Rio de Janeiro, v. 7, n. 13, p. 204-232, 2016, p. 207.
[31] BRASIL, Supremo Tribunal Federal. *RE 154027*, Rel. Min. Carlos Velloso, SEGUNDA TURMA, julgado em 25.11.1997, DJ 20.02.1998.

O reconhecimento de que este princípio não se resume ao tratamento igualitário em toda e qualquer situação se faz impositivo. Dentro deste preceito, há espaço para tratamento diferenciado entre indivíduos diante da particularidade de situações, desde que o critério distintivo seja pautado por uma justificativa lógica, objetiva e razoável.[32]

Segundo o Ministro Eros Grau,[33] a tarefa de concretizar efetivamente o princípio isonômico reclama que, previamente, sejam estabelecidos: de um lado, "quais são os iguais"; de outro, "quais os desiguais", dentro da relação político-social analisada no caso concreto.

Nessa medida, o legislador e o juiz devem identificar "pessoas e situações distintas entre si" para, em seguida, calcular a intensidade da tutela jurídica necessária para cada uma, de acordo com as particularidades encontradas. O intuito, em suma, é "conferir tratamentos normativos diversos a pessoas e a situações que [efetivamente] não sejam iguais".[34]

Observando-se a jurisprudência do STF, percebe-se que o princípio da isonomia "não se resume ao tratamento igualitário em toda e qualquer situação jurídica". Em verdade, faz-se necessário também a "implementação de medidas com o escopo de minorar os fatores discriminatórios existentes", o que, por vezes, impõe um "tratamento desigual em circunstâncias específicas e que militam em prol da [própria] igualdade". Sob esse ângulo, no entanto, a isonomia como desigualação reclama "uma correlação lógica entre o fator de discrímen e a desequiparação procedida". A discriminação, portanto, precisa ser capaz de se justificar à luz dos valores, dos direitos e dos fins tutelados na Constituição Federal, perfazendo uma "adequada correlação valorativa".[35]

Os atos normativos, portanto, podem estabelecer distinções entre indivíduos. No entanto, é expressamente necessário que a discriminação guarde compatibilidade com o conteúdo do princípio da isonomia, rechaçando-se a criação de eventuais privilégios disfarçados. Isto é, a constitucionalidade do desnível conferido pelo ato normativo deverá se alicerçar em motivo plausível e/ou situação de patente desigualdade.

O Superior Tribunal de Justiça apresenta percepção semelhante sobre a incidência do princípio da isonomia, até mesmo em matéria penal. À guisa de exemplo, no julgamento do HC 40.865,[36] o Ministro relator entendeu que o princípio da isonomia seria sinônimo da igualdade real.

Assim, concordou que a leitura do princípio da isonomia, sobretudo nos casos em que houvesse uma incompatibilidade abstrata com outros preceitos constitucionais, deveria vir acompanhada dos princípios da proporcionalidade e da razoabilidade, com o fim de se avaliar a prevalência de bens jurídicos à luz da vontade do constituinte.

---

[32] BRASIL, Supremo Tribunal Federal. *RE 898450*, Rel. Min. Luiz Fux, PLENÁRIO, julgado em 17.08.2016, DJ 31.05.2017.
[33] BRASIL, Supremo Tribunal Federal. *ADI 3305*. Rel. Min. Eros Grau, PLENÁRIO, julgado em 13.09.2006, DJ 24.11.2006, p. 98-110.
[34] BRASIL, Supremo Tribunal Federal. *ADI 3305*. Rel. Min. Eros Grau, PLENÁRIO, julgado em 13.09.2006, DJ 24.11.2006, p. 98-110.
[35] BRASIL, Supremo Tribunal Federal. RG – *RE 640905*. Rel. Min. Luiz Fux, PLENÁRIO, julgado em 15.12.2016, DJe 01.02.2018.
[36] BRASIL, Superior Tribunal de Justiça. *HC 40.865/SP*, Rel. Ministro Arnaldo Esteves Lima, QUINTA TURMA, julgado em 14.06.2005, DJ 22.08.2005, p. 315.

Analisando o caso concreto, o Ministro Relator exemplificou a questão na seara criminal. Em regra, agentes que supostamente cometeram o mesmo crime devem sofrer consequências praticamente idênticas. No entanto, seria um despropósito conferir o mesmo tratamento a um agente que responde a diversas ações penais por fatos semelhantes e a outro réu que estaria envolvido apenas em um episódio isolado.

A leitura constitucionalmente adequada do princípio da isonomia impõe que situações iguais sejam "tratadas igualmente e as desiguais diferentemente", razão pela qual sua leitura não pode vir descolada das especificidades apresentadas no conflito concreto.

Dessa forma, extrai-se da jurisprudência colacionada o que segue:

A isonomia se traduz justamente no tratamento "igual aos iguais e desigual aos desiguais". É possível, portanto, que os atos normativos estabeleçam essas diferenciações, desde que demonstrem a pertinência entre (a) o tratamento diferenciado e (b) a causa jurídica distintiva que o fundamenta.

2 Assimetrias regulatórias

Conceitos e estratégias

No âmbito do Direito Regulatório, a questão das assimetrias regulatórias[37] possui um caráter central quanto à materialização do princípio da isonomia entre os entes privados de um mesmo setor regulado. O raciocínio pode ser resumido nas linhas que seguem.

Como regra, a atividade regulatória do Estado brasileiro estabelece vários ordenamentos setoriais, que criam um arcabouço normativo (subsistema regulatório setorial) em torno das especificidades e das relevâncias daquele setor regulado.[38]

Visando atentar às peculiaridades do setor, esses subsistemas regulatórios oferecem ferramentas normativas (*e.g.* princípios, normas e instrumentos jurídicos) para a resolução das problemáticas e das particularidades do ambiente que visam regular: "diferenciações entre esses ordenamentos setoriais são, pois, quase inerentes à lógica da moderna regulação estatal, pautada em intervenção bastante técnica".[39]

Em larga medida, para se realizar uma regulação técnica e eficiente, portanto, é necessário que o Regulador tenha conhecimento das especificidades das cadeias e das atividades em torno do setor regulado.

---

[37] A base do raciocínio pode ser encontrada em MARQUES NETO, Floriano de Azevedo; ZAGO, Mariana Fontão. Limites das assimetrias regulatórias e contratuais: o caso dos aeroportos. *Revista de Direito Administrativo*, Rio de Janeiro, v. 277, n. 1, p. 175-201, jan./abr. 2018.

[38] "A regulação serve, pois, de elemento de integração entre os sistemas econômico, político e jurídico. E o faz a partir da identificação de subsistemas regulados, entendidos como o conjunto integrado pelos usuários (consumidores), pelo ente regulador, pelos bens e processos que, de forma articulada e inter-relacionada, concorrem para o funcionamento e reprodução de uma dada atividade econômica [...] O exercício da regulação em um dado setor regulado (subsistema) envolve a construção de um arcabouço normativo que compreende princípios, conceitos, interesses e normas conformados às necessidades e peculiaridades setoriais". MARQUES NETO, Floriano de Azevedo. Regulação econômica e suas modulações. *Revista de Direito Público da Economia*, Belo Horizonte, ano 7, n. 28, out./dez. 2009.

[39] MARQUES NETO, Floriano de Azevedo; ZAGO, Mariana Fontão. Limites das assimetrias regulatórias e contratuais: o caso dos aeroportos. *Revista de Direito Administrativo*, Rio de Janeiro, v. 277, n. 1, p. 175-201, jan./abr. 2018, p. 182.

A título de exemplo, na seara teórica da regulação responsiva,[40] esse pressuposto se reveste de maior importância. Isso porque uma premissa central dessa teoria é a de que as respostas regulatórias devem ser sensíveis à estrutura e às variáveis do mercado em questão, rechaçando o estabelecimento de soluções regulatórias universais para todos os setores regulados e para todos os atores privados desses setores. Nesse desiderato, é preciso impor uma espécie de "modulação regulatória" que, no caso da regulação responsiva, será delineada assim: dentre outros fatores, as respostas do Regulador deverão se adequar ao comportamento e às características dos agentes econômicos regulados.

Ocorre que tal processo eventualmente gera as ditas assimetrias regulatórias. Assimetrias regulatórias são "previsões de regras diferenciadas para atores de um mesmo setor ou mesmo de uma mesma cadeia setorial"[41] –, que podem violar o princípio constitucional da isonomia caso não apresentem justificativas razoáveis para a distinção realizada ou não sigam as balizas legais e constitucionais estabelecidas para o setor, por exemplo.

Tendo em vista a clareza irretocável da exposição de Floriano de Azevedo e de Mariana Zago,[42] transcreve-se trecho específico que resume a questão:

> [...] dentro de um mesmo subsistema, podemos encontrar regras com incidências diversas, conforme diferentes características, seja da atividade exercida, seja do sujeito que a exerce. Nesses casos, há uma modulação da regulação estatal, que acolhe os atores de um mesmo setor de forma diferenciada conforme o fator de discrímen especificado pela regulação, ensejando direitos e obrigações específicos. Como consequência, atores de um mesmo setor ou de uma mesma cadeia setorial podem estar sujeitos a regras diferenciadas, cada qual experimentando ônus diversos decorrentes da regulação estatal. Tais distinções são referidas como 'assimetrias regulatórias' – expressão capaz de captar os mais variados tipos e formas de modulação regulatória que pode ser prevista para determinado setor.

Comumente, o debate em torno das assimetrias regulatórias se dá em relação à constatação de situações em que a Constituição autoriza a exploração de uma atividade econômica por meio de regimes jurídicos distintos, cada qual com regras específicas de atuação.[43]

É que, no ordenamento jurídico pátrio, os serviços públicos são prestações e atividades de titularidade estatal em que, para muitos, o "Estado não abre mão de seu acompanhamento, regulação e fiscalização",[44] até mesmo nas hipóteses de delegação à iniciativa privada. Isso, tendo em vista os elevados interesses coletivos envolvidos, bem

---

[40] BRAITHWAITE, John; AYRES, Ian. *Responsive Regulation*: trascending the deregulation debate. Oxford: Oxford University Press, 1992.

[41] MARQUES NETO, Floriano de Azevedo; ZAGO, Mariana Fontão. Limites das assimetrias regulatórias e contratuais: o caso dos aeroportos. *Revista de Direito Administrativo*, Rio de Janeiro, v. 277, n. 1, p. 175-201, jan./abr. 2018, p. 177.

[42] MARQUES NETO, Floriano de Azevedo; ZAGO, Mariana Fontão. Limites das assimetrias regulatórias e contratuais: o caso dos aeroportos. *Revista de Direito Administrativo*, Rio de Janeiro, v. 277, n. 1, p. 175-201, jan./abr. 2018, p. 182.

[43] LYON, Thomas; HUANG, Haizou. Asymmetric Regulation and incentives for innovation. *Industrial and Corporate Change*, v. 4, n. 4, 1995.

[44] ARAGÃO, Alexandre Santos de. *Direito dos Serviços Públicos*. 4. ed. Belo Horizonte: Fórum, 2017, p. 304.

como a responsabilidade do Poder Público em prol da população: no atendimento desses interesses; na garantia da continuidade básica desses serviços; e até na fiscalização da qualidade do serviço prestado.

Ocorre que essa noção, comumente conceituada pela doutrina pelo termo "publicatio",[45] tem cedido espaço para a "flexibilização da titularidade estatal"[46] sobre determinadas atividades, em vista de que, em alguns setores, a concorrência privada tem se mostrado mais eficiente e vantajosa que a manutenção de uma atividade como serviço público exclusivo.

Em face de vantagens comparativas de parcerias com a iniciativa privada, *locus* onde empresas não estatais exploram serviços e atividades econômicas antes sujeitas à exploração exclusiva do Estado, percebe-se a ascensão e coexistência de regimes jurídicos profundamente fragmentados e muito mais complexos do que a noção de *publicatio* pode exprimir.[47]

A Constituição se desenlaçou de um modelo binário, pelo qual se entendia que atividades econômicas englobadas pelo conceito de serviço público ou seriam públicas ou seriam conceituadas como privadas.[48] Atualmente, pelo contrário, o que se observa é a incorporação de um tratamento jurídico especial e maleável: "ora mais severo, ora mais brando, ora com peso maior de normas de direito público, ora com peso maior de normas de direito privado".[49]

Esse modelo de assimetria regulatória – especificamente atinente à constitucionalidade do tratamento assimétrico de diferentes regimes (públicos e privados) para um mesmo serviço – foi referendado pelo STF, na Medida Cautelar da ADI nº 1.668,[50] quanto à prestação do regime de telecomunicações.

No serviço de telefonia comutada, por exemplo, a atividade é prestada no regime de concessão, isto é, como serviço público. Já no serviço de telefonia móvel, a atividade é prestada por meio de autorizações, atividade privada outorgada pelo Poder Público ao particular.[51]

---

[45] *Publicatio* é a noção de titularidade estatal das atividades concernentes a serviços de natureza pública, obrigando a aplicação de um regime jurídico especial. O conceito possui origens na concepção francesa de serviço público, adotada durante muito tempo pela doutrina e pela jurisprudência do país. Sobre o tema, vide MARQUES NETO, Floriano de Azevedo; FREITAS, Rafael Véras. Uber, Whatsapp e Netflix: os novos quadrantes da *publicatio* e da assimetria regulatória. *Revista de Direito Público da Economia*, Belo Horizonte, ano 14, n. 56, p. 75-108, out./dez. 2016.

[46] BINENBOJM, Gustavo. Assimetria Regulatória no Setor de Transporte Coletivo de Passageiros: a constitucionalidade do art. 3º da Lei nº 12.996/2014. *Revista de Direito da Cidade*, Rio de Janeiro, v. 9, n. 3, p. 1274.

[47] BINENBOJM, Gustavo. Assimetria Regulatória no Setor de Transporte Coletivo de Passageiros: a constitucionalidade do art. 3º da Lei nº 12.996/2014. *Revista de Direito da Cidade*, Rio de Janeiro, v. 9, n. 3, p. 1274.

[48] ARAGÃO, Alexandre Santos de. O serviço público e suas crises. *Interesse Público*, Belo Horizonte, ano 9, n. 46, nov./dez. 2007, p. 7; MARQUES NETO, Floriano de Azevedo; GAROFANO, Rafael Roque. Notas sobre o conceito de serviço público e suas configurações na atualidade. *Revista de Direito Público da Economia*, Belo Horizonte, ano 12, n. 46, p. 68, abr./jun. 2014.

[49] BINENBOJM, Gustavo. Assimetria Regulatória no Setor de Transporte Coletivo de Passageiros: a constitucionalidade do art. 3º da Lei nº 12.996/2014. *Revista de Direito da Cidade*, Rio de Janeiro, v. 9, n. 3, p. 1274.

[50] BRASIL, Supremo Tribunal Federal. *ADI 1668*. Rel. Min. Marco Aurélio, PLENÁRIO, julgado em 20.08.1998, DJe 31.08.1998.

[51] Vide CÂMARA, Jacinto Arruda. As autorizações da Lei Geral das Telecomunicações e a Teoria Geral do Direito Administrativo. *RDIT*, Belo Horizonte, ano 2, n. 3, jul./dez. 2007.

Conforme leciona Gustavo Binenbojm,[52] esse modelo assimétrico, todavia, não está adstrito somente ao setor de telecomunicações. No âmbito da energia elétrica, a Lei nº 9.074/1995 estabeleceu um regime de assimetria regulatória "ao promover a quebra da cadeia do setor em geração, transmissão, distribuição e comercialização, passando a admitir regimes distintos de acordo com a particularidade da cadeia de produção de energia elétrica".[53] Já no setor portuário, a Lei nº 12.815/2013 criou regimes de outorga distintos: um em que o Poder Público outorga o serviço, mediante concessão ou arrendamento de bem público (art. 1º, §1º); outro, mediante autorização, em que as empresas são regidas por disposições tipicamente privadas (art. 1º, §2º).

Partindo-se de tal perspectiva teórica, a regulação de serviços públicos, caso se queira fazer eficiente, não pode estar presa à ideia de "uma regulação única, infensa aos contextos sociais, políticos, econômicos e tecnológicos". Ao revés, nesses serviços, "a variável a ser regulada (preço, entrada, quantidade, qualidade e informação)" deverá se adequar à realidade subjacente.[54]

A despeito dessa referência usual ao uso de regimes jurídicos para agentes do mesmo setor, é necessário ir além: ressaltar que o conceito de assimetria regulatória incorpora uma premissa básica de ordem mais genérica. É dizer: a possibilidade de que, mesmo no bojo da exploração de serviços públicos, "graus de incidência regulatória diferenciados"[55] podem ser aplicados aos vários agentes envolvidos naquele mercado.

Assim, essas assimetrias podem se estabelecer em razão de uma variedade de fatores e elementos, para além da hipótese relacionada à incidência de regimes jurídicos distintos, tais como: (i) as especificidades da própria atividade executada; e (ii) as características detidas pelo prestador privado da atividade pública.[56]

3 Assimetrias regulatórias e o princípio da isonomia

Parâmetros para o seu estabelecimento

Se, por um lado, é bem verdade que essas assimetrias se mostram importantes para a concretização de uma regulação técnica, eficiente e responsiva, por outro lado, é igualmente verdade que elas não podem ser impostas de forma ilimitada, sem justificativas razoáveis para tanto.

Caso assim se dê, há o risco de patente afronta (i) ao princípio da isonomia (art. 5º, *caput*, da CRFB/88), tendo em vista o estabelecimento de distinção desarrazoada de atores

---

[52] BINENBOJM, Gustavo. Assimetria Regulatória no Setor de Transporte Coletivo de Passageiros: a constitucionalidade do art. 3º da Lei nº 12.996/2014. *Revista de Direito da Cidade*, Rio de Janeiro, v. 9, n. 3, p. 1277.
[53] BINENBOJM, Gustavo. Assimetria Regulatória no Setor de Transporte Coletivo de Passageiros: a constitucionalidade do art. 3º da Lei nº 12.996/2014. *Revista de Direito da Cidade*, Rio de Janeiro, v. 9, n. 3, p. 1277.
[54] MARQUES NETO, Floriano de Azevedo; FREITAS, Rafael Véras. Uber, Whatsapp e Netflix: os novos quadrantes da *publicatio* e da assimetria regulatória. *Revista de Direito Público da Economia*, Belo Horizonte, ano 14, n. 56, p. 75-108, out./dez. 2016, p. 76.
[55] MARQUES NETO, Floriano de Azevedo. A nova regulação dos serviços públicos. *Revista de Direito Administrativo*, Rio de Janeiro, v. 228, p. 23, 2002.
[56] MARQUES NETO, Floriano de Azevedo; ZAGO, Mariana Fontão. Limites das assimetrias regulatórias e contratuais: o caso dos aeroportos. *Revista de Direito Administrativo*, Rio de Janeiro, v. 277, n. 1, p. 175-201, jan./abr. 2018, p. 183.

e de atividades notavelmente equivalentes; e possivelmente ao próprio (ii) princípio da livre concorrência (art. 170, IV, da CRFB/88), por exemplo, ao se conceder um benefício injustificável a um ator específico, consequentemente dando-lhe posição privilegiada no mercado frente aos seus concorrentes.

Desse modo, questiona-se: o estabelecimento de assimetrias regulatórias *per se* fere o princípio da isonomia?

A resposta é negativa, conforme exposto anteriormente. No entanto, é importante lembrar: trata-se de "exceção à regra" e, portanto, o seu estabelecimento não pode se dar de forma indiscriminada ou ao bel-prazer do legislador/regulador.

Torna-se necessário observar balizas de ordem constitucional e legal, mais especificamente: (i) que o fator de discrímen esteja alicerçado em algum fundamento constitucional; e (ii) que haja correlação lógica e pertinência entre o tratamento regulatório diferenciado e esse fator de discrímen.

É o que se extrai do posicionamento do próprio STF, que, ao apreciar a constitucionalidade do Marco Regulatório da Televisão por Assinatura (Lei nº 12.485/2011), estabeleceu essa baliza. Para o Ministro Luiz Fux, relator do caso:

> [É] juridicamente possível ao legislador ordinário fixar regimes distintos, desde que, em respeito ao princípio geral da igualdade (CRFB, art. 5º, *caput*), revele fundamento constitucional suficiente para a discriminação, bem como demonstre a pertinência entre o tratamento diferenciado e a causa jurídica distintiva.[57]

A lógica é a seguinte. A função reguladora do Estado é uma espécie de intervenção estatal na economia. Como tal, está adstrita a uma série de limitações, como, por exemplo, as impostas pelo art. 37 da CRFB/88, que rege a atuação da Administração Pública; bem como os liames da Constituição Econômica (*e.g.* arts. 170 a 181).[58]

Mais especificamente, entretanto, as políticas regulatórias desenvolvidas e executadas pela Agência Reguladora devem estar em conformidade com (i) o marco setorial e, via de regra, também com (ii) as políticas públicas traçadas para o setor, no âmbito político-governamental.[59]

Em um regime democrático, a regra da atuação estatal é o tratamento isonômico de seus administrados. Porém, como já se demonstrou, isso não significa, invariavelmente, um tratamento uniforme de todos os regulados. Admite-se, pois, o estabelecimento de distinções necessárias para o alcance e a viabilidade de outros valores e direitos.

Nada obstante, para tanto, torna-se imprescindível que se apresente uma fundamentação clara e expressa das razões em torno da diferenciação, pois somente com ela

---

[57] BRASIL, Supremo Tribunal Federal. *ADI 4923*. Rel. Min. Luiz Fux, PLENÁRIO, julgado em 08.11.2017, DJe 05.04.2018.

[58] MARQUES NETO, Floriano Azevedo de. Limites à abrangência e à intensidade da regulação estatal. *Revista de Direito Público da Economia*, Belo Horizonte, n. 1, p. 77, 2003.

[59] Para Floriano, políticas regulatórias são "as opções do ente incumbido da atividade regulatória acerca dos instrumentos de regulação a seu dispor com vistas à consecução das pautas de políticas públicas estabelecidas para o setor regulado. A definição de políticas regulatórias envolve a ponderação a respeito da necessidade e da intensidade da intervenção. Envolve a escolha dos meios e instrumentos que, no âmbito das competências regulatórias, melhor se coadunam para, de forma eficiente, ensejar o atingimento das políticas públicas setoriais". MARQUES NETO, Floriano Azevedo de. *Agências Reguladoras Independentes*. Belo Horizonte: Fórum, 2005, p. 86.

é que se pode auferir a legitimidade e a compatibilidade da distinção frente ao ordenamento constitucional.[60]

No âmbito regulatório, essa justificação se centra em motivos técnicos, econômicos ou protetivos, tais como: o ganho de eficiência no setor; a promoção dos interesses dos usuários; a propagação de maior competitividade setorial; e assim em diante.

No entanto, tais motivações sempre devem vir em conjunto com a análise dos custos societários gerados para as empresas, na matriz de seu risco do negócio. Isso a fim de tentar minimizar o aparecimento de efeitos deletérios e indesejados ao setor, capazes de vulnerar o próprio princípio da livre-iniciativa (art. 170, *caput*).[61]

Portanto, indaga-se: como seria possível estabelecer assimetrias regulatórias de forma compatível com o princípio da isonomia?

De maneira geral, dois caminhos[62] de fundamentação são possíveis.

Em um primeiro plano, a assimetria regulatória pode já estar prevista (e muitas vezes disciplinada) pelo próprio legislador, no marco regulatório do setor. Nesse cenário, o legislador – dentro do exercício de sua legitimidade democrática e respeitando os parâmetros expostos na decisão antes colacionada – já formaliza as escolhas e diretrizes gerais setoriais em meio aos interesses envolvidos. É o caso dos Títulos II e III da Lei Geral de Telecomunicações, que preveem a prestação dos serviços em regime público e privado.

Em um segundo plano, caso ausente a previsão legal expressa quanto a essa possibilidade de distinção, o regulador deve observar três balizas gerais:
   (i) A finalística – em que a distinção deverá ser necessária para viabilizar o alcance de algum dos fins da política pública setorial ou de seu marco regulatório;
   (ii) A de meio – na qual a medida que instaurou a distinção deve ser estritamente necessária para a garantia do fim almejado;
   (iii) A de forma – a distinção deverá ser instaurada pelo regulador, a partir de robusta e transparente fundamentação da medida.

Considerações finais

Nas últimas décadas, o Professor Luís Roberto Barroso desenvolveu com maestria artigos que tratam das agências reguladoras no Direito brasileiro[63] e da aplicação do direito à igualdade.[64] A questão das assimetrias regulatórias encontra-se na intersecção

---

[60] "Governments should generate compelling justifications for establishing different regulatory regimes in view of the potential for such asymmetry to impact the marketplace attractiviness of one service via-à-vis others". FRIEDEN, Rob. Wither convergence: legal, regulatory, and trade opportunism in telecommunications. *Santa Clara Computer & High Tech Law Journal*, v. 18, 2002, p. 202.

[61] WEISMANN, Dennis L. Default capacity tariffs: smoothing the transitional regulatory asymmetries in the telecommunications market. *Yale Law Journal on Regulation*, v. 5, 1998, p. 159.

[62] MARQUES NETO, Floriano de Azevedo; ZAGO, Mariana Fontão. Limites das assimetrias regulatórias e contratuais: o caso dos aeroportos. *Revista de Direito Administrativo*, Rio de Janeiro, v. 277, n. 1, p. 175-201, jan./abr. 2018, p. 186.

[63] BARROSO, Luís Roberto. Agências Reguladoras. Constituição e transformações do Estado e Legitimidade Democrática. *Revista de Direito Administrativo*, Rio de Janeiro, v. 229, p. 285-311, jul./set. 2002.

[64] BARROSO, Luís Roberto; OSÓRIO, Aline. "Sabe com quem está falando?": Notas sobre o princípio da igualdade no Brasil contemporâneo. *Direito e Práxis*, Rio de Janeiro, v. 7, n. 13, p. 204-232, 2016.

dos dois temas. É possível que atores privados, que são regulados pelo poder público, recebam os influxos de regimes jurídicos diferenciados? A questão se torna premente com o desenvolvimento da teoria da regulação responsiva, que impõe exatamente que as instituições devam ser aptas a desenvolver modelagens regulatórias distintas a depender da conduta do regulado. Ao longo do texto tentou-se demonstrar que, uma vez justificada a distinção a partir do escopo da política regulatória e da conduta global do particular no atingimento de tais objetivos, não há que se falar em inconstitucionalidade de normas que buscam incentivar a conduta em conformidade, considerando as características do regulado.

Referências

ACKERMAN, Bruce. The Rise of World Constitutionalism. *Virginia Law Review*, v. 83, 1997.

ALEXY, Robert. *Teoría de los derechos fundamentales*. Madrid: Centro de Estudios Políticos y Constitucionales, 2001.

ARAGÃO, Alexandre Santos de. O serviço público e suas crises. *Interesse Público*, Belo Horizonte, ano 9, n. 46, nov./dez. 2007.

ARAGÃO, Alexandre Santos de. *Direito dos Serviços Públicos*. 4. ed. Belo Horizonte: Fórum, 2017.

BARROSO, Luís Roberto. A Ordem Econômica Constitucional e os limites à atuação estatal no controle de preços. *Revista de Direito Administrativo*, Rio de Janeiro, v. 226, p. 187-212, out./dez. 2001.

BARROSO, Luís Roberto. Agências Reguladoras. Constituição e transformações do Estado e Legitimidade Democrática. *Revista de Direito Administrativo*, Rio de Janeiro, v. 229, p. 285-311, jul./set. 2002.

BARROSO, Luís Roberto. *O Novo Direito Constitucional Brasileiro:* Contribuições para a Construção Teórica e Prática da Jurisdição Constitucional no Brasil. Belo Horizonte: Fórum, 2012.

BARROSO, Luís Roberto. A razão sem voto: o Supremo Tribunal Federal e o governo da maioria. *Revista Brasileira de Políticas Públicas*, Brasília, v. 5, número especial, p. 23-50, 2015.

BARROSO, Luís Roberto; OSÓRIO, Aline. "Sabe com quem está falando?": Notas sobre o princípio da igualdade no Brasil contemporâneo. *Direito e Práxis*, Rio de Janeiro, v. 7, n. 13, p. 204-232, 2016.

BAUGHER, Jessie; ELKINS, Zachary; GINSBURG, Tom. Bringing the World's Constitutions to the Classroom. *Social Education*, v. 82, n. 3, p. 128-132, 2018.

BERCOVICI, Gilberto. Constituição e política: uma relação difícil. *Lua Nova*, São Paulo, n. 61, p. 5-24, 2004.

BERCOVICI, Gilberto. Constituição Econômica e Constituição Dirigente. *In:* BONAVIDES, Paulo; LIMA, Francisco Gérson Marques de; BEDÊ, Fayga Silveira (Coord.). *Constituição e Democracia:* Estudos em homenagem ao Professor J. J. Canotilho. São Paulo: Malheiros, 2006.

BINENBOJM, Gustavo. Assimetria Regulatória no Setor de Transporte Coletivo de Passageiros: a constitucionalidade do art. 3º da Lei nº 12.996/2014. *Revista de Direito da Cidade*, Rio de Janeiro, v. 9, n. 3, 2017.

BRAITHWAITE, John; AYRES, Ian. *Responsive Regulation*: trascending the deregulation debate. Oxford: Oxford University Press, 1992.

BRASIL, Supremo Tribunal Federal. *RE 154027*, Rel. Min. Carlos Velloso, SEGUNDA TURMA, julgado em 25.11.1997, DJ 20.02.1998.

BRASIL, Supremo Tribunal Federal. *ADI 1668*. Rel. Min. Marco Aurélio, PLENÁRIO, julgado em 20.08.1998, DJe 31.08.1998.

BRASIL, Supremo Tribunal Federal. *RE 898450*, Rel. Min. Luiz Fux, PLENÁRIO, julgado em 17.08.2016, DJ 31.05.2017.

BRASIL, Supremo Tribunal Federal. *ADI 3305*. Rel. Min. Eros Grau, PLENÁRIO, julgado em 13.09.2006, DJ 24.11.2006.

BRASIL, Supremo Tribunal Federal. RG - *RE 640905*. Rel. Min. Luiz Fux, PLENÁRIO, julgado em 15.12.2016, DJe 01.02.2018.

BRASIL, Supremo Tribunal Federal. *ADI 4923*. Rel. Min. Luiz Fux, PLENÁRIO, julgado em 08.11.2017, DJe 05.04.2018.

BRASIL, Superior Tribunal de Justiça. *HC 40.865/SP*, Rel. Ministro Arnaldo Esteves Lima, QUINTA TURMA, julgado em 14.06.2005, DJ 22.08.2005.

CÂMARA, Jacinto Arruda. As autorizações da Lei Geral das Telecomunicações e a Teoria Geral do Direito Administrativo. *RDIT*, Belo Horizonte, ano 2, n. 3, jul./dez. 2007.

COMPARATO, Fábio Konder. Igualdade, Desigualdades. *Revista Trimestral de Direito Público*, 1/1993.

FERREIRA FILHO, Manoel Gonçalves. *Curso de Direito Constitucional*. São Paulo: Saraiva, 2001.

FONSECA, Gabriel. O Problema da Justiça: Totalitarismo, Direito e a Ascensão das Democracias Constitucionais. *FIDES*, Natal, v. 8, n. 2, jul./dez. 2017.

FRIEDEN, Rob. Wither convergence: legal, regulatory, and trade opportunism in telecommunications. *Santa Clara Computer & High Tech Law Journal*, v. 18, 2002.

GALVÃO, Jorge Octávio Lavocat. *Neoconstitucionalismo e o Fim do Estado de Direito*. São Paulo: Saraiva, 2004.

KELSEN, Hans. *Teoria Pura do Direito*. Trad. Ch. Eisenmann. 2. ed. Paris: 1992.

LYON, Thomas; HUANG, Haizou. Asymmetric Regulation and incentives for innovation. *Industrial and Corporate Change*, v. 4, n. 4, 1995.

MARQUES NETO, Floriano de Azevedo. A nova regulação dos serviços públicos. *Revista de Direito Administrativo*, Rio de Janeiro, v. 228, 2002.

MARQUES NETO, Floriano Azevedo de. Limites à abrangência e à intensidade da regulação estatal, *Revista de Direito Público da Economia*, Belo Horizonte, n. 1, 2003.

MARQUES NETO, Floriano Azevedo de. *Agências Reguladoras Independentes*. Belo Horizonte: Fórum, 2005.

MARQUES NETO, Floriano de Azevedo; GAROFANO, Rafael Roque. Notas sobre o conceito de serviço público e suas configurações na atualidade. *Revista de Direito Público da Economia*, Belo Horizonte, ano 12, n. 46, abr./jun. 2014.

MARQUES NETO, Floriano de Azevedo; FREITAS, Rafael Véras. Uber, Whatsapp e Netflix: os novos quadrantes da *publicatio* e da assimetria regulatória. *Revista de Direito Público da Economia*, Belo Horizonte, ano 14, n. 56, p. 75-108, out./dez. 2016.

MARQUES NETO, Floriano de Azevedo; ZAGO, Mariana Fontão. Limites das assimetrias regulatórias e contratuais: o caso dos aeroportos. *Revista de Direito Administrativo*, Rio de Janeiro, v. 277, n. 1, p. 175-201, jan./abr. 2018.

MELLO, Celso Antônio Bandeira de. Princípio da Isonomia: Desequiparações Proibidas e Desequiparações Permitidas. *Revista Trimestral de Direito Público*, n. 1, 1993.

MELLO, Celso Antônio Bandeira de. *Conteúdo jurídico do princípio da igualdade*. 3. ed. São Paulo: Malheiros, 2000.

MIRANDA, Jorge. *Manual de Direito Constitucional*. Tomo IV, 2. ed. Coimbra: Coimbra Editora, 1993.

RAWLS, John. *Justiça como equidade*: uma reformulação. São Paulo: Martins Fontes, 2003.

SILVA, José Afonso da. *Curso de Direito Constitucional Positivo*. 23. ed. São Paulo: Malheiros, 2004.

TUSHNET, Mark. Progressive Constitutionalism: What is "It"? *Ohio State Law Journal*, Columbus, v. 72, n. 6, p. 1073-1082, 2012.

WEISMANN, Dennis L. Default capacity tariffs: smoothing the transitional regulatory asymmetries in the telecommunications market. *Yale Law Journal on Regulation*, v. 5, 1998.

WEST, Robin. Progressive and Conservative Constitutionalism. *Michigan Law Review*, v. 88, p. 641-721, February 1990.

Informação bibliográfica deste texto, conforme a NBR 6023:2018 da Associação Brasileira de Normas Técnicas (ABNT):

GALVÃO, Jorge Octávio Lavocat; FONSECA, Gabriel Campos Soares da. Assimetrias regulatórias ferem o princípio da isonomia? Parâmetros e perspectivas constitucionais. *In*: COSTA, Daniel Castro Gomes da; FONSECA, Reynaldo Soares da; BANHOS, Sérgio Silveira; CARVALHO NETO, Tarcisio Vieira de (Coord.). *Democracia, justiça e cidadania:* desafios e perspectivas. Homenagem ao Ministro Luís Roberto Barroso. Belo Horizonte: Fórum, 2020. p. 433-450. t. 2: Pensando as instituições, a justiça e o Direito. ISBN 978-85-450-0749-4.

SOBRE OS COORDENADORES

DANIEL CASTRO GOMES DA COSTA
Advogado. Pós-Doutor em Democracia e Direitos Humanos pelo Centro de Direitos Humanos *Ius Gentium Conimbrigae* da Universidade de Coimbra (Portugal), com período de pesquisa na *Harvard Law School* (Cambridge, EUA). Juiz titular do Tribunal Regional Eleitoral de Mato Grosso do Sul. Diretor da Escola Judiciária do Tribunal Regional Eleitoral de Mato Grosso do Sul. Membro do Conselho Consultivo da Escola Judiciária do Tribunal Superior Eleitoral. Vice-Presidente da Comissão Especial de Direito Eleitoral do Conselho Federal da Ordem dos Advogados do Brasil.

REYNALDO SOARES DA FONSECA
Ministro do Superior Tribunal de Justiça. Pós-Doutor em Democracia e Direitos Humanos pelo Centro de Direitos Humanos *Ius Gentium Conimbrigae* da Universidade de Coimbra (Portugal). Doutor em Direito Constitucional pela Faculdade Autônoma de Direito de São Paulo e Mestre em Direito pela Pontifícia Universidade Católica de São Paulo. Professor da Universidade Federal do Maranhão (UFMA) e de cursos de extensão na Uni*versità degli Studi di Siena* (UniSi-Itália).

SÉRGIO SILVEIRA BANHOS
Ministro do Tribunal Superior Eleitoral. Subprocurador do Distrito Federal. Advogado. Pós-Doutor em Democracia e Direitos Humanos pelo Centro de Direitos Humanos *Ius Gentium Conimbrigae* da Universidade de Coimbra (Portugal). Doutor e Mestre em Direito do Estado pela Pontifícia Universidade Católica de São Paulo (PUC-SP). Mestre em Políticas Públicas pela Universidade de Sussex (Inglaterra). Pós-doutorando em Democracia e Direitos Humanos pelo Centro de Direitos Humanos, no *Ius Gentium Conimbrigae*, da Universidade de Coimbra.

TARCISIO VIEIRA DE CARVALHO NETO
Ministro do Tribunal Superior Eleitoral. Subprocurador do Distrito Federal. Advogado. Pós-Doutor em Democracia e Direitos Humanos pelo Centro de Direitos Humanos *Ius Gentium Conimbrigae* da Universidade de Coimbra (Portugal). Doutor e Mestre em Direito do Estado pela Faculdade de Direito da Universidade de São Paulo (FD/USP). Ex-Diretor da Escola Judiciária Eleitoral do Tribunal Superior Eleitoral. Professor Adjunto da Faculdade de Direito da Universidade de Brasília (FD/UnB).

SOBRE OS AUTORES

ALEXANDRA FUCHS DE ARAÚJO
Mestre em Direito do Estado. Professora da Escola Paulista da Magistratura. Pesquisadora vinculada ao NEPAD. Juíza de Direito em São Paulo. Coordenadora da Célula de Soluções Estratégias do Grupo de Administração Legal (GEAL) do CRASP.

ALEXANDRE AGUIAR BASTOS
Desembargador do Tribunal de Justiça de Mato Grosso do Sul. Especialista em Direito Tributário (IBET) e Constitucional (PUC). Vice-diretor da EJUD/MS. Coordenador do Comitê de Priorização do TJMS. Coordenador do Núcleo de Monitoramento de Perfis de Demandas e Estatística do TJMS (NUMOPEDE). Membro da Academia de Direito Público de Mato Grosso do Sul.

ALEXANDRE JORGE CARNEIRO DA CUNHA FILHO
Doutor e Mestre em Direito de Estado. Professor da Escola Paulista da Magistratura. Pesquisador vinculado ao CEDAU. Juiz de Direito em São Paulo.

ALEXANDRE MAGNO BENITES DE LACERDA
Promotor de Justiça no Ministério Público do Estado de Mato Grosso do Sul. Mestre em Processo Penal e Garantismo pela Universitat de Girona (UdG). Especialista em Direito Penal e Processual Penal pela Universidade Católica Dom Bosco (UCDB). Secretário-Geral da Associação Nacional dos Membros do Ministério Público – CONAMP (2014-2016). Presidente da Associação Sul-Mato-Grossense dos Membros do Ministério Público – ASMMP (2011-2015). Chefe de Gabinete do Procurador-Geral de Justiça/MS e Secretário Executivo do Conselho Nacional de Procuradores-Gerais do Ministério Público dos Estados e da União (CNPG).

ALEXANDRE SANTOS DE ARAGÃO
Professor Titular de Direito Administrativo da Universidade do Estado do Rio de Janeiro (UERJ). Doutor em Direito do Estado pela Universidade de São Paulo (USP). Mestre em Direito Público pela UERJ. Procurador do Estado, Árbitro e Advogado.

ANA LUCIA PRETTO PEREIRA
Assessora de Ministro no Superior Tribunal de Justiça (2019 – presente). Professora de Direito na Universidade Católica de Brasília (2018 – presente). Professora de Direito no Centro Universitário Autônomo do Brasil (2015 – 2018). Mestre e Doutora em Direito Constitucional pela Universidade Federal do Paraná.

ANGELA ISSA HAONAT
Pós-doutora em Direito Público pela Universidade de Santiago de Compostela (USC). Doutora em Direito pela PUC-SP. Professora na Universidade Federal do Tocantins (graduação e pós-graduação *stricto sensu*). Juíza Titular no Tribunal Regional Eleitoral do Tocantins. Advogada.

ANTÔNIO AUGUSTO BRANDÃO DE ARAS
Procurador-Geral da República. Professor da Universidade de Brasília. Mestre em Direito Econômico pela UFBA. Doutor em Direito Constitucional pela PUC-SP.

BENEDITO GONÇALVES
Ministro do Superior Tribunal de Justiça (2008 – presente). Ministro Substituto do Tribunal Superior Eleitoral (2019 – presente). Conselheiro do Conselho da Justiça Federal (2015-2017). Diretor de Pesquisa da Escola da Magistratura Regional Federal da 2ª Região (2003-2005). Desembargador Federal e Juiz Federal do Tribunal Regional Federal da 2ª Região (1988-2008). Bacharel em Direito pela Universidade Federal do Rio de Janeiro. Mestre em Direito pela Universidade Estácio e Especialista em Direito Processual Civil pela Universidade de Brasília.

BRUNO LEONARDO CÂMARA CARRÁ
Doutor em Direito Civil pela USP. Pós-doutorado na Facoltà di Giurisprudenza da Universidade de Bologna. Academic Visitor junto à Faculty of Law da Universidade de Oxford. Juiz Federal.

BRUNO MENESES LORENZETTO
Doutor em Direito pela UFPR na área de Direitos Humanos e Democracia. Mestre em Direito pela UFPR na área do Direito das Relações Sociais. Coordenador do programa de pós-graduação em Direito (Direitos Fundamentais e Democracia) e Professor da graduação do Centro Universitário Autônomo do Brasil (UniBrasil). Professor de Direito da Pontifícia Universidade Católica do Paraná. Visiting Scholar na Columbia Law School, Columbia University, New York. Bolsista pela CAPES durante o Mestrado na UFPR. Desenvolve suas pesquisas na área de Direito Público, com ênfase em Direito Constitucional e Teoria do Direito. E-mail: bruno_lorenzetto@yahoo.com.br

CARLOS MÁRIO DA SILVA VELLOSO
Advogado. Ministro aposentado, ex-presidente do Supremo Tribunal Federal e do Tribunal Superior Eleitoral. Professor emérito da Universidade de Brasília (UnB) e da PUC Minas, em cujas Faculdades de Direito foi professor titular de Direito Constitucional e Teoria Geral do Direito Público.

CARLOS VINÍCIUS ALVES RIBEIRO
Promotor de Justiça. Membro Auxiliar da Presidência do CNMMP. Professor Titular do IDP. Mestre, Doutor em Direito de Estado pela USP. Pós-doutorando em Direito de Estado pela USP.

CAROLINE MARIA VIEIRA LACERDA
Advogada graduada pelo Centro Universitário de Brasília (UniCEUB), especialista em Direito Administrativo e mestranda em Direito Administrativo Contemporâneo pelo Instituto Brasiliense de Direito Público (IDP).

CLÈMERSON MERLIN CLÈVE
Professor Titular de Direito Constitucional da Universidade Federal do Paraná. Doutor em Direito do Estado pela Pontifícia Universidade Católica de São Paulo. Mestre em Direito pela Universidade Federal de Santa Catarina. Professor Titular de Direito Constitucional do Centro Universitário Autônomo do Brasil (UniBrasil). Pós-Graduado em Direito Público pela Université Catholique de Louvain – Bélgica. Professor Visitante do Master Universitario en Derechos Humanos, Interculturalidad y Desarrollo e do Doctorado em Ciencias Jurídicas y Políticas da Universidad Pablo de Olavide, em Sevilha, Espanha. Líder do NINC – Núcleo de Investigações Constitucionais em Teorias da Justiça, Democracia e Intervenção da UFPR. Foi Procurador do Estado do Paraná e Procurador da República. Advogado. E-mail: cleve@uol.com.br

DANIEL DELA COLETA EISAQUI
Mestrando em Direitos Difusos e Coletivos pela Universidade Metodista de Piracicaba (UNIMEP). Bacharel em Direito pela Universidade Metodista de Piracicaba (UNIMEP). Associado ao Instituto Brasileiro de Ciências Criminais (IBCCrim) e ao Instituto Brasileiro de Direito de Família (IBDFam). Advogado.

GABRIEL CAMPOS SOARES DA FONSECA
Assessor de Ministro no Supremo Tribunal Federal (STF). Foi Secretário Parlamentar na Câmara dos Deputados. Mestrando em Direito Econômico, Financeiro e Tributário pela Universidade de São Paulo (USP). Bacharel em Direito pela Universidade de Brasília (UnB). Foi Editor-Chefe da Revista dos Estudantes de Direito da Universidade de Brasília (RED/UnB).

GABRIEL WEDY
Juiz Federal. Professor nos cursos de pós-graduação e de graduação em Direito na Universidade do Vale do Rio dos Sinos (Unisinos) (Capes 6). Pós-Doutor em Direito. Professor Coordenador de Direito Ambiental na Escola Superior da Magistratura Federal (Esmafe-RS). Visiting Scholar pela Columbia Law School (Sabin Center for Climate Change Law). Ex-Presidente da Associação dos Juízes Federais do Brasil (AJUFE) e da Associação dos Juízes Federais do Rio Grande do Sul (AJUFERGS/ESMAFE). Autor, entre outros, do livro Desenvolvimento Sustentável na Era das Mudanças Climáticas: um direito fundamental e de diversos artigos na área do Direito Ambiental publicados no Brasil e no exterior. E-mail: gabrielwedy@unisinos.br. Currículo Lattes: CV: http://lattes.cnpq.br/4878672254938180.

GUSTAVO BINENBOJM
Professor Titular da Faculdade de Direito da Universidade do Estado do Rio de Janeiro (UERJ). Doutor e Mestre em Direito Público pela UERJ. Master of Laws (LL.M.) pela Yale Law School. Procurador do Estado do Rio de Janeiro. Advogado e Consultor.

HUMBERTO EUSTÁQUIO SOARES MARTINS
Bacharel em Direito pela Universidade Federal de Alagoas (UFAL), tendo colado grau em julho de 1979, e Bacharel em Administração de Empresas pelo Centro de Estudos Superiores de Maceió (CESMAC), tendo colado grau em janeiro de 1980. Iniciou as suas atividades jurídicas como Promotor de Justiça no Estado de Alagoas, passando, posteriormente, à advocacia, tendo sido Procurador do Estado de Alagoas. Ocupou a Presidência da OAB – Seccional de Alagoas no triênio 1998-2000, reeleito para o triênio 2001-2003. Em 2002, foi nomeado Desembargador para o Tribunal de Justiça do Estado de Alagoas. Em 14.06.2006 foi nomeado Ministro do Superior Tribunal de Justiça (STJ), tendo ocupado as funções de Ouvidor do STJ, Corregedor-Geral da Justiça Federal, Presidente da Turma Nacional de Uniformização (TNU), Diretor do Centro de Estudos Judiciários do Conselho da Justiça Federal, Diretor-Geral da Escola Nacional de Formação e Aperfeiçoamento de Magistrados Sálvio de Figueiredo Teixeira (ENFAM), Presidente da Primeira Seção e Segunda Turma do STJ, Vice-Presidente do Superior Tribunal de Justiça e do Conselho da Justiça Federal. Atualmente é Corregedor Nacional de Justiça. Além das funções judicantes, na Corregedoria Nacional de Justiça, na Corte Especial e Conselho de Administração do STJ, desenvolve atividades acadêmicas, proferindo palestras e escrevendo artigos, bem como atividades editoriais e de pesquisa como Membro do Conselho de Orientação Jurisprudencial da Revista de Direito Civil Contemporâneo – RDCC, da Thompson Reuters – Revista dos Tribunais; Coordenador da coluna Direito Civil Atual, da revista Consultor Jurídico; e Membro da Rede de Pesquisa de Direito Civil Contemporâneo (USP, Universidade de Lisboa, Universidade de Girona, UFPR, UFSC, UFPE, UFRGS, UFF e UFMT).

ILDEGARD HEVELYN DE OLIVEIRA ALENCAR
Assessora Especial da Presidência do Supremo Tribunal Federal. Mestre em Direito pela Universidade de Brasília.

JORGE OCTÁVIO LAVOCAT GALVÃO
Professor Adjunto da Universidade de Brasília (UnB) e Professor do Instituto Brasiliense de Direito Público (IDP). Procurador do Distrito Federal (PGDF) e Advogado. Bacharel em Direito pela Universidade de Brasília (UnB). Pós-graduado em Direitos Humanos pela London School of Economics and Political Science (LSE). Mestre em Direito pela New York University School of Law (NYU). Doutor em Direito do Estado pela Universidade de São Paulo (USP) e Visiting Researcher – Yale Law School (2012).

JOSÉ ANTONIO DIAS TOFFOLI
Presidente do Supremo Tribunal Federal e do Conselho Nacional de Justiça. Ex-Presidente do Tribunal Superior Eleitoral (2014-2016). Professor colaborador do curso de pós-graduação da Faculdade de Direito da USP. Advogado-Geral da União (2007-2009). Subchefe de Assuntos Jurídicos da Casa Civil da Presidência da República (2003-2005).

KAMILE MOREIRA CASTRO
Especialização em Direito Processual Penal pela UNIFOR. Especialização em Direito e Processo Eleitoral pela ESMEC/PUC Minas. Mestranda em Ciência Política pela Universidade de Lisboa. Mestranda em Direito pela UNINOVE. Juíza e Ouvidora Substituta do TRE/CE. Advogada.

LUIZ FUX
Ministro do Supremo Tribunal Federal. Presidente do Tribunal Superior Eleitoral. Professor Livre-Docente em Processo Civil da Faculdade de Direito da Universidade do Estado do Rio de Janeiro (UERJ). Doutor em Direito Processual Civil pela Universidade do Estado do Rio de Janeiro (UERJ). Membro da Academia Brasileira de Letras Jurídicas. Membro da Academia Brasileira de Filosofia.

MARCELLE RODRIGUES DA COSTA E FARIA
Mestranda em Direitos Humanos pela Universidade Federal de Mato Grosso. Especialista em Direito Ambiental pela Fundação Escola do Ministério Público. Graduada em Direito pela UFMT. Promotora de Justiça Titular em Mato Grosso. Diretora da Confraria do Júri (Associação dos Promotores do Júri do Brasil). Currículo Lattes: http://lattes.cnpq.br/2614038353533990.

MARCUS VINICIUS FURTADO COÊLHO
Advogado e professor, Doutor em Direito pela Universidade de Salamanca em Derecho Procesal, Presidente Nacional da Ordem dos Advogados do Brasil de 2013 a 2016, Presidente da Comissão Nacional de Estudos Constitucionais do Conselho Federal da OAB de 2016 a 2022. Membro da Comissão do Senado Federal responsável pela elaboração do Novo Código de Processo Civil, membro da Academia Brasiliense de Letras e autor de diversos livros, dentre os quais: Reflexões sobre a Constituição (Alumnus, 2003), Eleições Abuso de Poder: Instrumento Processuais Eleitorais (OAB, 2006), Processo civil reformado (Forense, 2008), Inviolabilidade do direito de defesa (Del Rey, 2009), Processo Judicial Eletrônico (OAB, 2014), Simples do Advogado: Histórico da Conquista e Comentários à Lei Complementar nº 147/2014 (OAB, 2014), Garantias Constitucionais e Segurança Jurídica (Fórum, 2015), Jurisdição Constitucional (OAB, 2015), Novo CPC: as conquistas da advocacia (OAB, 2015), Honorários Advocatícios (Juspodivm, 2015), Responsabilidade Fiscal: Análise da Lei Complementar nº 101/2000 (OAB, 2016), O Novo Código

de Processo Civil: breves anotações para a advocacia (OAB, 2016), Precatórios: uma questão de justiça (OAB, 2016), Democracia em construção (OAB, 2016), Direito Eleitoral Processual Eleitoral Penal Eleitoral (Fórum, 2016), Comentários ao Novo Código de Ética dos Advogados (Saraiva, 2016) e A Constituição entre o direito e a política: o futuro das instituições (GZ, 2017).

MAURÍCIO KERTZMAN SZPORER
Desembargador do Tribunal de Justiça do Estado da Bahia (TJ-BA). Especialista pelo INSPER/IBMEC e Leadership Course pelo Rutenberg Institute – Haifa University/ISR.

MAURO LUIZ CAMPBELL MARQUES
Ministro do Superior Tribunal de Justiça. Ministro Substituto do Tribunal Superior Eleitoral. Diretor da Revista do Superior Tribunal de Justiça.

PATRÍCIA CERQUEIRA KERTZMAN SZPORER
Juíza Membro da Corte Eleitoral baiana. Graduada em Direito pela Universidade Federal da Bahia – UFBA (1997). Mestre em Poder Judiciário, pela Fundação Getúlio Vargas – FGV/Rio de Janeiro. Diretora-Adjunta da Escola Nacional da Magistratura – ENM da AMB. Titular da 1ª Vara de Família, Sucessões, Órfãos Interditos e Ausentes de Salvador, da Comarca de Salvador/ BA. Coordenadora da Escola de Magistrados da Bahia. Diretora da Escola Judiciária Eleitoral da Bahia – EJE-BA (biênio 2017-2019).

PATRÍCIA PERRONE CAMPOS MELLO
Professora do programa de mestrado e doutorado do Centro Universitário de Brasília (UniCEUB). Doutora e Mestre pela Universidade do Estado do Rio de Janeiro (UERJ). Visiting Scholar no Max Planck Institute for Comparative Public Law and International Law. Procuradora do Estado do Rio de Janeiro. Assessora do Ministro Luís Roberto Barroso no Supremo Tribunal Federal.

RENATA GIL
Formada pela Universidade Estadual do Rio de Janeiro. Especialista em segurança pública na Universidade Federal Fluminense. Juíza criminal da 40ª Vara Criminal da Comarca da Capital do Estado do Rio de Janeiro. Presidente da Associação dos Magistrados Brasileiros, biênio 2020-2022.

RENEE DO Ó SOUZA
Mestre em Direito pelo Centro Universitário de Brasília (Uniceub). Professor e autor de obras jurídicas. Promotor de Justiça em Mato Grosso. Membro Auxiliar da Unidade de Capacitação do Conselho Nacional do Ministério Público.

RICHARD PAE KIM
Doutor e Mestre em Direito pela USP. Pós-doutor em políticas públicas educacionais pela UNICAMP. Secretário Especial de Programas, Pesquisas e Gestão Estratégica e Juiz Auxiliar da Presidência do Conselho Nacional de Justiça (CNJ). Ex-Juiz Auxiliar e Instrutor de Gabinete do Supremo Tribunal Federal (STF). Professor dos cursos de graduação e de mestrado em Direito da UNIMEP. Juiz de Direito do Tribunal de Justiça do Estado de São Paulo.

ROGERIO SCHIETTI MACHADO CRUZ
Doutor e Mestre em Direito Processual (USP), Ministro do Superior Tribunal de Justiça.

RONALDO CHADID
Conselheiro do Tribunal de Contas e Corregedor-Geral (2019/2020). Pós-doutor em Direito pela Universidade de Lisboa. Doutor em Direito pela FADISP e Mestre em Direito pela Universidade de Franca/SP. Presidente da Academia Sul-mato-grossense de Direito Público.

SEBASTIÃO ALVES DOS REIS JÚNIOR
Ministro do Superior Tribunal de Justiça. Pós-graduado e especialista em Direito Público pela PUC Minas, 2004. Bacharel em Direito pela Universidade de Brasília, 1986.

TARCISIO VIEIRA DE CARVALHO NETO
Ministro do Tribunal Superior Eleitoral. Subprocurador do Distrito Federal. Advogado. Pós-Doutor em Democracia e Direitos Humanos pelo Centro de Direitos Humanos *Ius Gentium Conimbrigae* da Universidade de Coimbra (Portugal). Doutor e Mestre em Direito do Estado pela Faculdade de Direito da Universidade de São Paulo (FD/USP). Ex-Diretor da Escola Judiciária Eleitoral do Tribunal Superior Eleitoral. Professor Adjunto da Faculdade de Direito da Universidade de Brasília (FD/UnB).

VALMIR CHAVES DE OLIVEIRA NETO
Mestrando em Direito pela Universidade Federal da Bahia (UFBA) e pós-graduando em Direito Tributário pela Pontifícia Universidade Católica de Minas Gerais (PUC Minas).